Kelmet il-Malti

Malti - Ingliż
Ingliż - Malti

Maltese - English
English - Maltese

Dizzjunarju • Dictionary

’il fuq minn 70,000 kelma • over 70,000 words

Kelmet il-Malti

Kaptan Pawlu Bugeja

Rivedut minn
Keith Attard

2017

Din l-edizzjoni hija ppubblikata minn
TBWA\ANG, Professional Building, 3rd Floor, Sliema Road, Il-Gżira, GZR 1633 Malta.

L-ewwel edizzjoni 1982
It-tieni edizzjoni 1984
It-tielet edizzjoni 1988
Ir-raba' edizzjoni 1999
Il-ħames edizzjoni 2012
Il-sitt edizzjoni 2013
Is-seba' edizzjoni 2016
It-tmien edizzjoni 2017

Disinn
TBWA\ANG

Stampat
Progress Press

Imqassam minn
Book Distributors Limited (www.bdlbooks.com)

Numru ISBN 978-99957-0-490-2

This edition is published by
TBWA\ANG, Professional Building, 3rd Floor, Sliema Road, Gżira, GZR 1633 Malta.

First edition 1982
Second edition 1984
Third edition 1988
Fourth edition 1999
Fifth edition 2012
Sixth edition 2013
Seventh edition 2016
Eighth edition 2017

Designed by
TBWA\ANG

Printed by
Progress Press

Distributed by
Book Distributors Limited (www.bdlbooks.com)

ISBN Number 978-99957-0-490-2

Introduzzjoni

Grazzi talli xtrajt l-Edizzjoni Riveduta tad-Dizzjunarju *Kelmet il-Malti* u nittamaw li ssibu ta' użu kemm jekk tużah l-iskola, sew jekk id-dar, waqt vaganza jew fuq ix-xogħol.

F'din l-introduzzjoni ssib kif tuża d-dizzjunarju bl-aħjar mod – mhux biss min-numru sostanzjali ta' kelmiet, imma wkoll mill-informazzjoni li tidher ma' kull kelma. Dan jgħinek taqra u tifhem il-Malti modern, tikkomunika u tesprimi ruħek tajjeb b'din il-lingwa.

L-Edizzjoni Riveduta tad-Dizzjunarju *Kelmet il-Malti* tibda b'lista ta' taqsiriet li ntużaw fit-test u bi spjegazzjoni tal-ħsejjes fonetiċi taż-żewġ lingwi. Wara l-verbi bil-Malti ssib taqsima dwar in-numri u oħra dwar il-ħin.

Awwissu 2017

Introduction

We are glad you have bought the Revised Edition of the *Kelmet il-Malti* Dictionary and hope you will enjoy and gain from using it at school, at home, on holiday or at work.

This introduction provides you with tips on how to make the most of your new dictionary – not just from its comprehensive wordlist but also from the information provided in each entry. This will help you read and understand modern Maltese and express yourself well in the spoken language.

The Revised Edition of the *Kelmet il-Malti* Dictionary starts by listing the abbreviations used in the text and illustrates the phonetic sounds of the two languages. Maltese verb tables are followed by a section on numbers and another dealing with time expressions.

August 2017

Kif tuża l-Edizzjoni Riveduta tad-Dizzjunarju *Kelmet il-Malti*

Dan id-dizzjunarju għandu 'l fuq minn 70,000 traduzzjoni ta' kliem rivedut. Id-dizzjunarju fih mijiet ta' frażijiet idjomatiċi użati spiss kemm fil-kitba kif ukoll bil-fomm. Dan jagħmel id-dizzjunarju komplet u effiċjenti.

Fid-dizzjunarju hemm minjiera ta' tagħrif ippreżentat permezz ta' sinjali, abbrevjazzjonijiet u għeliem oħra.

Il-kliem f'ras il-paġna

Il-kliem li tfittex fid-dizzjunarju jinsab f'ordni alfabetiku u jidher b'tipa grassa biex jingħaraf. Iż-żewġ kelmiet li jidhru f'ras il-paġna jindikaw l-ewwel u l-aħħar kelma li tniżżlu f'dik il-paġna.

Informazzjoni addizzjonali

Informazzjoni dwar l-użu jew il-forma ta' ċerti kelmiet tingħata fil-parentesi. Din aktarx tidher f'forma mqassra, eż. (vulg.) jew (fig.).

Is-simbolu '~'

Il-kelmiet misluta mill-kelma prinċipali huma inklużi wara t-tifsira tal-kelma oriġinali u f'dan il-kuntest jintuża s-simbolu '~' li jitpoġġa flok il-kelma prinċipali. Eż. **aċċess** n.m. (pl. ~**i**) inquest; **ħin tal-**~ access time.

Traduzzjonijiet

It-traduzzjonijiet tal-kelma jinstabu eżatt wara l-kelma. Fejn ikun hemm iżjed minn tifsira waħda, dawn it-tifsiriet jinsiltu permezz ta' (;). Ta' spiss ukoll issib kliem ieħor fil-parentesi qabel it-traduzzjoni. Dawn spiss jissuġġerixxu kuntesti oħra fejn il-kelma tkun tista' toqgħod.

Kliem importanti

Hemm kliem li jitqies importanti li jista' jinstema' ta' spiss jew ikollu tifsir differenti. Is-sinjal // jgħinek biex tagħraf id-differenza bejn il-mod

Using your Revised Edition of *Kelmet il-Malti* Dictionary

Your dictionary includes more than 70,000 word translations which have been revised and updated. This dictionary incorporates hundreds of idiomatic phrases frequently used both in the colloquial and written language. This ensures you have at your disposal a completely reliable and efficient dictionary.

This dictionary features information, different typefaces, symbols, abbreviations and brackets. The conventions and symbols used are explained in the following sections.

Headwords

The words you look up in the dictionary - the "headwords" or entries - are listed alphabetically and are printed in bold type for quick identification. The two headwords appearing at the top of each page indicate the first and last word dealt with on the page in question.

Additional information

Information about the usage or form of certain headwords is given in brackets. This appears largely in abbreviated form, eg. (fam.), (comm.) or (fig.).

The symbol '~'

Words stemming from any specific headword are included under the original entry and use is made of the symbol '~' denoting the headword. Eg. **build** binja; ~**ing** bini.

Translations

Headword translations are written immediately following the headword. Where more than one meaning or usage exists, these are separated by a semi-colon (;). You will often find other words in brackets before the translations. These offer suggested contexts in which the headword might appear.

kif l-istess kelma tintuża f'forma jew kuntest partikolari (eż. nom [n.] jew aġġettiv [aġġ.] u mhux f'ieħor). Aktar informazzjoni tingħata fil-parentesi.

Tagħrif Grammatikali

Tingħata wkoll informazzjoni grammatikali tal-kelma (eż. verb, nom, aġġettiv).

Fis-sezzjoni tal-Malti tingħata importanza lill-forma tal-plural tal-kelma partikolari billi hemm imniżżla informazzjoni relevanti fil-parentesi. Ta' min jinnota illi l-konjugazzjoni ~at tista', fil-biċċa l-kbira tal-każi, tiġi mibdula jew imlissna f'~iet.

L-abbrevjazzjoni n.m. tindika li l-kelma partikolari hija nom maskil, waqt li n.f. tindika li l-kelma hija nom femminil. f. tindika l-forma femminili tal-kelma partikolari.

"Key" words

Special status is given to certain key Maltese and English words. These may, for example, occur frequently or might have a wide range of use. A combination of "//" and numbers helps one distinguish different parts of speech and different meanings. Further information is provided in brackets.

Grammatical details

Parts of speech are given in abbreviated form (eg. v., n., adj.).

Genders of nouns are indicated as follows: n.m. and n.f. for a masculine noun and a feminine noun respectively. Irregular plural forms of feminine forms are bracketed.

Abbrevjazzjonijiet

aġġ.	aġġettiv
avv.	avverbju
eċċ.	eċċetra
eż.	eżempju
dim.	dimostrattiv
f.	femminil
fig.	figurattiv
ġen.	ġeneralment
indef.	indefinit
indet.	indeterminat
inf.	informali
inter.	esklamazzjoni
irreg.	irregolari
kard.	kardinali
koll.	kollettiv
kom.	komuni
komp.	komparattiv
konġ.	konġunzjoni
m.	maskil
n.	nom
num.	numru
p.	passat
part.	partiċella
pp.	partiċipju passiv
patt.	partiċipju attiv
peġ.	peġġorattiva
pers.	personali
pl.	plural
poss.	possessiv
pr.	proprju
prep.	prepożizzjoni
pron.	pronom
s.	singular
suf.	suffiss
v.	verb
vulg.	vulgari

Abbreviations

abbr.	abbreviation	lit.	literally
adj.	adjective	liter.	literature
admin.	administration	m.	masculine
adv.	adverb	math	mathematics
agr.	agriculture	med.	medicine
anat.	anatomy	mil.	military matters
astrol.	astrology	mus.	music
aut.	motoring	n.	noun
aux.	auxilliary	naut.	sailing, navigation
aviat.	aviational	num.	numeral noun
biol.	biology	obj.	object
bot.	botany	os.	oneself
brit.	British English	pej.	pejorative
chem.	chemistry	pers.	personal
cine.	cinema	phot.	photography
col.	colloquial	phys.	physics
comm.	commerce, finance, banking	physiol.	physiology
comput.	computers	pl.	plural
conj.	conjunction	pol.	politics
constr.	building	poss.	possesive
culin.	cookery	pp.	past participle
def.	definitive	pref.	prefix
eccl.	ecclesiastical	prep.	preposition
econ.	economics	pron.	pronoun
elec.	electricity	psych.	psychology, psychiatry
eg.	example	pt.	past tense
etc.	eccetera	rail.	railways
esp.	especially	rel.	religion
excl.	exclamation	sb.	somebody
f.	feminine	sch.	schooling
fam.	colloquial expression (particularly offensive)	sg.	singular
		sth.	something
fig.	figurative use	subj.	subject
fin.	finance	superl.	superlative
fus.	phrasal verb	tech.	technology
gen.	generally	tel.	telecommunications
geog.	geography	theat.	theatre
geom.	geometry	typ.	typography
gramm.	grammatically	tv.	television
hist.	history	univ.	university
impers.	impersonal	US.	American English
indef.	indefinte	v.	verb
inf.	colloquial usage (particularly offensive)	vi.	intransitive verb
		vr.	reflexive verb
infin.	infinitive	vt.	transitive verb
inform.	computers	vulg.	vulgar
inv.	invariable	zool.	zoology
irreg.	irregular	®	registered trademark
ling.	linguistics		

L-alfabett Ingliż

Fl-alfabett Ingliż hemm 26 ittra, ħamsa minnhom huma vokali (a, e, i, o, u), waqt li l-21 ittra l-oħra huma konsonanti, jiġifieri b, c, d, f, g, h, j, k, l, m, n, p, q, r, s, t, v, w, x, y, z.

Xi ħsejjes vokaliċi tal-Ingliż:

a	=	*calm* = ħoss ta' **a** twila bil-ħalq miftuħ sewwa
		man, hat = ħoss bejn l-**e** u l-**a** miftuħa
		ago, above = ħoss ta' **e** kemxejn maħtuf
		cake, mane = ħoss ta' **ej**, eż. imxejt
e	=	*get* = ħoss bħall-**e** tal-Malti, eż. sett
i	=	*city* = ħoss ta' **i** qasira, eż. ġibs
		time, kite = ħoss ta' **aj**, eż. ħajt
o	=	*pot* = ħoss ta' **o** qasira, eż. frott
		hole, pole = ħoss ta' **ow**, eż. kowt
u	=	*cup, bun* = ħoss simili għall-**a** tal-Malti, eż. dar
		cute, tune = ħoss ta' **ju**, eż. kju
aw	=	*saw, straw* = ħoss ta' **o** twila, eż. sod
ew/ue	=	*crew, flew, blue* = ħoss ta' **u** twila, eż. blu
ea/ee	=	*heat, teen* = ħoss ta' **i** twila b'kisra fit-tarf, eż. ħin
oa	=	*boat, bone* = ħoss ta' **ow**, eż. mowħajl
oo	=	*book, hook* = ħoss ta' **u** qasira, eż. dun

Xi ħsejjes konsonantali tal-Ingliż:

th	=	*three, tooth* = ħoss li jitlissen bl-ilsien ma' tarf is-snien u mniffes, jiġifieri mingħajr l-użu tal-kordi vokali
		those, that = ħoss li jitlissen bl-ilsien ma' tarf is-snien u mleħħen, jiġifieri bl-użu tal-kordi vokali

Biex tkun taf jekk ħoss hux imleħħen jew imniffes, poġġi subgħak ma' gerżumtek u jekk tħoss il-vibrazzjoni tkun qed tlissen ħoss imleħħen. Jekk le, il-ħoss ikun imniffes. Ipprova l-ewwel bil-ħoss imniffes **p** u l-ħoss korrispondenti mleħħen **b**.

Maltese Pronunciation

The following notes on the Maltese alphabet and the approximate pronunciation of the letters may be of help to English readers who make use of this Dictionary.

There are 30 letters in the Maltese alphabet – 6 vowels (a, e, i, ie, o, u) and 24 consonants (b, ċ, d, f, ġ, g, għ, h, ħ, j, k, l, m, n, p, q, r, s, t, v, w, x, ż, z)

Consonants

b like b in bell
ċ like ch in church, when final it usually takes the sound of tch as in fetch
d like d in day
f like f in fell
ġ has a soft sound similar to g in gem
g is hard like g in get
għ see note on page xi
h is silent as in hour but when final it takes a soft aspirate sound as in who
ħ like h in hand
j like y in yellow
k like k in keep

l like l in late
m like m in male
n like n in nose
p like p in pot
q see note on page xi
r like r in rain
s like s in see
t like t in tell
v like v in vessel
w like w in well
x like sh in shape
ż like z in zebra or freeze
z has two different sounds: a */dz/* sound like the z in zorro or a */ts/* sound like ts in nuts

Vowels

The Maltese language has six vowels (a, e, i, o, u, ie). The first five vowels can be short or long, while the "ie" occurs only as a long vowel. As a rule they are short when followed by more than one consonant and long when followed by one consonant and carry the main stress or is dependent on the position of the vowel in the word.

a is short like u in nut as in xatt (shore) but has a long sound like a in ras (head), or when it is the final a in words of one syllable like ma (mother). In words of two or more syllables like mara (woman), the final a is short and approximates the sound of er in paper.

e is short like e in fell in words like self (loan) and long in words like hena (happiness). It has an open sound like ay in day when it is followed by j as in bejt (terrace) or by a silent h as in dehen (intellect).

i is short like i in till in such words as bint (daughter) or żfint (I danced), but long when (1) it is followed by a j, like in tarbija (baby) and mija (hundred), or (2) when the vowel is given force or stress, and normally one can hear an immaginative j after the i, like in lira (a pound sterling), min (who) and ħin (time).

ie (regarded as a single letter) occurs only as a long vowel, phonetically similar to ee in beer in words like bniedem (man). This vowel always carries the main stress, but when a suffix is added to the word, the stress generally moves to the next syllable.

o has a short sound similar to o in pot in words like fomm (mouth), and a long sound like aw in saw in words like kok (cook).

u has a short sound like u in pull when followed by two consonants in kull (every), but a long sound like oo in spoon when (1) it is the only or last vowel preceding the 'q' or 'ħ' sounds eg. ġuħ (hunger) and duq (taste), or (2) it is the middle vowel in a word of one syllable - like ful (beans). Here, one can also find some exceptions as in Dun Pawl.

Notes on Alphabet

Għ is regarded as a single letter in Maltese and it may pronounced or silent. When a word starts with an għ, the għ is silent as in għażel (to choose), when the għ is followed by an h, the għ is pronounced as a strong ħ, as in tagħha (her) and magħha (with). When it is the final letter, għ is pronounced as ħ in certain words like żagħżugħ (a young man) and dagħdagħ (to rage).

When għ comes before the vowel i it takes the sound of ay or eye as in day like in għira (jealousy), and when followed by the vowel u it takes the sound of ou as in soul or sound like bgħula (mules).

When għ is preceded and followed by one of the vowels a, e, o inside a word, the vowel sound is lengthened phonetically as in ragħad (thunder), xegħel (he lit) and logħob (games).

Q is perhaps the most difficult letter to pronounce in Maltese and it has no equivalent in the English language.

Models of Maltese verbs

Triliteral verbs having għ as the initial consonant

model: rabat		għamel	
imperfett	perfett	imperfett	perfett
norbot	rbatt	nagħmel	għamilt
torbot	rbatt	tagħmel	għamilt
jorbot	rabat	jagħmel	għamel
torbot	rabtet	tagħmel	għamlet
norbtu	rbatna	nagħmlu	għamilna
torbtu	rbattu	tagħmlu	għamiltu
jorbtu	rabtu	jagħmlu	għamlu

N.B. The underlined vowel is a euphonic vowel.

Triliteral verbs having għ as the middle consonant

model: marad		lagħab	
imperfett	perfett	imperfett	perfett
nimrad	mradt	nilgħab	lgħabt
timrad	mradt	tilgħab	lgħabt
jimrad	marad	jilgħab	lagħab
timrad	mardet	tilgħab	lagħbet
nimirdu	mradna	nilagħbu	lgħabna
timirdu	mradtu	tilagħbu	lgħabtu
jimirdu	mardu	jilagħbu	lagħbu

Triliteral verbs having għ as the final consonant

model: kiser		żebagħ	
imperfett	perfett	imperfett	perfett
nikser	ksirt	niżbogħ	żbagħt / żbajt
tikser	ksirt	tiżbogħ	żbagħt / żbajt
jikser	kiser	jiżbogħ	żebagħ / żeba'
tikser	kisret	tiżbogħ	żebgħet
niksru	ksirna	niżbgħu	żbagħna / żbajna
tiksru	ksirtu	tiżbgħu	żbagħtu / żbajtu
jiksru	kisru	jiżbgħu	żebgħu

N.B. The underlined j stands for għ.

Other verbs

1. miet

imperfett	perfett
mmut	mitt
tmut	mitt
jmut	miet
tmut	mietet
mmutu	mitna
tmutu	mittu
jmutu	mietu

2. ġarr

imperfett	perfett
nġorr	ġarrejt
ġġorr	ġarrejt
jġorr	ġarr
ġġorr	ġarret
nġorru	ġarrejna
ġġorru	ġarrejtu
jġorru	ġarrew

3. bierek

imperfett	perfett
nbierek	berikt
tbierek	berikt
jbierek	bierek
tbierek	bierket
nbierku	berikna
tbierku	beriktu
jbierku	bierku

4. qal

imperfett	perfett
ngħid	għidt
tgħid	għidt
jgħid	qal
tgħid	qalet
ngħidu	għidna
tgħidu	għidtu
jgħidu	qalu

5. sema'

imperfett	perfett
nisma'	smajt
tisma'	smajt
jisma'	sema'
tisma'	semgħet
nisimgħu	smajna
tisimgħu	smajtu
jisimgħu	semgħu

quadriliteral verbs (with four consonants)

6. ferfer

imperfett	perfett
nferfer	ferfirt
tferfer	ferfirt
jferfer	ferfer
tferfer	ferfret
nferfru	ferfirna
tferfru	ferfirtu
jferfru	ferfru

In-Numri Kardinali	num.	**The Cardinal Numbers**	num.
wieħed, waħda	1	one	1
tnejn	2	two	2
tlieta	3	three	3
erbgħa	4	four	4
ħamsa	5	five	5
sitta	6	six	6
sebgħa	7	seven	7
tmienja	8	eight	8
disgħa	9	nine	9
għaxra	10	ten	10
ħdax	11	eleven	11
tnax	12	twelve	12
tlettax	13	thirteen	13
erbatax	14	fourteen	14
ħmistax	15	fifteen	15
sittax	16	sixteen	16
sbatax	17	seventeen	17
tmintax	18	eighteen	18
dsatax	19	nineteen	19
għoxrin	20	twenty	20
wieħed u għoxrin	21	twenty-one	21
tnejn u għoxrin	22	twenty-two	22
tletin	30	thirty	30
wieħed u tletin	31	thirty-one	31
tnejn u tletin	32	thirty-two	32
erbgħin	40	forty	40
ħamsin	50	fifty	50
sittin	60	sixty	60
sebgħin	70	seventy	70
tmenin	80	eighty	80
disgħin	90	ninety	90
mija	100	a hundred, one hundred	100
mija u wieħed	101	a hundred and one	101
mitejn	200	two hundred	200
mitejn u wieħed	201	two hundred and one	201
tliet mija	300	three hundred	300
erba' mija	400	four hundred	400
ħames mija	500	five hundred	500
sitt mija	600	six hundred	600
seba' mija	700	seven hundred	700
tmien mija	800	eight hundred	800
disa' mija	900	nine hundred	900
elf	1,000	a thousand	1,000
elf u tnejn	1,002	a thousand and two	1,002
ħamest elef	5,000	five thousand	5,000
miljun	1,000,000	a million	1,000,000

In-Numri Ordinali

l-ewwel
it-tieni
it-tielet
ir-raba'
il-ħames
is-sitt
is-seba'
it-tmien
id-disa'
l-għaxar
il-ħdax
it-tnax
it-tlettax
l-għoxrin
il-wieħed u għoxrin
it-tletin
il-mitt (wieħed/waħda)
il-mija u wieħed/waħda
l-elf (wieħed/waħda)

Ordinal Numbers

first
second
third
fourth
fifth
sixth
seventh
eighth
ninth
tenth
eleventh
twelfth
thirteenth
twentieth
twenty-first
thirtieth
hundredth
hundred-and-first
thousandth

Frazzjonijiet

nofs
terz
kwart
kwint
żero punt ħamsa
għaxra fil-mija

Fractions

a half
a third
a quarter
a fifth
(nought) point five
ten per cent

Il-ħin

X'hin hu?

nofsillejl
is-siegħa ta' filgħodu
is-siegħa u ħamsa
is-siegħa u għaxra
is-siegħa u kwart/ħmistax-il minuta
is-siegħa u għoxrin (minuta)
is-siegħa u nofs
is-sagħtejn neqsin għoxrin
is-sagħtejn neqsin kwart/ħmistax-il minuta
is-sagħtejn neqsin għaxar minuti
nofsinhar
is-siegħa ta' waranofsinhar
is-sebgħa ta' filgħaxija

The Time

What time is it?

midnight, twelve p.m.
one o'clock in the morning, one a.m.
five past one
ten past one
a quarter past one, one fifteen
twenty past one, one twenty
half-past one, one thirty
twenty to two
a quarter to two, one forty-five
ten to two, one fifty
twelve o'clock, midday, noon
one o'clock (in the afternoon), one (p.m.)
seven o'clock (in the evening), seven (p.m.)

Fi x'ħin?

f'nofsillejl
fis-sebgħa
f'għoxrin minuta
kwarta ilu

At what time?

at midnight
at seven o'clock
in twenty minutes
fifteen minutes ago

L-awturi

Kelmet il-Malti kien ippubblikat għall-ewwel darba mill-Kaptan Pawlu Bugeja fl-1982. Kien rivedut għal Grima Printing & Publishing Industries minn Owen Bonnici u Norbert Bugeja fl-1999.

Il-Kaptan Pawlu Bugeja twieled tas-Sliema fis-sbatax ta' Jannar 1913, u daħal fid-Dipartiment tal-Edukazzjoni bħala għalliem fl-1931. Huwa daħal fil-British Arms Intelligence Corps u aktar tard intbagħat l-Indja fejn organizza klassijiet għat-tagħlim tal-Ingliż fil-kampijiet tal-priġunieri tal-gwerra. Bl-użu ta' sistema bl-assistenti ddelegati minnu, huwa għallem l-Ingliż lil eluf ta' priġunieri Taljani u Ġappuniżi. Il-Kaptan Bugeja żar ħafna postijiet fis-subkontinent u ta diversi lekċers fuq għadd ta' suġġetti, kemm lill-membri tal-armata, kif ukoll lil għaqdiet mhux militari. Fl-1946 huwa ġie lura Malta biex jorganizza l-Edukazzjoni Adulta fid-Dipartiment tal-Edukazzjoni, fi żmien meta ħafna ma kinux jafu jaqraw u jiktbu. Il-Kaptan Pawlu Bugeja kien xandar magħruf u kien l-awtur ta' ħafna kotba bil-Malti, bl-Ingliż u bit-Taljan li minnhom biegħ 80,000 kopja. Bħala organizzatur tal-Edukazzjoni Adulta, huwa attenda għal diversi laqgħat li saru fi Franza u l-Olanda tal-Committee for Out-of-School Education tal-Kunsill tal-Ewropa. Il-kitba tiegħu 'Adult Education in Malta' kienet ippubblikata mill-Kunsill tal-Ewropa fi Strasbourg waqt is-sitt sessjoni ta' dan l-istess kumitat fl-1967. Il-Kaptan Pawlu Bugeja miet fl-erbatax ta' Awwissu tal-1993.

Owen Bonnici twieled iż-Żejtun u studja l-liġi fl-Università ta' Malta. Huwa għandu ġibda kbira lejn il-letteratura, sew barranija u sew Maltija.

Norbert Bugeja twieled is-Siġġiewi. Għandu għal qalbu l-letteratura u studja l-Malti u l-Ingliż fl-Università ta' Malta.

The authors

Kelmet il-Malti was first published by Captain Paul Bugeja in 1982. It was updated for Grima Printing & Publishing Industries by Owen Bonnici and Norbert Bugeja in 1999.

Captain Paul Bugeja was born in Sliema on the 17th of January 1913 and joined the Education Department as a teacher in 1931. He was commissioned in the British Arms Intelligence Corps and was sent to India where he organized classes for the teaching of English in Prisoner-of-War camps. Using a system of "delegated instruction," he taught English to thousands of Italian and Japanese prisoners. Capt. Bugeja travelled extensively around the sub-continent and lectured on a wide variety of subjects both to Army personnel, as well as, to non-military organizations. In 1946 he came back to Malta and was appointed Organizer of Adult Education at the Department of Education to head the campaign for the eradication of illiteracy. Capt. Bugeja was a well-known educational broadcaster and is the author of several text-books in Maltese, English and Italian of which more than 80,000 copies have been sold. As Organizer of Adult Education, he attended various sessions of the "Committee for Out-Of-School Education" of the Council of Europe both in France and in the Netherlands. His paper Adult Education in Malta was published by the Council of Europe in Strasbourg during the 6th session of this Committee in 1967. Capt. Paul Bugeja died on the 14th of August, 1993.

Owen Bonnici was born in Żejtun. He has studied law at the University of Malta. Bonnici is highly interested in both foreign and Maltese literature.

Norbert Bugeja was born in Siġġiewi. Literature holds a special place in his heart. Bugeja had studied Maltese and English at the University of Malta.

Ringrazzjamenti

Aħna u nirrivedu d-dizzjunarju, l-għan tagħna kien li nipproduċu dizzjunarju ta' livell Ewropew, sempliċi u utli. Bażikament, dan baqa' l-istess Dizzjunarju li kiteb il-Kaptan Bugeja. Nisperaw li sibna t-triq tan-nofs bejn id-Dizzjunarju Collins u dizzjunarji Maltin diġà eżistenti.

Fix-xogħol ta' reviżjoni, użajna ħafna n-1998 Collins GEM Spanish Dictionary ta' Mike Gonzales u l-Collins GEM German Dictionary, b'tali mod li bnejna l-kliem u l-format tal-ktieb fuqhom. Is-sezzjoni Ingliż - Malti ta' *Kelmet il-Malti* tal-1988 kienet ukoll siewja, kif kien ukoll id-dizzjunarju ta' Dun Karm Psaila - Ġużè Diacono.

Ir-reviżjoni tas-sezzjoni Malti - Ingliż kienet inqas diffiċli grazzi għal-livell għoli milħuq minn Patri Ludovik Schembri fil-ktieb tiegħu *Damma ta' Kliem*. Schembri tejjeb ix-xogħlijiet li kienu saru qablu minn V. Busuttil u oħrajn. B'hekk użajna numru mhux ħażin ta' idjomi popolari fl-użu modern tagħhom bbażat fuq ix-xogħol ta' Carmelo Fenech.

Mil-lat strutturali mxejna fuq il-Collins GEM Dictionary. Inkludejna numru sabiħ ta' kliem modern u anke akronimi bħal UE, VAT u NATO. Imbagħad komplejna billi żidna informazzjoni fil-parentesi qabel it-traduzzjoni fejn hemm aktar minn tifsira waħda għall-kelma użata. Ippruvajna nwarrbu kull problema fil-formazzjoni tal-forma plurali tal-kelma billi daħħalna l-għelm (|) meta r-ras tal-kelma tibqa' l-istess kemm fis-singular u kemm fil-plural. Ta' min itenni illi f'bosta każi l-forma plurali ~iet tista' tintuża minflok il-forma plurali ~at u hija tendenza li l-ewwel forma tintuża iktar. Warrabna wkoll kliem li m'għadux jintuża u tejjibna t-tifsir ta' xi kliem li nbidel matul iż-żmien.

Fl-aħħar, iżda żgur mhux l-inqas, grazzi sinċiera lil Keith Attard li ħa ħsieb il-qari tal-provi u r-reviżjonijiet ta' din l-edizzjoni tal-2017.

Il-Pubblikaturi

Acknowledgements

In updating this dictionary our goal was to produce a dictionary of a contemporary European standard, simple and handy. This essentially remains the Captain Bugeja dictionary. It is a cross between the Collins GEM and Maltese dictionaries.

We have made liberal use of the 1998 Collins GEM Spanish Dictionary by Mike Gonzales and the Collins GEM German Dictionary, on which we modelled our entries and format. The English-Maltese section of the previous *Kelmet il-Malti* proved basic to our work and here again we were guided by the dictionary of Dun Karm Psaila – Joseph Diacono.

Rebuilding the Maltese-English section proved less difficult thanks to the outstanding works of Fr Ludovic Schembri author of *Damma ta' Kliem*. Schembri improved to a great extent the works of authors like V. Busuttil and others. We have therefore included a comprehensive number of popular idioms based on the work of Carmelo Fenech, adapted in their modern usage.

In developing a structure, our guideline was the Collins GEM dictionary. We have included a large amount of modern words with acronyms like EU, VAT and NATO. We included italicised words in brackets before the translations where more than one meaning or usage of the headword is possible. We tried to smooth out any difficulties in plural formation of words by entering symbol (|) when the stem of the headword is to be retained both in the singular and plural form. In most cases the plural form ~at is more often a synonym for ~iet and can be used interchangeably, although in the spoken language the second form is more frequent. We have eliminated obsolete words and have revised some words whose spelling has been significantly altered in the course of time.

Last but not least we are grateful to Keith Attard for proof-reading and revising the 2017 edition.

The Publishers

MALTI - INGLIŻ

MALTESE - ENGLISH

A a

a first letter of the alphabet and first of the vowels; **ma jagħrafx ~ minn b** an ignorant person; **mill-~ saż-żeta** from a to z
A1 aġġ. A1, excellent
abbak|u n.m. (pl. ~**i**) abacus
abbandun n.m. (pl. ~**i**) abandonment
abbanduna v. to abandon, to forsake, to discard
abbandunat pp. abandoned, forsaken
abbasso inter. down with
abbati n.m. (pl. ~**n**, ~**ni**) abbot; (tifel) altar boy; (fig.) one who thinks that he is a saintly person
abbatija n.f. (pl. ~**t**) abbey, nunnery
abbatiss|a n.f. (pl. ~**i**) abbess
abbazij|a n.f. (pl. ~**i**) abbacy
abbelliment n.m. (pl. ~**i**) embellishment
abbilt|à n.f. (pl. ~**ajiet**) ability, capacity
abbiss n.m. (pl. ~**i**) abyss
abjett aġġ. abject, base; **dak tal-~** he is rich
abbli aġġ. able; ~ **biex** - able to -
abbokkament n.m. (pl. ~**i**) conversation, talk
abbona v. to subscribe
abbonament n.m. (pl. ~**i**) subscription
abbonat n.m. (pl. ~**i**) subscriber
abbonda v. to abound, to be plentiful
abbord avv. on board
abborra v. to abhor, to loathe, to hate
abborriment n.m. (pl. ~**i**) abhorrence
abbozz n.m. (pl. ~**i**) sketch, outline; ~ **ta' liġi** bill of law
abbozza v. to sketch, to draft
abbraċċ n.m. (pl. ~**i**) embrace, hug
abbrevjazzjoni n.f. (pl. ~**jiet**) abbreviation
abbundanz|a n.f. (pl. ~**i**) abundance, plentitude, profusion
abbuzzat pp. sketched, delineated
abbuż n.m. (pl. ~**i**) abuse
abbuża v. to abuse
abdika v. to abdicate
abdikazzjoni n.f. (pl. ~**jiet**) abdication
abita v. to live, to dwell
abitabbli aġġ. habitable
abitant n.m. (pl. ~**i**) inhabitant
abitat pp. habitat, dwelt
abitazzjoni n.f. (pl. ~**jiet**) habitation
abitudni n.f. (pl. ~**jiet**) habit
abitwali aġġ. habitual, usual
abjad aġġ. white; ~ **tal-bajd** albumen
abjur|a v. to abjure // n.f. (pl. ~**i**) abjuration
ablattiv n.m. (pl. ~**i**) ablative
abolixxa v. to abolish
abolizzjoni n.f. (pl. ~**jiet**) abolition
abolut pp. abolished, abrogated, terminated
aboriġin n.m. aboriġin/u f. aboriġin/a (pl. ~**i**) aborigine
abort n.m. (pl. ~**i**) abortion
abroga v. to abrogate
abrogat pp. abrogated, repealed
abrogazzjoni n.f. (pl. ~**jiet**) abrogation, repeal
absint n.m. (pl. ~**ijiet**) absinth, absinthe
abt n.m. (pl. ~**ejn**) arm-pit
AC n.m. AC (Alternating Current)
a/c n.m. (pl. ~**s**) a/c (account)
aċċelleratur n.m. (pl. ~**i**) accelerator
aċċenn n.m. (pl. ~**i**) hint (at), allusion (to)
aċċenna v. to hint (at), to allude (to)
aċċennat pp. hinted, alluded
aċċent accent, stress
aċċenta v. to accent, to stress
aċċentat pp. accented, stressed
aċċentwa v. to accentuate, to emphasize
aċċentwat pp. accentuated
aċċerta ara **(i)ċċerta**
aċċess n.m. (pl. ~**i**) inquest; **ħin tal-~** access time
aċċessibbli aġġ. accessible
aċċessorj|u n.m. (pl. ~**i**) accessory, fittings
aċċett|a n.f. (pl. ~**i**) button-hole // v. to accept
aċċettabbli aġġ. acceptable
aċċettat pp. accepted
aċċettazzjoni n.f. (pl. ~**jiet**) acceptance
aċċident n.m. (pl. ~**i**) accident
aċċjom|u n.m. (pl. ~**i**) beaten-up person; statue, picture or sculpture showing Christ with bleeding face and a crown of thorns
aċċol|a n.f. (pl. ~**i**) amberjack

aċetat n.m. (pl. ~**i**) acetate
aċidit|à n.f. (pl. ~**ajiet**) acidity, sourness
aċid|u n.m. (pl. ~**i**) acid; **xita ~uża** acid rain
aċitilen|a n.f. (pl. ~**i**) acetylene
adaġj|o n.m. (pl. ~**i**) adagio
addatta v. to adapt
addattament n.m. (pl. ~**i**) adaptation, compliance
addattat aġġ. adapted
addend|a n.f. (pl. ~**i**) addendum, appendix
addijo n.m. (pl. ~**jiet**) farewell, goodbye; **tah l-~** he separated from him; ~ **vaganzi** no more holidays
addizzjoni n.f. (pl. ~**jiet**) addition
addoċċ avv. at random
addotta v. to adopt; (politika) to implement
addottat pp. adopted
adegwat aġġ. adequate, proportionate, efficacious
adenojdi n. (pl. bla s.) adenoids
adeżjoni n.f. (pl. ~**jiet**) adherance, adhesion
adorabbli aġġ. adorable
adorazzjoni n.f. (pl. ~**jiet**) adoration, worship
adult n.m. (pl. ~**i**) adult
adulterj|u n.m. (pl. ~**i**) adultery
adulter|u n.m. (pl. ~**i**) adulterer
adura v. to adore, to worship
adurat pp. adored, worshipped
aduratur n.m. (pl. ~**i**) adorer, worshipper
af know **kun** ~ know thou
afda ara **fada**
affann n.m. (pl. ~**i**) difficulty; (mediċina) difficulty of breathing
affari n.f. (pl. ~**jiet**) affair, business; **tal-~ tiegħu** a respected gentleman; **ma riedx** ~ he did not want to have anything to do; **~h**! it is his problem! **f'~ ta' ġimgħa** in a week's time; **~jiet: l-~jiet tiegħu jafhom** he knows how he is supposed to act
affattu avv. at all
affavur avv. on the behalf of, in favour of
afferma v. to affirm, to state
affermat pp. affirmed, stated
affermattiv aġġ. affirmative
affermattivament avv. affirmatively
affermazzjoni n.f. (pl. ~**jiet**) affirmation
affettat aġġ. affected
affezzjona v. to become attached to, to become fond of
affezzjonat aġġ. affectionate, fond (of)
affezzjoni n.f. (pl. ~**jiet**) affection, love
affidavit n.m. (pl. ~**ijiet**) affidavit, testimony, statement
affiljat aġġ. pp. affiliated
affinit|à n.f. (pl. ~**ajiet**) affinity
affordja v. to afford
affordjat pp. afforded
Afrikan aġġ. African; n.m. (pl. ~**i**) African
aġenda n.f. (pl. ~**i**) agenda
aġent n.m. (pl. ~**i**) agent
aġenzij|a n.f. (pl. ~**i**) agency
aġġettiv n.m. (pl. ~**i**) adjective
aġġorn n.m. (pl. ~**i**) hemstitch
aġġorna v. to adjourn, to bring up to date
aġġornament n.m. (pl. ~**i**) adjournment
aġġornat pp. adjourned, up to date
aġġornu avv. up to date
aġġru n.m. (bla pl.) maple
aġġu n.m. (bla pl.) agio
aġita v. to agitate
aġitat pp. agitated
aġitazzjoni n.f. (pl. ~**jiet**) agitation, tumult, frenzy
aġixxa v. to act
agat|a n.f. (pl. ~**i**) agate
agav|e n.f. (pl. ~**i**) agave
aggredit pp. attacked, assailed
aggredixxa v. to attack, to assail
aggressiv aġġ. aggressive
aggressjoni n.f. (pl. ~**jiet**) aggression, assault
agonizzant aġġ. agonizing, dying
Agostinjan n.m. (pl. ~**i**) Augustinian
agrarju aġġ. agrarian
agrett n.m. (pl. ~**i**) little egret; ~ **isfar** squacco heron
agretta n.f. (bla pl.) sorrel
agrikultur|a n.f. (pl. ~**i**) agriculture
agunij|a n.f. (pl. ~**i**) agony
agħar aġġ. komp. worse
aħbar n.m. (pl. ~**ijiet**) news; **għad tisma' b'~u** he will become famous
aħdar aġġ. green; (fig.) cruel
aħħar n. komp (pl. ~**ijiet**) last; **sal-~** till the end; **qiegħed fl-~, f'~u** he is about to die; **tal-~** the latest news; **ħażin għall-~** very bad; **fl-~ mill-~** when all is said and done; **qiegħed fl-~ tad-dinja** he is so far away
aħjar aġġ. komp. better **kien fl-~ tiegħu** he was in his bloom; **fl-~** in the most important moment
aħmar aġġ. red; **bekkafik** ~ withethroat
aħna pron. pers pl. ta' jien we; **m'aħniex hawn** (jiena) I am distracted; (inti) you are distracted; (kollha) we are distracted; ~ (~) **jew m'aħniex?** are you understanding? **m'aħniex** (b'marda) ill; (mhux tajjeb) not good; (nofs ras) mad
aħrax aġġ. fierce, cruel, harsh; (mhux lixx) coarse, unpolished // n.m. **ġej mill-~** (tal-Mellieħa) he has bad manners; (manjiera) **ħadu bl-~** he took him harshly
aħwa n. pl. ta' **ħu/oħt** brothers/sisters; **imħabba bħal** ~ platonic love; ~ **tal-ħalib** having the same mother but not the same father; // inter. **il-~!** oh my goodness!

AIDS n.m. (bla pl.) AIDS
ajda n.f. **baqa' jsaffar l-~** he did not obtain what he wanted
ajjut n.m. (bla pl.) help
ajjutant n.m. (pl. ~**i**) assistant, helper, attendant
ajjutat pp. helped
ajk n.m. (pl. ~**ijiet**) lay brother
ajkl|a n.f. (pl. ~**i**) eagle; ~ **bajda** snake eagle, short-toed eagle; ~ imperjali **imperial** eagle; ~ **tat-tikki** lesser spotted eagle; ~ **tal-baħar** eagle ray
ajkulin aġġ. aquiline
ajma inter. alas!; (b'uġigħ) ouch!; (bi dwejjaq) oh me!
ajru n.m. (bla pl.) air, weather; (atmosfera) atmosphere; **ħalla kollox fl-~** he did not complete his work; **jgħix fl-~**his head is always in the clouds, **tela' l-~!, l-~ ħa!** it is going to rain!, **żamm l-~** it is not going to rain!; **ġie mill-~** he came unpredictably // inter. **spara għall-~ u għamel toqba!** there's nothing more you can do!
ajrudrom n.m. (pl. ~**i**) aerodrome
ajrugramm n.m. (pl. ~**i**) aerogram
ajrun n.m. (pl. ~**i**) heron
ajrunawt|a n. kom (pl. ~**i**) aeronaut
ajrunawtika n.m. (pl. **ajrunawtika**) aeronautic
ajruplan n.m. (pl. ~**i**) aeroplane, airplane; ~ **tal-ġett** jet-plane
ajruport n.m. (pl. ~**i**) airport
akbar aġġ. komp. greater; (fid-daqs) larger
akkademikament adv. academically
akkademiku aġġ. academic(al)
akkanit aġġ. hot-headed
akkademj|a n.f. (pl. ~**i**) academy, institute
akklamazzjoni n.f. (pl. ~**jiet**) acclamation
akkoljenz|a n.f. (pl. ~**i**) reception, welcome, salutation, hospitality
akkolt|u n.m. (pl. ~**i**) acolyte
akkont avv. on account
akkordj|u n.m. (pl. ~**i**) accordion; (armonija) harmony; (qbil) accord, agreement
akkredita v. to accredit
akkreditat pp. accredited
akkrexxittiv aġġ. augmentative
akkumpanja ara (**i)kkumpanja**
akkumpanjament n.m. (pl. ~**i**) retinue; (ma' xi ħadd) accompaniment
akkumulatur n.m. (pl. ~**i**) accumulator
akkuża v. to charge, to accuse // n.f. (pl. ~**i**) charge, accusation
akkużabbli aġġ. chargeable (with), indictable
akkużat pp. accused
akkużattiv n.m. (pl. ~**i**) accusative
akkużatur n.m. (pl. ~**i**) accuser
akkwadiraża n.f. (bla pl.) turpentine
akkwaforti n.f. (bla pl.) acqua-fortis
akkwamarin|a n.f. (pl. ~**i**) acquamarine
akkwarell|a n.f. (pl. ~**i**) water-paint
akkwarellist n.m. (pl. ~**i**) water-colour painter
akkwarj|u n.m. (pl. ~**i**) acquarium
akkwedott n.m. (pl. ~**i**) acqueduct
akkwist n.m. (pl. ~**i**) acquisition, purchase, gain
akkwista v. to acquire
akkwistat pp. acquired
akne n.m. (pl. ~**jiet**) acne
akrobat n.m. (pl. ~**i**) acrobat
akrobatikament avv. acrobatically
akrobatiku aġġ. acrobatic
akrobazij|a n.f. (pl. ~**i**) acrobacy
akrosti|ku aġġ. acrostic // n.m. (pl. ~**ċi**) acrostic
aktar aġġ. komp. more
aktarx avv. rather, possibly
akustika n.f. (bla pl.) acoustics
akustiku aġġ. acoustic
akut aġġ. acute
A level n.m. (pl. ~**s**) A level
alabarda ara **labarda**
alabardier ara **labardier**
alabastr|u n.m. (pl. ~**i**) alabaster; **donnha tal-~** it is so white and fine!
alakka n.f. (bla pl.) patent leather
alalong|a n.f. (pl. ~**i**) albacore
a la carte n.m. (FRA) a la carte
alb|a n.f. (pl. ~**i**) dawn
albin aġġ. albino n.m. (pl. ~**i**) albino
albornu n.m. (bla pl.) alburnum
album n.m. (pl. ~**s**) album
albumin|a n.f. (pl. ~**i**) albumin, albumen
alfabetikament avv. alphabetically
alfabetiku aġġ. alphabetical
alfabett n.m. (pl. ~**i**) alphabet
alfier n.m. (pl. ~**i**) ensign bearer
alġebra n.f. (bla pl.) algebra
alġebrajkament avv. algebraically
alġebrajku aġġ. algebraic(al)
ALGOL n.m. (pl. ~**s**) ALGOL
alibi n.m. (pl. ~**jiet**) alibi
aliment n.m. (pl. ~**i**) food, aliment
alimentari aġġ. alimentary
alizzari n. (pl. bla s.) alizarin
aljena v. to distract; (ma qagħadx attent) to divert one's attention
aljenat pp. absent-minded
aljenazzjoni n.f. (pl. ~**jiet**) abstraction
aljetta ara **arjetta**

aljoli n.f. (pl. bla s.) garlic-sauce
alka n.f. (bla pl.) sea weed
alkali n.f. (bla pl.) alkali
alkalin aġġ. alkaline
alkimist n.m. (pl. ~**i**) alchemist
alkimja n.f. (bla pl.) alchemy
alkoħol n.m. (bla pl.) alcohol
alkoħoliku aġġ. alcoholic
alkov|a n.f. (pl. ~**i**) alcove
Alla n.m. (pl. ~**t**) God, the Almighty; ~ **m'għamlu** he was not seen anymore; ~ **jibgħatha tajba** God help us!; ~ **ried li** - , **imnalla** thank God -; **j~, 'k ~ jgħammar** hopefully; **mar għand** ~ he died; ~ **jbierek** by heavens! ~ **jħares** Oh God no! **jagħmel** ~ I won't bother; **b'kemm ~ tah saħħa** with all his might; **kemm ~ ħalaq** an infinite number; ~ **ħabbu**, ~ **refgħu minn xagħru** he had a near escape; ~ **bagħtek** I am so happy that you're here! **imbierek** ~! oh how nice! ~ **jaħfirlu** may God give him the eternal life; **f'ġieħ** ~ come on!; ~ **jagħtih is-saħħa** may God abide by him! ~ **jislifni l-għomor** if I stay alive; ~ **jgħammarkom** may you have a lot of children!; ~ **laqqagħhom** they are really suited for each other!; **kif iridni** ~ I am really in a bad shape; **għand ~ u Ommu** far away; ~ **biss jaf** God knows; **j~ fadal** there may be some left; **daqs** ~ so big!
allarm n.m. (pl. ~**i**) alarm
allarmanti aġġ. alarming
allarmat pp. alarmed
alleanz|a n.f. (pl. ~**i**) alliance
alleat n.m. (pl. ~**i**) ally
allega v. to allege, to bring in evidence
allegat pp. alleged
allegazzjoni n.f. (pl. ~**jiet**) allegation
allegorij|a n.f. (pl. ~**i**) allegory
allegorikament avv. allegorically
allegoriku aġġ. allegoric(al)
allegra v. to cheer, to rejoice, to gladden; to delight
allegrament avv. merrily
allegrat pp. cheered, rejoiced
allegrett|o n.m. (pl. ~**i**) allegretto
allegrij|a n.m. (pl. ~**i**) mirth, merriment, elation
allegr|o n.m. (pl. ~**i**) allegro
allegru aġġ. merry
alleluja ara **halleluja**
allerġij|a n.f. (pl. ~**i**) allergy
allerġiku aġġ. allergic
alliev n.m. (pl. ~**i**) pupil, student
allinjament n.m. (pl. ~**i**) alignment
allitterazzjoni n.f. (pl. ~**jiet**) alliteration
alloġġ n.m. (pl. ~**i**) lodging
alloġġa v. to lodge
alloka v. to allocate
allokuzzjoni n.f. (pl. ~**jiet**) allocution
alluda v. to allude (to), to hint (at)
alluġġat pp. lodged
allumi n.m. (bla pl.) alum
allura avv. then, therefore
allużjoni n.f. (pl. ~**jiet**) allusion
almanakk n.m. (pl. ~**i**) calendar, almanac
almenu avv. at least
almeridj|a n.f. (bla pl.) saltwort, glasswort
almonier n.m. (pl. ~**i**) almoner
almu n.m. (bla pl.) courage; **għandu l-~ biex** – he seems to be ready to -; **għamel l-~** he picked up courage
almuż aġġ. courageous, bold
along|a n.f. (pl. ~**i**) albacore
alpaka n.f. (bla pl.) alpaca
alpinist n.m. (pl. ~**i**) alpinist, mountain-climber
altar n.m. (pl. ~**i**) altar
altea n.f. (bla pl.) althea, marsh mallow
alternat pp. alternate
altimetr|u n.m. (pl. ~**i**) altimeter
alternattiv|a n.f. (pl. ~**i**) alternative
altruwist n.m. (pl. ~**i**) unselfish person
altruwiżm|u n.m. (pl. ~**i**) altruism, unselfishness
aluminju n.m. (bla pl.) aluminium
alwett n.m.koll. f. ~**a** (pl. ~**at**) skylark; ~ **bumunqar** bifasciated, hoopoe lark; ~ **qastni** bar-tailed desert lark; ~ **isfar** shore lark; ~ **tad-deżert** Dupont's lark; ~ **tal-qrun** temminck's horned lark; ~ **tat-toppu** crested lark
alwiż|a n.f. (pl. ~**i**) vervain three-leaved
amalgama v. to amalgamate
amalgamat pp. amalgamated
amar v. to command
amarant n.m. (pl. ~**i**) amaranth
amaren|a n.f. (pl. ~**i**) egriot
amarilli n.f. (bla pl.) amaryllis
amaros n.m. (bla pl.) cathyme
ambaxxat|a n.f. (pl. ~**i**) embassy
ambaxxatur n.m. (pl. ~**i**) ambassador
amberżun|a n.f. (pl. ~**i**) embrasure
ambi v. to do, to necessitate
ambigwit|à n.f. (pl. ~**ajiet**) ambiguity
ambigwu aġġ. ambiguous
ambizzjoni n.f. (pl. ~**jiet**) ambition, aspiration, goal
ambizzjuż aġġ. ambitious
ambjent n.m. (pl. ~**i**) environment
ambon|e n.m. (pl. ~**i**) ambo
ambrażuna ara **amberżuna**
ambrosja n.f. (bla pl.) ambrosia

Ambrosjan aġġ. Ambrosian
ambu ara **għanbu**
ambulanti aġġ. walking, travelling
ambulanz|a n.f. (pl. ~**i**) ambulance
ameb|a n.f. (pl. ~**i**) amoeba
Amerka n.pr America **sab l-~** he who thinks that he made a great achievement
amitt|u n.m. (pl. ~**i**) amice
amjant|u n.m. (pl. ~**i**) amiant(us)
ammen amen; **tista' tgħidlu** ~ you will not see him again
ammend|a n.f. (pl. ~**i**) amends
ammess pp. admitted, permitted
ammetta v. to admit
amministra v. to administer, to manage
amministrat pp. administered
amministrattiv aġġ. administrative
amministrivament avv. administratively
amministratur n.m. (pl. ~**i**) administrator, manager
amministrazzjoni n.f. (pl. ~**jiet**) administration, management
ammira v. to admire
ammirabbli aġġ. admirable
ammiraljat n. admirality
ammirat pp. admired
ammiratur n.m. (pl. ~**i**) admirer
ammirazzjoni n.f. (pl. ~**jiet**) admiration
ammissibbli aġġ. admissibile, allowable
ammissjoni n.f. (pl. ~**jiet**) admission
ammonit pp. warned, admonished
ammonixxa v. to warn, to admonish
ammonizzjoni n.f. (pl. ~**jiet**) warning, admonition
ammonjaka n.f. (bla pl.) ammonia
ammonj|u n.m. (pl. ~**i**) ammonium
ammont n.m. (pl. ~**i**) amount
ammonta v. to amount
ammozz: jaqta' ~ he does not think twice
amnestij|a n.f. (pl. ~**i**) amnesty
amper n.m. (pl. ~**ijiet**) ampere
amplifikatur n.m. (pl. ~**i**) amplifier
ampullett|a n.f. (pl. ~**i**) time glass
ampulluzz|a n.f. (pl. ~**i**) ampulla, cruet
amputazzjoni n.f. (pl. ~**jiet**) amputation
amulet n.m. (pl. ~**i**) amulet
anagramm|a n.f. (pl. ~**i**) anagram
anakoret|a n.m. (pl. ~**i**) anachoret, anachorite
anakreoniku aġġ. anacreontic
anakroniżm|u n.m. (pl. ~**i**) anachronism
analfabet|a n.kom. (pl. ~**i**) illiterate
analġesiku aġġ. analgesic, analgetic
analisi n.f. (pl. ~**jiet**) analysis; ~ **tad-demm** blood test; ~ **grammatikali** parsing
analist|a n.m. (pl. ~**i**) analyst
analitiku aġġ. analytic(al)
analizza v. to analyse, to examine
analizzat pp. analised, examined
analoġij|a n.f. (pl. ~**i**) analogy
analoġikament avv. analogically
analogu agg analogous
ananass n.f. (bla pl.) ananas, pineapple
anarkij|a n.f. (pl. ~**i**) anarchy
anarkik|u aġġ. anarchic(al) // n.m. (pl. ~**i**) anarchist
anatem|a n.f. (pl. ~**i**) anathema, malediction, curse
anatomij|a n.f. (pl. ~**i**) anatomy
anatomiku aġġ. anatomic(al)
anatomizza v. anatomize
anatomizzat pp. anatomized
anċiprisk n.m.koll. f. ~**a** (pl. ~**iet**) nectarine
andant|e n.m. (pl. ~**i**) andante
andanti aġġ. nice
andar n.m. (pl. **andrijiet**) treshing floor
aneddot|u n.m. (pl. ~**i**) anecdote
anell n.m. (pl. ~**i**) link
anemij|a n.f. (pl. ~**i**) anaemia, lack of blood
anemiku aġġ. anaemic
anemometr|u n.m. (pl. ~**i**) anemometer
anemoni n.f. (bla pl.) anemone, wind flower
anestesij|a n.f. (pl. ~**i**) anaesthesia
anesteti|ku n.m. (pl. ~**ċi**) anaesthetic
anestetist|a n.m. (pl. ~**i**) anaesthetist
anestetizza v. to anaesthetize
anestetizzat pp. anaesthetized
anfibj|u n.m. (pl. ~**i**) amphibian
anfiteatr|u n.m. (pl. ~**i**) amphitheatre
anfor|a n.f. (pl. ~**i**) amphora
anġelika n.f. (bla pl.) angelica
anġeliku aġġ. angelic
anġin|a n.f. (pl. ~**i**) angina
anġl|u n.m. (pl. ~**i**) angel; ~ **kustodju** guardian angel; **raha** ~ she really helped him; **qisu** ~ he is so cute; ~ **bellu** a cute boy; **qed jadura l-anġli** he is lost in thoughts; **qed jara l-anġli** the baby is smiling happily; **qisu l-~ tal-monument** he has big problems but still smiles on
Anglikan aġġ. Anglican // n.m. (pl. ~**i**) Anglican
angol|u n.m. (pl. ~**i**) angle
anilina n.f. (bla pl.) aniline
animell|a n.f. (pl. ~**i**) sweetbread
anisi n.f. (bla pl.) anise
aniżett n.m. (pl. ~**i**) anisette
anki avv. also
ankiloži n.f. (bla pl.) anchylosis, ankylosis

ankr|a n.f. (pl. ~**i**) anchor; **rafa' l-~** to weigh anchor; **xeħet l-~** to cast anchor; **donnu sa jaqta' l-~** he is exagerating
ankra v. to anchor, to berth
ankraġġ n.m. (pl. ~**i**) anchorage
ankrat pp. riding at anchor, come to anchor
ankrott n.m. (pl. ~**i**) kedge-anchor
annali n. (pl. bla s.) annals
annalist|a n.f. (pl. ~**i**) annalist
annat|a n.f. (pl. ~**i**) crops
annimal n.m. (pl. ~**i**) animal, beast; **ħajja ta'** ~ a dog's life
animalesk aġġ. beastly
anniversarj|u n.m. (pl. ~**i**) anniversary
annu n.m. (bla pl.) year
annulla v. to annul, to cancel
annullament n.m. (pl. ~**i**) annulment
annullat pp. annulled, cancelled
annuna avv. unanimously, with one consent
annunz n.m. (pl. ~**i**) announcement
annunzja v. to announce
annunzjat pp. announced
annunzjatur n.m. (pl. ~**i**) announcer
annwali aġġ. annual, yearly
annwalit|à n.f. (pl. ~**ajiet**) annuity
annwalment avv. annually, yearly
annwarj|u n.m. (pl. ~**i**) year-book
anomalij|a n.f. (pl. ~**i**) anomaly
anomalu aġġ. anomalous
anonimament avv. anonymously
anonimu aġġ. anonymous, unknown, nameless
anormali aġġ. abnormal
anormalit|à n.f. (pl. ~**ajiet**) abnormality
anqas aġġ. komp. less; (la dak u anqas dak) neither; (sal-estrem li) not even; ~ **jekk naf x'naf!** come what may!
antaċċol|a n.f. (pl. ~**i**) spangle
antagoniżm|u n.m. (pl. ~**i**) antagonism
Antartiku aġġ. Antartic
anteċedent n.m. (pl. ~**i**) antecedent
antenat n.m. (pl. ~**i**) ancestor
antenn|a n.f. (pl. ~**i**) antenna, aerial
anter|a n.f. (pl. ~**i**) anther
antern|a n.f. (pl. ~**i**) lantern; ~ **tal-port** lighthouse
antiċipa v. to anticipate
antiċipat pp. in advance
antiċipatament avv. beforehand, in anticipation
antiċipazzjoni n.f. (pl. ~**jiet**) anticipation, advance
antidilluvjan aġġ. antediluvian
antidot n.m. (pl. ~**i**) antidote
antifon|a n.f. (pl. ~**i**) antiphon, antiphony
antifrażi n.f. (pl. ~**jiet**) antiphrasis
antik aġġ. ancient, old // n.m. (pl. ~**i**) **fl-~** in begone times; ~ **ta' Pizzolu** a well-known thing; **la ~a** in an old-fashioned way; **mur ġib l-antiki!** what would our predecessors have said? **nagħmlu bħall-antiki** we leave the world as it is
antikalj|a n.f. (pl. ~**i**) old stuff, old rubbish
antikament avv. anciently, in ancient times
antikamra n.f. (bla pl.) anteroom
antikit|à n.f. (pl. ~**ajiet**) antique, antiquity
antiklerikali aġġ. anticlerical
antikrist n.m. (bla pl.) antichrist; (tarbija minn mara kbira) an offspring of an old woman
antikwarj|u n.m. (pl. ~**i**) antiquary
antikwat pp. old fashioned
antilop n.m. (pl. ~**i**) antelope
antimonju n.m. (bla pl.) antimony
antinjol|a n.f. (pl. ~**i**) spar
antipap|a n.m. (pl. ~**i**) antipope
antipast n.m. (pl. ~**i**) hors-d'oeuvre
antipatij|a n.f. (pl. ~**i**) antipathy, dislike
antipatiku aġġ. antipathetic, disagreable
antipenultim|u aġġ. penultimate
Antipodi n.m. (pl. bla s.) Antipodes
antiport|a n.f. (pl. ~**i**) glass-door, portal
antisetti|ku aġġ. antiseptic // n.m. (pl. ~**ċi**) antiseptic
antisoċjali aġġ. antisocial
antitesi n.f. (bla pl.) antithesis
antitetiku aġġ. antithetical
antoloġij|a n.f. (pl. ~**i**) anthology
antonomasja n.f. (bla pl.) antonomasia
antropofaġija n.f. (bla pl.) anthropophagy
antropofag|u n.m. (pl. ~**i**) cannibal
antropoloġij|a n.f. (pl. ~**i**) anthropology
antropologu n.m. (pl. ~**i**) anthropologist
antropometrij|a n.f. (bla pl.) anthropometry
anzarol|a n.f. (pl. ~**i**) azarole-tree
anzi avv. nay; (u iktar) and more than that; (bil-maqlub) on the contrary
anzjan aġġ. senior, old
anzjanit|à n.f. (pl. ~**ajiet**) seniority
aorta n.f. (bla pl.) aorta
apatij|a n.f. (pl. ~**i**) apathy
apatiku aġġ. apathetic
aperittiv n.m. (pl. ~**i**) aperitif
apert aġġ. open
apertament avv. openly, frankly
apertur|a n.f. (pl. ~**i**) aperture, opening
APEX n.m. (bla pl.) APEX
apikultura n.f. (bla pl.) apiculture, bee-keeping
apoġew n.m. (bla pl.) apogee
Apokalissi n.pr. Apocalypse
apokalittiku aġġ. apocalyptic(al)

apokop|e n.f. (pl. ~**i**) apocope
apokrifu aġġ. apocryphal
apoloġetik|a n.f. (bla pl.) apologetics
apoloġetiku aġġ. apologetic(al)
apoloġij|a n.f. (pl. ~**i**) apology
apolog|u n.m. (pl. ~**i**) apologue
apostasij|a n.f. (pl. ~**i**) apostasy
apostat|a n.kom. (pl. ~**i**) apostate
apoteosi n.f. (pl. ~**jiet**) apotheosis
appalt n.m. (pl. ~**i**) contract; **ħadu bl-~** he left nothing for the others
appaltatur n.m. (pl. ~**i**) contractor, undertaker
appannaġġ n.m. (pl. ~**i**) apanage, appanage
apparat n.m. (pl. ~**i**) apparatus, preparation
apparell n.m. (pl. ~**i**) serin
apparentement avv. seemingly, apparently
apparenti aġġ. apparent
apparenz|a n.f. (pl. ~**i**) appearance
appartament n.m. (pl. ~**i**) apartment, flat
appartat pp. secluded
apparti avv. separately
appartjena v. to belong
appell n.m. (pl. ~**i**) appeal, call
appella v. to appeal
appellabbli aġġ. appealable
appellant n.m. (pl. ~**i**) appellant
appellat pp. appealed
appena avv. hardly, scarcely
appendiċi n.f. (bla pl.) appendix
appik avv. shortly; (malajr) soon; (issa) instantly
applawda v. to applaud, to clap
applawdit pp. applauded
applaws n.m. (pl. ~**i**) applause, cheers, compliments
applika v. to apply
applikabbli aġġ. applicable
applikant n.m. (pl. ~**i**) applicant
applikat pp. concentrated; (fiżika, eċċ.) applied
applikazzjoni n.f. (pl. ~**jiet**) application
appoġġ n.m. (pl. ~**i**) support
appoġġatur|a n.f. (pl. ~**i**) appoggiatura
apposta avv. on purpose
appostl|u n.m. (pl. ~**i**) apostle; **fost l-~i kien Ġuda!** traitors are not uncommon!
appostolat n.m. (pl. ~**i**) apostolate
appostoliku aġġ. apostolic
appostrof|u n.m. (pl. ~**i**) apostrophe
apprentist n.m. (pl. ~**i**) apprentice
apprensiv aġġ. apprehensive, fearful
apprensjoni n.f. (pl. ~**jiet**) apprehension
apprezza v. to appreciate, to value
apprezzabbli aġġ. appreciable, valuable
apprezzament n.m. (pl. ~**i**) appreciation, judgement
apprezzat pp. esteemed, valued
approfitta ara **(i)pprofitta**
appront avv. immediately
approprja v. to embezzle
approprjazzjoni n.f. (pl. ~**jiet**) approbation
approva v. to approve
approvat pp. approved
approvazzjoni n.f. (pl. ~**jiet**) approbation, approval
appuntament n.m. (pl. ~**i**) appointment; (ta' mħabba) date
appuntu avv. exactly; (hekk hu) quite so, (eżatt) precisely
April n.m.pr. April
apsidi n.f. (pl. ~**jiet**) abse
aptit n.m. (pl. ~**ijiet**) apetite; **m'għandux** ~ - he does not want to -
aqqal ara **eqqel**
aqwa aġġ. komp. stronger; **fl-~ tiegħu** in his bloom; **l-~ li** - I do not care as long as he -
Arabesk n.m. (pl. ~**i**) Arabesque
araldika n.f. (bla pl.) heraldry
awrikarja n.f. (pl. ~**i**) araucaria
arazz|a n.f. (pl. ~**i**) arras
Arbanj|a n.m. (pl. ~**i**): **qisu l-~** he is so well-built
arbitra v. to arbitrate
arbitraġġ n.m. (pl. ~**i**) arbitrage
arbitrarjament avv. arbitrarily
arbitrarju aġġ. arbitrary
arbitrat pp. arbitrated
arbitr|u n.m. (pl. ~**i**) arbiter, referee
arblu n.m. (pl. ~**i**) mast, pole flag-staff; ~ **ta' Mejju** cockaine; (persuna twila) a tall person; ~ **tar-razza** genealogical tree; **ħmar jitla' l-~** that's impossible!
arbula v. to set up
arbulat pp. erected, raised
arċidjakn|u n.m. (pl. ~**i**) archdeacon
arċiduk|a n.m. (pl. ~**i**) archduke
arċier n.m. (pl. ~**i**) archer, bowman
arċipelag|u n.m. (pl. ~**i**) archipelago
arċipriet n.m. (pl. ~**i**) archpriest
arċisqof n.m. (pl. ~**ijiet**) archbishop
arċiveskovili aġġ. archiepiscopal
arċjun n.m. (pl. ~**i**) kingfisher
arċmisa n.f. (bla pl.) fever few
ardir n.m. (bla pl.) boldness, impudence
ardit aġġ. bold
ardixxa v. to dare
ardu n.m. (bla pl.) lard
aren|a n.f. (pl. ~**i**) arena
arġentat aġġ. silvered, silver-plated
arġenterij|a n.f. (pl. ~**i**) silver plate
arġentier n.m. (pl. ~**a**) silversmith; (tad-deheb) goldsmith

arġentuvivu arġentuvivu, Mercury, quick silver; **għandu l-~ fih!** he is always on the go!
arganell n.m. (pl. ~**i**) davit
argil|è n.m. (pl. ~**ejiet**) narghilè, kookah
argnu n.m. (pl. ~**i**) capstan, windlass
argument n.m. (pl. ~**i**) argument
argumenta v. to argue
argumentat pp. argued
argumentazzjoni n.f. (pl. ~**jiet**) argumentation
argużin n.m. (pl. ~**i**) jailer, torturer; **donnu** ~! he always gives harsh orders
aring|a n.f. (pl. ~**i**) herring; **sar qisu** ~ he really got thin
aristokratiku aġġ. aristocratic, aristocratical
aristokrazij|a n.f. (pl. ~**i**) aristocracy
aritmetika n.f. (bla pl.) arithmetic
aritmetiku aġġ. arithmetical
arja n.f. (bla pl.) air; **jgħix bl-~** he is really thin; (tkabbir) pride; **daħal bl~ kollha** he was not timid; **mimli** ~ he is really proud; (bur) area; **għall-~** outside
arjett|a n.f. (pl. ~**i**) hoop iron
arjuż aġġ. airy
ark n.m. (pl. ~**ijiet**) arch; (ta' vjolin, eċċ.) bow; ~**ata**: **għandu ~ata tajba** he is a good violinist
ark|a n.f. (pl. ~**i**) ark
arkajku aġġ. archaic
arkan aġġ. mysterious
arkanġl|u n.m. (pl. ~**i**) archangel
arkat|a n.f. (pl. ~**i**) arcade
arkeoloġij|a n.f. (pl. ~**i**) archaeology
arkeoloġiku aġġ. archaeological
arkeolog|u n.m. (pl. ~**i**) archaeologist
arkett n.m. (pl. ~**i**) fret-saw; ~ **ta' vjolin** fiddle-bow; **xogħol tal-~** fret-work
arkimandrit|a n.m. (pl. ~**i**) archimandrite
arkitett n.m. (pl. ~**i**) architect
arkitettoniku aġġ. architectonic, architectural
arkitettur|a n.f. (pl. ~**i**) architecture
arkitrav n.m. (pl. ~**i**) architrave
arkivist|a n.kom. (pl. ~**i**) archivist
arkivj|u n.m. (pl. ~**i**) archive
arlekkin n.m. (pl. ~**i**) harlequin, clown
arlekkinat|a n.f. (pl. ~**i**) harlequinade
arloġġ n.m. (pl. ~**i**) watch; (kbir) clock; ~ **tal-but** watch; ~ **tal-ilma** water clock; ~ **tar-ramel** sand glass; ~ **tax-xemx** sun dial; **bl-~** punctual; **siegħa bl-~** not more than an hour; **miexi kollox** ~ everything is going on well
arluġġar n.m. (pl. ~**a**) watch-maker; (li jsewwi) watch-repairer
arm|a n.f. (pl. ~**i**) weapon; **ċeda l-~i** he lost heart; (stemma) arms, coat of arms; **skont l-~ l-konslu** you can single out people through their manners // ara **rama**
armarj|u n.m. (pl. ~**i**) cupboard
armat pp. armed; (bl-affarjiet) equipped
armat|a n.f. (pl. ~**i**) army
armatur|a n.f. (pl. ~**i**) shop window
armel n.m. (pl. romol) widower
armerij|a n.f. (pl. ~**i**) armoury
armier n.m. (pl. ~**a**) armourer
armirall n.m. (pl. ~**i**) admiral
armistizj|u n.m. (pl. ~**i**) armistice
armla n.f. (pl. **romol**) widow
armonij|a n.f. (pl. ~**i**) harmony, symmetry, composure
armonikament avv. harmonically
armoniku aġġ. harmonic, harmonical
armonizza v. to harmonize
armonizzat pp. harmonized
armonizzazzjoni n.f. (pl. ~**jiet**) harmonization
armonju n.m. (pl. ~**i**) harmonium
armonjuż aġġ. harmonious
arnies n.m. (bla pl.) harness
aromaterapij|a n.f. (pl. ~**i**) aromatherapy
arp|a n.f. (pl. ~**i**) harp
arpeġġ n.m. (pl. ~**i**) arpeggio
arpist|a n.f. (pl. ~**i**) harper, harpist
arra v. to mistake
arrest n.m. (pl. ~**i**) arrest, capture
arresta v. to arrest
arrestat pp. arrested
arretrat n.m. (pl. ~**i**) arrears
arriv avv. goodbye
arroganti aġġ. arrogant, haughty
arroganz|a n.f. (pl. ~**i**) arrogance
arseniku n.m. (bla pl.) arsenic
art n.f. (pl. ~**ijiet**) earth, ground; ~ **u saqaf** in great poverty; **xtaq l-~ tibilgħu** he was very ashamed; **ma jarax** ~ (ferħan) very happy; (irrabjat) out of his wits; (fis-sakra) drunk; **qabad l-~** he is going on well; **lagħaq l-~** he was humiliated; **mesaħ l-~ fih** he made fun of him
Art Nouveau n.f. (bla pl.) Art Nouveau
artab aġġ. soft, tender; (kajman) slow // n.m. **sab l-~** everything came plainsailing for him
artal ara **altar**
artar n.m. (pl. ~**i**) altar; **tela' l-~** he became a priest
arterj|a n.f. (pl. ~**i**) artery
arterjuż aġġ. arterial
arti n.f. (pl. ~**jiet**) art
artiċokk n.m.koll. f. ~**a** (pl. ~**at**) artichoke
artifiċjali aġġ. artificial
artifiċjalment avv. artificially

artiġjan n.m. (pl. ~**i**) artisan, craftsman
artikl|a n.f. (pl. ~**i**) nettle
artikl|u n.m. (pl. ~**i**) article
artikolazzjoni n.f. (pl. ~**jiet**) articulation, joint
artillerij|a n.f. (pl. ~**i**) artillery
artillier n.m. (pl. ~**i**) gunner, cannonier
artist n.m. (pl. ~**i**) artist
artistikament avv. artistically
artistiku aġġ. artistic(al)
artrite n.f. (pl. ~**jiet**) arthritis
artritiku aġġ. arthritic
aruka n.f. (pl. ~**t**) garden rocket
arżnell n.m.koll. f. ~**a** (pl. ~**at**) picarel
arżnu n.m. (bla pl.) pine
arzell n.m.koll. f. ~a (pl. ~**at**) cockle
asaħħ aġġ. komp. stronger, more robust
asamm aġġ. komp. harder
asbestos n.m. (bla pl.) asbestos
asfalt n.m. (pl. ~**ijiet**) asphalt
asfalta v. to asphalt
asfaltat pp. asphalted
asfaltatur|a n.f. (pl. ~**i**) asphalting
asfissij|a n.f. (pl. ~**i**) asphyxia, asphyxy
asfissja v. to asphyxiate
asfissjat pp. asphyxiated
asfodill n.m. (pl. ~**i**) asphodel
asperġes n.m. (pl. ~**ijiet**) aspergill, aspergillum
aspersorj|u n.m. (pl. ~**i**) aspergill, aspergillium
aspett n.m. (pl. ~**i**) aspect, (ħarsa) look
aspira v. to aspire
aspirant n.m. (pl. ~**i**) aspirant
aspirat pp. aspirate
aspirazzjoni n.f. (pl. ~**jiet**) aspiration, ambition, goal
aspirin|a n.f. (pl. ~**i**) aspirin
aspru aġġ. harsh, sharp
ass n.m. (pl. ~**i**) ace; **waqa' l-~** look who's talking
assalt n.m. (pl. ~**i**) assault
assalta v. to assault
assaltat pp. assaulted
assassin n.m. (pl. ~**i**) assassin, murderer
assassina v. to murder, to assassinate
assassinat pp. assassinated, murdered
assassinj|u n.m. (pl. ~**i**) assassination, murder
assedja v. to besiege
assedjat v. to besieged
assedj|u n.m. (pl. ~**i**) siege
assemblea n.f. (pl. ~**t**) assembly
assenja v. to assign
assenjat pp. assigned, allotted
assent aġġ. absent
assenz|a n.f. (pl. ~i) essence
assenzju n.m. (bla pl.) wormwood
assessja v. to assess
assessjat pp. assessed
assessur n.m. (pl. ~**i**) assessor
assi n.m. (bla pl.) property
assidwament avv. assiduously
assidwit|à n.f. (pl. ~**ajiet**) assiduousness
assidwu aġġ. assiduous
assikura v. to assure, to insure; ~ **ruħu** to assure oneself
assikurabbli aġġ. insurable
assikurat pp. insured
assikuratur n.m. (pl. ~**i**) insurer
assikurazzjoni n.f. (pl. ~**jiet**) insurance, assurance
assigura ara **assikura**
assista v. to assist
assistent n.m. (pl. ~**i**) assistant
assistenza n.f. (pl. ~**i**) assistance, help
assistit pp. assisted
assjom|a n.f. (pl. ~**i**) axiom
assjomatiku aġġ. axiomatic, axiomatical
assoċja v. to associate
assoċjat pp. associated, enrolled
assoċjazzjoni n.f. (pl. ~**jiet**) association
assolt aġġ. absolved, acquitted
assolut aġġ. absolute, complete
assolutament avv. absolutely
assolutist n.m. (pl. ~**i**) absolutist
assolutiżm|u n.m. (pl. ~**i**) absolutism
assoluzzjoni n.f. (pl. ~**jiet**) absolution
assolva v. to absolve, to acquit
assonanti aġġ. assonant
assonanz|a n.f. (pl. ~**i**) assonance
assorta ara **(i)ssortja**
assortiment n.m. (pl. ~**i**) assortment, stock
assortit ara **(i)ssortjat**
assuma v. to assume, to undertake; ~ **r-responsabbiltà** to incur responsability
assunzjoni n.f. (pl. ~**jiet**) assumption; **l-A~** Assumption
assurd aġġ. absurd, unreasonable
assurdament avv. absurdly
assurdit|à n.f. (pl. ~**jiet**) absurdity
astemju aġġ. abstaining, abstemious
astensjoni n.f. (pl. ~**jiet**) abstention
astensjonist n.m. (pl. ~**i**) abstentionist
astensjoniżm|u n.m. (pl. ~**i**) abstentionism
asterisk n.m. (pl. ~**i**) asterisk
asteriżmu n.m. (pl. ~**i**) asterism
asterojdi n.m. (pl. ~**jiet**) asteroid
astigmetiku aġġ. astigmatic
astigmatiżm|u n.m. (pl. ~**i**) astigmatism
astinenz|a n.f. (pl. ~**i**) abstinence

astjena v. to abstain (from)
astjenut pp. abstained
astraken n.m. (bla pl.) astrakhan
astratt aġġ. abstract
astrattament avv. abstractly
astroloġij|a n.f. (pl. ~**i**) astrology
astroloġiku aġġ. astrologic(al)
astrolog|u n.m. (pl. ~**i**) astrologer
astronawt|a n.kom. (pl. ~**i**) astronaut
astronawtika n.f. (bla pl.) astronautics
astronomij|a n.f. (pl. ~**i**) astronomy
astronomiku aġġ. astronomic(al)
astronom|u n.m. (pl. ~**i**) astronomer
astruż aġġ. abstruse
astur n.m. (pl. ~**i**) goshawk
astuzj|a n.f. (pl. ~**i**) astuteness, cunning
astuż aġġ. astute
atar n.m. (pl. **atar**) footprint, footmark
atarassija n.f. (bla pl.) ataraxy
atavistiku aġġ. atavistic
ataviżm|u n.m. (pl. ~**i**) atavism
ateiżm|u n.m. (pl. ~**i**) ateism
atene|w n.m. (pl. ~**j**) athenaeum
ate|u n.m. (pl. ~**i**) atheist
Atlantiku n.m.pr. Atlantic
atlet|a n.m.kom. (pl. ~**i**) athletic
atletikament avv. athletically
atletiku aġġ. athletic
ATM n.m. (pl. ~**s**) ATM
atmosfer|a n.f. (pl. ~**i**) atmosphere
atmosferiku aġġ. atmospheric(al)
atomiku aġġ. atomic
atom|u n.m. (pl. ~**i**) atom
atonij|a n.f. (bla pl.) atony
atrij|u n.m. (pl. ~**i**) atrium, entrance hall, entry, vestibule
atrofij|a n.f. (pl. ~**i**) atrophy
atrofiku aġġ. atrophic
atrofizza v. to atrophy; ~ **ruħu** to waste away
atrofizzat pp. atrophied
atropin|a n.f. (pl. ~**i**) atropine
att n.m. (pl. ~**i**) act; (kuntratt) deed, contract
attakk n.m. (pl. ~**i**) attack, assault
attakka v. to attack, to assail
attakkat pp. attached, bound; (assalt) attacked
attent aġġ. attentive
attentament avv. attentively
attentat n.m. (pl. ~**i**) attempt
attenwant n.m. (pl. ~**i**) mitigatory circumstance
attenzjoni n.f. (pl. ~**jiet**) attention, heed, focus
attestat n.m. (pl. ~**i**) testimonial, certificate
attira v. to attract
attirat pp. attracted
attitudni n.f. (pl. ~**jiet**) attitude, disposition
attiv aġġ. active
attivament avv. actively
attivit|à n.f. (pl. ~**ajiet**) activity
attratt pp. attracted
attrattiv|a n.f. (pl. ~**i**) attraction, allurement, temptation
attrazz n.m. (pl. ~**i**) rigging
attrazzjoni n.f. (pl. ~**jiet**) attraction
attribut n.m. (pl. ~**i**) attribute
attributtiv aġġ. attributive
attribuzzjoni n.f. (pl. ~**jiet**) attribution
attribwit pp. attributed
attribwixxa v. to attribute
attriċi n.f. (bla pl.) actress
attur n.m. (pl. ~**i**) actor
attwali aġġ. actual
attwalit|à n.f. (pl. ~**ajiet**) actuality
attwalment avv. actually
attwarj|u n.m. (pl. ~**i**) actuary, registrar
avarij|a n.f. (pl. ~**i**) average
avarjat aġġ. damaged
ave inter. ave!, hail!
Avemarij|a n.f. (pl. ~**t**) Ave Maria; **f'kemm tgħid** ~ in a matter of seconds; **jafha bl-~** he knows it by heart; **l-~ ddoqq f'widnejh** he is about to die
avjatur n.m. (pl. ~**i**) aviator, airman
avjazzjoni n.f. (pl. ~**jiet**) aviation
avolja avv. even, although
avorju n.m. (bla pl.) ivory
avosett n.m.koll. f. ~**a** (pl. ~**i**) avocet, avoset
avukat n.m. (pl. ~**i**) lawyer; (makakk) an astute person; ~ **tax-xitan** devil's advocate; **donnu l-~ Ċeċi** one who always cuts in
avukatur|a n.f. (pl. ~**i**) legal profession
avultun n.m. (pl. ~**i**) griffon vulture
avvanz n.m. (pl. ~**i**) improvement, progress
avvanza v. to advance; ('il quddiem) to progress
avvanzat pp. advanced
avvelena ara **(i)vvelena**
avvelenament ara **(i)vvelenament**
avvelenat ara **(i)vvelenat**
avveniment n.m. (pl. ~**i**) event
Avvent n.m. (pl. ~**i**) Advent
avventur|a n.f. (pl. ~**i**) adventure
avventurier n.m. (pl. ~**i**) adventurer
avverbjali aġġ. adverbial
avverbjalment avv. adverbially
avverbj|u n.m. (pl. ~**i**) adverb
avvers aġġ. averse, adverse
avversarj|u n.m. (pl. ~**i**) adversary, opponent
avversit|à n.f. (pl. ~**ajiet**) adversity

avverta v. to warn, to caution
avvertiment n.m. (pl. ~**i**) admonition, warning
avviċina v. to approach
avviċinat pp. approached; (ikkonsultat) consulted
avviliment n.m. (pl. ~**i**) humiliation, shame, disgrace
avvilixxa v. to humiliate
avvilut pp. debased, humiliated
avviż n.m. (pl. ~**i**) advertisement, notice
avża v. to inform
avżat pp. informed; (biċ-ċiera) warned
awdenza audience **m'hemmx** ~ it is of no use
awditur n.m. (pl. ~**i**) auditor
awdjo n.m. (bla pl.) audio; ~**viżiv** audio-visual
awgura v. to wish
awgurat pp. wished
awgurj|u n.m. (pl. ~**i**) wish
awist|a n.f. (pl. ~**i**) lobster
awl|a n.f. (pl. ~**i**) hall
awlillejl ara **ewlillejl**
awment n.m. (pl. ~**i**) increase, rise
awrat|a n.f. (pl. ~**i**) gilthered bream
awrikarja n.f. (pl. ~**i**) monkey-puzzle tree
awrikulari aġġ. auricular
awrin|a n.f. (pl. ~**i**) urine
awrinar n.m. (pl. ~**i**) chamber pot
awrist n.m. (pl. ~**i**) aorist
awror|a n.f. (pl. ~**i**) dawn, daybreak
awspizj|u n.m. (pl. ~**i**) auspice, omen
awsterit|à n.f. (pl. ~**ajiet**) austerity, austereness
Awstraljan aġġ. Australian // n.m. (pl. ~**i**) Australian
Awstrijakk aġġ. Austrian // n.m. (pl. ~**i**) Austrian
awtem n.m. the reason or motive behind **jaf x'inhu l-**~ he knows why this is happening
awtentika v. to authenticate
awtentikat pp. authenticated
awtentikazzjoni n.f. (pl. ~**jiet**) authentication
awtentiku aġġ. authentic
awtobijografij|a n.f. (pl. ~**i**) autobiography
awtobijografiku aġġ. autobiographic(al)
awtobijograf|u n.m. (pl. ~**i**) autobiographer
awtoġir|o n.m. (pl. ~**i**) autogyro
awtografat pp. autographed
awtograf|u n.m. (pl. ~**i**) autograph, signature, endorsement
awtokrat|a n.kom. (pl. ~**i**) autocrat
awtokratikament avv. autocratically
awtokratiku aġġ. autocratic, autocratical
awtokrazij|a n.f. (pl. ~**i**) autocracy
awtom|a n.f. (pl. ~**i**) automation
awtomatikament avv. automatically
awtomatiku aġġ. automatic(al)
awtomobilist n.m. (pl. ~**i**) motor-car driver, motorist
awtomobiliżm|u n.m. (pl. ~**i**) automobilism
awtonomij|a n.f. (pl. ~**i**) autonomy
awtonomu aġġ. autonomous, self-governing
awtopsj|a n.f. (pl. ~**i**) autopsy
awtorevoli aġġ. authoritative
awtorevolment avv. authoritatively
awtorit|à n.f. (pl. ~**ajiet**) authority
awtoritarju aġġ. authoritative, authoritarian
awtorizza v. to authorize
awtorizzat pp. authorized, entitled
awtorizzazzjoni n.f. (pl. ~**jiet**) authorization
awtur n.m. (pl. ~**i**) author // aġġ. the best in the market
Awwissu n.m.pr. August
awżiljarju aġġ. auxiliary
axaħħ aġġ. komp. more covetous
axxendent n.m. (pl. ~**i**) ascendent
axxess n.m. (pl. ~**i**) abscess
axxetika n.f. (bla pl.) ascetics
axxetiku aġġ. ascetic(al)
axxetiżm|u n.m. (pl. ~**i**) ascetism
axxite n.f. (pl. ~**jiet**) ascitis
Ażjatiku aġġ. Asiatic
ażma n.f. (bla pl.) asthma
ażmati|ku aġġ. asthmatic // n.m. (pl. ~**ċi**) asthmatic
ażżmu aġġ. unleavened, azymous
azzar n.m.koll. f. ~**a** (pl. ~**at**) steel; **iebes daqs l-**~ pliant
azzard n.m. (pl. ~**i**) game of chance
azzarda v. to hazard, to attempt
azzardat pp. hazardous, risky, delicate, dangerous
azzarin n.m. (pl. ~**i**) rifle, musket
azzjoni n.f. (pl. ~**jiet**) action; **għamillu** ~ he disrespected him
azzjonist n.m. (pl. ~**i**) shareholder

B b

b second letter of the alphabet and first of the consonants
B.A. n.m. (pl. ~s) B.A.
bababa blah-blah-blah **kollu** ~ he never does what he says he will
babaw n.m. (pl. ~**ijiet**) ghost, spectre; // aġġ. outstanding; (ikrah) ugly
babberij|a n.f. (pl. ~**i**) foolishness, insanity, nonsense
babb|u n.m. (pl. ~**i**) stupid, silly; **għamilha tal-~** he humiliated himself
babiruss|a n.m.kom. (pl. ~**i**) babiroussa
babun n.m. (pl. ~**i**) baboon
babuna ara **bebuna**
baċċaċ v. to ball; (ħaxxen) to fatten
baċċan ara **beċċen**
baċellerat n.m. (pl. ~**i**) bachelorhood, bachelorship
baċillier n.m. (pl. ~**i**) bachelor
baċill|u n.m. (pl. ~**i**) bacillus
baċir n.m. (pl. ~**i**) dock
bad ara **bied**
badern|a n.f. (pl. ~**i**) plate
badess|a n.f. (pl. ~**i**) abbess
baffi n.f.pl. beard; **bil-~** aġġ. outstanding
baġan aġġ. simple fellow
baġanat|a n.f. (pl. ~**i**) foolish action
bag|a n.f. (pl. ~**i**) buoy // aġġ. clumsy
bagalj|a n.f. (pl. ~**i**) luggage
bagatell n.m. (pl. ~**i**) bagatelle
bagatell|a n.f. (pl. ~**i**) bagatelle, trifle; **tah** ~ he gave him some small money
bagoll n.m. (pl. ~**i**) trunk, suit case // aġġ. clumsy
bagħad v. to hate, to detest // n.m. (pl. ~**a**) hater
bagħal n.m. (pl. bgħula) mule; **jaħdem daqs** ~ he works very hard; **mela dak ~?** do not mistreat him so much!; ~ **in-naħal** drone; n.m. (pl. ~**a**) muleteer
bagħar n.m.koll. f. ~**a** (pl. ~**at**) dung
bagħat v. to send; min ~ **għalih**? nobody told him to come! **bagħtu 'l barra** he sent him away; **bagħtu** isfel he sent him to jail
bagħbas v. to finger
bagħbusa n.f. (pl. ~**t**) trifle
bagħda n.f. (bla pl.) hate
bagħli aġġ. campestral, rural
bagħta n.f. (bla pl.) mission, sending
baħat v. to calumnate, to slander
baħrad v. to make one romp
baħar n.m. (pl. **ibħra**) sea; ~ **qawwi,** ~ **jibla' l-art** rough sea, heavy sea; **ilma** ~ sea-water; **raġel tal-~** sailor, sea-faring man; **bl-art u l-~** by sea and land; ~ **jaqsam** a big distance; **kbir** ~ very big; **qam il-~** we faced a lot of problems; **mar il-~** he is not reliable anymore; ~ **ta' dwejjaq** great sorrow; ~ **żejt** calm sea; **f'~ wieħed** in the same situation; **waddab kollox il-~** he lost heart
baħbaħ v. to rinse
baħbieħ n.m. (pl. ~**a**) washer
baħbuħ n.m. (pl. ~**a**) jolly fellow; ~**a** n.f. (pl. ~**iet**) cowriet, cowry
baħħ n.m. (pl. ~**ijiet**) emptiness
baħħar v. to sail, to navigate; (bil-weraq taż-żebbuġ, eċċ.) to fumigate, to purify // n.m. (pl. ~**a**) mariner sailor; (tal-weraq taż-żebbuġ, eċċ.) perfumer
baħnan n.m. (pl. ~**a**) sot, simple
baħri n.m. (pl. ~**n**) seaman, sailor; ~ **fis-sakra** an ailing thing; ~ **tal-bnazzi** who turns up when the problems quieten down
baħrija n.f. (pl. ~**t**) hornet
baj inter. bye-bye
bajd n.m.koll. f. ~**a** (pl. ~**iet**) egg; ~**a mifsuda** addle egg; ~ **b'żewġt isfra** two good moments; **trid** ~ **u ġobon** you have a lot of work; **bil-~ u l-ġobon** very good; ~ **u beċċun** having a lot of children // aġġ. white; (mimli ħafna) teeming; bla ~ (vulg.) incapable
bajdani aġġ. whitish
bajja n.f. (pl. ~**iet**) vat; (ħdejn il-baħar) bay
bajjad v. to whitewash; (irranġa) to furbish // n.m. (pl. ~**a**) whitewasher
bajju aġġ. bay
bajrow n.m. (pl. ~**s**) ballpoint, pen, biro

bajtar n.m.koll. f. **bajtra** (fig.) incapable person (pl. **bajtriet**) fig; ~ **ta' San Ġwann** fig of the first crop; ~ **tax-xewk** indian fig
bajunett|a n.f. (pl. ~**i**) bayonet
bakkaljaw n.m.koll. cod, pollack; donnu ~**a** very thin
bakkanalj|a n.f. (pl. ~**i**) riotous feast, noisy revel
bakkar v. to rise early // n.m. (pl. ~**a**) early riser
bakkar|à n.f. (pl. ~**ajiet**) baccara, baccarat
bakkett|a n.f. (pl. ~**i**) rod, wand
bakkettat|a n.f. (pl. ~**i**) stroke with a rod
bakl|u n.m. (pl. ~**i**) pastoral staff, crosier
bala' v. to swallow
balal|u n.m. (pl. ~**i**) imbecile
balavostr|a n.f. (pl. ~**i**) baluster, banister
balavostrat n.m. (pl. ~**i**) balustrade
balbal v. to prattle
balbuljata name of a Maltese dish, mess, confusion **għamel** ~ he made a blunder
baldakkin n.m. (pl. ~**i**) canopy
balien|a n.f. (pl. ~**i**) whale
baljol n.m. (pl. ~**i**) bucket
balla n.f. (pl. **balal**) bullet, ball; (munzell) bale; ~ **fuq l-istonku** a problem; **il-**~ **waqgħet fuqu** he got all the blame; **mimli daqs** ~ teeming
balla' v. to cram
ballabbli aġġ. fit for dancing
ballabrott n.m. (pl. ~**ijiet**) ball
ballarin n.m. f. ~**a** (pl. ~**i**) dancer
ballat v. to beetle, to pun
ballat|a n.f. (pl. ~**at**) punner; (pl. ~**i**) lay, ballad
ballett n.m. (pl. ~**i**) ballet
ballistika n.f. (bla pl.) ballistics
ballottaġġ n.m. (pl. ~**i**) second ballot
ballottr|a n.f. (pl. ~**i**) weasel
ball|u n.m. (pl. ~**ijiet**) ball, dance; **bil-**~! it is not easy as you think!
ballun n.m. (pl. **blalen**) ball; **għamluh** ~ they made fun of him
ballut n.m.koll. f. ~**a** (pl. ~**at**) oak
balz n.m. (pl. ~**i**) beam
balzmatur n.m. (pl. ~**i**) embalmer
balzmatura n.f. (pl. ~**i**) embalment
balzm|u n.m.koll. f. ~**a** (pl. ~**at**) balsam; **ħassu** ~ he was really pleased with it
bambal v. to bamboozle
Bambin n.m. (pl. ~**i**) baby Jesus; (fig.) beautiful baby; **il-**~ **insieh** he grew very tall; **il-**~ **ħabbu** he had a narrow escape; (meta miet) he died and ceased his sufferings; (sab xortih) he striked gold; **il-**~ **bagħtek** it is so good that you are here; **il-**~ **ġabru** he died
bamboċċ n.m. (pl. ~**i**) simpleton
bambù n.m. (bla pl.) bamboo
bambuċċat ara **(i)bbamboċċat**
b&b n.m. (bla pl.) b&b
banali aġġ. banal
banalit|à n.f. (pl. ~**ajiet**) banality
banana n.f. (pl. ~**t**) banana
banavolj|a n.m. (pl. ~**i**) scoundrel
banda n.f. (pl. **bnadi**) side; (pl. **baned**) band; **bil-**~ **llejla!** there are children crying!
bandal v. to swing
bandalor|a n.f. (pl. ~**i**) banderole
bandier|a n.f. (pl. ~**i**, **bnadar**) flag; ~ **bajda** non-allied; **qisu** ~ with no constant values
bandist n.m. (pl. ~**i**) bandsman
bandit n.m. (pl. ~**i**) bandit
banditur n.m. (pl. ~**i**) town crier
bandl|a n.f. (pl. ~**i**) swing
band|ò n.m. (pl. ~**jiet**) bandeau
band'oħra avv. elsewhere
band|u n.m. (pl. ~**ijiet**) proclamation; **daqqilha l-**~ he spoke to all about her
bandulier|a n.f. (pl. ~**i**) bandoleer
banġ n.m.koll. white henbane
banġ|u n.m. (pl. ~**ijiet**) banjo
banjat pp. plated
banj|u n.m. (pl. ~**ijiet**) bath; ~ **sħun** hot bath; ~ **tat-tajn** mud bath; ~ **tax-xemx** sun bath; ~ **bilqiegħda** sit bath, hip bath; **kamra tal-**~ bath-room; **ħa** ~ to bathe; **ta** ~ to bath; **ħa** ~ **Tork** he sweated exceedingly // aġġ. neither hot nor cold
bank n.m. (pl. ~**ijiet**) bench; ~ **ta' ħanut** counter; ~ **ta' mastrudaxxa** joiner's bench; ~ **tar-ramel** sand-bank; (pl. banek) bank; ~ **il-għażż** a lazy person; **ħasbu l-**~ **Ingliż** he thought he could spend all his money
banka n.f. (pl. **banek**) stool; ~ **tal-lottu** lotto office
bankarotta n.f. (bla pl.) bankruptcy
bankett n.m. (pl. ~**i**) banquet
bankett|a n.f. (pl. ~**i**) footstool
bankier n.m. (pl. ~**i**) banker
bankin|a n.f. (pl. ~**i**) footpath, sidewalk, pavement
bankun n.m. (pl. ~**i**) carpenter's bench
bannat v. to seed
bans inter. truly, undoubtely
baqa' v. to remain; ~ **ma** - he still did not - ~ **sa ma** he finally - **hekk** ~ **jonqos** it's enough; ~ **lura** he did not progress
baqat v. to coagulate
baqbaq v. to seethe, to bubble; **iktar i**~ **milli jinżel** he speaks too much; (inkwieta lil xi ħadd to afflict, to trouble
baqbieq n.m. (pl. ~**a**) pitcher, pot
baqbuqa n.f. (pl. ~**t**) pitcher

baqgħa n.f. (pl. **~t**) abode, stay; (ftehim) covenant, agreement
baqla n.f. (pl. **~i**) measles
baqqa n.f. (pl. **~t**) bug
baqqan v. to pick
baqqaq v. to create bugs
baqqat v. to coagulate
baqqun n.m. (pl. **bqaqen**) pickax(e)
baqqunier n.m. (pl. **~a**) digger, pickman
baqr|a n.f. (pl. **~iet**) cow; (xorta ta' ħuta) (pl. **~t**) devil fish
baqri aġġ. vaccine
baqta n.f. (bla pl.) curd; **tari** ~ very tender
barad v. to file
baram v. to twist, to contort; (inf. seraq) to steal; (ir-riħ) to blow; **barmu** he killed him
baratterij|a n.f. (pl. **~i**) barratry, fraud
barax v. to scrape; **~lu kollox** he won all the tally
barb n.m. (pl. **~iet**) uncle, beard
barbaġann n.m. (pl. **~i**) barn owl
barbariżm|u n.m. (pl. **~i**) barbarism
barbar|u n.m. (pl. **~i**) barbarian, uncivilized, savage
barbaru aġġ. barbaric
barbazzal n.m. (pl. **~i**) curb
barbett|a n.f. (pl. **~i**) side whisker
barbier n.m. (pl. **~a**) barber
barbikan n.m. (pl. **~i**) barbican
barbun n.m. (pl. **~i**) flounder; ~ **imperjali** turbot
bard n.m. (bla pl.) cold, chill; ~ **ixoqq il-għadam** very cold
bardan aġġ. frigid, cold
bardaxa n.f. (pl. **bradax**) rogue
bardnell n.m. (pl. **~i**) gunwall, gunnel
bard|u n.m. (pl. **~i**) bard
barell|a n.f. (pl. **~i**) litter
baritonu aġġ. barytone
barjol|a n.f. (pl. **~i**) night cap
barju n.m. (bla pl.) barium
bark n.m. (pl. **~ijiet**) bark
bark|a n.f. (pl. **~iet**) benediction, blessing; **fih mitt** ~ he is very helpful; **fih il-~ t'Alla** it is very comprehensive; **bil-~ tiegħu** with his approval
barkarol|a n.f. (pl. **~i**) barcarolle
barkazz|a n.f. (pl. **~i**) long boat
barklor n.m. (pl. **~i**) boat-man, water-man; **tah waħda tal-~** he gave him a sound punch
barkun n.m. (pl. **braken**) pontoon, barge
barlott|a n.f. (pl. **~i**) keg
barma n.f. (pl. **~t**) contortion, twisting; **jonqsu ~ u ftila** he is a bit mad
barmil n.m. (pl. **bramel**) barrel; ~ **tax-xaħam** a fat man
barnaż n.m. (pl. **braneż**) cowl, hood
Barokk aġġ. Baroque
barometriku aġġ. barometric(al)
barometr|u n.m. (pl. **~i**) barometer
barqam v. to coo
barr n.m. (bla pl.) desert
barra avv. outside; (minbarra) except; (fig.) **sa** ~ (ħafna) very much; ~ **minn fuqu** away from him!; **ma sabhiex** ~ he really cares for her; ta' ~ **minn hawn** the devil; (straordinarju) extraordinary; **jagħti għal** ~ it leads to the way out; **qed tħares 'il** ~ she is looking for a boyfriend; // v. to exempt
barrad v. to file // n.m. (pl. **~a**) filer
barrada n.f. (pl. **~t**, **brared**) jar, pantry; (friġġ) refrigerator
barraġ v. to heap, to clamp
barrakk|a n.f. (pl. **~i**) barrack, hut
barram v. to twist // n.m. (pl. **~a**) twister
barrani aġġ. stranger, foreigner; **li jaqla' kollu** ~ extra-money
barrasarsi n.pl. chain-wales
barrax v. to scratch // n.m. (pl. **~a**) scraper
barraxa n.f. (pl. **~t**) scraper
barri aġġ. wild, savage // n.m. (pl. **~n**) bull; **jonfoħ qisu** ~ he puffs heavily; **jiflaħ daqs** ~ very strong
barrier|a n.f. (pl. **~i**) quarry, stone-pit; (lqugħ) barrier
barrikat|a n.f. (pl. **~i**) barricade
barumbar|a n.f. (pl. **~i**) pigeon-house, dove-cot
baruni n.m. (pl. **~jiet**) baron
barunij|a n.f. (pl. **~i**) barony
baruniss|a n.f. (pl. **~i**) baroness
barus|a n.f. (pl. **~i**) red-necked phalarope; ~ **griża** grey phalarope
barważ v. to sew or stitch badly
barxa n.f. (pl. **~t**) scratch
barżakk|a n.f. (pl. **~i**) haversack
basal n.m.koll. f. basla (pl. **~iet**) onion; **basla** (fig.) a stupid person; (inkwiet) dire troubles
basalt n.m. (bla pl.) basalt
basar v. to presage, to predict
BASIC n.m. (bla pl.) BASIC
baskat v. to torrefy
basket n.m. (pl. **basktijiet**) basket
basl|a n.f. (pl. **~iet**) bulb
basli aġġ. bulbous
basr|a n.f. (pl. **~iet**) presage, prophecy
bass v. to fart; **ma tistax tboss quddiemu** he is annoyingly inquisitive
bassa n.f. (pl. **~t**) fart; (fig.) an untrusting fellow
bassar v. to foretell, to predict // n.m. (pl. **~a**) prophet
bassas v. to fart often // n.m. (pl. **~a**) he that breaks wind
bassezz|a n.f. (pl. **~i**) vileness
bassoriliev n.m. (pl. **~i**) bas-relief

bast avv. enough
basta avv. provided (that)
bastard n.m. (pl. ~**i**) bastard, illegitimate, fatherless
bastiment n.m. (pl. ~**i**) ship; ~ **tal-gwerra** warship
bastjun n.m. (pl. ~**i**) bastion, rampart
bastonċin n.m. (pl. ~**i**) small stick
bastun n.m. (pl. **bsaten**) stick, baton; **għad ikun** ~ he will be the money-earner; **bsaten: għamillu l-~ fir-roti** he caused him problems
bata v. to suffer
batal for no reason at all **fil-** ~avv. in vain
batan v. to breed, to conceive
batar v. to counterpoise
bati aġġ. slow
batta v. to turn over
battal v. to empty; (ħa vaganza) to take a holiday; // n.m. (pl. ~**a**) he who empties
battalj|a n.f. (pl. ~**i**) battle, fight
battaljun n.m. (pl. ~**i**) battalion
battall n.m. (pl. ~**i**) knocker
battam v. to beetle, to plaster
battan|a n.f. (pl. ~**i**) sheepskin
battent n.m. (pl. ~**i**) leaf, shutter
batterij|a n.f. (pl. ~**i**) battery; **x'~a għandu** he has a big jaw; **bil-~ baxxa** lacking vitality
batterjoloġij|a n.f. (pl. ~**i**) bacteriology
batterjoloġiku aġġ. bacteriological
batterjolog|u n.m. (pl. ~**i**) bacteriologist
batterj|u n.m. (pl. ~**i**) bacterium
battibekk n.m. (pl. ~**i**) dispute, quarrel
battilor n.m. (pl. ~**i**) goldbeater
battisterj|u n.m. (pl. ~**i**) baptistery, baptistry
battmat ara **(i)bbattmat**
battut|a n.f. (pl. ~**i**) beat, bar
batut aġġ. depressed
bavalor n.m. (pl. ~**i**) bib
bavr|u n.m. (pl. ~**i**) lapel
bawxa n.f. (pl. ~**t**) crime
bawxata n.f. (pl. ~**t**) lark
baxa n.m. (pl. ~**jiet**) pasha; (min iħobb il-kumdità) one who likes to be comfortable all the time
baxx aġġ. low, shallow; (vulgari) vulgar; **waqa'** ~ he was not up to his status
baxxa v. to lower
baxxar v. to announce // n.m. (pl. ~**a**) messenger
baża' v. to fear
bażar n.m. (pl. ~**ijiet**) bazaar
bażi n.f. (pl. ~**jiet**) base
bażilik|a n.f. (pl. ~**i**) basilica
bażilisk n.m. (pl. ~**i**) basilisk
bażina overcooked (l-ikel) **sar** ~ the food was not cooked properly
bażokk n.m. (pl. ~**i**) bigot
bażokkerij|a n.f. (pl. ~**i**) bigotry
bażuk|a n.m. (pl. ~**i**) bazooka
bażug|a n.f. (pl. ~**i**) bronze bream
bażwa n.f. (pl. ~**t**) rapture, hernia
bażwi aġġ. raptured, hernious; **donnu** ~ a lazy person; (xogħol, eċċ.) ~ a careless piece of work (etc.)
bażż n.m. buzz, good time
bażża' v. terrify, to frighten
bażżar v. to manure; (raxxax il-bżar) to pepper // n.m. (pl. ~a) one who manures
BBC n.m. (bla pl.) BBC
(i)bbaċa v. to base, to found
(i)bbaċat pp. based, founded
(i)bbada v. to take care of
(i)bbalja v. to undulate
(i)bbaljat pp. undulated
(i)bbalzma v. to embalm
(i)bbalzmat pp. embalmed
(i)bbamboċċa v. to bamboozle, to cozen, to delude, to deceive
(i)bbamboċċat pp. bamboozled, deluded, deceived
(i)bbanja v. to plate
(i)bbanjat ara **banjat**
(i)bbanketta v. to banquet
(i)bbasta v. to suffice, to be sufficient
(i)bbattma v. to plaster
(i)bbattmat pp. plastered
(i)bbeatifika v. to beatify
(i)bbeatifikat pp. to beatified
(i)bbekkja v. to back, to give support
(i)bbenefika v. to benefit
(i)bbenefikat ara **benefikat**
(i)bbilanċja v. to balance
(i)bbilanċjat ara **bilanċjat**
(i)bbina v. to binate
(i)bbisja v. to repeat
(i)bbisjat pp. repeated
(i)bbivakka v. to bivouac
(i)bblakka v. to black boots
(i)bblakkat pp. blackened
(i)bbnazza v. to become calm
(i)bbojkottja v. to boycott
(i)bbojkottjat ara **bojkottjat**
(i)bbokkla v. to buckle
(i)bboksja v. to box
(i)bboksjat pp. boxed
(i)bbombja v. to bomb; **j**~! he won't do it!
(i)bbombjat pp. bombed
(i)bbordja v. to ply to windward; (tela' fuq il-vapur) to board
(i)bbordjat pp. boarded
(i)bbottilja v. to bottle
(i)bbottiljat pp. bottled

(i)bbozza v. to lower the head, to hide oneself in a cloak
(i)bbozzat pp. lowered the head
(i)bbrejkja v. to break
(i)bbrejkjat pp. breaked
(i)bbrilla v. to shine
(i)bbrinda v. to toast
(i)bbrindat pp. toasted
(i)bbronża v. to bronze
(i)bbronżat pp. bronzed
(i)bbuffunat pp. buffooned
(i)bbuffunja v. to jest, to joke, to buffoon
(i)bbukkja v. to book
(i)bbukkjat pp. booked
(i)bbumbarda v. to bombard
(i)bbumbardat pp. bombed
(i)bburdella v. to go to a brothel
(i)bbuwja v. to boo
(i)bbuwjat pp. booed
bdil n.m. (bla pl.) change
bdot n.m. (pl. ~**i**) pilot
beatifikat ara **(i)bbeatifikat**
beatifikazzjoni n.f. (pl. ~**jiet**) beatification
beatifiku aġġ. beatific(al)
beatissimu aġġ. blessed
beatitudni n.f. (pl. ~**jiet**) beatitude
beat|u n.m. (pl. ~**i**) blessed; ~**i pawli: waħda tal-~ pawli** a sound beating
bebbux n.m.koll. (pl. ~**iet**) snail; **ingħalaq bħal** ~ he did not speak to anybody about his problems; **sajjem daqs il-~** he did not know what had happened
bebbuxi aġġ. ash coloured
bebuna n.f. (pl. ~**t**) wild camomile
beċċen v. to fatten
beċċun n.m. (pl. **bċieċen**) pigeon; (persuna li tagħmel biha li trid) a gullible person
B.Ed n.m. (pl. ~**s**) B.Ed
beda v. to begin, to start; **ibda biex** - first of all
bedwin n.m. (pl. ~**i**) bedouin
begbeg v. to toss off, to quaff
begonj|a n.f. (pl. ~**i**) begonia
behem n.m. (pl. **ibhma**) thumb, fist
beħsiebni/beħsiebi avv. to intend to do something
Bejbet name of a bird known as Venewwa; **xogħol bħal ta' ma'** ~ careless work
bejgħ n.m. (bla pl.) sale; ~ **bi rkant** auction sale
bejgħa n.f. (pl. ~**t**) goods, merchandise; **mħallta l-~!** it smells fishy; (hemm taħlita) there is a motley assortment
bejjaħ aġġ. pretty
bejjen v. to distinguish, to separate
bejjet v. to nestle; ~ **ma sebaħ** he was not seen anymore **bejtu f'qalbu** he seeks revenge
bejjiegħ n.m. (pl. ~**a**) seller; ~ **tat-triq** hawker, huckster
bejjien n.m. (pl. ~**a**) mediator, middleman
bejken n.m. (pl. **bejknijiet**) bacon
bejlikk n.m. (pl. ~**ijiet**) governor, ruler; (superjur) superior, principal
bejn prep. between; (fost) among; ~ **ħaltejn** doubtful, uncertain; ~ **wieħed u ieħor** almost, nearly, about
bejt n.m. (pl. **bjut**) terrace, roof; **għasfur tal-~** house sparrow
bejt|a n.f. (pl. ~**iet**) nest; ~**a tal-fniek** burrow; ~**a tal-firien** mouse's nest; ~**a tan-naħal** bee-hive; ~**a taż-żunżan** wasp's nest
bejżu aġġ. corpulent
beka v. to cry, to weep; **ħwejġu** (eċċ.) **jibku fuqu** the clothes (etc.) really do not suit him
bekbek v. to sip, to guzzle
bekbiek n.m. (pl. ~**a**) guzzler, swiller
bekk n.m. (pl. ~**ijiet**) burner, bat(s)wing
bekka v. to make one weep
bekkaċċ n.m. (pl. ~**i**) common snipe; ~ **ta' Mejju** great snipe; ~**a** n.f. (pl. ~**t**) bellows-fish
bekkaċċin|a n.f. (pl. ~**i**, ~**at**) snipe
bekkafik n.m. (pl. ~**i**) garden warbler; ~ **aħmar** whitethroat; ~ **griż** olivaceous warbler; ~ **isfar** iceterine warbler; ~ **rmiedi** lesser whitethroat; ~ **tal-għana** melodious warbler; ~ **taż-żebbuġ** olive-tree warbler
bekkamort coffin-bearer **donnu** ~ one who wears black
bekkej n.m. (pl. ~**ja**) weeper
bekkejj|a n.f. (pl. ~**i**) weeping willow
bekkek v. to booze, to quaff
bekkum n.m. (bla pl.) sea-sheel
belbel v. to flutter
belgħa n.f. (pl. ~**t**) sip; (ċanfira) a scold
belhieni aġġ. silly, daft
belhun aġġ. dunce
bell v. to wet, to moisten
belladonn|a n.f. (pl. ~**i**) deadly nightshade
bellah ara belleh
belleh v. to amaze, to astonish
belliegħ n.m. (pl. ~**a**) swallower, devourer
belliegħa n.f. (pl. ~**t**) vortex, whirpool
belliġerent n.m. (pl. ~**i**) belligerent
bellikuż aġġ. bellicose, warlike
bellus n.m.koll. f. ~**a** (pl. ~**at**) velvet
bellusa n.f. (pl. ~**t**) amaranth
bellusi aġġ. velvety
belt n.f. (pl. **bliet**) city, town
belti aġġ. citizen
belvidier n.m. (pl. ~**i**) belvedere
bemoll n.f. (pl. ~**ijiet**) flat

bena v. to build
Benedittin n.m.pr. (pl. ~**i**) Benedictine
benedizzjoni n.f. (pl. ~**jiet**) benediction, blessing
benefattur n.m. (pl. ~**i**) benefactor
benefiċenz|a n.f. (pl. ~**i**) beneficence
benefiċċj|u n.m. (pl. ~**i**) benefit
benefiċjat pp. beneficed
benefikat n.m. (pl. ~**i**) benefit
benefizzjat ara **benefiċjat**
benefizzju ara **benefiċċju**
benemerenz|a n.f. (pl. ~**i**) merit
benemertu aġġ. well deserving
beneplaċt|u n.m. (pl. ~**i**) consent
benessri n.m. (pl. ~**jiet**) well-being, welfare
benestant n.m. (pl. ~**i**) well-to do person
benevolenz|a n.f. (pl. ~**i**) benevolence
benfatt aġġ. well-made
benġel v. to redress; (waġġ.a') to make livid
beni n.f. property
beninn aġġ. benign(ant); (qalbu tajba) kind; **kanser** ~ benign cancer
benjamin n.m. (pl. ~**i**) darling, best loved
benna n.f. (pl. ~**t**) taste
bennej n.m. (pl. ~**ja**) mason; (min jibni) builder
bennen v. to rock; (tejjeb) to make savoury
benniena n.f. (pl. ~**t**) cradle; (kott) cot
benvist aġġ. liked, loved
benżina n.f. (bla pl.) benzoline
bera v. to stare, to gaze
beraħ v. to open wide // n.m. (bla pl.) open place; **fil-**~ openly, publicly; **fetaħ rasu** (eċċ.) ~ he hurt his head (etc.) badly
berbaq v. to squander, to lavish
berbex v. to handle, to feel; (inganna) to cheat
berbieq n.m. (pl. ~**a**) squanderer, spendthrift
berbieqi aġġ. prodigal
berdel v. to uproar
berdgħa n.f. (pl. **brada'**) pack-saddle
berettin n.m. (pl. ~**i**) cap
berfel v. to hem
berfir n.m. (bla pl.) purple cloth
berġa n.f. (pl. **bereġ**) auberge
bergamott n.m.koll. f. ~**a** (pl. ~**iet**) bergamot
bergħed v. to grow or become full of fleas
bergħud n.m. (pl. **briegħed**) flea; **briegħed: ixekklilha l-**~ that would not affect her in any way
berill n.m. (pl. ~**i**) beryl
berillju n.m. (bla pl.) beryllium
beritta n.f. (pl. **brieret**) cap; **ma jitlifx berittu fil-folla** he knows what he's doing
berittun n.m. (pl. ~**i**) large heavy cap
berkel v. to sprout
bermeċ v. to roll between the forefinger and the thumb
bermuda n.f. (pl. ~**s**) bermuda shorts
berqa n.f. (pl. ~**t**) lightning; **donnu** ~ an agile person; **ġriet bħal** ~ the news spread rapidly; **ġiet bħal** ~ she/it came unexpectedly
berquq n.m.koll. f. ~**a** (pl. ~**at**) apricot
berraħ v. to open wide
berraq v. to lighten, to flash; ~ **għajnejh** to stare; **beda j**~ we are going to face serious problems
berred v. to cool
berrek v. to tread
berren v. to gimlet
berried n.m. (pl. ~**a**) cooler
berriedi aġġ. refreshing, refrigerant
berrieħ n.m. (pl. ~**a**) who opens wide
berrin|a n.f. (pl. ~**iet**, **brieren**) wimble, piecer, **gimlet**; (min ixewwex) a provoker; **għaddieh** ~ he cheated him in an astute way
bersaljier n.m. (pl. ~**i**) able-shooter
bersall n.m. (pl. ~**i**) target
berwieq n.m.koll. f. ~**a** (pl. ~**at**) asphodel
bestj|a n.f. (pl. ~**i**) beast
bestjali aġġ. beastly; (brutal) brutal, bestial
bestjam n.m. (pl. ~**e**) cattle
betbet v. to play the reed
betbut n.m. (pl. **btiebet**) reed
bettieħ n.f.koll. f. ~**a** (pl. ~**at**) melon; **ixomm il-**~ he has a big nose
bettija n.f. (pl. **btieti**) cask
bewl n.m.koll. f. ~**a** (pl. ~**at**) (vulg.) urine, piss
bews n.m.koll. f. ~**a** (pl. ~**iet**) kissing; kisses **stampalha** ~**a** he kissed her passionately; ~**a ta' Ġuda** a fake act
bewwaq v. to hollow
bewweġ v. to run away, to disappear clandestinely
bewwel v. to promote urine
bewwes v. to give many kisses
bewwex v. to pass a thing secretly
bewwieb n.m. (pl. ~**a**) door keeper, porter
bewwies n.m. (pl. ~**a**) kisser
bexbex v. to dawn
bexkel v. to embroil
bexx v. to sprinkle // n.m. sprinkling
bexxa n.f. (pl. ~**iet**) aspersion, sprinkling
bexxaq v. to leave ajar, to half shut
bexxex v. to sprinkle
bexxiex n.m. (pl. ~**a**) sprinkler
bexxiexa n.f. (pl. ~**t**) water-pot
beżaq v. to spit; ~**ha** he let out the secret; ~**ha u lagħaqha** he tried to cover up what he had let out before
beżbeż v. to pull one's hair

beżbież n.m. (pl. ~**a**) admonisher
beżbuż|a n.f. (pl. ~**iet**, **bżiebeż**) tuft
beżgħa n.f. (pl. ~**t**) fear, terror
beżgħan aġġ. afraid
beżlaħ v. to despise
beżlek v. to suck lightly
beżqa n.f. (pl. ~**t**) spit; (bniedem kiesaħ) a pretentious person; **għereq f'~ ilma** he kept worrying on a trivial thing
beżżaq v. to spit often, to expectorate
beżżel v. to cause bewitchment
beżżiegħi aġġ. timorous
beżżieq n.m. (pl. ~**a**) spitter
beżżul n.m. (pl. **bżieżel**) unlucky man, unfortunate man
beżżula n.f. (pl. **bżieżel**) nipple
bezzun n.m. (pl. **bziezen**) roll of bread; (sorbettiera) ice-pale; **għaqad il-~** more problems come into our way
bgħid avv. aloof
bhima n.f. (pl. **bhejjem**) beast; (persuna salvaġġa) an uncouth person
bħajjar n.m. f. ~**a** (pl. ~**iet**) lake
bħajr|a n.f. (pl. ~**iet**) pond; (post tal-bettiegħ) melon field
bħal, bħala avv. as, like; (jixbah lil) similar
bħalissa avv. right now
bħallikieku, avv. as, as if
bħalma avv. as, like
bħal xejn avv. perhaps, (għala) why; (xiex) what
bħur n.m.koll. f. ~**a** (pl. ~**at**) incense, perfume
bi prep. with; ~**hom** in a bad mood; **ibati ~hom** he has frequent bouts of anger; ~**ha** drunk; (bin-nervi) in a bad mood; (f'burdata tad-daħk) in a joyful mood
Bibbja n.f. (bla pl.) Bible
bibit|a n.f. (pl. ~**i**) drink
bibjotek|a n.f. (pl. ~**i**) library
bibjotekarj|u n.m. (pl. ~**i**) librarian
bibliku aġġ. biblical
biblijografij|a n.f. (pl. ~**i**) bibliography
biblijografiku aġġ. bibliographica(al)
biblijograf|u n.m. (pl. ~**i**) bibliographer
biblijomanij|a n.f. (pl. ~**t**) bibliomania
biċċ|a n.f. (pl. ~**iet**, **bċejjeċ**) piece; (gidma) morsel; ~ **tal-art** floor-cloth; ~ **tat-tfarfir** duster; **x'kull** ~ I can't believe it; ~ **tinkiteb** an experience which will not be forgotten easily; ~ **ta' raġel** (eċċ.) a nice man; ~ **avukat** (eċċ.) a useless lawyer; **ibigħ bil-~** who sells garments; **hekk hu** ~ yes, but there's more to it than that; **ġratlu** ~ he is in trouble; **mhux ~ tiegħu** it is nothing of his business; ~ **tal-gwerra** a warship; ~ **għaġina** a gullible man; **biċċiet: waqa'** ~ he was in excruciating pain
biċċer v. to butcher
biċċerij|a n.f. (pl. ~**i**) abbatoir, slaughter-house
biċċier n.m. (pl. ~**a**) butcher
biċefalu aġġ. bicefalous
bidded v. to pour; (ferra') to spill, (partat) to swap
biddel v. to change, to alter
biddiel n.m. (pl. ~**a**) changer
bidel v. to change, to permute; (partat) to swap
bidill|u n.m. (pl. ~**i**) school attendant
bidja n.f. (pl. ~**t**) attempt, noviciate
bidla n.f. (pl. ~**t**) change
bidni aġġ. corpulent
bidu n.m. (bla pl.) beginning, commencement
bidwi n.m. (pl. **bdiewa**) farmer
bieb n.m. (pl. **bwieb, bibien**) door; **ħabbat** [illegible] go to sb. else; **urieh il-~ ta' barra** he sent him away; ~ **miftuħ** widespread arms; **wara l-~** not far away; ~ **u għatba** near to each other; **qabad il-~ u telaq** he stormed out; (inf.) **għala ~u** a carefree person; **ma jgħaddix mill-~** a well-built person; **sabbatlu l-~ f'wiċċu** he cut short their conversation; **donnu l-~ tal-majjistra** he is very frequented; **infetħu l-bibien** a lot of trouble and problems; **bwieb: infetħu bwieb is-sema** it rained cats and dogs
bieb|a n.f. (pl. **bibiet**) crumb
bied v. to lay eggs
biedi aġġ. beginning
biedja n.f. (pl. **bwiedi**) farming, agriculture, husbandry
biegħ v. to sell; **għandu biex** ~ he has in excess; **ibigħek malajr** not a true friend; ~**lu daqqtejn** he gave him a sound beating
biegħa ara **bejgħa**
biegħed v. to remove, to send far away
biel v. to piss; (inf.) ~ **taħtu** he was really afraid
bieqja n.f. (pl. **bwieqi**) cup, bowl; (skutella) porringer
bieraħ n.m. (bla pl.) yesterday; **qisu l~** it is as if it was yesterday
biered patt. cold, frozen; (indifferenti)indifferent
bierek v. to bless
bies v. to kiss // n.m. (pl. ~**ijiet**) flying gurnard // n.m. (pl. bisien) Mediterranean peregrine; ~ **rari** lanner falcon; ~ **ta' Barbarija** Barbary falcon; ~ **tal-ħamiem** goshawk; ~ **ta' rasu bajda** saker falcon
biex avv. konġ. so that; **m'għandux** ~ he should not do that; (m'għandux flus) he is poor; ~ **ma** - I could have -
bieżel patt. active, quick, dynamic, enterprising

bifolk n.m. (pl. ~**i**) boor
bifstejk n.m. (pl. ~**s**) beefsteak
biġġel v. to protect; (iddefenda) to defend
biġġiel n.m. (pl. ~**a**) defender, protector
biġla n.f. (pl. ~**t**) veneration, reverence
bigamij|a n.f. (pl. ~**i**) bigamy
bigam|u n.m. (pl. ~**i**) bigamist
bigott|a n.m. (pl. ~**i**) bigot
bigottiżm|u n.m. (pl. ~**i**) bigotry
bijamb|ò n.m. (pl. ~**ojiet**) Jew's harp; **kien bil-~** he was in a bad mood
bijoġenesi n.f. (bla pl.) biogenesis
bijografij|a n.f. (pl. ~**i**) biography
bijografikament avv. biographically
bijografiku aġġ. biographic(al)
bijograf|u n.m. (pl. ~**i**) biographer
bijokimika n.f. (bla pl.) biochemistry
bijoloġij|a n.f. (pl. ~**i**) biology
bijoloġikament avv. biologically
bijoloġiku aġġ. biologic(al)
bijolog|u n.m. (pl. ~**i**) biologist
bijoplażm|a n.f. (pl. ~**i**) bioplasm
bikamerali aġġ. bicameral
bikarbonat n.m. (pl. ~**i**) bicarbanate; ~ **tas-soda** sodium bicarbonate
biki n.m. (bla pl.) weeping, crying; **beka ~ tad-demm** he was really sad about it all; **tah il-~** he despaired
bikj|a n.f. (pl. ~**iet**) cry; ~ **waħda** he kept crying; (bkew flimkien) they cried altogether
bikkem v. to dumbfound
bikkerat|a n.f. (pl. ~**i**) drink, potation
bikkjerin n.m. (pl. ~**i**) small glass
bikri avv. betimes; **frott** ~ first-fruits
bil- prep. with, with the, by
bil|a n.f. (pl. ~**i**) bile
bilanċ n.m. (pl. ~**i**) balance
bilanċier n.m. (pl. ~**i**) balance-wheel; (pendlu) pendulum
bilanċjat aġġ. balanced
bilaterali aġġ. bilateral
bilbla n.f. (pl. **bliebel**) short-toed lark; ~ **sekonda** lesser short-toad lark
bilblun n.m. (pl. ~**i**) tawny pipit; ~ **salvaġġ** jew **tal-barr** richard's pipit
bilfors avv. forcedly, by force
bilġri avv. quickly, swiftly; (malajr) soon, at once
bilħaqq avv. by the way
bilingwi aġġ. bilingual
biljard n.m. (pl. ~**i**) billiards
biljett n.m. (pl. ~**i**) ticket
biljun n.m. (pl. ~**i**) billion
biljuż aġġ. bilious
billejl avv. by night, nightly
billi konġ. for; (minħabba) because of, owing to; (ma ġara xejn) never mind
bilqiegħda avv. sitting down, seated
bimestral aġġ. two-monthly
bin ara **iben;** ~ **ommu** a chatterbox; (jixbah lil ommu) he looks like his mother; ~ **is-sengħa** he took up his father's craft; ~ **il-barr** an uncouth person
binarj|u n.m. (pl. ~**i**) track; (ta' ferrovija) rails
binhar avv. by day, in the day time
bini n.m. (bla pl.) building, fabrication; **tajn tal-~** mortar
binokl|u n.m. (pl. ~**i**) binoculars, opera glass
binomju aġġ. binomial
bint n.f. (pl. **bniet**) daughter
bipedu aġġ. biped, bipedal
biqa n.f. (pl. ~**t**) grass rope
bir n.m. (pl. **bjar**) well, cistern; ~ **is-skieken** a land of no return; ~ **bla qiegħ** something which never fills up
birbant n.m. (pl. ~**i**) rascal
bird|a n.f. (pl. ~**iet**) coldness, coolness
bired v. to grow cold, (te, eċċ.) to get cold; (mutur) to cool; ~ **u sireġ** a lapse of a year
birek v. to prostrate, to kneel down
biroċċ n.m. (pl. ~**i**) cart
birra n.f. (pl. **birer**) beer
birrerij|a n.f. (pl. ~**i**) brewery
biruq n.m. (bla pl.) ceruse
birwin n.m. (pl. ~**i**) dotterel; ~ **tal-Asja** caspian plover; ~ **tad-deżert** geoffroy's sand-plover
bis n.m. (pl. ~**ijiet**) bis, once more, encore
bisbula n.f. (pl. ~**t**) great plantain
bisestil aġġ. bissextile; **sena ~i** leap year
bisesswali n.m. bisexual
biskott n.m. (pl. ~**i**) biscuit
biskroma n.f. (pl. ~**i**) demisemiquaver
biskuttell n.m. (pl. ~**i**) hard biscuit, sop, rusk
biskuttin n.m. (pl. ~**i**) sugar cake
bismut n.m. (bla pl.) bismuth
biss avv. konġ. only; ~ for a start
bis-sewwa avv. rightly, truly
bisturin n.m. (pl. ~**i**) bistoury
biswit prep. opposite
bitħa n.f. (pl. **btieħi**) yard, courtyard
bitta n.f. (pl. ~**i**) bitts
bitum n.m. (pl. ~**ijiet**) bitumen
bituminuż aġġ. bituminous
bivakk n.m. (pl. ~**i**) bivouac
bivalv n.m. (pl. ~**i**) bivalve
bivj|u n.m. (pl. ~**i**) cross-road
bixkel v. to embroil, to intricate

bixkilla n.f. (pl. **bxiekel**) wicker-basket
bixkl|a n.f. (pl. **~iet**) tangle
bixr|a n.f. (pl. **~iet**) air, appearance
bizzarr aġġ. bizarre, queer, odd
bizzilla n.f. (pl. **bizzilel**) lace; **xogħol** ~ a well made piece of work
bizzillett|a n.f. (pl. **~i**) neptune neffle
biża' n.f. fear, terror
Biżantin aġġ. Byzantine
biżbetku aġġ. ill-tempered, waspish
biżibilj|u n.m. (pl. **~i**) a big number
biżżejjed avv. enough, sufficiently
biżżel v. to make active
bjad v. to become white
bjankerij|a n.f. (pl. **~i**) linen; (~ intima) underclothes
biennali aġġ. biennial
biennju n.m. (pl. **~i**) period of two years
bjond aġġ. blond
bjuda n.f. (bla pl.) whiteness, purity
bla prep. without
blekbord n.m. (pl. **~s**) blackboard
blakk n.m. (bla pl.) shoe polish
blakkat ara **(i)bblakkat**
blekaj n.f. (pl. **~ns**) black eye
blandun n.m. (pl. **~i**) pascal candle; **qisu** ~ he is tall and nice
blanzun n.m. (pl. **~i**) bud
blat n.m. f. **~a** (pl. **~iet**) rock, massy stone; **~ ta' qabar** tomb stone; **iebes daqs ~a/il-~** very strong
blati aġġ. rocky
blaws n.m. (pl. **~ijiet**) blouse
blażun n.m. (pl. **~i**) blazon, coat of arms
blejjeh aġġ. foolish, simple
blieh v. to become sottish, to become foolish
blieq v. to ripen in colour
bligħ n.m. (bla pl.) deglutition, swallowing
blis the devil **qalil daqs** ~ a very harsh and demanding person, devil
blokk n.m. (pl. **~i**) block
blokk|a n.f. (pl. **~i**) block; ~ **silġ** a gaudy person
blonġos n.m. (pl. **~ijiet**) little bittern
blonġun n.m. (pl. **~i**) great creasted grebe; ~ rare slavonian grebe; ~ **sekond** black-necked grebe; ~ **tat-tempesti** little auk; ~ **żgħir** little grebe
blu aġġ. blue
bluha n.f. (pl. **~t**) foolishness, silliness
bluż|a n.f. (pl. **~i**) overall
bnazzi n.m. (bla pl.) calm, calmness; (temp) fine weather; ~ **żejt** very calm
bniedem n.m. (pl. **bnedmin**) man
bnin aġġ. delicious, savoury
boa n.f. (pl. **~jiet**) boa
bobin n.m. (pl. **~i**) coil
boċċ|a n.f. (pl. **~i, boċoċ**) marble; (sport) bowl; **~a ħdejn il-likk** a good attempt; donnu **~a** very fat; **bil-~a f'ħalqu** a round face
boċni aġġ. punchy
bodbod n.m. (pl. **bdabad**) he goat; (bniedem) an uncouth person
bogħod n.m. (bla pl.) far, far away, distant; **darba fil-~** seldom, rarely; **fil-~** far off; **ma mmorrux** ~ a simple example; **ħaseb fil-~** he planned for the future
boj n.m. (bla pl.) boy
bojj|a n.m. (pl. **~i**) hangman, executioner
bojkott n.m. (pl. **~ijiet**) boycott
bojkottjat pp. boycotted
bokk|a n.f. (pl. **bokok**) hole, **għandu ~a bih** he treasures him immensely; **fetaħ** ~ he boasted
bokkin n.m. (pl. **~i**) cigarette-holder
bokkl|a n.f. (pl. **~i, ~at**) buckle
bokr|a n.f. (pl. **~iet**) early rising
boler|o n.m. (pl. **~i**) bolero
bolġ|a n.f. (pl. **~iet**) pit
boll n.m. (pl. **~ijiet**) common stingray; ~ **tork jew iswed jew vjola** blue stingray // n.m. (pl. bolol) stamp, seal
boll|a n.f. (pl. **~i, bolol**) stamp; (inf.) National Insurance; ~ **tal-Papa** bull; **bil-~ fuq ġbinu/dahru** he cannot conceal what he infact is
boloq v. to exceed; (għadda) to surpass
bol|qa n.m. (pl. **~oq**) punishment
bolt n.m. (pl. **~ijiet**) bolt
Bolxeviżm|u n.m. (pl. **~i**) Bolshevism
Bolxevist n.m. (pl. **~i**) Bolshevist
boma n.f. (pl. **~t**) boom
bomb|a n.f. (pl. **~i**) bomb; (inf.) **tah ~a** he did not give him anything; **faqqgħet il-~a** the expected news was broadcasted
bombastiku aġġ. bombastic
bombl|u n.m. (pl. **~i**) pitcher, water-pot; **~i: bellagħlha l-~i** he made her believe untrue things
bomm exactly on the stroke of **f'nofsinhar** (eċċ.) ~ exactly at twelve (etc.)
bonarjament avv. in a friendly way
bonarju aġġ. friendly
bonasir|a n.f. (pl. **~i, ~at**) good evening
bonċi aġġ. dwarf
bonġorn|u n.m. (pl. **~ijiet**) good morning
bonġu n.m. (pl. **~jiet**) good morning; (ġiet tard) she came late
bonn ara **boll**
bonsens n.m. (bla pl.) good sense, common sense

bonsw|a n.f. (pl. ~**iet**) good evening; **issa** ~ it is too late; ~ **dan** he is not good anymore
bont n.m. (pl. ~**ijiet**) thallus
bontà n.f. (pl. ~**ajiet**) goodness; (tjubija) kindness; (fl-ikel) delice
bonus n.m. (pl. ~ijiet, ~**is**) bonus
boqq|a n.f. (pl. ~**iet, boqoq**) draught; ~**a brodu** a rogue man
boqxiex n.m. spokeshave
bora n.f. (bla pl.) bora, north-east wind
border|ò n.m. (pl. ~**ojiet**) list, note
bordur|a n.f. (pl. ~**i**) border
boreali aġġ. northern, boreal; **awrora** ~ aurora borealis
borġ n.m. (pl. braġ) heap of stones
borgumastr|u n.m. (pl. ~**i**) burgomaster
borgħom n.m. (bla pl.) germander
borka n.f. (pl. **borok**) wild duck; **donnha** ~ a fat woman sitting on a chair
boriku aġġ. boric; **aċidu** ~ boric acid
borma n.f. (pl. **borom**) pot; **kixef il-**~ he learned of all that was going on; **iswed** ~ pitch black; **tilef il-**~ he lost everything for a mere trifle; **mħawda l-**~ there is something fishy going on; **laqqat il-**~ the last-born boy; (weħel kastig) he payed for all the others; (baqa' sal-aħħar) he stayed until the last minute
borqmi aġġ. invulnerable
borqom n.m. (bla pl.) amnion, caul
borra n.f. snow; **waqa'** ~ he slipped into an ill state
borża n.f. (pl. **boroż**) bag; **bil-**~ **f'idu** always paying bills; **għandu** ~ **flus** he is rich; **aħna** ~ **waħda** we are very close; **ma jeħdulux il-**~! they certainly won't steal him!; **sar qisu boroż** his clothes are too large for him; (ta' Malta, eċċ.) stock-exchange
bosk n.m. (pl. ~**ijiet**) wood, forest, lumber, trees
boskuż aġġ. woody
bosta aġġ. many // avv. much
botanika n.f. (bla pl.) botany
botani|ku n.m. (pl. ~**ċi**) botanist
boton n.m. (pl. **btan**) breed, litter; ~ **wieħed** one litter
bott n.m. (pl. ~**ijiet**) pot, tin
bott|a n.m. (pl. ~**i**) a remark; **tafa'** ~**a** he made an indirect remark; ~**a u risposta** tit for tat
bottiljat ara (**i**)**bbottiljat**
boxxl|a n.f. (pl. ~**i**) compass; (antiporta) glass-door; **tilef il-**~**a** he does not know what is he doing; **tiliflu l-**~ he angered him
boxxl|u n.m. (pl. ~**i**) ballot box
bozza n.f. (pl. **bozoz**) bulb; **qiegħdu f'**~ he cares exceedingly for her
bqajl|a n.f. (pl. ~**iet**) spinage
bqija n.f. (pl. ~**t**) change, remainder; (li baqa') remanent; **tawh il-**~ they revenged on him
braċċ n.m. (bla pl.) support
braċċjal n.m. (pl. ~**i**) armlet
braġier|a n.f. (pl. ~**i**) brazier, fire-pan
braġol|a n.f. (pl. ~**i**) chop
brag|a n.f. (pl. ~**i**) sling
brajml|a n.f. (pl. ~**iet**) common pochard; ~**a rasha bajda** white-headed duck; ~**a rasha sewda** scaup duck; ~**a sewda** common scotter; ~**a tal-għajn** goldeneye; ~**a tat-toppu** tufted duck; ~**a tat-toppu aħmar** red-crested pochard; ~**a ta' għajn bajda** ferruginous duck
brakk n.m. (pl. ~**i**) blood-hunt
bram n.m.koll.. f. ~**a** (pl. ~**iet**) jelly-fish
branda n.f. (pl. **braned**) hammock
bradell|a n.f. (pl. ~**i**) platform
brandi n.m. (pl. ~**jiet**) brandy
brank|a n.f. (pl. ~**i**) claw
branzetta avv. arm-in-arm
bravat|a n.f. (pl. ~**i**) bluster, brag
bravu aġġ. clever, skilful; ~ **għalik!** that was smart of you!; **għamilha tal-**~ he swaggered
bravur|a n.f. (pl. ~**i**) skill, experience, finesse, proficiency
brazz n.m. (pl. ~**i**) scounce, arm
brazzulett|a n.f. (pl. ~**i**) bracelet
brejbes n.m. (pl. **briebes**) devil
brejk n.m. (pl. ~**ijiet**) brake; (pawsa) break
brejku jargon, unintelligible language **ġej bil-**~ he is speaking in a difficult manner
brejkwoter n.m. (pl. ~**s**) breakwater
brevi n.f. (pl. ~**jiet**) breve; ~ **tal-Papa** brief
brevjar n.m. (pl. ~**i**) breviary
briċ n.m. (pl. ~**ijiet**) breech
briġġ n.m. (pl. ~**ijiet**) bridge
brigadier n.m. (pl. ~**a**) brigadier
brigant n.m. (pl. ~**i**) brigand
brigantaġġ n.m. (pl. ~**i**) brigandage
brigantin n.m. (pl. ~**i**) birg
brigat|a n.f. (pl. ~**i**) brigade, review
brija n.m. (pl. ~**t**) dundruff, scurf
brij|u n.m. (pl. ~**i**) sprightliness, joviality
brijuż aġġ. sprightly
brikkun n.m. (pl. ~**i**) knave
brikkunat|a n.f. (pl. ~**i**) roguery, prunk, knavery
brilj|a n.f. (pl. ~**i**) bridle
brill n.m. (pl. ~**i**) skittle
brillant n.m. (pl. ~**i**) brilliant; (attur komiku) comic actor
brillanti aġġ. brilliant; (li jxellex) shining, glittering
brillantin|a n.f. (pl. ~**i**) brillantine
brim n.m. (bla pl.) tortion

brimba n.f. (pl. ~**t**) spider
brindisi n.m. (pl. ~**jiet**) toast; **għamel** ~ to drink a toast
brinġiel n.m.koll. f. ~**a** (pl. ~**iet**) aubergine; ~**a** (gundalla) a bump, a wheal; **gundalla daqs** ~**a** a very big bump/wheal
brinġieli aġġ. peacock blue
brix n.m. (bla pl.) scrutching
brod|u n.m. (pl. ~**ijiet**) broth; **għamilha** ~**u!** throw it away!; **qadim daqs il-**~ very old; **żmien il-**~ very long ago
brokkl|u n.m. (pl. ~**i**) broccoli
brom ara **bram**
bromat n.m. (bla pl.) bromate
bromur n.m. (pl. ~**i**) bromide
bronki n.f. (bla pl.) bronchi
bronkite n.f. (pl. ~**jiet**) bronchitis
bronkjali aġġ. bronchial
bronkopolmonite n.f. (pl. ~**i**) bronchopneumonia
bronż n.m. (bla pl.) bronze
bronżatur|a n.f. (pl. ~**i**) bronzing
bronżin aġġ. bronzy
bronżin|a n.f. (pl. ~**t**) bearing
broxk n.m. (pl. ~**ijiet**) brush; (bniedem ingrat) an unthankful man
broxka n.f. (bla pl.) furze
bruda n.f. (bla pl.) coldness, coolness; (indifferenza) indifference
brudett n.m. (pl. ~**i**) broth mixed with eggs
bruk|a n.f. (pl. ~**iet**) water-pot; n.f. (bla pl.) tamarisk
brun aġġ. brown
brunċell n.m.koll. f. ~**a** (pl. ~**at**) vermiċelli
brunett aġġ. brunette
brunżar n.m. (pl. ~**a**) brazier, founder; (min iħoll il-bronz) melter of brass
brunżat ara **(i)bbronżat**
brutali aġġ. ruthless, brutal, nasty, severe
brutalit|à n.f. (pl. ~**ajiet**) brutality
brutalment avv. brutally
B.Sc n.m. (pl. ~**s**) B.Sc
bsima n.f. (bla pl.) hedge-mustard
bsir n.m. (bla pl.) presage
btala n.f. (pl. **btajjel**) holiday, vacation
btell v. to become wet
btir n.m. (bla pl.) substance
bubun n.m. (pl. ~**i**) bubo
buċaqċaq ara **buċaqq**
buċaqq n.m. (pl. ~**a**) whinchat
bud|a n.f. (pl. ~**iet**) reed-mance; **fih** ~**a** he is so detestable
budakkr|a n.f. (pl. ~**iet**) rock blenny; ~**a tal-għajn** butterfly, blenny; ~**a ħamra** red-speckled blenny; ~**a tal-qawwi** rock blenny; ~**a bżarija** black-faced blenny
Buddist aġġ. n.m. (pl. ~**i**) Buddhist
Buddiżmu n.m. (bla pl.) Buddhism
budebbus n.m.koll. f. ~**a** (pl. ~**at**) broom-rape
budenb n.m. (pl. ~**ijiet**) thresher shark
budwar n.m. (pl. ~**ijiet**) boudoir
buf|è n.m. (pl. ~**ejiet**) buffet
buffu aġġ. droll
buff|u n.m. (pl. ~**i**) jester, clown, buffoon
buffun ara **buffu**
buffunat|a n.f. (pl. ~**i**) lark; (ħlieqa) jest
buffur|a n.f. (pl. ~**i**, ~**iet**) squall, puff, blast; (l-għawġ) trouble
bufl|u n.f. (pl. ~**i**) buffalo
buful|a n.f. (pl. ~**iet**) marmora's warbler; ~**a ħamra** spectacled warbler; ~**a sewda** sardinian warbler; ~**a tad-deżert** desert warbler; ~**a tal-Atlas** Tristram's warbler; ~**a tal-ħarrub** subalpine warbler; ~**a tax-xagħri** provence (dartford) warbler
buganvill|a n.f. (pl. ~) bougainvilla(ea)
bugeddum n.m. (bla pl.) European bullfinch
bugiddiem n.m. (pl. ~**a**) wood-chat
bugħaddam n.m. (pl. ~**a**) pallid harrier; ~ **abjad** hen harrier; ~ **aħmar** marsh harrier; ~ **irmiedi** Montagu's harrier
bugħaddas n.m. (pl. ~**a**) diver; ~ **tal-maltemp** red-throated diver
bugħajjat n.m. (pl. ~**a**) shrike
bugħarwien n.m. (pl. ~**a**) slug
bugħawwieġ n.m. (pl. ~**ijiet**) cramp
bukkaport n.m. (pl. ~**i**) hatch, hatchway, man-hole
bukkett n.m. (pl. ~**i**) bunch of flowers
bukkun n.m. (pl. ~**i**) morsel; **fiha** ~ a job which returns profit; **għamel** ~ **minnu** he devoured all the food; (għajjat miegħu) he shouted at him
buldog n.m. (pl. ~**ijiet**) bulldog; (persuna ħarxa) a wicked person; (persuna salvaġġa) an uncouth person
bulebbiet n.m. (pl. ~**a**) wryneck; ~ **aħdar** green woodpecker
Buleben great wealth **mela jien ta'** ~? I am not a rich man, mind you
buli ara **buri**
bulin n.m. (pl. ~**i**) burin, graver
buljut n.m. boiled beef; **għamlu** ~ he gave him a sound beating
bullarj|u n.m. (pl. ~**i**) collection of Popes' bulls
bullettin n.m. (pl. ~**i**) bulletin
bumbard|a n.f. (pl. ~**i**) bombard
bumbardament n.m. (pl. ~**i**) bombardment, bombing
bumbardier n.m. (pl. ~**a**) bombardier

bumbardun n.m. (pl. ~**i**) bombardon; **jonħor daqs** ~ he snores very loudly; **idoqq il-**~ he makes noises while he speaks
bumellies n.m. (pl. ~**a**) grub, mite
bumerin monk seal **jorqod daqs** ~ he sleeps like a log
bumnejħer n.m.koll. small coriander
bumunqar n.m. (pl. ~**a**) rosefinch, scarlet grosbeak
bunixxief n.m. (bla pl.) wall barley
bunja n.f. (pl. ~**t**) bossage
BUPA n.m. abbr. of BUPA
buq n.m. (pl. **bwieq**) hollow, vacuity
buqar n.m. (pl. ~**i**) jug
buqexrem n.m. verbena
buqrajq n.m. f. ~**a** (pl. ~**at**) nightjar; ~ **abjad** Egyptian nightjar; ~ **aħmar** rufous-necked nightjar
bur n.m. (pl. **bwar**) meadow
buraġ n.m.koll. f. ~**a** borax
buraġier|a n.f. (pl. ~**i**) borax pot
buras n.m. (pl. ~**ijiet**) mullet
burdata n.f. (pl. ~**i**) mood, disposition, attitude
burdell n.m. (pl. **briedel**) brothel, bawdy house; **għamel** ~ **sħiħ** he caused a pandemonium
burdlieqa n.f. (bla pl.) purslane
burdnar n.m. (pl. ~**a**) muleteer; **jidgħi daqs** ~ he swears exceedingly
burdur|a n.f. (pl. ~**i**) border
burett|a n.f. (pl. ~**i**) burette, buretta
buri n.m. (pl. ~**jiet**) bad temper; **bil-**~ moody; ~ **iswed/ta' kelb** a very bad mood; (pl. **bwieri**) mullet
burikba n.f. (bla pl.) annual-mercury
burina n.f. (pl. ~**i**, ~**t**) bowline
bur|ò n.m. (pl. ~**ojiet**) bureau
burraxk|a n.m. (pl. ~**i**) trouble
burokrat|a n.kom. (pl. ~**i**) bureaucrat(ist)
burokratikament avv. bureaucratically
burokratiku aġġ. bureaucratic
burokrazij|a n.f. (pl. ~**i**) bureaucracy
burqax n.f. (pl. **brieqex**) painted comber
burqax|a n.f. (pl. ~**t**) borage
burraxk|a n.f. (pl. ~**i**) tempest, storm, hurricane
buruż aġġ. haughty, proud
busieq n.m. (bla pl.) meadow saffron
bużillis n.m. (bla pl.) difficulty, obstacle
buskett n.m. (pl. ~**ijiet**) grove, thicket; **issa B~ u Mnarja** now it is time to have fun
bust n.m. (pl. ~**i**) bust
busuf n.m. (bla pl.) hairy beetle; ~ **il-baħar** whiskered sole
buswejda n.f. (bla pl.) sardinian warbler
but n.m. (pl. **bwiet**) pocket; (pawċ) pouch; **daħħal fil-**~ he enjoyed big profits; **daħħal fil-**~ he cheated him; **ħaxxen** ~**u** he gained more and more money; **dejjaq** ~ very close; **ħakk il-**~ he was going to pay; **ħabib il-**~ money is second to nothing; **jagħmel għal** ~**u** he is a miser; ~ **bla qiegħ** something which is never saturated; **tafa' f'**~**u** he kept it for him; ~**u mtaqqab** a spendthrift
butiff n.m. (bla pl.) little; (żgħir) small
butir n.m.koll. butter
butirin|a n.f. (pl. ~**i**) butterine, margerine
buttar n.m. (pl. ~**a**) cooper
buttin n.m. (pl. ~**i**) booty
buttun n.m. (pl. ~**i**) button; ~ **tal-widnejn** ear ring
buttun|a n.f. (pl. ~**i**, ~**at**) button
butwila n.m.kom. (bla pl.) lofty man
buwaħħal n.m. (pl. ~**a**) cling-fish
bux n.m. box (wood)
buxakka n.f. (pl. ~**t**) silk sash
buxiħ n.m. (bla pl.) axillary wrasse
buzzell n.m. (pl. ~**i**) bloc-pulley
bużbież n.m.koll. f. ~**a** (pl. ~**at**) fennel; **berred** ~**ek** don't have high hopes!; **aħdar** ~ very green
bużerqun n.m. (bla pl.) pip
bużillis (fig.) an unintentional mistake
bużnann|u n.m. (pl. ~**i**) great grandfather; **mur ġib il-**~**u!** times have really changed!
bużullieqa: (min jerġa' lura minn kelmtu) one who does not keep up to his word; **jiżloq daqs** ~ very slippery; ~ **tal-awrina** bladder
bużullott|a n.f. (pl. ~**i**) prestidigation
bużullottist n.m. (pl. ~**i**) prestidigitator
bużżieqa n.f. (pl. bżieżaq) air-balloon, bubble; (min ma jogħġbu xejn) a very difficult person; **nfaqgħet il-**~ a useless anxiousness; **bil-**~ **dejqa** in a bad mood
buzzellar n.m. (pl. ~**a**) block-maker
buzzett n.m. (pl. ~**i**) rough model; (skeċċ) sketch
bxara n.f. (pl. **bxajjar**) news
bxima n.f. (bla pl.) placenta, after birth
bżall|u n.m. (pl. ~**i**) reel; **m'aħniex nilagħbu l-**~**u** everyone has to pay for his deeds
bżar n.m.koll. f. ~**a** (pl. ~**at**) pepper; ~ **aħdar** capiscum; ~ **aħmar** chilly, cilli pepper; **donnu** ~ a naughty person; ~ fl-għajnejn hypocrite action
bżieq n.m. (bla pl.) spit, spittle; **għamillu l-**~ **fi mnieħru** he cheated him; **l-ispagetti sar** ~ the spaghetti was overcooked; **ħela ħafna** ~ he said stupid things; **taħlix** ~ **miegħu** do not waste time with him, he is stubborn; **koċċ** ~ a gaudy person
bżigħ n.m. (bla pl.) fear
bżonjuż aġġ. needy, indigent, unprosperous
bżonn n.m. (pl. ~**ijiet**) want, need; **għall-**~**ijiet tiegħek** (eċċ.) may God be with you!
bżulij|a n.f. (pl. ~**t**) diligence, passion, alacrity, enthusiasm

Ċ ċ

ċ third letter of the alphabet and second of the consonants
ċ. c (circa)
ċabattin n.m. (pl. ~**i**) cobbler
ċa-ċa-ċa n.f. cha-cha-cha
ċaċċar v. to chatter
ċaċċarun n.m. (pl. ~**i**) tattler, babbler
ċaċċiż n.m. (pl. ~**iet**) frame
ċaċu: **ta' ~ Senglean**; (iħobb jiftaħar) a pretentious person
ċafċaf v. to fret, to splash, to dabble, to skitter, to lop, to paddle
ċafċif n.m. f. ~**a** (pl. ~**iet**) dubbling
ċaflangu a clumsy person, rude, shabbily dressed, short and fat person, having an awkward figure **donnu** ~ shaggy person
ċaflas v. to wade, to ford; ~ **ballas** in a careless way
ċaflis n.m. (pl. ~**iet**, ċfales) muddiness
ċagħak n.m.koll. f. ~**a** (pl. ~**iet**) pebble, flint; **ċagħka: donnu** ~ very strong
ċagħki aġġ. pebbled, pebbly
ċaħad v. to deny
ċaħd|a n.f. (pl. ~**iet**) denial, negation
ċaħħad v. to deprive // n.m. (pl. ~**a**) denier
ċajpar v. to befog, to dim, to make dim, to blear, to make flabby
ċajt n.m.koll. f. ~**a** (pl. ~**iet**) joke, chat; **rabba ħafna** ~ he is growing poshy; **waqa' għaċ-~** he cut a sorry figure; **ġej iċ-~** things are not going on well; **ħadu biċ-~** he did not take him seriously; **waqqgħu għaċ-~** he made fun of him; **kollu** ~ he does not take things seriously
ċajtier n.m. (pl. ~**a**) jester, droll, joker
ċakkar n.m. (pl. ~**a**, **ċkakar**) churl
ċalinġ n.m. (pl. ~**ijiet**) challenge, obstacle, disagreement
ċallas v. to daub, to smear
ċamat|a n.f. (pl. ~**i**) reproach
ċambellan n.m. (pl. ~**i**) chamberlain
ċamperlin|a n.f. (pl. ~**i**, ~**at**) blackmounted dogfish
ċampl|a n.f. (pl. ~**i**, ~**at**) mange
ċana n.f. (pl. **ċwani**) plane; ~ **u alka** 'two birds of a feather'
ċanfar v. to reproach, to reprimand to scold // n.m. (pl. ~**a**) reprover
ċanfir n.m. f. ~**a** (pl. ~**at**) reproach, rebuke, reproof
ċanfrin n.m. (pl. ~**i**) chamfer
ċanġier n.m. (pl. ~**a**) money-changer
ċanga n.f. (pl. **ċaneg**) butcher's stall; **laħam taċ-~** beef, bull-beef
ċangar n.m. (bla pl.) paving, pavement
ċangat ara **(i)ċċangat**
ċangatur|a n.f. (pl. ~**i**, ~**iet**) flag, flagstone; **taħt iċ-~a** in a secret place
ċangun n.m. (pl. **ċnagen**) block; **donnu** ~ a very heavy child
ċans n.m. (pl. ~**ijiet**) chance
ċansjat ara **(i)ċċansjat**
ċallas v. to wade, to ford; ~ **ballas** in a careless way
ċanu n.m. an uncouth person **donnu** ~ a rogue person
ċapċap v. to applaud, to cheer
ċapċip n.m. f. ~a (pl. ~**iet**) applause
ċappa n.f. (pl. ~**t**, **ċapep**) mass; **tin taċ-~** mass of figs; **jiswa' ċ-~** is worth a lot of money; (roqgħa) a considerable surface; **dlam** ~ total darkness
ċappamosk n.m. (pl. ~**i**) wagtail
ċappas v. to foul, to soil, to besmear; ~ **siegħa** he stayed on for another hour
ċappell|a n.f. (pl. ~**i**) quoit
ċappett|a n.f. (pl. ~**i**) hinge, strap; ~**a tal-id** bracelet, arm-ring
ċapsa n.f. sluggard **qisu** ~ a useless person
ċaqċaq v. to crack
ċaqċiq|a n.f. (pl. ~**iet**) rattle, startle, jolt
ċaqċiq n.m. f. ~**a** (pl. ~**at**) cracking, rattling
ċaqlaq v. to move
ċaqlembut|a n.f. (pl. ~**i**, ~**iet**) seesaw, swing
ċaqliq n.m. f. ~**a** (pl. ~**iet**) movement, motion
ċar aġġ. clear, pure; ~ **u tond** straight and plain
ċara v. to make clear

ċarċar v. to spill, to shed
ċarċar|a n.f. (pl. **~iet**, **ċraċar**) cascade, waterfall
ċarċir n.m. (pl. **~iet**) spilling, shedding
ċarġ n.m. (pl. **~ijiet**) charge
ċarġjat ara **(i)ċċarġjat**
ċarizz|a n.f. (pl. **~i**) clearness
ċarlatan n.m. (pl. **~i**) quack, charlatan
ċarrat v. to tear, to burst, to rend; to nip
ċarrati am (pl. **~n**) tearer
ċarr|u n.m. (pl. **~ijiet**) shred, slip
ċarruta n.f. (pl. **ċraret**) rag, tatter; **qisu ~ mxarrba** a very feeble person
ċass aġġ. gaze, still, immobile
ċatt aġġ. flat
ċattjat ara **(i)ċċattjat**
ċattr|a n.f. (pl. **~i**) lighter, raft
ċavetta n.f. (pl. **ċwievet**) key
ċav|i n.f. (pl. **~ijiet**) key-stone
ċawl n.m.koll. f. **~a** (pl. **~iet**) jackdaw, crow; **~ il-baħar** blue damsel-fish; **ċawla:** crow; **donnu ~** an uncouth person
ċawlun n.m. (pl. **~i**) carrion crow
ċawsl|a n.f. (pl. **~i**, **~iet**) mulberry
(i)ċċaċċra v. to prate
(i)ċċaħħad v. to deprive oneself
(i)ċċajpar v. to grow cloudy, misty or foggy
(i)ċċajta v. to joke, to jest; **ma t~x miegħu** he is a disciplined person; (perikoluż) he is dangerous; **ma j~x** he keeps his word; **ma jafx j~** he gets offended easily
(i)ċċalinġja v. to challenge
(i)ċċalinġjat pp. challenged
(i)ċċallas v. to spot, soil or stain oneself
(i)ċċanfrina v. to chamfer, to cant
(i)ċċanga v. to tile, to stone
(i)ċċangat pp. paved
(i)ċċansja v. to chance, to risk
(i)ċċansjat pp. chanced, to risk
(i)ċċappas v. to be fouled or soiled; **~ ma'** he got mixed up with
(i)ċċaqlaq v. to move, to stir
(i)ċċara v. to clear, to make clear
(i)ċċarat pp. cleared, to make clear
(i)ċċarċar v. to be spilled or shed
(i)ċċarġja v. to charge
(i)ċċarrat v. to be torn
(i)ċċassa v. to stop
(i)ċċattja v. to smooth down
(i)ċċattjat pp. smoothed down
(i)ċċekken v. to grow smaller
(i)ċċekkja v. to check
(i)ċċekkjat pp. checked
(i)ċċelebra v. to celebrate
(i)ċċelebrat pp. celebrated
(i)ċċellaq v. to besmear
(i)ċċena v. to sup, to have supper
(i)ċċenat pp. supped, suppered
(i)ċċensura v. to censure
(i)ċċentra v. to centralize
(i)ċċentralizza v. to centralize
(i)ċċentralizzat ara **ċentralizzat**
(i)ċċentrat pp. centered
(i)ċċentuplika v. to centuplicate, to centuple
(i)ċċentuplikat ara **ċentuplikat**
(i)ċċerċer v. to ramble
(i)ċċerta v. to ascertain
(i)ċċertifika v. to certify
(i)ċċertifikat pp. certified
(i)ċċerzjora v. to make (oneself) sure, to assure
(i)ċċerzjorat ara **ċerzjorat**
(i)ċċewlaħ v. to become ragged or tattered
(i)ċċirkola v. to circulate
(i)ċċirkolat pp. circulated
(i)ċċirkonċida v. to circumcise
(i)ċċirkonda v. to surround
(i)ċċirkulat ara **(i)ċċirkolat**
(i)ċċita v. to cite, to quote
(i)ċċitat ara **ċitat**
(i)ċċivilizza v. to civilize
(i)ċċivilizzat ara **ċivilizzat**
(i)ċċomba v. to lead
(i)ċċombat pp. spotted
(i)ċċonga v. to maim; **mela ~jt?** are you petrified?
ċe fool; **~ bit-tikka** a stupid fellow
ċeda v. to give up, to resign, to surrender, to succumb; **bħala kok** (eċċ.) **ma jċediha lil ħadd** there is no cook (etc.) better than him
ċedar n.m. (pl. bla) Cheddar cheese
ċedol|a n.f. (pl. **~i**) coupon, certificate
ċedru n.m. (bla pl.) cedar, citron
ċefa v. to rail, to speak ill
ċefċiq n.m. (bla pl.) blear-eyed, ophthalmia
ċejċa n.f. (pl. **~t**) sweets; **sab iċ-~** he found who could help him
ċejjaq v. to pip, to peep; **baqa' j~** he did not obtain what he thought he would acquire
ċekċek v. to rattle; **għadu j~** he is still alive; **qed iċekċkuha li** the latest gossip is that
ċekk n.m. (pl. **~ijiet**) cheque
ċekken v. to make smaller to humble, to diminish
ċekkjat ara **(i)ċċekkjat**
ċeklem aġġ. slowly
Celcius n.pr. Celcius
ċelebrant n.m. (pl. **~i**) celebrant
ċelebrat ara **(i)ċċelebrat**
ċelebrazzjoni n.f. (pl. **~jiet**) celebration

ċelebri aġġ. famous
ċelebrit|à n.kom. (pl. **~ajiet**) celebrity
ċelesti aġġ. celestial, heavenly
ċelibat n.m. (pl. **~i**) celibacy
ċella n.f. (pl. **ċelel**) cell
ċellaq v. to foul, to soil, to dirty, to daub
ċellul|a n.f. (pl. **~i**) cell
ċellulari aġġ. cellular
ċellulojde n.f. (bla pl.) celluloid
ċelluloża n.f. (bla pl.) cellulose
ċel|u n.m. (pl. **~ijiet**) tester
ċempel v. to ring
ċempil n.m. f. **~a** (pl. **~iet**) ringing
ċena n.f. (pl. **~i**) supper; **l-Aħħar Ċ~** the Last Supper
ċenakl|u n.m. (pl. **~i**) supper-room
ċenċel v. to ring, to tinkle, to ting
ċenċiela n.f. (pl. **ċnieċel**) little bell
ċenċil n.m. f. **~a** (pl. **~iet**) tinkling
ċenobit|a n.m. (pl. **~i**) coenobitc
ċenotaffj|u n.m. (pl. **~i**) cenotaph
ċens n.m. (pl. **ċnus**) lease; ~ **perpetwu** a perpetual lease; (fig.) he kept using something as if though it was his; **għalaqlu ċ-~** he died
Ċensa: n.pr. **ġiet ~ għalih** he died; ~ **l-għamja** death
ċensier n.m. (pl. **~i**, **ċnieser**) thurible, censer
ċensiment n.m. (pl. **~i**) census
ċensur n.m. (pl. **~i**) censor
ċensur|a n.f. (pl. **~i**) censure
ċensurat ara **(i)ċċensurat**
ċensurabbli aġġ. censurable
ċensurat pp. censured
ċentawrj|a n.f. (pl. **~i**) centaury
ċentawr|u n.m. (pl. **~i**) centaur
ċenteżm|u n.m. (pl. **~i**) cent; **marret biċ-~i** it was sold at a very cheap price; **ma tiswiex ~u** it is not worth a shilling
ċentigrad n.m. (pl. **~i**) centigrade
ċentigramm n.m. (pl. **~i**) centigramme
ċentilitr|u n.m. (pl. **~i**) centilitre
ċentimetr|u n.m. (pl. **~i**) centimetre
ċentinarj|u n.m. (pl. **~i**) centenary
CENTO n.pr. CENTO; abbr. of Central Treaty Organization
ċentrali aġġ. central
ċentralit|à n.f. (pl. **~ajiet**) centrality
ċentralizzat pp. centralized
ċentralizzazzjoni n.f. (pl. **~jiet**) centralization
ċentrat ara **(i)ċċentrat**
ċentrifugu aġġ. centrifugal; **forza ċentrifuga** centrifugal force
ċentripetu aġġ. centripetal
ċentr|u n.m. (pl. **~i**, **~ijiet**) centre
ċentun n.m. (pl. **~i**) centipede, millipede
ċentuplikat pp. centuplicated
ċenturj|a n.f. (pl. **~i**) century
ċenturjun n.m. (pl. **~i**) centurion
ċepħa rock, very heavy, lazy, slow moving person **donnu** ~ he is so stupid and useless
ċeppullazz|a n.f. (pl. **~i**) sowfish, corpaena
ċeppun|a n.f. (pl. **~iet**) pen, fold
ċeramik|a n.f. (pl. **~i**) ceramics
ċeramist|a n.kom. (pl. **~i**) ceramist
ċerċer v. to wander
ċerċur n.m. (pl. **ċrieċer**) tattler, wretch, ragamuffin
ċereali n.m. (bla pl.) cereal
ċerebrali aġġ. cerebral
ċerimonj|a n.f. (pl. **~i**) ceremony; **bla ħafna ~i** without much publicity; **għandu ħafna ~i żejda** he passes too much compliments
ċeremonjal n.m. (pl. **~i**) ceremonial
ċeremonjali aġġ. ceremonial
ċeremonjier n.m. (pl. **~a**) ceremonialist, master of ceremonies
ċerimonjuż aġġ. ceremonious
ċerkatur n.m. (pl. **~i**) seeker, researcher
CERN n.pr. CERN; abbr. of Conseil Europeen pour la Recherche Nucleaire
ċern|a n.f. (pl. **~i**) grouper
ċert aġġ. certain; ~ **minnu nnifsu** he is sure of himself; **jaf fiċ-~** he is absolutely sure
ċertament avv. certainly
ċertifikat n.m. (pl. **~i**) certificate // ara **(i)ċċertifikat**
ċertezz|a (n.f. (pl. **~i**) certainty, confidence, conviction
ċertożin n.m. (pl. **~i**) carthusian
ċertu aġġ. certain
ċerv n.m. (pl. **ċriev**) deer, stag, hart
ċervellett n.m. (pl. **~i**) cerebellum
ċervjol|a n.f. (pl. **~iet**, **~i**) white tunny fish
ċerzjorat pp. informed
ċess n.m. (pl. **~ijiet**) chess
ċessjonarj|u n.m. (pl. **~i**) assignee
ċessjoni n.f. (pl. **~jiet**) assignment
ċestin n.m. (pl. **~i**) small basket
ċestun n.m. (pl. **~i**) hamper, wicker basket
ċetaċj|u n.m. (pl. **~i**) cetacean
ċetr|a n.f. (pl. **~i**) cither(n), cittern
ċewċew n.m.koll. f. **~wa** (pl. **~iet**) greenshank
ċewlaħ v. to botch
ċewlieħ n.m. (pl. **ċwielaħ**) bother
ċeżur|a n.f. (pl. **~i**) caesura
ċfolloq n.m. (bla pl.) embarrassment
ċfullarij|a n.f. (pl. **~i**, **~at**) real
CIA n.pr. CIA; abbr. of Central Intelligence Agency
ċiborj|u n.m. (pl. **~i**) ciborium
ċiċċarda n.f. (bla pl.) vetch

ċiċr|a n.f. (pl. ~**i**, ~**iet**) chick, chick-pea; **biċ-~a fil-widna** quite deaf
CID n.pr. CID; abbr. of Criminal Investigation Department
ċieda ara **ċeda**
ċief n.m.koll. f. ~**a** (pl. ~**at**) Mediterranean shearwater; ~ **ta' denbu** pamatorhine skua
ċiera n.f. (bla pl.) appearance, look, aspect; **biċ-** ~ sulky, angry, look daggers
ċifra n.f. (pl. ~**i**) figure; ~ **tonda** round figure
ċifrarj|u n.m. (pl. ~**i**) cipher
ċikatriċi n.f. (pl. ~**ijiet**) scar, cicatrice, cicatrix
ċikk n.m. (pl. ~**ijiet**) old donkey
ċikka n.f. (pl. **ċikek**) a fortunate moment
ċikku: ~ **briku, Ċ~ u Kola** n.pr. similar; **Ċ~ l-poplu** the people in the street
ċikkulat|a n.f. (pl. ~**i**) chocolate pot
ċikkulatin|a n.f. (pl. ~**i**) chocolate, little chocolate
ċiklamin|a n.f. (pl. ~**i**) cyclamen
ċiklem ċiklem avv. slowly, gently
ċikliku aġġ. cycic, cyclical
ċikliżmu n.m. (bla pl.) cycling
ċiklist|a n.kom. (pl. ~**i**) cyclist
ċiklojd|e n.m. (pl. ~**i**) cycloid
ċikl|u n.m. (pl. ~**i**) cycle
ċiklun n.m. (pl. ~**i**) cyclone
ċiknatur n.m. (pl. ~**i**) trencher
ċikonj|a n.f. (pl. ~**i**) stork; ~ **sewda** black stork
ċikut|a n.f. (pl. ~**i**) hemlock
ċikwejra n.f. (bla pl.) chicory, succory
ċilindriku aġġ. cylindrical
ċilindr|u n.m. (pl. ~**i**) cylinder
ċilizj|u n.m. (pl. ~**i**) cilice
ċim|a n.f. (pl. ~**i**) thick rope, cable; **tawh iċ-~a** they left him behind (in a competition)
ċimblor n.m. (pl. ~**i**) wick-holder, float
ċimbl|u n.m. (pl. ~**i**, ~**ijiet**) cymbal; **biex jagħqad iċ-~u** just to add more problems
ċimiterj|u n.m. (pl. ~**i**) cemetery
ċinċill|a n.f. (pl. ~**i**, ~**at**) chinchilla
ċine n.m. (pl. ~**jiet**) cinema
ċinema n.m. (bla pl.) cinema
ċinematografij|a n.f. (pl. ~**i**) cinematography
ċinematograf|u n.m. (pl. ~**i**) cinema, picture place
ċinerarj|a n.f. (pl. ~**i**) cineraria
ċing|a n.f. (pl. ~**i**, **ċineg**) brace, girth
ċingjal n.m. (pl. ~**i**) wild boar
ċinikament avv. cynically
ċinik|u n.m. (pl. ~**i**) cynic // aġġ. cynic(al)
ċinj|u n.m. (pl. ~**i**) swan
ċinkwina and old coin current at the time of the Order of St. John; ~ **ħames ħabbiet** the same thing
ċinkwantinarj|u n.m. (pl. ~**i**) fiftieth anniversary
ċint n.m. (pl. **ċnut**) fence, hedge
ċinta n.f. (pl. **ċinet**) sash, girdle
ċintorin n.m. (pl. ~**i**) belt; **issikkar taċ-~** austere economical measures; **qafel iċ-~** the child is now a grown-up
ċintur|a n.f. (pl. ~**i**) girdle, belt
ċipp n.m. (pl. ~**jiet**) fetters, stocks, shackles; ~ **ta' azzarin** gun stock; ~ **ta' familja** origin
ċippitat|u n.m. (pl. ~**i**) roller (in games); **donnu** ~ going from one meeting to another; (pinnur) with no fixed beliefs
ċippitod|u n.m. (pl. ~**ijiet**) teetotum
ċipress n.m.koll. f. ~**a** (pl. ~**iet**) cypress; **taħt iċ-~** in the cemetery
ċiras n.m.koll. f. ~**a** (pl. ~**iet**) cherry; **bħaċ-~** one following the other
ċirċ n.m. drizzle
ċirimell|a n.f. (pl. ~**i**) bag-pipe, pipe
ċirimellier n.m. (pl. ~**i**) piper
Ċirinew Simon the Cyrenian who carried Christ's cross; **qisu ċ-~** he pays for other people's deeds
ċirk|a avv. about, approximately
ċirkl|u n.m. (pl. ~**i**) circus
ċirkolanti aġġ. circulating; **bibljoteka** ~ circulating library, lending library
ċirkolari aġġ. circular // n.kom. (pl. ~**jiet**) circular
ċirkolat ara **(i)ċċirkolat**
ċirkolazzjoni n.f. (pl. ~**jiet**) circulation
ċirkonċiż aġġ. circumcised
ċirkonċiżjoni n.f. (pl. ~**jiet**) circumcision
ċirkondarj|u n.m. (pl. ~**i**) district
ċirkondat aġġ. surrounded
ċirkonferenz|a n.f. (pl. ~**i**) circumference; **għandu ~a kbira** he has a big belly
ċirkonfless aġġ. circumflex
ċirkonfuż aġġ. circumfused (with)
ċirkonvallazzjoni n.f. (pl. ~**jiet**) circumvalation
ċirkoskrizzjoni n.f. (pl. ~**jiet**) circumscription
ċirkospett aġġ. circumspect, wary
ċirkospezzjoni n.f. (pl. ~**ijiet**) circumspection
ċirkostanti aġġ. surrounding, neighbouring
ċirkostanz|a n.f. (pl. ~**i**) circumstance
ċirkostanzjali aġġ. circumstantial
ċirkostanzjat pp. circumstanced
ċirklu n.m. (pl. ~**jiet**, **ċrieki**) hoop, circle; **qabad iċ-~** it does not want to stop spinning; **għandu** ~ **madwaru** people gathered around him
ċirkulat ara **(i)ċċirkolat**
ċirlew n.m.koll. f. ~**wa** (pl. ~**wat**) tern; ~ **bil-mustaċċi** whiskered tern; ~ **geddumu oħxon** gull-billed tern; ~ **prim** caspian tern; ~ **roża** rasetae tern; ~ **iswed** black tern; ~ **tal-ġewnaħ**

abjad white winged black tern; ~ **tax-xitwa** sandwich tern; ~ **żgħir** little tern
ċirnier|a n.f. (pl. ~**i**) clasp
ċirrożi n.f. (bla pl.) cirrhosis
ċirr|u n.m. (pl. ~**i**) cirrus
Ċisk the nickname of a wealthy Maltese man, but is now used in a general sense for a very wealthy man; **mela ħsibtni ċ-~**? I am not a rich man!
ċiste n.f. (pl. ~**jiet**) cyst
ċisterċens aġġ. cistercian
ċistern|a n.f. (pl. ~**i**) cistern
ċistit|e n.f. (pl. ~**i**) cystitis
ċitat ara **(i)ċċitat**
ċitazzjoni n.f. (pl. ~**jiet**) summons; (kwotazzjoni) quotation, citation
ċitrat n.m.koll. f. ~**a** (pl. ~**i**) citron
ċitrat|a n.f. (pl. ~**i**) citron-water, citron squash
ċitriku aġġ. citric
ċittadell|a n.f. (pl. ~**i**) citadel, stronghold
ċittadin n.m. (pl. ~**i**) citizen
ċittadinanz|a n.f. (pl. ~**i**) citizenship
ċiviku aġġ. civic
ċivil n.m. (bla pl.) civil
ċivili aġġ. civil; **gwerra** ~ civil war; **liġi** ~ civil law; **żwieġ** ~ civil marriage
ċivilist|a n.m. (pl. ~**i**) lawyer, solicitor
ċivilizzat aġġ. civilized
ċivilizzatur n.m. (pl. ~**i**) civilizer
ċivilizzazzjoni n.f. (pl. ~**jiet**) civilization
ċivilment avv. civilly
ċiviltà n.f. (pl. ~**jiet**) civilization
ċjanat n.m. (pl. ~**i**) cyanate
ċjaniku aġġ. cyanic
ċjanoġenu n.m. (bla pl.) cyanogen
ċjanożi n.f. (bla pl.) cyanosis
ċjanur n.m. (pl. ~**i**) cyanide
ċjoè konġ. that is, namely, that is to say
ċkal n.m.koll. f. ~**a** (pl. ~**at**) crayfish
ċkejken aġġ. little, small
ċkien v. to grow or become smaller, to lessen, to diminish
ċkunija n.f. infancy; (umiltà) humbleness
ċlamit n.m.koll. f. ~**a** (pl. ~**iet**) brick
ċlamp n.m. (bla pl.) mist, murk; ~**u: biċ-~** in a bad mood
ċlikki ċlikki aġġ. slowly
ċlon|a n.f. (pl. ~**i**, ~**at**) slut
ċm n.m. cm
ċmajr|a n.f. (pl. ~**iet**, **ċmajjar**) pneumonia; ~**a tal-klieb** distemper; ~**a taż-zwiemel** glanders
ċnisa n.f. (bla pl.) coal dust
CMTU n.pr. CMTU; abbr. of Confederates of Malta Trade Unions
co. n.m. co. (company)
COBOL n.pr. COBOL
Coca-Cola n.pr. (bla pl.) Coca-Cola
ċoff n.m. (pl. **ċfuf**) bow, knot; **biċ-~** well docorated; **ċfuf**: **biċ-~** decorated
ċokon n.m. (bla pl.) littleness, smallness
ċomb n.m.koll. f. ~**a** (pl. ~**iet**) led; **tqil** ~ very heavy; **waqa'** ~ it fell heavily on the ground; **għandu ċ-~** he has a lot of money; ~ **fejn id-dar** (eċċ.) just near the house (etc.); **daħal** ~ **fuqu** he stormed onto him
ċombat ara **(i)ċċombat**
ċombin n.m. (pl. ~**i**) bobbin
ċong aġġ. maimed
ċoqq n.f. (pl. **ċoqoq**) cowl; **libes iċ-~** he became a priest; **neża' ċ-~** he resigned from priesthood
ċorma n.f. (pl. **ċorom**) throng
ċpapes: għandu ċ-~ he has a lot of debt
ċpar n.m. fog, mist; ~ **il-għajnejn** dimness of the eye
CPU n.m. (pl. ~**s**) CPU; abbr. of Central Processing Unit
ċraret pl. **ta' ċarruta; donnu taċ-~** he dresses in a shaggy way
C.R.T. n.m. (pl. ~**s**) C.R.T. (Cathode Ray Tube)
ċuċ n.m. (pl. **ċwieċ**) (inf.) a stupid person; **lagħabha taċ-~** he played the fool; ~**ata: iċ-~ hi** and what's worse...
ċulqana n.f. (pl. **ċlieqen**) cotton gown
ċumm bumm aġġ. quickly, rapidly
ċumnija n.f. (pl. **ċmieni**) chimney
ċuqlajt|a n.f. (pl. ~**i**) rattle; (tallerita) a very talkative person // n.f. (pl. ~**i**) woodlark
ċurkett n.m. (pl. **ċrieket**) ring; **taha ċ-~** he became engaged; **iżżewweġ bla** ~ he did not marry in the church
ċurniena n.f. (pl. **ċrienen**) bag, satchel, poke; ~ **tal-kaċċa** pouch, knap sack; **x'inhu** ~! he is a spoilsport!
ċuvett n.m.koll. f. ~**a** (pl. ~**i**) spotted or dusky redshank
ċuviera n.f. (pl. cuvieri) header, hand bolster (blacksmith's tool)
ċuwingamm n.m. chewing gum

D d

d fourth letter of the alphabet and third of the consonants
dan, dana pron. dim. this
dab v. to melt; ~ **wara xi ħadd** he really fell in love with someone
dabbar v. to ulcerate; (patta għal) to remedy, to repair; (irranġa) to mend; ~**ha** he earned a good sum of money // n.m. (pl. ~**a**) mender
dabr|a n.f. (pl. ~**iet**) ulcer, pimple, abscess, carbuncle
dad|a n.f. (pl. ~**i**, ~**at**) dice
dafar v. to braid
dafr|a n.f. (pl. ~**iet, dfari**) tress, knot, garland; ~**a tewm** bunch of garlic; ~ **xagħar** tress
dag|a n.f. (pl. ~**i**) dagger, poniard
dagerrotip n.m. (pl. ~**i**) daguerre
dagerrotipija n.f. (bla pl.) daguerreotype, early kind of photography
dagħa v. to blaspheme, to curse; **ma tarax tidgħi** pitch dark // n.m. (bla pl.) blasphemy; ~ **jfarrak il-ġebel** a lot of blasphemy
dagħaj n.m. (pl. -**ja**) swearer, blasphemer
dagħbien n.f. (pl. **dgħaben**) hurricane, whirl, boisterous wind; (fetħa) cleft, crevice
dagħdagħ v. to rage
dagħdigħ n.m. (pl. ~**at**) rage, great anger
dagħmi aġġ. gloomy, dark
dagħmien aġġ. dun
dagħw|a n.f. (pl. ~**iet**) swear, blasphemy, curse; **ikrah** ~**a** very ugly; **għandu** ~**a fuqu** he is so unlucky!
dahar n.m. (pl. **dhur**) back; **dahru mal-ħajt** cornered; kollox fuq dahru he will be held responsible for everything; **qala' dahru** he really got tired; **minn wara dahru** behind his back; ~ **ma'** ~ touching; **minn fuq dahru** at his expense; **tah dahru** he ignored him
daħak v. to laugh; ~ **bi** to cheat; ~**lu** he did not reprove him; ~ **bil-qalb** he had a good laugh
daħal v. to enter; ~ **fih innifsu** he meditated; ~ **il-ħin** it is getting late; ~ **id-dar** he entered his fiancée's house (for the first time); **x'jidħollu u joħroġlu?** what does he care?; ~ **'il ġewwa** things complicated themselves further; ~ **fil-ħamsin** (sittin, eċċ.) he's in his fifties (sixties, etc.)
daħħak v. to make one laugh // n.m. (pl. ~**a**) jester
daħħal v. to introduce, to enter; (il-flus eċċ.) to gain; ~**hom** he earned some good money // n.m. (pl. ~**a**) introducer
daħħan v. to fumigate, to smoke // n.m. (pl. ~**a**) smoker
daħk n.m. (pl. ~**iet**) laugh, smile laughter; ~ **fil-wiċċ** an obvious deception; **affarijiet tad-~** not serious problems; **qasmu bid-~** he killed him with laughter
daħkan aġġ. laughing, smiling
daħl|a n.f. (pl. ~**iet**) entry, entrance, inlet, aperture
dajvjat ara **(i)iddajvjat**
daħna n.f. (pl. ~**t**) smoke, fume
dajn n.m. f. ~**a** (pl. ~**at**) deer
dajna n.f. (pl. ~**t**) shell, conch
dajnamow n.m. (pl. ~**s**) dynamo
dak pron. dim. he, that; ~ **u l-ieħor** all the people; ~ **li għandu** that's his only defect
dakar n.m. (pl. **dkur**) nautilus
dakinhar avv.. on that particular day
dakkar n.f. (pl. ~**a**) caprificator
dakra n.f. (pl. ~**t**) caprification
dalam v. to grow dark
dalgħodu avv. this morning
dal-ħin avv. now, at present
dali avv. frequently, very often
dalj|a n.f. (pl. ~**i**, ~**at**) dahlia
daljat ara **(i)iddaljat**
dallam v. to darken, to obscure, to benight
dal-lejl avv. tonight
dalm|a n.f. (pl. ~**iet**) darkness, obscurity
dalmatik|a n.f. (pl. ~**i**) dalmatic
dalwaqt avv. soon, at once
dam v. to delay
dam|a n.f. (pl. ~**i**) lady
damask n.m. (pl. ~**ijiet**) damask
damaskat pp. damasked

damdam v. to sound, to resound
damdim n.m. f. ~**a** (pl. ~**iet**) resonance, resound
damerin n.m. (pl. ~**i**) beau, dandy
damiġell|a n.f. (pl. ~**i**) maid of honour // n.m. (pl. ~**iet**) demijohn
damm v. to gather, to string, to thread; ~ **il-qoton** to seperate cotton from the cocoon
damm|a n.f. (pl. ~**iet**) collection, compilation // n.f. (pl. **damem**) dice
damma' v. to shed tears
dammaġġ n.m. (pl. ~**i**) damage
dammem v. to cause to be gathered
dammiem n.m. (pl. ~**a**) gatherer, collector
dan pron. dim. this
dana ara **dan**
dandan v. to peal
dandan n.m. (pl. ~**a**) bellman
dandin n.m. f. ~**a** (pl. ~**iet**) peal of bells, chime
danna v. to suspect
dannazzjoni n.f. (pl. ~**jiet**) damnation
danniġġat ara **(i)iddanniġġat**
dann|u n.m. (pl. ~**i**) damage, prejudice
dannuż aġġ. harmful, injurious
dant n.m. (pl. ~**ijiet**) buckskin
Dantesk aġġ. Dantean, Danteseque
Dantist n.m. (pl. ~**i**) Dantist
danz|a n.f. (pl. ~**i**) dance
daq v. to taste
daqn|a n.f. (pl. ~**iet**) chin, beard
daqni aġġ. bearded
daqq v. to ring, to play; ~ **il-għaġina** to bruise paste; ~ **bil-ħatar** to beat; ~ **it-tajjar** to beat cotton; **ma ddoqqx** it does not sound good; **smajtha ddoqq?** have you heard the news; **kif ~lu f'widnejh** according to his criteria of goodness; ~ **nofsillejl** (eċċ.) it is midnight (etc.); ~**homlu** he gave him a sound beating
daqq|a n.f. (pl. ~**iet**) hit, bow; (ħoss) sound, music; ~**a ta' ġebla** a blow with a stone; ~**a ta' għajn** a glance; **tah ~a t'għajn** he glanced at him; (indokra) he guarded something; ~**a ta' ħarta** a blow; ~**a ta' id** aid; ~**a ta' sieq** a kick; **id-~a tiegħu** he is in the best position; ~**a u iġri** in a fleeting manner; **f'~a waħda** unexpectedly; **mad-~a l-mewt** he died instantaneously; **fid-~a u l-ħin** out of the blue; ~**a ta' sikkina ġo qalbu** it really pained him; ~**a ta' ħarta** a loss; **waħħallu ~a** he beat him up; **qala' ~tejn** they beat him up
daqqaq n.m. (pl. ~**a**) musician; ~ **il-vjolin** fiddler; ~ **taż-żaqq** fifer, piper, bagpiper
daddas v. to proportionate
daqqas n.m. (pl. ~**a**) proportionalist
daqquq n.m.koll. f. ~**a** (pl. ~**iet**) cuckoo
daqquqa n.f. (pl. ~**t**) itch to laugh; **bid-~** very ready to laugh
daqs n.m. (pl. ~**ijiet**) proportion, size
daqshekk avv. thus, enough
daqsiex avv. enormous, huge
daqsinsew avv. of the same size, coeval
daqslikieku avv. as, as if
daqstant avv. thus
daqsxejn aġġ. avv. little
dar v. to turn, to go about; (fehmtu) to change one's mind; ~ **fuqu** he turned round to speak to him; ~ **miegħu** he stood on his side; **ħass l-art iddur bih** he was in a state of dizziness; ~ **għalih** he assailed him; (waqa' għalih) he had to beg his help ~ **ma' kull riħ** to be inconstant, fickle // n.f. (pl. **djar**) house, home, habitation; ~ **t'Alla** the house of god, church; ~ **il-bniet** convent; ~ **il-għerf** school, lyceum; ~ **l-irħieb** monastery; ~ **tal-kampanja** country house; ~ **il-qada** hell; ~ **is-sliem** heaven; **ħobż tad-~** home-made bread; **mara tad-** ~ housewife; **id-~ il-kbira** the prisons; ~**ek ~ek** home sweet home
dara v. to get accustomed; **issa drajnieha** there is nothing new in that by now; **issa draha** he got used to the vice
darab v. to beat, to strike, to hit
darb|a n.f. (pl. ~**iet, drabi**) wound, sore, hurt // avv. once; ~ **fill** seldom, rarely; ~ **kull wieħed** reciprocally; ~ **waħda** once upon a time; ~ **kienet** it will not happen again; **mitt ~a u elf** it is true; ~ **f'mitt qamar** very seldom; ~**tejn: ma ħasibhiex ~tejn** he did not hesitate
dard n.m. (pl. ~**ijiet**) dart
dardar v. to disgust; (ma ħalliex ċar) to make turpid
dardir n.m. f. ~**a** (pl. ~**iet**) nausea, disgust, revulsion
darfġin home-bred pig **qatlu** ~ they made a big supper
dari avv. anciently, formerly; **mur ġib ~!** how times have changed! **m'għadux ta'** ~ now it is not used in the same way as before
darr v. to hurt, to harm
darra v. to accustom, to habituate
darrab v. to manure
darras v. to exacerbate; ~ **is-snien** to set on edge
dars|a n.f. (pl. ~**iet, dras**) grinder, jaw-tooth; **qala'** ~ he succeeded in getting rid of a matter which pained him
dat|a n.f. (pl. ~**i**) date
datarj|u n.m. (pl. ~**i**) datary
datat ara **(i)ddatat**
dattil|u n.m. (pl. ~**i**) dactyl

dattiv n.m. (pl. ~**i**) dative
datura n.pr. (bla pl.) datum
davit n.m. (pl. ~**ijiet**) davit
dawk pron. dim. those, they; ~ **il-ħamsin** (eċċ.) roundabout fifty (etc.)
dawl n.m. (pl. **dwal**) light, brightness; **tah id-~** he showed him the way; **iħobbu daqs id-~ t'għajnejh** he really loves him; **minn ~ ieħor** from another point of view; **ma jarax id-~ ta' barra** he never goes out; **tilef id-~, marlu d-~** he turned blind; **ma rax ~ fuq il-biċċa** he had no clue to solve the case; **fid-~ tax-xemx** in the street **ra d-~** he was born; **bniedem bla ~** a blind man; **fid-~ t'Alla** under the sunlight
dawmien ara **dewmien**
dawn pron. dim. these
dawr n.m. (pl. **dwar**) rotation
dawr|a n.f. (pl. ~**iet**) turn, tour; ~**amejt** a cycle; **mar ~a** he went for a walk; **dar ~a madwaru** he meditated; **ħadha bid-~a** he took the by-way; (dam biex ġie biha) he took his time to say what he wanted to relate
dawwal v. to illuminate, to enlighten, to illume // n.m. (pl. ~**a**) illuminator
dawwali aġġ. illuminat
dawwar v. to turn, to twirl; ~ **bis-swar** to fortify; ~ **spallejh** to turn one's back; **i~ha kif irid** he makes her change her opinion to suit his
dawwar n.m. (pl. ~**a**) turner
dawwar|a n.f. (pl. ~**iet**, **dwawar**) wheel, circumference
dawwari aġġ. suasive
dazjarj|u n.m. (pl. ~**i**) pertaining to custom duties
dazju n.m. (pl. **dazjijiet**) excise duty; **ma tħallasx** ~ it does not cost to keep it
dażgur avv. surely
dbejlet n.m. (bla pl.) small skirt, mini skirt
dbib|a n.f. (pl. ~**iet**, **dbejjeb**) beast, animal
dbiel v. to wither, to dry
d/c aġġ. d/c (direct current)
D-Day n.pr. D-Day
DDT n.m. (pl.~s) DDT (dichlorodiphenyl-trichloroethane)
(i)ddabbar v. to ulcerate; (ġie bid-dbabar) to be patched; (iddejjen) to run into debt
(i)ddagħdagħ v. to scowl
(i)ddaħdaħ v. to be stirred up
(i)ddaħħal v. to get into
(i)ddaħħan v. to become smoky
(i)ddajvja v. to dive
(i)ddajvjat pp. dived
(i)ddakkar v. to become caprificated
(i)ddalja v. to dial
(i)ddaljat pp. dialed
(i)ddallam v. to grow dark
(i)ddamma' v. to shed tears
(i)ddandan v. to dress oneself elegantly
(i)ddanna v. to think, to suppose, to deem
(i)ddanniġġa v. to damage
(i)ddanniġġat pp. damaged
(i)ddaqqas v. to proportion, measure or size oneself
(i)ddardar v. to be disgusted with, by; to grow muddy, to become turbid
(i)ddarra v. to accustom oneself
(i)ddarras v. to set one's teeth on edge; (iddejjaq) to become exacerbated
(i)ddata v. to date
(i)ddatat pp. dated
(i)ddawwal v. to light, to lighten, to brighten, to grow bright
(i)ddawwar v. to be surrounded; (ittardja) to tarry, to delay
(i)ddebben v. to be surrounded by flies
(i)ddebolit ara **(i)ddebulit**
(i)ddebulit pp. weakened
(i)ddebulixxa v. to weaken, to enfeeble
(i)ddebutta v. to make one's debut
(i)ddebuttat pp. debutted
(i)ddeċieda v. to decide, to resolve
(i)ddeċifra v. to decipher
(i)ddeċifrat ara **deċifrat**
(i)ddeċima v. to decimate
(i)ddedika v. to dedicate
(i)ddedikat ara **dedikat**
(i)ddeduċa v. to deduce
(i)ddeffes v. to meddle
(i)ddefinit ara **definit**
(i)ddefinixxa v. to define
(i)ddeforma v. to deform
(i)ddeformat ara **deformat**
(i)ddeġenera v. to degenerate
(i)ddeġenerat ara **deġenerat**
(i)ddegrada v. to degrade
(i)ddegradat ara **degradat**
(i)ddejjaq v. to grow narrow; (xaba') to feel annoyed
(i)ddejjen v. to run, into debt
(i)ddekada v. to decay
(i)ddeklama v. to declaim
(i)ddeklamat ara **deklamat**
(i)ddeklina v. to decline
(i)ddeklinat ara **deklinat**
(i)ddekora v. to decorate
(i)ddekorat ara **dekorat**
(i)ddelega v. to delegate

(i)ddelegat ara **delegat**
(i)ddelibera v. to deliberate
(i)ddeliberat ara **deliberat**
(i)ddelirja v. to be delirious
(i)ddelirjat pp. delirious
(i)ddellek v. to grease onself
(i)ddellel v. to grow shaded
(i)ddemmem v. to bleed
(i)ddemokratizza v. to democratize
(i)ddemokratizzat pp. democratized
(i)ddemolixxa v. to demolish
(i)ddemoralizza v. to demoralize
(i)ddemoralizzat ara **demoralizzat**
(i)ddendel v. to dangle, to droop
(i)ddenna v. to rot
(i)ddenneb v. to tail after
(i)ddennes v. to be polluted
(i)ddenomina v. to denominate
(i)ddenominat ara **denominat**
(i)ddenunzja v. to denounce, to declare, to state
(i)ddenunzjat pp. denounced, declared, stated
(i)ddeplora v. to deplore
(i)ddeplorat ara **deplorat**
(i)ddepona v. to depose, to bear witness
(i)ddeporta v. to deport
(i)ddeportat ara **deportat**
(i)ddepożita v. to deposit
(i)ddepożitat ara **depożitat**
(i)ddeprezza v. to depreciate
(i)ddeprezzat ara **deprezzat**
(i)dderiva v. to derive
(i)dderivat ara **derivat**
(i)dderoga v. to derogate (from)
(i)dderogat ara **derogat**
(i)dderra v. to be dispersed, to spill
(i)ddeskriva v. to describe
(i)ddestina v. to destine
(i)ddestinat pp. destined
(i)ddeterjora v. to deteriorate
(i)ddetermina v. to determine
(i)ddetta v. to dictate
(i)ddettalja v. to detail
(i)ddettat pp. dictated
(i)ddevasta v. to ravage, to devestate
(i)ddeverta v. to amuse onself, to enjoy onself, to sport
(i)ddevora v. to devour
(i)ddewwa v. to medicate oneself
(i)ddewwaq v. to taste, to relish
(i)ddewweb v. to grow liquid, to be melted
(i)ddewwem v. to delay, to loiter
(i)ddewwer v. to twist or twirl the thread upon the reel
(i)ddexxex v. to be ground coarsely
(i)ddeżola v. to desolate
(i)ddibatta v. to debate
(i)ddiegħa v. to swear terribly
(i)ddieheb v. to be gilded
(i)ddiehem v. to draw inspiration (from)
(i)ddiehex v. to be in great concentration, to be astonished suddenly
(i)ddieħek v. to deride, to laugh at, to jeer
(i)ddifenda v. to defend
(i)ddifferixxa v. to differ (from)
(i)ddiġerixxa v. to digest
(i)ddikjara v. to declare
(i)ddiletta v. to delight in
(i)ddimetta v. to dismiss
(i)ddimmja v. to dim
(i)ddimmjat pp. dimmed
(i)ddimostra v. to demostrate
(i)ddipenda v. to depend
(i)ddiporta v. to behave
(i)ddirieġa v. to direct, to manage
(i)ddisċarġja v. to discharge, to dismiss; to remove electricity from
(i)ddisinja v. to draw
(i)ddiskla v. to lead a dissolute life
(i)ddiskorra v. to talk
(i)ddiskuta v. to dispute
(i)ddispensa v. to dispense
(i)ddispjaċa v. to displease, to cause sorrow
(i)ddispjaċut aġġ. displeased, to feel sorry
(i)ddispona v. to place
(i)ddispra v. to despair (of), to give oneself up to despair
(i)ddisprat pp. desperate
(i)ddisprezza v. to despise
(i)ddisputa v. to dispute
(i)ddissetta v. to dissect
(i)ddissolva v. to dissolve
(i)ddissossa v. to bone
(i)ddistakka v. to detach
(i)ddistilla v. to distil
(i)ddistingwa v. to distinguish
(i)ddistratta v. to distract
(i)ddistribwixxa v. to distribute
(i)ddistruġġa v. to destroy
(i)ddisturba v. to disturb
(i)ddiverta v. to amuse, to amuse oneself
(i)ddivida v. to divide
(i)ddivora v. to devour
(i)ddivorzja v. to divorce
(i)ddivrenzja v. to differentiate
(i)ddivrenzjat pp. differentiated
(i)ddixxa v. to belch

(i)ddiżapprova v. to disapprove
(i)ddiżappunta v. to disappoint
(i)ddiżarma v. to disarm
(i)ddiżerta v. to desert
(i)ddiżgrazzjat pp. unfortunate
(i)ddiżgusta v. to disgust
(i)ddiżinfetta v. to disinfect
(i)ddiżintegra v. to disintegrate
(i)ddiżinteressa v. to disinterest
(i)ddiżorganizza v. to disorganize
(i)ddiżunura v. to dishonour
(i)ddobba v. to obtain
(i)ddobbat pp. obtained
(i)ddomanda v. to ask
(i)ddomina v. to dominate
(i)ddota v. to give a dowry to
(i)ddotat pp. endowed
(i)ddottra v. to pretend to be very learned, to show off one's learning
(i)ddoċa v. to dose
(i)ddraftja v. to draft
(i)ddrammatizza v. to dramatize
(i)ddribilja v. to dribble
(i)ddribiljat pp. dribbled
(i)ddritta v. to straighten
(i)ddrittat pp. straightened
(i)ddrizza v. to make straight, to hoist
(i)ddrizzat pp. straightened, hoisted
(i)ddroga v. to drug
(i)ddubita v. to doubt
(i)ddubitat pp. doubted
(i)ddulurat pp. grieved, sorrowful
(i)dduplika v. to duplicate
(i)ddutat ara **(i)ddotat**
(i)ddwella v. to duel
debaħ v. to slaughter; (issagrifika) to sacrifice, to immolate
debb n.m. (pl. ~**ijiet**) bear ; ~ **il-kbir** the great bear; ~ **iż-żgħir** the little bear
debb n.f. (pl. ~**iet**, **dwieb**) mare; ~ **tax-xitan** dragon fly; (inf. qaħba) a promiscious woman
debben v. to abound with flies
debber v. to commission, to order
debbieħ n.m. (pl. ~**a**) immolator, butcher
debboli aġġ. weak
debbulizz|a n.f. (pl. ~**i**) weakness
debbus n.m. (pl. **dbiebes**) sceptre; **bid-~ ta' qalbu** he is still undecided
debħa n.f. (pl. ~**t**) sacrifice
debitament avv. duly, properly
debit|u n.m. (pl. ~**i**) debt
debitur n.m. (pl. ~**i**) debitor
debutt n.m. (pl. ~**i**) debut
debuttant n.m. (pl. ~**i**) debutant
deċemvir n.m. (pl. ~**i**) decemvir
deċemvirat n.m. (pl. ~**i**) decemvirate
deċennali aġġ. decennial
deċennj|u n.m. (pl. ~**i**) decennium
deċentement avv. decently
deċenti aġġ. decent
deċenz|a n.f. (pl. ~**i**) decency
deċifrabbli aġġ. decipherable
deċifrat pp. deciphrated
deċifrazzjoni n.f. (pl. ~**jiet**) deciphering, decipherment
deċigramm n.m. (pl. ~**i**) decigramme
deċilitr|u n.m. (pl. ~**i**) decilitre
deċimali aġġ. decimal
deċimat pp. decimated
deċimazzjoni n.f. (pl. ~**jiet**) decimation
deċin|a n.f. (pl. ~**i**) ten
deċiż pp. determined
deċiżament avv. decidedly
deċiżiv aġġ. decisive, conclusive
deċiżivament avv. decisively
deċiżjoni n.f. (pl. ~**jiet**) decision
deċmi: **ħallas id-~** he had to pay for other people's actions
dedik|a n.f. (pl. ~**i**) dedication
dedikant n.m. (pl. ~**i**) dedicant
dedikat pp. dedicated, devoted, consacrated
dedikazzjoni n.f. (pl. ~**jiet**) dedication, consacration
dedott pp. deduced
deduzzjoni n.f. (pl. ~**jiet**) deduction
defa v. to become lukewarm
deferenti aġġ. deferential
deferenz|a n.f. (pl. ~**i**) deference
deff n.m. (pl. ~**ijiet**) the frame of a weaver's loom
deffes v. to thrust
deffien n.m. (pl. ~**a**) grave-digger
deffies n.m. (pl. ~**a**) meddler, intruder
deffun n.m.koll. crock, potsherd
deffus n.m. (pl. **dfiefes**) meddler, intruder
defiċit n.m. (pl. ~**s**) deficit
definit pp. definite
definittiv aġġ. definitive
definittivament avv. definitely
definitur n.m. (pl. ~**i**) definer
definizzjoni n.f. (pl. ~**jiet**) definition
deformat pp. deformed, disfigured
deformazzjoni n.f. (pl. ~**jiet**) deformation, disfigurement
deformi aġġ. mis-shapen, deformed, ill-shaped
deformit|à n.f. (pl. ~**ajiet**) deformity
deġenerat pp. degenerated

deġenerazzjoni n.f. (pl. ~**jiet**) degeneration, degeneracy
degradat pp. degraded
degradazzjoni n.f. (pl. ~**jiet**) degradation
degriet n.m. (pl. ~**i**) decree
deh inter. alas
deha v. to give work, to keep busy, to engross, to employ oneself
dehbi aġġ. golden
dehbien aġġ. golden
deheb n.m. (pl. **dehbijiet**) gold; **jiswa mitqlu** ~ a costive thing; **kulma jmiss isirlu** ~ all that he touches turns into gold
dehen n.m. (pl. **dehnijiet**, **idhna**) sense, talent, intellect, perception, judgement
deher v. to seem, to appear, to be visible; **x'jidhirlek?** what do you say?; **ma jidhirhomx** he looks much younger
dehex v. to start, to be started, to startle
dehieb n.m. (pl. ~**a**) gilder
dehr|a n.f. (pl. ~**iet**) apparition, vision
dehw|a n.f. (pl. ~**iet**) occupation, application, attention, cure
dehwien aġġ. mindful, abstructed
dehx|a n.f. (pl. ~**iet**) consternation
dejjaq v. to tighten, to weary, to tire, to pester; ~ **il-qalb** to sadden; ~ **qalbu** to become sad
dejjaq aġġ. narrow, close, strait
dejjem avv. always, ever; ~ **ta'** ~ eternally, perpetually; **tifel** (eċċ.) ~ **tifel** he is still a boy (etc.) // v. to perpetuate
dejjen v. to credit, to tick
dejjiemi aġġ. everlasting
dejjien n.m. (pl. ~**a**) creditor
dejjieqi aġġ. annoying, tedious
dejl n.m. (pl. **djul**) skirt; **djul**: skirt **ma'** ~ **ommu** still attached to his mother
Dejma n.pr. (bla pl.) guard
dejn n.m. (pl. **djun**) debt, obligation
dejr n.m. (pl. **djar**) palace; ~ **il-bniet** convent
dekadenti aġġ. decaying, declining
dekadenz|a n.f. (pl. ~**i**) decay, decline
dekadut pp. decayed, fallen in rank
dekagon|u n.m. (pl. ~**i**) decagon
dekalogu n.m. (bla pl.) decalogue
dekan n.m. (pl. ~**i**) dean
dekanat n.m. (pl. ~**i**) deanery
dekapod|u n.m. (pl. ~**i**) decapod
dekasillabu aġġ. decasyllabic
dekdek v. to sip, to swallow, to guzzle
dekdiek n.m. (pl. ~**a**) drunkard, fuddler
dekk n.m. (pl. ~**ijiet**) deck
dekkek v. to crumble
dekkuk n.m.koll. f. ~**a** (pl. ~**iet**) millet
deklamat pp. declaimed
deklamatur n.m. (pl. ~**i**) declaimer
deklamazzjoni n.f. (pl. ~**jiet**) declamation
deklinat pp. declined
deklinazzjoni n.f. (pl. ~**jiet**) declination
deklinometr|u n.m. (pl. ~**i**) declinometer
dekollazzjoni n.f. (pl. ~**jiet**) decollation, beheading
dekoloranti aġġ. decolorizing
dekompost aġġ. decomposed, rotten
dekompożizzjoni n.f. (pl. ~**jiet**) decomposition
dekor n.m. (pl. ~**i**) dignity
dekorat pp. decorated
dekorattiv aġġ. decorative
dekoratur n.m. (pl. ~**i**) decorator
dekorazzjoni n.f. (pl. ~**jiet**) decoration
dekoruż aġġ. decorous, decent
deleg|a n.f. (pl. ~**i**) delegation
delegat pp. delegated // n.m. (pl. ~**i**) delegate
delegazzjoni n.f. (pl. ~**jiet**) delegation
deliberat pp. deliberate, decided, resolute, resolved
deliberatament avv. deliberately
deliberattiv aġġ. deliberative
deliberazzjoni n.f. (pl. ~**jiet**) deliberation, decision, resolution
delikat aġġ. delicate, dainty
delikatezz|a n.f. (pl. ~**i**) delicacy, discretion
delinkwent n.m. (pl. ~**i**) delinquent, criminal
delinkwenz|a n.f. (pl. ~**i**) delinquency, criminality
delirj|u n.m. (pl. ~**i**) delirium
delitt n.m. (pl. ~**i**) crime
delizzj|u n.m. (pl. ~**i**) hobby
delizzjuż aġġ. delightful, delicious
dell n.m. (pl. ~**ijiet**) shade, shadow; **jibża' minn** ~**u** a very cowardly person; **jarmi d-**~ a very thin person; ~**u tajjeb** a lucky man; ~**u ħażin** an unfortunate man; ~**u tqil** everything he does is interpreted badly; **tafa'** ~ **ikrah fuq xi ħadd** he alleged defamatory things against sb.
dellek v. to besmear
dellel v. to shade, to shadow
delli aġġ. shady, gloomy
delt|a n. (pl. ~**i**) delta
deltojde n.m. (pl. ~**jiet**) deltoid
delu n.m. (pl. **dliewi**) hopper; **bħal ta' wara** ~ he whose work is not directly felt
demagoġij|a n.f. (pl. ~**i**) demagogy
demagoġiku aġġ. demagogic
demagoġ|u n.m. (pl. ~**i**) demagogue
demarkazzjoni n.f. (pl. ~**jiet**) demarcation; **linja ta'** ~ line of demarcation

demel n.m. manure, dung, muck
demgħa n.f. (pl. **~t, dmugħ**) tear
deml|a n.f. (pl. **~iet, dmiemel**) abscess
demm n.m. (pl. **dmija**) blood; ~ **tal-baqq** insipid, insensible; **fuq** ~ **id-dars** reluctantly; ~ **spont** a nervous person; **faga f'~u** he could not do what he wished to do; ~ **biered** a calm person; raqqad **~u** he calmed down; **ħassar ~u, ~u sarlu ilma** he really worried; **id-~ jiġbed** relatives have the same characteristics; **~u kesaħ** he heard an unexpected news; ~ **ta' siċċa, bla** ~, ~ **il-baqq** an indifferent person; **~u blu** of noble parentage; **ġera d-~** persons were killed; **m'għandux** ~ **miegħu** he really does not like him; **tad-~ u l-laħam** capable of having feelings
demmel v. to manure, to dung
demmem v. to make blood, to imbrue with blood
demmes v. to dress meat
demmi aġġ. bloody, bleeding
demmiel n.m. (pl. **~a**) he that dungs or manures
demografij|a n.f. (pl. **~i**) demography
demografiku aġġ. demographic
demokratikament avv. democratically
demokratiku aġġ. democratic
demokratizzat ara **(i)ddemokratizzat**
demokratizzazzjoni n.f. (pl. **~jiet**) democratization
demokrazij|a n.f. (pl. **~i**) democracy
demolit pp. demolished
demolizzjoni n.f. (pl. **~jiet**) demolition
demonj|u n.m. (pl. **~i**) demon, devil; **sar ~u** he was really angry; **dak ~u** he is always doing mischievous things
demoralizzat pp. demoralized
demoralizzazzjoni n.f. (pl. **~jiet**) demoralization
denb n.m. (pl. **dnieb**) tail; ~ **il-ħaruf** rocket, mignonette; **dawwar ~u** he turned back; **deffes ~u** he intruded; **ferfer ~u** he was happy; **~u bejn saqajh** with the tail between his legs, afraid; **ta' ~u twil** Satan
dendel v. to hang
dendiel n.m. (pl. **~a**) hangman
dendul n.m. (pl. **dniedel**) tatterdemalion; (pendulu) pendulum, hanging ornament
dendula n.f. (pl. **dniedel**) gossip
denfil n.m. (pl. **dniefel**) dolphin, buttress, cow fish
deni n.m. (bla pl.) fever; (ħażen) ill, evil; ~ **biered** undulant fever; ~ **rqiq** hectic fever; ~ **ta' żiemel** very high body temperature
denjament avv. worthily, conveniently
denn aġġ. worthy
denna v. to suppurate, to fester
denneb v. to tail; (waħhad) to join, to put together
dennes v. to soil, to foul, to contaminate, to stain
dennies n.m. (pl. **~a**) defiler, polluter
denominat pp. denominated
denominattiv aġġ. denominative
denominatur n.m. (pl. **~i**) denominator
denominazzjoni n.f. (pl. **~jiet**) denomination
dens aġġ. dense, thick
densament avv. densely, thickly
densit|à n.f. (pl. **~ajiet**) density, thickness
dentali aġġ. dental
dentatur|a n.f. (pl. **~i**) set of teeth, denture
dentell n.m. (pl. **~i**) dentil
dentellatur|a n.f. (pl. **~i**) identation
dentiċi n.f. (pl. **~jiet**) dentex
dentier|a n.f. (pl. **~i**) denture
dentifriċj|u n.m. (pl. **~i**) dentifrice, toothpowder, tooth-paste
dentist|a n.kom. (pl. **~i**) dentist
dentizzjoni n.f. (pl. **~jiet**) dentition
denunzj|a n.f. (pl. **~i**) denunciation, declaration, statement
deplorat pp. deplored, blamed
deplorevoli aġġ. deplorable, blameworthy
deponent aġġ. deponent
deportat pp. deported
deportazzjoni n.f. (pl. **~jiet**) deportation
depost n.m. (pl. **~i**) deposit, entrepot // pp. deposed
depow n.m. (pl. **~s**) police headquarters
depożitarj|u n.m. (pl. **~i**) depositary
depożitat pp. deposited
depożit|u n.m. (pl. **~i**) deposit, warehouse, store
depożitur n.m. (pl. **~i**) depositary
depożizzjoni n.f. (pl. **~jiet**) deposition, testimony, allegation
depress pp. depressed, low spirited
depressjoni n.f. (pl. **~jiet**) depression
deprezzament n.m. (pl. **~i**) depreciation
deprezzat pp. depreciated
deputat n.m. (pl. **~i**) deputy, delegate
deputazzjoni n.f. (pl. **~jiet**) deputation, delegation
derik n.m. (pl. **~ijiet**) derrick
derivabbli aġġ. derivable
derivat pp. derivative
derivattiv aġġ. derivative
derivazzjoni n.f. (pl. **~jiet**) derivation
dermatoloġij|a n.f. (pl. **~i**) dermatology
dermatolog|u n.m. (pl. **~i**) dermatologist
derog|a n.f. (pl. **~i**) derogation
derogabbli aġġ. that may be derogated from
derogat pp. derogated from
derogatorj|u n.m. (pl. **~i**) derogatory
derra v. to fan, to winnow
derrej n.m. (pl. **~ja**) winnower

derries n.m. (pl. ~**a**) thresher
deru n.m. (bla pl.) lentisk
desiderattiv aġġ. desiderative
desk n.m. (pl. ~**ijiet**) desk
deskritt pp. described
deskrittiv aġġ. descriptive, clear, precise
deskrizzjoni n.f. (pl. ~**jiet**) description
despost|a n.m. (pl. ~**i**) despot
despotikament avv. despotically
despotiku aġġ. despotic
despotiżm|u n.m. (pl. ~**i**) despotism
destin n.m. (pl. ~**i**) destiny, fate
destinat ara **(i)ddestinat**
destinatarj|u n.m. (pl. ~**i**) addressee
destinazzjoni n.f. (pl. ~**jiet**) destination
detektiv n.m. (pl. ~**s** detective
detenzjoni n.f. (pl. ~**jiet**) detention, confinement
detergent n.m. (pl. ~**i**) detergent
deterjorament n.m. (pl. ~**i**) deterioration, degeneration, fall
deterjorat pp. deteriorated
determinabbli aġġ. determinable
determinanti aġġ. determinant
determinat pp. determinate, constant, inflexible
determinattiv aġġ. determinative
determinazzjoni n.f. (pl. ~**jiet**) determination
detriment n.m. (pl. ~**i**) detriment, harm
detrimentali aġġ. detrimental
dettaljat pp. detailed
dettaljatament avv. with full particulars, minutely
dettall n.m. (pl. **dettalji**) detail
dettatur|a n.f. (pl. ~**i**) dictation
Deutschmark n.m.pr. (pl. ~**s**) Deutschmark
devastat pp. devastated
devastatur n.m. (pl. ~**i**) devastater, ravager
devastazzjoni n.f. (pl. ~**jiet**) devastation
devot aġġ. devout, pious // n.m. (pl. ~**i**) devout person, devotee
devotament avv. devoutly, piously
devozzjoni n.f. (pl. ~**jiet**) devotion, devoutness; **kissirlu d-~** he disrupted his attention
dewa v. to echo
dewlgħa n.f. (pl. ~**t**, **dwielagħ**) rib, horizontal strip of a cartwheel
dewmien n.m. (bla pl.) delay
dewmieni aġġ. delayable
dewqan n.m. (bla pl.) taste
Dewteronomju n.pr. Deuteronomy
dewwa v. to medicate, to dress a wound
dewwaq v. to taste
dewweb v. to melt, to dissolve
dewwed v. to verminate
dewwedija n.f. (pl. ~**t**) multitude
dewwej n.m. (pl. ~**ja**) healer
dewwem v. to delay, to detain
dewwieb n.m. (pl. ~**a**) melter, founder
dewwiema n.f. (pl. ~**t**) vane, weathercock
dewwiemi aġġ. tardy
dewwieq n.m. (pl. ~**a**) taster
dexxex v. to grind coarsly; (bala') to devour
dexxiex n.m. (pl. ~**a**) glutton, devourer
deżert n.m. (pl. ~**i**) desert, wilderness
deżinenz|a n.f. (pl. ~**i**) termination, ending
deżolat pp. desolate
deżolazzjoni n.f. (pl. ~**jiet**) desolation
dfin n.m. (bla pl.) interment, burial
dfir n.m. (bla pl.) tress
dgħajjef aġġ. weak, feeble, faint
dgħajs|a n.f. (pl. ~**iet**, **dgħajjes**) boat; ~ **tas-sajd** fishing boat; **għaddieh bid-~a** he made fun of him; **ġie bid-~a** he was in a funny mood
dgħif aġġ. thin, lean; **kollu** ~ a well-built man // n.m. (pl. ~**iet**) brawn
dgħufija n.f. weakness
dgħul n.m. (bla pl.) doubt
dgħuma n.f. (bla pl.) obscurity, darkness
dhajjar n.m. (bla pl.) small back
dhin n.m. (bla pl.) unction
dħul n.m. (bla pl.) entrance, entry
dħuli aġġ. affable, mannerly; (**li kapaċi jidħol**) penetrable
dħulija n.f. familiarity
di pron. dim. this
di u d-do: qishom id-~ they are always together
dib n.m. (pl. **djieb**) wolf; **għeneb id-~** solanum
dibattiment n.m. (pl. ~**i**) debate, discussion
dibattut pp. debated, discussed
Diċembru n.pr. December
diċerij|a n.f. (pl. ~**i**) groundless rumour
diċitur|a n.f. (pl. ~**i**) diction, wording
didaskalj|a n.f. (pl. ~**i**) stage direction
didattika n.f. (bla pl.) didactics
dieċi n.f. (pl. ~**jiet**) ten
dieċm|a n.f. (pl. ~**i**) tithe
died|a n.f. (pl. ~**i**) torch
diefi aġġ. lukewarm, tepid
dieheb v. to gild; **lanqas jekk idiehbu** it is of no use
diehen v. to illuminate
dieher aġġ. apparent, evident; **bid-~** clearly, evidently, manifestly
diehex v. to frighten, to despond
diehex patt. surprised, started
dieħel patt. entering, going in; **id-~** the next month; ~ **u ħiereġ** always around; **id-dieħla** next week

dieħes n.m. (pl. **deħsijiet**) whitlow
dielj|a n.f. (pl. ~**iet**, **dwieli**) vine
diem v. to delay, to stay, to tarry
dieni patt. festerous
dieq v. to taste
diet|a n.f. (pl. ~**i**) diet
diewi patt. sounding
difa n.f. (bla pl.) serenity, clearness, mild weather; calms
difen v. to bury, to inter; **mur in~!** get out of here!
difensiv aġġ. defensive
difensur n.m. (pl. ~**i**) defender
difer n.m. (pl. **dwiefer**) nail; ~ **ta' bhima** claw, talon, hoof; **ma joqgħodx fejn difru** the other is so much better than him; **qabbad difrejh** he made his best to cause trouble; **dar għal difrejh** he had to use the savings; **ħabat difrejh** he came into trouble; **gidem difrejh** he was so angry; **żammu taħt difrejh** he kept him under his control
diferit pp. differed
difett n.m. (pl. ~**i**) defect, flaw, error
difettiv aġġ. defective
difettuż aġġ. defective, faulty, flawed, incomplete
differentament avv. differently
differenti aġġ. different
differenz|a n.f. (pl. ~**i**) difference, distinction, contrast
differenzjali aġġ. differential
differiment n.m. (pl. ~**i**) deferment, postponement
differit pp. deferred
diffiċli aġġ. difficult, hard
diffidenti aġġ. distrustful, mistrustful
diffidenz|a n.f. (pl. ~**i**) distrust, mistrust
diffikult|à n.f. (pl. ~**ajiet**) difficulty, adversity, problem
diffikultuż aġġ. difficult
difiż pp. defended
difiż|a n.f. (pl. ~**i**) defence
difna n.f. (pl. ~**t**) burial, interment
difterite n.f. (pl. ~**jiet**) diphtheria diphtheritis
diġà avv. already
diġeribbli aġġ. digestible
diġerit pp. digested
diġest n.m. (pl. ~**i**) digest
diġestiv aġġ. digestive
diġestjoni n.f. (pl. ~**jiet**) digestion
diġitalina n.f. (bla pl.) digitaline
diga n.f. (pl. ~**i**) dam
digriet ara **degriet**
digressjoni n.f. (pl. ~**jiet**) digression
dija n.f. (pl. ~**t**) splendour, brightness
dijabete n.f. (pl. ~**jiet**) diabetes
dijabetiku aġġ. diabetic
dijadem|a n.f. (pl. ~**i**) diadem, aureola aureole
dijaframm|a n.f. (pl. ~**i**) diaphragm
dijagramm|a n.f. (pl. ~**i**) diagram
dijalisi n.f. (bla pl.) dialysis
dijametralment avv. diametrally
dijametr|u n.m. (pl. ~**i**) diameter
dijarkij|a n.f. (pl. ~**i**) diarchy
dijare|a n.f. (pl. ~**i**, ~**at**) diarrhoea
dijastol|e n.f. (pl. ~**i**) diastole
dijatoniku aġġ. diatonic
dijatrib|a n.f. (pl. ~**i**) diatribe
dijeresi n.f. (pl. ~**jiet**) diaeresis', dieresis
dijetetik|a n.f. (pl. ~**i**) dietetics
dijoram|a n.f. (pl. ~**i**) diorama
dijuretik|u n.m. (pl. ~**i**) diuretic
dik pron. dim. that
dikjarat pp. declared
dikjarazzjoni n.f. (pl. ~**jiet**) declaration
dikka n.f. (pl. ~**t**) overdone, boiled to rags
dikkiena n.f. (pl. ~**t**, **dkieken**) stone bench
dikment avv. immediately, instantly
diks|a n.f. (pl. ~**iet**) fatigue
diksat|a n.f. (pl. ~**i**) rage
dikxiena n.f. (pl. ~**t**, **dkiexen**) spoon
dilek v. to annoint, to rub with oil
dilemm|a n.f. (pl. ~**i**) dilemma
dilettant aġġ. dilettante // n.m. (pl. ~**i**) amateur
dilettantiżm|u n.m. (pl. ~**i**) dilettantism
dilettat pp. delighted in
diliġenti aġġ. diligent
diliġenz|a n.f. (pl. ~**i**) diligence
dilk|a n.f. (pl. ~**iet**) unction, annointing
dilluvj|u n.m. (pl. ~**i**) flood, deluge; ~**u ta'** a lot of; **ta' qabel id-~u** very ancient
dimensjoni n.f. (pl. ~**jiet**) dimension, size
dimess pp. dismissed
diminuttiv aġġ. n.m. (pl. ~**i**) diminutive
dimissjonarj|u n.m. (pl. ~**i**) resigner
dimissjoni n.f. (pl. ~**jiet**) resignation
dimonju ara **demonju**
dimostrabbli aġġ. demonstrable
dimostrant n.m. (pl. ~**i**) demonstrating
dimostrat pp. demonstrated
dimostrattiv aġġ. demonstrative
dimostatur n.m. (pl. ~**i**) demonstrator
dimostrazzjoni n.f. (pl. ~**jiet**) demonstration
din pron. dim. this // n.m. (pl. **djien**) religion; **bniedem ta' ~u** a stubborn person
dinamiku n.f. (bla pl.) dynamics // aġġ. dynamic, dynamical
dinamiżm|u n.m. (pl. ~**i**) dynamism
dinamitard n.m. (pl. ~**i**) dynamiter, dynamitard
dinamite n.f. (bla pl.) dynamite

dinamometr|u n.m. (pl. ~**i**) dynamometer
dinastij|a n.f. (pl. ~**i**) dynasty
dineb v. to sin
dingi n.m. (pl. ~**jiet**) dinghy
dinier n.m. (pl. ~**i**) small coin
dinj|a n.f. (pl. ~**iet**) world, universe; **ħareg mid-~a** to die, to expire; **kemm id-~a** exceedingly, much; **id-~a l-oħra** the other world; **fl-aħħar tad-~a** far away in time; **ċaqlaq id-~a** he made everyone wonder at his achievements; **id-~a rota** everyone has his lucky turn; **id-~a tiegħu** he is so happy; **mhux f'~a** he does not know what he is doing; **jaf id-~a** he knows what life has in store; **daqs ~a** enormous; **id-~a**! Oh damn! **ġab id-~a fit-tarf** he exaggerated the difficulties; **is-sabiħa ~a!** Oh damn!; **tilfu mid-~a** he really made him worry; **ġera d-~a** he visited a lot of nations, **lanqas li waqgħet id-~a!** You are making a mountain out of a mole hill!
dinji aġġ. worldly
dinjit|à n.f. (pl. ~**ajiet**) dignity, pride, ego
dinjitarj|u n.m. (pl. ~**i**) dignitary
dinjituż aġġ. dignified
dinosawr|u n.m. (pl. ~**i**) dinosaur
dipartiment n.m. (pl. ~**i**) department
dipartimentali aġġ. departmental
dipendenti aġġ. dependent
dipendenz|a n.f. (pl. ~**i**) dependence
diplom|a n.f. (pl. ~**i**) diploma degree
diplomat n.m. (pl. ~**i**) graduate
diplomatiku aġġ. diplomatic; **korp** ~ diplomatic corps
diplomati|ku n.m. (pl. ~**ċi**) diplomatist, diplomat
diplomazij|a n.f. (pl. ~**i**) diplomacy
diportament n.m. (pl. ~**i**) deportment, behaviour
diq n.m. (bla pl.) narrowness
diqa n.f. (pl. **dwejjaq**) distress, sorrow; ~ **ta' qalb** sadness, gloominess
direġut ara **dirett**
dires v. to thrash
dirett aġġ. direct, straight // pp. directed
direttament avv. directly
direttiv aġġ. directive
direttorj|u n.m. (pl. ~**i**) directory
direttur n.m. (pl. ~**i**) director, manager; ~ **ġenerali** general manager; ~ **tal-orkestra** conductor; ~ **tal-palk** stage manager; ~ **spiritwali** spiritual director
direzzjoni n.f. (pl. ~**jiet**) direction management
dirgħajn pl. (imtenni ta' driegħ); **qala' dirgħajh** he was really tired; **fetħilha dirgħajh** he accepted her; **ħarġuh fuq id-~** they cheered with him
diriġibbli aġġ. dirigible
dirr|a n.f. (pl. ~**iet**) abomination, detestation, abhorrence
dirs|a n.f. (pl. ~**iet**) thrashing
dirwix n.m. (pl. **driewex**) hermit
disa' aġġ. ninth
disċarġ n.m. (pl. ~**is**) discharge, excretion, explosion
disċarġjat pp. discharged
disfatt|a n.f. (pl. ~**i**) defeat
disgħa num.kard. nine; **vers tad-~** line of nine syllables
disgħin num.kard. ninety
disenjat pp. drawn
disenjatur n.m. (pl. ~**i**) drawer, draftsman
disinn n.m. (pl. **disinji**) drawing
disk n.m. (pl. ~**i**) disc
disk|a n.m. (pl. ~**i**) song; **biddel id-~** he did not keep on saying the same things; **dejjem l-istess ~a** always repeating things all over again
diskl|u n.m. (pl. ~**i**) rogue, knave
diskobol|u n.m. (pl. ~**i**) discobolus
diskors n.m. (pl. ~**i**) speech, talk; **waqa' d-~** they started speaking about; **qabeż f'~ ieħor** he changed the subject of the discourse
diskotek|a n.f. (pl. ~**i**) discotheque; (librerija) record library
diskow n.m. (pl. ~**s**) disco
diskret aġġ. discreet
diskrezzjoni n.f. (pl. ~**jiet**) discretion
diskuss pp. debated, discussed
diskussjoni n.f. (pl. ~**jiet**) debate, discussion
dispaċċ n.m. (pl. ~**i**) dispatch
dispens|a n.f. (pl. ~**i**) dispensation; (kamra) pantry
dispensabbli aġġ. dispensable
dispensat pp. exempted from, exonerated
dispensier n.m. (pl. ~**a**) distributor, bestower, steward
dispepsja n.f. (bla pl.) dyspepsia dyspepsy
disperazzjoni n.f. (pl. ~**jiet**) despair
dispett n.m. (pl. ~**i**) vexation, despite
dispettuż aġġ. despiteful
dispjaċir n.m. (pl. ~**i**) sorrow, grief, regret
dispjaċut pp. displeased
disponibbli aġġ. disposable, available, convenient, practical
dispożizzjoni n.f. (pl. ~**jiet**) disposition, inclination
dispost pp. willing, inclined
disprament n.m. (pl. ~**i**) desperation
dispraġġjattiv aġġ. depreciative
disprezz n.m. (pl. ~**i**) contempt
disprezzat pp. despised, condemned

disput|a n.f. (pl. ~**i**) dispute
disputabbli aġġ. disputable
disputat pp. debated
dissens n.m. (pl. ~**i**) disagreement, dissent
dissertazzjoni n.f. (pl. ~**jiet**) dissertation
dissettat pp. dissected
dissettur n.m. (pl. ~**i**) dissector
dissezzjoni n.f. (pl. ~**jiet**) dissection
dissidenti aġġ. dissident
dissolut aġġ. dissolute, loose, licentious
dissoluzzjoni n.f. (pl. ~**jiet**) dissolution
dissussat pp. boned
distakkament n.m. (pl. ~**i**) detachment, separation
distakkat pp. detached, separated
distanz|a n.f. (pl. ~**i**) distance
distemper n.m. (pl. **distemprijiet**) distemper
distik|u n.m. (pl. ~**i**) couplet, distich
distillat pp. distilled
distillatur n.m. (pl. ~**i**) distiller
distillazzjoni n.f. (pl. ~**jiet**) distillation
distillerij|a n.f. (pl. ~**i**) distillery
distint aġġ. distinguished
distinzjoni n.f. (pl. ~**jiet**) distinction, variation
distratt pp. absent-minded
distrazzjoni n.f. (pl. ~**jiet**) distraction, absence of mind
distrett n.m. (pl. ~**i**) district
distrettwali aġġ. of the district
distributur n.m. (pl. ~**i**) distributor; (dak li jqiegħed kollox f'postu) sorter
distribuzzjoni n.f. (pl. ~**jiet**) distribution; ~ **tal-premjijiet** distribution of prizes
distribwit pp. distributed
distrutt pp. destroyed, ruined
distruttiv aġġ. destructive
distruttur n.m. (pl. ~**i**) destroyer
distruzzjoni n.f. (pl. ~**jiet**) destruction, ruin, extermination
disturb n.m. (pl. ~**i**) trouble, disturbance
disturbat pp. unwell; (mhux fil-paċi) disturbed; (inkwetat) troubled
ditiramb|u n.m. (pl. ~**i**) dithyramb
ditt|a n.f. (pl. ~**i**) firm
dittatorjali aġġ. dictatorial
dittatur n.m. (pl. ~**i**) dictator
dittatur|a n.f. (pl. ~**i**) dictatorship, dictature
dittong n.m. (pl. ~**i**) diphthong
div|a n.f. (pl. ~**i**) diva, prima donna
divan n.m. (pl. ~**ijiet**) divan, settee
divers aġġ. different, unlike
diversament avv. differently
diversifikat pp. diversified
diversifikazzjoni n.f. (pl. ~**jiet**) diversification
diversit|à n.f. (pl. ~**ajiet**) diversity, variety
diversiv n.m. (pl. ~**i**) diversion, amusement
divertenti aġġ. pleasant
divertiment n.m. (pl. ~**i**) amusement, recreation
divertit pp. entertained
divertit|a n.f. (pl. ~**i**) picnic
dividend n.m. (pl. ~**i**) dividend
divin aġġ. divine
divinit|à n.f. (pl. ~**ajiet**) divinity
diviż pp. divided, separated
diviżibbli aġġ. divisible
diviżibbilt|à n.f. (pl. ~**ajiet**) divisibility
diviżjoni n.f. (pl. ~**jiet**) division
diviżorju aġġ. dividing, separating
diviżur n.m. (pl. ~**i**) diviser
divorat pp. devoured
divoratur n.m. (pl. ~**i**) devourer
divorzjat pp. divorced
divorzj|u n.m. (pl. ~**i**) divorce
divrenzj|a n.f. (pl. ~**i**) difference
diwi n.m. (bla pl.) echo, harmony
dixx n.m. (pl. ~**ijiet**) dish
dixxatur|a n.f. (pl. ~**i**) belch
dixxendent n.m. (pl. ~**i**) descendant
dixxendenz|a n.f. (pl. ~**i**) descent
dixxiplin|a n.f. (pl. ~**i**) discipline
dixxiplinat pp. disciplined
dixxipl|u n.m. (pl. ~**i**) disciple
dizzjoni n.f. (pl. ~**jiet**) diction
dizzjunarj|u n.m. (pl. ~**i**) dictionary; ~ **ġeografiku** gazetteer
diżabitat aġġ. uninhabited
diżapprovazzjoni n.f. (pl. ~**jiet**) disapproval, disapprobation
diżappruvat pp. disapproved
diżappunt n.m. (pl. ~**i**) disappointment
diżappuntat pp. disappointed
diżarm n.m. (pl. ~**i**) disarmament
diżarmat pp. disarmed
diżastr|u n.m. (pl. ~**i**) disaster; **għamel ~u** he failed poorly the exam
diżastruż aġġ. disastrous
diżattent aġġ. inattentive
diżattenzjoni n.f. (pl. ~**jiet**) inattention
diżenterij|a n.f. (pl. ~**i**) dysentery
diżeredat pp. disinherited
diżert|a n.f. (pl. ~**i**) dessert; **laqqat id-~a** he was beaten up just at the end
diżertur n.m. (pl. ~**i**) deserter
diżgrazzj|a n.f. (pl. ~**i**) misfortune, casualty, accident
diżgrazzjat pp. unfortunate, unlucky
diżgrazzjatament avv. unfortunately, unluckily

diżgust n.m. (pl. ~**i**) disgust
diżgustat pp. disgusted, offended
diżinfettant n.m. disinfectant
diżinfettat pp. disinfected
diżinfezzjoni n.f. (pl. ~**jiet**) disinfection
diżintegrat pp. disintegrated, degenerated, deteriorated
diżintegratur n.m. (pl. ~**i**) disintegrator
diżinteress n.m. (pl. ~**i**) disinterestedness
diżinteressat pp. disinterested
diżinteressatament avv. disinterestedly
diżinvolt aġġ. unconstrained, free
diżinvoltur|a n.f. (pl. ~**i**) unconstrainedness
diżlivell n.m. (pl. ~**i**) gradient
diżokkupat aġġ. unemployed, disengaged
diżonest aġġ. dishonest
diżonest|à n.f. (pl. ~**ajiet**) dishonestly, indecency
diżonorevoli aġġ. dishonourable, disgraced
diżordnat aġġ. disorderly, immoderate, intemperate
diżordni n.m. (pl. ~**jiet**) disorder, confusion
diżorganizzat pp. disorganized
diżorganizzazzjoni n.f. (pl. ~**jiet**) disorganization
diżubbidjenti aġġ. disobedient
diżubbidjenz|a n.f. (pl. ~**i**) disobedience
diżunur n.m. (pl. ~**i**) dishonour
diżunurat pp. dishonoured, disgraced
diżutli aġġ. useless, ragged
DJ n.m. (pl. ~**s**) DJ; abbr. of Disc Jockey
djaboliku aġġ. diabolic, diabolical
djagonali aġġ. diagonal
djagonalment avv. diagonally
djagunal n.m. (bla pl.) diagonal cloth
djakn|u n.m. (pl. ~**i**) deacon
djakonat n.m. (pl. ~**i**) deaconhood, deaconship
djalett n.m. (pl. ~**i**) dialect, accent, patois, tongue
djalettali aġġ. dialectal
djalettika n.f. (bla pl.) dialectics
djalettiku aġġ. dialectic, dialectical
djalettoloġij|a n.f. (pl. ~**i**) dialectology
djalettolog|u n.m. (pl. ~**i**) dialectologist
djalog|u n.m. (pl. ~**i**) dialogue, conversation
djamant n.m. (pl. ~**i**) diamond, adamant
djanjosi n.f. (pl. ~**jiet**) diagnosis
djanjostiku aġġ. diagnostic
djapason n.m. (bla pl.) diapason
djarj|u n.m. (pl. ~**i**) diary
djaspora n.f. (pl. ~**i**) diaspora
djaspru n.m. (bla pl.) jasper
djesis n.f. (pl. ~**ijiet**) sharp
djieq v. to become narrow, strait, close
djoċesan aġġ. diocesan
djoċesi n.f. (pl. ~**jiet**) diocese
djuqija n.f. (bla pl.) narrowness
dkejna n.f. (pl. ~**t**) stool
dlam n.m. (pl. ~**ijiet**) darkness, gloom, obscurity; ~ **ċappa** pitch dark; **iswed** ~ pitch black; **ikrah** ~ very ugly; **fid-dlam** he does not know about the matters
dliel n.m. locks
dliela n.f. (pl. ~**t**) beautiful girl; (wirdiena) beetle
dlieli aġġ. delicate
dlik n.m. (bla pl.) unction
dlonk avv. frequently, often
dlumi aġġ. dark, dismal, darksome
dment avv. while
dmija n (pl. **ta' demur**) much blood
dmir n.m. (pl. ~**ijiet**) duty, care
DNA n.m. (pl. ~**s**) DNA; abbr. of deoxyribonucleic acid
dnewwa n.f. (pl. ~**t**) violence, force; **bid-**~ by force
dnub n.m. (pl. ~**iet**) sin, offence; ~ **mejjet** deadly sin, mortal sin; ~ **tan-nisel** original sin; ~ **venjal** venial sin; **waqqgħu fid-**~ he forced him to do something against his will; **xi** ~! what a pity!; mara **tad-**~ a prostitute; ~ **iswed** a big sin
dobl|a n.f. (pl. ~**i**, ~**at**) doubloon
dobblu aġġ. double; **daqq** ~ to chime, to peal; **ħajt** ~ double wall
doċċ|a n.f. (pl. ~**i**) shower, douche; ~**a kiesħa** an unexpected news
doċli aġġ. docile, manageable, passive
dog|a n.f. (pl. ~**i**) gown, toga
DOI n.pr. DOI; abbr. of Department of Information
dojli n.f. (pl. ~**jiet**) doily
dokk n.m. (pl. ~**ijiet**) dock; **ħudu d-**~**!** throw it away! // n.m. (bla pl.) duck
dokkjard n.f. (pl. ~**ijiet;** ~**s**) dockyard
dokument n.m. (pl. ~**i**) document
dokumentarj|u n.m. (pl. ~**i**) documetary
Dolby n.pr. Dolby System
dolċerij|a n.f. (pl. ~**i**) confectionery
dolċier n.m. (pl. ~**a**) confectioner
dolf n.m. platan
dollar|u n.m. (pl. ~**i**) dollar
dolliegħ n.m..koll. f. ~**a** (pl. ~**at**) water-melon; **għamillu rasu** ~**a** he beat up his head
doloruż aġġ. painful, sorrowful; **jinsab fid-**~ he is in misery
domand|a n.f. (pl. ~**i**) question
domandat pp. questioned
domaskin|a n.f. (pl. ~**i**) damson
domatur n.m. (pl. ~**i**) tamer, subduer
domestiku aġġ. domestic
domiċilj|u n.m. (pl. ~**i**) domicile

dominanti aġġ. dominant; prevailing
dominat pp. dominated
dominatur n.m. (pl. **~i**) ruler, leader, commander
dominazzjoni n.f. (pl. **~jiet**) domination
dominj|u n.m. (pl. **~i**) dominion
domin|ò n.m. (pl. **~ojiet**) domino
domm|a n.f. (pl. **~i**) dogma
dommatika n.f. (bla pl.) dogmatics
dommatikament avv. dogmatically
dommatiku aġġ. dogmatic
domn|a n.f. (pl. **~i**) medal; **ġie ~u** he is in an unenviable position; **issa ~u** it is now too late
don n.m. (pl. **~i**) gift, present; **għandu s-seba' ~i** he is in an enviable position
donatarj|u n.m. (pl. **~i**) donee
donattiv n.m. (pl. **~i**) donative
donatur n.m. (pl. **~i**) donor, giver; **~ tad-demm** blood donor
donazzjoni n.f. (pl. **~jiet**) donation, contribution
doppjament avv. doubly
doppj|a aġġ. double; **qed jara ~u** he is dazed and confused
dorga n.f. (pl. **dorog**) picher
dormitorj|u n.m. (pl. **~i**) dormitory
dorsali aġġ. dorsal; **spina ~** backbone
dot|a n.f. (pl. **~i**) dowry
dotazzjoni n.f. (pl. **~jiet**) endowment
dott n.m. (pl. **~ijiet**) stone bass
dottorat n.m. (pl. **~i**) doctorship, university degree
dottrin|a n.f. (pl. **~i**) doctrine
dottrinarj|u n.m. (pl. **~i**) doctrinarian, doctrinaire
dover n.m. (pl. **~i**) duty; **għamel id-~** to do one's duty; **vittma tad-~** victim to his duty
dovut aġġ. due; **ammont ~** amount due
doż|a n.f. (pl. **~i**) dose; **żied id-~a** he increased his efforts
dqiq n.m. flour, meal; **~ tal-qamħirrun** indian meal
Dr. n. Dr.
drabi n. (pl. **ta' darba**) seldom; **bosta ~** very often; **wisq ~** often, frequently; **xi ~** sometimes
draft n.f. (bla pl.) draughts [game], rough sketch
dragant n.m. (pl. **~i**) wing-transom
drag|u n.m. (pl. **~i**) dragon
dragun n.m. (pl. **~i**) dragoon, dragon
dragunett n.m. (pl. **~i**) common dragonet
dramm n.m. (pl. **~i**) drama, play
dramm|a n.f. (pl. **~i**) dram, drachm
drammatikament avv. dramatically
drammatiku aġġ. dramatic
drammatizzat pp. dramatized
drammaturg|u n.m. (pl. **~i**) dramatist
dranaġġ n.m. (pl. **~i**) drainage
drapp n.m. (pl. **~ijiet**) cloth, stuff; **~ ħażina** a roguish person
drapperij|a n.f. (pl. **~i**) drapery
drappier n.m. (pl. **~a**) draper
drastiku aġġ. drastic
draww|a n.f. (pl. **~iet**) habit, use, costume; **~ ħażina** bad habit; **~ tajba** good breeding
driegħ n.m. (pl. **dirgħajn**) arm; **~ il-moħriet** plough-tail; **~ Alla leħqu** justice was made on him; **kif tikser ~ek** round the corner
dris n.m. (bla pl.) threshing
dritt aġġ. straight; **ngħidlek id-~** to tell you the truth // avv. directly, straight // n.m. (pl. **~ijiet**) right, reason
dritt|a n.f. (pl. **~i**) right; **tah id-~** he respected him; **id-~a tiegħu** it is now his turn
drizz|a n.f. (pl. **~i**) gear, halyard; **~a tal-majjistra** main gear; **~a tat-trinkett** fore gear; **~a tal-pik** gafihalyard
dro n.f. (pl. **~jiet**) draw
drog|a n.f. (pl. **~i**) drug
drogat pp. drugged
drogier n.m. (pl. **~a**) druggist
dromedarj|u n.m. (pl. **~i**) dromedary
dsatax n.num. nineteen
dubbien n.m.koll. f. **~a** (pl. **~iet**) fly; **fitt daqs id-~** very antipathetic; **jara 'l kulħadd ~** a haughty person; **ħmieġ tad-~** a small handwriting
dubbjuż aġġ. doubtful, dubious
dubitattiv aġġ. dubitative
dubj|u n.m. (pl. **~i**) doubt
dublett n.f. (pl. **dbielet**) skirt, gown; (mara) a woman
dublun n.m. (pl. **~i**) doublon
dud n.m.koll. worm; **~ tal-ful mite**; **~ tal-ġobon** cheese-mite; **~ tal-ħarir** silk worm; **~ tal-kromb** grub; **~ tal-qamħ** weevil; **~ tar-ras** louse; **għad iġorru d-~** a filthy person; **għandu d-~a** he eats voraciously
duħ n.m. (pl. **dwieħ**) stave
duħħan n.m. (pl. **dħaħen**) smoke; **~ bla xuwa** meaningless discourse; (inf.) **jgħix bid-~** an idealistic person
duk|a n.m. (pl. **~i**) duke
dukali aġġ. ducal
dukat n.m. (pl. **~i**) dukedom; (titlu rjali) ducat
dukess|a n.f. (pl. **~i**) duchess
dukkar n.m. f. **~a** (pl. **~iet**) wild fig
duleb n.m. (pl. **dwieleb**) bolter
dulur n.m. (pl. **~i**) sorrow; **qisha d-D~i** a very worried woman
Dumnikan n.m. (pl. **~i**) Domenican

dundjan n.m. (pl. ~**i**) turkey
duplikat pp. duplicate
duplikatur n.m. (pl. ~**i**) duplicator
duplikazzjoni n.f. (pl. ~**jiet**) duplication
duqqajs n.m.koll. f. ~**a** (pl. ~**t**) hive, bee hive
duqqajs|a n.f. (pl. ~**iet**) queen bee
dura n.f. (pl. ~**i**, ~**iet**) hut
durbies n.m. (pl. **driebes**) lion; **dieb bħal** ~ he ran as fast as a lion
durrajs|a n.f. (pl. ~**iet**) corn bunting; ~**a bajda** snow bunting; ~**a qastnija** rustic bunting; ~**a qerqnija** little bunting; ~**a rasha sewda** black-headed bunting; ~**a safra** yellow bunting; ~**a tan-nord** lapland bunting
dussies n.m. (pl. ~**ijiet**) spindle
dutrina ara **dottrina**
duttur n.m. (pl. ~**i**) doctor; **dak** ~ a haughty person
duw|a n.f. (pl. ~**t**, ~**iet**) medicine; ~**a tal-Madalena** a helpful balsam
duwal n.m. (pl. ~**i**) dual
duwaliżm|u n.m. (pl. ~**i**) dualism
dvalj|a n.f. (pl. ~**i**) table cloth
dvern|a n.f. (pl. ~**i**) chop-house; **għamel** ~**a** he put things upside down
dvernar n.m. (pl. **dvieren**) tavern keeper
dwal v. to grow bright, to lighten, to brighten
dwan|a n.f. (pl. ~**i**) customs; **id-**~**a** customs house
dwanier n.m. (pl. ~**i**) customs agent
dwar n (pl. **ta' dawr**) about
dwar avv. about, near about
dwejjaq n (pl. **ta' diqa**) sadness
dwejr|a n.f. (pl. ~**iet**) small house, cottage
dwell n.m. (pl. ~**ijiet**) duel
dwellant aġġ. duelling
dwellat pp. dueled
dwellist n.m. (pl. ~**i**) duellist
dwett n.m. (pl. ~**i**) duet; **fihom** ~ they really get on well together

E e

e fifth letter of the alphabet and second of the vowels
ebbanist n.m. (pl. ~**i**) ebonist
ebbanu n.m. (bla pl.) ebony
ebbeni inter. well, well then
ebda pron. none, nobody
ebdomadarj|u n.m. (pl. ~**i**) hebdomadal
ebet|e aġġ. n.kom. (pl. ~**ejiet**) dull, stupid
Ebrajiżm|u n.m. (pl. ~**i**) Hebraism
Ebrajk aġġ. Hebraic, Jewish
Ebrajk n.m. (pl. ~**i**) Hebrew
ebusij|a af (pl. ~**i**) hardness; ~ **ta' ras** obstinacy, stubborness
eċċellenti aġġ. excellent
eċċellenz|a n.f. (pl. ~**i**) excellence
eċċentriċit|à n.f. (pl. ~**ajiet**) eccentricity
eċċentriku aġġ. eccentric
eċċepixxa v. to except, to object
eċċess n.m. (pl. ~**i**) excess
eċċessiv aġġ. excessive
eċċetr|a n.f. (pl. ~**i**) and so on
eċċettwa v. to except
eċċettwat pp. excepted
eċċezzjonali aġġ. exceptional
eċċezzjoni n.f. (pl. ~**jiet**) exception
eċċieda v. to excite, to provoke
eċċitabbli aġġ. excitable, excited
eċċitament n.m. (pl. ~**i**) excitement
eċċitanti aġġ. excitant
eċċitat pp. excited
edifika v. to edify
edifikanti aġġ. edifying
edifikat pp. edified
editorjali aġġ. editorial
editt n.m. (pl. ~**i**) edict
editur n.m. (pl. ~**i**) editor
edizzjon|i n.f. (pl. ~**jiet**) edition
edoniżm|u n.m. (pl. ~**i**) hedonism
eduka v. to educate
edukat pp. educated
edukatament avv. politely
edukatur n.m. (pl. ~**i**) educator
edukazzjoni n.f. (pl. ~**jiet**) education
eh inter. ha! he!
effemeridi n.f. (pl. ~**jiet**) ephemeris
effemminat aġġ. effeminate
effervexxenti aġġ. effervescent, bubbly, sparkling
effervexxenza n.f. (pl. ~**i**) effervescence
effett n.m. (pl. ~**i**) effect
effettiv aġġ. effective
effettivament avv. effectively
effettwa v. to effect, to carry into effect
effettwabbli aġġ. that may be carried into effect
effettwazzjoni n.f. (pl. ~**jiet**) effectuation
effiċjenti aġġ. efficient
effiċjenz|a n.f. (pl. ~**i**) efficiency
effikaċi aġġ. effectual
effikaċja n.f. (bla pl.) efficaciousness, efficacy
effimeru aġġ. ephemeral, transient, transitory
eġemonij|a n.f. (pl. ~**i**) hegemony
eġemoniku aġġ. hegemonic
Eġittoloġija n.f. (bla pl.) Egyptology
Eġizzjan aġġ. u n.m. (pl. ~**i**) Egyptian
eglog|a n.f. (pl. ~**i**) eclogue
egoiżm|u n.m. (pl. ~**i**) selfishness
egoist n.m. (pl. ~**i**) selfish man
egħra aġġ. komp. more nude, more naked
egħref aġġ. komp. more learned
egħżeż aġġ. komp. more dear
eħfef aġġ. komp. lighter
eħnen aġġ. komp. more merciful
eħrex aġġ. komp. more cruel
eħxen aġġ. komp. thicker
eħżen aġġ. komp. worse
ej inter. hallo! come up!
ejbes aġġ. komp. harder
ekatombi n.kom. hectacomb
ekkimożi n.f. (pl. ~**jiet**) ecchimosis
ekkleżjastikament avv. ecclesiastically
ekkleżjastiku aġġ. ecclesiastic
ekklissa v. to eclipse
ekklissat pp. eclipsed
ekklissi n.f. (pl. ~**jiet**) eclipse
ekku avv. here, look
eklettiku aġġ. eclectic

eklettika n.f. (pl. ~**ċi**) eclectic
ekonomij|a n.f. (pl. ~**i**) economy
ekonomikament avv. economically
ekonomiku aġġ. economic
ekonomist|a n.m. (pl. ~**i**) economist
ekonomizza v. to economize
ekonomizzat pp. economized
ekonom|u n.m. (pl. ~**i**) steward, bursar
ekra n.f. (pl. ~**i**) siskin
eksrejs (npl bla s) x-rays
eku n.m. (pl. ~**jiet**) echo
ekumeniku aġġ. ecumenical, ecumenical
ekwanimit|à n.f. (pl. ~**ajiet**) equanimity
ekwatorjali aġġ. equatorial
ekwatur n.m. (pl. ~**i**) equator
ekwazzjoni n.f. (pl. ~**jiet**) equation
ekwestri aġġ. equestrian
ekwilateru aġġ. equilateral
ekwilibrat pp. even-minded, well-balanced
ekwilibrist n.m. (pl. ~**i**) acrobat, equilibrist
ekwilibrij|u n.m. (pl. ~**i**) equilibrium, balance
ekwinozjali aġġ. equinoctial
ekwinozju n.m. (pl. ~**i**) equinox
ekwipaġġ n.m. (pl. ~**i**) crew
ekwivalenti aġġ. equivalent
ekwivokament avv. equivocally
ekwivok|u n.m. (pl. ekwivoċi) misunderstanding
ekwivoku aġġ. equivocal
ekżem|a n.f. (pl. ~**i**) exzema
elaborat pp. elaborate
elastiċit|à n.f. (pl. ~**ajiet**) elasticity
elastikament avv. elastically
elastiku aġġ. elastic
eleġibbilt|à n.f. (pl. ~**ajiet**) elegibility
eleġibbli aġġ. eligible
eleġij|a n.f. (pl. ~**i**) elegy
eleġijaku aġġ. elegiac
elegantement avv. elegantly
eleganti aġġ. elegant
eleganz|a n.f. (pl. ~**i**) elegance
element n.m. (pl. ~**i**) element
elementari aġġ. elementary
elemożinier n.m. (pl. ~**a**) almoner
elenk|u n.m. (pl. ~**i**) list, catalogue
elett pp. elected, chosen
elettiv aġġ. elective
elettorali aġġ. electoral
elettorat n.m. (pl. ~**i**) electorate
elettriċist n.m. (pl. ~**i**) electrician
elettriċit|à n.f. (pl. ~**ajiet**) electricity
elettriku n.m. (bla pl.) electricity; **għandu l-~ f'ġismu** he is always on the go // aġġ. electric
elettrizza v. to electrify
elettrizzazzjoni n.f. (pl. ~**jiet**) electrisation
elettronika n.f. (bla pl.) electronics
elettroskopj|u n.m. (pl. ~**i**) electroscope
elettur n.m. (pl. ~**i**) elector
eleva v. to elevate
elevament n.m. (pl. ~**i**) elevation
elevat pp. elevated, hig
elevazzjoni n.f. (pl. ~**jiet**) elevation
elezzjoni n.f. (pl. ~**jiet**) election
elf n. num. (pl. **eluf**) thousand, one thousand; ~ **u mitt darba** you're right, but -
elieġa v. to elect
elimina v. to eliminate
eliminat pp. eliminated
eliminazzjoni n.f. (pl. ~**jiet**) elimination
eliżir n.m. (pl. ~**ijiet**) elixir
eliżjoni n.f. (pl. ~**jiet**) elision
eljografij|a n.f. (pl. ~**i**) heliography
eljograf|u n.m. (pl. ~**i**) heliograph
Elleniżm|u n.m. (pl. ~**i**) Hellenism
Ellenist|a n.m. (pl. ~**i**) Hellenist
elm|u n.m. (pl. ~**ijiet**) helmet
eloġj|u n.m. (pl. ~**i**) eulogy
elokuzzjoni n.f. (pl. ~**jiet**) elocution
elokwenti aġġ. eloquent
elokwen|a n.f. (pl. ~**i**) eloquence
emanċipa v. to emancipate
emanċipat pp. emancipated
emanċipazzjoni n.f. (pl. ~**jiet**) emancipation
emblem|a n.f. (pl. ~**i**) emblem, symbol
emblematiku aġġ. emblematic
embol|u n.m. (pl. ~**i**) embolus
embrijoloġij|a n.f. (pl. ~**i**) embryology
embrijon n.m. (pl. ~**i**) embryo
emenda v. to amend // **emend|a** n.f. (pl. ~**i**) amendment
emendament n.m. (pl. ~**i**) amendment
emendat pp. amended
emerġenz|a n.f. (pl. ~**i**) emergency
emeritu aġġ. emeritus
emigra v. to emigrate
emigrant n.m. (pl. ~**i**) emigrant
emigrat pp. emigrated
emigrazzjoni n.f. (pl. ~**jiet**) emigration
emikranj|a n.f. (pl. ~**i**) headache; hemicrania
eminenti aġġ. eminent
eminenz|a n.f. (pl. ~**i**) eminence
emir n.m. (pl. ~**i**) emir
emisfer|u n.m. (pl. ~**i**) hemisphere
emissarj|u n.m. (pl. ~**i**) emissary
emissjoni n.f. (pl. ~**jiet**) emission
emmen v. to believe; **lanqas irrid n~** I cannot believe it; **ma temminnix** you will not

believe me when I tell you; **ma jemminx** he is an atheist
emmien n.m. (pl. ~**in**) believer; credence
emmnut pp. believed
emmna n.f. (bla pl.) faith
emolumenti n.m. (pl. bla s.) emolument
emorraġij|a n.f. (pl. ~**i**) haemorrhage, hemorrage
emorrojdi n.m. (pl. bla s.) haemorroids, hemorrhoids, piles
emozzjonanti aġġ. moving, touching
emozzjonat pp. moved, agitated
emozzjoni n.f. (pl. ~**jiet**) emotion, agitation, excitement
emula v. to emulate
emulatur n.m. (pl. ~**i**) emulator
EN n.m. (pl. ~**s**) EN; abbr. of Enrolled Nurse
enamel n.m. (bla pl.) enamel
enċikli|ka n.f. (pl. ~**ċi**) encyclical
enċiklopedij|a n.f. (pl. ~**i**) encyclopaedia
enċiklopediku aġġ. encyclopaedic
enċiklopedist n.m. (pl. ~**i**) encyclopaedist
endekasillab|u n.m. (pl. ~**i**) hendecasyllabic
endorsja v. to endorse
enerġij|a n.f. (pl. ~**i**) energy
enerġikament avv. energetically
enerġiku aġġ. energetic
energumen|u n.m. (pl. ~**i**) energumen
enfasi n.f. (pl. ~**jiet**) emphasis
enfasizza v. to emphasize
enfasizzat pp. emphasized
enfatikament avv. emphatically
enfatiku aġġ. emphatic
enfitewsi n.f. (pl. ~**jiet**) emphyteusis
enigm|a n.f. (pl. ~**i**) enigma, riddle
enigmatikament avv. enigmatically
enormament avv. enormously
enormi aġġ. huge, enormous
enormit|à n.f. (pl. ~**ajiet**) enormousness, hugeness
enterite n.f. (pl. ~**jiet**) enteritis
entit|à n.f. (pl. ~**ajiet**) entity
entomoloġij|a n.f. (pl. ~**i**) entomology
entomolog|u n.m. (pl. ~**i**) entomologist
entrater|u n.f. (pl. ~**i**) entrance
entużjast|a n.m. (pl. ~**i**) enthusiast
entużjastikament avv. enthusiastically
entużjastiku aġġ. enthusiastic
entużjażma v. to enrapture, to raise great enthusiasm
entużjażmat pp. entraptured, in raptures
entużjażm|u n.m. (pl. ~i) enthusiasm
enumera v. to enumerate
enumerat pp. enumerated
enumerazzjoni n.f. (pl. ~**jiet**) enumeration
enżim n.m. (pl. ~**i**) enzyme
epatta n.f. (bla pl.) epact
epiċentr|u n.m. (pl. ~**i**) epicentrum, epicentre
epidemij|a n.f. (pl. ~**i**) epidemic
epidemiku aġġ. epidemic, epidemical
epifanij|a n.f. (pl. ~**i**) epiphany
epigrafi n.f. (pl. ~**jiet**) epigraph, inscription
epigrafij|a n.f. (pl. ~**i**) epigraphy
epigrafiku aġġ. epigraphic
epigrafist|a n.m. (pl. ~**i**) epigraphist
epigramm n.m. (pl. ~**i**) epigram
epigrammatiku aġġ. epigrammatic
epigrammist|a n.m. (pl. ~**i**) epigrammatist
epi|ka n.f. (pl. ~**ċi**) epic, epic poetry
epiku aġġ. epic
Epikurew aġġ. Epicurean
epilessij|a n.f. (pl. ~**i**) epilepsy
epilettiku aġġ. epileptic
epilog|u n.m. (pl. ~**i**) epilogue
episkopali aġġ. episcopal
episkopat n.m. (pl. ~**i**) episcopate, episcopacy
episodj|u n.m. (pl. ~**i**) episode
epistol|a n.f. (pl. ~**i**) epistle
epistolarj|u n.m. (pl. ~**i**) letters
epitaffj|u n.m. (pl. ~**i**) epitaph
epitom n.m. (pl. ~**i**) epitome
epok|a n.f. (pl. ~**i**) epoch
epope|a n.f. (pl. ~**i**) epopee
eppure avv. yet, however, nevertheless
eqdem aġġ. komp. more ancient
eqlel aġġ. komp. more fierce, terrible
eqqel ara **eqlel**
eqras aġġ. komp. more acidic
eqreb aġġ. komp. nearer, more proximate
eqregħ aġġ. komp. balder
eqsar aġġ. komp. shorter
er|a n.f. (pl. ~**i**) era; ~**a Nisranija** Christian era
erbabjanka n.f. (bla pl.) wormwood
erba' n.num. fourth
erbarju n.m. (pl. ~**i**) herbarium
erbatax n.num. fourteen
erbgħa n.num. four; (tal-ġimgħa) Wednesday; **bħall-~ fost il-Ġimgħa** stranded; **qiegħed bejn** ~ he is convicted
erbgħi aġġ. quaternary
erbgħin n.num. forty
eredi n.m. (pl. **eredi**) heir
eredità n.f. (pl. ~**jiet**) inheritance
ereditarju aġġ. hereditary
eremit n.m. (pl. ~**i**) hermit, anchorite
eremitaġġ n.m. (pl. ~**i**) hermitage
eretikali aġġ. heretical
ereti|ku n.m. (pl. ~**ċi**) heretic
erett pp. erect, erected, standing

ereżij|a n.f. (pl. **~i**, **~ijiet**) heresy; **jgħid ħafna ~i** he says many untrue and fictatious things
ereżjark|a n.m. (pl. **~i**) heresiarch
erezzjoni n.f. (pl. **~jiet**) erection, building
erħa n.f. (pl. **~t**) heifer; **~ tal-ftam** sucking calf; **għandha ~** she has a young girl with her
ermafrodit n.m. (pl. **~i**) hermaphrodite
ermellin n.m. (pl. **~i**) ermine
ermetiku aġġ. hermetic
ernj|a n.f. (pl. **~i**) hernia, rapture
Erodi Herod; **qisu ~** a cruel person
eroj n.m. (bla pl.) hero
erojiżm|u n.m. (pl. **~i**) heroism
erojkament avv. heroically
erojku aġġ. heroic; **poeżija erojka** heroic verse
erotiku aġġ. erotic
erożjoni n.f. (pl. **~jiet**) erosion
errata n.m. errata
erratiku aġġ. erratic
erronjament avv. erroneously
erronju aġġ. erroneous
erre name of the letter r; **tilef l-~ u l-esse** he was angrily blaspheming
errejd n.m. (pl. **~s, ~ijiet**) air raid
errur n.m. (pl. **~i**) error, mistake
erudit aġġ. learned, eurdite
erudizzjoni n.f. (pl. **~jiet**) erudition, learning
eruzzjoni n.f. (pl. **~jiet**) eruption
esaġera v. to exaggerate
esaġerat pp. exaggerated
esaġeratament avv. exaggeratedly
esaġerazzjoni n.f. (pl. **~jiet**) exaggeration
eseġeta n.kom. (pl. **~i**) exegete, exegetist
eseġeżi n.f. (bla pl.) exegesis
esegwibbli aġġ. executable eseguibile
esegwit pp. executed
esegwixxa v. to execute
esekrabbli aġġ. execrable, abominable, destestable
esekuttiv aġġ. executive
esekutur n.m. (pl. **~i**) executor
esekuzzjoni n.f. (pl. **~jiet**) execution
esebit pp. exhibited
esebitur n.m. (pl. **~i**) exhibitor
esebixxa v. to exhibit, to show
esibizzjoni n.f. (pl. **~jiet**) exhibtion
esiġa v. to exact, to require
esiġenti aġġ. exigent
esiġenz|a n.f. (pl. **~i**) exigence, exigency
eskatoloġij|a n.f. (pl. **~i**) escathology
Eskimiż n.m. (pl. **~i**) Eskimo
esklama v. to exclaim
esklamat pp. exclaimed
esklamattiv aġġ. exclamatory
esklamazzjoni n.f. (pl. **~jiet**) exclamation
eskluda v. to exclude, to reject
eskluż pp. excluded
esklussiv aġġ. exclusive
esklussivament avv. exclusively
esklussività n.f. (pl. **~jiet**) exclusiveness
eskursjoni n.f. (pl. **~jiet**) excursion
eskursjonist n.m. (pl. **~i**) excursionist
Eżodu n.pr. Exodus
esofag|u n.m. (pl. **~i**) oesophagus, gullet
esordj|u n.m. (pl. **~i**) exordium
espansiv aġġ. expansive
espansjoni n.f. (pl. **~jiet**) expansion
espedjent n.m. (pl. **~i**) expedient
espedjenti aġġ. expedient, suitable
espella v. to expel, to eject
esperiment ara **speriment**
esperimenta ara **sperimenta**
esperimentali ara **sperimentali**
esperjenz|a n.f. (pl. **~i**) experience
espert aġġ. experienced, skilled, skilful
espert n.m. (pl. **~i**) expert
espliċitament avv. explicitly, expressly
espliċitu aġġ. explicit
esplojtja v. to exploit
esplojtjat pp. exploited
esplora v. to explore
esplorat pp. explored
esploratur n.m. (pl. **~i**) explorer
esplorazzjoni n.f. (pl. **~jiet**) exploration
esplosiv aġġ. explosive
esplożjoni n.f. (pl. **~jiet**) explosion
espona v. to expose
esponent n.m. (pl. **~i**) exponent
esporta v. to export
esportat pp. exported
esportatur n.m. (pl. **~i**) exporter
esportazzjoni n.f. (pl. **~jiet**) exportation
espost pp. exposed
espożittiv aġġ. expositive
espożitur n.m. (pl. **~i**) exposer
espożizzjoni n.f. (pl. **~jiet**) description, expostion, exhibition, show
espress pp. precise, explicit, expressed
espress n.m. (pl. **~i**) express; **tren ~** express train
espressament avv. expressively
espressiv aġġ. expressive
espressjoni n.f. (pl. **~jiet**) expression; **~ alġebrajka** algebraical expression;
esprima v. to express, to utter
esproprja v. to expropriate
esproprjat pp. expropriated

esproprjazzjoni n.f. (pl. ~**jiet**) expropriation
espuls pp. expelled, ejected
espulsjoni n.f. (pl. ~**jiet**) expulsion
esse name of the letter s; **ġie/qiegħed/ġabu** ~ he is in a bad shape
essenz|a n.f. (pl. ~**i**) essence
essenzjali aġġ. essential
essenzjalment avv. essentially
essri n.m. (pl. ~**jiet**) being, creature
estasi n.f. (pl. ~**jiet**) ecstasy, rapture
estatiku aġġ. ecstatic
estendibbli aġġ. extendible, extensible
estensiv aġġ. extensive
estensivament avv. extensively
estensjoni n.f. (pl. ~**jiet**) extension
estenwanti aġġ. exhausting, enfeebling
estern aġġ. external, outer; **angolu** ~ exterior angle
esterna v. to disclose, to manifest
esternat pp. disclosed, manifested
esternament avv. externally, outwardly
esteru n.m. (bla pl.) foreign
estetikament avv. aesthetically
estetiku n.f. (bla pl.) aesthetics // aġġ. aesthetic
estim|u n.m. (pl. ~**i**) estimate
estint aġġ. extinct
estinzjoni n.f. (pl. ~**jiet**) extinction
estiż pp. extensive, extended
estradizzjoni n.f. (pl. ~**jiet**) extradition
estranju aġġ. extraneous, foreign
estratt n.m. (pl. ~**i**) extracted, drawn
estrazzjoni n.f. (pl. ~**jiet**) extraction, drawing
estrem aġġ. extreme
estremist n.m. (pl. ~**i**) extremist
estremiżm|u n.m. (pl. ~**i**) extremism
estremit|à n.f. (pl. ~**ajiet**) extremity
estrensiku aġġ. extrinsic
estr|u n.m. (pl. ~**ijiet**) whim, freak, inspiration
estwarj|u n.m. (pl. ~**i**) estuary
et|à n.f. (pl. ~**ajiet**) age; **tal-età tiegħu** he knows how to take care of himself; (xiħ) an old man
ETC n.pr. ETC; abbr. of Employment and Training Corporation
etere n.m. (pl. ~**jiet**) ether
etern aġġ. eternal; **mhuwiex** ~ justice will come also for him
eternament avv. eternally
eternit|à n.f. (pl. ~**ajiet**) eternity; **isservik** ~**à** you'll find it good for ages
etika n.f. (bla pl.) ethics
etikett|a n.f. (pl. ~**i**) etiquette
etiku aġġ. ethic, ethical
etimoloġij|a n.f. (pl. ~**i**) etymology
etimoloġikament avv. etymologically
etimoloġiku aġġ. etymologic(al)
etniku aġġ. ethnic, ethnical
ettik|u n.m. (pl. ~**i**) hectic
evada v. to evade, to escape
evadut pp. evaded, escaped
evakwa v. to evacuate
evakwat pp. evacuated
evakwazzjoni n.f. (pl. ~**jiet**) evacuation
evanġelikament avv. evangelically
Evanġeliku aġġ. Evangelic(al)
Evanġelist|a n.m. (pl. ~**i**) Evangelist
evanġelizza v. to evangelize
evanġelizzazzjoni n.f. (pl. ~**jiet**) evangelization
Evangelj|u n.m. (pl. ~**i**) Gospel
evapora v. to evaporate
evaporazzjoni n.f. (pl. ~**jiet**) evaporation
evażiv aġġ. evasive
evażivament avv. evasively
evażjoni n.f. (pl. ~**jiet**) evasion, escape
event n.m. (pl. ~**i**) event
eventwali aġġ. eventual
eventwalit|à af (pl. ~**ajiet**) eventually
eventwalment avv. eventually
evidentement avv. evidently
evidenti aġġ. evident, clear, plain
evidenz|a n.f. (pl. ~**i**) evidence, clearness
evita v. to avoid
evitat pp. avoided
evitabbli aġġ. avoidable
evoka v. to evoke, to evocate
evokat pp. evoked, evocated
evokazzjoni n.f. (pl. ~**jiet**) evocation
evolut pp. evolved
evoluttiv aġġ. evolutive, evolutional
evoluzzjoni n.f. (pl. ~**jiet**) evolution
evolva v. to evolve
evu n.m. (bla pl.) age; **Medju E~** Middle Ages
evviva inter. hurrah!
ew konġ. or; (inkella) either
ewfemiżm|u n.m. (pl. ~**i**) euphemism
ewfonij|a n.f. (pl. ~**i**) euphony
ewfonikament avv. euphonically
ewfoniku aġġ. euphonic
ewfonj|u n.m. (pl. ~**i**) euphonium
Ewkaristij|a n.f. (pl. ~**i**) Eucharist
Ewkaristiku aġġ. Eucharistic(al)
ewl beginning **minn** ~ **id-dinja** as Mother Nature gave it to us
ewlieni aġġ. first, primary
ewlillejl avv. eve or night, the evening before
ewnuk|u n.m. (pl. ~**i**) eunuch
ewritmiku aġġ. eurhythmic

ewritmja n.f. (bla pl.) eurhythmy
Ewropa n.m. (bla pl.) Europe; (inf. l-Unjoni Ewropea) European Union; (inf. sport) UEFA's football competitions
Ewropew aġġ. European
ewtanasja n.f. (bla pl.) euthanasia
ewwel aġġ. num first; **l-~ wieħed** the first; **l-~ u l-aħħar** the first and the last time; **għall-~** at first
ewwilla avv. perhaps
eżagonali aġġ. hexagonal
eżagon|u n.m. (pl. ~**i**) hexagon
eżalta v. to exalt, to praise
eżaltat pp. exalted
eżaltazzjoni n.f. (pl. ~**jiet**) exaltation
eżametr|u n.m. (pl. ~**i**) hexameter
eżami n.m. (pl. ~**jiet**) examination; ~ **tal-kuxjenza** examination of one's own conscience; ~ **orali** oral examination; ~ **skritt** written examination; **għadda mill-~** to pass an exam(ination)s; **weħel mill-~** to be rejected in an examination
eżaminatur n.m. (pl. ~**i**) examiner, inspector, tester
eżatt aġġ. exact
eżattament avv. exactly
eżattizz|a n.f. (pl. ~**i**) exactness, precision
eżawriment n.m. (pl. ~**ijiet**) exhaustion; ~ **nervuż** nervous breakdown
eżawrit pp. exhausted, (ma jinsabx għall-bejgħ) out of print
eżempj|u n.m. (pl. ~**i**) example, instance; **per~** for example, for instance
eżemplari aġġ. exemplary
eżenta v. to exempt
eżentat pp. exempted
eżenti aġġ. exempt, free
eżenzjoni n.f. (pl. ~**jiet**) exemption
eżerċita v. to exercise, to practise, to exert
eżerċitat pp. trained
eżerċizzj|u n.m. (pl. ~**i**) exercise
eżerċt|u n.m. (pl. ~**i**) army
eżerg|u n.m. (pl. ~**ijiet**) exergue
eżilja v. to exile
eżiljat pp. exiled
eżilj|u n.m. (pl. ~**i**) exile
eżista v. to exist
eżistenti aġġ. existent
eżistenz|a n.f. (pl. ~**i**) existence
eżistenzjalist|a n.m. (pl. ~**i**) existentialist
eżistenzjaliżm|u n.m. (pl. ~**i**) existentialism
eżistit pp. existed
eżita v. to hesitate
eżitat pp. hesitated
eżitazzjoni n.f. (pl. ~**jiet**) hesitation
eżitu n.m. (bla pl.) result, issue
eżonera v. to exonerate
eżonerat pp. exonerated
eżorbitanti aġġ. exorbitant
eżorċist|a n.m. (pl. ~**i**) exorcist
eżorċiżm|u n.m. (pl. ~**i**) exorcism
eżorċizza v. to exorcise
eżorċizzat pp. exorcised
eżorta v. to exhort
eżortat pp. exhorted
eżortazzjoni n.f. (pl. ~**jiet**) exhortation
eżuberanti aġġ. exuberant
eżuberanz|a n.f. (pl. ~**i**) exuberance
eżultanz|a n.f. (pl. ~**i**) exultancy
eżuma v. to exhume, to unearth
eżumat pp. exhumed, unearthed
eżumazzjoni n.f. (pl. ~**jiet**) exhumation

F f

f sixth letter of the alphabet and fourth of the consonants
FA n.m. FA; abbr. of Football Association
fabbli aġġ. affable
fabbrik|a n.f. (pl. ~**i**) factory
fabbrikabbli aġġ. that can be fabricated, built; **sit** ~ building ground, housing area
fabbrikant n.m. (pl. ~**i**) fabricator
fabbrikat pp. build, manufactured, made
fabbrikazzjoni n.f. (pl. ~**jiet**) fabrication
faċċat|a n.f. (pl. ~**i**) facade, front; (paġna) page
faċend|a n.f. (pl. ~**i**) housework; **skansa~i** lazy person
faċilit|à n.f. (pl. ~**ajiet**) facility
faċilitat pp. facilitated
faċilitazzjoni n.f. (pl. ~**jiet**) facilitation
faċilment avv. easily
faċli aġġ. easy
fada v. to trust, to confide
fadal v. to remain, to be left
faddal v. to save, to accumulate // n.m. (pl. ~**a**) saver, thrifty man
fadrappa ara **faldrappa**
faġan n.m. (pl. ~**i**) pheasant; ~ **il-baħar** purple gallinule
faġar v. to bleed at the nose
faġġaġ v. to show off
faġr|a n.f. (pl. ~**iet**) haemorrhage
faġun avv. abundantly, plentifully
faga v. to suffocate
fagott n.m. (pl. ~**i**) bassoon
fagottist n.m. (pl. ~**i**) bassoonist
fagu n.m. beech
faħal n.m. (pl. **fħula**) heap of grain; (xorta ta' żiemel) stallion; (fig.) big, strong person
faħam n.m.koll. f. **faħma** (pl. **faħmiet**) charcoal; ~ **tal-ħaġra** coal; ~ **miblul** has some guilt; **iswed** ~ black as coal; **sar faħma** to get blackened
faħħal v. to rear as a stallion (tema' sew) to feed well, to fatten
faħħam n.m. (pl. ~**a**) coalman
faħħar v. to praise, to glorify // n.m. (pl. ~**a**) praiser; (min jiftaħar) boastful
faħħari aġġ. laudative
faħħax v. to speak immodestly, indecently
faħmi aġġ. carbonaceous
faħx n.m. (pl. ~**ijiet**) obscenity
faħxi aġġ. obscene, filthy
fajerenġin n.f. (pl. ~**ijiet**) fire-engine
fajermen n.m. (pl. ~**ijiet**) fireman
fajjar v. to fire, to discharge, to hurl, to sling, to hit
fajjenz|a n.f. (pl. ~**i**) painted earthenware, brown ware, faience
fajlar n.m. (bla pl.) filing
fakir n.m. (pl. ~**i**) fakir
fakkar v. to remind, to memorize // n.m. (pl. ~**a**) remembrancer
fakkari aġġ. reminiscent, memorable
fakkin n.m. (pl. ~**i**) porter
fakkinat|a n.f. (pl. ~**i**) vulgarity
fakr|a n.f. (pl. ~**iet**) memory, rememberance
faksimili n.m. (pl. ~**jiet**) facsimile, exact copy
faktotum n.m. (pl. ~**ijiet**) factotum
fakult|à n.f. (pl. ~**ajiet**) faculty, authority; ~**à mentali** mental faculties
fakultattiv aġġ. optional
fakultuż aġġ. wealthy, opulent
falanġi n.f. (pl. id) phalanx
fald|a n.f. (pl. ~**i**) knoll; ~**a tal-laħam** slice; ~**a ta' libsa** flapp; ~**a ta' muntanja** slope; ~**a ta' kappell** brim
faldistorj|u n.m. (pl. ~**i**) faldstoi
faldrapp|a n.f. (pl. ~**i**) caparison; (tal-funerali) pall
falk|a n.f. (pl. ~**iet**, **falakiet**) scaffold
falkett n.m. (pl. ~**i**) sparrow hawk
falkun n.m. (pl. ~**i**) falcon
falkunier n.m. (pl. ~**a**) falconer
falla v. to fail, to go bankrupt (m'attendiex) to absent (oneself) // **fall|a** n.f. (pl. ~**iet**) lead
fallakk|a n.f. (pl. ~**i**) plank
fallar n.m. (bla pl.) to err, to mistake
fallaz v. to falsify

fallazi aġġ. forger, counterfeiter
fallibbli aġġ. fallible, liable to err
falliment n.m. (pl. ~**i**) bankruptcy, failure
fallut pp. bankrupt
falsifikat pp. falsified
falsifikazzjoni n.f. (pl. ~**jiet**) falsification, counterfeiting
falsit|à n.f. (pl. ~**ajiet**) falseness, falsity
falz aġġ. false, counterfeit; **alla** ~ idol; **firma** ~**a** forged signature; **ġurament** ~ pergury; **munita** ~ false coin; **profeta** ~ false prophet
falza n.f. (bla pl.) scald-head
falzament avv. falsely
falzarig|a n.f. (pl. ~**i**) ruled lines
falzarj|u n.m. (pl. ~**i**) forger, counterfeiter
falzett n.m. (pl. ~i) falsetto
fama n.f. (bla pl.) fame; (reputazzjoni) reputation; **dar tal-**~ brothel
familj|a n.f. (pl. ~**i**) family; **is-Sagra F**~**a** the Holy Family; ~**a kbira** large family; ~**a reliġjuża** religious family; **qamitlu l-**~**a** he who straightens his hair upwards; **raġel tal-**~**a** houseman; **mara tal-**~**a** housewife
familjari aġġ. familiar
familjarit|à n.f. (pl. ~**ajiet**) familiarity
familjarizzat pp. familiarized
familjarment avv. familiarly
famuż aġġ. famous, renowned
fan n.m. (pl. ~**s**) fan
fanal n.m. (pl. ~**i**) lantern; ~ **tal-karta** Chinese lantern; ~ **tal-poppa** stern light
fanatikament avv. fanatically
fanatiku aġġ. fanatic(al)
fanatiżm|u n.m. (pl. ~**i**) fanaticism
fanerogam|a n.f. (pl. ~**i**) phanerogam
fanfarun n.m. (pl. ~**i**) fanfaron, braggart
fanfarunat|a n.f. (pl. ~**i**) fanfaronade
fanfr|u n.m. (pl. ~**i**) pilot fish // aġġ. vain
fann n.m. (pl. ~**ijiet**) fan
fannad v. to deepen
fantas v. to fancy, to prefigure (inkwieta) to trouble
fantasij|a n.f. (pl. ~**i**) fancy, immagination, fantasy
fantasjuż aġġ. fanciful
fantastikament avv. fantastically
fantastiku aġġ. fantastic
fantażm|a n.f. (pl. ~**i**) phantom
fantażmagorij|a n.f. (pl. ~**i**) phantasmagoria
fantażmogoriku aġġ. phantasmagoric
fanterij|a n.f. (pl. ~**i**) infantry
FAO n.m. FAO; abbr. of Food and Agriculture Organization
faqa' v. to burst; (xaqqaq) to crack; ~ **bid-daħk** to split with laughter
faqar n.m. (bla pl.) poverty, need
faqas v. to hatch
faqgħa: x'~ **ta'** - what a cool -; **ġiet** ~ **fuqu** he was bewitched
faqm|a n.f. (pl. ~**iet**) protruding chin
faqqa' v. to burst, to explode; (ixxaqqaq) to crack, to split; **faqqgħet tiegħu** his nightmare came true; **smajtha t**~**?** have you heard the bad news?
faqqar v. to impoverish, to make poor
faqqas v. to hatch (qajjem) to generate tumours
faqqiegħ n.m.koll. f. ~**a** (pl. **faqqigħat**) agaric, mushroom
faqqus n.m.koll. f. ~**a** (pl. ~**iet**) small watermelon; ~ **il-ħmir** squirting cucumber
faqsi aġġ. prolific, productive, generative
far v. to regurgitate, to overflow, to boil over; ~ **bil-korla** to grow angry // n.m. (pl. **firien**) mouse, rat; ~ **il-ġebel** marmot; **bejtiet il-**~ mouse's nest
faraboj n.m. (pl. ~**ijiet**) ossicle, osselet
farad n.m. (pl. ~**ijiet**) farad
faraġ n.m. (bla pl.) consolation
faragħun n.m. (pl. ~**i**) faro; (Eġizzjan) pharaoh (xorta ta' tajra) guinea-hen, guinea-fowl
farak v. to limp, to hobble
farbal|à n.f. (pl. ~**ajiet**) furbelow, tippet
fard n.m. (pl. **frud**) odd (kont) bill; **bil-**~ odd; **żewġ u** ~ to play at odd or even; **ġietu** ~ things did not go as he had wished them to
farda n.f. (pl. **fradi**) saddle cloth
fardal n.m. (pl. **fradal**) apron, brat; **bil-**~ who is with the masonry
fardsieq aġġ. unterine
farfar v. to dust, to brush
farfett n.m. (pl. **friefet**) butterfly; ~ **il-lejl** bat, noctule; ~ **tal-kromb** cabbage-butterfly; ~ **il-baħar** butterfly ray; **qisu** ~ very agile
farġa n.f. (pl. ~**iet**) consolation
farinġi n.f. (bla pl.) pharynx
faringoskopij|a n.f. (pl. ~**i**) pharyngoscopy
faringoskopiku aġġ. pharyngoscopic
fariżejiżm|u n.m. (pl. ~**i**) pharisaism
Fariże|w n.m. (pl. ~**j**) Pharisen
farkizzan n.m.koll. f. ~**a** (pl. ~**t**) black fig
farmaċewtika n.f. (bla pl.) pharmaceutics
farmaċewtiku aġġ. pharmaceutical
farmaċij|a n.f. (pl. ~**i**) pharmacy
farmakoloġij|a n.f. (pl. ~**i**) pharmacology
farmakopeja n.f. (bla pl.) pharmacopoeia
farrad v. to unmatch, to unpair
farradi aġġ. unmatched

farraġ v. to console, to amuse, to divert; ~ **lit-tfal** to caress, to flatter, to fondle
farraġi aġġ. consoling, comforting
farraġinuż aġġ. farragious
farraġni n.f. (pl. ~**jiet**) farrago
farrak v. to crumble, to triturate // n.m. (pl. ~**a**) smasher
farrett n.m. (pl. ~**i**) cut, gash
farru n.m. spelt
farruġ n.m. (pl. **frareġ**) European roller; (xorta ta' tiġieġa) chick, chicken
fars|a n.f. (pl. **fares**) farce
fartas v. to make bald // **fartas** aġġ. (pl. **fratas**) bald; **kien hemm erba' fratas** there were very few people
farxa n.f. (pl. **farax**) architrave
fasad v. to phlebotomize, to cup
fasd|a n.f. (pl. ~**iet**) blood-letting
fassad n.m. (pl. ~**a**) phlebotomist
fassal v. to model; (libsa) to cut out a suit; ~ **fuq ħaddieħor** he lied about someone
fassal n.m. (pl. ~**a**) cutter, modeller
fastidju n.m. (bla pl.) annoyance; **jagħti** ~ **lix-xemx għaddejja** he annoys everybody
fastidjuż aġġ. troublesome, tedious
fatali aġġ. fatal
fatalist n.m. (pl. ~**i**) fatalist
fatalit|à n.f. (pl. ~**ajiet**) fatality
fataliżm|u n.m. (pl. ~**i**) fatalism
fatalment avv. fatally
fatam v. to wean
fatar v. to take breakfast (ta l-mistrieħ) to give rest to one
fatat n.m. (pl. ~**i**) ghost, phantom; (bniedem irqajjaq) thin man; (bniedem stramb) an introvert man
fatat|a n.f. (pl. ~**i**) Malabar night shade
fatra n.f. (pl. ~**t**) breakfast
fatt n.m. (pl. ~**i**) fact, dend; **għamel** ~**ih** he was stubborn
fatt|a n.f. (pl. ~**i**) kind, sort; **x'~a hu magħmul** he is so strange; **għamel** ~**a** he took it for granted; (fit-tombla) all his numbers came out
fattar v. to give breakfast; (iċċattja) to flatten; ~**ha** he commited a blunder
fattibbli aġġ. feasible, practicable
fattig|a n.kom. (pl. ~**i**) handyman
fattizzi n (pl. bla s) features
fattur n.m. (pl. ~**i**) factor
fattur|a n.f. (pl. ~**i**) invoice
favett|a n.f. (pl. ~**i**) dwarf bean
favoluż aġġ. fabulous
favorevoli aġġ. favourable
favorevolment avv. favourably
favorit ara **(i)ffavorit**
favoritiżm|u n.m. (pl. ~**i**) favouritism
favur n.m. (pl. ~**i**) favour
fawl n.m. (pl. ~**ijiet**) foul
fawna n.f. (bla pl.) fauna
fawr|a n.f. (pl. ~**iet**, **fwawar**) boiling (ta' rabja, eċċ.) heart of blood (ta' ilma, eċċ.) overflow (infjammazzjoni) sanguinary inflammation; **fwawar**: **ibati bil-**~ he has occasional outbursts of anger; **qabduh il-**~ he is suffering from claustrophobia
fawwar v. to boil // n.m. (pl. ~**a**) one who boils or causes to overflow
fawwar|a n.f. (pl. ~**iet**) spring
faxx n.m. (pl. ~**i**) bundle
faxxa n.f. (pl. **faxex**) band, bandage
faxxikl|u n.m. (pl. ~**i**) booklet, part, number
faxxin|a n.f. (pl. ~**i**) leafage
Faxxist n.m. (pl. ~**i**) Fascist
Faxxiżm|u n.m. (pl. ~**i**) Fascism
fażi n.f. (pl. ~**jiet**) phase
fażol|a n.f.koll. (pl. ~**iet**) bean
FBI n.m. FBI; abbr. of Federal Bureau of Investigation
FC n.m. FC; abbr. of Football Club
fdal n.m. (pl. ~**ijiet**) remainder, rest
fdaqqa avv. together, at once
fdat pp. faithful, honest, trustworthy
fdewwex n.m. f. **fdewxa** (pl. **fdewxiet**) ribbon shaped macaroni
feda v. to redeem, to ransom
feddej n.m. (pl. ~**ja**) redeemer
feddel v. to make one faithful
fedelment avv. faithfully
fedeltà n.f. (pl. ~**jiet**) fidelity, faithfulness
federali aġġ. federal
federalist n.m. (pl. ~**i**) federalist
federaliżm|u n.m. (pl. ~**i**) federalism
federazzjoni n.f. (pl. ~**jiet**) federation
feġġ v. to appear, to look out
feġġ|a n.f. (pl. ~**iet**) appearance; **kewkba** ~**a** shooting star
fehem v. to understand, to comprehend
fehiem n.m. (pl. ~**a**) explainer
fehm|a n.f. (pl. ~**iet**) opinion, judgement, intention; **bla** ~ irrational, unreasonable; **ta' fehmtu** obstinate
fejd|a n.f. (pl. ~**iet**) utility, usefulness
fejġel n.m. f. **fejġla** (pl. **fejġliet**) rue
fejjaq v. to cure, to heal, to restore to health
fejjiedi aġġ. profitable
fejjieq n.m. (pl. ~**a**) healer

fejjieqi aġġ. curable
fejn prep. avv. where; **għal~** whither; **minn ~** whence; **sa ~** to what limit, to what degree; ~ **qatt**! where ever; ~ **taf**! you cannot imagine; ~ **iridek isibek** you cannot compete with destiny // prep. (ħdejn) near; **ma joqgħodx ~u** the other is much better
fejq|a n.f. (pl. **~iet**) cure
fejqan n.m. (bla pl.) recovery
fekkek v. to dislocate, to sprain
fekondat ara **(i)ffekondat**
fekondazzjoni n.f. (pl. **~jiet**) fecundation
fekrun n.m. f. **~a** (pl. **~iet**, **fkieren**) tortoise; ~ **tal-baħar** turtle; **qoxra ta'** ~ tortoise-shell
fela v. to louse; (eżamina) to examine, to search
felaħ v. to be strong or powerful
felċi n.f. (pl. **~jiet**) fern; ~ **tal-bir** scolopendrium
feles n.m. (pl. **ifilsa**) wedge, coin, dowel
felfel v. to curl
felful n.m. (pl. **fliefel**) curl
felfuli aġġ. frizzled
felħ n.m. (bla pl.) force, strength, power superiority
felħa n.f. (pl. **~t**) force
felħan aġġ. strong, sturdy
feliċement avv. happily
feliċi aġġ. happy
feliċit|à n.f. (pl. **~ajiet**) happiness, felicity
felin aġġ. feline
fell n.m. (pl. **~ijiet**, **fliel**) bad omen, bad sign
fellej n.m. (pl. **~ja**) examiner, researcher
fellek v. to steer badly
fellel v. to rend, to crack, to chap; ~ **il-wiċċ** to slash
felles v. to coin; (ħoloq) to wedge
felli n.m. (pl. **flieli**) slice, chop, slit
fellies n.m. (pl. **~a**) comer
fellonij|a n.f. (pl. **~i**) felony, rebellion
fellus n.m. (pl. **flieles**) chick, chicken; **daħħal ~ f'rasu** he is determined for sth.; **sar** ~ he is soaked through; (imbeżża') he is afraid; **dan il-~ tiegħi** I love him so much; **ta'** ~ **ħa dundjan** he obtained a bigger thing than he wished
felq|a n.f. (pl. **~iet**) fetter
feltru n.m. (bla pl.) felt
felu n.m. (pl. **fliewi**) colt
feluga n.f. (pl. **~t**) felucca, small vessel
felul n.m.koll. f. **~a** (pl. **~iet**) wart; **~a tfaqqas oħra** trouble breeds more trouble
femminil aġġ. feminine
femminiżmu n.m. (pl. **~i**) feminism
femorali aġġ. femoral
femore n.f. (pl. **~i**) femur, thigh femur bone
fena v. to fail, to faint, to annoy, to weary
fenda v. to point at; (kiel tajjeb) to eat abundantly
fenek n.m. (pl. **fenkiet, fniek**) rabbit, coney; ~ **il-baħar** rabbit fish; ~ **tal-Indi** guinea-pig; ~ **salvaġġ** wild rabbit; **ħa** ~ he commited a blunder; **fniek**: **bħall-~** always pregnant
feniċ|e n.f. (pl. **~i**, **~at**) phoenix
Feniċju n.m. (pl. **feniċi**) Phoenician
fenomenali aġġ. phenomenal
fenomenoloġij|a n.f. (pl. **~i**) phenomenology
fenomen|u n.m. (pl. **~i**) phenomenon
feraħ v. to rejoice, to be merry
feraq v. to separate, to divide, to part
ferċaħ v. to waggle, to hobble
ferfer v. to wag; **għadu j~** he is still alive
ferfex v. to bewilder
ferfier aġġ. agitator
ferfieri aġġ. agitated, throbbing, trembling
fergħa n.f. (pl. **~t**, **friegħi**) branch, bough
fergħen v. to blaspheme
fergħun n.m. (pl. **friegħen**) wicked fellow, devil
ferħ n.m. joy, gladness; ~ **ta' qalb** great joy; **tar bil-~** he was really joyful; ~ **ta' ġenn** touch of madness // n.m. (pl. **frieħ**) the young of any animal; ~ **ta' debba** nag; ~ **tal-ħamiem** pigeon; ~ **tan-naħal** swarm of bees; ~ **ta' siġra** bud; **frieħ**: **~na jġorruna** our children must help us
ferħ|a n.f. (pl. **~iet**) joy; **kellna ~a bla temma** things did not go the way we planned
ferħan aġġ. merry, cheerful; ~ **se jtir** very happy; ~ **u rebbieħ** things went the way he wanted them to go
ferill|a n.f. (pl. **~i**) fishing boat, sailing~boat
feriment n.m. (pl. **~i**) wounding
ferit|a n.f. (pl. **~i**) wound; **~a f'qalbu** a wound in his heart; **fetħilha l-~a** he mentioned sth. which pained her
ferj|a n.f. (pl. **~i**) holiday, vacation
ferken v. to remove fire from the oven (stad bil-ħarpun) to harpoon
ferkex v. to scrape
ferkun n.m. (pl. **frieken**) pitch fork
ferl|a n.f. (pl. **~i**) ferula
ferm aġġ. steady, hard
fermament avv. firmly
fermatur|a n.f. (pl. **~i**, **~iet**) stoppage
ferment n.m. (pl. **~i**) ferment
fermentat ara **(i)ffermentat**
fermentazzjoni n.f. (pl. **~jiet**) fermentation
fermizza n.f. (bla pl.) firmness
fernaq v. to crackle, to flame
ferneżij|a n.f. (pl. **~i**) frenzy; **tatu/qabditu** ~ he is in a frenzy
fernet n.m. (bla pl.) fearnough
feroċi aġġ. fierce, ferocious

feroċj|a n.f. (pl. ~**i**) ferocity, ferociousness
ferq n.m. (pl. **frieq**) separation, division; ~ **tax-xagħar** parting
ferq|a n.f. (pl. ~**iet**) disjunction
ferragħ v. to frondesce, to bring forth leaves (l-ilma, eċċ.) to pour
ferraħ v. to rejoice, to make glad, to gladden
ferraq v. to divide, to separate
ferrex v. to extend, to lay out, to scatter
ferried n.m. (pl. ~**a**) divisor
ferriegħi aġġ. leafy, budding
ferrieħi aġġ. merry, cheerful, boon
ferrieq n.m. (pl. ~**a**) distributor
ferrieqi aġġ. distributable
ferriex n.m. (pl. ~**a**) spreader
ferrovij|a n.f. (pl. ~**i**) train
ferrovjier n.m. (pl. ~**i**) railway-man
ferru n.m. (bla pl.) iron
fertili aġġ. fertile, fruitful, productive
fertilit|à n.f. (pl. ~**ajiet**) fertility
fertilizzat pp. fertilized
fertilizzatur n.m. (pl. ~**i**) fertilizer
fertilizzazzjoni n.f. (pl. ~**jiet**) fertilization
ferut pp. wounded
ferventi aġġ. fervent, ardent
fervur n.m. (pl. ~**i**) fervour, ardour
fesa v. to fart
fesdaq v. to shell, to husk, to hull
fesfes v. to whisper
fesfies n.m. (pl. ~**a**) buzzer, whisperer
fest|a n.f. (pl. ~**i**) feast; **tagħmel** ~**a** there is more than enough; **tal-**~**a** a happy man in an important occasion; **għamlu** ~**a** they had a lot of fun and merrymaking; **tahielu** ~**a** he gave him an off day; ~**i**: **irranġah għall-**~**i** he put him in trouble; **ħassar il-**~**i** he did not participate
festaq v. to skin
festin n.m. (pl. ~**i**) ball, banquet, feast
festiv aġġ. festive, festal; **ġranet** ~**i** holidays
festival n.m. (pl. ~**ijiet, s**) festival
festivit|à n.f. (pl. ~**ajiet**) festivity
festun n.m. (pl. ~i) festoon
fetaħ v. to open, to rip; ~**ilha** he gave her what she wanted; (fis-sewqan) he speeded up; (id-diskors) he started talking and talking; **fetħilhom** the wind is blowing hard
fetaq v. to unsew, to unstitch, to rip
fetfet v. to stutter
fetħ|a n.f. (pl. ~**iet**) aperture, opening; **għandu** ~**a** (fil-karti) luck is on his side; (għandu dijarea) he has a diarrhoea
fetiċċ n.m. (pl. ~**i**) fetish
fetq|a n.f. (pl. ~**iet**) rent, rip (bi sforz, eċċ.) rapture, hernia
fetta n.f. (pl. **fetet**, **ftiet**) slice
fettaħ v. to enlarge, to amplify
fettaq v. to rend, to unstitch
fettel v. to twist, to twirl
fettet v. to slice
fettieħ n.m. (pl. ~**a**) enlarger
fettieħi aġġ. aperitive, opening
fettiel n.m. (pl. ~**a**) twister
fettul n.m. f. ~**a** (pl. ~, **ftietel**) distaff
fettuli aġġ. longish
fettuq|a n.f. (pl. ~**iet**, **ftietaq**) trifle
fewdali aġġ. feudal
fewdalit|à n.f. (pl. ~**ajiet**) feudality
fewdaliżm|u n.m. (pl. ~**i**) feudalism
fewdatarj|u n.m. (pl. ~**i**) feudal, vassal
fewd|u n.m. (pl. ~**i**) feud, fief
fewġ|a n.f. (pl. ~**iet**) light breeze
fewwaħ v. to scent, to perfume
fewwaq v. to make one belch
fewweġ v. to flow lightly
fewwieħi aġġ. sweet-smelling, sweet-scented, odorous
fexfex v. to effervesce
fexfiexi aġġ. effervescent
feż n.f. (pl. ~**ijiet**) fez, turkish cap
(i)ffabbrika v. to build
(i)ffabbrikat ara **fabbrikat**
(i)ffaċċa v. to show oneself
(i)ffaċċat pp. showed oneself
(i)ffaċċettja v. to facet, to cut facets on
(i)ffaċċettjat pp. faceted
(i)ffaċċjat ara **(i)ffaċċat**
(i)ffaċendja v. to busy oneself
(i)ffaċendjat pp. busy oneself
(i)ffaċilita v. to facilitate, to make easy
(i)ffaċilitat ara **faċilitat**
(i)ffajlja v. to file
(i)ffajljat pp. filed
(i)ffalsifika v. to falsify, to forge
(i)ffalsifikat ara **falsifikat**
(i)ffalzja v. to false
(i)ffalzjat pp. falsed
(i)ffamiljarizza v. to become familiar with
(i)ffamiljarizzat ara **familjarizzat**
(i)ffanfarunja v. to boast
(i)ffanfarunjat pp. to boasted
(i)ffanga v. to eat greedily
(i)ffangat pp. ate greedily
(i)ffantastika v. to fancy
(i)ffantastikat pp. to fancied
(i)ffastidja v. to give annoyance to

(i)ffastidjat pp. gave annoyance to
(i)ffatiga v. to fatigue
(i)ffavorit pp. favoured
(i)ffavorixxa v. to favour
(i)ffawlja v. to foul
(i)ffawljat pp. fouled
(i)ffejdja v. to fade
(i)ffejdjat pp. faded
(i)ffekonda v. to fecundate
(i)ffekondat pp. fecundated
(i)fferma v. to stop
(i)ffermat pp. stopped
(i)ffermenta v. to ferment
(i)ffermentat pp. fermented
(i)fferoċja v. to make or render ferocious
(i)fferoċjat pp. ferocious
(i)ffertilizza v. to fertilize
(i)ffertilizzat ara **fertilizzat**
(i)ffigura v. to figure
(i)ffigurat pp. figured
(i)ffilmja v. to film, to reproduce on a film
(i)ffilmjat pp. filmed
(i)ffilosofizza v. to philosophize
(i)ffiltra v. to filter
(i)ffiltrat pp. filtered
(i)ffirma v. to sign
(i)ffirmat aġġ. pp. signed
(i)ffiskja v. to whistle
(i)ffiskjat aġġ. pp. whistled
(i)ffissa v. to fix
(i)ffissat pp. fixed
(i)ffitta v. to annoy
(i)ffittat pp. annoyed
(i)ffittja v. to fit, to suit
(i)ffittjat pp. fitted
(i)ffjakka v. to weaken, to enfeeble
(i)ffjakkat pp. weakend, enfeebled
(i)ffjamma v. to inflame, to grow inflammatory
(i)ffjammat pp. inflamed
(i)ffjorixxa v. to blossom; (mexa 'l quddiem) to flourish
(i)ffjurat aġġ. flower-shaped ornament, floral design
(i)fflaġella v. to flagellate
(i)fflaġellat pp. flagellatory
(i)fflaxxja v. to flush
(i)fflaxxjat pp. flushed
(i)fflowtja v. to fluctuate, to float
(i)fflowtjat pp. fluctuated, floated
(i)ffoka v. to focus
(i)ffokat pp. focused
(i)ffolla v. to crowd
(i)ffollat ara **(i)ffullat**
(i)ffoltja v. to become thick
(i)ffonda v. to sink; (nieda) to found; **bagħtu j~** (inf.) he sent him to the gallows
(i)ffondat pp. sinked
(i)fforma v. to form
(i)ffarmat pp. formed, shaped
(i)ffarmalizza v. to formalize
(i)ffarmalizzat pp. formalized
(i)ffarmula v. to formulate
(i)ffarmulat pp. formulated
(i)ffortifika v. to fortify
(i)ffossilizza v. to fossilize
(i)ffossilizzat pp. fossil, fossilized
(i)ffotografa v. to photograph
(i)ffotografat pp. photographed
(i)ffoxxna v. to harpoon; (bala') to gormandise
(i)ffoxxnat pp. harpooned
(i)ffranka v. to save money by spending less
(i)ffrankat pp. saved
(i)ffrekwenta v. to frequent, to attend
(i)ffrekwentat pp. frequented, attended
(i)ffriska v. to cool, to grow or get cold
(i)ffriskat pp. cooled
(i)ffriża v. to freeze
(i)ffriżat pp. frozen, congealed
(i)ffronta v. to face, to come face to face
(i)ffrontat pp. faced
(i)ffrotta v. to yield
(i)ffrottat pp. yielded
(i)ffuċilla v. to shoot
(i)ffuċillat pp. shot
(i)ffullat pp. crowded
(i)ffumiga v. to fumigate
(i)ffumigat pp. fumigated
(i)ffunzjona v. to function
(i)ffunzjonat pp. functioned
(i)ffurmat ara **(i)fformat**
fġejl|a n.f. (pl. **~iet**) radish
fġir n.m. (bla pl.) nose blending
fgat pp. suffocated
fgan n.m. (pl. **~ijiet**) caboose
fi prep. in, in the; (bejn) between; (fost) amongst; **ma ~h xejn** he is so thin; **din x'~a?** don't worry; **~h raġel**, eċċ. he is a well built man, etc.; **~h kilo** it weighs a kilo; **ma jafx x'~ha** he does not know her well; **~ha u ma ~hiex** it matters; **ma jħossux ~ha** he is not feeling well
fibr|a n.f. (pl. **~i**) fibre
fibrom|a n.f. (pl. **~i**) fibroma
fibruż aġġ. fibrous
fibul|a n.f. (pl. **~i**) fibula
fidda n.f. (pl. **fided**) silver; **ileqq daqs il-~** it is very shiny

fidded v. to silver
fiddi aġġ. silvery
fiddied n.m. (pl. **~a**) silver~smith
fidi n.f. (pl. **~jiet**) faith; **refa' l-~ tal-magħmudija** he fetched the birth certificate; **għandu l-~ li -** he feels that -
fidil aġġ. faithful, loyal, trusty
fidloqqom n.m. borage
fiduċj|a n.f. (pl. **~i**) confidence, trust
fiduċjarj|u n.m. (pl. **~i**) fiduciary
fiduċjuż aġġ. confident, trustful, hopeful
fidw|a n.f. (pl. **~iet**) redemption, liberation; **sewa ~a ta' Lhudi** the price to pay was very large
fied v. to be profitable, to fructify, to yield (far) to overflow, to run over
fieg|u n.m. (pl. **~ijiet**) manor, farm
fiehem v. to make one understand
fieħ v. to smell sweet, to give fragrance
fieni patt. faint, weak, feeble
fieq v. to recover (health), to be healed; **b'lira t~** a lira is more than enough
fier n.m. (pl. **firijiet**) fare // avv. fair
fiera v. to wound, to stab; **l-ewwel iferik u wara jdewwik** he is a hypocrite
fieragħ patt. empty, void, vacant
fieraq v. to segregate
fieres n.m. (pl. **ifirsa**) horseman
fies n.m. (pl. **~ien**) pickaxe, pick
fietel patt. lukewarm, tepid
fiex prep. in what, where, how
FIFA n.f. FIFA; abbr. of Fédération International de Football Association
fifr|a n.f. (pl. **~i**) fife
fiġel n.m.koll. f. **fiġla** (pl. **fiġliet**) radish, horseradish; **nadif ~** he had a bath
figatell n.m. (pl. **~i**) darling, best loved child
figoll|a n.f. (pl. **~i**) paste doll, figolla; **qisu ~** who pulls out his stomach and places his hands over it
figurin n.m. (pl. **~i**) model, fashion journal
figur|a n.f. (pl. **~i**) figure; **tibża' għall-~a** she minds her figure; (impressjoni) **għamel ~a** (tajba) a left a good impression; **x'~a għamel!** he humiliated himself; **mar għall-~a** he just went to be present
figurat pp. figured
figurattiv aġġ. figurative
figurattivament avv. figuratively
figurazzjoni n.f. (pl. **~jiet**) figuration
figurin n.m. (pl. **~i**) figure; **donnu ~** he is very elegant
fikabanana n.f.koll. banana
fil n.m. (pl. **fjiel**) elephant; (pl. **~i**) thread; **tilef il-~** he diverged from his argument; **qatagħlu l-~** he made him diverge from his argument
fil- (prep.) in, in the
fil|a n.f. (pl. **~i**) row, line, file
filaġju scapegoat; **~ serqu l-bajd** someone always has to be blamed
filament n.m. (pl. **~i**) filament
filantropij|a n.f. (pl. **~i**) philantropy
filantropikament avv. philantropically
filantropiku aġġ. philantropic
filantrop|u n.m. (pl. **~i**) philantropist
filarmoniku aġġ. philharmonic
filat|a n.f. (pl. **~i**) a line of build stone
filatelija n.f. (bla pl.) philately
filateliku aġġ. philatelic
filatelist n.m. (pl. **~i**) philatelist
filatorj|u n.m. (pl. **~i**) spinning wheel
fildiferru n.m. (bla pl.) iron wire
fileġ v. to paralyze
files v. to get rich, to become rich, to grow rich
filġ|a n.f. (pl. **~iet**) numbness
filibustier n.m. (pl. **~i**) filibuster
Filiste|w n.m. (pl. **~j**) Philistine
filjali aġġ. filial
filjazzjoni n.f. (pl. **~jiet**) filiation
filjozz n.m. (pl. **~i**) godson, godchild
fill avv. rarely; **darba ~** seldom
filliera n.f. (pl. **~i**) drawplate (ta' nies, eċċ.) row, file
film n.m. (pl. **~ijiet**) film
filodrammati|ku n.m. (pl. **~ċi**) amateur player
filoloġij|a n.f. (pl. **~i**) philology
filoloġikament avv. philologically
filoloġiku aġġ. philological
filolog|u n.m. (pl. **~i**) philologist
filosofij|a n.f. (pl. **~i**) philosophy
filosofikament avv. philosophically
filosofiku aġġ. philosophic(al)
filosofiżm|u n.m. (pl. **~i**) philosophism
filos(o)f|u n.m. (pl. **~i**) philosopher
filoxx n.m. flabby textile
filtrat pp. filtered
filtrazzjoni n.f. (pl. **~jiet**) filtration
filza n.f. (pl. **~t**) file
filugranu n.m. (bla pl.) filigren
fiminell|a n.f. (pl. **~i**) gudgeon
fin aġġ. fine
fin avv. cunningly
final n.m. (pl. **~i**) end
finali aġġ. final
finalist n.m. (pl. **~i**) finalist
finalit|à n.f. (pl. **~ajiet**) end, purpose
finalment avv. finally, at last
finanz|a n.f. (pl. **~i**) finance
finanzier n.m. (pl. **~a**) financier

finanzjarjament avv. financially
finanzjarju aġġ. financial
finestrun n.m. (pl. ~**i**) large window
finġa v. to feign
fini n.m. (pl. ~**jiet**) end, limit, boundary
finiment n.m. (pl. ~**i**) finishing
finizz|a n.f. (pl. ~**i**) fineness
fint|a n.f. (pl. ~**iet**) feint; **kollox** ~**a** in reality it is not true
fintus|a n.f. (pl. ~**i**) cupping-glass
fird|a n.f. (pl. ~**iet**) separation; ~ **taż-żwieġ** divorce
fired v. to separate, to part
firex v. to spread, to stretch; (estenda) to extend; ~ **il-mejda** to prepare the table; ~ **is-sodda** to spread the bed
firjol n.m. (pl. **friewel**) cloak
firma n.f. (pl. **firem**) signature
firmament n.m. (pl. ~**i**) firmament
firmatarj|u n.m. (pl. ~**i**) signer
firroll n.m. (pl. ~**i**) bolt
firx|a n.f. (pl. ~**iet**) distention
fis avv. promptly, quickly
fisd|a n.f. (pl. ~**iet**) corruption
fised v. to rot, to taint
fiżarmoni|ka n.f. (pl. ~**ċi**) accordion
fisk n.m. (bla pl.) public treasury
fiskali aġġ. fiscal
fisqa v. to swaddle
fisqija n.f. (pl. **fsieqi**) swaddling-bond, brat; **m'għadux tal-**~ he has matured
fiss aġġ. fixed
fissazzjoni n.f. (pl. ~**jiet**) fixation
fissed v. to spoil (qattus, maħbuba, eċċ.) to caress, to fondle
fisser v. to describe, to comment, to explain
fissieri aġġ. explainable
fissud n.m. (pl. **fsiesed**) effeminate
fistul|a n.f. (pl. ~**iet**) fistula; **x'**~**a fih**! he is a bore
fiswa n.f. (pl. ~**iet**, **fsiewi**) fart
fitel v. to become tepid, to warm up, to cool down (għawweġ) to twist coarsely
fiter n.m. (pl. filtrijiet) fitter
fitt aġġ. thick (attent) careful, diligent to work; (antipatku) tedious
fittex v. to look for, to search, to enquire; ~ **ix-xagħra fl-għaġina** to stickel, to seek a quarrel; **ma jfittixx miegħu** he does not pretend much money from him
fittiex n.m. (pl. ~**a**) investigator, searcher
fittiexi aġġ. investigative
fixel v. to interrupt, to suspend
fixkel v. to hinder, to disturb
fixkiel n.m. (pl. ~**a**) preventer
fixkija n.f. (pl. ~**t**) ribbon shaped macaroni
fixkl|a n.f. (pl. ~**iet**) confusion
fixl|a n.f. (pl. ~**iet**) disorder
fixx bungled; **kollox** ~ in a careless way
fixxa reduced to nothing; **ġie** ~ he is now penniless
fizzjal n.m. (pl. ~**i**) officer
fiżika n.f. (bla pl.) physics
fiżikament avv. physically
fiżiku aġġ. physical
fiżjografij|a n.f. (pl. ~**i**) physiography
fiżjograf|u n.m. (pl. ~**i**) physiographer
fiżjoloġij|a n.f. (pl. ~**i**) physiology
fiżjoloġiku aġġ. physiologic(al)
fiżjolog|u n.m. (pl. ~**i**) physiologist
fiżjoterapij|a n.f. (pl. ~**i**) physiotherapy
fiżonomij|a n.f. (pl. ~**i**) physionomy, features
fiżonomist|a n.m. (pl. ~**i**) physiognomist
fjakk aġġ. weak
fjakkat ara **(i)ffjakkat**
fjakkizz|a n.f. (pl. ~**i**) weakness
fjakkol|a n.f. (pl. ~**i**) torch
fjakkolata n.f. (pl. ~**i**) procession of people bearing lighted torches
fjamant aġġ. quite-new, brand-new
fjaming|u n.m. (pl. ~**i**) greater flamingo
fjamm|a n.f. (pl. ~**i**) flame (xorta ta' ħuta) deal-fish; ~**a ħamra** red band-fish
fjammat ara **(i)ffjammat**
fjammat|a n.f. (pl. ~**i**) blaze
fjammett|a n.f. (pl. ~**i**) sand-lance
fjank n.m. (pl. ~**i**) side, flank
fjask n.m. (pl. ~**i**) failure
Fjorentin aġġ. (pl. ~**i**) Florentine // n.m. continental great tit
fjorin n.m. (pl. ~**i**) florin
fjoritur|a n.f. (pl. ~**i**) flowering
fjur n.m. (pl. ~**i**) flower; **fil-**~ **ta' ħajtu** in his bloom; **ħa l-**~ **tagħha** he took the best part
fjurett n.m. (pl. ~**i**) floweret, foil
fjus n.m. (pl. ~**ijiet**) fuse
flaġell n.m. (pl. ~**i**) whip
flaġellant n.m. (pl. ~**i**) flagellant
flaġellat ara **(i)fflaġellat**
flaġellazzjoni n.f. (pl. ~**jiet**) flagellation
flagranti aġġ. flagrant
flambò n.m. (pl. ~**jiet**) flambeau
flanell|a n.f. (pl. ~**i**) flannel/franella
flanellett n.m. flanelletta
flat n.m. (pl. ~**i**) flatuosity
flatt n.m. (pl. ~**ijiet**) flat
flawt n.m. (pl. ~**ijiet**) flute
flawtat aġġ. fluty, flute-like

flaxx n.m. (pl. ~**ijiet**) flush
flebite n.f. (pl. ~**jiet**) phlebitis
flebotomij|a n.f. (pl. ~**i**) phlebotomy
flebotom|u n.m. (pl. ~**i**) phlebotomist
flejgut|a n.f. (pl. ~**i**) fife, flageolet
fleks n.m. (pl. ~**ijiet**) flex
flemma n.f. (bla pl.) phlegm, coolness, apathy
flemmati|ku n.m. (pl. ~**ċi**) phlegmatic
flessibbilt|à n.f. (pl. ~**ajiet**) flexibility
flessibbli aġġ. flexible, pliable
flessjoni n.f. (pl. ~**jiet**) flexion
flett n.m. (pl. ~**ijiet**) loin, fillet
Fleur-de-lys n.f.pl. Fleur-de-lys
fliġ n.m. (bla pl.) palsy
flieg|u n.m. (pl. ~**i**) strait
flimkien avv. together
flipp n.m. (pl. ~**ijiet**) flip
flissjoni n.f. (pl. ~**jiet**) cold
flixkun n.m. (pl. **fliexken**) bottle, flask; ~ **tat-trabi** fending bottle
flok avv. instead
flokk n.m. (pl. ~**jiet**) jib (jumper) jumper; ~ **ta' taħt** vest, undervest
flopp n.m. (pl. ~**s**) flop
flora n.f. flora
floridezz|a n.f. (pl. ~**i**) floridness, floridity
floridu aġġ. florid
florist n.m. (pl. ~**i**) florist
flotta n.f. (pl. **flotot**) flent
flus (n.pl. **ta' flis**) money, coins; ~ **antiki** old coins; ~ **foloz** false coins; ~**u mhumiex tal-ġild** he has got no special money; **iġġib il-~** can be sold with profit; ~ **tal-ferħa** tips to the messenger of good tidings; **tkun ~ miegħu** he always demands money; ~ **jaqbżu f'idu/ jikwu f'butu** he is a spendthrift; **ħadha** ~ he did not go to work; **għamel il-~** he prospered; **mhux** ~ not a big sum; **jgħum fil-~** he is rich; ~ **tal-għaraq** hard-earned money; **mexxa l-~** he corrupted sb.; ~ **jaħarqu** cash payment; ~**u mhux tiegħu** a pleasant gentleman; **flejjes**: **kellu l-belli** ~ he had a lot of money
fluttwazzjoni n.f. (pl. ~**jiet**) fluctuation
fluwidità n.f. (pl. ~**jiet**) fluidity
fluwidu aġġ. fluid
fluworexxenti aġġ. fluorescent
fluworexxenza n.f. (bla pl.) fluorescence
fluworu n.m. (bla pl.) fluorine
foħrij|a n.f. (pl. ~**iet**) praise
FOI n.m. (bla pl.) FOI; abbr. of Federation of Industries
fok|a n.f. (pl. ~**i**, ~**at**) seal, sea-calf
fokat ara **(i)ffokat**
fokist n.m. (pl. ~**i**) fireman
folj|a n.f. (pl. ~**i**) page, sheet; **qaleb il-~a** he changed subject; ~**a ġdida** a new beginning
folj|u n.m. (pl. ~**i**) newspaper
folklor n.m. (pl. ~**ijiet**) folklore
folklorist n.m. (pl. ~**i**) folklorist
folkloristiku aġġ. folkloristic
folla n.f. (pl. **folol**) crowd, throng, multitude
follikulari aġġ. follicular
foloz aġġ. false
folt aġġ. thick
fomm n.m. (pl. ~**ijiet**) mouth; ~**u sieket** a trusthworthy person; **minn ~ok 'l Alla** may God grant what you are saying; ~ **taz-zokkor** a pleasant person; **fetaħ ~u** he started talking; **fuq ~ kulħadd** a widespread piece of news
fond aġġ. deep; **raqad fil-~** he is fast asleep; **mill-~ ta' qalbi** sincerely // n.m. (pl. ~**i**) fund, property, capital; ~ **tal-kafè** gregs
fonda v. to melt
fondamentali aġġ. fundamental
fondamentalment avv. fundamentally
fondat pp. founded
fondazzjoni n.f. (pl. ~**jiet**) foundation
fonderij|a n.f. (pl. ~**i**) foundry, melting house, smeltery
fonditur n.m. (pl. ~**i**) melter, founder, smelter
fonditur|a n.f. (pl. ~**i**) smelting
fondoq n.m. (pl. **fniedaq**) depth
fonetika n.f. (bla pl.) phonetics
fonetikament avv. phonetically
fonetiku aġġ. phonetic
foniku aġġ. phonic
fonografij|a n.f. (pl. ~**i**) phonography
fonografiku aġġ. phonographic
fonograf|u n.m. (pl. ~**i**) phonograph
fonogramm|a n.f. (pl. ~**i**) phonogram
fonoloġij|a n.f. (pl. ~**i**) phonology
fonoloġiku aġġ. phonologic(al)
fonqla n.f. (pl. **fnieqel**) bore, waspish
fonti n.f. (pl. ~**jiet**) font
foraġġ n.m. (pl.~**i**) fodder, forage
forċin|a n.f. (pl. ~**i**) fork
forċipi n.m. (bla pl.) forceps
forensi|ka n.m. (pl. ~**ċi**) forensic; **uffiċjal ~ku** forensic officer
forest|a n.f. (pl. ~**i**) forest
forġ|a n.f. (pl. ~**iet**, foroġ) forge, smithy
forka n.f. (pl. **forok**) gallows, scaffold; **il-~ għall-iżvinturat** there is no justice; **bies il-~** the sentence of death was revoked; **donnu tiela' l-~** he is a slow walker; **il-~ għad tirbħu** he is always fighting
forma n.f. (pl. **forom**) form, model, shape; **qiegħed fil-~** it is not ready yet

format ara **(i)fformat**
formaġġier|a n.f. (pl. ~**i**) grated cheese vessel
formali aġġ. formal
formalina n.f. (bla pl.) formalin
formalit|à n.f. (pl. ~**ajiet**) formality
formaliżm|u n.m. (pl. ~**i**) formalism
formalizzat ara **(i)fformalizzat**
formalment avv. formally
format n.m. (pl. ~**i**) shape, size
formattiv aġġ. formative
formazzjoni n.f. (pl. ~**jiet**) formation
formidabbli aġġ. formidable
formul|a n.f. (pl. ~**i**) formula
formularj|u n.m. (pl. ~**i**) formulary
formulat ara **(i)fformulat**
forn n.m. (pl. **fran**) oven, bakehouse
forna v. to supply
forniment n.m. (pl. ~**i**) equipment
fornitur n.m. (pl. ~**i**) provider
fornitur|a n.f. (pl. ~**i**) supply, equipment
fornut pp. supplied
forogħ v. to ebb (tbattal) to grow empty
forok v. to limp, to hobble
forsi avv. perhaps; ~ **raġel ħażin** uncertainty gives rise to suspects
forti n.m. (bla pl.) fort // aġġ. strong
fortifikat ara **(i)ffortifikat**
fortifikazzjoni n.f. (pl. ~**jiet**) fortification
fortin|a n.f. (pl. ~**i**) blockhouse
fortizz|a n.f. (pl. ~**i**) fortress
FORTRAN n.m. FORTRAN
fortun|a n.f. (pl. ~**i**) fortune, luck
fortunal n.m. (pl. ~**i**) tempest, storm
fortunat aġġ. fortune, lucky
forz|a n.f. (pl. ~**i**) strength, power, might; ~**a ċentrifuga** centrifugal force; ~**a maġġura** absolute necessity; ~**a militari** land forces; ~**a morali** moral force; ~**a navali** naval forces; ~**a tal-ajru** air force; ~**a tal-gravità** force of gravity
fosdq|a n.f. (pl. ~**iet**) husk, pod, boll; ~ **tad-dud tal-ħarir** cocoon
fosfat n.m. (pl. ~**i**) phosphate
fosforexxenti aġġ. phosphorescent
fosforexxenz|a n.f. (pl. ~**i**) phosphorescence
fosforiku aġġ. phosphoric
fosfru n.m. (bla pl.) phosphorus
foss n.m. (pl. ~**ijiet**) ditch; **qabeż il-**~ he did not answer the question
fossa n.f. (pl. **fosos**) hole, pit, ditch
fossili n.m. fossil
fossilizzat ara **(i)ffossilizzat**
fossilizzazzjoni n.f. (pl. ~**jiet**) fossilization
fost prep. among
fotofobja n.f. (bla pl.) photophobia
fotoġeniku aġġ. photogenic
fotografat ara **(i)ffotografat**
fotografij|a n.f. (pl. ~**i**) photography
fotografiku aġġ. photographic
fotograf|u n.m. (pl. ~**i**) photographer
fotokromij|a n.f. (pl. ~**i**) photochromy
fotometrija n.f. (bla pl.) photometry
fotometriku aġġ. photometric
fotometr|u n.m. (pl. ~**i**) photometer
fotosfer|a n.f. (pl. ~**i**) photosphere
foxxn|a n.f. (pl. ~**i**) fork, trident
fqajjar aġġ. poor, miserable
fqir n.m. (pl. **fqar**) poor
fra n.m. (pl. ~**jiet**) brother, lay brother
fraġilit|à n.f. (pl. ~**ajiet**) fragility
fraġli aġġ. fragile, brittle
frak n.m. (pl. ~**iet**) bits, fragments; ~ **tal-ħobż** crumbs; **fraka** n.f. small bit, morsel
frakass n.m. (bla pl.) fracas
frakk n.m. (pl. ~**ijiet**) tail-coat
frammażun n.m. (pl. ~**i**) freemason
framment n.m. (pl. ~**i**) fragment
frammentarju aġġ. fragmentary
Franċiż aġġ. French; **kellmu bil-**~ he spoke rudely to him
Franġiskan aġġ. (pl. ~**i**) Franciscan
frank aġġ. free, exempt; **posta** ~ postage free
frankament avv. frankly, candidly, openly
frankat ara **(i)ffrankat**
frankizz|a n.f. (pl. ~**i**) frankness, candidness
Franza n.pr. France
Frar n.pr. February
frasservjent n.m. (pl. ~**i**) black winged stilt
fratell n.m. (pl. ~**i**) brother
fratellanz|a n.f. (pl. ~**i**) confraternity
fratriċidj|u n.m. (pl. ~**i**) fratricide
frattant avv. meanwhile
frattarij|a n.f. (pl. ~**iet**) fraction
frawl|i n.m.koll. f. ~**a** (pl. ~**iet**) strawberry; **xott bħall-**~**i** without money
fraxxnu n.m. (bla pl.) ash
frazzjoni n.f. (pl. ~**jiet**) fraction; ~ **deċimali** decimal fraction
frażarj|u n.m. (pl. ~**i**) collection of phrases
frażi n.f. (pl. ~**jiet**) phrase, sentence
frażjoloġij|a n.f. (pl. ~**i**) phraseology
frejgat|a n.f. (pl. ~**i**) frigate
frejgatin|a n.f. (pl. ~**i**) skiff
frekwentat ara **(i)ffrekwentat**
frekwentatur n.m. (pl. ~**i**) frequenter
frekwentattiv aġġ. frequentative

frekwenti aġġ. frequent
frekwenz|a n.f. (pl. **~i**) frequency
frenoloġij|a n.f. (pl. **~i**) phrenology
frenolog|u n.m. (pl. **~i**) phrenologist
frenża n.f. (pl. **frenez**) fringe
frid n.m. (bla pl.) separation
friex (npl bla s) coverlet; (sodda) bed; **~u artab** he leads a comfortable life
friġġ n.m. (pl. **~ijiet**) fridge
frikattiv aġġ. fricative
frill n.m. (pl. **~ijiet**) ruffle
frisk n.m. (bla pl.) coolness; **qiegħdu fil-~** he put him in deep trouble; **~ tal-anġli** a nice cool breeze; **ġabuh fil-~** they took him to a sanitarium; (fil-ħabs) they took him to the prisons // aġġ. cool; **bajda ~a** fresh egg; **ħobż ~** new bread; **ħut ~** fresh fish; **ilma ~** cold water; **riħ ~** cool wind; (ftit ilu) **għarajjes/ miżżewġin ~i** a newly-wed couple; **għadu ġej ~** he has just arrived
friskat ara **(i)ffriskat**
friskatur n.m. (pl. **~i**) basin
friskizza n.f. (bla pl.) freshness, coolness
fritt|a n.f. (pl. **~i**) frit
frittazz|a n.f. (pl. **~i**) scrubbing-broom
frittur|a n.f. (pl. **~i**) fry
frivolu aġġ. frivolous
frizzjoni n.f. (pl. **~jiet**) friction, rubbing
friż n.m. (pl. **~ijiet**) frieze
friża n.f. (bla pl.) refrigerator; **laħam tal-~** frozen meat
friżat ara **(i)ffriżat**
friżbi n.m. (pl. **~jiet**) frisbee
friżer n.m. (pl. **~s**) refrigerator, freezer
frodi n.f. (pl. **~jiet**) fraud
froġa n.f. (pl. **frejjeġ**) omelet(te), pancake; (bawxata) a lark
front n.m. (pl. **~i**) front
frontali aġġ. frontal
frontispizj|u n.m. (pl. **~i**) frontispiece
frost|a n.f. (pl. **~i**) whip
frostin n.m. (pl. **~i**) riding~whip
frott n.m.koll. f. **~a** (pl. **~iet**) fruit
froxx n.m. (pl. **~ijiet**): **għamel ~** he spent all the money
frugħa n.f. (pl. **~t**) temptiness, vacuity (bluha) vanity, silliness
fruntier|a n.f. (pl. **~i**) frontier
frustier n.m. (pl. **~i**) foreigner, stranger
fruttat ara **(i)ffrottat**
fruttier|a n.f. (pl. **~i**) fruit-dish
fruttiferu aġġ. fructiferous
fsada n.f. blood-letting; **~ muta** foot-bath
fsid n.m. (bla pl.) phlebetomy
fsied n.m. (bla pl.) fondling, affected ways
ftaħar v. to boast, to brag, to glory
ftaħir n.m. (bla pl.) boasting, bragging, glorying
ftakar v. to remember, to recollect, to recall
ftaqad v. to scrutinize
ftaqar v. to impoverish, to grow poor
ftehem v. to be understood
ftehim n.m. (bla pl.) agreement, pact, bargain
ftiehem v. to accord
ftila n.f. (pl. **ftejjel**) wick; **bil-~** he is in a bad mood
ftira n.f. (pl. **ftajjar**) cake; (qassata) a blunder; **il-~ saret** everything is said and done; **ftajjar**: **ħolom bil-~** he is not realistic
ftit n.m. (pl. **~ijiet**) little, few // aġġ. little, few // avv. little; **bil-~ il-~** little by little; **~ li xejn** very little; **bil-~ il-wisq** a precise; **mhux sabiħ** (eċċ.) **bi ~** very nice (etc.); **~ ilu** a short time ago; **~ taż-żmien** little time
ftuq n.m. (bla pl.) hernia, rapture
fuċillat ara **(i)ffuċillat**
fuċillazzjoni n.f. (pl. **~jiet**) execution by shooting
fuċillier n.m. (pl. **~i**) rifleman
fuglar n.m. (pl. **~i**) stove, hearth
fuħħar n.m.koll. f. **~a** (pl. **fħaħar**) pottery, baked clay
fuklar n.m. (pl. **~i**) hearth, fireside
ful n.m.koll. f. **~a** (pl. **~iet**) bean; **~a maqsuma** to resemble, to be like; **~a f'qargħa** one in a million; **tah il-~a** he killed him
fuljett|a n.f. (pl. **~i**) vener
fulkr|u n.m. (pl. **~i**) fulcrum
fulminanti aġġ. fulminant
fulskapp n.f. (pl. **~ijiet**) foolscap
fumarij|a n.f. (pl. **~i**) fumitory
fumat|a n.f. (pl. **~i**) smoke, smoking
fumatur n.m. (pl. **~i**) smoker
fument|a n.f. (pl. **~i**) fomentation
fumigat ara **(i)ffumigat**
fumigazzjoni n.f. (pl. **~jiet**) fumigation
funambol|u n.m. (pl. **~i**) funambulist
fundament n.m. (pl. **~i**) foundation; **suspett bla ~** groundless suspicion
fundatur n.m. (pl. **~i**) founder
funebri aġġ. funeral; **orazzjoni ~** funeral oration
funeral n.m. (pl. **~i**) funeral, obsequies
fung|u n.m. (pl. **~i**) mushroom
funikular n.m. (pl. **~i**) funicular
funtan|a n.f. (pl. **~i**) fountain
funtanier n.m. (pl. **~i**) fountain keeper
funzjonarj|u n.m. (pl. **~i**) functionary, officer
funzjoni n.f. (pl. **~jiet**) function

fuq prep. avv. up, upon, on, over; ~ ~ briefly; ~ **kollox** chiefly, mainly; ~ **ruħi** upon my soul, in faith; ~ **tiegħu** vidid, lively; **'il** ~ up, higher, above; **imsemmi** ~ above said, above mentioned; **minn** ~ from above; **ħadem** (eċċ.) ~ **li ħadem** (eċċ.) he really worked (etc.) hard; **hemm** ~ a sanitarium; **daħal** ~**u** he stormed in; **mar minn** ~ he prospered; **x'kellu jiġi** ~**u** what fate had in store for him; **m'għandux** ~**iex** he has no money
fuqiex avv. upon which
furban n.m. (pl. ~**i**) pirate, corsair (makakk) an astute person
furfiċett|a n.f. (pl. ~**i**) hair pin
Fuhrer n.m. (pl. ~**s**) Fuhrer (mexxej Ġermaniż)
furj|a n.f. (pl. ~**i**) fury, rage
furjuż aġġ. furious
furketta n.f. (pl. **frieket**) fork
furkettata n.f. (pl. ~**i**) forkful
furkettun n.m. (pl. ~**i**) carving fork
furmatur n.m. (pl. ~**i**) shaper maker; (xorta t'għodda) chisel
furnar n.m. (pl. ~**a**) baker
furrajna n.f.koll. green corn
furur n.m. (pl. ~**i**) rage
furzat n.m. (pl. ~**i**) convict; **lavuri** ~**i** hard labour
fus n.m. (pl. ~**ijiet**) spindle; **kiser il-**~ he is getting worse; (ma' xi ħadd) they had a quarrel
fustan n.m. fustian
futbol n.m. (bla pl.) football
futili aġġ. futile, useless, ineffective, fruitless
futur aġġ. future
futurist n.m. (pl. ~**i**) futurist
futuriżm|u n.m. (pl. ~**i**) futurism
fuxfiex n.m.koll. f. ~**a** (pl. ~**t**) St John's wort
fużjoni n.f. (pl. ~**jiet**) fusion
fwar n.m. (pl. **fwawar**) vapour, steam; **fwawar**: **ibati bil-**~ he has occasional outbursts of anger; **qabduh il-**~ he is suffering from claustrophobia
fwied n.m. (pl. **ifwda, fwidien**) liver; **ried jikollu** ~**u** he was very angry with him; **qala'** ~**u** he really got tired
fwieħ v. to grow odoriferous
fwieħa n.f. (pl. **fwejjaħ**) perfume, fragrance

Ġ ġ

ġ seventh letter of the alphabet and fifth of the consonants
ġa avv. already
ġab ara **ġieb**
ġabar v. to gather, to pick up; ~ **il-flus** to collect; ~ **l-iltiema** to shelter; ~ **mara** to marry; ~ **pittura qadima** to repair; **ġabruh** he was arrested; (inf. ħaduh fi sptar mentali) they took him to a sanatarium; ~**ha miegħu** he took her with **him; in~!** (inf.) he found a girl who was ready to go out with him!
ġabas clumsy, useless; **donnu** ~ a useless person
ġabbar v. to patch // n.m. (pl. ~**a**) gatherer, collector
ġabr|a n.f. (pl. ~**iet**) collection; **mara tal-~a** a mature woman
ġabsal|a n.f. (pl. ~**iet**) hive
ġada n.f. (pl. ~**t**) jade
Ġaħan legendary character in Maltese folklore; **bħal** ~ a stupid fellow; **kemm hu** ~**!** he is really stupid!
ġagwar n.m. (pl. ~**i**) jaguar
ġaħġaħ v. to walk feebly; (għex fil-faqar) to live poorly
ġakall n.m. (pl. ~**i**) jackal
ġakbin n.m. (pl. ~**i**) jacobin
ġakk n.m. (pl. ~**ijiet**) jack
ġakketta n (pl. **ġkieket**) jacket
ġakulatorj|a n.f. (pl. ~**i**) short prayer
ġaladarba avv. once
ġalapp|a n.f. (pl. ~**i**, ~**at**) jalap
ġama' v. to gather, to assemble
ġambor n.f. (pl. ~**jiet**) jamboree
ġamma' v. to collect; ~ **l-flus** to hoard, to save, to amass
ġammar v. to make burning coal
ġamper n.m. (pl. ~**s**) jumper
ġamr|a n.f. (pl. ~**iet**, **ġamar**) burning coal, live coal; **ħass il-~a f'għajnejh** his eyes were hurting
ġanbubl|u n.m. (pl. ~**i**) rock thrush
ġandar n.m. f. **ġandra** (pl. ~**iet**) acorn; **iebes** ~ still not ripe
ġannat v. to piece, to join, to unite; **kellu j~ biex jgħix** he had to lead a poor life
ġannet n.m. (pl. ~**i**) a stupid youth
ġannizzr|u n.m. (pl. ~**i**) janizary
Ġappuniż aġġ. n.m. (pl. ~**i**) Japanese
ġar n.m. (pl. **ġirien**) neighbour
ġara v. to happen, to befall
ġarab n.m. scab, scald
ġaras n.m. (pl. **ġrasi**) bell
ġarda aġġ. bald; **ħaġra** ~ barren stone; **nagħġa** ~ woolliness sheep
ġardin|a n.f. (pl. ~**i**) small garden
ġardinaġġ n.m. (pl. ~**i**) gardening
ġardinar n.m. (pl. ~**a**) gardener
ġardinier|a n.f. (pl. ~**i**) flower-stand, jardinibre; (salad) mixed salad
ġarf n.m. (pl. **ġruf**) precipice, slip
ġarġir n.m.koll. f. ~**a**, (pl. ~**iet**) spanish mustard
ġarnell n.m. (pl. ~**i**) cuckoo-pint
ġarr v. to transport, to carry, to remove, to convey; ~**u ħaj** he robbed him // n.m. (bla pl.) transport, removal
ġarra n.f. (pl. **ġarar**) picher, water-pot; ~ **tan-naħal** hove, bee-hive
ġarrab v. to experience, to try, to prove // n.m. (pl. ~**a**) experimenter, experimentist, tempter
ġarraf v. to demolish, to pull down
ġarraf n.m. (pl. ~**a**) destroyer
ġarrajj|a n.f. (pl. ~**i**) skein
ġarrier n.m. (pl. ~**a**) remover, porter
ġavellott n.m. (pl. ~**i**) javelin
ġawhra n.f. (pl. ~**iet**) pearl; **għandu** ~ **minnu** he is really fond of him
ġawhri aġġ. pearled
ġażra n.f. (pl. ~**t**, **ġżari**) skein
ġażż n.m. jazz
ġbara n.f. (pl. **ġbajjar**) poultice, cataplasm; ~ **fuq żaqqu** something useless but which is still

not thrown away; **għamilha ~!** throw it away!; **donnu** ~ a useless person
ġbejn|a n.f. (pl. **~iet**) ewe-milk cheese; **donnu ~a** very slow worker
ġbid n.m. (bla pl.) pulling, drawing; **logħba tal-~** tug of war
ġbin n.m. (pl. **iġbna**) forehead
ġbir n.m. (bla pl.) gathering; ~ **tal-flus** collection
ġbiż n.m.koll. f. **~a**, (pl. **~iet**) stubble
ġdid aġġ. new; **libsa ~a** new dress; **qamar** ~ new moon; **sena ~a** new year; **Testment il-Ġ~** New Testament; ~ **fjamant** brand new; **għadu** ~ he still does not know how things run
ġdiem n.m. leprosy, mange
ġebbed v. to stretch, to extend, to prolong, to delay; (il-paga) to stretch the pay to the utmost
ġebbel v. to petrify, to turn (in) to stone
ġebbes v. to chalk, to plaster
ġebbied n.m. (pl. **~a**) one who stretches, procrastinator
ġebbied|a n.f. (pl. **~iet**, **ġbiebed**) parentage, lineage, affinity
ġebbies n.m. (pl. **~a**) plasterer
ġebel n.m.koll. f. **ġebla**, (pl. **ġebliet**) hill, mountain; **sar tal-~** he was petrified; **ġebla: tafa' l-ġebla fuq saqajh** he was burnt with his own petard; **iebes ġebla** very strong; **qisu ġebla** unmoveable; **ma ħalliex ġebla fuq ġebla** he disrupted everything
ġebelin n.m. (pl. **~i**) sable
ġebl|a n.f. (pl. **~iet**) stone
ġebli aġġ. hilly, mountainous
ġedded v. to renew, to begin again, to restore, to reform
ġeddied n.m. (pl. **~a**) renewer, restorer, repairer
ġegħd|a n.f. (pl. **~iet**) wrinkle
ġegħid n.m. (bla pl.) curling, crisping
ġegħid|a n.f. (pl. **~iet**) curling
ġegħied n.m. (pl. **~a**) curler
ġegħiedi aġġ. curled
ġegħila n.f. (pl. **~iet**) constraint
ġehież n.m. (pl. **~a**) provider of dowry
ġej patt. coming, (li sa jiġri) proceeding or arising from, deriving; **li** ~ the future; **dam** ~ **biha** he took his time to utter what he had in mind; ~ **bħal** he's like; ~ **'il barra** sticking off; ~ **'il quddiem** making progress; **dejjem** ~ never stopping; **x'~**? what is happening?
ġejjef v. to vilify, to make one cowardly, to timid
ġejjief n.m. (pl. **~a**) one who renders vile, cowardly
ġejjieni aġġ. future
ġejża n.f. (pl. **~iet**) crossbeam, ridge
ġelat n.m. (pl. **~i**) ice cream // ara **(i)ġġelat**
ġelatin|a n.f. (pl. **~i**) jelly, gelatine
ġelatinuż aġġ. gelatinous
ġelben v. to bud, to burgeon, to bloom, to sprout; ~ **fil-għajnejn** to begin to cry
ġelem n.m. (pl. **ġliem**) shears, clipper
ġelġel v. to crack, to clack
ġelġil n.m. (bla pl.) splitting, cracking
ġelled v. to excite quarrels, to litigate, to debate
ġellewż n.m.koll. f. **~a**, (pl. **~t**) hazel-nut, filbert
ġellied n.m. (pl. **~a**) fighter, combatant, (bokser) boxer
ġelliedi aġġ. quarrelsome, litigious
ġelożij|a n.f. (pl. **~i**) jealousy
ġelu n.m. (bla pl.) frost, (zokkor) crust of sugar
ġeluż aġġ. jealous
ġemd|a n.f. (pl. **~iet**) sootiness
ġemel n.m. (pl. **iġmla**) camel, dromedary
ġemgħa n.f. (pl. **~t**) gathering, collection; (kungress) assembly, congress; ~ **nies** crowd; ~ **bhejjem** drove, herd, flock; **bin** ~ a layman
ġeminat pp. geminate
ġeminazzjoni n.f. (pl. **~jiet**) gemination
ġemm|a n.f. (pl. **~iet**) gem, prescious stone
ġemmed v. to thicken; (bil-ġmied) to soot
ġemmel v. to adorn, to embellish
ġemmiegħ n.m. (pl. **~a**) gatherer; ~ **id-demel** scavenger, dust-man; ~ **il-flus** cashier
ġemmugħa n.f. (pl. **~t**) kind of spurge
ġenb n.m. (pl. **ġnieb**, **ġnub**) flak, side; **tah il-~** he did not pay attention to him
ġenb|a n.f. (pl. **~iet**) nook
ġendarm n.m. (pl. **~i**) gendarm
ġendarmerij|a n.f. (pl. **~i**) gendarmerie
ġenealoġij|a n.f. (pl. **~i**) genealogy, pedigree
ġenealoġiku aġġ. genealogical
ġenealoġist|a n.kom. (pl. **~i**) genealogist
ġeneral n.m. (pl. **~i**) general; **logutenent** ~ lieutenant general; **maġġur** ~ major general
ġenerali aġġ. general; **elezzjoni** ~ general election; **kunsill** ~ general council
ġeneralissim|u n.m. (pl. **~i**) generalissimo
ġeneralità n.f. (pl. **~jiet**) generality
ġeneralizzat pp. generalised
ġeneralizzazzjoni n.f. (pl. **~jiet**) generalisation
ġeneralment avv. generally
ġenerat pp. generated
ġenerattiv aġġ. generative
ġeneratur n.m. (pl. **~i**) begetter, (tad-dawl) generator
ġenerazzjoni n.f. (pl. **~jiet**) generation
ġenerikament avv. generically

ġeneriku aġġ. generic, generical
ġenerożità n.f. (pl. **~ajiet**) generosity
ġener|u n.m. (pl. **~i**) gender; **~u femminili** feminine gender; **~u komuni** common gender; **~u maskil** masculine gender; **~u uman** mankind, humanity
ġeneruż aġġ. generous
Ġenesi n.m.pr. (bla pl.) Genesis
ġenetiku aġġ. genetic
ġeni n.m. (bla pl.) in embryo, undeveloped
ġenitali aġġ. genital
ġenittiv n.m. (pl. **~i**) genitive
ġenitur n.m. (pl. **~i**) parent
ġenjali aġġ. ingenious
ġenjalit|à n.f. (pl. **~ajiet**) ingeniousness
ġenjalment avv. ingeniously
ġenj|u n.m. (pl. **~i**) genius
ġenn n.m. (pl. **~ijiet**) madness, folly, fury; **tah** ~ he is raving
ġenn|a n.f. (pl. **~iet**) paradise; **~a tal-art** garden of eden; **mar il-~a** he died; **dar qisha ~a** a very cosy home
ġennat|a n.f. (pl. **~i**) lunacy
ġenneb v. to put aside
ġennen v. to madden
ġennien n.m. (pl. **~a**) gardener
ġens n.m. (pl. **ġnus**) race, generation
ġentilezz|a n.f. (pl. **~i**) kindness
ġentili aġġ. kind, polite, gentle
ġentilment avv. kindly, politely
ġentlom n.m. (pl. **~i**) gentleman
ġenuflessjoni n.f. (pl. **~jiet**) genuflection
ġenwin aġġ. genuine, real
ġenwinament avv. genuinely
ġenwinit|à n.f. (pl. **~ajiet**) genuineness
ġenzjan|a n.f. (pl. **~i**) gentian
ġeoċentriku aġġ. geocentric(al)
ġeodesija n.f. (bla pl.) geodesy
ġeodetiku aġġ. geodetic
ġeografija n.f. (pl. **~i**) geography
ġeografikament avv. geographically
ġeograf|u n.m. (pl. **~i**) geographer
ġeoloġij|a n.f. (pl. **~i**) geology
ġeoloġikament avv. geologically
ġeoloġi|ku n.m. (pl. **~ċi**) geologic(al)
ġeomanzij|a n.f. (pl. **~i**) geomancy
ġeometrij|a n.f. (pl. **~i**) geometry
ġeometrikament avv. geometrically
ġeometriku aġġ. geometric(al)
ġera v. to run, to travel; **iġri u ġerri** carelessly; **erbgħa jiġru** a couple of -; **hawn ħafna jiġru** it is quite common; ~ **bih** he went extremely better than the other one; (l-entużjażmu) he was in a moment of mental agitation and excitement; **iġri jasal** (eċċ.) how I wish that he comes (etc.)
ġeranj|u n.m. (pl. **~i**) geranium, stork's bill
ġerarka n.m. (pl. **~i**) hierarch
ġerarkij|a n.f. (pl. **~i**) hierarchy
ġerarkikament avv. hierarchically
ġenarkiku aġġ. hierarchic(al)
ġeramijadi n.f. (pl. **~i**) jeremiad, lamentation
ġergħa n.f. (pl. **~t**) draught
ġerħ|a n.f. (pl. **~iet**, **ġrieħi**) wound, hurt // v. to wound, to hurt
Ġermaniku aġġ. Germanic
Ġermaniż n.m. (pl. **~i**) German, Teuton
ġermiċid|a n.kom. (pl. **~i**) germicide
ġeroglifik|u aġġ. hieroglyphic // n.m. (pl. **~i**) hieroglyph
ġerra v. to make one run, to run; he tollerated her for a lot of time
ġerragħ v. to swallow, to absorb; (issaporta) to suffer; **ilu j~ha ħafna** to tollerate, to endure
ġerrej n.m. (pl. **~ja**) jockey, racer, runner, (vagabond) vagabond vagrant; **mara ~ja** rambling woman
ġerrejja n.f. (pl. **~t**) bolt
ġerriegħ n.m. (pl. **~a**) swallower
ġerriegħi aġġ. tolerable, bearable
ġerrieħ n.m. (pl. **~a**) wounder
ġersi n.m. (pl. **~jiet**) jersey
ġeru n.m. (pl. **ġriewi**) pup, puppy
ġerundj|u n.m. (pl. **~i**) gerund
Ġerusalemm n.pr. Jerusalem
ġest n.m. (pl. **~i**) gesture
ġestikulat ara **(i)ġġestikulat**
ġestatorja aġġ. gestatorial; **sedja** ~ gestatorial chair
ġestazzjoni n.f. (pl. **~jiet**) gestation
ġestjoni n.f. (pl. **~jiet**) management, administration
Ġesù n.pr. Jesus; **il-Qalb ta'** ~ Sacred Heart
ġett n.m. (pl. **~s, ~ijiet**) jet
ġewħan aġġ. starving, famished
ġewlaq n.m. (pl. **ġwielaq**) wicker basket, shopping basket
ġewnaħ n.m. (pl. **ġwienaħ**) wing; **ġwienaħ**: **rabba' l-~** he went away; **raqqad ġwenħajh** he quietened; **farfar ġwenħajh** he starting acting egoistically
ġewwa prep. avv. within, inside, in; ~ **mis-swar** within the walls; ~ **nett** extremely, remotely, far within; **idħol 'il** ~ come in; **minn** ~ from within, internally; **tah** ~ he pained him; **waħda ~!** that's ready!; **il-marda daħlet** ~ the illness went in too far; **waddbuh** ~ they arrested him; **ta'** ~ our friend; (tal-familja) our relative; **kiel minn** ~ he had to use his earnings for the daily expenditures

ġewwaħ v. to famish, to starve
ġewwenija aġġ. domestic // n.f. (pl. ~**t**) conscience
ġewweż v. to eat fodder; (kiel ftit) to eat parsimoniously; (ekonomizza) to economize
ġewwieħ n.m. (pl. ~**a**) starver
ġewwieħi aġġ. hungry, starving
ġewwieni aġġ. internal, interior, inward; **il-~** entrails, bowels
ġewwieżi aġġ. thrifty
ġewż|a n.f. (pl. ~**iet**) walnut; ~**a tal-għonq** adam's apple; **ilwielu l-~a t'għonqu** he gave him a sound beating; ~**a tal-lampa** lamp-burner
Ġeżwit|a n.m. (pl. ~**i**) Jesuit
Ġeżwitiżm|u n.m. (pl. ~**i**) jesuitism, jesuitry
ġeżż v. to cut, to shear
ġeżża n.f. (pl. ~**iet**) shearing
ġeżżej n.m. (pl. ~**ja**) shearer
(i)ġġarrab v. to suffer, to feel
(i)ġġarraf v. to fall
(i)ġġebbed v. to stretch
(i)ġġedded v. to be renewed
(i)ġġejjef v. to get cowardly
(i)ġġela v. to freeze
(i)ġġelat pp. frozen
(i)ġġelġel v. to split, to crack
(i)ġġelled v. to become leathery
(i)ġġemmed v. to become sooty
(i)ġġenera v. to generate
(i)ġġeneralizza v. to generalize
(i)ġġeneralizzat ara **ġeneralizzat**
(i)ġġenerat ara **ġenerat**
(i)ġġenneb v. to go aside
(i)ġġennen v. to become mad
(i)ġġerra v. to run about
(i)ġġerragħ v. to digest
(i)ġġerraħ v. to exulcerate
(i)ġġestikula v. to gesticulate
(i)ġġestikulat pp. gesticulated
(i)ġġewwaħ v. to get starved
(i)ġġeddem v. to become leprous
(i)ġġiegħed v. to shrink
(i)ġġiegħel v. to be compelled
(i)ġġieled v. to fight, to quarrel
(i)ġġiera v. to wander, to ramble
(i)ġġissem v. to grow corpulent
(i)ġġonta v. to join
(i)ġġudika v. to judge
(i)ġġudikat ara **ġudikat**
(i)ġġusta v. to arrange, to adjust
(i)ġġustat pp. proper
(i)ġġustifika v. to justify
(i)ġġustifikat ara **ġustifikat**
(i)ġġustizzja v. to execute
(i)ġġustizzjat ara **ġustizzjat**
ġgajt|a n.f. (pl. ~**iet**) crowd, multitude, throng
ġgant n.m. (pl. ~**i**) giant; **donnu l-~ Gulija** he thinks that there is no one stronger than him
ġganti aġġ. gigantic, gigantesque
ġhież n.m. (pl. **ġhiżijiet**) dowry
ġibd|a n.f. (pl. ~**iet**) attraction, affection, love, bent; ~**a sabiħa** fine countenance; (it-tul) a long way
ġibed v. to draw, to pull, to lead, to induce; (printja) to print; (dagħa) to blaspheme; ~ **fuq xi ħadd** to shoot, to fire; ~ **ir-ritratt** to take a photograph; ~ **is-saqajn** to banter; ~ **il-widnejn** admonition, warning, exhortation; ~ **għal warajh** he followed him; **jiġbed lejh** an egoistic attitude; ~ **fuqu** he shot him
ġibjun n.m. (pl. ~**i**) reservoir
ġibs n.m.koll. f. ~**a** (pl. ~**ijiet**), chalk, plaster; **qisu tal-~** stationary
ġibsi aġġ. chalky, plastery
ġibus n.m. (pl. ~**ijiet**) gibs
ġid n.m. (bla pl.) good, felicity, happiness, wealth, welfare, riches; **il-~ u l-ġabra** all that he possessed; **għandu l-~ tad-dinja** kollha he has all the riches of the world; **bil-~ li** it was so lucky that; ~ **jaħlef fiha** he is sure that she is a good woman
ġidd ancestry; **nafu minn ~ għal** ~ I know him very well
ġiddem v. to cause to infect with leprosy
ġidr|a n.f. (pl. ~**iet**, ġdur) turnip; (persuna injoranta) a stupid person
ġidri n.m. (bla pl.) smallpox, variola; ~ **r-riħ** roseola, chicken-pox
ġie v. irr to come, to arrive; ~ **fiha** he remembered; (fetaħ għajnejh) he realised; ~ **f'tiegħu** he recovered consciousness; (kiseb dak li tilef) he recovered what he had lost; **kif** ~ ~ in a carefree manner; ~ **x'qallu** he felt that; **jiġi minnu** he is his relative; (hu dmir tiegħu) he should do so; **tiġi ommu** she is so older than him; **ġietu tajba/ħażina** he prospered/he suffered a loss; **ġietu tfuħ** he prospered; **kemm ġiek?** how much did it cost?
ġieb v. to bring, to bear, to carry; **kif ~ u laħaq** in a matter of seconds; ~**ha bi kbira** it really pained him; ~**ha bi twila** he took a long time; **jaf iġibha** he knows how to play with words; **iġib u jiddi** who gives messages; ~ **ruħu** he grew; **iġibhom tajjeb** he looks much younger; **kif ~ u laqat** in a happy-go-lucky manner; ~**ha fejn ried** his plans succeeded
ġiebja n.f. (pl. **ġwiebi**) cistern

ġiefi aġġ. cruel, fierce, inhuman
ġiegħed v. to curl, to crisp, to frizzle
ġiegħel v. to induce, to cause, to force, to constrain, to oblige, to compel
ġieħ n.m. (bla pl.) honour, respect, reverence, worship, fame, reputation; **għal ~ wiċċek/għal ~na/għal ~ min jismagħna** he should not have done that; **ġabar ~u** he regained respect; **f'~ kemm hemm!** for goodness' sake!
ġieheż v. to give a dowry
ġieli avv. sometimes
ġieri aġġ. current; **ilma ~** running water
ġiex n.m. pair, two
Ġeżu n.pr. Jesus; **~-Ġież** my god
ġifa n.m. (pl. **ġwejjef**) carrion, carcass; (qaħba) prostitute, whore // aġġ. abject, contemptible, lazy, coward
ġifaġni n.f. (pl. **~jiet**) abjectness, cowardice
ġiġġifogu/ġifġifogu ara **ġogdifoku; għamel ~ sħiħ** he made a big blunder
ġifen n.m. (pl. **ġfien**) battleship, ship; **daqs ~** very large
ġiger n.m. (bla pl.) jig
ġifes silly; **x'~ fih** a stupid person
ġiġna aġġ. bashful, abject, timid
ġilandr|a n.f. (pl. **~i**) girandola
ġilba n.f. (pl. **ġlejjeb**) clamour, uproar
ġilbiena ara **ġulbien**
ġild n.m.koll. f. **~a**, (pl. **ġlud**) leather; **ħalla ~u** he died heroically; **kemm jesa' ~u** unlimited; **ħa l-~** he married; **ħadha f'~u** he really worried about her; **beża' għal ~u** he feared his life; **salva ~u** he did not die; **~ maqlub** a youth with an unsmooth skin; **ġilda**: **~ tal-mus** strop; **il-~ xrafet!** he is getting used to the pain!
ġilj|u n.m. (pl. **~i**) lily; **~ tal-baħar** sea pancratium; **~ tal-ilma** water lily; **~ isfar tal-ilma** nuphar; **~ tal-widien** lily of the valley
ġilwa n.f. (pl. **ġliewi**) procession
ġimgħa n.f. (pl. **~t, ġmiegħi**) week; **Il-Ġ~ l-Kbira** Good Friday; **Ġ~ Mqaddsa** Holy Week; **~ bla ~** a week with no earnings; **donnok Ġ~ u Sibt** in a bad mood
ġinekoloġij|a n.f. (pl. **~i**) gynaecology
ġinekoloġiku aġġ. gynaecological
ġinekolog|u n.m. (pl. **~i**) gynaecolgist
Ġinevra Geneva; **il-konvenzjoni ta' ~** the Geneva convention
ġinġer n.m.koll. ginger
ġinibru n.m. (bla pl.) juniper
ġinn n.m.koll. gin
ġinnasj|u n.m. (pl.**~i**) gymnasium
ġinnastik|a n.f. (pl. **~i**) gymnastics
ġinokjatur n.m. (pl. **~i**) kneeling-stool, faldstool
ġir n.m.koll. f. **~a**, (pl. **~iet**) lime; **ilma tal-~** water lime // n.m. (pl. **~i**) turn, round, tour; **għamel il-~ tan-nies** he made a round with each person
ġiraffa n.f. (pl. **~t**) giraffe
ġirasol n.m. (pl. **~t**) sunflower
ġiri n.m. (bla pl.) running; **bil-~** speedily, rapidly
ġirj|a n.f. (pl. **~iet**) race; **mar ~a sal-Belt** he just went to Valletta and came back quickly; **mar b'~ waħda** he hurried on;
ġiroskopj|u n.m. (pl. **~i**) gyroscope
ġirun n.m. (pl. **~i**) gusset
ġisem n.m. (pl. **iġsma**) body; **~ mejjet** corpse, dead body; **~ iqum xewk xewk** he was afraid
ġissem v. to embody, to make corpulent
ġistakor n.m. (pl. **~i**) tail-coat, dress-coat
ġita n.f. (pl. **~i**) trip, excursion
ġiż|i n.m.koll. f. pl. sea stocks
ġiżill n.m. (pl. **~i**) chisel
ġiżillat pp. chiselled
ġiżillatur n.m. (pl. **~i**) chiseller, carver
ġiżimin n.m.koll. f. **~a**, (pl. **~iet**) jasmine
ġiżiran|a n.f. (pl. **~i**) necklace
ġiżj|a n.f. (pl. **~iet**) reward, recompense
ġiżjol|a n.f. (pl. **~i**) binnacle
ġjaċenti aġġ. lying
ġjaċint n.m. (pl. **~i**) hyacinth
ġjufij|a n.f. (pl. **~iet**) cowardice
ġlajk|a n.f. (pl. **~iet**) race
ġlat|a n.f. (pl. **~iet**) frost, hoar frost
ġlejda n.f. (pl. **~t**) membrane
ġlekk n.m. (pl. **~ijiet**) jacket; **~ tal-ħadid** hauberk, coat of mail; **~ ta' taħt** bra, brasserie; **bħal tal-~** you will never please all the people
ġliba n.f. (pl. **ġlejjeb**) row, uproar
ġlied|a n.f. (pl. **ġlidiet**) strife, quarrel, fight; **għaqdet ~** a fight started
ġludi aġġ. leathery
ĠM ĠM; abbr. of Ġnus Magħquda; n.pr. United Nations
ġmajra n.f. (pl. **ġmar**) embers
ġmied n.m.koll. f**~a**, (pl. **ġmidiet**) soot
ġmiegħa n.f. (pl. **~t**) congregation, community, company
ġmiel n.m. (pl. **~ijiet**) beary, loveliness, charmingness; **la ~ u la miel** an ugly and penniless bridegroom; **il-~ u l-miel** all the possessions; **iqum ~u**! expensive! **il-~ tagħha**! so beautiful! **dak ~u** he is happy
ġmigħ n.m. (bla pl.) collection, gathering
ġmigħa n.f. (pl. **~t**) pluckering

ġnien n.m. (pl. **ġonna**) garden; ~ **żooloġiku** zoological gardens, zoo; **imbierek il-~** I'm so comfortable!
ġobba n.f. (pl. **ġobob**) dressing-gown
ġobni aġġ. cheesy
ġobon n.m.koll. f. **ġobna** (pl. **ġobniet**) cheese
ġog n.m. (pl. **~i**) joint; **donnu bla** ~ he is always moving around
ġojja n.f. (pl. **~iet**) joy
ġojjell n.m. (pl. **~i**) jewel
ġojjellerij|a n.f. (pl. **~i**) jewellery
ġojjellier n.m. (pl. **~a**) jeweller
ġojjier n.m. (pl. **~a**) jeweller
ġojjin n.m. (pl. **~i**) linnet; ~ **salvaġġ** mealy or common redpoll
ġokdifok|u n.m. (pl. **~ijiet**) pyrotechnics display
ġoki n.m. (pl. **~jiet**) jockey
ġolf n.m (pl. **~ijiet**) a large man
golġol n.m. (pl. **ġlieġel**) rattle; **waħħallu ~!** throw it away!
ġonġa v. to unite
ġontat ara **(i)ġġontat**
ġorf n.m. (pl. **ġruf**) ravine; (ġgant) giant; **daqs** ~ a very tall man; ara wkoll **ġolf**
ġoss n.m. (pl. **~ijiet**) legal right
ġowker n.m. (pl. **~s**) joker
ġrajj|a n.f. (pl. **~iet**) fact, event
ġublew n.m. (pl. **~ijiet**) jubilee
ġuboks n.m. (pl. **~ijiet**) jukebox
Ġudaiżm|u n.m. (pl. **Ġudajċi**) Judaism
ġudikabbli aġġ. judgeable
ġudikat pp. judged
ġudikatur n.m. (pl. **~i**) judge
ġudikatur|a n.f. (pl. **~i**) judicature
ġudizzjarju aġġ. judicial
ġudizzj|u n.m. (pl. **~i**) judgement; **Ġudizzju Universali**; Last Judgement; **dam ~u** he stayed for a long time; **m'għandux ~u** he is carefree
ġudizzjuż aġġ. judicious
ġuf n.m. (pl. **ġwief**) womb; **minn ~ ommu** from the very start
ġugarell n.m. (pl. **~i**) toy
ġugat|a n.f. (pl. **~i**) stake
ġugatur n.m. (pl. **~i**) player, staker
ġuħ n.m. (pl. **ġwieħ**) hunger; **~ jibla' l-art/~ ta' kelb/mejjet bil-~** very hungry; **bata l-~** he suffered starvation; **ħadu l-~** he was hungry
ġukulari aġġ. jugular
ġukulier n.m. (pl. **~i**) juggler
ġulbien|a n.f. (pl. **ġulbiniet**) vetch
ġulepp n.m. (pl. **~ijiet**) syrup, julep
ġulġlien n.m. f. **~a** (pl. **~iet**) sesame
ġulġlieni aġġ. sesamoid
ġuljan|a n.f. (pl. **~i**) geneaology
ġuljanist n.m. (pl. **~i**) geneaologist
ġummar n.m.koll. f. **~a** (pl. **~iet**) birch, gorse, heather
ġummiena n.f. (pl. **ġumminiet**) tassel
ġuna n.f. (pl. **ġwieni**) basket
ġungl|a n.f. (pl. **~i**) jungle
Ġunju n.pr. June; **qam is-Sette** ~ there was a lot of shouting
ġunkulj|u n.m. (pl. **~i**) junquil
ġunt|a n.f. (pl. **~i**) junta
ġurament n.m. (pl. **~i**) oath; ~ **falz** perjury; **għall-~** just for the sake of it; **ħa** ~ he made it a point
ġurat n.m. (pl. **~i**) juryman; (insctt) locust; **bank tal-ġurati** jury box
ġurdien n.m. (pl. **ġrieden**) rat, mouse; ~ **tal-imramma** small mouse; ~ **il-baħar** rat-tail; ~ **xiħ** a cunning person; **kilhomlu l-~!** (lit-tfal) your teeth are missing
ġurdieqa n.f. (pl. **ġriedaq**) splinter
ġurekonsult n.m. (pl. **~i**) jurisconsult
ġuri n.m. (pl. **~jiet**) jury
ġuridikament avv. juridically
ġurij|a n.f. (pl. **~i**) jury
ġurisdizzjonali aġġ. jurisdictional
ġurisdizzjoni n.f. (pl. **~jiet**) jurisdiction
ġurisprudenz|a n.f. (pl. **~i**) jurisprudence
ġurist n.m. (pl. **~i**) jurist
ġurnal n.m. (pl. **~i**) journal, newspaper
ġurnalist n.m. (pl. **~i**) journalist
ġurnaliżmu n.m. (pl. **~i**) journalism
ġurnata n.f. (pl. **ġranet**) day; **mhix ~ tiegħu** it is not his day; **jaħdem bil-~** he earnes according to the number of hours he works
ġust aġġ. just; **rabba l-~ biex** he obtained the right to
ġustament avv. justly, rightly
ġustifikat pp. justified
ġustifikazzjoni n.f. (pl. **~jiet**) justification
ġustizzj|a n.f. (pl. **~i**) justice
ġustizzjat pp. executed
ġustizzjier n.m. (pl. **~i**) executioner, hangman
ġuvinturij|a n.f. (pl. **~i**) youth
ġuvni aġġ. young
ġwejjed aġġ. quiet, lowly, tranquil, meek, placid
ġwież n.m.koll. pulse, forage, fodder; **fuq il-~** a very strong person

G g

g the eighth letter of the alphabet and sixth of the consonants
G7 n.pr. G7 (the seven most industrialised countries in the world)
gabardin n.m. (pl. ~**ijiet**) gabardine
gabarr|è n.m. (pl. ~**ejiet**) tray
gabban|a n.f. (pl. ~**i**) kiosk
gabbier n.m. (pl. ~**a**) topman
gabdoll n.m. (pl. ~**i**) basking shark
gabillott n.m. (pl. ~**i**) farmer
gabina ara **kabina**
gabinett n.m. (pl. ~**i**) little room, closet
gabrijol|a n.f. (pl. ~**i**) caper, capriole, flipflap; **għamel** ~ he changed his opinion completely
gabirjolin n.m. (pl. ~**i**) cabriolet
gabj|a n.f. (pl. ~**i**) cage; ~ **tat-trakkijiet** top
gabjett|a n.f. (pl. ~**i**) small cage
gabjun n.m. (pl. ~**i**) large cage, gabion
gabub|a n.f. (pl. ~**i**) small room
gadawd|u n.m. (pl. ~**i**) phantasm, phantom
gadett n.m. (pl. ~**i**) cadet
gadraj n.m. (pl. ~**ja**) bum-man
gaġġa n.f. (pl. **gaġeġ**) cage; **maqful f'**~ in an uneasy position
gargarell|a n.f. (pl. ~**i**) diarrhoea
gagat|a n.f. (pl. ~**i**) defecation, ridiculousness
gajdr|a n.f. (pl. ~**iet**) oyster
gajjard aġġ. strong, vigorous, powerful
gala n.f. (bla pl.) gala; **ilbies tal-**~ gala dress; **serata** ~ gala performance
galanti aġġ. polite, courteous
galantin|a n.f. (pl. ~**i**) galantine
galantom n.m. (pl. ~**i**) honest man
galantomiżm|u n.m. (pl. ~**i**) honourableness
galassj|a n.f. (pl. ~**i**) galaxy, milky way
galatew n.m. (pl. ~**ijiet**) code of politeness, good manners
galbu n.m. (bla pl.) politeness, grace, carefulness; **mhux** ~ **li** - it is not advisable to; **tal-**~ mature; ~ **jixtri** (eċċ.) **hu!** pray he does not go to buy (etc.) it!
galena n.f. (bla pl.) galena
galenterij|a n.f. (pl. ~**i**) politeness, courteousness
galj|a n.f. (pl. ~**iet**) helmet
galjazz|a n.f. (pl. ~**i**) galleass
galjott n.m. (pl. ~**i**) galley-slave
galjott|a n.f. (pl. ~**i**) galliot
galjun n.m. (pl. ~**i**) galleon
gall|a n.f. (pl. ~**iet**) gall
gallarij|a n.f. (pl. ~**i**) balcony, gallery; **baqa'** ~ he did not venture in the business
gallett|a n.f. (pl. ~**i**) ship biscuit
gallettin|a n.f. (pl. ~**i**) biscuit
gallin|a n.f. (pl. ~**i**) (ħuta) grey gumard; ~ **tal-baħar** oystercatcher
gallinar n.m. (pl. ~**i**) hen-coop, hen-cot
gallinell|a n.f. (pl. ~**i**) tub-fish
gallinett|a n.f. (pl. ~**i**) piper
gallozz n.m. (pl. ~**i**) crake
galludinja n.m. (bla pl.) turkey
gallun n.m. (pl. ~**i**) galoon; ~ **tad-deheb** gold lace
gallun n.m. (pl. **glalen**) gallon
galopp n.m. (bla pl.) gallop; **bil-**~! he will not do it!
galoppin n.m. (pl. ~**i**) canvasser
galoxx|a n.f. (pl. ~**i**) galosh; overshoe
galupett|a n.f. (pl. ~**i**) gallop, galloping
galvaniku aġġ. valganic
galvanist n.m. (pl. ~**i**) galvanist
galvaniżm|u n.m. (pl. ~**i**) galvanism
galvanizzat pp. galvanized
galvanizzazzjoni n.f. (pl. ~**jiet**) galvanization
galvanometr|u n.m. (pl. ~**i**) galvanometer
galvanoplastika n.f. (bla pl.) galvanoplasty
gambett|a n.f. (pl. ~**i**) trip
gambl|u n.m. (pl. ~**i**) shrimp; ~**u riesaq lejn il-kopp** falling in the trap; **nqabad il-**~**u** he fell in the trap
gambott n.m. (pl. ~**ijiet**) gunboat
gamew n.m. (pl. ~**ijiet**) cameo
gamiem n.m.koll. f. ~**a** (pl. ~**iet**) turtle-dove
gammumill|a n.f. (pl. ~**i**) camomile
gamma n.m. (bla pl.) gamma; **raġġi** ~ gamma rays
ganċ n.m. (pl. ~**ijiet**) hook; **mgħawweġ** ~ very bent
ganċjat ara **(i)gganċjat**

gandilabr|u n.m. (pl. **~i**) branched candlestick

gandilett|a n.f. (pl. **~i**) taper

gandlier n.m. (pl. **~i**) candlestick; **donnu** ~ tall and nice; **serva ta'** ~ he was tricked

gandlor|a n.f. (pl. **~i**) candlemass

gandoffl|a n.f. (pl. **~i**) cockle

gandott n.m. (pl. **~i**) conduit

ganfr|a n.f. (pl. **~t**) camphor

ganġett|a n.f. (pl. **~i**) hasp

ganglj|u n.m. (pl. **~i**) ganglion

gangm|u n.m. (pl. **~i**) drag, drag-net, trummet, tangle

ganutell n.m. (bla pl.) silver tinsel

ganz|a n. (pl. **~i, ganez**) organzine

gara v. to throw

gar|a n.f. (pl. **~i**) competition

garagor n.m. (pl. **~i**) winding stairs, vice

garanti aġġ. surety, guarantor

garantit pp. guaranteed

garanzij|a n.f. (pl. **~i**) security, guaranty

garat pp. thrown, launched

garatur n.m. (pl. **~i**) thrower

garatur|a n.f. (pl. **~i**) throwing, hurling

garaxx n.m. (pl. **~ijiet**) garage

gardenj|a n.f. (pl. **~i**) gardenia

gardell n.m. (pl. **griedel**) goldfinch, yellow wagtail; **hieni daqs** ~ very happy

gardjol|a n.f. (pl. **~i**) sentry-box, bartizan

garġi n.(pl. bla s.) gills; **fetaħ il-**~ he shouted

gargar v. to bellow, to roar

gargarella panic-stricken, serve diarrhea; **qabditu l-**~ he is very afraid or he had a severe bout of diarrhea

gargariżm|u n.m. (pl. **~i**) gargle

garni|ja n.m.koll. (pl. **~iet**) arum

garr v. to bowl (gerger) to coo, to moan, to wail, to lament // n.m. f. **~a** (pl. **~iet**) lamentation

garrott|a n.f. (pl. **~i**) garrotte

garża n.f. (bla pl.) gauze

garżell|a n.f. (pl. **~i**) box, case

garżubbl|a n.f. (pl. **~i**) chasuble

garżun n.m. (pl. **~i**) shop-boy

gass n.m. (pl. **~ijiet**) gas; ~ **tal-faħam** coal-gas; ~ **tal-gwerra** poison-gas; **luminata tal-**~ effervescent lemonade; **maskra tal-**~ gas mask; **mar għall-**~ he is not reliable any more

gassuż aġġ. gaseous

gasteropod|u n.m. (pl. **~i**) gast(e)ropod

gastriku aġġ. gastric

gastrite n.f. (pl. **~jiet**) gastritis

gastroloġij|a n.f. (pl. **~i**) gastrology

gastronomij|a n.f. (pl. **~i**) gastronomy

gastronomiku aġġ. gastronomic(al)

gastronom|u n.m. (pl. **~i**) gastronome

GATT n.pr. GATT; abbr. of General Agreement on Tariffs and Trade

gattarell n.m. (pl. **~i**) small spotted dogfish; **niexef daqs** ~ very thin

gattoni n. (pl. bla s.) inflammation of the parotid glands

gavitell n.m. (pl. **~i**) buoy

gavott n.f. (pl. **~i**) gavotte

gavt|a n.f. (pl. **~i**) cove

gawda v. to enjoy; (fig.) **mar igawdi** he died

gawdent aġġ. merry, jolly

gawdj|u n.m. (pl. **~i**) joy, bliss, happiness

gawdjuż aġġ. joyful, joyous; **qiegħed fil-**~ things are getting better

gawwi n.m.koll. f. **~ja** (pl. **gawwiet**) seagull

gawż|a n.f. (pl. **~iet**) accusation

gaża v. to accuse

gażaż|a n.f. (pl. **~i**) dummy; **tridx ~a**? you are so immature!

gażib|a n.f. (pl. **~iet**) roguery, knavery

gażja n.f. (pl. **~iet**) accusation

gażoġen|u n.m. (pl. **~i**) gas generator

gażolina n.f. (bla pl.) gasolene, gasoline

gażometr|u n.m. (pl. **~i**) gasometer

gażun n.m.koll. f. **~a** (pl. **~iet**) dwarf-branching stock

gażżaj n.m. (pl. **~ja**) accuser, informer, betrayer

gazzett|a n.f. (pl. **~i**) gazette; **qaluh fil-~a** it was made public

gazzettat ara **(i)ggazzettat**

gazzettier n.m. (pl. **~a**) journalist, reporter

gazz|i n.m. (pl. **~jiet**) acacia

GC n.pr. GC; abbr. of George Cross

gdim n.m. (bla pl.) bite, biting

GDP n.m. (pl. **~s**) GDP; abbr. of Gross Domestic Product

gebbex v. to swindle

geddel v. to grow stong, robust

geddes v. to heap, to amass, to accumulate

geddies n.m. (pl. **~a**) accumulator, heaper

geddum n.m. (pl. **gdiedem**) snout, pout; ~ **ta' bhima** muzzle; **bil-**~ sulky; **dendel il-**~ to make faces; ~ **fix-xgħir** a rich person; **taħt ~u** close to him; ~ **jiknes l-art** in a bad mood

gedid|a n.f. (pl. **gedidiet**) a declaration of love by two children

gedwed v. to grumble

geġweġ v. to mutter, to murmur, to hum

geġwiġij|a n.f. (pl. **~i**) swarm

gejġ n.m. (pl. **~ijiet**) gauge

gejx|a n.f. (pl. **~iet**) geisha

gelgel v. to gurgle

gelgul n.m. (pl. **gliegel**) a gush of water; ~ **flus** a lot of money

gellux n.m. (pl. **glielex**) calf, young animal; **għadu** ~ he is still immature
gemgem v. to grumble, to chide, to mutter
gemgiemi aġġ. naggy
gemus n.m. (pl. **gwiemes**) buffalo
gendus n.m. (pl. **gniedes**) bull, ox; **jiflaħ daqs** ~ he is very strong
gerbeb v. to roll, to round (fexfex) to act hastily; **il-ġranet igerbu** time flies
gerbel v. to clear grain or pulse from impurities by shovelling or handling
gerbieb n.m. (pl. **~a**) one who rolls
gerbiebi aġġ. round, rolled
gerbubi aġġ. round, orbicular
gerfex v. to bungle, to disorder
gerfiex n.m. (pl. **~a**) bungler
gerfuxi aġġ. one who bungles
gerger v. to growl, to chide, to grumble, to murmur, to croak
gerges v. to displease, to disappoint
gerlin n.m. (pl. **~i**) hawser
germed v. to blacken, to make sooty
gerrem v. to nibble
gerrex v. to frighten away
gerreż v. to bewail
gerrief n.m. (pl. **~a**) scratcher (ħalliel) robber
gerriem n.m. (pl. **~a**) nibbler
gerwel v. to babble, to chatter, to mutter
gerżuma n.f. (pl. **grieżem**) throat, the narrow or red lane
gett n.m. (pl. **~ijiet**) ghetto
gett|a n.f. (pl. **~i**) gaiter
gewġa n.f. (pl. **~iet**) tumult, uproar
gezzez v. to amass, to heap
gezziez n.m. (pl. **~a**) one who heaps
geżwer v. to wrap up, to fold up
geżwier n.m. (pl. **~a**) one who wraps up
geżwira n.f. (pl. **gżiewer**) a woman's striped gown (ilbies skoċċiż) kilt
geżż v. to milk
geżża n.f. (pl. **~iet**) a little spurting of milk
(i)ggabba v. to cheat
(i)ggabbat pp. cheated
(i)ggaloppja v. to gallop
(i)ggalvanizza v. to galvanize
(i)ggalvanizzat ara **galvanizzat**
(i)gganċja v. to hook
(i)gganċjat pp. hooked
(i)ggarantixxa v. to guarantee
(i)ggarantit ara **garantit**
(i)ggargarizza v. to gargle
(i)ggargarizzat pp. gargled
(i)ggassja v. to gassed
(i)ggazzettjat pp. gazetted
(i)ggiljottina v. to guillotine
(i)ggiljottinat ara **giljottinat**
(i)gglajdja v. to glide
(i)gglajdjat pp. glided
(i)gglorifika v. to glorify
(i)ggobba v. to crook, to become crooked
(i)ggobbat pp. crooked
(i)ggoffa v. to make awkward
(i)ggoffat pp. made awkward
(i)ggomma v. to gum
(i)ggommat ara **(i)ggummat**
(i)ggorgeġġja v. to trill
(i)ggorgeġġjat pp. trilled
(i)ggosta v. to relish
(i)ggotta v. to bail out
(i)ggranċa v. to get benumbed
(i)ggranċat pp. got benumbed
(i)ggranfa v. to clutch
(i)ggranfat pp. clutched
(i)ggranula v. to granulate
(i)ggranulat ara **granulat**
(i)ggrava v. to aggravate
(i)ggravat pp. aggravated
(i)ggrazzja v. to pardon
(i)ggrazzjat pp. pardoned
(i)ggrokkja v. to grog
(i)ggrottla v. to contract in wrinkles
(i)ggrottlat pp. contracted in wrinkles
(i)ggruppa v. to group, to assemble
(i)ggruppat pp. assembled, grouped
(i)ggummat pp. gummed
(i)ggustat pp. relished
(i)gguttat pp. bailed
(i)ggverna v. to govern
(i)ggvernat pp. governed
(i)ggwerra v. to carry on war, to fight
(i)ggwida v. to guide
(i)ggwidat pp. guided
GHQ n.m. (pl. **~s**) GHQ; abbr. of General Headquarters (Kwartieri Ġenerali)
gidb|a n.f. (pl. **~iet**) lie; **~a ħoxna** a big lie
giddeb v. to belie
giddem v. to bite frequently
giddieb n.m. (pl. **~a**) liar
giddiem n.m. (pl. **~a**) biter
gideb v. to lie
gidem v. to bite; (bil-għali) to sell dear
gid|i n.m. (pl. **~jien**) kid; **ħafif daqs ~i** very agile
gidm|a n.f. (pl. **~iet**) bite
gidmejmun n.m. (pl. **~i**) marmoset, ape
gifun n.m. (pl. **gwiefen**) eaves
gikk n.m. (pl. **~ijiet**) gig

giljottin|a n.f. (pl. ~**i**) guillotine; **xafra tal-~a** the blade of the guillotine
giljottinat pp. guillotined
gilpa n.f. (pl. **gilep**) fox
gimes n.m. (pl. **gimsa**) subtle mind
ginda v. to bite
ginnazz n.m. (pl. ~**i**) hoisting
giref v. to scratch; **iħobb jigref** he is used to stealing
girex v. to grind coarsely
gireż v. to lament; to neigh
girfa n.f. (pl. **grif**) scratch
girland|a n.f. (pl. ~**i**) garland, wreath
girn|a n.f. (pl. **~iet, giren**) hut, cabin, shanty
girr: **bil-~** in a bad mood
girxi aġġ. grinded coarsely
girż|a n.f. (pl. ~**iet**) slight lament
glaċjali aġġ. glacial
gladjatur n.m. (pl. ~**i**) gladiator
gladjol|a n.f. (pl. ~**i**) gladiolus
glandol|a n.f. (pl. ~**i**) gland
glandolari aġġ. glandular
glaċis n.m. (pl. ~**ijiet**) glacis
glawkom|a n.f. (pl. ~**i**) glaucoma
gliċerin|a n.f. (pl. ~**i**) glycerin(e)
glifografij|a n.f. (pl. ~**i**) glyphography
glifografiku aġġ. glyphographic
glifograf|u n.m. (pl. ~**i**) glyphographer
glikosurja n.f. (bla pl.) glycosuria
glittografij|a n.f. (pl. ~**i**) glyptography
glittograf|u n.m. (pl. ~**i**) glyptographer
glob|u n.m. (pl. ~**i**) globe; ~ **tad-dinja** terrestrial globe; **qisu ~u** very fat; **ġabha ~u** he confused her
globulari aġġ. globular
globul|u n.m. (pl. ~**i**) globule; **~u tad-demm** blood corpuscle
glorifikat pp. glorified
glorifikazzjoni n.f. (pl. ~**jiet**) glorification
glorj|a n.f. (pl. ~**i**) glory; **fil-~ t'Alla** in heaven; **kellu ~a** he was happy; **kanta ~a** he was so happy; **qiegħed fil-~a** he is in a happy mood
glorjuż aġġ. glorious
glossarj|u n.m. (pl. ~**i**) glossary
glossoloġij|a n.f. (pl. ~**i**) glossology
glukosju n.m. (bla pl.) glucose
glutina n.f. (bla pl.) gluten
GM GM; abbr. ta' Gvern Malti; n.pr. MG; abbr. of Maltese Government
GNP n.m. (pl. ~**s**) GNP; abbr. of Gross National Product
goda v. to enjoy
godl|a n.f. (pl. ~**iet**) pulp, plumpness
godli aġġ. plumpy, muscular
gods n.m. (pl. **gdus**) heap, cluster; **inxteħet** ~ he sat in an uncouth way (also **gozz** pl. **gzuz**)
goff aġġ. clumsy, uncouth
golett|a n.f. (pl. ~**i**) schooner
golf n.m. (pl. ~**ijiet**) gulf, (sport) golf
golj|a n.f. (pl. ~**i**) drill, bit
gomma n.f. (pl. **gomom**) gum, rubber; ~ **tat-taħsir** india rubber; **qisu tal-~** who falls a lot but never hurts himself
gommuż aġġ. gummy
gondl|a n.f. (pl. ~**i**) gondola
gondolier n.m. (pl. ~**a**) gondolier
gonfalun n.m. (pl. ~**i**) gonfalon
gonfalunier n.m. (pl. ~**i**) gonfalonier
gong n.m. (pl. ~**ijiet**) gong
gonjametrija n.f. (bla pl.) goniometry
gonjometriku aġġ. goniometric(al)
gonjometr|u n.m. (pl. ~**i**) goniometer, protractor
gorboġ n.m. (pl. **griebeġ**) hovel, hog-pen, hod-sty
gordjan aġġ. gordian; **għoqda** ~ gordian knot
gorgeġġ n.m. (bla pl.) trill
gorgeġġjat ara **(i)ggorgeġġjat**
gorgonzola n.pr. gorgonzola
gorill|a n.f. (pl. ~**i**) gorilla
gost n.m. (pl. ~**i**) taste
gotiku aġġ. gothic
gott n.m. (pl. ~**ijiet**) scoop
gotta n.f. (bla pl.) gout
governabbli aġġ. governable
governanti n.m. (pl. ~**jiet**) governor; governess
governattiv aġġ. governmental
governaturat n.m. (pl. ~**i**) governorship
gowl n.m. (pl. ~**ijiet**) goal
gozz n.m. (pl. **gzuz**) mass
gozzu n.m. (bla pl.) goitre
GP n.m. (pl. ~**s**) GP; abbr. of General Practitioner
GPO n.m. (pl. ~**s**) GPO; abbr. of General Post Office
graċli aġġ. gracile, thin, slim
grad n.m. (pl. ~**i**) degree; ~ **ta' parentela** degree of relationship
grad|a n.f. (pl. ~**i**) lattice, grate; **weħel mal-~a** he has not confessed for a long time
gradatament avv. gradually
gradazzjoni n.f. (pl. ~**jiet**) gradation
gradenz|a n.f. (pl. ~**i**) chest of drawers
gradenzin|a n.f. (pl. ~**i**) nest
gradilj|a n.f. (pl. ~**i**) gridiron, grill
gradwal n.m. (pl. ~**i**) gradual
gradwali aġġ. gradual
gradwalment avv. gradually
gradwat pp. graduated
graf n.m. (pl. ~**ijiet**) graph

graffitt n.m. (pl. ~**i**) graffito
grafij|a n.f. (pl. ~**i**) writing, spelling
grafika n.f. (bla pl.) graphics
grafikament avv. graphically
grafiku aġġ. graphic
grafit n.m. (bla pl.) graphology
grafolog|u n.m. (pl. ~**i**) graphologist
grafometr|u n.m. (pl. ~**i**) graphometer
gramm n.m. (pl. ~**i**) gramme, gram
grammatik|a n.f. (pl. ~**i**) grammar
grammatikali aġġ. grammatical
grammatikalment avv. grammatically
grammatik|u n.m. (pl. ~**i**) grammarian
grammafon|u n.m. (pl. ~**i**) gramaphone
grampun n.m. (pl. ~**i**) grapple
gran aġġ. great
granadill|a n.f. (pl. ~**i**) granadilla
granatier n.m. (pl. ~**i**) grenadier
granċ n.m. (pl. ~**i**) crab; **ħa** ~ to make a blunder; **għamel bħal-**~ he regressed in his progress; **jikteb bħal-**~ an illegible handwriting
grandjuż aġġ. grand, grandiose
Gran Prix n.m. (bla pl.) Grand Prix
Gran Duk|a n.m. (pl. ~**i**) Grand Duke
Gran Dukat n.m. (pl. ~**i**) Grand Duchy
Gran Dukessa n.f. (pl. ~**i**) Grand Duchess
granell n.m. (pl. ~**i**) grain
granf n.m. (pl. ~**i**) claw; **waqa' taħt il-**~ **tiegħu** to fall into someone's clutches
granfar n.m. (bla pl.) scratching
granfat ara **(i)ggranfat**
granit n.m. granite
granit|a n.f. (pl. ~**i**) grated ice drink
grankr|ù n.m. (pl. ~**ujiet**) grand cross
Gran Mastr|u n.m. (pl. ~**i**) Grand Master (of the Order of Saint John); **taf lill-**~**u** very ancient
granulat pp. granulate
granza n.f. bran
grapp|a n.f. (pl. ~**iet**, **grapep**) brace
grass aġġ. fat; **ma jħallix** ~ a miser
grassett n.m. (pl. ~**i**) thick type, bold
grat aġġ. grateful
gratis avv. gratis, free
gratitudni n.f. (pl. ~**jiet**) gratitude
grattin n.m. (pl. ~**ijiet**) bolt-rope
gratwit aġġ. gratuitous
gravat ara **(i)ggravat**
gravi aġġ. grave
gravidanz|a n.f. (pl. ~**i**) pregnancy
gravit|à n.f. (pl. ~**ajiet**) gravity; **ċentru tal-**~**à** centre of gravity
gravitazzjoni n.f. (pl. ~**jiet**) gravitation
gravuż aġġ. heavy, hard; (oppressive) oppressive; (li jagħmel l-uġigħ) painful
grawnd n.f. (pl. ~**s**) ground
graww|a n.f. (pl. ~**iet**) crane
grazzi inter. thanks!; thank you!; **baqa' bil-**~ he was not given recognition for his actions
grazzj|a n.f. (pl. ~**i**) grace; **bil-bona** ~**a** with a good grace; **stat ta'** ~**a** state of grace; **bona** ~**a tiegħek** pray! please! if you please; **għall-**~**a t'Alla** by the grace of god; **tawh il-**~**a** they granted him forgiveness; **bla** ~**a** uncouth manners; (mhux sabiħ) ugly; **ħa** ~**a** he was enchanted; **għandu** ~**a ma'** he likes (a girl); **il-**~**a kollox!** love comes second to nothing!
grazzjat ara **(i)ggrazzjat**
grazzjuż aġġ. pretty, graceful; **għamilha tal-**~ he showed off
Greċiżm|u n.m. (pl. ~**i**) grecism, hellenism
gregarju aġġ. gregarios
Gregorjan aġġ. Gregorian; **kalendarju** ~ gregorian calendar; **kant** ~ Gregorian chant, plain chant, plain sing
grejvi n.m. (pl. ~**ijiet**) gravy
grembjal n.m. (pl. ~**i**) apron
gremxul n.m.koll. f. ~**a** (pl. ~**iet**) lizard
Grieg aġġ. Greek; **Knisja tal-**~**i** Greek Church; **lsien** ~ Greek language; **salib** ~ Greek cross
grif n.m. (bla pl.) scratching
grifun n.m. (pl. ~**i**) griffin
griġjol n.m. (pl. ~**i**) crucible, melting pot
Grigal n.m. (pl. ~**i**) north-east wind
Grigalat|a n.f. (pl. ~**i**) storm, tempest
grill|u n.m. (pl. ~**ijiet**) cricket (ta' pistola) trigger; **għafas il-**~**u** to press the trigger; **bil-**~**u** angered; **telagħlu l-**~**u** he has had enough
gring|u n.m. (pl. ~**ijiet**) conger-eel; ~**u tar-ramel** worm-eel
grippj|a n.f. (pl. ~**i**, ~**jiet**) buoy-rope
grissin n.m. (pl. ~**i**) very thin roll of bread
grix n.m. (bla pl.) grinding coarsley
grixa n.f.koll. (pl. ~**t**) fine bran
grixti aġġ. rude, rustic
griż aġġ. grey; **xagħar** ~ grey hair
Griżm|a n.f. (pl. ~**i**) anointing; ~**a tal-Isqof** confirmation; ~**a tal-Morda** anointing of the sick
griżmejn (pl. imtenni ta' **grieżem) bellagħlu griżmejh** he punched him under his neck; **bill griżmejh** he sipped some water; **belagħha sa griżmejh** he was completely cheated
grokk n.m. (pl. ~**ijiet**) grog; **bil-**~ quite drunk
gropp|a n.f. (pl. ~**iet, gropop**) knot
gross|a n.f. (pl. ~**i, grosos**) gross

grossist n.m. (pl. ~**i**) wholesale dealer
grott|**a** n.f. (pl. ~**i**) grotto, cave
grottesk aġġ. grotesque
grottl|**u** n.m. (pl. ~**i**) lithodomus, mollusc; **sar donnu ~u** he grew old and ugly
GRTU n.pr. GRTU; abbr. of General Retailers and Traders' Union
gru n.m. (pl. ~**wijiet**) gru
grum n.m. (pl. ~**ijiet**) groom
grunċjat ara **(i)ggrunċjat**
gruw|**a** n.f. (pl. ~**iet**) crane
grupp n.m. (pl. ~**i**) group, band, assembly
guffaġni n.f. (pl. ~**jiet**) awkwardness, clumsiness
gug|**a** n.f. (pl. ~**ijiet**) little cavern
gula n.f. (bla pl.) gluttony
gulier n.m. (pl. ~**i**) glutton
guluż aġġ. gluttonous
gumn|**a** n.f. (pl. ~**i**) cable, stern-fast
gundall|**a** n.f. (pl. ~**i**, **gundalel**) bump, wheal
gurbell n.m. (pl. **griebel**) corb; ~ **Tork** brown meagre
gurġier|**a** n.f. (pl. ~**i**) gorget
gurlin n.m. (pl. ~**i**) curlew
gustuż aġġ. graceful
guttaperka n.f. (bla pl.) gutta-percha
gutturali aġġ. guttural
guv|**a** n.f. (pl. ~**i**) aviary
guvr|**u** n.m. (pl. ~**i**) felly, felloe
gvern n.m. (pl. ~**ijiet**) government
gvernat ara **(i)ggvernat**
gvernatur n.m. (pl. ~**i**) governor
gverta n.f. (pl. **gvieret**) deck; (tas-sodda) blanket; ~ **ħamra** a lady who would die before she marries
gwadann n.m. (pl. ~**i**) profit
gwadrapp|**a** n.f. (pl. ~**i**) shabrack
gwaj n.m. (pl. ~**ijiet**) misfortune, hardship, trouble
gwapp aġġ. arrogant, bold
gwardabosk n.m. (pl. ~**i**) woodman, forester
gwardakost|**a** n.m. (pl. ~**i**) coastguard
gwardarobb|**a** n.f. (pl. ~**i**) wardrobe, clothespress
gwardinfant n.m. (pl. ~**i**) hoops
gwardj|**a** n.f. (pl. ~**i**) guard
gwardjan n.m. (pl. ~**i**) guardian
gwardjanat n.m. (pl. ~**i**) guardianship
gwarniċ n.m. (pl. ~**i**) cornice, frame
gwarniċum n.m. (pl. ~**i**) entablature
gwarniġjon n.m. (pl. ~**ijiet**) garrison
gwerra n.f. (pl. **gwerer**) war; ~ **ċivili** civil war; ~ **qaddisa** holy war; **mar għall-~** he was in a bad state
gwerrier n.m. (pl. ~**i**) warrior
gwerrilj|**a** n.f. (pl. ~**i**) guerrilla
gwerrillier n.m. (pl. ~**a**) guerilla, bushfighter
gwida n.kom. (pl. ~**i**) guide
gwidat ara **(i)ggwidat**
GWU n.pr. GWU; abbr. of General Workers' Union
gżar n.m. (bla pl.) accusing
gżat pp. accused
gżira n.f. (pl. **gżejjer**) island

Għ għ

għ ninth letter of the alphabet, seventh of the consonants, first of the liquids, and first of the gutturals
għab, għeb v. to disappear, to vanish
għabar n.m. (pl. ~**a**) counterpoise
għabba v. to load, to lade; (daħak bi) to deceive, to cheat, to trick
għabbar v. to counterpoise, to counterbalance, (kesa bit-trab) to powder, to cover with dust; (kien irrabjat) to be angry, to fall into a passion
għabbari aġġ. dusty
għabbej n.m. (pl. ~**ja**) loader; (qarrieq) deceiver
għabbex v. to dazzle, to dawn
għabex n.m. (bla pl.) twilight
għabr|a n.f. (pl. ~**iet, għabajjar**) dust
għabur n.m. f. ~**a** (pl. ~**iet, għebejjer**) a young ram, a young ewe
għad v. to say, to speak, to narrate, to relate // avv. yet, not yet
għad|a n.f. (pl. ~**iet, għewejjed**) use, usage, custom, habit, temper; ~**a min rah?** tomorrow never comes; ~**a pit** ~**a** the future; ~**a jasal** there is no need for hurry
għadab v. to be angry with
għadb|a n.f. (pl. ~**iet**) anger, wrath
għadd v. to count, to reckon; ~ **ma'** to add; **jgħodd għalih** it suits him; **kemm jgħodd?** how old is he?; **ma tistax tgħodd fuqu** he is not reliable anymore; ~**u b'miġnun** he did not repect him; **sab erbgħa bil-**~ he found only four people // n.m. (bla pl.) number; **bla** ~ numberless
għadd|a n.f. (pl. ~**iet**) numeration, computation // v. to pass; ~**a bil-ħadida** to iron; ~**a l-ħażż** to go further; ~**a 'l quddiem** to advance; ~**a ż-żmien** to spend time; ~**a minn għalih** to happen; ~**a minn rasu** to come into one's mind; **għaddiet tiegħu** he did what he wanted to do; ~**a minn fuqu** it happened to him; **jgħaddi bix-xejn** he does not eat much; ~**ieha** he passed all the problems; **li kien,** ~**a u mar** what has happened, happened; **ma jgħaddix mingħajrha** she is very important for him
għaddab v. to provoke // n.m. (pl. ~**a**) provoker
għaddam v. to render large and bony
għaddar v. to inundate, to flood
għaddas v. to plunge, to steep, to duck, (daħak b') to deceive, to delude, to beguile // n.m. (pl. ~**a**) diver, plunger
għaddeb v. to punish, to chastize
għadded v. to reckon
għaddej n.m. (pl. ~**ja**) passing
għaddieb n.m. (pl. ~**a**) punisher, tormenter
għaddiebi aġġ. punitive
għaddied n.m. (pl. ~**a**) accountant, computer
għader v. to pardon, to excuse; (ħass għal) to compassionate, to commiserate, to pity
għad illi avv. although, notwithstanding
għadira n.f. (pl. **għadajjar**) marsh, lake
għadm|a n.f. (pl. ~**iet, għadam**) bone; ~**a tal-frott kernel**; ~**a taż-żarbun** shoe-horn; ~**a** (ħuta) red gurnard; **imxarrab s'**~**u** soaked to the skin; **bard ixoqq il-għadam** excruciating chillness; **kissirlu** ~**u** he gave him a sound beating; ~**a u ġilda** very thin; ~**a iebsa** a hard piece of work; ~**a tajba/xierfa** a strong old person; **sab l-**~**a** he met the hardest part of the job
għadmi aġġ. bony
għads n.m.koll. f. ~**a** (pl. ~**iet**) lentil; ~ **il-ħamiem** vetches
għadsa n.f. (pl. ~**iet**) immersion, plunging
għadsi aġġ. lenticular
għadu n.m. (pl. **għedewwa**) enemy, adversary; ~ **tal-bniedem** devil, demon
għafas v. to squeeze, to press; (għadda minn fuq) to oppress; **il-ħin qed jagħfas** time is running out
għaffas v. to bruise, to contuse
għaffeġ v. to tread, to crush
għaffieġ n.m. (pl. ~**a**) treader
għafja n.f. (bla pl.) health; ~ **tal-mewt** any amelioration shortly before death; **immiss bil-**~ touching with attention
għafjun n.m. (bla pl.) opium

għafrit n.m. (pl. **għefieret**) impious, cruel, wicked; (xitan) devil; **donnu** ~ he is always on the go
għafs|a n.f. (pl. ~**iet**) pressing; ~ **tal-id** shake of the hand
għafsi aġġ. cruel
għaġ n.m. penny-royal mint
għaġb|a n.f. (pl. ~**iet**) surprise
għaġeb n.m. (pl. **għeġubijiet**) wonder, marvel, amazement; **tal-**~ admirable, marvellous; **oħroġ il-**~ it is a marvel how; **għamel** ~ he exaggerated
għaġen v. to knead
għaġġeb v. to surprise, to amaze, to astound; (esaġera) to exaggerate
għaġġel v. to hasten, to hurry
għaġġeż v. to make old
għaġġieb n.m. (pl. ~**a**) admirer, wonderer
għaġġiel n.m. (pl. ~**a**) hastener
għaġġien n.m. (pl. ~**a**) kneader, dough-maker
għaġin n.m.koll. f. ~**a** (pl. ~**iet**) paste
għaġina n.f. (pl. **għeġejjen**) dough; ~ **moqlija biz-zokkor** dough-nut
għaġl|a n.f. (pl. ~**iet**) haste, speed; **bil-**~**a** hastily, speedily, quickly
għaġn|a n.f. (pl. ~**iet**) kneading; ~**a waħda** birds of the same feather; **ta' din l-**~**a** of this quality
għaġuż n.m. (pl. **għeġejjeż**) decrepit
għaġuż|a n.f. (pl. ~**iet**) lobster, thornback; ~**a ħażina** an old hag
għagħa n.f. (bla pl.) rumour, murmur
għaja n.f. (bla pl.) weakness, tiredness
għajb n.m. (bla pl.) dishonour, shame, blur; **ma jagħmilx** ~ he is not worse than him
għajb|a n.f. (pl. ~**iet**) disappearance
għajdun n.m. (bla pl.) diction
għajdut n.m. (bla pl.) rumour; ~ **bin-nies** gossip
għajja v. to tire, to fatigue, to weaken, to weary
għajjar v. to revile // n.m. (pl. ~**a**) reviler
għajjat v. to clamour // n.m. (pl. ~**a**) crier, bawler, to cry, to shout
għajjati aġġ. crying
għajjeb v. to ape, to mock, to make mouths; (inheba) to hide, to skulk, to eclipse
għajjen v. to make an evil eye; (ammira) to gaze, to stare, to admire
għajjex v. to vivicate, to vivify, to maintain, to sustain
għajjieb n.m. (pl. ~**a**) counterfeiter, imitator
għajjien patt. tired, weary; ~ **mejjet** very tired
għajjur n.m. (pl. ~**a**) envious, jealous
għajn n.f. (pl. **għejun**) eye; ~ **il-labra** eye of the needle; **tah daqqa ta'** ~ he looked at him; **bil-**~ by the naked eye; **f'daqqa ta'** ~ in an instant; **minn taħt il-**~ to steal a look; **tebqet il-**~ eyelid; **fetaħ** ~**ejh** to take care; **fetaħlu** ~**ejh** to make one cunning; ~**u fuqu/fih** to be all eyes; ~**u togħkru** to suspect, to doubt; **għalaq** ~**u** to become overcast; **għalaq** ~**ejh** to die; **mar b'**~**ejh magħluqa** to go blindfold; **mela** ~**u** he was full expectations; **m'għalaqx** ~ **m'**~ he did not sleep; **taħt** ~**ejh** near him; (għassa tiegħu) under his guard; **qalagħlu** ~**ejh** he really pleased him; ~**ejn jitkellmu** nice eyes; **waqa' taħt** ~**u** he found something accidentally; **qala'** ~**ejh** he read a lot; (minn fuq xi ħaġa) he stopped staring at something; ~**ejh imsammra** eyes fixed
għajn n.f. (pl. **għejun**) fountain; **ras il-**~ fountain head
għajnas v. to cast a shy glance
għajnun|a n.f. (pl. ~**iet**) aid, help, assistance
għajr prep. expect, but, only
għajt n.m. (bla pl.) malevolence, hatred
għajt|a n.f. (pl. ~**iet**) cry, clamour; ~**a t'Alla** vocation
għajxien n.m. (bla pl.) aliment, food, nourishment
għakar n.m. (pl. **għekur**) dregs
għakka aġġ. decrepit; **xiħ** ~ a very old person
għakkar v. to foul with dregs; (mod t'għajxien) to live idle
għakkarija n.f. (pl. ~**i**) laziness, idleness
għakkes v. to shackle, to fetter; (għadda minn fuq) to grind, to oppress
għakkies n.m. (pl. ~**a**) oppressor; n.m. (pl. **għekiekes**) crook
għakreb n.m. (pl. **għekiereb**) scorpion
għakrek v. to idle, to loiter, to linger
għakrieki aġġ. n.m. (pl. ~**n**) idle lingerer
għakrux n.m. (pl. **għekierex**) snail
għaks n.m. (bla pl.) oppression; (miżerja) calamity, misery; **dejjem jarmi l-**~ always grumbling of lack of money
għaksa n.f. (pl. **għekiesi**) knuckle; ~ **tas-sieq** ankle
għal prep. towards, for, in favour of; ~**ikom**! bye bye!
għala prep. avv. why, for what reason
għalaq n.m. f. **għalqa** (pl. **għelielaq**) leech; (minn fejn iżżomm) handle // v. to shut, to close; ~ **għajnejh** to die; ~ **ħalqu** to be silent; ~ **il-ponn** to clench; ~ **it-triq** to block; ~ **f'ħabs** to imprison
għalb n.m. (bla pl.) victory
għal daqshekk avv. therefore
għaleb v. to vanquish, to subdue, to conquer
għalef v. to forage
għalf n.m. (bla pl.) food for animals

għalf|a n.f. (pl. **~iet**) a feeding
għalfejn avv. where?
għalhekk avv. wherefore, therefore
għali n.m. (bla pl.) boiling; (niket) grief, sorrow, disgust, displeasure; **biegħha bil-~** he inflicted pain on another person; **l-~ jixtrih** a person who is always in trouble; **miet bil-~** he was really worried // aġġ. high, tall; (iqum il-flus) dear, costly
għalieni aġġ. averse or favourable
għaliex avv. why? wherefore?
għalissa avv. for now
għalj|a n.f. (pl. **~iet**) ebulition; (xorti ħażina) grief, misfortune
għalkemm konġ. although
għalkollox avv. entirely
għalla v. to boil; (waġġa') to grieve, to sadden; (il-prezz) to raise the price // n.f. (pl. **~iet**, **għalel**) produce; **~ tas-serduk** crest; **raqqad l-~** he quietened down his boasting; **~ bluha** a mad person
għall-anqas avv. at least // **għall-inqas**
għallaq v. to hang
għallat v. to make one err
għalleb v. to make thin, to emaciate
għallej n.m. (pl. **~ja**) one who boils
għallek v. to cling
għallel v. to fertilize
għallem v. to teach, to instruct
għalli avv. for what
għallief n.m. (pl. **~a**) forager
għalliel n.m. (pl. **~a**) fertilizer
għallieli aġġ. productive
għalliem n.m. (pl. **~a**) teacher, instructor
għalliemi aġġ. didactic, instructive
għallieq n.m. (pl. **~a**) executioner, hang-man
għallis n.m. (bla pl.) thistle
għalqa n.f. closing, close // n.f. (pl. **għelieqi**) field; **~ tal-mejtin** churchyard, cemetery; **daħallu fl-~** he intruded into another person's work
għalxejn avv. for nothing
għal xiex avv. for what
għam v. to swim, to float
għam n.m. (pl. **għewiem**) year // v. to swim; **jgħum fil-flus** he is very rich; **baqa' jgħum waħdu** nobody helped him
għama n.f. (bla pl.) blindness; **~ wara xi ħadd** he fell madly in love with; **b'ħaġa żgħira tagħmih** he is easily convinced
għamad n.m. (pl. **għemiedi**) band; **waqa' ~ fuq għajnejh** he did not realise that -
għamara n.f. (pl. **għamajjar**) furniture
għamel v. to do, to act, to make; (inf. inqeda) to urinate **~ il-flus** to become rich; **~ ġieħ** to honour; **~ il-geddum** to pout; **~ għalih** to persecute; **~ il-ġid** to benefit; **~ il-ħaqq** to judge; **~ il-ħila** to encourage; **~ idejh fuq** to beat; **~ idu fuq ir-ras** to bless; **~ il-laħam** to fatten; **~ il-leħja** to shave; **~ in-nar** to shoot; **~ minn idu** to subscribe; **~ tajjeb** to bail; **~ tabirruħu** to feign; **~ il-wisa'** to make room; **~ tiegħu** it is now the turn of another person; (m'obdiex) he behaved mischieviously; **~ bih** to get tired; **~ għal xi ħadd** he shouted at somebody; (għenu) he helped him; (fittex jarah) he wanted to see him; **kemm għamlet!** it has rained a lot; **il-ħin ~ ġmielu** it is very late; **il-kulur** (eċċ.) **~ sabiħ/ikrah** the new colour (etc.) matched/ did not match; **~ li** imagine that; **m'għandux x'jagħmel** he has nothing to do; **għamlu mejjet** he thought that he had died
għameż v. to wink, to twinkle
għamja aġġ. blind; **il-musrana l-~** appendix
għaml|a n.f. (pl. **~iet, għemejjel**) making; (forma) feature, shape; (azzjoni) action
għamm n.m. (pl. **għemum**) uncle
għammad v. to blindfold, to hoodwink
għammar v. to inhabit, to dwell; (daħħal) to furnish, to supply; (l-annimali) to fecundate // n.m. (pl. **~a**) dweller; (min jgħammar) fecundator
għammari aġġ. fecundating
għammed v. to baptize; **~ la Lhudija** to circumcise; **~ l-inbid** to water wine
għammex v. to blear, to dazzle, to blink
għammied n.m. (pl. **~a**) baptizer
għammiel n.m. (pl. **~a**) doer, maker
għammieq aġġ. deep
għammiexi aġġ. dazzling
għamnewwel avv. last year
għamr|a n.f. (pl. **~iet, għemieri**) colony, habitation // n.f. (pl. **~iet**) faggot
għamud|a n.f. (pl. **~iet**) pillar
għamż|a n.f. (pl. **~iet**) beck; **ħadt ~a** short sleep, nap; **f'~a t'għajn** in a moment
għan n.m. (pl. **~ijiet**) aim, purpose, intention
għana v. to enrich // n.m. (bla pl.) riches, wealth, opulence
għanbaq|ar n.m.koll. f. **~ra** (pl. **~riet**) plum
għanbra n.f. (pl. **għanbar**) amber
għanbu n.m. (pl. **għeniebi**) ambo
għanċeċ v. to radiate
għand prep. from, to, at
għandu ara **kellu**; **~ lil min jixbah** he is just like his relatives; **~ mnejn** he is rich; (abbli) perhaps; **dak li ~** that is his defect; **~ għalih** he is mad about him; **~ x'jgħidli** I think; **~ bih**

he his very fond of him; **għandna mmorru** let us go!
għandur aġġ. gallant, spruce, dandy, beau
għanem n.m.koll. f. **~a** (pl. **~at**) herd, flock, drove
għanet v. to hasten, to make haste
għani aġġ. rich, wealthy
għanj|a n.f. (pl. **~t**) song; **dejjem ~a waħda** always the same discourse
għanna v. to sing; **il-kalzetti qed jgħannu** the socks are stinking
għannaq v. to embrace, to cuddle
għannej n.m. (pl. **~ja**) singer
għanq|a n.f. (pl. **~iet**) embrace
għanqbut n.m.koll. f. **~a** (pl. **~iet**) cobweb, spider's web; **rasu mimlija** ~ a dissident, an anti-conformist
għanqud n.m. (pl. **għenieqed**) cluster, bunch; ~ **tal-bajd** ovary; ~ **għeneb** brunch of grapes; **minn ~u** from the very start; **bdieha minn ~ha** he started it from the beginning
għansar n.m.koll. f. **~a** (pl. **~iet**) squill
għant n.m. (pl. **għenut**) sheath
għantkux n.m.koll. f. **~a** (pl. **~at**) winged pea
għaqad v. to congeal, to coagulate; biex tagħqad to make things worse
għaqal n.m. (bla pl.) reason, sense, judgement; **bil-**~ wise, sage, prudent; **bla** ~ foolish, witless; **tilef l-**~ he fell madly in love with sb.; **ħareġ minn għaqlu** he was out of his mind; **f'saħħet għaqlu** he knows what he is doing
għaqar v. to ulcerate
għaqba n.f. (pl. **għeqiebi**) hillock
għaqd|a n.f. (pl. **~iet**) union, confederation; **qiegħed fl-~a** he is about to grow his first teeth
għaqel aġġ. meek
għaqli aġġ. wise, prudent, sage
għaqqad v. to join, to coagulate; ~ **fi żwieġ** to unite in marriage; **~hom** he managed to have a good some of money // n.m. (pl. **~a**) coagulator
għaqqal v. to render intelligent // n.m. (pl. **~a**) tamer
għaqqar v. to wound, to ulcerate
għaqquxi n.m. (pl. **~n**) cheat, swindler
għaqr|a n.f. (pl. **~iet, għeqieri**) sore, ulcer
għar n.m. (pl. **għawar**) shame
għar n.m. (pl. **għerien**) cave, den, grotto
għarab n.m. (pl. **~a**) rook
għaraf v. to know, to recognize
għaraġ v. to limp
għaraq n.m. sweat, perspiration; ~ **tad-demm** he really suffered; **bl-**~ **ta' ġbinu** through hard work; **xaqq l-**~ **għalih** he was very afraid or worried
għarb n.m. (bla pl.) occident, west
għarbel v. to bolt, to sift
Għarbi n.m. (pl. **Għarab**) Arab, Arabian; (inf.) an unkempt person // aġġ. western
għarbiel n.m. (pl. **~a**) sifter // n.m. (pl. **għeriebel**) sieve; **għamlu** ~ (lill-gowler) he was beaten a lot of times; (sparawlha) they have filled her all with holes; **għaddewh mill-**~ they questioned him thoroughly; **raqqaq sal-**~ he investigated meticulously
għareb n.m. (pl. **għewiereb**) angular stone
għaref aġġ. learned, erudite, sapient; ~ **daqs Salamun** very wise
għarf|a n.f. (pl. **~iet**) knowledge, idea
għarfien n.f. (bla pl.) gratitude, thankfulness
għargħar n.m. (bla pl.) flood, deluge // n.m.koll. (pl. **għeriegħer, ~iet**) juniper // v. to gargle, to gargarize; (pespes) to chirp, to warble, to trill; (bl-ilma) to flood
għarib n.m. (pl. **għorba**) foreigner, stranger
għarix n.m. (pl. **għerejjex**) hut
għarixa n.f. (pl. **għerejjex**) overcast
għark|a n.f. (pl. **~iet**) friction, rubbing; **donnu ~a żift** he is pitch black
għarkupptejn avv. kneeling
għarm|a n.f. (pl. **~iet**) heap
għarnuq n.m. (pl. **għerienaq**) crane
għarq|a n.f. (pl. **~iet**) sweat, sweating; (bl-ilma) submersion, inundation, (bil-ġuħ) drowning; **ra l-**~ the voyage was perilous
għarqan aġġ. in a sweat
għarqien n.m. (bla pl.) drowning
għarqub n.m. (pl. **għerieqeb**) heel
għarraf v. to notify, to reveal
għarraf n.m. (pl. **~a**) notifier, declarer
għarram v. to indemnify, to hoard; (akkumula) to amass
għarram n.m. (pl. **~a**) one who indemnifies
għarraq v. to cause one sweat; (saffa) to distill; (bl-ilma) to submerge, to drown; (ħela) to ruin, to mar**; se j~ha!** he is going to marry!
għarras v. to betroth, to engage; (siġra, eċċ.) to replant
għarras n.m. (pl. **~a**) promoter of matrimony; (min jgħarras) one who replants
għarrax v. to tickle, to titillate
għarraxi aġġ. ticklish
għarref v. to teach, to instruct
għarrem v. to heap up, to pile up
għarrex v. to make huts; (ittawwal) to peep
għarrieda avv. fortuitously
għarriem n.m. (pl. **~a**) one who heaps up
għarrieq n.m. (pl. **~a**) distillator

għars n.m. (pl. **għoros**) plantation
għarukaż|a n.f. (pl. **~ijiet**) shame, ignominity
għarus n.m. (pl. **għarajjes**) spouse, bridegroom, betrothed; ~ **il-ħadd** ridge
għarusa n.f. (pl. **għarajjes**) bride; ~ (ħuta) rainbow ussasse; **dik hi l-~!** take it or leave it!
għarwel v. to swarm
għarwen v. to undress, to bare
għarwien aġġ. naked, bear
għasa n.f. (pl. **għesien, għosjien**) cudgel, stick
għasar v. (pl. **għasir**) to squeeze, to press hard; ~ **il-ħwejjeġ** to wring clothes // n.m. (pl. **għosrien**) vespers
għasel n.m.koll. (pl. **għoslien**) honey; **kagħka tal-~** honey-ring; **niżlitlu** ~ he really enjoyed it; **għandu l-~** he has a mistress
għasfar v. to run away
għasfur n.m. (pl. **għasafar**); ~ **tal-bejt** sparrow; ~ **il-ġenna** bird of paradise; ~ **tat-tħarrik** decoy bird; ~ **ta' San Martin** king fisher; ~ **taż-żebbuġ** grosbeak; ~ **il-baħar** hell ray; **tar l-~** what we are searching for has been stolen; ~ **tal-passa** a person who is seldom seen around; **jiekol bħal** ~ he who does not each much; **miet bħal** ~ he died unnoticed; **qisu** ~ an agile person
għasid|a n.f. (pl. **~iet, għesejjed**) porridge; (tajn, eċċ.) muddle
għasleġ v. to sprout
għasli aġġ. melliferous, mulatto
għasluġ n.m. (pl. **għesieleġ**) sprig, twig
għasr|a n.f. (pl. **~iet**) pressure, pression, pressing; **sar** ~ to soak; **imxarrab ~a** soaked to the skin
għasri aġġ. (of the) evening
għass|a n.f. (pl. **~iet**) guard; **ilħaq ~tek** mind your own business; **~a Torka** a fake guard; **daħlet l-~** time is running out; **daħal fil-~a** he is getting older
għassed v. to knead, to mix; (ħawwad) to confound, to mingle, to jungle
għassel v. to make honey
għasses v. to watch
għassies n.m. (pl. **~a**) guard, guardian
għat|a n.m.koll. f. **għatja** (pl. **~iet**) cover, covering; **~a tal-art** carpet; **~a tal-ġisem** dress, clothes; **~a ta' fuq kollox** coat, overcoat; **~a ta' mejda** table-cloth; **~a tar-ras** cap, hat; **~a tas-sodda** coverlet; **~a tal-wiċċ** veil, mask
għatas v. (pl. **għatis**) to sneeze
għatb|a n.f. (pl. **~iet, għetiebi**) treshhold, sill; **fuq l-~** at the end; **mill-~ 'l ġewwa** in the house
għatl|a n.f. (pl. **~iet, għetieli**) ploughman's stick
għatr|a n.f. (pl. **~iet**) stumbling
għats|a n.f. (pl. **~iet**) sneeze
għatta v. to cover, to mantle, to hush
għattab v. to maim
għattan v. to crush, to dent
għattaq v. to rear up to youth
għattas v. to make one sneeze // n.m. (pl. **~a**) sneezer
għattej n.m. (pl. **~ja**) coverer, concealer
għattel v. to polish the ploughshare
għattieb n.m. (pl. **~a**) frequenter
għattuqa n.f. (pl. **għewietaq**) pullet
għatu n.m. (pl. **għotjien**) lid
għatx n.m. (bla pl.) thirst; **bil-~ il-gawwi!** I need money!; **qata' l-~ bil-perżut** he acted just for the immediate relief; **mejjet bil-~, ħadu l-~** he is terribly thirsty; **baqa' bil-~** he did not achieve what he wanted; ~ **għal xi ħaġa** there is a big demand for something
għatx|a n.f. (pl. **~iet**) dryness, sicity
għatxan aġġ. thirsty
Għawdex n.pr. Gozo
Għawdxi n.aġġ. (pl. **~n**) Gozitan; **għamel bħall-~in** he who runs away with what he was offered
għawġ n.m. (bla pl.) crookedness; **ġejja bil-~** things are getting worse
għawi n.m. (bla pl.) instigation; **l-~ ħu l-ġenn** an instigated act is a mad act
għawj|a n.f. (pl. **~iet**) howl; (inċitament) incitement
għawm n.m. (bla pl.) swimming
għawseġ n.m. European box-thorn
għawwar v. to render squint-eyed; (ħaffer) to dig out // n.m. (pl. **~a**) one who makes hollows
għawwed v. to repeat, to do again
għawweġ v. to bend, to wrest, to contort; (ħażżen) to pervert
għawwem v. to make one swim
għawwied n.m. (pl. **~a**) repeater
għawwieġ n.m. (pl. **~a**) the one who bends, one who wrests; (min iħażżen) perverter
għawwiem n.m. (pl. **~a**) swimmer; **xahar** (eċċ.) ~ a rainy month (etc.)
għax avv. why; ~ ~ to keep things quiet
għax ara **għex**
għax|a n.m.koll. f. **~ja** (pl. **~jiet**) supper; **m'għandux ~ja ta' lejla** he is very miserable
għaxar v. to tithe
għaxar aġġ. num.ord. tenth
għaxi aġġ. swooned; ~ **jerfa' mejjet** a person in need who wants to help a person equally in need
għaxij|a n.f. (pl. **~iet**) evening
għaxq|a n.f. (pl. **~iet**) delectaton, delight, pleasure; **fih ~a** his company is pleasurable
għaxqan aġġ. delightful

għaxr|a n.f. num.kard. (pl. **~iet, għexur**) ten; **ma jafx jgħodd sal-~a** an immature person; **għexur**: n.m. tithes
għaxwa n.f. (pl. **għexiewit**) swoon, faint; **x'~ fih!** a person who either laughs or cries very readily
għaxxa v. to give one supper; (għamel qaddis) to make one saint
għaxxaq v. to delight, to please
għaxxar v. to decimate, to tithe
għaxxex v. to indificate; (naqqas is-saħħa) to weaken
għaxxieq n.m. (pl. **~a**) rejoicer, amuser
għaxxiex n.m. (pl. **~a**) he who makes a nest; (min inaqqas is-saħħa) one who weakens
għazz|a n.f. (pl. **~iet**) mole
għażaq v. to dig, to hoe, to dig; **~ fl-ilma** to beat the water
għażeb n.m. (pl. **għewieżeb**) single, unmarried, bachelor
għażel v. to seperate, to divide, (is-suf, ecc.) to spin // n.m. (bla pl.) thread; **xoqqa tal-~** linen cloth; **ħareġ għażlu** his turn was completed
għażgħaż v. to press; **~ is-snien** to grind
għażiż aġġ. dear, affectionate, holy, sacred, excellent, perfect; **Alla l~** God all perfect
għażl|a n.f. (pl. **~iet**) separation; **~a mill-knisja Nisranija** schism
għażq|a n.f. (pl. **~iet**) digging
għażż v. to cherish; (sar għażżien) to grow lazy, to make lazy // n.m. (bla pl.) idleness, laziness; **l-~ kielu/rikbu** he is so indolent
għażża v. to console, to relieve
għażżaż v. to press, to grind, to gnash; **~ is-snien** to grate
għażżel v. to spin
għażżen v. to make one idle or lazy
għażżiel n.m. (pl. **~a**) spinner, rover
għażżiel|a n.f. (pl. **għażżiliet, għażliet, għożlien**) gazelle; **jiġri daqs ~a** as fast as a gazelle
għażżien n.m. (pl. **~a**) idle, lazy, slothful; **~ daqs kelb** a very indolent person
għażżieq n.m. (pl. **~a**) digger
għeb ara **għab**
għedewwa (npl ta' **għadu**) enemies
għeġin n.m. (bla pl.) kneading
għeġubi aġġ. wonderful, marvellous
għeġubij|a n.f. (pl. **~iet**) wonder, marvel
għeġużij|a n.f. (pl. **~iet**) decrepitude
għeja v. to grow tired, to get tired
għekies n.f. (pl. **għekiesi**) hobble
għela v. to boil; (iddejjaq) to be displeased; **jagħli għax jisbaħ** he is very lazy
għelet v. to be mistaken
għelk n.m. (pl. **~iet**) gum, viscosity
għelt n.m. (bla pl.) mistake, error
għelubij|a n.f. (pl. **~iet**) thinness, skinniness
għeluq n.m. (bla pl.) closing
għema v. to grow blind; **~ wara** to be passionately fond of
għemiex n.m.koll. blaredness
għemil n.m. (bla pl.) action
għen v. to help, to soccour; (waqaf ma') to support; **~ il-quddiesa** to assist the priest during mass; **~ ruħu** to do one's best; **riġlejh ma jgħinuhx** weak legs
għeneb n.m.koll. f. **għenba** (pl. **għenbiet**) grape; **dak/dik għenbu/għenba!** he/she has a big belly!
għenelli avv. most certainly
għenieq n.m. (pl. **~a**) lamb
għens n.m. (pl. **għenies**) he goat
għeqid n.m. (bla pl.) consolidation
għer v. to envy
għera n.f. (bla pl.) nakedness // v. to be naked, to undress oneself
għereq v. to sweat, to perspire; (ħareġ) to transude, to distil, to ooze out; (fl-ilma) to be drowned
għerf n.f. (bla pl.) wisdom, knowledge
għeri aġġ. naked
għeriġ n.m. (bla pl.) limping
għerik n.m. (bla pl.) rubbing
għerjara: **bl-~ f'għajnu** who says that he is not seeing well
għerq n.m. (pl. għeruq) tendon, root; **għadu donnu ~** a strong old person; **għeruq**: **bl-~u x-xniexel** everything; **rabba' l-~** he grew very accustomed
għerusija n.f. (pl. **~iet**) engagement, betrothal
għesir n.m. (bla pl.) squeezing
għetis n.m. (bla pl.) sneezing
għewa v. to scream out; (instiga) to instigate one against others
għex v. to live; **~ fil-għaks** to live poorly; **~ ta' sinjur** to live well
għeżil n.m. (bla pl.) separation; **~ mill-Knisja** schism; **~ mill-mara** divorce
għeżiq n.m. (bla pl.) digging, hoeing
Għid n.m. (pl. **għejjied, għejdien**) feast day; **~ il-Kbir** Easter Sunday; **~ iż-Żebbuġ** Palm Sunday; **~ tal-Lhud** Passover
għill|a n.f. (pl. **~iet, għelejjel**) disease, illness, ailiment
għira n.f. (bla pl.) envy, jealousy; **jaħdem bil-~** he wants to have the best product; **l-~ bażwija** jealousy hurts

għodda n.f. (pl. **għodod**) tool, impliments
għodos v. to drive, to plunge, to duck
għodu n.m. (bla pl.) morning; **il-kewkba ta' fil~** morning star; ~ ~ so early in the morning
għoff avv. what a bore!
għoff|u: m'għandux t'~ he has not a great quantity
għoġb|a n.f. (pl. **~iet**) pleasure, delight, satisfaction
għoġl|a n.f. (pl. **~iet**) heifer
għoġob v. to please, to be pleased with, to like
għoġol n.m. (pl. **għoġġiela**) calf, steer, bullock; **donnu** ~ a young and healthy person; **l-~ tiegħi!** I am very fond of him!
għokos v. to become feeble, to decay, to decline
għola v. to raise, to raise up; (fil-prezz) to grow dear
għoli n.m. (bla pl.) high; (prezz għoli)) high price; **fil-~** high up; ~ **tal-ħajja** rise in price
għoli aġġ. height, loftiness
għolj|a n.f. (pl. **~iet**) ascent, slope
għolla v. to raise, to elevate, to lift; (il-prezzijiet) to raise prices
għollieq|a n.f. (pl. **għolliqiet, għielaq**) tie
għolliq n.m.koll. f. **~a** (pl. **~at, ~iet**) bramble
għolob v. to grow lean, to grow thin
għomm|a n.f. (pl. **~iet, għejjem**) grief, sorrow, affiction; (mard) disease, ailment; (sħana) heat, stifling heat
għomor n.m. (bla pl.) age; **għomru u żmienu** all his life
għonnell|a n.f. (pl. **~i**) skirt; (tradizzjonali) faldetta
għonq n.m. (pl. **għenuq**) neck; **ksir il-~** trouble maker, thoughtless person; **kiser ~u** he had a fight; **midd ~u** he started the work; **nagħmel ~i mħatra** I am very sure; **tawwal ~u** he tried to get a better view
għoqd|a n.f. (pl. **~iet, għoqod, għoqiedi**) knot; **~a flus** heap of money; **ħall l-~a** he solved all the difficulties; **~a ta' ġuvni** a well-built lad; **~a fuq l-istonku, ~a ta' qalb** he has a problem; **ġisem għoqod għoqod** a well-built person
għoqdi aġġ. knotty
għoql|a n.f. (pl. **~iet, għoqol**) grief, sorrow; **telgħetlu ~a fi griżmejh** he was so excited
għorf|a n.f. (pl. **~iet, għorof**) garret
għorgħas n.m.koll. f. **~a** (pl. **~at**) arum
għorn|a n.f. (pl. **~iet, għoron**) cave, grotto
għorok v. to rub
għors n.m. (pl. **għaras**) merriment; **fih** ~ his company gives pleasure
għosfor n.m. (pl. **għosfra**) bastard saffron, saflower // v. to run away
għoss n.m. (pl. **għesus**) sacral bone, rump
għoti n.m. (bla pl.) giving
għotj|a n.f. (pl. **~iet**) gift, present
għotob v. to become crippled
għotor v. to stumble
għoxa v. to faint, to laugh hard; ~ **wara xi ħadd** to be affected
għoxrin n. num.kard. (pl. **~ijiet**) twenty
għożża n.f. (bla pl.) taking to heart
għubara n.f. (pl. **~t**) houbara bustard
għud|a n.f. (pl. **~iet**) wood; **iebes** ~ very hard; **niexef** ~ very dry

H h

h tenth letter of the alphabet and eighth of the consonants
haġra n.f. (pl. **~t**) hegira, hejira
halleluja n.f. (pl. **~t**) halleluljah, halleluiah
hallow inter. hallo, hello
hawn avv. here, hither; ~ **fuq** here above, up here; **~hekk** here; ~ **isfel** here below, down here; **minn** ~ from hence; **sa** ~ to here, as far as this; **'l ~ u 'l hinn** here and there; **m'ogħla** ~ very tall; **m'hawnx ~ għalik** well done!; (ironikament) that's smart!
hbiż n.m. (bla pl.) retroceding
hebba n.f. (bla pl.) running against
hebbeż v. to cause to recede
hebel v. to grow or become mad
hebeż v. to go backward
heda v. to quiet or calm one's self // n.f. (bla pl.) quietness, calmness
hedak pron. dim. that
hedan pron. dim. this
hedda v. to quiet
hedded v. to threaten, to menace, to intimidate
heddej n.m. (pl. **~ja**) one who menaces
heddem v. to cook over a slow fire
heddied n.m. (pl. **~a**) threatener, menacer
heddiem n.m. (pl. **-a**) destroyer
hedu n.m. (bla pl.) tranquility, quiet, calmness
hejjeb v. to menace, to intimidate by butting
hejjem v. to cajole, to cocker
hejjiem n.m. (pl. **~a**) one who cajoles
hejjum n.m. (pl. **~a**) one who likes cajoling
hejm n.m. (bla pl.) cajoling
hekda avv. so, thus; **kif** ~ as soon as
hekk avv. so, thus
hemeż v. to pin
hemm n.m. (bla pl.) sorrow, grief, trouble // avv. there, in that place; ~ **ġewwa** within, there in, inside; ~ **isfel** there below, down there; **sa** ~ to there, as far as that
hemmem v. to grieve, to trouble, to disturb
hemża n.f. (pl. **~iet**) pinning
hena n.f. (bla pl.) consolation, comfort, happinness, prosperity
henna v. to comfort, to console
hennej n.m. (pl. **~jin**) comforter
hereż v. to beat, to pound, to bruise
herra v. to putrefy, to rot, to corrupt // n.f. (bla pl.) rigidity, harshness; **bil-~** bluntly, roughly
herrej n.m. (pl. **~ja, ~jin**) corrupter
herreż v. to crumble, to triturate
herrież n.m. (pl. **~a**) he who crumbles, bruises or triturates
herwel v. to drive mad
hewden v. to rave, to be delirious
hewwa n.f. (bla pl.) air, abyss, (imħabba) love
heżież n.m. (pl. **~a**) shaker, vibrator
heżż|a n.f. (pl. **~iet**) agitation, movement
heżżeż v. to shake, to vibrate
hi pron. pers. she
hieb v. to make a present, to offer a gift or love token
hieni aġġ. happy, blessed, boon
hija pron. pers. she
hinn avv. there, in that place; **'l hawn u 'l ~** here and there
hamiż n.m. (bla pl.) fastening with pins
hosanna inter. hosanna
hu pron. pers. he
huma pron. pers. they
huwa pron. pers. he
hux part. pron. it is so? Truly?

Ħ ħ

ħ eleventh letter of the Maltese alphabet and ninth of the consonants

ħa v. to take, to accept, to receive; ~ **grazzja ma'** to fall in love with; ~ **għalih** to be annoyed; ~ **b'id** to shake hands; ~ **b'martu** to get married; ~ **l-mewt** to be condemned; ~ **nifs** to rest oneself; ~ **n-nifs** to take breath; ~ **nota** to take note; ~ **l-proklama** to take King's evidence; ~ **riħ** to get or take a cold; ~ **r-riħ** to take advantage; ~ **r-ruħ** to recover; **~du l-ġuħ** to be hungry; **~du l-għatx** to be thirsty; **~du n-ngħas** to fall asleep; **~dha ma' xi ħadd** he argued with sb.; **~dha sa** he accompanied her to; **għandu jieħu** he has debtors; ~ **minn missieru** he acts like his father; **is-siġra ~det** the tree took up roots; **~du minn kliemu** he judged him through his way of speaking; **~du x-xorb** he got drunk; ~ **għalih** he sulked; (inf.) **ma jiħux** he is deaf; **~dha bi kbira** it pained him deeply

ħabaq n.m.koll. f. **ħabqa** (pl. **ħabqiet**) basil, sweet basil

ħabar n.m. (pl. **oħbra**, **aħbarijiet**) bad news; **daqq il-~** to ring a knell

ħabat v. to beat, to strike, to smite, to hit; ~ **għal** to assault, to attack; ~ **ma'** to collide; ~ **ma' xi ħadd** to fall in with; ~ **wiċċ imb wiċċ** to meet; ~ **tajjeb** it was a lucky twist of fortune; ~ **ħażin** it was an unlucky twist of fortune; **fejn ~ laqat** in a careless way; **dak ~ l-aħjar** he was the one who prospered most; **~lu** he prospered

ħabb v. to love, to like // n.m.koll. f. **~a** (pl. **~iet**) an edible seed; ~ **ir-rummien** pomegranate pip; ~ **it-tamar** the kernel of a date; **ħobbni u ogħbodni** love me or leave me; **ħareġ bil-~** his business failed

ħabb|a n.f. (pl. **~iet**, **ħbub**) grain; **~a ħażina** a Machiavellian person; **tal-~a godz** cheap; **ma jiswiex ~a** he is useless; **nefaq sal-inqas ~a** he spent all the money; **bla ~a** penniless; **għandu b'~tejn** he does not have anything useful; **ħbub**: **jaqla' ~a għajnejh** he is ready to do everything; **jitħallas bil-~a** his pay is very meagre

ħabbar v. to announce, to tell // n.m. (pl. **~a**) messenger, ambassador

ħabbat v. to knock, to beat, to strife; ~ **idejh** to clap, to applaud; ~ **il-bieb** to knock at the door; ~ **mal-art** to pull down, to floor; **ried i~ha miegħu** he competed with him

ħabbat|a n.f. (pl. **~iet**, **ħbabat**) knocker, door-knocker; **ma rridux ~a wara l-bieb** I do not want to have anything to do with him

ħabbeb v. to pacify, to reconcile

ħabbel v. to impregnate; (daħħal) to embroil, to entangle, to involve; (dawwar) to twist, to tangle; (inf. ~ mara) to expect a child

ħabbiel n.m. (pl. **~a**) one who entangles

ħabbirxa n.f. (bla pl.) garden cress pepperworth

ħabel n.m. (pl. **ħbula**) rope; ~ **tal-inxir** clothes-line; **ġbid tal-~** tug of war; **qbiż tal-~** to skip; **reħa l-~** he led them work freely; **taħt il-~** in a perilous situation; **ta l-~** he introduced the subject of discourse to him; ~ **u satal** jack and spades; **ħa l-~** he started talking unceasingly; **ġibdu ~ wieħed** they worked together

ħabes v. to maste; (daħħal il-ħabs) to arrest, to imprison

ħabeż v. to bake bread

ħabi n.m. (bla pl.) occultation; **bil-~** occultly, hiddenly, secretly

ħabib n.m. (pl. **ħbieb**) friend; ~ **tal-qalb** intimate friend; ~ **il-but!** you are your best friend; ~ **fis-suq** a friend who is ready to help; **l-ikel mhux ~u** he does not like to eat; **ħbieb**: ~ **konna u mija nibqgħu** I respect your opinion; ~ **ta' ġewwa** intimate friends; **inbid tal-~** genuine wine

ħabl|a n.f. (pl. **~iet**) confusion, disorder

ħabrek v. to endeavour, to strive, to co-operate

ħabrieki aġġ. industrious, ingenious

ħabs n.m. (pl. **~ijiet**) prison, jail; **bagħat il-~** to put into prison; **weħel il-~** he was sentenced to imprisonment; **kbir daqs** ~ huge; **daq il-~** he has already been imprisoned

ħabsi n.m. (pl. **~n**) prisoner

ħabt|a n.f. (pl. ~**iet**) blow, stroke, knock; (talent) knack, skill; **din il-~a** this time; **~a u sabta** in a matter of seconds; **~a u laqta** scored at the first try
ħada avv. near, by
ħadar v. to be present
ħadd pron. ind. (pl. **uħud**) sb., someone; **hemm xi ~?** is there anyone?; **hu u ~ iktar** it is certainly him
Ħadd n.pr. (pl. **Ħdud**) Sunday; ~ **il-Bluha** Carnival Sunday, Fools' Sunday; ~ **il-Ġdid** Low Sunday; ~ **il-Għid** Easter Sunday; ~ **il-Palm** Palm Sunday; **ħadd** n.m. (pl. **ħdud**) cheek, (tikmix) furrow
ħaddan v. to embrace
ħaddan n.m. (pl. **~a**) he who embraces
ħaddar v. to be verdant, to make green
ħaddem v. to employ
ħaddied n.m. (pl. **~a**) blacksmith
ħaddiem n.m. (pl. **~a**) worker, workman, labourer; ~ **bil-ġurnata** day worker; ~ **tas-sengħa** skilled labourer
ħaddiemi aġġ. laborious
ħadem v. to work, to labour; ~ **minn taħt** to work secretly; ~ **il-biċċa** he planned things out; **beda jaħdem** he's got a new job
ħadid n.m.koll. f. **~a** (pl. **~iet**) iron; ~ **fondut** cast iron; ~ **tan-nar** poker; ~ **tax-xagħar** curling-tongs; **~a tal-mogħdija** smoothing iron; **iħossu ~a** he is feeling so well
ħadra aġġ. green
ħadrani aġġ. greenish
ħaf v. to flit about
ħafa n.m. (bla pl.) barefootedness // n.f. (pl. **~t**) erosion; **ħareġ minn taħt il-~** he appeared unexpectedly; **għadda mal-~ l-~** he crossed the seaside
ħafas n.m.koll. f. **ħafsa** (pl. **ħafsiet**) prickly heat
ħafen v. to grasp; ~ **bi snienu** to seize with one's teeth
ħafer v. to forgive, to pardon; (ħofra) to dig up, to hole; **ma jaħfirha 'l ħadd** he does not mince words; (bniedem serju) a responsible person
ħaffef v. to ease, to alleviate; (għaġġel) to hasten
ħaffer v. to dig
ħaffief n.m. (bla pl.) he who lightens
ħaffier n.m. (pl. **~a**) digger
ħafi aġġ. barefooted; **mhux** ~ he is neither poor nor uncourteous; **ma ġiex** ~ he prepared the things he could have needed
ħafif aġġ. light, easy; **moħħu** ~ light minded, light headed; **nagħsu** ~ light sleeper; **ħelisha** ~ he had a narrow escape // avv. actively, busily; ~ **u lest** in a matter of seconds
ħafn|a n.f. (pl. **~iet**) handful // aġġ. many, a lot
ħafr|a n.f. (pl. **~iet**) condonation
ħafur n.m.koll. f. **~a** (pl. **~iet**) oat
ħaġa n.f. (pl. **ħġejjeġ, ħwejjeġ**) thing; ~ **moħġaġa** riddle; **l-ewwel** ~ first of all; **għidli** ~ tell me; **jidhirlu li hu xi** ~ he thinks highly of himself; **donnu** ~ **mejta** he is a eccesively quite person; **mhix** ~ this should not be; ~ **belha** a stupid person; ~ **kerha** an ugly person; ~ **żgħira** you're welcome!; **għidli** ~ but, tell me; ~ **waħda** very intimate friends; **ħwejjeġ**: ~ **tad-dinja l-oħra** eerie matters; ~ **tal-għaġeb** unexplainable matters; **indaħallu fi ħwejġu** he stepped on his business; **m'għandux ~ kbar** his illness is not a serious one
ħaġar n.m.koll f. **ħaġra** (pl. **ħaġriet**) stone
ħaġeb v. to lay aside // n.m. (pl. **ħwieġeb**) eyebrow; ~ **tal-ful** the eye of a bean
ħaġel n.m.koll. f. **ħaġla** (pl. **ħaġliet**) partridge
ħaġġar v. to lapidate, to stone // n.m. (pl. **~a**) stoner
ħaġġeġ v. to kindle, to burn; **mar i~** he went to burn in hell
ħaġġieġ n.m. (pl. **~a**) one who kindles
ħaġr|a n.f. (pl. **~iet, ħaġar**) stone; **~a tas-samma** hard compact stone; **~a tal-mitħna** mill-stone; **~a taż-żnied** flint; **mard tal-~a** calculus; **mal-~a t-tajn** without much hesitation; **rajt il-~a morra** I really suffered
ħaġri aġġ. stony
ħaj aġġ. alive; (fuq tiegħu) brisk, lively, vivid; **għadu** ~ it did not break; **daqsxejn** ~ a mischievous person; (għall-għaġin) the spaghetti were not boiled enough; **ma jaħmlux** ~ he really hates him; **min jibqa'** ~ in the (near) future
ħajbur n.m.koll. f. **~a** (pl. **~iet**) rack, spindrift clouds
ħajj|a n.f. (pl. **~iet**) life; **~a ta' dejjem** eternal life; **~a privata** private life; **~a pubblika** public life; **~a reliġjuża** religious life; **f'ħajtek** I really appreciate what you did!; **f'~et Alla** thanks the Lord!; **għamillu ħajtu kalvarju** he reduced his life to misery; **il-~a** a lot of activity; **ħaseb għall-~a** he earned his daily bread; **kollu ~a** a lively person; **bidel ħajtu** he turned over a new leaf; **~a iebsa** a hard life; **lagħab ħajtu** he jeopardised his own life; **ta' ġidu f'ħajtu** a generous person; **~a ta' kelb** a dog's life; **il-~a tidħaklu** he appreciates the value of life; **ħajtu f'idejh** an independent person; **~a ta' Papa** a very comfortable life
ħajjar v. to raise a desire // n.m. (pl. **~a**) he who gives a desire
ħajjat v. to sew often // n.m. (pl. **~a**) tailor
ħajjem aġġ. malicious

ħajr n.m. (bla pl.) happiness; **ma fih ebda** ~ he is repugnant
ħajr|a n.f. (pl. **~iet**) desire
ħajran n.m. (bla pl.) allurement, attraction // aġġ. desirous, longing, willing
ħajt n.m. (pl. **ħitan**) wall; (li jifred) the conflicts between two people; ~ **diviżorju** partition wall; ~ **tas-sejjieħ** rubble-wall; ~ **tal-kenn** a person on whom to lean on; **jgħix taħt il-~** he leads a comfortable life; **ħabat ma'** ~ he encountered great difficulties; n.m.koll. f. **~a** (pl. **ħjut**), **ħjut** thread; ~ **tad-deheb** gold thread; ~ **tal-ħarir** silk thread; **kobba** ~ a ball of thread; ~ **marella** skein
ħajt|a n.f. (pl. **~iet**) thread; **~a dawl** the dawn, the first rays of sunlight; **~a deheb** some gold; **~a deni** some fever; **~a dlam** dusk, the evening twilight; **~a tal-ilsien** ligament of the tongue; **tah ~a dawl** he gave him a clue
ħakem v. to render oneself superior; (qata' s-sentenza) to judge, to sentence; (żamm lura) to refrain, to repress; (żamm taħt għajnejh) to take in hand or into custody; (iggverna) to administer, to govern; (ipposjeda) to possess, to enjoy
ħakem n.m. (bla pl.) governor, ruler
ħakk v. to scratch, to rub, to itch; ~ **miegħu** he was near him
ħakk|a n.f. (pl. **~iet**) scratching, itching
ħakkek v. to rub frequently; ~ **miegħu** he quarrelled with him
ħakkiek n.m. (pl. **~a**) rubber
ħakkieki aġġ. industrious, skilful
ħakkiem n.m. (pl. **~a**) ruler, governor
ħakm|a n.f. (pl. **~iet**) domination
ħal n.m. (pl. **ħwiel**) actual state or condition
ħal|a n.m. (bla pl.) dissipation, profusion, lavishness; ~ **ta' żmien** waste of time // n.f. (pl. **~iet**) mole
ħalaq v. to create
ħalb|a n.f. (pl. **~iet**) the quantity milked at one time; **~a xita** heavy shower (of rain)
ħalbi aġġ. milky
ħaleb v. to milk; **ħalbu** he gave him a lot to do
ħalef v. to swear; **jaħlef bih** he believes in him; **m'għandux fuqiex jaħlef** he is very poor; **kien jaħlef bih** he really believed in him; **kien jaħlef li**... he was dead sure that...
ħaleġ v. to gin
ħalf|a n.f. (pl. **~iet**) oath, swear
ħal|i n.m. (pl. **~ja**, **~jin**) spendthrift // aġġ. prodigal, spendthrift
ħalib n.m. (pl. **~ijiet**) milk; ~ **tal-bott** condensed milk; ~ **frisk** new milk, fresh milk; ~ **abjad** milk-white; **aħwa tal-~** foster brothers; **deni tal-~** milk fever; **kafè bil-~** coffee with milk; **sinna tal-~** milk tooth; ~ **ommu fi snienu** still very young; ~ **it-tajr** a precious thing; ~ **ix-xjuħ** wine; **għadu tal-~** he is still very young; **abjad** ~ snow white
ħalibatt n.m. (pl. **~iet**) halibut
ħall v. to untie, to unbutton; (fired) to part, to separate; (assolva) to absolve; **hu** ~ **u rabat** the decision was finally his; **qares** ~ very sour // n.m.koll. vinegar
ħalla n.f. dissolution, absolution; n.f. (pl. **ħalel**) billow // v. to sweeten; (taffa) to mitigate; (telaq) to leave; (ippermetta) to permit; (abbanduna) to neglect, to abandon; (xtaq) to will; **ħalli min jarak** show up more frequently; **ħallini minnek** you are wrong; **ħallih jgħid** do not mind what he is saying; ~ **kollox għaddej** he turned a blind eye; **ħalliena** he died; **ħalli għalih** he is very ready to do that
ħallas v. to deliver; (il-flus) to pay, to remunerate; (ix-xuxa) to comb; **lanqas jekk tħallsu ma** he won't do that for anything in the world; **trid tħallsu biex**... it is very hard to convince him to do... // n.m. (pl. **~a**) payer; (ix-xuxa) comb-maker
ħallasi aġġ. solvent
ħallat v. to mix, to blend, to mingle; **iħallsu u jaqsmu** they distribute and use everything equally // n.m. (pl. **~a**) mixer
ħallata madly, occuring in the phrase ~ **ballata** everything mixed up
ħalleb v. to cause to milk
ħallel v. to impute with theft; (għamel il-ħall) to make vinegar
ħallem v. to make dream
ħallieb n.m. (pl. **~a**) milker
ħalliebi aġġ. milky
ħallief n.m. (pl. **~a**) he who gives an oath
ħallieġ n.m. (pl. **~a**) one who separates cotton from its seeds
ħalliel n.m. (pl. **~a, ~in**) thief, robber; **bħal** ~ in a very quick way
ħalliem n.m. (pl. **~a**) dreamer
ħallieq n.m. (pl. **~a**) creator
ħalq n.m. (pl. **ħluq**) mouth; **baqa' b'~u miftuħ** to be astonished; **għalaqlu ~u** he gave him a good answer back; ~ **daqs purgatorju,** ~ **ta' ċerna** a very big mouth; **f'~ il-mewt** very near to death; **mar f'~ha** he went just where she could harm him; ~ **daqs ħolqa** a small mouth; **~u magħluq** who keeps a secret; **ġie f'~ in-nies** he was in the centre of gossip; **ħadhielu minn ~u** he said what the other was just about to say; **baqa' b'~u miftuħ**

he was left dumbfounded; **ċarrat ~u** he laughed timidly; **qiegħda f'~u** he just cannot remember the word; **f'~ il-lupu** in the most dangerous point; **ħluq**: ~ **x'jitma'** mouths to feed
ħalt|a n.f. (pl. **~iet**) mixture; **bejn ~ejn** uncertain, dubious
ħama n.m. mud, slime, mire, slush; **waqa' fil-~** to sin in the mire; **qala' l-~** he publicised all the internal conflicts; **waqa' fil-~** he was humiliated
ħamallu aġġ. vulgar man, coarse man
ħamb|a n.f. (pl. **~iet**) tumult, uproar, chaos, row
ħambaq v. to cry out, to bawl
ħamel v. to bring, to bear; (staporta) to endure, to tolerate, to support, to suffer; **ma jaħmlux impinġi** he really hates him
ħames aġġ. num.ord. fifth
ħamħam v. to provoke, to anger
ħami n.m. (bla pl.) baking; n.m. (pl. **~n**) protector, defender
ħamiem n.m.koll. f. **~a** (pl. **~iet**) dove; ~ **tal-baħar** white skate; ~ **tal-barr** rock-pigeon; **Għid il-~** Epiphany; **igorr daqs ~a** he always grumbles
Ħamis n.m.pr. (pl. **~ijiet**) Thursday; ~ **ix-Xirka** Holy Thursday
ħammar v. to redden, to blush; ~ **il-wiċċ** to make ashamed
ħammed v. to silence
ħammeġ v. to dirty, to soil, to foul; **ħammiġha ma'** he argued with
ħammel v. to clean, to furbish
ħammiel n.m. (pl. **~a**) plough-staff, rosary
ħammiel|a n.f. (pl. **ħammiliet, ħmiemel**) carrier, one who carries rubbish away
ħammud aġġ. negro
ħamra aġġ. red, reddish; **bandiera** ~ red flag
ħamrija n.f. soil; **għandhom il-~** they are rich
ħams|a n.f. num.kard. (pl. **~iet**) five; **ġib dawk il-~a!** gimme five!
ħamsin n.m. num.kard. (pl. **~ijiet**) fifty; **Għid il-~** Whit Sunday, Pentecoste
ħanaq v. to strangle; (il-vuċi) to make hoarse; ~ **bin-nies** to crowd
ħandaq n.m. (pl. **ħniedaq**) moat, trench
ħandikapp n.m. (pl. **~s**) handicap
ħanek n.m. (pl. **ħniek**) gum
ħanex n.m. (pl. **ħniex**) worm; **donnu** ~ he is young but his actions are impressive
ħanfes v. to anger, to enrage
ħanfus n.m.koll. f. **~a** (pl. **~iet**) **ħniefes** beetle, chafer
ħanġr|a n.f. (pl. **~iet**) throat, gullet, throttle; **fetaħ ~a daqsiex** he bellowed
ħangar n.m. (pl. **~s**) hangar
ħanħan v. to speak through the nose
ħanin aġġ. merciful; kind; compassionate
ħanini n.m. (pl. **ħnieni**) lover, sweet-heart
ħannen v. to move to pity, to touch; (għamel il-kwiet) to lull; (fissed) to flatter, to caress
ħannew n.m.koll. f. **~wa** (pl. **~at**) betony
ħannewij|a n.f. (pl. **~iet**) acanthus, bear's breech
ħannex v. to breed or bring forth worms; (tkaxkar) to go crawlingly, creeping by or on all fours
ħannieq n.m. (pl. **~a**) strangler
ħannieqa n.f. (pl. **ħnienaq**) necklace
ħanq|a n.f. (pl. **~iet**) suffocation
ħanut n.m. (pl. **ħwienet**) shop; ~ **tal-laħam** butcher's shop; ~ **tal-merċa** grocer's shop, grocery; **tal-~** shopkeeper
ħanxar v. to hew or cut throughly // n.m. (pl. **~a**) one who cuts or hews roughly // n.m. (pl. **hnaxar**) curved knife
ħanxel v. to take growth with small root and fibres
ħanxul n.m. f. **~a** (pl. **~iet, ħniexel**) small root
ħanżer v. to be piggish, to act like a pig; **ħanżirha** he took it for granted
ħanżir n.m. f. **~a** (pl. **ħnieżer**) hog, pig, boar; (wikkiel) avaricious man; ~ **l-art** wood-louse; ~ **il-baħar** thorny perch; ~ **salvaġġ** wild boar; **donnu ~ ta' Prevża** a very fat pig
ħaqar v. to vex, to torment, to tease, to maltreat; (bagħad) to scorn, to despise, to condemn; **ħaqru** he had a near miss
ħaqq n.m. (bla pl.) truth, justice, (dritt) right, due; (valur) price, value, worth; **dar il-~** court; **bil-~** justly, judiciously; **tabil~** truly, indeed; **lanqas ~ min jarah** he is humiliating himself; ~ **idejh** labour bill
ħaqqaq v. to verify, to ascertain, to assure; (qabadha ma') to altercate
ħaqqieqi aġġ. affirmable
ħaqr|a n.f. (pl. **~iet**) oppression, vexation
ħar v. to strive, to do one's utmost
ħara n.f. (pl. **~t, ~iet**) street // n.m. (bla pl.) (inf.) excrement, dung, dirt; **mur aħra!** get out of here!; **lanqas jaħra ma jaf** he is a useless person; **waqa' fil-~** he is in big trouble // v. to void, to emit excrement, to shit
ħarab v. to escape, to fly, to run away; **xejn ma jaħrablu** he has everything in order; **mhux se jaħrab** don't hurry!
ħaraġ n.m. (pl. **ħrieġ**) penalty, fine, tax, due, tribute, levy
ħaraq v. to burn; ~ **ħarqa idu** he suffered the consequences of a mistake

ħarat v. to plough, to furrow, to till; (qalleb) to browse; ~ **il-Belt** he strolled through all Valletta
ħarb|a n.f. (pl. ~**iet**) flight, escape; **ħarab ~a xi mkien** he went somewhere for a minute
ħarbat v. to ruin, to destroy, to mar; ~ **mejda** to clear the table
ħarbat n.m. (pl. ~**a**) one who ruins, destroyer
ħarbati aġġ. destructive
ħarbex v. to bungle
ħareġ v. to go or come out; ~ **barra mill-ħażż** to err from the right path; ~ **barra mit-triq** to go astray; ~ **mid-dinja** to pass away, to die, to expire; ~ **mill-qalb** to fall under one's displeasure; ~ **mir-ras** to forget; ~ **jiftaħar** he passed with flying colours; **libsa toħroġ minnha** a dress which is now too small; ~ **minnha** he came up with an excuse; (dawwar id-diskors) he beat around the bush; ~ **jixbah lili** he is so much like me; ~ **minnha** it does not suit him anymore
ħarem n.m. (pl. ~**ijiet**) harem
ħares v. to look at, to look upon; (żamm għajnejh fuq) to guard, to have in custody; (osserva) to observe, to obey // n.m. (pl. **iħirsa**) spectre, ghost, phantom; **qisu** ~ a lonely person
ħarfex v. to bungle
ħarġ|a n.f. (pl. ~**iet**) outing
ħarħar v. to snore, to have the deathrattle
ħarħari aġġ. rattling
ħarifa n.f. (pl. **ħrajjef**) autumn
ħarir n.m.koll. f. ~**a** (pl. ~**iet,** ~**ijiet**) silk; **dud tal-~** silk-worm; **siġret il-~** swallow-wort; **miexja** ~ plain-sailing
ħarir|a n.f. (pl. ~**iet**) pimpernel; **il-~a ġriet** the news was spread; **bexxaq ~a l-bieb** he closed the door just a bit
ħarj|a n.f. vulg. (pl. ~**iet**) defecation; **donnu ~a** a useless person
ħark|a n.f. (pl. ~**iet**) motion, movement
ħarkien aġġ. quick, active, brisk
ħarkus|a n.f. (pl. ~**iet**) a blighted ear of corn or barley
ħarq n.m. (pl. **ħruq**) gap
ħarq|a n.f. (pl. ~**iet**) burn // **ħarqa** n.f. (pl. **ħrieqi**) napkin, brat
ħarra v. to relieve one's bowels; **ta'** ~ **u mmorru** in a fleeting manner
ħarrab v. to put to flight, to rout
ħarrab n.m. (pl. ~**a**) he who puts to flight
ħarrabi aġġ. fleeing, flying, running away
ħarraq v. to erode, to furrow
ħarrat n.m. (pl. ~**a**) plougher, tiller
ħarrax v. to make one rough; (irrabja) to anger; ~**ha ma'** he disputed with
ħarreb v. to war; (qered għalkollox) to exterminate, to destroy
ħarref v. to tell tales
ħarreġ v. to lead out, to send out; (għallem) to train up, to exercise, to teach
ħarrek v. to move, to give motion to; (avża) to cite, to summon
ħarrief n.m. (pl. ~**a**) story-teller, romancer, tattler
ħarrieġ n.m. (pl. ~**a**) one who leads, sends or turns out ~ **il-kotba** editor, publisher
ħarrieġ|a n.f. (pl. ~**iet**) projection
ħarriek n.m. (pl. ~**a**) mover; (min javża) citer
ħarrub n.m.koll. (pl. ~**iet**) carob; **donnu ~a** a thin person
ħarruba n.f. (pl. ~**t**) carob-tree; **niexef** ~ a very thin person
ħars n.m. (bla pl.) look, sight; ~ **ikreh** frown
ħars|a n.f. (pl. ~**iet**) glance; **kielu bil-~** he kept staring at him
ħarsien n.m. (bla pl.) custody
ħart|a n.f. (pl. ~**iet**) cheek; **daqqa ta'** ~ slap
ħartam v. to slap, to smack
ħartuma slap on the face: **qala'** ~ he was slapped
ħaruf n.m. (pl. **ħrief**) lamb; ~ **t'Alla** the Lamb of God; **donnu** ~ a pacific person
ħarxa aġġ. rough, rude; **sentenza** ~ severe sentence
ħarxajj|a n.f. (pl. ~**iet**) corn field madder
ħasad v. to reap, to mow, to crop; (qata' qalb) to deter, to dishearten
ħasb|a n.f. (pl. ~**iet**) cogitation, thought
ħasd|a n.f. (pl. ~**iet**) sudden astonishment, surprise
ħaseb v. to think; **ħsibt u rajt** I decided; ~ **qasir** he did not plan on the long run; **aħseb u ara** let alone; **wisq naħseb li**... I think that...; **ħsibtek mitt!** it's been ages since I last saw you; **x'ħasbu** what did he think of him; ~ **ħażin fih** he was suspicious about him
ħasel v. being or having already; (bl-ilma) to wash, to bathe; ~ **idejh** to wash one's hands of a thing; ~ **lil** to reprehend, to reprimand; ~ **għamel xi ħaġa** if he took the habitude to do sth.
ħasi n.m. (pl. **ħosjien**) capon; **jiekol daqs** ~ **għama** a voracious person
ħasil n.m. (bla pl.) washing, bathing
ħasira n.f. (pl. **ħsajjar**) mat
ħasl|a n.f. (pl. ~**iet**) washing, wash; (b'għajta) reprehension; **qala' ~a bil-kif** he was shouted at
ħasr|a n.f. (pl. ~**iet**) pity, commiseration; **fih ~a** he is in a pathetic situation
ħass v. to feel, to resent (farrak) to crack, to flaw; ~ **il-bard** to feel cold; **ma nħossnix fiha**

I feel indisposed // n.m. (bla pl.) sensation, stir, excitement; **qed iħoss** he is growing mad // n.m.koll. f. **~a** (pl. **~iet**) lettuce; **mur saqqi l-~ tal-Marsa** go to the gallows; **qiegħed fuq ~a!** he is very fat; **frisk daqs ~a** very refreshed
ħassad n.m. (pl. **~a**) reaper, harvest man, mower
ħassar v. to damage, to corrupt, to spoil, to deprave, to debauch, to mar, (ikkanċella) to delete, to annul, to cancel, to obliterate, to erase
ħasseb v. to bring one's mind
ħassel v. to acquire, to gain; (għaffeġ) to squash, to mash
ħassieb n.m. (pl. **~a**) thinker
ħassiebi aġġ. thoughtful
ħassiel n.m. (pl. **~a**) launderer
ħasur n.m.koll. f. **~a** (pl. **~iet**) common alexander's also: **bużbież il-baħar**, samphire, sea fennel, Peter's cress
ħata v. to transgress, to sin
ħatab n.m.koll. f. **ħatba** (pl. **ħatbiet**) firewood; **tafa' l-~ fin-nar** he rekindled the fire of anger; **ħatba tal-infern, ħatba ħażina** an astute person
ħataf v. to wrest, to snatch
ħatar v. to choose, to elect, to select // n.m. (pl. **ħtar, oħtra**) stick, staff, baton; **idoqq il-~** he beats
ħatem n.m. (pl. **ħwietem**) ring, seal
ħaten n.m. (pl. **ħtien**) brother-in-law
ħatf|a n.f. (pl. **~iet**) rapine, robbery
ħati aġġ. guilty
ħatj|a n.f. (pl. **~iet**) transgression
ħatr|a n.f. (pl. **~iet**) election
ħatt v. to unload, (bini, eċċ.) to demolish // n.m. (pl. **ħtut**) to unwound a line, cable
ħatta n.f. (pl. **~t**) unloading, discharging; (ta' bini) demolition
ħattar v. to cudgel
ħatteb v. to render hunchback, to hump
ħattaf n.m. (pl. **~a**) snatcher
ħawħ n.m.koll. f. **~a** (pl. **~iet**) peach; **donnha ~a** a very cute face
ħawi aġġ. thin, rare
ħawli aġġ. sterile, fruitless, barren
ħawsel v. to cram
ħawsl|a n.f. (pl. **~iet, ħwiesel**) craw; **mela l-~a** he ate; **għandu l-~a tajba** he is a voracious person
ħawt n.m. (pl. **ħwat**) trough; **~ tal-ilma mbierek** font, stoup
ħawtel v. to bestir (oneself)
ħawtieli aġġ. industrious, ingenious
ħawwad v. to mix; (bl-imgħarfa) to stir; (ikkonfonda) to confound; **x'~t?** what have you agreed upon? // n.m. (pl. **~a**) stirer, mixer
ħawwar v. to season
ħawwef v. to cause one to grow lean
ħawwel v. to plant
ħawwief n.m.koll. f. **~a** (pl. **ħawwifiet**) swift
ħawwiel n.m. (pl. ~a) planter
ħaxix n.m.koll. f. **~a** (pl. **ħxejjex**) grass, vegetables; **~a Ingliża** oxalis; **~ tal-morliti** milfoil, yarrow; **aħdar** ~ as green as grass; **~a ħażina** a person who is always around
ħaxj|a n.f. vulg. (pl. **~iet, ħwiexi**) selvage, selvedge
ħaxken v. to press upon, to shut up; (blokka) to besiege, to block up
ħaxkien n.m. (pl. **~a**) one who encloses or shuts in, besieger
ħaxlef v. to cobble, to bungle, to batch
ħaxlief n.m. (pl. **~a**) bungler
ħaxu n.m. (bla pl.) stuffing; **x'int ~!** slow, idle, lazy; **artab** ~ very mushy
ħaxwex v. to bustle, to murmur
ħaxxen v. to make bigger, to increase
ħaxxex to sprout grass in large quantity; (kiel ħafna ħaxix) to eat a large quantity of vegetables
ħaxxiex n.m. (pl. **~a**) one who eats many vegetables
ħaxxiexi aġġ. herbivorous
ħażen v. to store
ħażen n.m. (bla pl.) craftiness, cunning, wickedness, depravity, malignancy
ħażin aġġ. bad, harmful; (moħħu jilħaqlu) sly, cunning; (kattiv) wicked, naughty; (qed imut) dying; **mhux** ~ quite a lot; **hemm hu** ~ that's were all problems bud; ~ **jew tajjeb** in some way or another
ħażiż n.m. moss
ħażn|a n.f. (pl. **~iet**) provision
ħażż v. to delineate, to sketch; **ħareġ mill-~** he overdid it; **mar mal-~** he did not overdo it // n.m. (pl. **ħżuż**) line, limit, bound, border
ħażżem v. to gird
ħażżen v. to vitiate, to deteriorate, to corrupt, to spoil, to debauch; (għamlu iktar moħħu jilħaqlu) to make cunning
ħażżeż v. to sign, to scratch; ~ **ismu** to sign
ħażżiem n.m. (pl. **~a**) one who girds
ħażżien n.m. (pl. **~a**) storer, storeman; (min iħassar il-festi) spoiler
ħażżież n.m. (pl. **~a**) delineator, marker
ħbar n.f. (pl. **~ijiet**) news
ħbejż|a n.f. (pl. **~iet**) small loaf
ħbiberija n.f. (pl. **~t**) friendship
ħbis n.m. (bla pl.) imprisonment
ħbit n.m. (bla pl.) beating, collision, clash; (attakki) attack, assault

ħbiż n.m. (bla pl.) the placing of bread into oven
ħdar v. to turn green
ħdax num.kard. (pl. ~**ijiet**) eleven
ħdejn avv. near, about, by
ħdim n.m. (bla pl.) working
ħdura n.f. (bla pl.) verdure, greeness
ħduti aġġ. loquacious, talkative, affable, mannerly
ħeba v. to hide
ħebel v. to become confused, to be disconcerted
ħeber v. to predict, to foresee
ħeddel v. to benumb; (rattab) to render torpid
ħedel v. to benumb
ħedl|a n.f. (pl. ~**iet**) numbness, torpor
ħefa v. to be or become barefooted; (uża) to wear; (ħela) to waste, to consume
ħeffa n.f. (bla pl.) nimbleness, agility, quickness, swiftness
ħeġem v. to devour
ħeġġa n.f. fervour, zeal; **bla** ~ coldly, without zeal
ħeġġeġ v. to fill with fervour, to spirit
ħeja v. to revive, to vivify
ħejja v. to prepare
ħejjej n.m. (pl. ~**ja**) preparer
ħela v. to waste, to consume, to scatter, to dissipate, to ruin; **taha għall-~** he started to throw money away
ħeles v. to save, to finish, to free, to liberate; **ejja neħilsuha** let us finish an agreement
ħellies n.m. (pl. ~**a**) liberator
ħels|a n.f. (pl. ~**iet**) liberation, deliverance
ħelsien n.m. (bla pl.) freedom
ħelu n.m.koll. f. **ħelwa** (pl. **ħelwiet**) sweets; **il-ħelwa hi** what is worst // aġġ. gentle, meek, affable; (tfajla) gorgeous; **għamilha tal-~** he showed off // avv. gently, softly
ħema v. to bake; (saħħan) to make hot
ħemd|a n.f. (pl. ~**iet**) taciturnity, quiet
ħemed v. to be silent, to keep silent
ħemel n.m. (pl. **ħmiel**) faggot, fagot
ħemer v. to ferment
ħemm inter. ahem!
ħemma n.f. (pl. ~**t**) fervency, warmth
ħemmed v. to silence, to impose silence; (għamel il-paċi) to calm, to pacify
ħemmel v. to bundle
ħemmer v. to leaven
ħenn v. to commiserate, to compassionate, to pity
ħerb|a n.f. (pl. ~**iet**) desolation, ruin
ħerek v. to rise early
ħerk|a n.f. (pl. ~**iet**) move, movement, gesture
ħerq|a n.f. (pl. ~**iet**) ardour, eagerness, zeal
ħerqan aġġ. fervent, ardent
ħerraq v. to fluoresce
ħerż|a n.f. (pl. ~**iet**) puteal
ħeser v. to converge
ħesrem n.m. **ħesirma** (pl. **ħsierem**) sour grapes // avv. suddenly
ħettef v. to speak unintelligibly
ħettief n.m. (pl. ~**a**) one who speaks unintelligibly
ħfief v. to become light
ħfin n.m. (bla pl.) grasp
ħġar stones; **Malta bi ~ha** all the Maltese people
ħġieġ n.m.koll. f. ~**a** (pl. ~**iet**) glass
ħi pron. pers. (pl. **aħwa**) brother
ħidm|a n.f. (pl. ~**iet**) work, fatigue, labour
ħidu thoughtless; **donnu** ~ a useless person
ħieles aġġ. free
ħiemed aġġ. silent, quiet
ħiereġ aġġ. going out; **naraw biex** ~ let us hear what he has to say; ~ **mid-dinja** decrepit
ħiet v. to sew, to stitch
ħil|a n.f. (pl. ~**iet**) courage, heartiness, valour, art, ability, skill; **bla** ~ pusillanimous, cowardly
ħili aġġ. able, capace, brave, valiant
ħin n.m. (pl. ~**ijiet**) time, moment, instant; ~ **bla waqt** instantaneously, immediately; **fil-~** in time; **sar il-~** it is time; **sewwasew fil-~** in the nick of time; **ħadu l-~** time flied; **f'~ minnhom** at one moment; **mhux** ~ it is not the time; **m'għandux** ~ he does not know when he will come back
ħjar n.m.koll. f. ~**a** (pl. **ħjarat**) cucumber; **donnu ~a** a useless person
ħjata n.f. (pl. ~**t**) seam
ħjiel n.m. (bla pl.) inkling
ħjiena n.f. (bla pl.) cunning, subtleness, malice
ħkim n.m. (bla pl.) prevalence, superiority, command, administration, government
ħlas n.m. (pl. ~**ijiet**) deliverance; (ta' salarju, eċċ.) pay, payment, salary, wages
ħlejju aġġ. sweetish
ħleww|a n.f. (pl. ~**iet**) sweetness, affability, kindness; **~a ta' qalb** swoon; **ħadu bil-~a** he did not shout at him // n.f. koll (pl. ~**t**) anise
ħlief avv. except, but, unless
ħlief|a n.f. (pl. **ħlifiet**) chaff
ħlieq|a n.f. (pl. **ħliqat**) joke, jest
ħliqa n.f. (pl. **ħlejjaq**) creature
ħluqi aġġ. merry, pleasant, facetious, witty
ħlusi aġġ. expeditious, quick
ħlusij|a n.f. (pl. ~**iet**) freedom, liberty, exemption, immunity
ħmar v. to grow red // n.m. (pl. **ħmir**) donkey, ass; **bħall-~ tas-sienja** always working on; ~ **taż-żurbett** a useless person; **lagħabha tal-~** he acted as if he knew nothing of it; **ħarġu ta'** ~

he humiliated him; **daqs** ~ very big; ~ **il-baħar** trigger-fish; ~ **il-lejl** nightmare
ħmejma small pigeon **nagħtik** ~! I won't give you a shilling more!
ħmerij|a n.f. (pl. **~iet**) stolidity
ħmeww|a n.f. (pl. **~iet**) acrimony, itch
ħmieġ n.m. (pl. **~ijiet**) dirtiness; (redus) excrement, dung
ħmiet n.f. (pl. **~ijiet**) mother-in-law
ħmira n.f. (pl. **ħmejjer**) leaven, yeast, ferment; **ma sewiex** ~ it was not very useful; **tatu l-~ għal** he was determined to
ħmistax n.m. num.kard. fifteen
ħmura n.f. (bla pl.) redness
ħnejj|a n.f. (pl. **~iet**) arch, vault, arc
ħneżrij|a n.f. (pl. **~iet**) loathsomeness
ħniena n.f. (pl. **ħniniet**) mercy, pity, compassion; **bil-~** mercifully, compassionately, charitably; **bla** ~ ruthlessly; (ix-xita) unstoppingly; **sibtu bil-~** I was very lucky that I found him
ħobb n.m. (bla pl.) breast, bosom
ħobla aġġ. pregnant
ħobol v. to become pregnant
ħobż n.m.koll. f. **~a** (pl. **~iet**) bread; ~ **bla ħmira** unleavened bread; ~ **frisk** new bread; ~ **iebes** stale bread; ~ **mixwi** toast; ~ **tad-dar** home made bread; ~ **tal-oħxon** brown bread; **tilef il-~** he is unemployed; ~ **u sikkina** always together; **x'~ jiekol?** what is he like; ~ **għal snienu** something which he could manage; ~ **mimgħud** sth. which sb. else has already enjoyed
ħobż|a n.f. (pl. **~iet**) loaf
ħodon n.m. (pl. **ħdan**) breast, bosom; (ponn) armful
ħofr|a n.f. (pl. **~iet, ħofor**) hole; **~a tal-għonq** nape
ħoġor n.m. (pl. **ħġur**) lap; ~ **it-tieqa** sill, window sill, window ledge
ħola v. to grow sweet
ħolm|a n.f. (pl. **~iet**) dream; **għadda kollox qisu ~a** it was like in a dream
ħolom v. to dream; (immaġina) to imagine; **lanqas noħlom ma rrid** God keep me away from it!; **qed toħlom?** are you dreaming? ~ **bih** he remembered him
ħoloq v. to create; **baqa' ma ~x** he did not grow into a man
ħolq|a n.f. (pl. **~iet, ħoloq**) hoop; **~a tal-ħjata** thimble; **daqs ~a** small
ħolqien n.m. (bla pl.) creation
ħondoq n.m. (pl. **ħniedaq**) moat
ħorfox n.m.koll. f. **ħorfxa** (pl. **~at**) thistle
ħorġ|a n.f. (pl. **~iet**) bag; **wiesgħa ~a** baggy clothes
ħorman aġġ. wanton
ħorn n.m. (pl. **~ijiet**) horn
ħorof v. to shed the leaves
ħorr honest, respectable; **kulħadd għal ta'** ~ everyone has to die
ħorrox borrox avv. disorderly, carelessly
ħosba n.f. measles
ħoss n.m. (pl. **ħsejjes**) sound, noise; ~ **kbir** bustle; **kien hemm** ~ **li** it was being said that; **m'hawnx ~u** he is all so quiet; **ħareġ bla** ~ he went out unnoticed
ħotb|a n.f. (pl. **~iet, ħotob**) hillock, hunch; hunch-back, hump; (talba għaż-żwieġ) a request for marriage; (għal tfajla) brokerage
ħotbi aġġ. hunchback, humpback
ħotell n.m. (pl. **~ijiet**) hotel
ħotob v. to make a request for marriage by means of an agent; (għal tfajla) to make brokerage
ħoxni aġġ. coarse, rough
ħożoż aġġ. shabby
ħożż n.f. (pl. **ħożoż**) girdle; **beda jarfa' ~tu** he started to grow stubborn; **ta' ~tu barra, donnu ħoroż** shaggy looking
ħrafa n.f. (pl. **ħrejjef**) fable, tale; **tah** ~ he gave him some change
ħrar n.m.koll. f. **~a** (pl. **~at**) acrimony
ħrar|a n.f. (pl. **~t**) ardour, eagerness, fervency, passion, zeal
ħrax v. to roughen
ħrieb n.m. (pl. **~ijiet**) war, desolation
ħruġ n.m. (bla pl.) way out, exit
ħruq n.m. (bla pl.) fire
ħruxij|a n.f. (pl. **~iet**) harshness; (qilla) austerity, severity; **bil-~** harshly, rudely, bitterly
ħsad n.m. (bla pl.) harvest, mowing
ħsara n.f. (pl. **~t**) damage
ħsieb n.m. (pl. **ħsibijiet**) cogitation, thought, design, intention, purpose; **bla** ~ unexpected, unexpectedly; **m'għandekx ~u** don't worry about him; **daħħlu fil-~** he made him worry about what he said to him; **~u warajha** she is on his mind; **il-~ ġera bih** fantasy stretched to its limits; **għaddielu ħsieb** he thought; **~u f'żaqqu** a voracious person; **għadu bil-~** he is still determined; **ħa** ~ he took care of something
ħtabat ara **tħabat**
ħtalat v. to mingle
ħtar v. to choose, to elect
ħtieġ v. to be necessary
ħtiena n.f. (bla pl.) cognation
ħtij|a n.f. (pl. **~iet**) fault
ħu n.m. (pl. **aħwa**) brother
ħubbejż n.m.koll. f. **~a** (pl. **~iet**) mallow

ħuffiefa n.f. (pl. **ħuffifiet**) pumice, pumice-stone
ħuġġieġ|a n.f. (pl. **ħuġġiġiet, ħġejjeġ**) bonfire; **sar ~a waħda** the fire spread
ħummejr n.m.koll. f. **~a** (pl. **~iet**) marvel of Peru
ħurħar|a n.f. (pl. **~iet**) death-rattle
ħurrieq n.m.koll. f. **~a** (pl. **ħurriqiet**) nettle; **~ tat-tajr** hen's louse
ħurtan n.m.koll. f. **~a** (pl. **~iet, ~at**) bromegrass
ħusbien aġġ. cogitative, thoughtful
ħut n.m.koll. f. **~a** (pl. **~iet**) fish; **~ tal-ilma ħelu** freshwater fish; **~ kaħla** blue shark; **il-~a fix-xlief** the guilty person was found; **~a barra mill-ilma** a person not used to the environment
ħuttab n.m. (pl. **~a**) match-maker
ħuttaf n.m.koll. f. **~a** (pl. **~iet**) swallow
ħuxlief n.m.koll. f. **~a** (pl. **~iet**) hay
ħwar n.m.koll. f. **~a** (pl. **ħwawar**) aroma, flavour, spices
ħxien v. to swell
ħxuna n.f. (bla pl.) bigness, bulkiness
ħżiem n.m. (pl. **~ijiet**) girdle, sash
ħżien v. to grow worse, to worsen, to deteriorate; (sar kattiv) to become wicked
ħżieża n.f. (pl. **ħżież**) herpes, ringworm
ħżunija n.f. (bla pl.) badness

I i

i twelfth letter of the alphabet and third of the vowels

IAEA n.pr. IAE.A; abbr. of International Atomic Energy Agency

IATA n.pr. IATA; abbr. of International Air Transport Association

ibbies v. to grow hard

iben n.m. (pl. **ulied**) [illegible] **ħadlu b'ibnu** (**u bin Alla**) he adopted him

ibgħad aġġ. komp. more distant

ibisku n.m. hibiscus

iblah n.m. (pl. **boloh**) fool // aġġ. sottish, foolish; ~ **karnival** immature; ~ **min jagħmlu** he is certainly not stupid; **nagħmilha tal-~** to play the fool; **l-~ t'ommu** a mummy's boy; **mhux ~ daqskemm ikrah** he is not that stupid; **mhux** ~ he's not stupid

ibridiżm|u n.m. (pl. ~**i**) hybridism

ibridu aġġ. hybrid

ibtar aġġ. tailless

id n.f. (pl. ~**ejn**) hand; **kitba bl-~** handwriting; **ta daqqa ta'** ~ to bear a hand; ~**ejh fuq żaqqu** to stand idle; ~**u magħluqa** miser; **ġie fl-~ejn** to come to blows; **ta b'~u miftuħa** to give open handedly; **medd ~u** he gave a helping hand; **gidem ~u** he was out of his wits; ~**u f'~u** poor; ~ **f'~** birds of the same feather; ~**u tieklu** he desperately wants to; **taħt ~ejh** under his supervision; **donnha ~ Malku** always ready to slap; ~ **taħsel l-oħra** in a symbiotic situation; **ma jġibx għal ~u** much weaker than the other ; **laqa' ~u** he put out his hands; ~**u fuq qalbu** very sorry; **b'~u fuq sidru** admitting liability; **ħadlu b'~u** he shook hands with him; (ferahlu) he congratulated with him; **żamm ~u** he acted miserly; ~ **tal-ħadid** disciplined person; **ġiebu għal ~ejh** he beat him up; **imidd ~ejh għal kollox** a jack of all trades; **~ejh fuq żaqqu** lazily; **ħasel ~ejh** he stepped out of the business; **qatagħlu jdejh** he burdened him with more work; (inf.) he sent him to the gallows; **laqgħu b'~ejh miftuħa** he greeted him; **dar f'~ejh** he has a house; **x'mar jagħmel b'~ejh** look at what he has done!; **ġie taħt ~ejh** he is his superior; (sab) he found it accidentally

ID n.m. ID (Identification); (karta tal-identità) ID card

idda v. to shine, to glisten, to glow; (ġarr) to bear, to bring, to carry; (ikkumpensa) to reward, to consign

idden v. to crow

iddew inter. pray, please, I desire you

idea n.f. (pl. ~**t**) idea

ideal n.m. (pl. ~**i**) ideal

ideali aġġ. ideal

idealist n.m. (pl. ~**i**) idealist

idealiżm|u n.m. (pl. ~**i**) idealism

idealizza v. to idealize

idealizzat pp. idealized

idealizzazzjoni n.f. (pl. ~**jiet**) idealization

identifika v. to identify

identifikat pp. identified

identifikazzjoni n.f. (pl. ~**jiet**) identification

identiku aġġ. identical

identit|à n.f. (pl. ~**ajiet**) identity

ideoloġij|a n.f. (pl. ~**i**) ideology

ideoloġiku aġġ. ideological

ideoloġist|a n.m. (pl. ~**i**) ideologist

idgħam aġġ. dark

idi n (pl. bla s.) ides

idillj|u n.m. (pl. ~**i**) idyl, idyll

idjaq aġġ. komp. narrower, straiter

idjom|a n.f. (pl. ~**i**) idiom

idjomatiku aġġ. idiomatic

idjosinkrazij|a n.f. (pl. ~**i**) idiosyncrasy

idjot|a n.m. (pl. ~**i**) idiot, fool

idolatrij|a n.f. (pl. ~**i**) idolatry

idolatr|u n.m. (pl. ~**i**) idolater

idol|u n.m. (pl. ~**i**) idol

idoneu aġġ. fit (for), apt (to)

idr|a n.f. (pl. ~**i**) hydra

idrofobja n.f. (pl. ~**t**) hydrophobia

idrofobu aġġ. hydrophobic

idroġen|u n.m. (pl. ~**i**) hydrogen

idrografij|a n.f. (pl. ~**i**) hydrography
idrografiku aġġ. hydrographic(al)
idrograf|u n.m. (pl. ~**i**) hydrographer
idroloġij|a n.f. (pl. ~**i**) hydrology
idrolog|u n.m. (pl. ~**i**) hydrologist
idromel n.m. (pl. ~**ijiet**) hydromel
idrometrij|a n.f. (pl. ~**i**) hydrometry
idrometriku aġġ. hydrometric(al)
idrometr|u n.m. (pl. ~**i**) water-guage
idropiku aġġ. dropsical
idroplan n.m. (pl. ~**i**) seaplane
idropsij|a n.f. (pl. ~**i**) dropsy
idrostatika n.f. (bla pl.) hydrostatics
idrostatiku aġġ. hydrostatic(al)
idroterapij|a n.f. (pl. ~**i**) hydrotherapeutics
idroterapiku aġġ. hydrotherapeutic
ifqar aġġ. komp. poorer
iġhar aġġ. beetle-eyed, short-sighted
iġżem aġġ. shaved
ikel n.m. (bla pl.) victual, aliment, food; **kellu ~ indannat** he was very itchy; **l-~ għadda** he digested the food
ikħal aġġ. blue, azure
ikl|a n.f. (pl. ~**iet**) meal; **tilef l-~a** he satisfied his hunger with a snack; **kiel ~a -** he suffered a hell of -
ikon|a n.f. (pl. ~**i**) icon
ikonografij|a n.f. (pl. ~**i**) iconography
ikonografiku aġġ. iconographic(al)
ikonograf|u n.m. (pl. ~**i**) iconographer
ikonoklast|a n.m. (pl. ~**i**) iconoclast
ikonoklastiku aġġ. iconoclastic
ikrah aġġ. ugly; **ġie fl-~** they quarrelled
iksja n.f. (pl. ~**t**) ixia
'il prep. to
il- art the
ilj|u n.m. (pl. ~**i**) ilium
illazzjoni n.f. (pl. ~**jiet**) illation
illeċitu aġġ. illicit
illeġibbli aġġ. illegible
illeġittimu aġġ. illegitimate
illegali aġġ. illegal, unlawful
illegalit|à n.f. (pl. ~**ajiet**) illegality, unlawfulness
illegalment avv. illegally, unlawfully
illetterat aġġ. unlettered, unlearned
illi kong that, which
illoġiku aġġ. illogical
illum avv. to-day; ~ **il-ġurnata** nowaday(s); ~ ~**!** this day will not be forgotten; **daqs ~ u għada** huge; **qisu llum u għada** he does not know what to do; ~ **qabel għada** as quickly as possible; **mil-lum għal għada** hurriedly
illumina v. to illuminate, to illume
illuminat pp. illuminated
illuminazzjoni n.f. (pl. ~**jiet**) illumination
illustra v. to illustrate
illustrat pp. illustrated
illustrattiv aġġ. illustrative
illustrazzjoni n.f. (pl. ~**jiet**) illustration
illustri aġġ. illustrious
illużjoni n.f. (pl. ~**jiet**) illusion
illużjonist|a n.m. (pl. ~**i**) illusionist
illużorju aġġ. illusive
ilma n.m. (pl. **ilmijiet**) water; ~ **baħar** sea water; ~ **ġieri** spring water; ~ **ħelu** fresh water; ~ **kiesaħ** cold water; ~ **mbierek** holy water; ~ **minerali** mineral water; ~ **sħun** hot water; ~ **tal-mejda** table water; ~ **tal-ward** rose-water; ~ **qiegħed** stagnant water; ~ **żahar** orange water; **sar ~** he sweated a lot; **taħt l-~** in need of help; **għażaq fl-~** useless efforts; **ħożż fl-~!** do not count on that!; **f'~ wieħed** in the same situation; **għadha ~** a new-born child; **qisu qed jixrob l-~** very rapidly; **f'dak l-~** in that situation; **għamel l-~** it rained; (is-saqaf) it is leaking; **tari ~** very tender; **jorqod fl-~** a person who sleeps everywhere
ILO n.pr. ILO; abbr. of International Labour Organisation
imam n.m. (pl. ~**ijiet**) imam
imara n.m. (bla pl.) wish
imballa v. to bale
imballat pp. baled
imballaġġ n.m. (pl. ~**i**) packing
imballatur n.m. (pl. ~**i**) packer
imballatur|a n.f. (pl. ~**i**) packing
imbarazz n.m. (pl. ~**i**) embarrassment, litter, lumber
imbarazza v. to embarrass
imbarazzat pp. embarrassed
imbark n.m. (pl. ~**i**) embarkation, embarking
imbarka v. to embark
imbarkat pp. embarked, shipped
imbarkatur n.m. (pl. ~**i**) embarker
imbarra v. to bar
imbarrat pp. blocked up
imbast|a n.f. (pl. ~**i**) tuck // inter. as long as it is so
imbatt n.m. (bla pl.) choppy sea
imbeċilli aġġ. imbecile
imbevut pp. imbued (with)
imblokk n.m. (pl. ~**i**) blockade, siege
imblokka v. to blockade, to block up
imblukkat pp. blocked (up)
imbokka v. to put food into someone's mouth
imbokkat pp. put food into someone's mouth
imbolla v. to stamp
imbollat pp. stamped

imborna v. to burnish
imbornitur n.m. (pl. ~**i**) a burnishing tool, burnisher
imbornitur|a n.f. (pl. ~**i**) burnishing
imbornut pp. burnished
imborża v. to pocket, to put into one's purse
imborżat pp. pocketed
imbotta v. to push
imbraga v. to sling, to tie, to put the breeching on
imbragat pp. to slinged
imbragatur|a n.f. (pl. ~**i**) fastening
imbras ġew avv. to tie
imbrolja v. to cheat, to swindle
imbrolj|a n.f. (pl. ~**i**) fraud
imbroljun n.m. (pl. ~**i**) swindler
imbrukkat n.m. (pl. ~**i**) brocade
imbruljat pp. confused
imbrunali n. (pl. bla s.) scuppers
imbokkatur|a n.f. (pl. ~**i**) embouchure
imbuljuta n.f. (bla pl.) boiled chestnut
imbullat pp. stamped
imbullatur|a n.f. (pl. ~**i**) stamping
imbuskat|a n.f. (pl. ~**i**) ambush
imbuttat pp. pushed
imbuttatur|a n.f. (pl. ~**i**) thrust
imb wiċċ avv. face to face
imene n.f. (bla pl.) hymen
imenotteru aġġ. hymenopteral, hymenoperous
IMF n.f. IMF; abbr. of International Monetary Fund
iminew n.m. (pl. ~**ej**) hymen
imita v. to imitate
imitabbli aġġ. imitable
imitat pp. imitated
imitattiv aġġ. imitative
imitatur n.m. (pl. ~**i**) imitator
imitazzjoni n.f. (pl. ~**jiet**) imitation
imma konġ. but, nevertheless // nm, (pl. ~**iet**) vice, fault, blemish, imperfection
immaġina v. to imagine
immaġinabbli aġġ. imaginable
immaġinarju aġġ. imaginary
immaġinat pp. imaginated
immaġinattiv aġġ. imaginative
immaġinattiv|a n.f. (pl. ~**i**) imaginative
immaġinazzjoni n.f. (pl. ~**jiet**) imagination
immaġni n.f. (pl. ~**jiet**) image
immakulat aġġ. immaculate
immaterjali aġġ. immaterial
immatur aġġ. unripe, immature
immaturit|à n.f. (pl. -**ajiet**) immaturity, unripeness
immedjat aġġ. immediate
immedjatament avv. immediately
immela konġ. then, certainly, therefore
immemorabbli aġġ. immemorial
immens aġġ. immense
immensament avv. immensely
immensit|à n.f. (pl. ~**ajiet**) immensity
immersjoni immersion
immigrant n.m. (pl. ~**i**) immigrant
immigrazzjoni n.f. (pl. ~**jiet**) immigration
imminenti aġġ. imminent
immorali aġġ. immoral
immoralit|à n.f. (pl. ~**ajiet**) immorality
immortali aġġ. immortal
immortalit|à n.f. (pl. ~**ajiet**) immortality
immuni aġġ. immune
immunit|à n.f. (pl. ~**ajiet**) immunity
imnarj|a n.f. (pl. ~**i**) illumination
impaġna v. to arrange in pages, to make up
impaġnat pp. arranged in pages
impaġnatur n.m. (pl. ~**i**) maker-up
impaġinazzjoni n.f. (pl. ~**jiet**) make-up, making-up
impalpabbli aġġ. impalpable, intangible
imparzjali aġġ. impartial
imparzjalit|à n.f. (pl. ~**ajiet**) impartiality
impass n.m. (pl. ~**i**) impasse
impassibbilt|à n.f. (pl. ~**ajiet**) impassibility
impassibbli aġġ. impassible
impediment n.m. (pl. ~**i**) impediment
impedixxa v. to impede, to hinder, to prevent (from)
impedut pp. impeded
impenja v. to engage, to work hard
impenjat pp. engaged
impe|nn n.m. (pl. ~**nji**) engagement
imperattiv aġġ. imperative
imperattivament avv. imperatively
imperatriċi n.f. (pl. ~**jiet**) empress
imperatur n.m. (pl. ~**i**) emperor
imperċettibbli aġġ. imperceptible
imperfett aġġ. imperfect
imperfezzjoni n.f. (pl. ~**jiet**) imperfection
imperjali aġġ. imperial
imperjalist n.m. (pl. ~**i**) imperialist
impermeabbli aġġ. impermeable
impersonali aġġ. impersonal; **verb** ~ impersonal verb
impersonalment avv. impersonally
impertinenti aġġ. impertinent
impertinenz|a n.f. (pl. ~**i**) impertinence
imper|u n.m. (pl. ~**i**) empire
impesta v. to plague, to taint
impestat pp. plague-stricken
impika v. to pique
impikat pp. piqued

impjant n.m. (pl. ~**i**) plant, installation
impjastr|u n.m. (pl. ~**i**) plaster; **donnu ~u** an annoying person
impjega v. to employ
impjegat n.m. (pl. ~**i**) employee // aġġ. employed
impjieg n.m. (pl. ~**i**) employment; **bla ~** unemployed
impliċitament avv. implicitly
impliċitu aġġ. implicit
implika v. to implicate
implikat pp. implicated, involved
implikazzjoni n.f. (pl. ~**jiet**) implication
impona v. to impose, to command
imponderabbli aġġ. imponderable
imponenti aġġ. grand, majestic
imponenz|a n.f. (pl. ~**i**) magnificence
imponut pp. imposed
impoppa avv. to sail before the wind; **bir-riħ ~** everything is going well
importa v. to matter; (prodotti, eċċ.) to import; **ma jimpurtax** it does not matter; **x'j~?** what does it matter
importanti aġġ. important
importanza n.f. (bla pl.) importance
importatur n.m. (pl. ~**i**) importer
importazzjoni n.f. (pl. ~**jiet**) importation, import
impossibbiltà n.f. (pl. ~**jiet**) impossibility
impossibbli aġġ. impossible
impost aġġ. imposed
imposta v. to post
impostazzjoni n.f. (pl. ~**jiet**) posting
impossessa v. to take possession (of)
impustur n.m. (pl. ~**i**) imposter, counterfeit
impostura v. to fume, to flatter, to praise falsely // **impostur|a** n.f. (pl. ~**i**) imposture
impotenti aġġ. impotent, powerless
impotenz|a n.f. (pl. ~**i**) impotence, impotency
imprattikabbli aġġ. impracticable
impreċiż aġġ. unprecise
imprenditur n.m. (pl. ~**i**) undertaker
impreskrittibbli aġġ. indefeasible
impressjona v. to impress
impressjonabbli aġġ. impressionable
impressjonat pp. deeply affected, impressed
impressjoni n.f. (pl. ~**jiet**) impression
imprest n.m. (pl. ~**i**) loan
imprezzabbli aġġ. inestimable, invaluable
impreżarj|u n.m. (pl. ~**i**) manager
impriġuna v. to imprison
impriġunat pp. imprisoned
impriż|a n.f. (pl. ~**i**) enterprise
impronta v. to improvise
improntat pp. improvised
improvviża v. to extemporise, to improvise
improvviżat pp. extempore, offhand; **diskors ~** extempore speech
improvviżatur n.m. (pl. ~**i**) improvisator
improvvizzazzjoni n.f. (pl. ~**jiet**) improvisation
imprudenti aġġ. imprudent
imprudenz|a n.f. (pl. ~**i**) imprudence
impuls n.m. (pl. ~**i**) impulse
impulsiv aġġ. impulsive
impunit|à n.f. (pl. ~**ajiet**) impunity
impunja v. to fight, to impugn, to contest
impunjat pp. impugned, contested
impur aġġ. impure
impurit|à n.f. (pl. ~**ajiet**) impurity
impurtat pp. imported
impustat pp. posted
imputat n.m. (pl. ~**i**) accused, defendant
inabitabbli aġġ. uninhabitable
inaċċessibbli aġġ. inaccessible
inaċċettabbli aġġ. unacceptable
inammissibbli aġġ. inadmissible
inappellabbli aġġ. inappellable
inapplikabbli aġġ. inapplicable
inapprezzabbli aġġ. invaluable, inestimable
inattakkabbli aġġ. unattackable
inattiv aġġ. inactive
inawgura v. to inaugurate
inawgurat pp. inaugurated
inawgurazzjoni n.f. (pl. ~**jiet**) inauguration
inbjank avv. blank; **ċekk iffirmat ~** blank cheque
inċana v. to plane
inċendjarju aġġ. incendiary
inċendj|u n.m. (pl. ~**i**) fire, great fire
inċens n.m. (pl. ~**i**) incense, olibanum
inċensa v. to incense; **iħobb j~ a** flatterer
inċensat pp. incensed
inċensazzjoni n.f. (pl. ~**jiet**) incensing
inċentiv n.m. (pl. ~**i**) incentive
inċert aġġ. uncertain
inċertezz|a n.f. (pl. ~**i**) uncertainty
inċest n.m. (pl. ~**i**) incest
inċida v. to incise, to engrave
inċident n.m. (pl. ~**i**) accident
inċidentali n.f. (pl. ~**jiet**) accidental
inċidentalment avv. accidentally
inċineratur n.m. (pl. ~**i**) incinerator
inċinta aġġ. pregnant
inċira n.f. (bla pl.) sealing-wax
inċirat|a n.f. (pl. ~**i**) tarpaulin, oil cloth; (għaxxita) water-proof; **~a tal-kisi** linoleum
inċirka avv. about
inċis n.m. (pl. ~**ijiet**) inch tape, tape measure
inċitament n.m. (pl. ~**i**) incitement

inċiż aġġ. engraved, incised
inċiżiv aġġ. incisive
inċiżjoni n.f. (pl. ~**jiet**) incision
inċiżur n.m. (pl. ~**i**) engraver
inċov|a n.f. (pl. ~**i**) anchovy
indaga v. to inquire, to investigate
indagat pp. investigated
indan|a n.f. (pl. ~**i**) landing
indanna v. to damn
indannat pp. damned
indannazzjoni n.f. (pl. ~**jiet**) damnation
indeċenti aġġ. indecent
indeċenz|a n.f. (pl. ~**i**) indecency
indeċifrabbli aġġ. indecipherable
indeċiż aġġ. undecided
indeċiżjoni n.f. (pl. ~**jiet**) indecision
indefinit aġġ. indefinite
indefinittivament avv. indefinitely
indeklinabbli aġġ. indeclinable
indemonja v. to demonize
indemonjat pp. demoniac
indenja v. to deign
indenjament avv. unworthily
indenn aġġ. unworthy
indennit|à n.f. (pl. ~**ajiet**) indemnity
indennizz n.m. (pl. ~**i**) indemnification
indennizza v. to indemnify
indennizzat pp. indemnified
indeskrivibbli aġġ. indescribable
indeterminabbli aġġ. indeterminable
indeterminat pp. indeterminate
indiċi n.m. (pl. ~**jiet**) index
indifferenti aġġ. indifferent
indifferenz|a n.f. (pl. ~**i**) indifference
indifiż aġġ. undefended
indiġenu aġġ. indigenous
indiġest aġġ. indigestible
indiġestjoni n.f. (pl. ~**jiet**) indigestion
indika v. to indicate
indikat pp. indicated
indikattiv aġġ. indicative
indikazzjoni n.f. (pl. ~**jiet**) indication
indinjit|à n.f. (pl. ~**ajiet**) indignity
indipendentement avv. independently
indipendenti aġġ. independent
indipendenz|a n.f. (pl. ~**i**) independence
indirett aġġ. indirect
indirettament avv. indirectly
indirizz n.m. (pl. ~**i**) address
indirizza v. to address
indirizzat pp. addressed
indiskret aġġ. indiscreet
indiskrezzjoni n.f. (pl. ~**jiet**) indiscretion
indispensabbli aġġ. indispensable
indispost pp. indisposed
indispożizzjoni n.f. (pl. ~**jiet**) indisposition
indisputabbli aġġ. indisputable
indissolubbli aġġ. indissoluble
indistint aġġ. indistinct
indistruttibbli aġġ. indestructible
indisturbat pp. undisturbed
individwali aġġ. individual
individwaliżm|u n.m. (pl. ~**i**) individualism
individwalit|à n.f. (pl. ~**ajiet**) individuality
individwalment avv. individually
individw|u n.m. (pl. ~**i**) individual
indiviż aġġ. undivided
indiviżibbli aġġ. indivisible
indivj|a n.f.koll. (pl. ~**i**) endive
indixxiplinat aġġ. indisciplined
indizzjoni n.f. (pl. ~**jiet**) indiction
Indjan n.m. (pl. ~**i**) Indian // aġġ. Indian; **ghamilha tal**-~ to feign ignorance
indjana n.f. (pl. **indjajjen**) printed calico
indokra v. to guard, to beware, to watch over, to eye
indolenti aġġ. indolent
indolenz|a n.f. (pl. ~**i**) indolence
indovna v. to guess, to surmise
indovnat pp. guessed, surmised
indubbjament avv. undoubtedly
indubitabbli aġġ. indubitable
indukrat pp. guarded, watched, cared for
indulġenti aġġ. indulgent
indulġenz|a n.f. (pl. ~**i**) indulgence
indult n.m. (pl. ~**i**) indult
induna v. to perceive, to discover
indunat pp. perceived, discovered
indura v. to gild
indurat pp. gilt
induratur n.m. (pl. ~**i**) gilder
induratur|a n.f. (pl. ~**i**) gilding
industrij|a n.f. (pl. ~**i**) industry
industrijali aġġ. industrial
ineffiċjenti aġġ. inefficient
ineffiċjenz|a n.f. (pl. ~**i**) inefficiency
inerzja n.f. (bla pl.) inertness, inactivity
inevitabbli aġġ. inevitable
ineżatt aġġ. inexact
ineżattezz|a n.f. (pl. ~**i**) inexactness
ineżorabbli aġġ. inexorable
infallibbilt|à n.f. (pl. -**ajiet**) infallibility
infallibbli aġġ. infallible
infama v. to defame
infamanti aġġ. disgracing, disgraceful
infamat pp. disgraced, covered with infamy

infami aġġ. infamous
infamja n.f. (bla pl.) infamy
infantiċidj|u n.m. (pl. ~**i**) infanticide
infantili aġġ. infantile
infarinat aġġ. soiled with flour
infart n.m. (pl. ~**i**) infarct, infarction (heart attack)
infatti avv. in fact
infatwa v. infatuate
infatwat aġġ. infatuated
infedelt|à n.f. (pl. ~**ajiet**) infidelity, unfaithfulness
infeliċi aġġ. unhappy
infeliċit|à n.f. (pl. ~**ajiet**) unhappiness
inferjorit|à n.f. (pl. ~**ajiet**) inferiority
inferjuri aġġ. inferior
infermerij|a n.f. (pl. ~**i**) infirmary
infermier n.m. (pl. ~**a**) hospital attendant
infern n.m. (pl. ~**jiet**) hell
infernali aġġ. infernal, hellish
infetaq v. was unsewn, was unstitched, became ruptured or hernious
infetta v. to infect
infettat pp. infected
infezzjoni n.f. (pl. ~**jiet**) infection
infidil aġġ. unfaithful
infileġ v. became paralytic, drained from strength
infinit aġġ. infinite
infinit|à n.f. (pl. ~**ajiet**) infinity
infinitament avv. infinitely
infiniteżimali aġġ. infinitesimal
infjammabbli aġġ. inflammable
infjammazzjoni n.f. (pl. ~**jiet**) inflammation
inflazzjoni n.f. (pl. ~**jiet**) inflation
inflessibbli aġġ. inflexible
inflessjoni n.f. (pl. ~**jiet**) inflexion
influwenti aġġ. influential
influwenz|a n.f. (pl. ~**i**) influence; ~**a Spanjola** Spanish flu
influwenzat pp. influenced
informa v. to inform
informattiv aġġ. informative
informazzjoni n.f. (pl. ~**jiet**) information
informi aġġ. shapeless
inforna v. to put into the oven
inforra v. to line, lining; ~**t** lined // n.f. (pl. **inforor**) lining
inforrat pp. lined
inforza v. to enforce
inforzat pp. enforced
infoska v. to grow angry, to be vexed, to be enraged
infrastruttur|a n.f. (pl. ~**i**) infrastructure
infrazzjoni n.f. (pl. ~**jiet**) infraction
infurja v. to enrage
infurjat pp. enraged, out of temper
infurmat pp. informed
infurnat|a n.f. (pl. ~**i**) ovenful, batch
infurrat pp. lining
infurzat pp. enforced
inġazza v. to freeze
inġazzat pp. frozen
inġenja v. to do one's best, to endeavour
inġenjożit|à n.f. (pl. ~**ajiet**) ingeniousness, ingenuity
inġenj|u n.m. (pl. ~**i**) talent, genius
inġenjuż aġġ. ingenious, industrious
inġenwit|à (nf, pl. ~**ajiet**) ingenuity
inġenwu aġġ. ingenuous
inġenerij|a n.f. (pl. ~**i**) engineering
inġinier n.m. (pl. ~**i**) engineer
inġir avv. in a circle
inġunzjoni n.f. (pl. ~**jiet**) injunction
inġurja v. to insult, to revile // **inġurj|a** n.f. (pl. ~**i**) insult, affront
inġurjat pp. insulted, affronted
inġurjuż aġġ. insulting, outrageous
inġust aġġ. unjust
inġustament avv. unjustly
inġustizzj|a n.f. (pl. ~**i**) injustice
ingaġġa v. to engage
ingaġġat pp. engaged
ingalja v. to chase a channel or trench in a wall
ingaljat pp. chased, trenched
ingallat aġġ. fecundated
ingann n.m. (pl. ~**i**) deceit, deception
inganna v. to deceive
ingannat pp. deceived
ingannatur n.m. (pl. ~**i**) deceiver
ingarżat n.m. (pl. ~**i**) a person who keeps a mistress, who lives with a woman who is not his wife, concubinary
ingassa v. (1) to cancel, to obliterate; (2) to noose
ingassa n.f. (pl. ~**i**) noose
ingassat pp. cancelled, obliterated
ingassatur|a n.f. (pl. ~**i**) obliteration
ingast n.m. (pl. ~**i**) bezel
ingasta v. to set, to insert
ingastat pp. setted, inserted
inglett n.m. (pl. ~**i**) mitre block, mitre box
Ingliterra n.f.pr. England
Ingliż aġġ. u n.m. (pl. ~**i**) English
ingombra v. to encumber // **ingombr|a** n.m. (pl. ~**i**) encumberment
ingott n.m. (pl. ~**i**) ingot
ingrana v. to be in gear, to mesh
ingranaġġ n.m. (pl. ~**i**) gearing, gear
ingranat pp. geared

ingrandiment n.m. (pl. ~**i**) enlargement
ingrat aġġ. ungrateful
ingratitudni n.f. (pl. ~**jiet**) ungratefulness
ingravat|a n.f. (pl. ~**i**) cravat, necktie
ingredjent n.m. (pl. ~**i**) ingredient
ingress n.m. (pl. ~**i**) entrance, admittance
ingropp n.m. (pl. ~**i**) knot
ingropp|a n.f. (pl. ~**i**) haunch
ingross|a n.f. (pl. ~**i**) gross
ingumbrat pp. encumbered
ingwala v. to get on well with
ingwalat pp. got on well with
ingwant|a n.f. (pl. ~**i**) glove; **jiġih** ~ it fits like a glove
ingwent n.m. (pl. ~**ijiet**) ointment
inibit pp. inhibited
inibitorju aġġ. inhibitory
inibixxa v. to inhibit
inibizzjoni n.f. (pl. ~**jiet**) inhibition
inimitabbli aġġ. inimitable
inizjala v. to initial // **inizjal|a** n.f. (pl. ~**i**) initial letter
inizjali aġġ. initial
inizjattiva n.f. (pl. ~**i**) initiative
injam n.m.koll. f. ~**a** (pl. ~**iet**) wood
injetta v. to inject
injettat pp. injected
injezzjoni n.f. (pl. ~**jiet**) injection
injorant aġġ. ignorant, unlearned
injoranz|a n.f. (pl. ~**i**) ignorance
inka n.f. (bla pl.) ink
inkalja v. to ground, to strike, to strand
inkaljat pp. broiled, stranded; **kafè** ~ roasted coffee
inkaljatur n.m. (pl. ~**i**) coffee-roaster
inkalkulabbli aġġ. incalculable
inkalla v. to become callous, to become hard
inkallat pp. hardened
inkandexxenti aġġ. incandescent
inkapaċi aġġ. unable, incapable
inkapaċit|à n.f. (pl. ~**ajiet**) inability (to), incapacity (for)
inkapaċitat pp. incapacitated, disabled
inkappa v. to get (into), to fall (into)
inkappat pp. got (into), fall (into)
inkariga v. to entrust (with), to charge (with)
inkarigat pp. charged (with)
inkarig|u n.m. (pl. ~**i**) appointment, task
inkarna v. to incarnate
inkarnat pp. incarnate
inkarnazzjoni n.f. (pl. ~**jiet**) incarnation
inkartament n.m. (pl. ~**i**) dossier, documents
inkassa v. to cash, to box
inkassat pp. cashed, boxed
inkatna v. to chain, to enchain
inkatnat pp. chained, enchained
inkaxxa v. to encase
inkaxxat pp. encased
inkazza v. to despair
inkazzat pp. despaired
inkejjuż aġġ. spiteful
inkella avv. otherwise, else
inkin n.m. (pl. ~**i**) bow, curts(e)y
inkwiżitur n.m. (pl. ~**i**) inquisitor
inkwiżizzjoni n.f. (pl. ~**jiet**) inquisition
inkja v. to ink
inkjest|a n.f. (pl. ~**i**) inquiry, quest
inkjostru n.m. (pl. ~**i**) printing ink
inklelè avv. otherwise, else
inklina v. to incline
inklinat pp. inclined
inklinazzjoni n.f. (pl. ~**jiet**) inclination
inkluda v. to include
inkluż pp. included
inklużjoni n.f. (pl. ~**jiet**) inclusion
inkoerenti aġġ. incoherent
inkoerenz|a n.f. (pl. ~**i**) incoherence
inkolla v. to stick, to paste, to glue
inkollat ara **inkullat**
inkollatur|a n.f. (pl. ~**i**) sticking, pasting
inkolma v. to fill (up)
inkomda v. to incommode, to trouble
inkomodat pp. inconvenienced
inkomodu n.m. (pl. ~**i**) inconvenience
inkomparabbli aġġ. incomparable
inkompatibbli aġġ. incompatible
inkompetenti aġġ. incompetent
inkompetenz|a n.f. (pl. ~**i**) incompetence
inkomplut aġġ. incomplete
inkomprensibbli aġġ. incomprehensible
inkondizzjonat aġġ. unconditional
inkondizzjonalment avv. unconditionally
inkonfutabbli aġġ. irrefutable
inkongruwenti aġġ. incongruous
inkongruwenz|a n.f. (pl. ~**i**) incongruity, incongruousness
inkonkludenti aġġ. inconclusive
inkonsistenti aġġ. inconsistent
inkonsistenz|a n.f. (pl. ~**i**) inconsistency
inkontaminat aġġ. uncontaminated
inkontestabbli aġġ. incontestabile
inkontestat aġġ. uncontested
inkontinenz|a n.f. (pl. ~**i**) incontinence
inkontra v. to meet
inkontrat pp. met
inkontr|u n.m. (pl. ~**i**) meeting
inkonvenjent n.m. (pl. ~**i**) inconvenience

inkonvenjenz|a n.f. (pl. ~**i**) inconvenience
inkorla v. to fall in a passion, to rage
inkorporat pp. incorporated
inkorporazzjoni n.f. (pl. ~**jiet**) incorporation
inkorreġġibbli aġġ. incorrigible
inkorrett aġġ. incorrect
inkorrettizz|a n.f. (pl. ~**i**) incorrectness
inkorruttibbli aġġ. incorruptible
inkredibbli aġġ. incredibile
inkredulu aġġ. incredulous
inkrement n.m. (pl. ~**i**) increment
inkrepattiv aġġ. spiteful
inkrepazzjoni n.f. (pl. ~**jiet**) spite
inkrimina v. to incriminate
inkriminat pp. incriminated
inkubatur n.m. (pl. ~**i**) incubator
inkub|u n.m. (pl. ~**i**) incubus
inkullat pp. glued
inkulmat pp. filled (up)
inkurabbli aġġ. incurable
inkuraġġiment n.m. (pl. ~**i**) encouragement
inkuraġġixxa v. to encourage
inkuraġġut pp. encouraged
inkurlat pp. angry, enraged; **kien** ~ **għal xi persuna** to be angry with someone
inkuruna v. to crown
inkurunat pp. crowned (with)
inkurunazzjoni n.f. (pl. ~**jiet**) coronation
inkwantu avv. as regards
inkwatr|u n.m. (pl. ~**i**) picture, painting
inkwiet n.m. (bla pl.) disquiet // aġġ. unquiet, restless
inkwieta v. to disquiet
inkwin|a n.f. (pl. ~**i**) anvil
inkwiżitur n.m. (pl. ~**i**) inquisitor
inkwiżizzjoni n.f. (pl. ~**jiet**) inquisition
innutat pp. noted
inqabad v. was caught, was captured
inqas aġġ. komp. less; **għall-~** at least; ~ **minn** lower than, inferior to; **wieħed** ~ one less
insalat|a n.f. (pl. ~**i**) salad
insensat aġġ. senseless, silly
insensibbli aġġ. insensible
inseparabbli aġġ. inseparable
insett n.m. (pl. ~**i**) insect
insettiċid|a n.m. (pl. ~**i**) insecticidal
insettoloġij|a n.f. (pl. ~**i**) insectology
insinifikanti aġġ. insignificant
insinja n.pl. insignia
insinwa v. to insinuate
insinwat pp. insinuated
insinwazzjoni n.f. (pl. ~**jiet**) insinuation
insista v. to insist
insistenti aġġ. insistent
insistenz|a n.f. (pl. ~**i**) insistence
insistit pp. insisted
insolenti aġġ. insolent
insolenz|a n.f. (pl. ~**i**) insolence
insolja n.f.koll. an early kind of grape
insolubbli aġġ. insoluble
insomma avv. after all, in short
insonja n.f. (bla pl.) sleeplessness
insapportabbli aġġ. unbearable
insostenibbli aġġ. unsustainable
insubordinat aġġ. insubordinate
insubordinazzjoni n.f. (pl. ~**jiet**) insubordination
insuffiċjenti aġġ. insufficient
insulari aġġ. insular
insulenta v. to be insolent
insulentat pp. insolented
insulin|a n.f. (pl. ~**i**) insulin
insult n.m. (pl. ~**i**) insult
insulta v. to insult
insultat pp. insulted
insuperabbli aġġ. insuperable
int pron. pers. you, thou; **min ~?** who are you; ~ **stess** you yourself
intalja v. to carve, to incise, to engrave
intaljat pp. carved, incised
intaljatur n.m. (pl. ~**i**) carve
intall n.m. (pl. **intalji**) engraving, carving
intant avv. meanwhile
intappa v. to bung, to cork
intappat pp. corked
intars n.m. (pl. ~**i**) inlay
intarsja v. to inlay
intarsjar n.m. (bla pl.) marquetry, inlaid work
intarsjat pp. inlaid
intarsjatur n.m. (pl. ~**i**) inlayer
intatt aġġ. untouched
intaxxa v. to tax, to assess
intaxxat pp. taxed, assessed
integrall aġġ. integral
intellett n.m. (pl. ~**i**) intellect
intellettwali aġġ. intellectual
intelliġenti aġġ. intelligent
intelliġenz|a n.f. (pl. ~**i**) intelligence
intelliġibbli aġġ. intelligibile
intens aġġ. intense
intensament avv. intensely
intensit|à n.f. (pl. ~**ajiet**) intensity
intensiv aġġ. intensive
intent n.m. (pl. ~**i**) intent (on)
intenzjonat aġġ. disposed, willing
intenzjoni n.f. (pl. ~**jiet**) intention
interament avv. entirely, wholly, completely
interċessjoni n.f. (pl. ~**jiet**) intercession

interċessur n.m. (pl. ~**i**) intercessor
interċetta v. to intercept
interċettat pp. intercepted
interdett n.m. (pl. ~**i**) interdict
interess (n.m., p1 ~**i**) interest; **fl-~ tiegħi, jiswa lili li nagħmel dak** it is in my interest to do that
interessa v. to interest
interessanti aġġ. interesting
interessat pp. interested
interite n.f. (pl. ~**jiet**) enteritis
interjezzjoni n.f. (pl. ~**jiet**) interjection
interjuri n.pl. entrails
interludj|u n.m. (pl. ~**i**) interlude
intermedjarj|u n.m. (pl. ~**i**) intermediary
intermezz n.m. (pl. ~**i**) intermezzo
interminabbli aġġ. interminable, endless
intermittenti aġġ. intermittent
intern aġġ. internal
intern n.m. (pl. ~**i**) interior, inside; **Ministeru tal I[illegible]** Ministry for Home Affairs
interna v. to intern
internament avv. inside, internally, innerly
internat pp. interned
internat n.m. (pl. ~**i**) internee
internazzjonali aġġ. international
interpella v. to interpellate
interpellanz|a n.f. (pl. ~**i**) interpellation
interpellat pp. interpellated
interpreta v. to interpret
interpretat pp. interpreted
interpretazzjoni n.f. (pl. ~**jiet**) interpretation
interpret|u n.m. (pl. ~**i**) interpreter
interroga v. to interrogate, to question, to ask
interrogant n.m. (pl. ~**i**) interrogator
interrogat pp. interrogated, asked, questioned
interrogattiv aġġ. interrogative
interrogattivament avv. interrogatively
interrogatorj|u n.m. (pl. ~**i**) interrogatory
interrogazzjoni n.f. (pl. ~**jiet**) interrogation
interrompa v. to interrupt
interrott pp. interrupted
interruzzjoni n.f. (pl. ~**jiet**) interruption
intervall n.m. (pl. ~**i**) interval
intervista v. to interview
intervist|a n.f. (pl. ~**i**) interview
intervistat pp. interviewed
interzja ara **intarsja**
intestatur|a n.f. (pl. ~**i**) heading, title
inti pron. pers. you
intier aġġ. entire
intimu aġġ. intimate
intitolat aġġ. entitled
intiż aġġ. learned
intollerabbli aġġ. intolerable, unbearable
intolleranti aġġ. intollerant
intolleranz|a n.f. (pl. ~**i**) intollerance
intom pron. pers. you (pl. of **int**)
intona v. to intone
intonazzjoni n.f. (pl. ~**jiet**) intonation
intopp n.m. (pl. ~**i**) obstacle
intornja v. to turn
intornjatur n.m. (pl. ~**i**) turner
intortament avv. unjustly
intoska v. to poison
intraduċibbli aġġ. untranslatable
intransiġenti aġġ. intransigent
intransiġenz|a n.f. (pl. ~**i**) intransigence
intransittiv aġġ. intransitive
intraprendenti aġġ. enterprising
intraprendenz|a n.f. (pl. ~**i**) enterprise
intrapriża n.f. (pl. ~**i**) enterprise
intrata n.f. (pl. **entrati**) entrance
intrattabbli aġġ. intractable
intriċċ n.m. (pl. ~**i**) plot
intriċċa v. to interlace, to entwine
intriċċat pp. interlaced, entwined
intriga v. to meddle (with)
intriganti aġġ. intriguing
intrigat pp. intrigate
intrig|u n.m. (pl. ~**i**) intrigue
intrinsiku aġġ. intrinsic
intrit|a n.f. (pl. ~**i**) almond cake
introdott aġġ. introduced
introduċa v. to introduce
introduzzjoni n.f. (pl. ~**jiet**) introduction
introjta v. to cash
introjtat pp. cashed
introjt|u n.m. (pl. ~**i**) returns
intunat aġġ. intoned, in tune (with), in harmony (with)
intuskat pp. poisoned, envenomed
intuwixxa v. to intuit, intuire
intuwizzjoni n.f. (pl. ~**jiet**) intuition
inutli aġġ. useless
invada v. to invade
invadut pp. invaded
invalida v. to invalidate
invalidat pp. invalidated
invalid|u n.m. (pl. ~**i**) invalid, disabled
invarjabbli avv. invariable
invaża v. to obsess
invażat pp. possessed
invażjoni n.f. (pl. ~**jiet**) invasion
invażur n.f. (pl. ~**i**) invader
inventa v. to invent, to find out
inventarj|u n.m. (pl. ~**i**) inventory; (**għamel**) ~ **u ta'** (it) an inventory of

inventat pp. invented
inventur n.m. (pl. ~**i**) inventor
invenzjoni n.f. (pl. ~**jiet**) invention
inverna v. to winter
invernat pp. wintered
invertebrat aġġ. invertebrate
invest|a n.f. (pl. ~**i**) pillow-case // **investa** v. (business, money, etc.) to invest, (hit, trample) to collide with, to knock against
investiga v. to investigate
investigat pp. investigated
investigatur n.m. (pl. ~**i**) investigator
investigazzjoni n.f. (pl. ~**jiet**) investigation
investiment n.m. (pl. ~**i**) investment
investit pp. run down, invested
investitur|a n.f. (pl. ~**i**) investiture
invidjuż aġġ. envious
invilopp n.m. (pl. ~**ijiet**) envelope
invinċibbli aġġ. invincible
invista v. to visit
invistat pp. visited
invit n.m. (pl. ~**i**) invitation
invita v. to invite
invitat pp. invited
inviżibbli aġġ. invisible
invjolabbli aġġ. inviolable
invokazzjoni n.f. (pl. ~**jiet**) invocation
involuntarju aġġ. involuntary
invulnerabbli aġġ. invulnerable
inxegħel v. was lit, was kindled, was flamed (fig.)
inxeħet v. was thrown, threw himself, flung himself; ~ **fl-ilma** to fling os. into the water; ~ **fl-art** to throw os. onto the floor; ~ **marid** to fall ill, to be taken ill
inxtara v. was bought, was purchased; ~ **billi ħa rigal** was bribed
inżul v. descending, landing, going down; ~ **fil-prezzijiet,** fall in prices; ~ **ix-xemx** setting of the sun
inzerta v. (chance) to happen by chance, (success) to succeed or turn out well; ~**jt li rajtu** I happened to see him
inzikka v. to knuckle, to flip
iperbol|e n.f. (pl. ~**i**) hyperbole
iperkritiku aġġ. hypercritical
ipnotiku aġġ. hypnotic
ipnotiżm|u n.m. (pl. ~**i**) hypnotism
ipnotist n.m. (pl. ~**i**) hypnotist
ipnotizza v. to hypnotize
ipnotizzat pp. hypnotized
ipoġew n.m. (pl. **ipoġej**) hypogeum
ipokondrij|a n.f. (pl. ~**i**) hypochondria
ipokrisij|a n.f. (pl. ~**i**) hypocrisy
ipokrit|a n.kom. (pl. ~**i**) hypocrite
ipotek|a n.f. (pl. ~**i**) mortgage
ipotekat pp. mortgaged
ipotenus|a n.f. (pl. ~**i**) hypotenuse
ipotesi n.f. (pl. ~**jiet**) hypothesis
ipotetikament avv. hypothetically
ipotetiku aġġ. hypothetic(al)
ippodrom n.m. (pl. ~**i**) hippodrome
ippopotam|u n.m. (pl. ~**i**) hippopotamus
iqras aġġ. komp. more sour
iqsar aġġ. komp. shorter
iqum v. to cost, to be worth; ~ **żewġ liri/ewro** it costs two pounds; **kemm ~?** how much does it cost?; **dan il-kwadru ~ elf lira/ewro** this painting is worth a thousand pounds/euro
irċevut|a n.f. (pl. ~**i**) receipt
irħas aġġ. komp. cheaper
iris n.m. (bla pl.) iris
ironij|a n.f. (pl. ~**i**) irony
ironikament avv. ironically
ironiku aġġ. ironic(al)
irqaq aġġ. komp. thinner, more slender; **velu rqiq ħafna** a very thin veil; **int bil-wisq ~** you are much thinner
irregolari aġġ. irregular
irregolarit|à n.f. (pl. ~**ajiet**) irregularity
irregolarment avv. irregularly
irreparabbli aġġ. irreparable
irresponsabbli aġġ. irresponsible
irrevokabbli aġġ. irrevocable
irrikonoxxibbli aġġ. recognizable
irrimedjabbli aġġ. irremediable
irrink avv. indistinctly, without any distinction
irrita v. to irritate
irritabbli aġġ. irritable
irritanti aġġ. irritant
irritat pp. irritated
irritazzjoni n.f. (pl. ~**jiet**) irritation
isa inter. come on, quickly, courage
isbaħ aġġ. komp. more handsome, more beautiful
isem n.m. (pl. **ismijiet**) name; **bla** ~ nameless, anonymous; **la ssemmix l-~ t'Alla fil-batal** do not mention the name of God in vain
isfar aġġ. yellow, pale; ~ **tal-bajd** yolk, yellow of egg
isfel avv. below, down
ismar aġġ. brown, dark, swarthy
ismen aġġ. komp. fatter
ispira v. to inspire
ispirat pp. inspired
ispirazzjoni n.f. (pl. ~**jiet**) inspiration
isqfija n.f. (bla pl.) bishopric, episcopate
isqof n.m. (pl. **isqfijiet**) bishop

Iżraelit|a ara **Iżraeljan**
Iżraeljan n.m. (pl. ~**i**) Israelite
issa avv. now, at present, at this time; **minn ~ 'l quddiem** henceforth; **minn ~ 'l hinn** from now on; **jew ~, inkella qatt** now or never
issopu n.m. (bla pl.) hyssop
istantanju aġġ. instantaneous
istint n.m. (pl. ~**i**) instinct
istintiv aġġ. instinctive
istitut n.m. (pl. ~**i**) institute
istituzzjoni n.f. (pl. ~**jiet**) institution
istmu n.m. (pl. ~**ijiet**) isthmus
istruttiv aġġ. instructive; **dan il-megeżin jidher ~ ħafna** this magazine seems very instructive
istruwit aġġ. educated, learned; **Pietru bniedem ~ ħafna** Peter is a very learned man
istruwixxa v. to instruct, to teach
istruzzjoni n.f. (pl. ~**jiet**) instruction
iswed aġġ. black; ~ **faħma** jet black
itinerarj|u n.m. (pl. ~**i**) itinerary
itjeb aġġ. komp. better
ittijoloġij|a n.f. (pl. ~**i**) ichthylogy
ittjolog|u n.m. (pl. ~**i**) ichthyologist
ittr|a n.f. (pl. ~**i**) letter, epistle; ~**a kbira/kapitali** capital letter (A, B, C, etc.)
itwal aġġ. komp. taller
iva avv. yes, certainly; **għid** ~ say yes; ~ **jew le** yes or no
ivvinta v. to invent
ivvintat pp. invented
ixheb aġġ. grey
ixjeħ aġġ. komp. older; **nannuwi huwa ~ minn nannuk** my grandpa is older than yours
ixqar aġġ. ruddy
iżda konġ. but; **mhux tfal ~ rġiel** not children but men; **jien sejjaħtlek ~ int ma weġibtx** I called you but you didn't answer
iżgħar aġġ. komp. smaller
iżjed aġġ. komp. more; **xejn** ~ nothing more; **wisq** ~ much more; **tmurx ~ 'il bogħod** don't go any farther
Iżlam n.pr. Islam
iżmna n.pl. times, seasons
iżola v. to isolate; **hu ~ ruħu fuq gżira** he isolated himself on an island
iżolament n.m. (pl. ~**i**) isolation
iżolat pp. isolated; **jinsab ~ mill-bqija** he is isolated from the others
iżolatur n.m. (pl. ~**i**) isolator
iżraq aġġ. komp. azure; sky-blue; **agħma ~**, stone blind
iżża v. to thank

IE ie

ie thirteenth letter of the alphabet and fourth of the vowels

iebes aġġ. hard, stiff, harsh; (għadu ma sarx) immature, unripe; (diffiċli) abstruse, difficult; **żamm** ~ he persevered; **sab l-~** he faced some problems; **ħadu bl-~** he shouted at him

ieħor pron. other, another; **la l-wieħed u lanqas l-~** neither

J j

j fourteenth letter of the alphabet and tenth of the consonants
ja inter. O!, Oh!
jaf v. he knows; ~ **fuq li** ~ he surely knows; **ma ~x x'inhu** - he does not -; ~ **x'qed jgħid** he knows what he's saying; **lilu min ~u** who the hell is he?; **lanqas ~ kemm** a great deal; **ma ~x ħliefha** he knows her well; ~ **lil** he is indebted to him for -; **fejn taf** you cannot imagine; ~ **jgħix** he leads a superb life; ~ **jitħallas** he provides an expensive service; **lanqas ~ iħares lejhom** he is really nothing next to them; **imqar jekk naf x'naf** no mind what happens; **ikun ~hulek** he will pay back your kindness
jaħasra inter. alas, poor fellow
jaħraq din inter. curst be, accursed be
jakk n.m. (pl. **~ijiet**) yak
jalla inter. God grant, (ħaffef!) come on, quick
jambiku aġġ. iambic
jamb|u n.m. (pl. **~i**) iambus
Jannar n.m.pr. January
jaqaw avv. perhaps
jaqq inter. ugh! disgust
jard|a n.f. (pl. **~i**) yard
jasar n.m. (bla pl.) captivity, slavery, bondage, imprisonment
jassar v. to enslave, to captivate, to take prisoner
jedd n.m. (pl. **~ijiet**) right, free-will; ~ **minn ~u** spontaneously, voluntarily
jekk konġ. if, whether
jeklile avv. otherwise, else
jen|a n.f. (pl. **~i, ~at**) hyena, hyaena
jew konġ. or, else
jewwilla avv. perhaps
jiebes ara **iebes**
jien pron. pers. I
jieq inter. ara **jaqq**
jies n.m. bla pl hope; **qata' ~u** he is past hope
jiġifieri avv. that is to say, meaning, for instance
jista' ara **seta'**; **dak** ~ he is rich
jodju n.m. (pl. **~jiet**) iodine
jodoform n.m. (pl. **~ijiet**) iodoform
joie de vivre n.m. joie de vivre; **il-gost tal-ħajja**
jomm inter. o mother, my dear mother
jonkella konġ. or else, or, either
jott n.m. (pl. **~ijiet**) yacht; **tellieqa tal-~** yacht racing
jujits|u, jujuts|u, jiujuts|u n.m. (pl. **~i**) jujitsu, jujutsu, jiujutsu
jum n.m. (pl. **jiem**) day; **kul~** everyday, daily; **kul~ risqu** there is some news every day; **kul~ preċett** every single day; **qatta' l-~** he spent the day; **ta' kul~ iweġġa' r-ras** routine is boring

K k

k fifteenth letter of the alphabet and eleventh of the consonants
kaballett|a n.f. (pl. ~**i**) cabaletta
kabbar v. to enlarge, to augment, to increase; (talla') to rear up; (faħħar) to commend, to praise; (amplifika) to amplify, to dilate, to stretch, to extend; ~**ha** he exaggerated // n.m. (pl. ~**a**) increaser; (min ifaħħar) vaunter
kabin|a n.f. (pl. ~**i**) cabin, cuddy
kabinett cabinet, council
kaboċċ|a n.f. (pl. ~**i**) cabbage
kaboċċina n.f. (bla pl.) great Indian cress
kabotaġġ n.m. (pl. ~**i**) coasting trade
kabozza n.f. (pl. **kbabez**) cloak
kabras v. to cast down headlong; ~ **għal** to precipitate
kaċċa n.f. (bla pl.) hunting, shooting
kaċċamendol|a n.f. (pl. ~**i**) wood-chat
kaċċatur n.m. (pl. ~**i**) hunter
kaċiċu good-for-nothing person; **qisu** ~ a stupid person
kadenz|a n.f. (pl. ~**i**) cadence
kadett n.m. (pl. ~**i**) cadet
kadmju n.m. (bla pl.) cadmium
kaf|è n.m. (pl. ~**ejiet**) coffee
kafeina n.f. (bla pl.) caffeine
kafettier n.m. (pl. ~**i**) coffee-house keeper
kafettier|a n.f. (pl. ~**i**) coffee-pot
kafkaf shoddy work; **xogħol ta'** ~ careless work
kaftan n.m. (pl. ~**i**) caftan, caftahn
kaġun n.m. (pl. ~**ijiet**) cause; **miet bil-**~ he was killed in an accident; **kien** ~ **tiegħu** it was all his own fault
kaġunat ara **(i)kkaġunat**
kagazz|a n.f. (pl. ~**i**) dross
kagħb|a n.f. (pl. ~**iet, kagħab**) hall, drawing room; **sar** ~**a** he grew old and crooked
kagħbar v. to tumble or roll in the dust; (uża ħażin) to use or treat ill, to abuse
kagħk|a n.m. (pl. ~**iet**) ring-shaped cake; ~**a tal-għasel** honey ring; **ġab** ~**a** he failed miserably; **daru** ~**a miegħu** they encircled him
kagħwar|a n.f. (pl. ~**iet, kgħawar**) a pad
kagħweġ v. to roll up, to roll over and over
kaħħal v. (ghamel ta' kulur blu) to tinge or colour with azure; (fil-bini) to cover, to lay over, to plaster, to daub; **kaħħlu mal-ħajt** he gave him a sound beating
kaħħal n.m. (pl. ~**a**) plasterer
kaħlani aġġ. of a bluish colour
kaħli n.m.koll. f. ~**ja** (pl. ~**jiet**) saddled bream
kaħwiel|a n.f. (pl. **kaħwiliet**) wind-flower, anemone
Kaiser n.m. (pl. ~**s**) Kaiser
Kajfa Caiaphas; **mingħand** ~ **għal għand Pilatu** running from one place to another
kajjikk n.m. (pl. ~**i**) caique, ketch, pinnace; **għamilha ta'** ~ he delivered messages
kajman aġġ. melancholy, saturnine; (mingħajr saħħa) withered, dried, mean
kajżell|a n.f. (pl. ~**iet**) pigeon-hole; a hand basket
kaki n.m. (bla pl.) khaki
kakka v. to void, to shit // n.f. (bla pl.) dung; **għandu ħafna** ~ he is a haughty man
kakofonij|a n.f. (pl. ~**i**) cacophony
kakofoniku aġġ. cacophonous
kaktus cactus
kala v. to let down, to lower, to drop; ~ **l-ankra** to drop anchor
kalambrajn n.m. (bla pl.) cambric
kalamilan n.m. (bla pl.) calomel
kalamit|a n.f. (pl. ~**i**) magnet
kalandr|a n.f. (pl. ~**i**) Mongolian lark; **x'**~**a fih!** he is really talkative!
kalavern|a n.f. (pl. ~**i**) dowel
kolazzjon n.m. (pl. ~**ijiet**) breakfast
kalċedonj|a n.f. (pl. ~**i**) cornelian, carnelian
kalċi n.m. (pl. ~**jiet**) chalice
kalċju n.m. (bla pl.) calcium
kaldaran n.m. (pl. ~**i**) brasier, tinker, coppersmith
kaldarun n.m. (pl. ~**i**) boiler, cauldron
kalejdoskopiku aġġ. kaleidoscopic(al)
kalejdoskopj|u n.m. (pl. ~**i**) kaleidoscope
kalendarj|u n.m. (pl. ~**i**) calendar

kalepin n.m. (pl. **~ijiet**) old dictionary
kaless n.m. (pl. **~i**) two-wheeled carriage
kalibr|u n.m. (pl. **~i**) calibre, caliber
kaligrafij|a n.f. (pl. **~i**) calligraphy, hand-writing
kalkar|a n.f. (pl. **~i**) limekiln
kalkarju aġġ. calcareous
kalkografij|a n.f. (pl. **~i**) chalcography
kalkol|u n.m. (pl. **~i**) calculation, reckoning
kalkulat ara **(i)kkalkulat**
kalkulatur n.m. (pl. **~i**) calculator
'k Alla jrid (inter.) God willing
kallott|a n.f. (pl. **~i**) skull-cap, calotte
kall|u n.m. (pl. **~ijiet**) corn, callosity; **rabba l-~u** he is getting used; **rifisilha l-~u** he mentioned her weak spot; **x'~u fih!** he is really unpleasant!
kalm aġġ. calm, quiet, tranquil
kalm|a n.f. (pl. **~i**) calm, calmness, quietness
kalmant n.m. (pl. **~i**) lenitive, sedative
kalmat ara **(i)kkalmat**
kalomel n.m. (bla pl.) calomel
kalorij|a n.f. (pl. **~i**) caloric
kalorimetr|u n.m. (pl. **~i**) calorimeter
kalpestat ara **(i)kkalpestat**
kalunnj|a n.f. (pl. **~i**) slander, calumny
kalunjat ara **(i)kkalunjat**
kalvarju n.m. (bla pl.) calvary
kalzett|a n.f. (pl. **~i**) stocking, hose; **~a qasira** sock; **~a tal-lastku** elastic stocking
kalzettar n.m. (pl. **~a**) hosier
kalzrat ara **(i)kkalzrat**
kalzri n.m. (pl. **~jiet**) prison, jail
kalzrier n.m. (pl. **~a**) jailer
kamaleont n.m. (pl. **~i**) chameleon
kamasutra n.f. (bla pl.) kamasutra
kamawr|u n.m. (pl. **~i**) cap
kambja v. to change
kambjal|a n.f. (pl. **~i**) bill of exchange
kambjament n.m. (pl. **~i**) change
kambj|u n.m. (pl. **~i**) change, exchange
kambriż n.m. (bla pl.) cambric
kamelj|a n.f. (pl. **~i**) camellia
kamera n.f. (bla pl.) camera
kamereleng|u n.m. (pl. **~i**) camerelengo
kamin n.m. (pl. **~i**) screw
kaml|a n.f. (pl. **~iet, kwamel**) moth; **missitu l-~a** he was robbed; **hawn xi ~a** more things are missing everyday; **x'~a fih!** he is always walking away with things!
kamlat ara **(i)kkamlat**
kammilt|a n.f. (pl. **~i**) calamint
kamoxx n.m. (pl. **~i**) shammy
kamoxxa n.f. (bla pl.) chamois, chamois leather
kamp n.m. (pl. **~ijiet**) tent
kampa v. to live
kampat pp. lived
kampanell|a n.f. (pl. **~i**) blue-bell, bell-flower
kampanj|a n.f. (pl. **~i**) country
kampanjol n.m. (pl. **~i**) countryman, peasant
kampiċ n.m. (pl. **~i**) campeachy wood, logwood
kampjun n.m. (pl. **~i**) pattern, sample
kampjonarj|u n.m. (pl. **~i**) sample-book
kampnar n.m. (pl. **~i**) steeple, bell tower
kamra n.f. (pl. **kmamar**) chamber, room; **~ tas-sodda** bedroom
kamrad v. to cohabit, to live together
kamrier n.m. (pl. **~i**) valet, waiter, servant
kamrin n.m. (pl. **~i**) closet, lavatory
kamumilla n.f. (bla pl.) camomile, stich-wort
kamż|u n.m. (pl. **~i**) alb
kanal n.m. (pl. **~i**) canary; (tal-ilma) canal, kennel, ditch; (passaġġ) channel; **riħa ta' ~i** a nasty smell
kanap|è ara **kannapè**
kanavazz n.m. (pl. **~i**) embroidery net
kanċell n.m. (pl. **~i**) gate
kanċellat ara **(i)kkanċellat**
kanċellatur|a n.f. (pl. **~i**) obliteration, erasure
kanċer n.m. (pl. **~ijiet**) cancer
kanċellerij|a n.f. (pl. **~i**) chancellor's office
kanċillier n.m. (pl. **~i**) chancellor
kandidat n.m. (pl. **~i**) candidate
kandidatur|a n.f. (pl. **~i**) candidature
kandidu aġġ. white, candid
kanilett|a n.f. (pl. **~i**) taper
kandlier n.m. (pl. **~i**) candlestick
kandlor|a n.f. (pl. **~i**) candlemas
kanġa v. to change colour
kangar|ù n.m. (pl. **~uwijiet**) kangaroo
kanjolin n.m. (pl. **~i**) little dog, lap dog
kankrena n.f. (pl. **~i**) gangrene
kankr|u n.m. (pl. **~ijiet**) cancer; **x'~u fih!** he is a really unpleasant person!
kankru ara **(i)kkankrat**
kanna n.m. (pl. **kanen**) canal; (sfurtuna) a misfortune
kannamiel|a n.f. (pl. **~i**) sugar cane; **ħelu daqs ~a** very sweet-tasting
kannap|è n.m. (pl. **~ijiet**) sofa, settee, couch
kannella n.f. (bla pl.) cinnamon
kannella aġġ. brown
kannestr|u n.m. (pl. **~i**) basket, punnet
kannibaliżm|u n.m. (pl. **~i**) cannibalism
kannibal|u n.m. (pl. **~i**) cannibal
kannierj|a n.f. (pl. **~i**) carnarium
kannizzat|a n.f. (pl. **~i**) arbour; **qisu wieħed taħt ~a** a scruffy person; (wieħed m'għandux x'jagħmel) an inactive person

kannol n.m. (pl. ~**i**) reed pipe; cream horn ~ **bla krema** a person who has not yet attained the right to vote
kannukkjali n.m. (pl. ~**jiet**) glass
kanonikament avv. canonically
kanonikat n.m. (pl. ~**i**) canonry
kanoniku aġġ. canonical; **dritt** ~ canon law
kanonizzat ara **(i)kkanonizzat**
kanonizzazzjoni n.f. (pl. ~**jiet**) canonization
kanonk|u n.m. (pl. ~**i**) canon
kanott n.m. (pl. ~**i**) canoe
kant n.m. (bla pl.) singing, chant; ~ **Gregorjan** Gregorian chant; **surmast tal-**~ singing-master; **skola tal-**~ singing-school
kanta v. to sing, to chant; **ħallieha t**~ he did not bother about her nags
kantabbli aġġ. cantabile
kantalien|a n.f. (pl. ~**i**) monotonous melody, singsong; **qabad** ~**a/**~**a waħda** he is repeating the same things all over again
kantant n.m. (pl. ~**i**) singer
kantat pp. sung
kantik|u n.m. (pl. ~**i**) canticle, hymn, song
kantin n.m. (pl. ~**ijiet**) canteen
kantin|a n.f. (pl. ~**i**) cellar, vault; **li nqala' mill-**~**a** forgotten things
kantun n.m. (pl. ~**i**) ashlar
kantunier|a n.f. (pl. ~**i**) corner, angle; **ma jarax** ~**a** he is very myopic; **persuna tgħajjeb** ~**a** a well-built person; **minn** ~**a bogħod** a stone's throw away; **wara l-**~**a** very near; **minn seba'** (**erba'**) ~**i bogħod** from far away; **qiegħed wara l-**~**a** he is not far away
kantur n.m. (pl. ~**i**) chorister
kanun n.m. (pl. ~**i**) cannon, gun; **ma jismax** ~ **tal-mija** a deaf person
kanunat|a n.f. (pl. ~**i**) gunfire; (ta' ballun) a forceful shot
kanunier n.m. (pl. ~**i**) gunner
kanvas n.m. (bla pl.) canvas, tarpaulin
kanzunett|a n.f. (pl. ~**i**) song, light song, ballad
kanzunettist n.m. (pl. ~**i**) music-hall singer
kaolin n.m. (bla pl.) kaolin
kaos n.m. (bla pl.) chaos
kaotiku aġġ. chaotic
kap n.m. (pl. ~**ijiet**) head; **la** ~ **u lanqas kuda** complete laissez-faire; ~ **deheb u ieħor ħarir** everything is running smoothly
kapaċi aġġ. able; ~ **jiġi** (eċċ.) he may actually come (etc.); **ġiebu** ~ he refreshed his memory
kapaċit|à n.f. (pl. ~**ajiet**) ability, capacity
kapiċċol|a n.f. (pl. ~**ijiet**) tow
kapillari aġġ. capillary
kapiner|a n.f. (pl. ~**i**) blackcap, black warbler
kapital n.m. (pl. ~**i**) capital; **tagħmel** ~ trying to fare for the better
kapitali aġġ. great, chief, main, principal
kapitalist n.m. (pl. ~**i**) capitalist
kapitaliżm|u n.m. (pl. ~**i**) capitalism
kapitalizzat pp. capitalized
kapitl|u n.m. (pl. ~**i**) chapter
kapitulari aġġ. capitular
kapitulat ara **(i)kkapitulat**
kapitulazzjoni n.f. (pl. ~**jiet**) capitulation
kaplat n.m. (pl. ~**i**) thicklipped grey mullet
kapoċċ n.m. (pl. ~**i**) cowl, hood
kapott n.m. (pl. ~**i**) cloak, great coat, overcoat
kapottjat ara **(i)kkapottjat**
kapuċċino n.m. (bla pl.) capuccino
kappa n.f. (pl. **kapep**) cape; **taħt il-**~ **tax-xemx** under the eye of the sun
kappamanj|a n.f. (pl. ~**i**) pompous dress
kapparr|a n.f. (pl. ~**i**) earnest
kapparrat ara **(i)kkapparrat**
kappell n.m. (pl. **kpiepel**) hat; **qalgħalha l-**~ he appreciated her capabilities; **sab** ~ **jiġih** he met his par
kappell|a n.f. (pl. ~**i**) chapel; **qiegħed** ~**a** he is just to be killed; (sa jieħu deċiżjoni) he is about to take a decision
kappellun n.m. (pl. ~**i**) transept
kappestr|u n.m. (pl. ~**i**) halter
kappillan n.m. (pl. ~**i**) chaplain, parish priest, pastor
kappillier n.m. (pl. ~**i**) capillaire
kappott n.m. (pl. ~**i**) coat; **m'għandux** ~ he is poor; (m'għandux lejn xiex idur) he has nothing to lean on; **għamel** ~ he lost at cards
kappun n.m. (pl. ~**i**) skull-cap
kapriċċ n.m. (pl. ~**i**) caprice, whim
kapriċċuż aġġ. capricious, freakish
kaps n.m. (pl. ~**ijiet**) percussion cap; **ma ħax il-**~ he did not get the joke
kapsul|a n.f. (pl. ~**i**) capsule
kaptan n.m. (pl. ~**i**) captain
kaptell n.m. (pl. ~**i**) capital
kapuċċell n.m. (pl. ~**i**) cockerel
kapuċċin n.m. (pl. ~**i**) capuchin; **kafè** ~ coffee with a little milk
kapulavur n.m. (pl. ~**i**) masterpiece
kapuljat pp. hashed; **ġabu** ~ he hashed him // n.m. minced meat
kapuant ara **(i)kkapuant**
kapural n.m. (pl. ~**i**) corporal
kapurjun n.m. (pl. ~**i**) ringleader
karab v. to sigh, to groan, to neigh

karabinjier n.m. (pl. ~**i**) carabineer
karaff|a n.f. (pl. ~**i**) carafe, decanter
karamba indicating strong refusal to do or give sth. to sb. **tah** ~! he did not give him anything!
karambol|a n.f. (pl. ~**i**) cannon
karamell|a n.f. (pl. ~**i**) caramel; **ħu** ~**a!** calm down!
karat n.m. (pl. ~**i**) carat
karat(è) n.m. (bla pl.) karatè
karatterist n.m. (pl. ~**i**) character actor
karatteristi|ka n.f. (pl. ~**ċi**) characteristic, trait
karatteristiku aġġ. characteristic
karattr|u n.m. (pl. ~**i**) character, temper, disposition; (tip) type
karavell|a n.f. (pl. ~**i**) carvel, caravel
karawett n.m.koll. f. ~**a** (pl. ~**iet**) peanut
karb|a n.f. (pl. ~**iet**) groan, sigh; **aħjar** ~**a minn kelma** consolation is better than the expression of anger
karboliku aġġ. carbolic
karbon n.f. (pl. ~**ijiet**) carbon-paper, carbon
karbonat n.m. (pl. ~**i**) carbonate
karboniferu aġġ. carboniferous
karboniku aġġ. carbonic
karbonizzat aġġ. carbonized
karbonju n.m. (bla pl.) carbon
karbunell|a n.f. (pl. ~**iet**) charcoal in light sticks
karbur n.m. (pl. ~**i**) carbide; ~ **tal-kalċju** calcium carbide
karburatur n.m. (pl. ~**i**) carburettor
karċinom|a n.m. (pl. ~**i**) carcinoma
kardomom|u n.m. (pl. ~**i**) cardomom
kardigan n.m. (pl. ~**s**) cardigan
kardijaku aġġ. cardiac
kardinal n.m. (pl. ~**i**) cardinal
kardinalat n.m. (bla pl.) cardinalate
kardinali aġġ. cardinal; **numri** ~ cardinal numbers
kardjografij|a n.f. (pl. ~**i**) cardiography
kardjogramm|a n.m. (pl. ~**i**) cardiogram
kardjoloġij|a n.m. (pl. ~**i**) cardiology
kardjolog|u n.m. (pl. ~**i**) specialist for heart diseases
kardun n.m. (pl. ~**i**) cardoon
karestij|a n.f. (pl. ~**i**) famine
karettun n.m. (pl. ~**i**) cart
karettunar n.m. (pl. ~**a**) carter
karezzi n.m. (bla pl.) caress, fondling touch
karf|a n.f. (pl. ~**iet**) trash, chaff; **il-**~**a** the vulgar people
karfus n.m.koll. f. ~**a** (pl. ~**iet**) celery
karg aġġ. dark, deep, strong
kargat ara **(i)kkargat**
karig|a n.f. (pl. ~**i**) office, appointment
karikat aġġ. caricatured
karikatur|a n.f. (pl. ~**i**) caricature
karikaturist n.m. (pl. ~**i**) caricaturist
karin|a n.f. (pl. ~**i**) keel
karinaġġ n.m. (pl. ~**i**) careenage
karit|à n.f. (pl. ~**ajiet**) charity
karitattiv aġġ. charitable
karkam n.m. (pl. ~**at**) saffron
karkar v. to trail, to draw; (tawwal) to delay, to prolong
karkass n.f. (pl. ~**i**) carcass
karkur n.m. f. ~**a** (pl. **krakar**) slipper; (qorq) sandal; **mara** ~**a** a promiscious woman
karling|a n.f. (pl. ~**i**) cockpit
Karmelitan n.m. (pl. ~**i**) Carmelite, White Friar
karminju n.m. (bla pl.) carmine
karmus n.m.koll. f. ~**a** (pl. ~**iet**, **krames**) small immature fig
karnaġġon n.m. (pl. ~**i**) complexion
karnali aġġ. carnal
karnival n.m. (pl. ~**ijiet**) carnival; **iblah** ~ a stupid person; **għamlu** ~ **sħiħ** they made merry-making
karnivalat|a n.f. (pl. ~**i**) merry-making
karnivoru aġġ. carnivorous
karonj|a n.f. (pl. ~**i**) carrion
karotid|e n.f. (pl. ~**i**) carotid
karozz|a n.f. (pl. ~**i**) car, bus, coach; **bil-**~**a ta' San Franġisk** on foot
karozzell|a n.f. (pl. ~**i**) cab, coach
karozzin n.m. (pl. ~**i**) cab; **ġieblu** ~ he took him to a sanatorium
karozzun n.m. (pl. ~**i**) caravan, gipsy-van
karpin n.m. (pl. ~**i**) carpinus, hornbeam
karpintier n.m. (pl. ~**a**) carpenter
karpjun n.m. (pl. ~**i**) carp
karp|u n.m. (pl. ~**i**) carpus
karrakk|a n.f. (pl. ~**i**) dredge; (karozza antika) an old car; (persuna goffa) a clumsy person
karrett|a n.f. (pl. ~**i**) cart
karrier|a n.f. (pl. ~**i**) career; **ilu** ~**a jagħmel hekk** he's been doing this for a long time
karrotta n.f. (pl. ~**i**) carrot
karr|u n.m. (pl. ~**ijiet**) wagon; ~**u armat** tank; ~**u tal-mejtin** hearse
karruzzar n.m. (pl. ~**a**) coach-maker
karruzzier n.m. (pl. ~**a**) coachman
kart|a n.f. (pl. ~**i**) paper; ~**a tad-disinn** drawing paper; ~**a tal-identità** identity card; ~**a tal-ittri** note paper; ~**a tal-ixkatlar** emery paper; ~**i tal-logħob** cards, playing-cards; ~**a tal-mużika** music paper; ~**a saħħara** carbon paper; ~**a samra** brown paper; ~**a strazza** waste paper; ~**a xuga** blotting paper; **ħawwad il-**~**i** to shuffle

the cards; **lagħab ~a** he played his cards; **lagħab l-aħħar ~a** he had nothing else to do; **jaqbdu bil-~a** a delicate person; **qattgħu l-~i** they had a dispute; **~i f'idejh** he is the one who decides; **abjad ~i** as white as snow; **kixef il-~i** he revealed what he had in mind; **bil-~i fuq il-mejda** without suspicions
kartapesta n.f. (bla pl.) paper pulp, papier mâché
kartastrazz|a n.f. (pl. **~i**) waste paper; (karta iġenika) tissue paper; **għamillu ~a** make him look taller
kartaxug|a n.f. (pl. **~i**) blotting paper; **donnu ~a** he drinks heavily
kartell n.m. (pl. **krietel**) keg, small barrel; **donnu ~** he is very fat
kartell|a n.f. (pl. **~i**) tombola ticket
kartellun n.m. (pl. **~i**) placard, poster, bill
kartier|a n.f. (pl. **~i**) wallet
kartilaġni n.f. (pl. **~jiet**) cartilage
kartoċċ n.m. (pl. **krateċ**) half pint
kartografij|a n.f. (pl. **~i**) cartography
kartograf|u n.m. (pl. **~i**) cartographer
kartolin|a n.f. (pl. **~i**) card, postcard
kartomanzij|a n.f. (pl. **~i**) cartomancy
kartonċin n.m.koll. f. **~a** (pl. **~at**) pasteboard
karus n.m. (pl. **~ijiet**) money-box; **għandha miġmugħ fil-~** she is expecting a child
karwan|a n.f. (pl. **~i**) caravan
karwat v. to roar; (ir-ragħad) to thunder, to rumble; (hu u jiekol) to grind coarsly; (taħan) to stuff, to eat voraciously
karwat|a n.f. (pl. **~iet**) coverlid, coverlet
karzrat ara **kalzrat**
karzri ara **kalzri**
karzrer ara **kalzrier**
kas n.m. (bla pl.) attention;
kaskar|a n.f. (pl. **~i**) cascara
kaskat|a n.f. (pl. **~i**) cascade, waterfall
kaskett n.m. (pl. **~i**) casque, helmet
kassja n.f. (bla pl.) cassia
kassr|u n.m. (pl. **~i**) quarter-deck
kast aġġ. chaste
kast|a n.f. (pl. **~i**) caste
kastanjol|a n.f. (pl. **~i**) castanet, cracker; **qed idoqq il-~i** he is feeling very cold
kastardell|a n.f. (pl. **~i**) sauvy, sauvie
kastell n.m. (pl. **~i**) castle, keep; **~ fl-arja** a far-fetched ideal
kastellan n.m. (pl. **~i**) lord of the manor
kastellett n.m. (pl. **~i**) small castle
kastig n.m. (pl. **~i**) punishment, chastisement
kastigat ara **(i)kkastigat**
kastit|à n.f. (pl. **~ajiet**) chastity
kastrat ara **(i)kkastrat**
kastur n.m. (pl. **~i**) castor, beaver
katafalk n.m. (pl. **~i**) catafalque
katakliżm|a n.f. (pl. **~i**) cataclysm
katakombi n.m. (bla pl.) catacomb
katalessi n.f. (pl. **~jiet**) catalepsy
katalett n.m. (pl. **~i**) bier, litter
katalogat pp. catalogued
katalog|u n.m. (pl. **~i**) catalogue, roll
katalogat ara **(i)kkatalogat**
katamaran n.m. (pl. **~i**) catamaran
kataplażm|a n.f. (pl. **~i**) cataplasm, poultice; **x'~a fih!** he is really unpleasant!
katapult|a n.f. (pl. **~i**) catapult
katar v. to multiply, to increase
katarratt|a n.f. (pl. **~i**) cataract
katarr|u n.m. (pl. **~i**) catarrh
katarsi n.f. (bla pl.) catharsis
katast n.m. (pl. **~i**) register of lands, register of landed property, cadastre
katast|a n.f. (pl. **~i**) heap, pile
katastrali aġġ. catastral
katastrofi n.f. (pl. **~jiet**) catastrophe
katastrofiku aġġ. catastrophical
katavr|u n.m. (pl. **~i**) corpse, dead body
katedr|a n.f. (pl. **~i**) chair
kategorij|a n.f. (pl. **~i**) category, class
kategoriku aġġ. categorical
kategorikament avv. categorically
katekist n.m. (pl. **~i**) catechist
katekistiku aġġ. catechistic
katekiżm|u n.m. (pl. **~i**) catechism
katekumen|u n.m. (pl. **~i**) catechumen
kater n.m. (pl. **~s**) cutter
katerpillar n.f. (pl. **~s**) caterpillar
kateter n.m. (pl. **~s**) catheter
katgat n.m. (pl. **~ijiet**) catgut
katidral n.m. (pl. **~i**) cathedral
katin|a n.f. (pl. **~i, ktajjen**) chain; **~a tal-arloġġ** watch-chain; **~a tal-għonq** necklace
katlett|a n.f. (pl. **~i**) silly excuse; **għandu ħafna ~i** it is very difficult to please him
katnazz n.m. (pl. **~i**) padlock, bolt
kattar v. to multiply, to increase, to augment; (irriproduċa) to propagate
kattiv aġġ. cruel
Kattoliċiżm|u n.m. (pl. **~i**) Catholicism
kattolikament avv. catholically
Kattoli|ku n.m. (pl. **~ċi**) Catholic
kattoliċit|à n.f. (pl. **~ajiet**) catholicity
katub|a n.f. (pl. **~i**) bass drum; **donnu ~a** he is very fat
katuħa n.f. (pl. **~t**) ploughtail

katus|a n.f. (pl. **~i**) hydrant; **libes il-~i** he is wearing trousers
kavallier n.m. (pl. **~i**) knight
kavalkat|a n.f. (pl. **~i**) riding party
kavall n.m. (pl. **~i**) chub mackerel
kavallerij|a n.f. (pl. **~i**) cavalry
kavallett n.m. (pl. **~i**) easel
kavallirat n.m. (pl. **~i**) knighthood
kavatin|a n.f. (pl. **~i**) cavatina
kavendix n.m. cavendish
kavern|a n.f. (pl. **~i**) cave, den
kavett|a n.f. (pl. **~i**) wooden bowl; **kielu minn ~a waħda** they were brought up together
kavilj|a n.f. (pl. **~i**) plug, peg
kavjar n.m. caviar
kawba n.f.koll. mahogany
kawċ|u n.m. (pl. **~ijiet**) caoutchouc
kawkaw n.m. (pl. **~t**) cacao
kawlat|a n.f. (pl. **~i**) vegetable soup; **għamel ~a** he made a big blunder
kawt aġġ. cautious, prudent, wary
kawtel|a n.f. (pl. **~i**) caution
kawtelat pp. defended; protected
kawterizzat pp. cauterized
kawterizzazzjoni n.f. (pl. **~jiet**) cauterization
kawterj|u n.m. (pl. **~i**) cautery
kawtiel|a n.f. (pl. **~i**) pretext, pretence
kawż|a n.f. (pl. **~i**) cause, reason
kawżat pp. caused
kawżattiv aġġ. causative
kawzjoni n.f. (pl. **~jiet**) bail, security
kaxkar v. to drag
kaxmer n.m. (bla pl.) cashmere
kaxx|a n.f. (pl. **kaxxi, kaxex**) box, chest, coffer, trunk; **~a tal-arloġġ** watch case; **~a tad-daqq** barrel organ, street organ; **~a tal-għodda** tool box; **~a tal-mejjet** coffin; **~a ġenn** a cool dude; **il-~a f'idejh** he is keeping the money; **~a mgħallem!** an ill-mannered person; **~a vojta** deficit, lack of money
kaxxabank n.m. (pl. **~ijiet**) settle
kaxxaforti n.f. (pl. **~jiet**) safe
kaxxett|a n.f. (pl. **~i**) small box; **~ tat-tabakk** snuff-box
kaxxier n.m. (pl. **~a**) cashier
kaxxun/kexxun n.m. (pl. **kxaxen**) drawer
kazzol|a n.f. (pl. **~i, kzazel**) stew-pan; (għodda) trowel; **tah ~a** he did not give him anything
każ n.m. (pl. **~ijiet**) case, accident, adventure, chance; **fil-~** in case that
każakk|a n.f. (pl. **~i**) coat, jacket
każamatt|a n.f. (pl. **~i**) casemate
każbar v. to maltreat; (ħammeġ) to dirty, to soil, to spot
każeina n.f. (bla pl.) casein
każerm|a n.f. (pl. **~i**) barracks
każimir n.m. (pl. **~ijiet**) kerseymere
każin n.m. (pl. **~i**) club
kbarat n.m. (bla pl.) grandees, peers, noble-men
kbir aġġ. great; (spazjuż) wide, spacious; **iridha ta' ~** he thinks highly of himself; **il-~ għadu ġej** the worse is yet to come; (it-tajjeb) the best is yet to come; **jara ~** a haughty person; **jara kollox ~** he wonders at everything; **ma jara xejn bi ~** nothing perplexes him; **raha bi ~a** he found it difficult; **ġiebha bi ~a** he exaggerated problems; **ħadha bi ~a** he was very upset; **ġejja bi ~a** this will cause a lot of problems; **~a biex ma...** it is bad enough to...
kburi aġġ. proud, haughty, lofty
kburija n.f. grandeur; (awtorità) sovereignty, superiority, authority; (eċċellenza) magnificence, greatness; (tkabbir) pride, haughtiness, presumption, loftiness, vanity
kċina n.f. (pl. **kċejjen**) kitchen
kebab n.m. (pl. **~s**) kebab
kebbeb v. to wind up
kebbes v. to light, to set on fire; (ipprovoka) to instigate, to provoke
kebbex v. to cheat, to deceive, to delude
kebbies n.m. (pl. **~a**) kindler; (min jipprovoka) fomenter, exciter
kebbiex n.m. (pl. **~a**) cheater, deceiver
keċapp n.m. (pl. **~ijiet**) ketchup
keċċa v. to turn out, to send away, to expel
keċċej n.m. (pl. **~ja**) expeller
keċner v. to prepare food
kedd v. to use, to make use of, to wear out; (għajja) to fatigue, to tire; (immaltratta) to use or treat ill
kedda n.f. (pl. **keded**) use, ill usage; (rabja) anger, wrath; **nofs ~** half-heartedly
kedded v. to ill-use, to ill-treat
kefen n.m. (pl. **kfien**) shroud
keff v. to hem, to tuck // n.m. (pl. **kfuf**) palm, handful; **żara' bil-~** he scattered seeds
keff|a n.f. (pl. **~iet, kefef**) hem, pleat; **qegħidhom fl-istess ~a** he treated them equally; **ta' ~a waħda** birds of the same feathers
keffef v. to hem
keffen v. to shroud, to mute
keffien n.m. (pl. **~a**) he who shrouds
kefrij|a n.f. (pl. **~iet**) infidelity, unfaithfulness, cruelty, barbarity, despotism
kejbil n.m. (pl. **~s**) cable
kejd n.m. (pl. **~iet**) stratagem, cheat, deceit, fraud
kejjed v. to deceive or defraud by stratagems or wiles

kejjel v. to measure; **kejjilhielu** he bet him up; **kejjilha** he fell down
kejjet ara **kejjed**
kejjiel n.m. (pl. ~**a**) measurer
kejk n.m. (pl. ~**ijiet**) cake
kejl n.m. (bla pl.) measurement; ~ **tfal** a lot of children
kejt ara **kejd**
kelb n.m. f. ~**a** (pl. **klieb**) dog; ~ **il-baħar** shark; ~ **tal-ferma** setter; ~ **tal-għassa** house-dog, watch dog; ~ **tal-kaċċa** pointer; ~ **ta' San Bernard** St Bernard Dog; ~ **ta' xkubetta** cock of a gun; **bħall-klieb** a copycat; **għażżien daqs il-klieb** a very lazy person; **qisu** ~ a cruel person; **qisu** ~ **ħafi** he is always going from one place to another; ~ **għax-xogħol** a hard-worker; **jaħdem daqs** ~ he works a lot; **qisu** ~ **fi knisja** he who is continuously sent away; **qisu** ~ **bil-fula** in a bad mood
kellel v. to crown
kellem v. to speak to, to converse with; **donnu qed ikellmek** a very good photograph
kelliem n.m. (pl. ~**a**) spokesman
kellu ara **għandu**
kelm|a n.f. (pl. ~**iet**) word, expression; **għaddielu** ~**a** he favored him; **reġa' lura mill-~a/kiser** ~**tu** he did not keep his word; **tal-~a** he gave his word; ~**a ta' raġel** a reliable promise; **qabadha fil-~a** he perceived that she was lying; **ta** ~**tu** (aċċetta mill-ewwel) he accepted straightaway; **il-~a ġġib hekk!** do not take it literally; ~**a ġġib l-oħra** word after word; **qagħad fuq** ~**tu** he relied on his promise; **tilef il-~a** he was very angry; **ħadu bil-~a t-tajba** he did not shout at him; **ma qallix nofs** ~**a** he did not say a word; **bla kliem u bla sliem** without any warning; **qatagħlu kliemu** he interrupted him; **kliem żejjed** vain discourse; **ġie fi kliemha** he did as she had foreseen before; **il-kliem waqa' fuq** they started talking about
kemm avv. how much, how many; ~**-il darba** every time that, as often as; **bil**~ with much difficulty, with much ado
kemmex v. to corrugate, to wringle; ~ **xofftejh** to loath, to disdain, to make a wry mouth
kemmun n.m. cumin; ~ **ħelu** anise
kemx|a n.f. (pl. ~**iet**) little, a small quantity; (tal-ħwejjeġ, tal-ġilda) fold, crease; ~**a flus** (**ġmielha**) a lot of money
kenn n.m. (pl. ~**ijiet**) shelter, refuge, retreat
kennen v. to shelter, to grant an asylum to
kenni aġġ. cosy
kennies n.m. (pl. ~**a**) sweeper, scavenger
kenur n.m. (pl. **kwiener**) stove, hearth
kenur|a n.f. (pl. ~**i**) canoe
kera v. to let, to hire // n.f. (pl. ~**t**) rent
kermiżin aġġ. crimson
kerożin n.m. (bla pl.) kerosene
kerrah v. to render ugly or deformed
kerrej n.m. (pl. ~**ja**) tenant; (is-sid) lessor
kerrejj|a n.f. (pl. ~**iet**) tenement occupied by several families
kerubin n.m. (pl. ~**i**) cherub
kesa v. to cover; (bil-ġibs, eċċ.) to dab, to plaster
kesaħ v. to grow cold, to cool; ~**lu** an arrogant person
kesħa n.f. (bla pl.) cold, coldness, chilliness; **xorob il-**~ he felt chilly sitting on the ground
keskes v. to confound, to put in disorder and confusion, to embroil
kessaħ v. to make cold, to cool, to freshen
kewa v. to become red hot; (żegleg) to wriggle in walking; (ħaraq) to sear
kewkb|a n.f. (pl. ~**iet, kwiekeb**) star
kewkbi aġġ. starry, cometary
kewkeb v. to adorn with stars; (leqq, idda) to shine, to glitter
kewnu: **minn** ~ from his intrinsic character
kewtel v. to carvil
kewtiel|a n.f. (pl. ~**i**) pretext, pretence
kewwes v. to decant, to pour off
kewwies n.m. (pl. ~**a**) he who decants
kexkex v. to terrify, to make afraid
KGB (il-pulizija sigrieta Russa) n.f. (bla pl.) KGB
kg n.m. (pl. ~**s**) kg (kilogram)
Khan n.m. (pl. ~**s**) Khan
kħal v. to grow blue, azure
kħula n.f. (bla pl.) blueness
kiber v. to increase, to grow; (fiż-żmien) to grow old; (bi ftaħir) to grow proud; **jikber u jiblieh** he does not mature; **tikber u titgħallem** life is the best teacher; **tikber u tinsa** you will soon forget the pain
kibes v. to kindle, to take fire; (kien eċitat) to be inflamed; (saħan) to grow warm, burn, to flush with anger
kibx n.m. (pl. **kbiex**) ram; (bniedem kattiv) a cruel person
kiebi aġġ. melancholy, melancholic, sad; (umli) humble, modest, meek; (kalm) quiet, still, calm
kief n.m. (pl. **ikfa**) cudgel; (tagħbija) burden, charge, load
kiefer aġġ. unfaithful, disloyal, perfidious; (kattiv) cruel, harsh
kiefes aġġ. eclipsed
kieku avv. if; ~ **biss!** if only!

kiel v. to eat; (hela) to consume, to waste; (bil-ħakk) to itch; **tiekol minn warajh** a man of profit; **miegħu jrid jiekol** he needs him for his daily earnings; **~ha** he was faced with an unfavourable event; ~ **minn ġewwa** he had to use up his savings; **ma jikolx nies!** why are you afraid of him?
kien v. to be, to exist, to subsist; **mhux li** ~ how I wish!; **ma kinitx kelma** that word inflicted us with big trouble
kieri n.m. (pl. **kerjin**) lessor, landlord
kies n.m. (pl. **kwies**) glass
kiesaħ aġġ. indifferent, loath, unwilling; (mingħajr imħabba) frigid, cold; (bla gosti) insipid, tedious; ~ **u biered** unexpectedly
kiesħa n.f. (pl. **~t**) Spanish traveller's joy (bot)
kif avv. how, in what manner, as like, similar to; ~ **dari** as usual; ~ **ġie ġie** just as it came; ~ **dan** as soon as possible; **bil-~** a lot; ~ **imiss** in the way it should be done; ~ **u x'fatta** the how and why
kifes v. to eclipse, to be eclipsed or darkened
kifs|a n.f. (pl. **~iet**) solar eclipse
kikkr|a n.f. (pl. **~i**) cup
kikkjat ara **(i)kkikkjat**
kilba n.f. (pl. **~iet**) canine hunger, greed, avidity
kileb v. to get angry, to get enraged // **kileb**: n.m. (pl. **klejjeb**) console
klieb v. to feel rapid hunger, to be insatiable
kiloċikl|u n.m. (pl. **~i**) kilocycle
kilogramm n.m. (pl. **~i**) kilogram(me)
kilolitr|u n.m. (pl. **~i**) kilolitre
kilometr|u n.m. (pl. **~i**) kilometer, kilometre
kilowott n.m. (pl. **~s**) kilowatt
kilw|a n.f. (pl. **~iet, kliewi**) kidney
kimer|a n.f. (pl. **~i**) chimera
kimeriku aġġ. chimerical
kimika n.f. (bla pl.) chemistry
kimikament avv. chemically
kimi|ku n.m. (pl. **~ċi**) chemical // n.m. (pl. **~ċi**) chemist
kimon|o n.f. (pl. **~ijiet**) kimono
kina n.f. (bla pl.) porcelain, china; **donnha tal-~** a delicate person
kines v. to sweep; ~ **kollox** he took everything away
kinin|a n.f. (pl. **~i**) quinine
kins|a n.f. (pl. **~iet**) sweeping
kirj|a n.f. (pl. **~iet**) rent; **sab ~a oħra** he is on another piece of work
kirjanz|a n.f. (pl. **~i**) breeding, education, politeness
kirograf|u n.m. (pl. **~i**) chirograph
kiropodist n.m. (pl. **~i**) surgery
kiromanzj|a n.f. (pl. **~i**) chiromancy, palmistry
kirurġij|a n.f. (pl. **~i**) surgery
kirurġikament avv. surgically
kirurġiku aġġ. surgical
kirurg|u n.m. (pl. **~i**) surgeon
kirx|a n.f. (pl. **~iet, kirex**) tripe, paunch; (stonku) stomach; **kiel il-~a miegħu** he knows him; **~tu ħoxna** a cruel person; **bniedem ~a** a gullible person
kiseb v. to get, to gain
kiser v. to break; ~ **għajn il-labra** to break the eye of a needle; ~ **għonqu** to engage; ~ **il-liġi** to contravent; ~ **is-sawm** to break one's fast; ~ **il-qalb** to grieve a person; ~ **ras xi ħadd** to annoy or nag a person; **kisirha** he had a row with sb.; ~ **lil xi ħadd** he humiliated sb.; ~ **is-sittin** he is in his sixties
kisi n.m. (bla pl.) covering, dressing
kisj|a n.f. (pl. **~iet**) plastering
kisr|a n.f. (pl. **~iet**) fracture, breaking
kisseb v. to obtain for or procure
kisser v. to break to pieces, to shatter; (dgħajjef) to break down, to debilitate, to weaken
kitarr|a n.f. (pl. **~i**) guitar; **~a klassika** Spanish guitar; **~a tad-dawl** electric guitar
kitarrist n.m. (pl. **~i**) guitar player
kitb|a n.f. (pl. **~iet**) writing, scripture
kiteb v. to write; ~ **il-mużika** to compose
kitl|a n.f. (pl. **~iet, ktieli**) kettle; **rabatlu l-~a** he obstructed him; **dendlet il-~a** she left her lover for another one
kittef v. to shrug up one's shoulders; (rebaħ) to win at play
kittieb n.m. (pl. **~a**) writer, clerk, scribe
kittien n.m. (pl. **ktieten**) lint, flax; **żejt tal-~** linseed oil
kittieni aġġ. producing flax
kittuna silly; **donnu** ~ a stupid fellow
kixef v. to bare, to strip, to uncover; (sigriet, eċċ.) to reveal
kixf|a n.f. (pl. **~iet**) discovery
kixxef v. to have uncovered, to cause to be disclosed
kixxief n.m. (pl. **~a**) discoverer
kjamat ara **(i)kkjamat**
kjaroskur n.m. (pl. **~i**) chiaroscuro
kjass n.m. (pl. **~i**) noise
kjavi n.f. (pl. **~jiet**) clef
kjosk n.m. (pl. **~s**) kiosk
kjostr|u n.m. (pl. **~i**) cloister
kju n.m. (pl. **~wijiet, ~ws**) queue
(i)kkaġuna v. to cause
(i)kkaġunat pp. caused
(i)kkalkula v. to calculate
(i)kkalkulat pp. calculated

(i)**kkalma** v. to calm, to soothe
(i)**kkalmat** pp. calmed
(i)**kkalpesta** v. to trample
(i)**kkalpestat** pp. trampled
(i)**kkalunja** v. to calumniate, to slander
(i)**kkalunjat** pp. calumniated, slendered
(i)**kkalzra** v. to imprison
(i)**kkalzrat** pp. imprisoned
(i)**kkamla** v. to get worm-eaten
(i)**kkamlat** pp. worm-eaten
(i)**kkampa** v. to encamp, to camp
(i)**kkampat** pp. encamped
(i)**kkanċella** v. to cancel, to obliterate, to erase
(i)**kkanċellat** pp. cancelled, obliterated, erased
(i)**kkankra** v. to gangrene
(i)**kkankrat** pp. gangrenous
(i)**kkanonizza** v. to canonize
(i)**kkanonizzat** pp. canonized
(i)**kkanvassja** v. to canvass
(i)**kkanvassjat** pp. canvassed
(i)**kkapitalizza** v. to capitalize
(i)**kkapitalizzat** ara **kapitalizzat**
(i)**kkapitula** v. to capitulate, to surrender
(i)**kkapitulat** pp. capitulated, surrendered
(i)**kkapottja** v. to wrap in a great-coat
(i)**kkapottjat** pp. wrapped in a great-coat
(i)**kkapparra** v. to forestall
(i)**kkapparrat** pp. forestalled
(i)**kkapulja** v. to hash, to mince, to chop
(i)**kkapuljat** pp. minced meat
(i)**kkapuna** v. to cat
(i)**kkapunat** pp. catted
(i)**kkarezza** v. to caress, to fondle
(i)**kkarezzat** pp. fondled
(i)**kkarga** v. to load a gun
(i)**kkargat** pp. loaded (a gun)
(i)**kkastiga** v. to chastise, to punish
(i)**kkastigat** pp. chastised, punished
(i)**kkastra** v. to castrate, to geld
(i)**kkastrat** pp. castrated
(i)**kkataloga** v. to catalogue
(i)**kkavilla** v. to cavil
(i)**kkavillat** pp. cavilled
(i)**kkawterizza** v. to cauterize
(i)**kkawterizzat** ara **kawterizzat**
(i)**kkawża** v. to cause, to be the cause of
(i)**kkawżat** ara **kawżat**
(i)**kkikkja** v. to kick
(i)**kkikkjat** pp. kicked
(i)**kkjama** v. to call out
(i)**kkjamat** pp. called out
(i)**kkjuwja** v. to queue
(i)**kklassifika** v. to classify
(i)**kklassifikat** ara **klassifikat**
(i)**kklejmja** v. to claim
(i)**kklejmjat** pp. claimed
(i)**kklerja** v. to clear
(i)**kklerjat** pp. cleared
(i)**kklexxja** v. to clash
(i)**kklexxjat** pp. clashed
(i)**kkmanda** v. to command
(i)**kkmandat** pp. commanded
(i)**kkoagula** v. to coagulate
(i)**kkoagulat** pp. coagulated
(i)**kkoċċla** v. to coil up, to maim
(i)**kkoċċlat** pp. coiled up
(i)**kkollabora** v. to collaborate
(i)**kkollaborat** pp. collaborated
(i)**kkollassa** v. to collapse
(i)**kkollassat** pp. collapsed
(i)**kkollezzjona** v. to collect
(i)**kkollezzjonat** pp. collected
(i)**kkolloka** v. to place
(i)**kkollokat** pp. placed
(i)**kkolonizza** v. to colonize
(i)**kkolonizzat** ara **kolonizzat**
(i)**kkombina** v. to combine
(i)**kkombinat** pp. combined
(i)**kkomoda** v. to accommodate
(i)**kkomodat** pp. accommodated
(i)**kkommemora** v. to commemorate
(i)**kkommemorat** ara **kommemorat**
(i)**kkommenta** v. to comment
(i)**kkommentat** pp. commented
(i)**kkommetta** v. to commit
(i)**kkommova** v. to move, to affect
(i)**kkommuta** v. to commute
(i)**kkommutat** pp. commuted
(i)**kkompara** v. to compare
(i)**kkomparat** ara **komparat**
(i)**kkompeta** v. to compete
(i)**kkompila** v. to compile
(i)**kkompilat** ara **kompilat**
(i)**kkompleta** v. to complete
(i)**kkomplika** v. to complicate
(i)**kkomplikat** ara **komplikat**
(i)**kkompona** v. to compose
(i)**kkomprenda** v. to understand
(i)**kkomprometta** v. to compromise
(i)**kkomunika** v. to communicate
(i)**kkomunikat** ara **komunikat**
(i)**kkonċeda** v. to grant, to allow
(i)**kkonċedut** pp. granted
(i)**kkonċentra** v. to concentrate
(i)**kkonċentrat** pp. concentrated
(i)**kkonċepixxa** v. to conceive

(i)kkonċeput pp. conceived
(i)kkonċerna v. to concern
(i)kkonċernat pp. concerned
(i)kkonċilja v. to conciliate
(i)kkondensa v. to condense
(i)kkondensat pp. condensed
(i)kkondizzjona v. to condition
(i)kkondizzjonat pp. conditioned
(i)kkonduċa v. to conduct, to lead
(i)kkonferixxa v. to confer (on, upon)
(i)kkonferma v. to confirm
(i)kkonfermat pp. confirmed
(i)kkonferut ara **konferut**
(i)kkonfessa v. to confess
(i)kkonfessat pp. confessed
(i)kkonfina v. to confine
(i)kkonfinat pp. confined
(i)kkonfiska v. to confiscate
(i)kkonfiskat pp. confiscated
(i)kkonfoffa v. to plot
(i)kkonfoffat pp. conspired, plotted
(i)kkonfonda v. to confound
(i)kkonfondut pp. confounded
(i)kkonforta v. to comfort
(i)kkonfortat pp. comforted
(i)kkonfronta v. to compare
(i)kkonfrontat pp. compared
(i)kkonfuta v. to confute
(i)kkonfutat pp. confuted
(i)kkonġettura v. to conjecture
(i)kkonġetturta pp. conjectured
(i)kkonġura v. to plot
(i)kkongratula v. to congratulate
(i)kkongratulat pp. congratulated
(i)kkonjuga v. to conjugate
(i)kkonjugat ara **konjugat**
(i)kkonkluda v. to conclude
(i)kkonkorda v. to concord
(i)kkonkordat ara **konkordat**
(i)kkonkorra v. to compete, to apply, to contribute
(i)kkonkwista v. to conquer
(i)kkonkwistat pp. conquered
(i)kkonnettja v. to connect
(i)kkonnettjat pp. connected
(i)kkonoxxa v. to know, to be acquainted with
(i)kkonoxxut ara **konoxxut**
(i)kkonsagra v. to consecrate
(i)kkonsagrat pp. consegrate, consecrated
(i)kkonsista v. to consist
(i)kkonsistit ara **konsistit**
(i)kkonsla v. to console
(i)kkonslat pp. consulated
(i)kkonsma v. to consume
(i)kkonsmat ara **konsmat**
(i)kkonsolida v. to consolidate
(i)kkonsolidat ara **konsolidat**
(i)kkonsulta v. to consult
(i)kkonsultat pp. consulted
(i)kkontenda v. to contend
(i)kkontesta v. to contest; ~ **l-elezzjoni** to contest an election
(i)kkontestat ara **kontestat**
(i)kkontinwa v. to continue
(i)kkontinwat ara **kontinwat**
(i)kkontja v. to account
(i)kkontjena v. to contain
(i)kkontradiċa, ikkontradixxa v. to contradict
(i)kkontrarja v. to counteract, to oppose
(i)kkontrarjat pp. counteracted, opposed
(i)kkontrasta v. to oppose
(i)kkontrastat ara **kontrastat**
(i)kkontrattakka v. to counter-attack
(i)kkontribwit ara **kontribwit**
(i)kkontribwixxa v. to contribute
(i)kkontrolla v. to control
(i)kkontrollat ara **kontrollat**
(i)kkonverta v. to convert
(i)kkonvertit ara **konverti**
(i)kkonvjena v. to be convenient
(i)kkonvinċa v. to convince
(i)kkonvoka v. to convoke
(i)kkonvokat ara **konvokat**
(i)kkonza v. to tan, to dress leather
(i)kkoopera v. to co-operate
(i)kkooperat pp. co-operated
(i)kkoordina v. to co-ordinate
(i)kkoordinat ara **koordinat**
(i)kkopja v. to copy
(i)kkoppa v. a sense of fullness in the stomach
(i)kkorda v. to tune, to accord
(i)kkorreġut pp. corrected
(i)kkorrieġa v. to correct
(i)kkorrisponda v. to correspond
(i)kkorrobora v. to corroborate
(i)kkorroborat ara **korroborat**
(i)kkorrompa v. to corrupt
(i)kkostitwit ara **kostitwit**
(i)kkostitwixxa v. to constitute
(i)kkostrinġa v. to compel
(i)kkostruwixxa v. to construct
(i)kkraxxja v. to crash
(i)kkraxxjat pp. crashed
(i)kkrea v. to create
(i)kkreat pp. created
(i)kkrema v. to cremate
(i)kkremat pp. cremated

(i)kkrepat pp. wearied
(i)kkriepa v. to press; (iddejjaq) to get weary
(i)kkristalizza v. to crystallize
(i)kkristalizzat ara **kristalizzat**
(i)kkritika v. to criticize
(i)kkritikat ara **kritikat**
(i)kkrossja v. to cross
(i)kkrossjat pp. crossed
(i)kkuljuna v. to ridicule, to deride
(i)kkuljunat pp. ridiculed, derided
(i)kkultiva v. to till
(i)kkultivat ara **kultivat**
(i)kkulurit ara **kulurit**
(i)kkulurixxa v. to colour
(i)kkumbatta v. to combat, to fight, to militate
(i)kkumbattut pp. combatted, fought, militated
(i)kkummerċja v. to trade
(i)kkummiedja v. to make comedy
(i)kkummidjat pp. made a comedy
(i)kkumpanja v. to accompany
(i)kkumpanjat pp. accompanied
(i)kkumpatixxa v. to compassionate
(i)kkumpatut ara **kumpatut**
(i)kkumpensa v. to compensate
(i)kkumpensat pp. compensated
(i)kkumplimenta v. to compliment
(i)kkumplimentat pp. complimented
(i)kkumplotta v. to plot
(i)kkumplottat pp. plotted
(i)kkunċerta v. to concert
(i)kkunċertat ara **kunċertat**
(i)kkundanna v. to condemn
(i)kkundannat ara **kundannat**
(i)kkunfetta v. to candy
(i)kkunfettat pp. candied
(i)kkunsenta v. to consent
(i)kkunserva v. to preserve
(i)kkunservat pp. preserved
(i)kkunsidra v. to consider
(i)kkunsidrat pp. considered
(i)kkunsilja v. to advise, to council, to ask advice of
(i)kkunsiljat ara **kunsiljat**
(i)kkunsinna v. to deliver, to consign
(i)kkunsinnat pp. delivered, consigned
(i)kkunslat pp. consoled, comforted
(i)kkunsmat pp. consummated
(i)kkuntempla v. to contemplate
(i)kkuntemplat ara **kuntemplat**
(i)kkuntenta v. to please, to content
(i)kkuntentat pp. pleased, contented
(i)kkuntjat aġġ. counted
(i)kkuntratta v. to contract
(i)kkuntrattat pp. contracted
(i)kkunzat pp. tanned
(i)kkupjat pp. copied
(i)kkupplat aġġ. dome-shaped
(i)kkura v. to cure, to take care of oneself
(i)kkurat pp. cured
(i)kkurdat pp. tuned
(i)kkusksja v. to granulate
(i)kkustinja v. to quarrel, to dispute
(i)kkustinjat pp. quarrelled, disputed
(i)kkuttunat aġġ. stuffed with cotton
(i)kkwadruplika v. to quadruple, to quadruplicate
(i)kkwadruplikat ara **kwadruplikat**
(i)kkwalifika v. to qualify
(i)kkwalifikat ara **kwalifikat**
(i)kkwerela v. to take legal proceedings against
(i)kkwerelat ara **kwerelat**
(i)kkwieta v. to quiet, to appease, to become quiet
(i)kkwitat pp. quieted, appeased
(i)kkwistjona v. to quarrel, to dispute
(i)kkwota v. to quote
(i)kkwotat ara **kwotat**
kl n.m. (pl. ~**s**) kl (kilolitre)
klabb n.m. (pl. ~**s**) club
klamar n.m. (pl. ~**i**) ink-well, inkpot, inkstead; (xorta ta' ħut) cuttle-fish
klandestin aġġ. clandestine
klandestinament avv. clandestinely
klaret aġġ. claret
klarinett n.m. (pl. ~**i**) clarinet, clarionet
klarinettist n.m. (pl. ~**i**) clarinet-player
klassi n.f. (pl. ~**jiet**)
klassiċiżm|u n.m. (pl. ~**i**) classicism
klassiċit|à n.m. (pl. ~**ajiet**) classicist
klassifik|a n.f. (pl. ~**i**) classification
klassifikat pp. classified
klassiku aġġ. classical, classic
klavikol|a n.f. (pl. ~**i**) clavicle, collar-bone
klawstrali aġġ. claustral
klawsul|a n.f. (pl. ~**i**) clause
klawsur|a n.f. (pl. ~**i**) cloister, enclosure
klaxx n.m. (pl. ~**ijiet**) clash
klemenz|a n.f. (pl. ~**i**) clemency
klerikali aġġ. clerical
klerikat n.m. (pl. ~**i**) clergy
kleri|ku n.m. (pl. ~**ċi**) clergyman
kleru n.m. clergy
klessidr|a n.f. (pl. ~**i**) clepsydra, hour-glass
klexxjat ara **(i)kklexxjat**
klijent n.m. (pl. ~**i**) customer, client
klijentel|a n.f. (pl. ~**i**) clientage
klikka n.f. (pl. **klikek**) clique
kill n.m. f. **klejla** (pl. ~**iet**) crown

klim|a n.f. (pl. ~**i**) climate
klimateriku aġġ. climacteric
klin n.m. (bla pl.) rosemary
klini|ka n.f. (pl. ~**ċi**) clinic
kliniku aġġ. clinical
klipp n.m. (pl. ~**ijiet**) clip
klix|è n.f. (pl. ~**ejiet**) cliche
klorat n.m. (pl. ~**i**) chlorate
klorofilla n.f. (bla pl.) chlorophyll
kloroform n.m. (bla pl.) chloroform
klorosi n.f. (bla pl.) chlorosis
kloru n.m. (bla pl.) chlorine
klubi aġġ. ravenous
klubija n.f. cruelty, greediness
km n.m. (pl. ~**s**) km; abbr. of kilometre
kmand n.m. (pl. ~**i**) command
kmandament n.m. (pl. ~**i**) commandment
kmandant n.m. (pl. ~**i**) chief, commander
kmandat ara **(i)kkmandat**
kmieni avv. early; **ejja** ~ come early; **qam** ~ to rise betimes; **ġejna** ~ we are too old to enjoy the benefits of today's life
knis n.m. (bla pl.) the act of sweeping
knisja n.f. (pl. **knejjes**) church, congregation; **jiekol mill-**~ always going to church; **tal-**~ a saintly person
koadjatur n.m. (pl. ~**i**) coadjutor
koagulat ara **(i)kkoagulat**
koala n.f. (pl. ~**s**) koala
koalizzjoni n.f. (pl. ~**jiet**) coalition
kobalt n.m. (bla pl.) cobalt
kobba n.f. (pl. **kobob**) ball; **waqa'** ~ he fell to the floor; ~ **mħabbla** a complicated problem; **qagħad** ~ cuddled up; **għandu** ~ he has bubonic plague; ~ **ħwejjeġ** heaped clothes
kobor n.m. (bla pl.) largeness, bigness; (xjuħija) old age
koċċ n.m. (pl. ~**i, kċuċ**) a little, a small quantity; (ħafna) a lot, a big quantity; **qagħad** ~ he sat in a kind of way; **fil-**~ a lot/not a lot
koċċ|a n.f. (pl. ~**i**) pimple
koċċinilj|a n.f. (pl. ~**i**) cochineal
kodeina n.f. (bla pl.) codeine
kodiċi n.m. (pl. ~**jiet**) code; ~ **kriminali** criminal code
kodoċill n.m. (pl. ~**i**) codicil
koeffiċjent n.m. (pl. ~**i**) coefficient
koerċizzjoni n.f. (pl. ~**jiet**) coercion
koeredi n.kom. coheir
koerenti n.kom. coherent
koerenz|a n.f. (pl. ~**i**) coherence, consistency
koetanju aġġ. coeval, coetaneous
koeżistenti aġġ. coexistent
koeżistenz|a n.f. (pl. ~**i**) coexistence
koeżjoni n.f. (pl. ~**jiet**) cohension
kofanett n.m. (pl. ~**i**) casket
koinċidenz|a n.f. (pl. ~**i**) coincidence
kok n.m. (pl. ~**ijiet**) cook
koka n.f. (bla pl.) coca
kokaina n.f. (bla pl.) cocaine
kokka n.f. (pl. **kokok**) owl; **qagħad** ~ he sat in a kind of way; **donnha** ~ a person who gazes fixedly
kokroċ n.f. (pl. ~**ijiet**) cockroach
koksin n.m. (pl. ~**ijiet**) coxswain
kol|a n.f. (pl. ~**i**) ladybird, lady bug
kolazzjon n.m. (pl. ~**ijiet**) breakfast
koler|a n.f. (pl. ~**i**) colera
koli|ka n.f. (pl. ~**ċi**) colic
kolit|e n.f. (pl. ~**ijiet**) colitis
kolja v. to coil
koljatur|a n.f. (pl. ~**i**) coil
koll n.m. (pl. ~**ijiet**) parcel, case, pack, bundle
kolla n.f. (pl. **kolol**) glue, paste
kollaborat ara **(i)kkollaborat**
kollaboratur n.m. (pl. ~**i**) collaborator
kollaborazzjoni n.f. (pl. ~**jiet**) collaboration
kollass n.m. (pl. ~**i**) collapse
kollaterali aġġ. collateral
kollazzjoni n.f. (pl. ~**jiet**) collation
kolleġġjat|a n.f. (pl. ~**i**) collegiate church
kolleg|a n.kom. (pl. ~**i**) colleague
koler|a n.f. (pl. ~**i**) anger
kollett|a n.f. (pl. ~**i**) collection; (talba) collect, prayer
kollettivament avv. collectively
kollettivit|à n.f. (pl. ~**ajiet**) social community
kollettur n.m. (pl. ~**i**) collector; ~ **tat-taxxi** tax collector
kollezzjonat ara **(i)kkollezzjonat**
kollezzjoni n.f. (pl. ~**jiet**) collection
kollezzjonist n.m. (pl. ~**i**) collector
kollha pron. all
kollimatur n.m. (pl. ~**i**) collimator
kollirj|u n.m. (pl. ~**i**) collyrium
kolliżjoni n.f. (pl. ~**jiet**) collision
kollokazzjoni n.f. (pl. ~**jiet**) placement
kollodj|u n.m. (pl. ~**i**) collodion
kollokat ara **(i)kkollokat**
kollokj|u n.m. (pl. ~**i**) conversation
kollox pron. all, everything, the whole // avv. totally, utterly, entirely; **fuq** ~ after all; **fuq** ~ in short
kollu pron. all; ~ **kemm hu** without any doubt; ~ **wieħed** there is nothing else to do; **...u** ~ just about to...

kolluverd n.m. (pl. ~**i**) wild duck
kolon n.m. (bla pl.) colon
kolonizzat pp. colonized
kolonizzazzjoni n.f. (pl. ~**jiet**) colonization
kolonj|a n.f. (pl. ~**i**) colony
kolonjali aġġ. colonial
kolonn|a n.f. (pl. ~**i**) column, pillar; **qisu** ~**a** a well-built person
kolonnat n.m. (pl. ~**i**) colonnade
koloss n.m. (pl. ~**i**) colossus, giant
kolossali aġġ. colossal, huge, gigantic
kolp n.m. (pl. ~**i**) stroke; **f'**~ on a sudden; **ħallieh tal-**~ he killed him straight away; **żamm il-**~he endured all the strife; **ġieh** ~ he encountered a problem; **tah** ~ he had a hard blow; **bniedem ta'** ~ a strong person
kolpa v. to strike, to hit
kom suf. pron. your, yours
kom|a n.f. (pl. ~**i**) coma
komatuż aġġ. comatose
kombinat ara **(i)kkombinat**
komdu aġġ. comfortable
komet|a n.f. (pl. ~**i**) comet
komfort n.m. (pl. ~**i**) comfort, consolation, solace
komfortabbli aġġ. consolable, comfortable
komikament avv. comically
komiku aġġ. comic, comical, laughable, droll // **komi|ku** n.m. (pl. ~**ċi**) comic actor, comedian
komittiv|a n.f. (pl. ~**i**) party, company
komma n.f. (pl. **kmiem**) sleeve; ~ **wiesgħa** a person who turns a blind eye quite readily; **refagħha fil-**~ he did not reply right back; **daħħlu fil-**~ he cheated him; **merfugħa fil-**~ ready
kommemorat pp. commemorated
kommemorazzjoni n.f. (pl. ~**jiet**) commemoration
kommend|a n.f. (pl. ~**i**) commendam, commenda
kommendatur n.m. (pl. ~**i**) commendatore, commender
kommess pp. committed
kommissur|a n.f. (pl. ~**i**) commissure
kommoss aġġ. moved, excited
kommoventi aġġ. moving, pitiful
kommozzjoni n.f. (pl. ~**jiet**) commotion, excitement, emotion
kommutat pp. commuted
kommutazzjoni n.f. (pl. ~**jiet**) commutation; ~ **tal-piena** commutation of punishment
komodin|a n.f. (pl. ~**i**) night-table, night-stool
komparabbli aġġ. comparable
komparat pp. compared
komparattiv aġġ. comparative
kompartiment n.m. (pl. ~**i**) compartment
kompatrijott n.m. (pl. ~**i**) fellow-countryman
kompatut pp. compassionated
kompendj|u n.m. (pl. ~**i**) compendium
kompetenti aġġ. competent; **awtorità** ~ competent authority
kompetenz|a n.f. (pl. ~**i**) competence
kompetitur n.m. (pl. ~**i**) competitor
kompetizzjoni n.f. (pl. ~**jiet**) competition, contest
kompilat pp. compiled
kompilazzjoni n.f. (pl. ~**jiet**) compilation
kompjaċenti aġġ. obliging, compliant
kompjaċenz|a n.f. (pl. ~**i**) complacency, obligingness
kompla v. to accomplish, to finish; ~ **ma' xi ħadd** he agreed with what he was saying; (xorob jew kiel miegħu) he conversed with him; **kellu jkomplilu** he had to pay more money; **jaf ikompli** he goes on well with people
kompless aġġ. complex; **sentenza** ~**a** complex sentence
kompletament avv. completely, entirely, fully
kompliċi n.kom. accomplice
kompliċit|à n.f. (pl. ~**ajiet**) complicity, criminal participation, criminal cooperation
komplikat pp. complicated
komplikazzjoni n.f. (pl. ~**jiet**) complication
komplott n.m. (pl. ~**i**) plot, conspiracy
komplottat ara **(i)kkomplottat**
komplut pp. accomplished, fulfilled
komponent n.m. (pl. ~**i**) member
komponiment n.m. (pl. ~**i**) composition
kompost pp. composed
kompożitur n.m. (pl. ~**i**) composer
kompożizzjoni n.f. (pl. ~**jiet**) composition
kompratur n.m. (pl. ~**i**) buyer
komprensiv aġġ. comprehensive
komprensjoni n.f. (pl. ~**jiet**) comprehension
kompressur n.m. (pl. ~**i**) compressor
komprimarj|u n.m. (pl. ~**i**) utility man
kompriż aġġ. comprised, included
kompromess aġġ. compromised, involved
kompromess n.m. (pl. ~**i**) compromise
kompromettenti aġġ. compromising
komputist n.m. (pl. ~**i**) accountant, book-keeper
komun n.m.koll. commune, common; **sens** ~ common sense
komunement avv. commonly, generally, usually
komuni aġġ. common
komunikat pp. communicated // n.m. (pl. ~**i**) communication, bulletin, communique; ~ **tal-gwerra** war communique, war bulletin
komunikazzjoni n.f. (pl. ~**jiet**) communication
komunist n.m. (pl. ~**i**) communist

komunit|à n.f. (pl. ~**ajiet**) community
komunitarju aġġ. of the community
komuniżm|u n.m. (pl. ~**i**) communism
kon n.m. (pl. ~**ijiet**) cone
konċernat ara **(i)kkonċernat**
konċess ara **(i)kkonċedut**
kondizzjonat ara **(i)kkondizzjonat**
konfermat ara **(i)kkonfermat**
konferut pp. confered (on, upon)
konfessat ara **(i)kkonfessat**
konfiskat ara **(i)kkonfiskat**
konfoff|a n.f. (pl. ~**i**) consipracy, plot, cable
konfoffat ara **(i)kkonfoffat**
konfortat ara **(i)kkonfortat**
konfrontat ara **(i)kkonfrontat**
konfutat ara **(i)kkonfutat**
konfuż ara **(i)ikkonfondut**
konfużjoni n.f. (pl. ~**jiet**) confusion
konġenitu aġġ. congenital
konġestjoni n.m. (pl. ~**jiet**) congestion
konġettur|a n.f. (pl. ~**i**) conjecture
konġetturat ara **(i)kkonġetturat**
konġuntiv|a n.f. (pl. ~**i**) conjunctive
konġuntivite n.f. (pl. ~**jiet**) conjunctivitis
konġunzjoni n.f. (pl. ~**jiet**) conjunction
konġur|a n.f. (pl. ~**i**) conspiracy, plot
konġurat n.m. (pl. ~**i**) conspirator // ara **(i)kkonġurat**
konglomerazzjoni n.f. (pl. ~**jiet**) conglomeration
kongratulat ara **(i)kkongratulat**
kongratulazzjoni n.f. (pl. ~**jiet**) congratulation
kongregazzjoni n.f. (pl. ~**jiet**) congregation
kongress n.m. (pl. ~**i**) congress
koniku aġġ. conical
konjakk n.m. (pl. ~**ijiet**) cognac
konjizzjoni n.f. (pl. ~**jiet**) cognition
konjugali aġġ. conjugal
konjugat pp. conjugated
konjugazzjoni n.f. (pl. ~**jiet**) conjugation
konk|a n.f. (pl. ~**iet**, **konok**) trench round a tree for irrigation, an earthen jar
konkatidral n.m. (pl. ~**i**) co-cathedral
konkavu aġġ. concave
konklav n.m. (pl. ~**i**) conclave
konkludenti aġġ. concluding
konkluż pp. concluded
konklużjoni n.f. (pl. ~**jiet**) conclusion
konkordanz|a n.f. (pl. ~**i**) accordance
konkordat n.m. (pl. ~**i**) agreement, concordat // pp. agreed, concorded
konkorrent n.m. (pl. ~**i**) competitor
konkorrenz|a n.f. (pl. ~**i**) concurrence, competition
konkors n.m. (pl. ~**i**) concourse
konkret aġġ. concrete
konkubin|a n.f. (pl. ~**i**) concubine
konkupixxenza n.f. (bla pl.) concupiscence
konkussjoni n.f. (pl. ~**jiet**) concussion
konkwist|a n.f. (pl. ~**i**) conquest
konkwistat ara **(i)kkonkwistat**
konkwistatur n.m. (pl. ~**i**) conqueror
konnazzjonali aġġ. fellow-countryman
konness pp. connected, joined, linked
konnessjoni n.f. (pl. ~**jiet**) connection, connexion
konoxxenz|a n.f. (pl. ~**i**) aquaintance, knowledge
konoxxitur n.m. (pl. ~**i**) connoisseur
konoxxut pp. well known
konsagrat ara **(i)kkonsagrat**
konsagrazzjoni n.f. (pl. ~**jiet**) consagration
konsangwinju aġġ. consanguineous, akin
konsegwenz|a n.f. (pl. ~**i**) consequence
konsekuttiv aġġ. consecutive
konsenjat ara **(i)kkunsinnat**
konsentit pp. consented
konservattiv aġġ. conservative
konservatorj|u n.m. (pl. ~**i**) conservatory
konservat ara **(i)kkunservat**
konservatur n.m. (pl. ~**i**) conservator
konservazzjoni n.f. (pl. ~**jiet**) preservation, conservation
konsiderabbli aġġ. considerable
konsiderazzjoni n.f. (pl. ~**jiet**) consideration; **ħadha f'**~ to take into consideration
konsistenti aġġ. consisting (of, in) solid, strong
konsistenz|a n.f. (pl. ~**i**) consistence
konsistit pp. consisted
konslat ara **(i)kkunslat**
konsl|u n.m. (pl. ~**i**) consul
konsmat ara **(i)kkunsmat**
konsolazzjoni n.f. (pl. ~**jiet**) consolation, solace
konsolida n.f. (bla pl.) comfrey
konsolidat pp. consolidated
konsonanti n.f. (pl. ~**i**) consonant
konsulat n.m. (pl. ~**i**) consulate, consulship // pp. ara **(i)kkonslat**
konsult|a n.f. (pl. ~**i**) consultation; (kunsill) council
konsultazzjoni n.f. (pl. ~**jiet**) consultation
konsultur n.m. (pl. ~**i**) counsellor, advisor
konsum n.m. (pl. ~**i**) consumption
konsumatur n.m. (pl. ~**i**) consumer
konsumazzjoni n.f. (pl. ~**jiet**) consummation
kont n.m. (pl. ~**ijiet**) account, bill; **ma tax** ~ he did not care less; **bla** ~ careless; **żamm** ~ **ta' kollox** he remembered everything
kontagoċċi n.f. (bla pl.) dropper, dropping tube
kontemplat pp. contemplated
kontemplattiv aġġ. contemplative

kontemplazzjoni n.f. (pl. ~**i**) contemplation
kontemporanjament avv. at the same time
kontemporanju aġġ. contemporaneous
kontenut n.m. (bla pl.) contents // pp. contained
kontess|a n.f. (pl. ~**i**) countess
kontest n.m. (pl. ~**i**) context
kontestant n.m. (pl. ~**i**) contestant
kontestat pp. contested
kontestazzjoni n.f. (pl. ~**jiet**) contention
konti n.m. (pl. ~**jiet**) count, earl
kontinent n.m. (pl. ~**i**) continent
kontinentali aġġ. continental
kontinġenz|a n.f. (pl. ~**i**) contingency
kontinwament avv. continually
kontinwat pp. continual, continued
kontinwatur n.m. (pl. ~**i**) continuer, continuator
kontinwazzjoni n.f. (pl. ~**jiet**) continuation
kontinwit|à n.f. (pl. ~**ajiet**) continuity
kontinwu aġġ. continuous, uninterrupted
kontjat ara **(i)kkuntjat**
kontorn n.m. (pl. ~**i**) contour, outline; (tas-salad, eċċ.) vegetables
kontra prep against
kontradett aġġ. contradicted
kontradiċenti aġġ. contradicting
kontradittorju aġġ. contradictory
kontradizzjoni n.f. (pl. ~**jiet**) contradiction
kontralt n.m. (pl. ~**i**) counter-tenor, contralto
kontrapiż n.m. (pl. ~**i**) counterpoise, counterbalance, counterweight
kontrapont n.m. (pl. ~**i**) counterpoint
kontrapropost|a n.f. (pl. ~**i**) counter-proposal
kontraprov|a n.f. (pl. ~**i**) counter-proof, counter-evidence
kontrarjat ara **(i)kkontrarjat**
kontrarmirall n.m. (pl. ~**i**) rear admiral
kontraskarp|a n.f. (pl. ~**i**) counterscarp
kontrast n.m. (pl. ~**i**) contrast
kontrastat pp. contrasted
kontrattakk n.m. (pl. ~**i**) counter attack
kontravelen|u n.m. (pl. ~**i**) antidote, anti-venene
kontrazzjoni n.f. (pl. ~**jiet**) contraction
kontributur n.m. (pl. ~**i**) contributor
kontribuzzjoni n.f. (pl. ~**jiet**) contribution, co-operation
kontribwit pp. contributed // n.m. contribution
kontroffensiv|a n.f. (pl. ~**i**) counter-offensive
kontroll n.m. (pl. ~**i**) control
kontrollat pp. controlled, inspected
kontrollur n.m. (pl. ~**i**) comptroller, controller
kontrordni n.f. (pl. ~**jiet**) counter-order, countermand
kontroversj|a n.f. (pl. ~**i**) controversy, dispute
kontumaċi aġġ. contumacious, guilty of default
kontumaċja n.f. (bla pl.) contumacy, default
konupew n.m. (pl. ~**ijiet**) ciborium
konvalexxenti aġġ. convalescent
konvalexxenz|a n.f. (pl. ~**i**) convalescence
konvenjenti aġġ. convenient
konvenjenz|a n.f. (pl. ~**i**) convenience
konvenut n.m. (pl. ~**i**) defendant
konvenzjonali aġġ. conventional
konvenzjonalit|à n.f. (pl. ~**ajiet**) conventionality
konvenzjoni n.f. (pl. ~**jiet**) convention
konvers n.m. (pl. ~**i**) lay brother
konverżazzjoni n.f. (pl. ~**jiet**) conversation
konverżjoni n.f. (pl. ~**jiet**) conversion
konvertit pp. converted
konvess aġġ. convex
konvinċenti aġġ. convincing
konvint pp. conviction
konvinzjoni n.f. (pl. ~**jiet**) convinced, persuaded
konvoj n.m. (pl. ~**ijiet**) convoy
konvokat pp. convoked
konvokazzjoni n.f. (pl. ~**jiet**) convocation
konvulżiv aġġ. convulsive
konvulżjoni n.f. (pl. ~**jiet**) convulsion
konz n.m. (pl. ~**ijiet**) fishing-line
konza n.f. (bla pl.) tan
konzerij|a n.f. (pl. ~**i**) tannery
kooperattiv aġġ. co-operative
kooperatur n.m. (pl. ~**i**) co-operator
kooperazzjoni n.f. (pl. ~**jiet**) co-operation
koordinat pp. co-ordinate
koordinatur n.m. (pl. ~**i**) co-ordinator
koordinazzjoni n.f. (pl. ~**jiet**) co-ordinator
kopertin|a n.f. (pl. ~**i**) cover
kopist n.m. (pl. ~**i**) copyist
kopj|a n.f. (pl. ~**i**) copy; **ma teħodlux** ~**a** he acts in an irrational way
kopjat ara **(i)kkupjat**
koppi: **reġa'** ~ he did again the same thing
koppj|a n.f. (pl. ~**i**) couple
koppl|a n.f. (pl. ~**i**) dome, cupola, vault
kopra v. cover
kor n.m. (pl. ~**ijiet**) choir
korali aġġ. coral
korallina n.f. (pl. ~**t**) coralline
korantina n.f. (bla pl.) quarantine
korazz|a n.f. (pl. ~**i**) armour; (xorta ta' ħut) common hammerhead
kord|a n.f. (pl. ~**i**) chord
korderij|a n.f. (pl. ~**i**) rope-yard, rope-factory
Kordin Corradino; **bagħtuh** ~ he was arrested
kordjal n.m. (pl. ~**i**) cordial
koreografij|a n.f. (pl. ~**i**) choreographic

koreografiku aġġ. choreograph, choreographer
koreograf|u n.m. (pl. ~**i**) choreography
korist n.m. (pl. ~**i**) chorister
korla n.f. (bla pl.) anger
korne|a n.f. (pl. ~**j**) cornea
korner n.m. (pl. ~**s**) corner
kornett n.m. (pl. ~**i**) cornet
korn|u n.m. (pl. ~**i**) horn; ~ **Franċiż** French horn; ~ **Ingliż** English horn
korob ara **karab**
koreografij|a n.f. (pl. ~**i**) choreography
koreografiku aġġ. choreographic(al)
koreograf|u n.m. (pl. ~**i**) choreographer
koroll|a n.f. (pl. ~**i**) corolla
korollarj|u n.m. (pl. ~**i**) corollary
koronarju aġġ. coronary
koronċin|a n.f. (pl. ~**i**) short-prayer
korp n.m. (pl. ~**i**) body; ~ **tal-għassa** police station
korporal n.m. (pl. ~**i**) corporal
korporattiv aġġ. corporative
korporazzjoni n.f. (pl. ~**jiet**) corporation
korpuskol|u n.m. (pl. ~**i**) corpuscle, corpuscule
korra v. to hurt oneself; (inqabad) he got caught; **korriet** she had a miscarriage
korrelattiv aġġ. correlative
korrenti aġġ. current; **kont** ~ current account
korrett pp. corrected
korrettament avv. correctly
korrettezza n.f. (pl. ~**i**) correctness
korrettur n.m. (pl. ~**i**) corrector
korrezzjoni n.f. (pl. ~**i**) correction
korriment n.m. (pl. ~**i**) miscarriage
korrispondent n.m. (pl. ~**i**) correspondent
korrispondenz|a n.f. (pl. ~**i**) correspondence
korroborat pp. corroborated
korroborazzjoni n.f. (pl. ~**jiet**) corroboration
korrompiment n.m. (pl. ~**i**) corruption
korrompitur n.m. (pl. ~**i**) corrupter
korrott pp. corrupt, depraved
korruzzjoni n.f. (pl. ~**jiet**) corruption
kors n.m. (pl. ~**ijiet**) course
korsa n.f. (pl. ~**i**) race
korsij|a n.f. (pl. ~**i**) the current of a river; (nava) nave
korsiv aġġ. cursive
korteo n.m. (pl. **kortej**) procession, train
korvin|a n.f. (pl. ~**i**) corvine
korv|u n.m. (pl. ~**i**) crow, raven
kos inter. after all
kosbor n.m.koll. f. **kosbra** (pl. ~**iet**) coriander; ~ **il-bir** maidenhair
kospirazzjoni n.f. (pl. ~**jiet**) conspiracy, machination
kost n.m. (bla pl.) cost, expense
kost|a n.f. (pl. ~**i**) coast
kostanti aġġ. constant, firm
kostanz|a n.f. (pl. ~**i**) constancy
kostellazzjoni n.f. (pl. ~**jiet**) constellation
kostituzzjonali aġġ. constitutional
kostituzzjoni n.f. (pl. ~**jiet**) constitution
kostitwenti n.kom. constituent
kostitwit pp. constituted
kostrett pp. compelled, forced
kostrinġiment n.m. (bla pl.) constraint, compulsion
kostrutt pp. construed, built, constructed
kostruttiv aġġ. constructive
kostruttur n.m. (pl. ~**i**) constructor, builder
kostruwit ara **kostrutt**
kostruzzjoni n.f. (pl. ~**jiet**) construction, building
kostum n.m. (pl. ~**i**) custom, habit, practice; ~ **tal-karnival** fancy dress; **dramm bil-~** custume piece
kotnin|a n.f. (pl. ~**i**) cotton sail-cloth
kotor v. to multiply, to increase
kotr|a n.f. (pl. ~**i**) increase, multiplication, augmentation; ~ **nies** multitude
kotran aġġ. augmenting, increasing
kowt n.m. (pl. ~**ijiet**) coat
koxxa n.f. (pl. **koxox**) thigh; (liwja) angle, corner; ~ **ta' bieb** door-post; **qdieh mill-~** he tried hard to satisfy his request
kożmeti|ku n.m. (pl. ~**ċi**) cosmetic
kożmiku aġġ. cosmic, cosmical
kożmografij|a n.f. (pl. ~**i**) cosmogaphy
kożmografiku aġġ. cosmographic(al)
kożmograf|u n.m. (pl. ~**i**) cosmographer
kożmopolit|a n.m. (pl. ~**i**) cosmopolite
kożmoram|a n.f. (pl. ~**i**) cosmorama
kożmu n.m. (bla pl.) cosmos
kozz tal-għonq n.m. nape of the neck, scruff
krajonn ara **krejon**
kraker n.f. (pl. ~**s**) cracker
krampi n.m. (bla pl.) cramp
kranj|u n.m. (pl. ~**ijiet**) scull, cranium
kratier n.m. (pl. ~**i**) crater
kraxx n.m. (pl. ~**ijiet**) crash
kraxxjat ara **(i)kkraxxjat**
krażi n.f. (pl. ~**jiet**) crasis
kreatina n.f. (bla pl.) creatine
kreattiv aġġ. creative
kreatur n.m. (pl. ~**i**) creator
kreatur|a n.f. (pl. ~**i**) creature
kreazzjoni n.f. (pl. ~**jiet**) creation // aġġ. creation
kredenzjali aġġ. credential, credentials // n.f. credential, credentials

kredibbli aġġ. credible
kreditur n.m. (pl. ~**i**) creditor
kredt|u n.m. (pl. ~**i**) credit; **tilef il-~u** to lose credit; (irrabja) he got angry
kred|u n.m. (pl. ~**ijiet**) creed; **f'kemm tgħid ~u** in a matter of seconds
krejon n.m. (pl. ~**s**) crayon
krem|a n.f. (pl. ~**i**) cream; (l-aqwa nies) the best of the lot
kremazzjoni n.f. (pl. ~**jiet**) cremation
Kremlin n.m. (bla pl.) Kremlin
kremżi aġġ. crimson
kreożot n.m. (bla pl.) creosote
krepuskolari aġġ. crepuscular
kretin n.m. (pl. ~**i**) cretin, idiot, imbecile, fool
krettu ara **kredtu**
krexxend|o n.m. (pl. ~**ijiet**) crescendo
krexxun|i n.m. (pl. ~**iet**) watercress
krieħ v. to become ugly
krikit n.m. (pl. ~**i**) cricket
krikk n.m. (pl. ~**ijiet**) capstan, skid
kriminal n.m. (bla pl.) criminal
kriminalist|a n.m. (pl. ~**i**) criminalist
kriminalment avv. criminally
kriminoloġij|a n.f. (pl. ~**i**) criminology
krimiżi n.f. crimson // aġġ. crimson
krinjier|a n.f. (pl. ~**i**) mane
krinjol|a n.f. (pl. ~**i**) cornelian stone
krinolin n.m. (bla pl.) crinoline
kript|a n.f. (pl. ~**i**) crypt
kristall n.m. crystal; **ċar daqs il-~** very clear
kristallizzat pp. crystallized
kristallizzazzjoni n.f. (pl. ~**jiet**) crystallization
Kristjan aġġ. Christian
kristjanament avv. christianly
Kristjaneżm|u n.m. (pl. ~**i**) Christianity
Kristjanit|à n.f. Christianity, Christendom
Kristjoloġij|a n.f. (pl. ~**i**) Christology
Kristoloġiku aġġ. Christologic(al)
Kristu n.pr. Christ; **donnu ~ tal-ferli** an afflicted person
kriterj|u n.m. (pl. ~**i**) judgement, opinion, sense
kriti|ka n.f. (pl. ~**ċi**) criticism
kritikat pp. criticized
kriti|ku n.m. (pl. ~**ċi**) critic
krittogam|a n.f. (pl. ~**i**) crytogama
kriżantem|a n.f. (pl. ~**i**) chrysantemum
kriżi n.f. (pl. ~**jiet**) crisis
krom|a n.f. (pl. ~**i**) crotchet
kromatik|u aġġ. chromatic; **skala ~a** chromatic scale
kronak|a n.f. (pl. ~**i**) chronicle
kroniku aġġ. chronic
kronist|a n.m. (pl. ~**i**) chronicler
kronoloġij|a n.f. (pl. ~**i**) chronology
kronoloġiku aġġ. chronological
kronometriku aġġ. chronometric(al)
kronometr|u n.m. (pl. ~**i**) chronometer, stop-watch
krossjat ara **(i)kkrossjat**
krox|è n.m. (pl. ~**ejiet**) crotchet
krozz|a n.f. (pl. ~**i**) crutch
kruċ n.m. (pl. ~**i**) cross; **Santu** ~ the Holy Road, the Holy Cross; **Gran** ~ Grand Cross
kruċett|a n.f. (pl. ~**i**) cross-trees
kruċier|a n.f. (pl. ~**i**) cruise
kruċjat n.m. (pl. ~**i**) crusader
kruċjat|a n.f. (pl. ~**i**) crusade
krudelt|à n.f. (pl. ~**ajiet**) cruelty, hard-heartedness
krudil aġġ. cruel
kruha n.f. (pl. ~**t**) ugliness
krupp n.f. (bla pl.) croup
krustaċj|u n.m. (pl. ~**i**) crustacean
krustin|a n.f. (pl. ~**i**) toast
krużer n.f. (pl. ~**s**) cruiser
ksiba acquisition; **mara tal-~** a devoted woman
ksieħ n.m. (bla pl.) chill
ksir n.m. (bla pl.) fracture; ~ **il-qalb** affliction, heartache; ~ **ir-ras** importunity, troublesomeness; ~ **il-għonq** trouble; ~ **il-għajn** an unpleasant thing; ~ **id-devozzjoni** an annoying person
ksuħa n.f. (pl. ~**t**) coldness, frigidity, chillness
ksur n.m. fracture; **ma jafx bi** ~ he does not get offended easily
ktieb n.m. (pl. **kotba**) book; **il-~ il-Kbir** Holy Scripture, the Bible; ~ **il-kliem** dictionary; ~ **tal-knisja** prayer book; ~ **tal-quddies** missal; **fetaħ il-~** he started talking for ages; **fetaħlu l-kotba** he mentioned his weak spot
Ku Klux Kan n.f. (bla pl.) Ku Klux Kan
kubatur|a n.f. (pl. ~**i**) cubature
kubija n.f. (pl. ~**t**) hawse-hole
kubiku aġġ. cubic
kubist n.m. (pl. ~**i**) cubist
kubiżm|u n.m. (pl. ~**i**) cubism
kubitali aġġ. large
kubrit n.m.koll. f. ~**a** (pl. ~**iet**) sulphur, brimstone
kubrit|a n.f. (pl. ~**iet**) little tunny; (ta' bieb) groundsel, ragwort
kub|u n.m. (pl. ~**i**) cube
kuċċard|a n.f. (pl. ~**i**) honey buzzard
kuċċarin|a n.f. (pl. ~**i**) tea spoon
kuċċarun n.m. (pl. ~**i**) ladle, soup-spoon
kuċċett|a n.f. (pl. ~**i**) berth
kuċċier n.m. (pl. ~**a**) coachman
kuċinier|a n.f. (pl. ~**i**) stove

kud|a n.f. (pl. **~i**) tail
kudirross n.m. (pl. **~i**) redstar warbler
kuġin n.m. (pl. **~i**) cousin
kuġitur n.m. (pl. **~i**) coadjutor
kuħħal|a n.f. (pl. **~iet, kħaħel**) ecchimosis
kugar n.m. (pl. **~ijiet**) cougar
kukkanj|a n.f. (pl. **~i**) cockaigne
kukkard|a n.f. (pl. **~i**) cockade
kukkudrill n.m. (pl. **~i**) crocodile, alligator
kuk|ù n.m. (pl. **~jiet**) cuckoo
kulatt|a n.f. (pl. **~i**) breech
kulħadd pron. indef. everybody, everyone; **~ kelma waħda** the news spread around; **~ iħokk fejn jieklu** everyone gives priority to his own interests
kulinkwa pron. u aġġ. whatever
kuljum avv. everyday
kuljunat ara **(i)kkuljunat**
kull pron. indef. each, every
kullan|a n.f. (pl. **~i**) necklace
kullar n.m. (pl. **~i**) collar; **libes il-~** he became a priest; **bil-~ m'għonqu** constrained
kull darba avv. each time, whenever
kulleġġ n.m. (pl. **~i**) college
kull fejn avv. wherever, everywhere
kullimkien avv. wherever
kull meta avv. every time, whenever
kull min pron. indef. whoever, whosoever
kulma pron. indef. all that, everything that, what
kult n.m. (pl. **~i**) cult
kultant avv. every now and then
kultellazz n.m. (pl. **~i**) studding-sail
kultivabbli aġġ. cultivable
kultivat pp. cultivated
kultivatur n.m. (pl. **~i**) cultivator
kultivazzjoni n.f. (pl. **~jiet**) cultivation
kultur|a n.f. (pl. **~i**) culture
kulturali aġġ. cultural
kulur n.m. (pl. **~i**) colour; **sar minn kull ~** he was clearly affected; **x'~ hu?** with what party does he side?
kulurit pp. coloured
kuluverd n.m. (pl. **~i**) wild duck
kumbattiment n.m. (pl. **~i**) fight, combat
kumbattut ara **(i)kkumbattut**
kumbinazzjoni n.f. (pl. **~jiet**) combination
kumdit|à n.f. (pl. **~ajiet**) comfort, convenience
kument n.m. (pl. **~i**) seam
kumitat n.m. (pl. **~i**) committee
kumment n.m. (pl. **~i**) comment
kummentarj|u n.m. (pl. **~i**) commentary
kummentatur n.m. (pl. **~i**) commentator
kummerċ n.m. (bla pl.) commerce, trade; **Kamra tal-K~** Chamber of Commerce
kummerċjali aġġ. commercial
kummerċjant n.m. (pl. **~i**) merchant, trader, trafficker
kummerċjat ara **(i)kkummerċjat**
kummidjant n.m. (pl. **~i**) comedian, player
kummidjograf|u n.m. (pl. **~i**) playwright, comedist
kummiedj|a n.f. (pl. **~i**) comedy; **il-~** circus; (ċajta) a prank; (ksuħat) disdainful behaviour
kummidjat ara **(i)kkummidjat**
kummissarjat n.m. (pl. **~i**) commissariat
kummissarj|u n.m. (pl. **~i**) commissary; **K~ tal-Pulizija** Chief Constable, Head of the Police, Commissioner of Police
kummissjonant n.m. (pl. **~i**) undertaker
kummissjoni n.f. (pl. **~jiet**) commission
kumpanij|a n.f. (pl. **~i**) company; **għamillu ~a** he stayed with him
kumpann n.m. (bla pl.) companion
kumpars|a n.f. (pl. **~i**) appearance
kumpass n.m. (pl. **~ijiet**) compass, pair of compasses; **bil-~ f'idu** who likes things done in a meticulous way
kumpassjoni n.f. (pl. **~jiet**) compassion
kumpatut pp. compassionated
kumpens n.m. (pl. **~i**) compensation
kumpensat ara **(i)kkumpensat**
kumpiet|a n.f. (pl. **~i**) compline(e)
kumpliment n.m. (pl. **~i**) compliment, flattery; **mingħajr ~i** without demure
kumplimentat ara **(i)kkumplimentat**
kumplimentuż aġġ. ceremonious
kumplott ara **komplott**
kunċert n.m. (pl. **~i**) concert
kunċertat pp. concerted
kunċertatur n.m. (pl. **~i**) conductor
kunċertist n.m. (pl. **~i**) leading performer (at a concert)
kundann|a n.f. (pl. **~i**) condemnation; **~ għall-mewt** sentence to death
kundannat pp. condemned
kunfett n.m. (pl. **~i**) comfit, sugarplum
kunfettier n.m. (pl. **~a**) confectioner
kunfettur|a n.f. (pl. **~i**) candy, candy peel
kunfettat ara **(i)kkunfettat**
kunfidenz|a n.f. (pl. **~i**) confidence, familiarity, intimacy
kunfidenzjali aġġ. confidential
kunġintur|a n.f. (pl. **~i**) conjuncture
kungress n.m. (pl. **~i**) congress
kunjard n.m. (pl. **~i**) dowel, chock, wedge
kunjat|u n.m. (pl. **~i**) father-in-law

kunjett n.m. (pl. ~**i**) phial, cruse
kunjom n.m. (pl. ~**ijiet**) surname, family name
kunsens n.m. (pl. ~**i**) consent, approbation, permission, assent
kunsentur|a n.f. (pl. ~**i**) crack, chap
kunserva n.f. (pl. ~**i**) jam; ~ **tat-tadam** tomato paste, tomato sauce
kunsidrat ara **(i)kkunsidrat**
kunsiljat pp. advised, recommended
kunsill n.m. (pl. ~**i**) counsel, advise; ~ **tal-gwerra** war council; **K~ tal-Ministri** Cabinet Council; **Sala tal-K~** Council Chamber
kunsillier n.m. (pl. ~**i**, ~**a**) counsellor, adviser
kunsinn|a n.f. (pl. ~**i**) delivery
kunsinnatarj|u n.m. (pl. ~**i**) consignee
kuntatt n.m. (pl. ~**i**) contact, touch
kuntemplat pp. contemplated
kuntent aġġ. content, joyful, pleased
kuntentat ara **(i)kkuntentat**
kuntentizz|a n.f. (pl. ~**i**) gladness, happiness
kuntistabbli n.m. (pl. ~**jiet**) police, policeman
kuntrabandier n.m. (pl. ~**i**) contrabandist
kuntraband|u n.m. (pl. ~**i**) contraband
kuntrabaxx n.m. (pl. ~**i**) contrabass, doublebass; **jonħor daqs** ~ one who snores a lot
kuntrabaxxist n.m. (pl. ~**i**) double-bass player
kuntradanz|a n.f. (pl. ~**i**) country dance
kuntrarjament avv. contrarily
kuntrarjat pp. baffled, annoyed, vexed
kuntrarj|u n.m. (pl. ~**i**) contrary, opposite
kuntratt n.m. (pl. ~**i**) contract
kuntratt ara **(i)kkuntratt**
kuntrattazzjoni n.f. (pl. ~**jiet**) negotiation
kuntrattur n.m. (pl. ~**i**) contractor
kunvent n.m. (pl. ~**i**) monastery, friary
kunventwali aġġ. conventual
kunzatur n.m. (pl. ~**i**) tanner
kunzatur|a n.f. (pl. ~**i**) tanning
kupajb|a n.f. (pl. ~**i**) copaiba, copaiva
kup|è n.f. (pl. ~**ejiet**) coupe
kuppell|a n.f. (pl. ~**i**) cupel
kupplett|a n.f. (pl. ~**i**) small dome
kupun n.m. (pl. ~**i**) coupon
kura n.f. (bla pl.) care, cure, treatment
kurabbli aġġ. curable
kuraġġ n.m. (bla pl.) courage, spunk; ~ **ta' sur** big courage
kuraġġuż aġġ. brave, valiant, courageous
kuranti aġġ. careful; **tabib** ~ attending physician
kurat n.m. (pl. ~**i**) parish priest // ara **(i)kkurat**
kuratur n.m. (pl. ~**i**) guardian, trustee
kurazzier n.m. (pl. ~**i**) cuirassier
kurċifiss n.m. (pl. ~**i**) crucifix; **għamlu** ~ he maltreated him
kurdar n.m. (pl. ~**a**) rope-maker, cord maker
(i)kkurdatur n.m. (pl. ~**i**) piano-tuner
kurdiċell|a n.f. (pl. ~**i**) string, tape
kurdun n.m. (pl. ~**i**) string, rope, cord; ~ **tal-qanpiena** bell-rope; ~ **militari** cordon; ~ **ta' sur** cordon
kurdwan|a n.f. (pl. ~**i**) cordovan, cordwain
kuriġġ|a n.f. (pl. ~**i**) strap
kuritur n.m. (pl. ~**i**) passage, corridor
kurj|a n.f. (pl. ~**i**) curia
kurjal n.m. (pl. ~**i**) lawyer
kurjuż aġġ. curious
kurkanta n.f. (bla pl.) crisp almond-cake
kurkett|a n.f. (pl. ~**iet, krieket**) hook; ~**a mara** the eye in which receives the hook; ~**a raġel** hook
kurpett n.m. (pl. **kriepet**) corset
kurrat n.m.koll. f. ~**a** (pl. ~**iet**) leek
kurrent n.m. (pl. ~**i**) current; **kont** ~**i** current account; **kontra l-**~ against the grain
kurrier n.m. (pl. ~**i**) courier
kurrikul|u n.m. (pl. ~**i**) curriculum, course of study
kursal n.m. (pl. ~**i**) kursaal
kursar n.m. (pl. ~**i**) corsair, pirate, freebooter, buccaneer; **fih** ~! he thinks too highly of himself!
kurtinaġġ n.m. (pl. ~**i**) bed-curtain
kurun|a n.f. (pl. ~**i**) crown; **il-K~** the Crown; ~**a tal-fjuri** wreath of flowers; ~**a tal-martirju** crown of martyrdom; ~**a tar-rand** wreath of laurel; ~**a tar-rużarju** chaplet, rosary; ~**a tax-xewk** crown of thorns; **diskors tal-**~**a** speech from the Throne; **tal-**~**a t-twila** fake religiosity
kurunell n.m. (pl. ~**i**) colonel
kurunell|a n.f. (pl. ~**i**) short prayer, (xorta ta' ħuta) argentine
kurunett|a n.f. (pl. ~**i**) cornet
kurunettist n.m. (pl. ~**i**) cornetist, cornet player
kurv|a n.f. (pl. ~**i**) curve, bend
kurvatur|a n.f. (pl. ~**i**) curving, bending
kurvett|a n.f. (pl. ~**i**) corvette
kurżit|à n.f. (pl. ~**ajiet**) curiosity; **baqa' bil-**~**à** he did not quench his curiosity; **il-**~**à għamlet bih** he was very curious
kus n.m. (pl. **kwies**) pitcher, jar, jug, oilpot; **dendel** ~**u miegħu** he quarreled with him
kustat n.m. (pl. ~**i**) breast, chest
kustilj|a n.f. (pl. ~**i**) rib; **bil-**~**i barra** very thin
kustodj|a n.f. (pl. ~**i**) custody
kustodj|u n.m. (pl. ~**i**) custodian, guardian, keeper; **anġlu** ~**u** guardian angel

kutr|a n.f. (pl. **~i,kwieter**) blanket, counterpane, coverlet; **~a kkuttunata** quilt
kutramenti n.m. (bla pl.) accountrements
kutrabandu ara **kuntrabandu**
kutrumbajs|a n.f. (pl. **~i**) sommersault, tumble; **għamel** ~ he changed his opinion drastically
kuttunat ara **(i)kkuttunat**
kutu-kutu avv. quietly, softly
kutulett|a n.f. (pl. **~i**) cutlet
kutunjat|a n.f. (pl. **~i**) quince-jam
kuxjenz|a n.f. (pl. **~i**) conscience; **~a maħmuġa** a guilty conscience; **eżami tal-~a** to examine one's own conscience; **tingiż tal-~a** sting of conscience; **bla ~a** a cruel person; **fuq il-~a tiegħek** on your conscience
kuxjenzjuż aġġ. conscientious
kuxtbien|a n.f. (pl. **~i, kuxtbiniet**) brace
kuxin n.m. (pl. **~i**) cushion
kuxinett n.m. (pl. **~i**) small cushion; ~ **tal-labar** pin-cushion; **serva ta'** ~ he did not succeed in merging together two conflicting parties
kw n.m. (pl. **~s**) kw (kilowatt)
kwadrangl|u n.m. (pl. **~i**) quadrangle
kwadrangulari aġġ. quadrangular
kwadrant n.m. (pl. **~i**) quadrant; ~ **ta' arloġġ** dial face; ~ **tax-xemx** sundial
kwadrat pp. square
kwadratiku aġġ. quadratic // **kwadrati|ku** n.m. (pl. **~ċi**) quadratic
kwadratur|a n.f. (pl. **~i**) quadrature
kwadrilaterali aġġ. quadrilateral
kwadrilj|a n.f. (pl. **~i**) quadrille
kwadr|u n.m. (pl. **~i**) picture, painting; ~ **sinottiku** synoptic table
kwadru aġġ. square; **ras kwadra** a strong mind
kwadruman aġġ. quadrumanous
kwadrumvirat n.m. (pl. **~i**) quadrumvirate
kwadruped|u n.m. (pl. **~i**) quadruped
kwadruplikat pp. quadruplicat
kwadruplu aġġ. quadruple
kwakk n.m. (pl. **~ijiet**) night heron
kwalifik|a n.f. (pl. **~i**) qualification
kwalifikat pp. qualified
kwalit|à n.f. (pl. **~ajiet**) quality
kwalitattiv aġġ. qualitative
kwaljarin n.m. (pl. **~i**) quail-call, quail-pipe
kwalunkwa ara **kulinkwa**
kwantit|à n.f. (pl. **~ajiet**) quantity, amount
kwantitattiv aġġ. quantitative
kwareżimal n.m. (pl. **~ijiet**) Lent sermons, baked marzipan
kwareżimalist n.m. (pl. **~i**) preacher delivering sermons during Lent
kwart n.m. (pl. **~i**) quarter, fourth part
kwartana n. (pl. **~i**) quartan
kwartett n.m. (pl. **~i**) quartet
kwartier n.f. (pl. **~i**) quarters, barracks; ~ **ġenerali** headquarters
kwartin|a n.f. (pl. **~i**) quatrain
kwarz n.m. (bla pl.) quartz
kwatern n.m. (pl. **~i**) set of four numbers
kwaternarju aġġ. quaternary
kważi avv. almost, nearly
kwerċ|a n.f. (pl. **~iet**) oak
kwerel|a n.f. (pl. **~i**) complaint
kwerelant n.m. (pl. **~i**) plaintiff, complaint
kwerelat n.m. (pl. **~i**) offender // pp. prosecuted
kwestw|a n.f. (pl. **~i**) begging
kwestwant n.m. (pl. **~i**) beggar, begging friar
kwiet n.m. (bla pl.) quiet, quietness; **m'għandux** ~ he is always moving around // aġġ. calm, quiet, silent
kwinarju n.m. (pl. **~i**) line of five syllables
kwint aġġ. the fifth part
kwintan|a n.f. (pl. **~i**) quintain
kwintern n.m. (pl. **~i**) five sheets
kwintessenz|a n.f. (pl. **~i**) quintessence
kwintett n.m. (pl. **~i**) quintet
kwinti flies, wings **wara l-~** behind the scene
kwintuplu aġġ. quintuple
kwistjonabbli aġġ. questionable, disputable
kwistjonarj|u n.m. (pl. **~i**) questionnaire
kwistjoni n.f. (pl. **~jiet**) question
kwittanz|a n.f. (pl. **~i**) receipt
kwizz n.m. (pl. **~ijiet**) quizz
kworum n.m. (pl. **~s**) quorum
kwot|a n.f. (pl. **~i**) share, quota
kwotat pp. quoted, esteemed
kwotazzjoni n.f. (pl. **~jiet**) quotation
kwozjent n.m. (pl. **~i**) quotient
Kżar n.m. (pl. **~ijiet**) Czar, Tsar, Tzar

L l

l sixteenth letter of the alphabet, twelfth of the consonants and second of the liquids
'l prep to
l- art the
la avv. nor, neither, no, not
LA n.pr. LA; abbr. of Los Angeles
labard|a n.f. (pl. **~i**) halberd, halbert
labardier n.m. (pl. **~a**) halberdier
labatij|a n.f. (pl. **~i**) abbey
labbar v. to pin, (għamel il-labar) to make needles, pins
Labini: **taf li miet ~?** (ironikament) oh really!
labirint n.m. (pl. **~i**) labyrinth, maze
labjali aġġ. labial
labjat aġġ. labiate
lablab v. to blab, to babble, to tattle, to talk much, to prattle // n.m. (pl. **~a**) prattlers
lablabi aġġ. great talker, loquacious, talkative, garrulous
laboratorj|u n.m. (pl. **~i**) laboratory
laburist n.f. (pl. **~i**) labourite
labr|a n.f. (pl. **~iet, labar**) needle; **~a tad-daqq** gramaphone-needle; **~a tad-deheb** brooch; **~a tal-inxir** clothes-pin, clothes-peg; **~a tal-kalzetta** knitting needle; **~a tar-ras** pin; **~a tas-sarwan** safety pin; **~a tat-tabib** needle; **~a tal-vajjina** bodkin; **għajn il-~a** needle's eye; **ħiereġ mil-~a** spick and span; **m'hemmx fejn toqgħod ~a** it was full of people; **għandu l-labar f'ġismu** he is always on the go; **qiegħed fuq il-labar** he cannot bear waiting
labranzetta avv. arm-in-arm
labt|u n.m. (pl. **~ijiet**) scapular
laċċ n.m. (pl. **~i**) tiller; **ħaqq il-~ u t-tmun!** damn, I'm so unfortunate!
laċċ|a n.f. (pl. **~i**) alliance shad
laċertu n.m. (bla pl.) piece of flesh
laċis ashes of burnt coal; **tal-~** a shaggy person
ladarba avv. since, since that
laġġu n.m. (bla pl.) agio
lagħab v. to play; (imhatra) to stake, to wager; (iċċajta) to joke, to jest; (daħak b') to decieve, to cheat, (irriskja) to risk, to hazard; **~ imħatra** to lay a wager; **~ żewġ u fard** to play at odd or even; **~ bl-oħxon** he really tempted his lucky star; **~hielu** he gave him a blow; **ma tilgħabx miegħu** he is not a fool; **~ ħajtu** he put his life into jeopardy // n.m. (pl. **~a**) player, gamester, (taż-żiemel) jocker
lagħaq v. to lick, to lick up, to lap; **~ dak li beżaq** he turned back on his own words // n.m. (pl. **~a**) he who licks
laħam n.m.koll. f. **laħma** (pl. **laħmiet, ilħum, laħmijiet**) flesh, meat; **qatgħu fil-~ il-ħaj** he was really affected; **ħallas il-~ ta' kollox** he got all the blame; **~ qiegħed** a lazy person; **~ il-fart** strong people; **qed jerfa' l-~, għamel il-~** he is getting fat; **laħmu kagħak** he is strong; **~ mibjugħ** workers on a dangerous job **la ~ u la xaħam** useless
laħaq v. to arrive at, to overtake, to come, to reach, (għadd) to amount, to cost, (wasal) to come at; (il-frott) to ripen; **bniedem jilħaqlu** an astute person
laħħ v. to demand importunately, to ask continually, to insist; **~ il-beraq** to lighten continually
laħħam v. to put into flesh, to plump up, to fatten, (waħħad) to join, to put together, to close
laħħaq v. to unite or bring together, to conjoin, (ħoloq) to promote, to create, to make
laħlaħ v. to wag, to shake, to rinse; (ixxejkja) to shake up
laħmi aġġ. fleshy
lajju n.m. (bla pl.) tutor
lajk n.m. (pl. **~ijiet**) lay brother; **il-~!** oh!
lajma n.f. (pl. **~t**) calmness; **bil-~** very slowly
lajter n.f. (pl. **~s**) lighter
lakkeċ n.m. (pl. **~iniet**) foot boy
lakonikament avv. locanically
lakoniku aġġ. laconic
lakun|a n.f. (pl. **~i**) lacuna, gap
lala n.f. (pl. **~t**) freedom, familiarity; **ħa l-~** he is getting too familiar; **tah il-~** he let him so what he pleased; **qatagħlu l-~** he controlled him

lam|a n.f. (pl. **~i**, **~at**) thin plate of iron or steel // n.m. (pl. **~i**) lama n.f. (pl. **~ajiet**) ilama
lamank avv. at least
lamentazzjoni n.f. (pl. **~jiet**) lamentation
lamp|a n.f. (pl. **~i**) lamp; **~a tal-pitrolju** oil lamp; **~a stampa** penniless
lampadarj|u n.m. (pl. **~i**) chandelier
lampier n.m. (pl. **~i**) a suspended lamp
lampik n.m. (pl. **~i**) still, lembic
lampjun n.m. (pl. **~i**) lantern; **sar qisu** ~ the illness made him grow thinner and thinner
lampuk|a n.f. (pl. **~i**) dolphin-fish
lamtu n.m. (pl. **~i**) starch
lanċ n.m. (pl. **~ijiet**) lunch
lanċa n.f. (pl. **laneċ**) boat, launch; **jaħdmu l-~** he wears a long visored-cap
lanċier n.m. (pl. **~i**) spear-man, lancer
land|a n.f. (pl. **~i**, **laned**) tin; **tal-~a** not strong; **kaxkar il-~** an unsteady walker
landier n.m. (pl. **~a**) whitesmith
land|ò n.f. (pl. **~ojiet**) landau
lanġas v. to storm, to bluster, to be tempestuous // n.m.koll. f. **~a** (pl. **~iet**) pear
lanja n.f. (pl. **~t**) drouse
lankeċ n.m. (pl. **~ejiet**) nankeen
lanqas avv. not, not even
lant n.m. (pl. **~ijiet**) an oblong trench made in the ground; **ħabat il-~** it should be like that; **għamel** ~ he gained profit; **tah il-~** he helped him; **qabad il-~** he grew accustomed to the job; **mexa mal-~** he obeyed the orders; **ħareġ mil-~** he did not complete the work
lanterna ara **anterna**
lanza n.f. (pl. **lanez**) spear
lanzetta n.f. (pl. **~i**) lancet
lanżat v. to produce bristles
lanżit n.m.koll. f. **~a** (pl. **~iet**) bristle
laparatomij|a n.f. (pl. **~i**) laparatomy
lapes n.m. (pl. **lapsijiet**) pencil; ~ **tal-lavanja** slate pencil; **bil-~ f'idu** a policeman who is very ready to summon people; **qisu** ~ a very thin person
lapid|a n.f. (pl. **~i**) gravestone, tomb-stone, headstone
lapislazzul|u n.f. (pl. **~i**) lapis lazuli
Lapsi n.m.pr. Ascension
laptu ara **labtu**
laqa' v. to receive, to entertain, to make welcome, (aċċetta) to accept, to approve, (daħħal f'daru) to lodge, to shelter; **il-post ma laqgħux** he did not like the place
laqam n.m. (pl. **laqmijiet**) surname, nickname
laqat v. to hit, (bix-xorti) to guess; (għoġob) to impress
laqgħa n.f. (pl. **~t**) assembly, congregation, meeting
laqlaq v. to croak, (miġemgħa) to gaggle
laqqa' v. to procure or promote a meeting
laqqam v. to nick-name, to surname; (kontra marda) to vaccinate
laqqam n.m. (pl. **~a**) grafter, inoculator; vaccinator
laqqat v. to glean, to pick up; **~ha** he was beaten up; (marda) he caught an illness; (għamel kemxa) he gained money
laqqax v. to chip, to chop, to shiver
laqt|a n.f. (pl. **~iet**) blow, stroke, stripe; **~a u kiks** good at the first try
laqx n.f. (pl. **~iet**) chip; **dawk** ~ emarginated people
larinġ n.m.koll. f. **~a** (pl. **~iet**) orange; ~ **tad-demm** blood-orange
larinġata n.f. (pl. **~t**) orangeade
larinġi n.f. (pl. **larinġi**) larynx
larinġite n.f. (pl. **~jiet**) laryngitis
laringoloġija n.f. (bla pl.) laryngology
laringoskopij|a n.f. (pl. **~i**) laryngoscopy
laringoskopj|u n.m. (pl. **~i**) laryngoscope
laringotomij|a n.f. (pl. **~i**) laryngotomy
last|a n.f. (pl. **~i**) pole, staff, rod; **~a ta' bandiera** flag-saff; **baqa' bil-~a** his plans did not succeed; **ħadem għal-~a** he worked for nothing; **twil daqs ~a** he really grew tall; **laqa' ruħu bil-~a** he prepared an excuse
lasktu n.m.koll. f. **~wa** (pl. **~wiet**) elastic; **qisu tal-~** he falls frequently but never hurts; (min jiltewa kif irid) he can take any position
lat n.m. (pl. **~i**) side
laterali aġġ. lateral
Latin n.m. (pl. **~i**) Latin
latinist n.m. (pl. **~i**) latinist
latinità n.f. (bla pl.) latinity
latitudini n.f. (pl. **~jiet**) quarry, (tank tal-ilma) cistern
lattiċini n.m. (bla pl.) dairy produce, milkfood
lava n.f. (bla pl.) lava
lavaman n.m. (pl. **~ijiet**) wash-stand, wash-hand stand
lavand|a n.f. (pl. **~i**) common lavander
lavanj|a n.f. (pl. **~i**) slate
lavattiv n.m. (pl. **~i**) clyster
lavrant n.m. (pl. **~i**) workman, labourer, shop-boy
lawdamus we praise; **tah waħda tal-~** he gave him a sound blow
lawrj|a n.f. (pl. **~i**) degree

lawrjat pp. graduate
lawrjat ara **(i)llawrjat**
lawżar n.m. (pl. **lważar**) pedlar, peddlar
laxk aġġ. rare, liberal
laxkat ara **(i)llaxkat**
lazz n.m. (pl. ~**ijiet**) lace; ~ **taż-żarbun** boot-lace, shoes-string; **marbut** ~ easily loosened
lazzarett n.m. (pl. ~**i**) lazaret(to)
lażanj|a n.f. (pl. ~**i**) ribbon-shaped macaroni
Lazzru Lazarus; **biegħu lil** ~**!** get out of here! **donnu** ~ **ħiereġ mill-qabar** he is so pale!
lbiċ n.m. (bla pl.) south west wind
lbieba n.f. (pl. **lbibiet**) crumb
lbieraħ n.m. (bla pl.) yesterday
lbies n.m. (bla pl.) clothes, attire
lbiraħtlula n.m. (bla pl.) the day before yesterday
LCD n.m. (pl. ~**s**) LCD; abbr. of lowest common denominator
LCM n.m. (pl. ~**s**) LCM; abbr. of lowest common multiple
le avv. no, not
leali aġġ. loyal
lealment avv. loyally, faithfully
lealt|à n.f. (pl. ~**ajiet**) loyalty, faithfulness
lebbet v. to huddle up, (immansa) to render inactive or tame, (żiemel, eċċ.) to cause to gallop
lebbruż n.m. (pl. ~**i**) leper
lebbrużarj|u n.m. (pl. ~**i**) lazar-house, leprosarium
lebleb v. to desire ardently, (mar-riħ) to wave, to waft
leblieb n.m. (pl. **leblibiet**) bind-weed
leblieb|a n.f. (pl. **leblibiet**) burning wish, intense desire
leċitu aġġ. lawful, allowed, permitted, right
LED n.m. (pl. ~**s**) LED; abbr. of light emitting diodes
lefaq v. to sob, to groan, to sigh in weeping
leff v. to muffle, to wrap up; (geżwer) to cover; (ta d-daqqiet) to beat, to strike, to smite
leff|a n.f. (pl. ~**iet**) a percussion, a striking, a smiting
leffef v. to wrap up
leflef v. to devour, to eat greedily, to raven
leflief n.m. (pl. ~**a**) devourer, glutton
leġġend|a n.f. (pl. ~**i**) legend
leġġendarju aġġ. legendary
leġibbli aġġ. readable, legible
leġij|u n.m. (pl. ~**i**) reading desk; ~ **tal-mużika** music-stand
leġittim|a n.f. (pl. ~**i**) legal share, lawful portion
leġittimat pp. legitimized, legitimated
leġittimazzjoni n.f. (pl. ~**jiet**) legitimation
leġittimit|à n.f. (pl. ~**ajiet**) legitimacy, lawfulness
leġittmu aġġ. legitimate, lawful, right
legiżlat ara **(i)llegiżlat**
leġiżlattiv aġġ. legislative
leġiżlatur n.m. (pl. ~**i**) legislator, lawgiver // n.f. (pl. ~**i**) duration of parliament
leġiżlazzjoni n.f. (pl. ~**jiet**) legislation
leġjun n.m. (pl. ~**i**) legion
leġjunarj|u n.m. (pl. ~**i**) legionary
leg|a n.f. (pl. ~**i**) league, union; ~ **tan-Nazzjonijiet** League of Nations
legali aġġ. legal, lawful
legalità n.f. (pl. ~**ajiet**) legality, lawfulness
legalizzat pp. legalized, authenticated
legalizzazzjoni n.f. (pl. ~**jiet**) legalization
legalment avv. legally, lawfully
legat n.m. (pl. ~**i**) legate // aġġ. legato
legatarj|u n.m. (pl. ~**i**) legatee
legatur n.m. (pl. ~**i**) binder
legatur|a n.f. (pl. ~**i**) bookbinding
legazzjoni n.f. (pl. ~**jiet**) legation
legleg v. to quaff, to booze; (ċaqlaq) to shake, to jolt; **legligħa** he got quite drunk
leglieg n.m. (pl. ~**a**) quaffer, tippler
legumi n.pl. legume
legħen v. to curse
leheġ v. to paint
lehem v. to inspire, to illuminate
lehġ|a n.f. (pl. ~**iet**) a painting
lehm|a n.f. (pl. ~**iet**) inspiration
leħen n.m. (pl. **ilħna**) voice, sound; **semma' leħnu** he said his opinion; **għolla leħnu** he shouted; **bla** ~ an ignored section of the population; **tilef leħnu** his voice got hoarse
leħħ ara **laħħ**
leħħ|a n.f. (pl. ~**iet**) importunity, urgency; **bħal** ~**a ta' berqa** in a moment
leħħen v. to modulate
leħj|a n.f. (pl. ~**iet**) beard; **nofs** ~ half the work
lejl n.m. (pl. **ljieli**) night; **bil**~ at night time, in the night; **bħal-**~ **min-nhar** completely altered; ~ **u nhar** continuously; **għamel il-**~ he did not sleep; **ta' bil**~ he is working night shifts
lejl|a n.f. (pl. ~**iet**) evening; **il**~ this evening; **i**~**a qabel għada** as quickly as possible
lejli aġġ. nocturnal
lejn prep towards
lekkem v. to punch with the fist, to give blows; (neħħa naqra naqra) to throw little at a time
lekumj|a n.f. (pl. ~**i**) turkish delight; **jikolha l-**~**a!** he is very talkative
lellex v. to be fine or handsome; (sebbaħ) to adorn, to decorate

lellux n.f.koll. f. **~a** (pl. **~iet**) chrysanthemum; **isfar** ~ very pale
lema v. to shine, to glisten
lemaħ v. to see casually, to glance at
lembeb v. to wind, (ballun, eċċ.) to roll
lembi n.m. (pl. **njiebi, lniebi**) kneading-trough; (ta' funtana) basin of fountain
lembij|a n.f. (pl. **~iet**) a large basin
lembub n.m. f. **~a** (pl. **~iet**) quill
lembub|a n.f. (pl. **~iet**) roller, quill, reel; **~a tal-pulizija** baton, truncheon
lembut n.m. (pl. **lmiebet, mbiebet**)
lemħ|a n.f. (pl. **~iet**) resemblance, likeness; **jagħtih ~a** he resembles him a bit
lemin n.m. (pl. **~in**) the right side; **tah il-~** he showed him recognition
lemini aġġ. the right
lenbut ara **lembut**
Leninist n.m. (pl. **~i**) Leninist
lent n.m. (bla pl.) lint // aġġ. lento
lenti n.f. (pl. **~jiet**) lens
lenza n.f. (pl. **lenez**) lash, cast, fishing line
leopard n.m. (pl. **~i**) leopard
leqq v. to shine, to glisten
leqqieni aġġ. shining, brilliant, sparkling
lerċi n.f. (pl. **~jiet**) larch
lessikografij|a n.f. (pl. **~i**) lexicography
lessikografiku aġġ. lexicographical
lessikograf|u n.m. (pl. **~i**) lexicographer
lessik|u n.m. (pl. **~i**) lexicon
lest aġġ. ready, prepared; **bil-~** ready!
lesta v. to prepare
letali aġġ. deadly, lethal
letarġij|a n.f. (pl. **~i**) lethargy, torpidity
letlet v. to lap
letterali aġġ. literal; **traduzzjoni** ~ literal translation
letteralment avv. literally
letterarjament avv. literarily
letterarju aġġ. literary
letterat n.m. (pl. **~i**) literary man, man of letters // aġġ. lettered
letteratur|a n.f. (pl. **~i**) literature
lettur n.m. (pl. **~i**) reader, lector
lettur|a n.f. (pl. **~i**) reading; **kamra tal-~a** reading room
levantin aġġ. levantine
levit|a n.m. (pl. **~i**) levite
Levitiku n.pr. the Leviticus
lewa v. to twist, to wrench, (dar) to turn
lewkemj|a n.f. (pl. **~i**) leucaemia
lewkom|a n.f. (pl. **~i**) leucoma
lewliema aġġ. rainy
lewl|u n.m.koll. f. **~a** (pl. **~iet**) bread; **sar ~u** he got very thin; **rqiq ~u** very thin
lewm|a n.f. (pl. **~iet**) reproof, reproach
lewn n.m. (pl. **lwien**) colour, hues; **sar minn kull** ~ he was out of his wits; **x'~ hu dak?** what is the political party that he supports?
lewt any sticky or vicious substance; **telaq** ~ ~ he left licking his wounds
lewwem v. to reprove, to reproach
lewwen v. to colour, to dye
lewwet v. to mire, to dirt
lewwiem n.m. (pl. **~a**) reprehender, reprover
lewwien n.m. (pl. **~a**) colourist
lewwieni aġġ. colouring
lewż n.m.koll. f. **~a** (pl. **~iet**) almond; **iddur mal-~a** to beat about the bush
lexxen v. to spud up or out
lexxun|a n.f. (pl. **~iet, lxiexen**) spud
lezzjonarj|u n.m. (pl. **~i**) lectionary
lezzjoni n.f. (pl. **~jiet**) lesson; **tah** he thought him a lesson
lġiem n.m. (pl. **ilġma**) truss; (żamma lura) curb, restraint
lgħab n.m.koll. f. **~a** (pl. **~t**) foam, slaver, driver; ~ **ix-xiħ** purslain; **~u nieżel** he wishes sth. tremendously
lgħabi aġġ. slavering
lgħin n.m. (bla pl.) execration
Lhudi n.m. (pl. **Lhud**) Hebrew; (inf. ateu) an atheist
lħiħ aġġ. petulant, importunate
lħiq n.m. (bla pl.) arrival, entrance, landing
lħit n.f. (bla pl.) chin
lħuqi aġġ. that can be reached
li pron. which, that, who; **wieħed ~ hu wieħed** not even one // konġ. if
libbes v. to dress, to clothe, to enrobe
libbet ara **lebbet**
libbr|a n.f. (pl. **~i**) pound
libell n.m. (pl. **~i**) libel
libelluż aġġ. libellous
liberali aġġ. liberal
liberaliżm|u n.m. (pl. **~i**) liberalism
liberament avv. freely, frankly, painly
liberat pp. freed, liberated
liberatur n.m. (pl. **~i**) liberator, deliverer, releaser, redeemer
liberazzjoni n.f. (pl. **~jiet**) liberation
libert|à n.f. (pl. **~ajiet**) liberty, freedom; **~a tal-istampa** liberty of the press; **~a tal-kuxjenza** liberty of conscience; **qagħad bil-~à** he sat in a careless manner
libertin aġġ. dissolute, licentious

libertinaġġ n.m. (pl. ~**i**) libertinage
liberu aġġ. free
libes v. to dress oneself
libet v. to gallop; (bil-biża') to crouch, to cower
librar n.m. (pl. ~**a**) bookseller
librerij|a n.f. (pl. ~**i**) library; (għamara) bookcase; (ħanut tal-kotba) bookshop
librett n.m. (pl. ~**i**) little book
librettist n.m. (pl. ~**i**) librettist, libretto writer
libru ara **liberu**
libsa n.f. (pl. **lbiesi**) suit, dress; ~ **tad-dar** surtout; ~ **tal-għawm** bathing costume; ~ **ta' patri** frock, cowl; ~ **ta' qassis** cassock, soutane; ~ **tas-sodda** bed-gown, pygama; ~ **tas-servizz** uniform; ~ **ta' taħt** petticoat; ~ **tat-tieġ** wedding-gown, wedding dress
libsien n.m. (pl. ~**at**) broad-leaved sisymbrium
liċenzj|a n.f. (pl. ~**i**) license; ~**a tas-sewqan** driver's license
liċenz|a ara **liċenzj|a**
liċenzjat pp. licensed
liċe|o n.m. (pl. ~**j**) lyceum
liċi n.m. (bla pl.) holm oak, ilix
lida n.f. (pl. ~**t**) pestle
liebes patt. dressed, adorned, set off; ~ **la pajżana** civilian
liebet patt. shrunk up in a corner
liebr|u n.m. (pl. ~**i**) hare
liedna n.f. (bla pl.) ivy
liegħeb v. to foam, to slaver
liegħeq ara **lagħaq**
liem v. to reproach, to reprove, to chide
liema pron. which; ~ **bħalu!** so nice!
liev|a n.f. (pl. ~**i**) lever, jack, crow bar
lieżem patt. assiduous, diligent, constant
lifgħa n.f. (pl. ~**t**) viper, snake; **daħħal il-~ f'ħobbu** he inflicted pain on himself through his own actions
lift n.m. (pl. ~**iet**) turnip; **abjad** ~ snow white // n.m. (pl. ~**ijiet, ~s**) lift
liġġem v. to bridle; (ikkontrolla) to repress, to restrain
liġġiem n.m. (pl. ~**a**) restainer
liġi n.f. (pl. ~**jiet**) law; ~ **tan-natura** natural law, law of nature; **Il-L~ l-Qadima** Old Testament; **Il-L~ l-Ġdida** New Testament; ~ **kanonika** canon law; **ktieb tal-~** code, book or system of laws; **kif tmiss il-~** drastically
liga n.f. (bla pl.) alloy
ligament n.m. (pl. ~**i**) ligament
ligurizzja n.f. (bla pl.) liquorice
likorizja ara **ligurizzja**
lihbien aġġ. dryness, siccity, drought; **il-~a** St Martin's summer
likeni n.f. (pl. ~**jiet**) lichen
likk n.m. (pl. ~**ijiet**) a jack; **donnu** ~ lilliputian; **laqat il-~** he said the appropriate words
likkem ara **lekkem**
likuri n.pl. liqueur, spirits
likurier|a n.f. (pl. ~**i**) cellaret
likwidat pp. liquidated
likwidazzjoni n.f. (pl. ~**jiet**) liquidation
likwid|u aġġ. n.m. (pl. ~**i**) liquid
lil prep to
lillipuzjan aġġ. n.m. (pl. ~**i**) lilliputian
lim|a n.f. (pl. ~**i**) file
limat ara **(i)llimat**
limalj|a n.f. (pl. ~**i**) file dust
limatur n.m. (pl. ~**i**) filer
limatur|a n.f. (pl. ~**i**) filing
limbu n.f. (bla pl.) limbo
limitat pp. limited, restricted
limitazzjoni n.f. (pl. ~**jiet**) limitation
limit|u n.m. (pl. ~**i**) limit, bound
linċi n.f. (pl. ~**jiet**) lynx
linfa n.f. (pl. **linef**) chandelier
lingw|a n.f. (pl. ~**i**) language
lingwaġġ n.m. (pl. ~**i**) language
lingwat|a n.f. (pl. ~**i**) sole
lingwist n.m. (pl. ~**i**) linguist
lingwistika n.f. (bla pl.) linguistics
lingwistiku aġġ. linguistic
liniment n.m. (pl. ~**i**) liniment
linj|a n.f. (pl. ~**i**) line; ~**a tat-telefown** telephone line; **qabad ~a** he turned over a new leaf; **daħal fil-~a** he followed the others; **qiegħed fil-~a tiegħu** in his professional field; **għamel ~a** he drew a line
linka n.f. (pl. ~**linek**) ink
linoljum n.m. (bla pl.) linoleum
linotajp n.f. (bla pl.) linotype
lipp n.m. (pl. ~**ijiet**) forkbeard; (lupu) wolf ~ **il-baħar** blue ling
lipstik n.m. (bla pl.) lip-stick
lir|a n.f. (pl. ~**i**) harp, lyre; (flus) pound; **il-belli ~i** a lot of money
liriku aġġ. lyric, lyrical
lissen v. to pronounce
list|a n.f. (pl. ~**i**) list; ~**a tal-prezzijiet** price list; **qiegħed fil-~a** he dubbed him unforgiven
litanij|a n.f. (pl. ~**i**) litany; ~**a waħda** always saying the same things; **ma nibdewx bil-~a t-twila** do not start saying the same things all over again
litikant n.m. (pl. ~**i**) litigant
litikat ara **(i)llitikat**
litikuż jew **litiġjuż** aġġ. litigious

litografij|a n.f. (pl. ~**i**) lithography
litografiku aġġ. lithographic
litoloġij|a n.f. (pl. ~**i**) lithology
litot|e n.f. (pl. ~**i**) litotes
litotomij|a n.f. (pl. ~**i**) lithotomy
litr|u n.m. (pl. ~**i**) litre
littoral n.m. (pl. ~**i**) littoral
liturġij|a n.f. (pl. ~**i**) liturgy
liturġiku aġġ. liturgical
livell n.m. (pl. ~**i**) level
livellat pp. levelled
livrij|a n.f. (pl. ~**i**) livery
liwj|a n.f. (pl. ~**iet**) turning
lixk|a n.f. (pl. ~**iet**) bait; **xeħet il-~a** he set the trap
lixkat ara **(i)llixkat**
lixkat|a n.f. (pl. ~**i**) enticement
lixx aġġ. smooth, sleek; **għaddieha ~a** he was not punished for his deeds; **hallieha għaddejja ~a** he turned a blind eye
lixxat ara **(i)llixxat**
lixxatur|a n.f. (pl. ~**i**) a smoothing
lizz n.m. (pl. ~**iet**) barracuda
liżar n.m. (pl. **lożor**) sheet
liżem v. to be assiduous, diligent, constant
ljun n.m. (pl. ~**i**) lion; **qisu** ~ a very aggressive person
ljunfant n.m. (pl. ~**i**) elephant; ~ **il-baħar** lobster
lkoll pron. all
(i)llajma v. to languish
(i)llajmat pp. languished
(i)llamina v. to laminate
(i)llaminat pp. laminated
(i)llampika v. to distil
(i)llampikat pp. distilled
(i)llampja v. to flame, to blaze up
(i)llampjat pp. flamed, blazed
(i)llamta v. to starch
(i)llamtat pp. starched
(i)llandja v. to land
(i)llandjat pp. landed
(i)llardja v. to lard
(i)llardjat pp. larded
(i)llawrja v. to confer a degree on
(i)llawrjat pp. graduated
(i)llaxka v. to loosen; (raqqaq) to slacken, to thin, to make thin; (wassa') to widen
(i)llaxkat pp. loose
(i)lleġiżla v. to legislate
(i)lleġiżlat pp. legislated
(i)lleġittima v. to legitimate, to legitimize
(i)lleġittimat ara **leġittimat**
(i)llega v. to bind
(i)llegalizza v. to legalize
(i)llegalizzat ara **legalizzat**
(i)llegat pp. bound
(i)llendja ara **(i)llandja** // v. to lend
(i)llendjat ara **(i)llandjat** // pp. lended
(i)llesta v. to prepare, to make ready
(i)llibera v. to liberate, to free
(i)lliberat ara **liberat**
(i)lliċenzja v. to dismiss
(i)lliċenzjat ara **liċenzjat**
(i)llikwida v. to liquidate
(i)llikwidat ara **likwidat**
(i)llima v. to file
(i)llimat pp. filed
(i)llimita v. to limit
(i)llimitat ara **limitat**
(i)llitika v. to quarrel, to dispute, to altercate
(i)llitikat pp. quarreled, disputeed, altercated
(i)llivella v. to level
(i)llivellat ara **livellat**
(i)llixka v. to entice, to bait
(i)llixkat pp. enticed, baited
(i)llixxa v. to smooth
(i)llixxat pp. smoothed
(i)llobbja v. to lob
(i)llobbjat pp. lobbed
(i)llokalizza v. to localize
(i)llokalizzat ara **lokalizzat**
(i)lloppja v. to drug with opium
(i)llostra v. to polish
(i)llotta v. to struggle
(i)lluppjat pp. drugged with opium; **qisu** ~ in a dazed mood
(i)llusinga v. to flatter
(i)llusingat ara **lusingat**
lment n.m. (pl. ~**i**) lamentation, complaint
lmenta v. to lament, to complain
loblob parrot-like recital; **tgħallem kollox** ~ he learned everything by heart
lob|u n.m. (pl. ~**i**) lobe
loġġa n.f. (pl. **loġoġ**) lodge
loġġat n.m. (pl. ~**i**) covered gallery
loġika n.f. (bla pl.) logic
loġikament avv. logically
loġiku aġġ. logical
logaritm|u n.m. (pl. ~**i**) logarithm
logogramm n.m. (pl. ~**i**) logogram
logogrif|u n.m. (pl. ~**i**) logographer
logutenent n.m. (pl. ~**i**) lieutenant
logħb|a n.f. (pl. ~**iet**) game
logħob n.m. (bla pl.) play; **bil-~** jestingly, jokingly; **min hu bil-~?** who's turn is it?; **ħa kollox bil-~** he did not take things seriously; **il-~ daħaklu** he was lucky at cards; **il-~ gidmu**

he was unlucky at cards; **għandu l-~** he is very near to win; **għandu ħafna ~** it is a very delicate piece of work
lok n.m. (pl. **~ijiet**) place; **tah il-~** he came out with an excuse
lokal n.m. (pl. **~i**) local
lokalizzat pp. localized
lokalizzazzjoni n.f. (pl. **~jiet**) localization
lokatarj|u n.m. (pl. **~i**) tenant, lessee
lokazzjoni n.f. (pl. **~jiet**) lease
lokit n.m. (pl. **~ijiet**) locket
lokomotiv|a n.f. (pl. **~i**) locomotive
loktenent ara **logutenent**
lombaġni n.f. (pl. **~jiet**) lumbago
lombrin|a n.f. (pl. **~i**) umber
lomma n.f. (pl. **~t**) principal stem
lonġitudni n.f. (pl. **~jiet**) longitude
loppju n.m. (pl. **~jiet**) opium; **taħt il-~** in a dazed state
loqm|a n.f. (pl. **~iet, loqom**) morsel; **fih ~a**, **~a bil-ġenb** an astute person; **ġabar il-~a** he had to have the worst part
lord n.f. (pl. **~i**) lord
lori n.f. (pl. **~jiet**) lorry
lostru n.m. (bla pl.) lustre; **~ taż-żraben** shoe polish
lott n.m. (pl. **~ijiet**) lot; **baqa' bil-~** he came under; **weħel bil-~** he had to pay for all the others
lott|a n.f. (pl. **~i**) struggle
lottatur n.m. (pl. **~i**) wrestler
lotterij|a n.f. (pl. **~i**) lottery; **għamlu ~a** he made it public
lottu n.m. (bla pl.) lotto
lozz|u n.m. (pl. **~ijiet**) skiff; (xorta ta' ħuta) pike
LP n.m. (pl. **~s**) LP (long play)
L-plate n.m. (pl. **~s**) L-plate
lqat n.m. (bla pl.) gleaning
lqugħ n.m. (bla pl.) parry, wear, weir
lqugħi aġġ. admissable; (mill-aħjar) agreeable
LSD n.f. (pl. **~s**) LS.D
lsien n.m. (pl. **ilsna**) tongue, (lingwa) language; **~ il-fart** bugloss; **~ tal-għaġeb** eloquence; **~ li jista'** a nimble tongue; **~ ta' lifgħa/ħażin** an evil tongue; **~ il-kelb** hound's tongue; **~ tal-moħriet** ploughshare; **~ tan-nar** flame; **~ tal-qanpiena** clapper; **~ ta' San Pawl** Saint Paul's tongue; **~u barra** short of breath; **~u itwal minnu, i~u twil** he is very talkative; **ħall i~u** he started to talk; **i~u jweġġa'** an evil tongue; **ġie fi ~ in-nies** he did a scandalous thing; **taħt l-i~** in a whispery tone; **~u jaqilgħu** he is a good orator; **tawwal i~u** he said a lot of stupid things; **tah i~** he criticised him harshly; **i~u tqal** he could not utter a single word; **i~u jżomm** a person who stammers; **igdem i~ek** shut up for a moment!; **i~u maħmuġ** he blasphemes; **i~u jgħallih** he will get into trouble due to what he is saying
lsir n.m. (pl. **lsiera**) slave
lsir aġġ. submitted, subjugated
ltagħab v. to be played, (daħak bih) to be deceived, cheated
ltagħaq v. to be licked
ltaħaq v. to have reached
ltaqa' v. to meet, to meet with, to encounter; **ma ltaqgħux** they did not agree
ltaqat v. to be struck or hit
lteff v. to be covered with a cloak or mantle
ltemaħ v. to be seen, to be observed in passing
ltewa v. to be twisted, contorted, convolved
ltibes v. to be worn, to be dressed
ltim n.m. (pl. **ltiema**) orphan
lubien n.m. (pl. **lubinin**) incense
luċelettrika n.f. (bla pl.) electric light
Luċifru n.pr. Lucifer
luger n.m. (pl. **~ijiet**) lugger
luħ n.m. (pl. **lwieħ**) shovel, peel, spade; **niexef bħal-~** very insipid
lukand|a n.f. (pl. **~i**) inn, lodging, hotel
lukandier n.m. (pl. **~i**) inn-keeper
lukkett n.m. (pl. **~i**) latch, hasp
lula misfortune, troubles, woe; **kulħadd b'xi ~** everyone has his problems
Lulju n.pr. July
lumiċell n.m.koll. f. **~a** (pl. **~iet**) sweet-lemon
lumi n.m.koll. f. **~ja** (pl. **~jat**) lemon; **qares ~ja** very sour; **isfar ~ija** bright yellow; **~ija magħsura** a person who was used and then discarded
lumin|a n.f. (pl. **~i**) night light
luminat|a n.f. (pl. **~i**) lemonade
luna n.f. (bla pl.) sail-cloth, canvas
lunarj|u n.m. (pl. **~i**) almanac
lunett|a n.f. (pl. **~i**) lunette
lup|a n.f. (pl. **~iet**) bulimy; (boxxla) compass-sew
lupu n.m. (pl. **lpup**) wolf; **ġralu bħal tal-~** nobody believed him
luq n.m. (pl. **lwieq**) poplar
luqqata n.f. (pl. **~t**) distaff
lura avv. back; **qagħad ~** he stayed aback; **mar ~** his progress was very unsatisfactory; (fin-negozju) he was losing money
lusingat pp. flattered
lusingatur n.m. (pl. **~i**) flatterer
lussu n.m. (bla pl.) luxury

lussuż aġġ. luxurious, rich
lustratur n.m. (pl. ~**i**) polisher
lustratur|a n.f. (pl. ~**i**) a polishing
Luteran aġġ., n.m. (pl. ~**i**) Lutheran
Luteru n.pr. Luther
luttu n.m. (bla pl.) mourning, sorrow, lamentation
lvant n.pr. east, levant
lvent aġġ. nimble, active, swift
lwiża ara **alwiża**

M m

m seventeenth letter of the alphabet, thirteenth of the consonants and third of the liquids; metres
ma', prep. with
'ma konġ. but, nevertheless
ma n.f. (pl. **mamajiet**) mother
ma avv. no, not:
1. negative particle used before a verb to which is attached the particle **x** ex. **ma kienx**
2. before an adjective or past participle of a verb it corresponds to English negative prefix 'un' in **mhux**
MA n.m.pl. MA; abbr. of Master of Arts
ma' prep. with, together with; **qiegħed** ~ he works for him; **qiegħed magħna** it should happen in a short time; **jien miegħek** I'm with you
mabħra n.f. (pl. ~**t**) censer
mabqar n.m. (pl. **mbaqar**) cow-house
mabrad n.m. (pl. **mbarad**) file
mabram n.m. (pl. **mbarem**) spinning-wheel
mabxar n.m. (pl. **mbaxar**) news-room
mabżar n.m. (pl. **mbażar**) pepper-box
maċin|a n.f. (pl. ~**i**) crane
maċinatur n.m. (pl. ~**i**) muller
maċinell n.m. (pl. ~**i**) muller
madaff|a n.f. (pl. ~**i**) punner
madankollu konġ. nevertheless
madmad n.m. (pl. **mdamad**) yoke; **taħt il-~** in deep troubles
Madonn|a n.f. (pl. ~**i**) Our Lady, the Blessed Virgin
madrab n.m. (pl. **madrab**) pilaster
madre n.f. (pl. ~**jiet**) mother
madrigal n.m. (pl. ~**i**) madrigal
madriperl|a n.f. (pl. ~**i**) mother of pearl
madum n.m.koll. f. ~**a** (pl. ~**iet**) brick
madwar avv., prep. about
maest|à n.f. (pl. ~**ajiet**) majesty
maestrij|a n.f. (pl. ~**i**) mastery, masterly, skilled;
maestuż aġġ. majestic
mafler n.f. (pl. ~**ijiet**) muffler
mafja n.f. (pl. ~**t**) mafia
mafjuż n.m. (pl. ~**i**) member of the mafia // aġġ. belonging to the mafia
mafkar n.m. (pl. **mfakar**) monument
mafrad n.m. (pl. **mfared**) ox shed, ox stall
mafsal n.m. (pl. **mfasal**) nerve
mafwar n.m. (pl. **mfawar**) place of evaporation
maġenb prep. near
maġenta aġġ. magenta
maġġur aġġ., n.m. (pl. ~**i**) major; **artal** ~ high altar; **surġent** ~ sergeant major
maġġuranz|a n.f. (pl. ~**i**) majority; ~ **assoluta** absolute majority
maġġurdom n.m. (pl. ~**i**) house-steward
Maġi n.m. pl. the Magi, the wise men
maġij|a n.f. (pl. ~**i**) magic; ~**a sewda** black magic
maġiku aġġ. magic, magical; **bakketta maġika** magician's wand; **lanterna maġika** magic lantern
maġistrat n.m. (pl. ~**i**) magistrate
maġistratura n.f. (pl. ~**i**) magistrate
maġmar n.m. (pl. **mġamar**) brazier
maġra n.f. (pl. **mġieri**) stream
maganj|a n.f. (pl. ~**i**) bad action
magazzin n.m. (pl. ~**i**) magazine, store; **magazin** n.m. magazine (**rivista**) (pl. **magazins**)
magazzinaġġ n.m. (pl. ~**i**) warehouse dues
magazzinier n.m. (pl. ~**i**) storehouseman, warehouseman
magn|a n.f. (pl. ~**i**) machine, engine; ~**a tal-ħasil** washing machine; ~**a tal-ħjata** sewing machine; ~**a tal-istampar** printing machine
magru aġġ. fish-days, days of abstinence from heat
magħad v. to chew, to masticate; **ma qagħadx jomgħodha** he did not mince words // n.m. (pl. ~**a**) masticator, chewer
magħda n.f. (pl. ~**iet**) mastication, chewing
magħdi aġġ. masticatory
magħdub aġġ. angry
magħdud pp. computed, reckoned; (determinat) determinate; (ma' xi ħaġa oħra) accounted, esteemed
magħdur pp. compassionated
magħfus pp. pressed, squeezed, forced

magħġna n.f. (pl. **mgħaġen**) kneading trough
magħġun pp. kneaded
magħkus pp. abject, miserable, pitiful
magħlaq n.m. (pl. **mgħalaq**) enclosure, seclusion
magħleb n.m. (pl. **mgħaleb**) stalk, stem; (fig.) **huma bħall-~ u l-warda** they beseem each other
magħlef n.m. (pl. **mgħalef**) fodder, forage
magħluf pp. pastured, fed
magħlul pp. full of ailments, sickness
magħluq pp. shut, closed; (ċirkondat) encircled, enclosed, shut in; (dejjaq) strait
magħlut pp. mistaken
magħmudij|a n.f. (pl. **~iet**) baptism, christening; **~a tad-demm** baptism of blood; **~a tal-Lhud** circumcision; **fidi tal-~a** birth certificate; **fonti tal-~a** font
magħmul n.m. (pl. **mgħamel**) bewitchment, enchantment, **għamel ~** to bewitch; (fig.) **bil-~** as if it was predestined; **~a tagħna!** we're lost // pp. done; **bniedem** ~ a grown-up man
magħmuż pp. winked
magħna with us; (fig.) **mhux għal** ~ he's bound to die; **dak** ~ he's with us/our party, etc.
magħqud pp. coagulated, frozen; (mhux maħlul) dense; (mhux artab) solid; (partit, eċċ.) strong
magħqur pp. wounded, galled
magħruf pp. known, notorious
magħruk pp. scrubbed, rubbed
magħseb n.m. (pl. **mgħaseb**) petiole
magħsr|a n.f. (pl. **~iet**) press, squeezer
magħsur pp. pressed, squeezed; (imġiegħel) contrained, compelled
magħtub pp. maimed, lamed, crippled
magħtur pp. lame, crippled
magħżel n.m. (pl. **mgħażel**) spinning-wheel, spindle; (raġġ) felloe, felly, spoke
magħżul pp. separated, parted; (magħżul) elected, chosen; (drapp, eċċ.) spun
magħżuq pp. digged
magħżuż pp. much valued, rare
maħanq|a n.f. (pl. **~iet**) horse collar
maħat v. to blow one's nose
maħbeż n.m. (pl. **mħabeż**) bakehouse, oven, batch
maħbub pp. beloved
maħbus pp. imprisoned, incarcerated
maħbut pp. beaten, stricken
maħbuż pp. baked
maħdum pp. worked, tilled; (fig.) **il-biċċa kienet ~a** everything was well planned
maħfr|a n.f. (pl. **~iet**) condonation, forgiveness
maħfur pp. forgiven
maħfun pp. grasped; ~ **bis-snien** seized with one's teeth
maħġub pp. covered, veiled, (imwarrab) isolated
maħħaħ v. to think, to reflect
maħħat v. to snivel
maħkuk pp. scratched, rubbed, grated
maħkum pp. surmounted, subdued, dominated; (immexxi) commanded, administrated
maħleb n.m. (pl. **mħaleb**) milk-pail; (latterija) dairy
maħleġ n.m. (pl. **mħaleġ**) cotton-gin
maħlub pp. milked
maħluf pp. sworn, sworn to
maħluġ n.m. cotton, cotton wool
maħruġ pp. cotton cleaned from seed
maħlul pp. loose, untied, unbottoned; (mhux magħqud) dissolved, melted; (mhux issikkat) unfastened
maħluq n.m. (pl. **~a**) creature // pp. created; ~ **għalih** he is the man for the job
maħlut n.m. mixed, mingled // pp. mixed, mingled, blended
maħmaħ v. to stutter, to stammer
maħmieħi aġġ. hoarse
maħmuġ pp. foul, dirty, nasty; ~ **jinten** awfully foul
maħmul pp. supported, suffered, tollerated
maħnuq pp. strangled, choked; (marritlu l-vuċi) hoarse; ~ **bin-nies** crowded
maħqur pp. ill-treated, ill-used, oppressed, vexed
maħrab n.m. (pl. **mħareb**) refuge, shelter, asylum
maħrub n.m. (pl. **~a**) deserter // pp. run away, fled away, escaped
maħruġ pp. gone or come out; (sporġut) jutting out; (ippubblikat) published
maħruq pp. burnt // (inf.) angry (from a setback)
maħrut pp. ploughed
maħsba n.f. (bla pl.) imagination
maħsel n.m. (pl. **mħasel**) laundry, wash-house
maħsub pp. thought of, pondered on, meditated
maħsud pp. reaped, mowed
maħsul pp. washed; (qala' ħasla) reproved, reprehended, reproached
maħsus pp. felt; (miġnen, marid) sickly, crazy, infirm
maħt|a n.f. (pl. **~iet, mħat**) snot, mucus
maħtab n.m. (pl. **mħatab**) wood, forest
maħtub pp. asked or demanded by a third person
maħtuf pp. snatched, wrested
maħtum pp. sealed
maħtun pp. circumcised
maħtur pp. chosen, elected
maħtut pp. unloaded, disburdened, demolished

maħwar n.m. (pl. **mħawar**) druggist's shop
maħwet n.m. (pl. **mħawet**) fish-market
maħżen n.m. (pl. **mħażen**) warehouse
maħżn|a n.f. (pl. **~iet**) pantry, sideboard
maħżnier n.m. (pl. **~a**) store-keeper, warehouse-keeper, warehouseman
maħżuż pp. placed in store, stored; (immarkat) delineated, marked, signed; (skeċċjat) sketched
majjal n.m. (pl. **~i**) hog, pig; **laħam tal-~** hog's flesh
majjier|a n.f. (pl. **~i**) rib (of a boat, ship)
majjistr|a n.f. (pl. **~i**) schoolmistress; (qabla) midwife
majjistral n.m. (pl. **~i**) north west wind, mistral
majjistr|u n.m. (pl. **~i**) master
majjolka n.f. (bla pl.) majolica, maiolica
majka n.f. (bla pl.) mica
majn n.f. (pl. **~ijiet**) mine
majna v. to lower
majnat ara **(i)mmajnat**
majoneż n.f. (bla pl.) mayonaisse
makabr|u aġġ. macabre; **danza ~a** macabre dance, dance of death
makakk n.m. (pl. **~i**) macacus, macaque // aġġ. astute, cunning;
makakkerij|a n.f. (pl. **~i**) astuteness
makintoxx n.f. (pl. **~ijiet**) mackintosh
makkatur|a n.f. (pl. **~i**) lividity
makkinarj|u n.m. (pl. **~i**) machinery
makkinett|a n.f. (pl. **~i**) small machine, small engine
makkinist n.m. (pl. **~i**) machinist, engineer
makk|u n.m.koll. f. **~wa** (pl. **makkuwiet**) sole
maktur n.m. (pl. **mkatar**) handkerchief; **~ tal-għonq** neckerchief; **~ tar-ras** kerchief; (fig.) **ta l-~** he got engaged
makuba n.f. (pl. **~t**) pelargonium
malafam|a n.f. (pl. **~i**) ill fame
malfidi n.f. (bla pl.) bad faith
malajr avv. soon, quickly, immediately
malakit n.m. (bla pl.) malachite
malament avv. badly
malandrin n.m. (pl. **~i**) highwayman
malann n.m. (pl. **~i**) illness, disease, infirmity
malarja n.f. (bla pl.) malaria
malawgurj|u n.m. (pl. **~i**) ill-omen; **uċċellu tal-~u** bird of ill omen
maledukat aġġ. ill-bred
malfattur n.m. (pl. **~i**) malefactor, criminal
malinjit|à n.f. (pl. **~ajiet**) malignity, malignancy
malinkonij|a n.f. (pl. **~i**) melancholy
malinkoniku aġġ. melancholic, hippish
malinn aġġ. malign, malignant; **tumur ~** malignant tumour
malintiż n.m. (pl. **~i**) misunderstanding // aġġ. misunderstood
malizzj|a n.f. (pl. **~i**) malice; **~uż** aġġ. malicious
malj|a n.f. (pl. **~i**) link, ring, mesh; (xedd) vest, undervest, knitted vest; **~a tal-għawm** bathing costume; **~a tax-xagħar** plait
maljatur|a n.f. (pl. **~i**) linkage
maljerij|a n.f. (pl. **~i**) hosiery
malli avv. as soon as
Malta n.pr. Malta
maltemp n.m. (pl. **~ijiet**) bad weather
maltempat|a n.f. (pl. **~i**) hurricane
Malti n.m. (pl. **~n**) Maltese; **bil-~** in Maltese; (fig.) **bil-~ ma ġiex** frankly speaking, he did not come; **bil-~ safi**: **qalhielu bil-~ safi** he spoke to him in vulgar words
maltrattament n.m. (pl. **~i**) ill-treatment, maltreatment
maltrattat pp. ill-treated, ill-used
malv|a n.f. mallow
malvizz n.m. (pl. **~i**) song thrush; **~ aħmar** redwing; **~ iswed** blackbird; **~ tal-Lvant** siberian thrush; **~ tas-sidra bajda** ring ouze;
malvizzun n.m. (pl. **~i**) fieldfare; **~ prim (imperjal)** mistle trush
MAM n.m. (bla pl.) MAM; abbr. of Medical Association of Malta
mam|à n.f. (pl. **~ajiet**) mother
mammal n.m. (pl. **~i**) mammal // aġġ. mammiferous
mammalukk n.m. (pl. **~i**) mameluke
mammażejża n.f. (pl. **~t**) henbane
mammona n.pr. (bla pl.) mammon
mammut n.m. (pl. **~ijiet**) mammoth
man: **ma jagħtix il-~** he does not agree
manbar n.m. (pl. **mnabar**) pulpit, tribune, stand
manċ|a n.f. (pl. **~i**) tip
mandarin n.m. (pl. **~i**) mandarin
mandat n.m. (pl. **~i**) seizure, sequestration
mandatarj|u n.m. (pl. **~i**) mandatory
mander n.m. (bla pl.) pen
mandibul|a n.f. (pl. **~i**) mandible
mandol|a n.f. (pl. **~i**) mandola
mandolin n.m.koll. f. **~a** (pl. **~iet**) tangerine, mandarine
mandolin|a n.f. (pl. **~i**) mandolin(e)
mandolinist n.m. (pl. **~i**) mandolin-player
mandr|a n.f. (pl. **~i**) sheep-cot, pen, fold; (fig.) **għamel kullimkien ~a** he turned everything into a mess
mandraġġ n.m. (pl. **~i**) inner harbour; shimmy area; a dirty place
mandrin n.m. (pl. **~i**) mandril, mandrel
manett|a n.f. (pl. **~i**) manacle, handcuff

manettjat ara **(i)mmettjat**
manganiż n.m. (bla pl.) manganese
mangn|u n.m. (pl. **~i**) calendar, mangle
manifattur|a n.f. (pl. **~i**) manufacture
manifest n.m. (pl. **~i**) manifest
manifestat ara **(i)mmanifestat**
manifestazzjoni n.f. (pl. **~jiet**) manifestation
manifik|u n.m. (pl. **~i**) notary
maniġer n.m. (pl. **~s**) manager
maniġġ n.m. (pl. **~i**) manage
maniġġat ara **(i)mmaniġġjat**
maniġibbli aġġ. manageable
manigold n.m. (pl. **~i**) rascal, knave, scoundrel
manij|a n.f. (pl. **~i**) mania
manijak|u aġġ. maniac
manikjur n.f. (pl. **~s**) manicure
manikin n.m. (pl. **~i**) mannequin
manikomj|u n.m. (pl. **~i**) lunatic asylum, mad-house
manikott n.m. (pl. **~i**) mitten, muffettee, muff
manilj|a n.f. (pl. **~i**) handle
manipl|u n.m. (pl. **~i**) maniple
manipulat ara **(i)mmanipulat**
manja: **inqalgħet ġlieda** ~ there was a big fight
manjetizzat ara **(i)mmanjetizzat**
manjeż|a n.f. (pl. **~i**) magnesia
manjetiżm|u n.m. (pl. **~i**) magnetism
manjier|a n.f. (pl. **~i**) manner; **bil-~i** well mannered; **bla ~i** ill mannered
manju aġġ. great
mank avv. not even
mank|a n.f. (pl. **manek**) hoses
mankament n.m. (pl. **~i**) fault, defect
mankan|a n.f. (pl. **~i**) poor cod
mankanz|a n.f. (pl. **~i**) want, absence
mank|u n.m. (pl. **~ijiet**) handle; **~u ta' sikkina** knife handle; **~u ta' xkupa** broom-stick
manna n.f. manna; **ħelu** ~ very sweet; (fig.) a nice man
mannar|a n.f. (pl. **~iet, mnanar**) axe, hatchet
mannas v. to tame, to appease, to humble
mannite n.f. (pl. **~jiet**) mannite, mannite-sugar
manoċċ|a n.f. (pl. **~i**) kite
manqax n.m. (pl. **mnieqex**) chisel
mans aġġ. tame, mild, meek
mansab n.m. (pl. **mnasab**) gin, fowling-net
mant n.m. (pl. **~ijiet**) mantle
mantar n.m. (pl. **mnatar**) cloak, cassock
mantell n.m. (pl. **~i**) cloak
manteniment n.m. (pl. **~i**) maintenance, upkeep
mantilj|a n.f. (pl. **~i**) mantilla
mantna v. to nurture
mantnut pp. maintained
Mantwa man; **qegħdin taħt** ~ we are in a desperate state
manumorta n.pr. mortmain
manuskritt n.m. (pl. **~i**) manuscript
manutenzjoni n.f. (pl. **~jiet**) maintenance
manuvr|a n.f. (pl. **~i**) manoeuvre
manuvrat ara **(i)mmanuvrat**
manwal n.m. (pl. **~i**) manual; handbook
manwali aġġ. manual; **xogħol** ~ manual labour
manwella n.f. (pl. **~i**) handspike ~ **tat-tmun** tiller
manwiel n.m. (pl. **~a**) hodman
mapp|a n.m. (pl. **~i, mapep**) map; **~a tal-baħar** chart
mappamond|u n.m. (pl. **~i**) globe
maqbad n.m. (pl. **mqabad**) handle
maqbar n.m. (pl. **mqabar**) cemetry, church-yard, burial-ground
maqbud pp. caught; (sekwestrat) seized, sequestered, confiscated
maqbuż pp. leaped, omitted, skipped
maqdab n.m. (pl. **mqadab**) pruning-knife
maqdar v. to despise, to slight, to mock, to undervalue // n.m. (pl. **~a**) despiser, scorner
maqdari aġġ. despicable, contemptible
maqdes n.m. (pl. **mqades**) church, temple
maqful pp. locked, buttoned
maqgħad n.m. (pl. **mqagħad**) chair
maqħab n.m. (pl. **mqaħab**) brothel
maqjel n.m. (pl. **mqawel**) oxstall, fold, sty
maqlub pp. turned, overthrown, upset; **bil-~** on the contrary, the reverse
maqlugħ pp. drawn out, pulled out; (żlugat) dislocated; (miksub) obtained, acquired, gained
maqqat v. to excerbate, to embitter
maqrud pp. scrubbed
maqruħ pp. skinned, flayed
maqrus pp. pinched
maqrut n.m. (pl. **mqaret**) parallelogram, rhomb; (għaġina bit-tamal) date cake
maqsum pp. crossed, traversed; (separat) divided, separated
maqtugħ pp. separated, parted; (f'operazzjoni) cut off, amputated; (determinat) determined, decided; (moħli) spoiled, currupted; (il-ħalib) soured; (fig.) ~ **hekk** he's made that way; ~ **għal xi ħaġa** he excels in something
maqtul pp. murdered, slain; (fig.) ~ **bix-xogħol/studju** he has a lot of work to do/he has a lot to study
mar v. to go; (fig.) **jaf imur man-nies** he knows how to get along with people; **kif imur** how it should properly be; **la morna morna** it is not good any more; ~ **l-aħjar/agħar** he enjoyed/

suffered the best/worst outcome; ~ **tajjeb** (fin-negozju) he gained profit; (fl-eżami) he scored good marks; (f'reċta, eċċ.) he did not commit mistakes; ~ **ħażin** he was losing money; (fl-eżami) he failed; (f'reċta, eċċ.) he commited mistakes; ~ **għat-tajjeb** he is slowly recovering; **ħwejġu ~rulu** the clothes were not good any more; ~ **u ħallieh** he abandoned him; **kemm ~?** what was the selling price?; **mur sibu/fiehmu** it is useless to try to find him/ explain it to him; **kollox** ~ everything was sold; **imur jegħreq!** I do not care for him!; **beda jmur** (qalziet, eċċ.) it started to fade; (ikel) it started to go bad; (bniedem) he grew imbecile; **mur ara!** (b'għajnejk) go and see; (allura!) what do I care; **mur għidlu!** why is it that he does not realise such a thing?; ~ **għand Alla** he died

mara n.f. (pl. **nisa**) woman, female; (miżżewġa) wife; ~ **tad-dar** housewife; (fig.) **fiha** ~ she is well-built; (inf.) she is really attractive; ~ **int!** you keep your word!; **qisha ~**: **dik it-tifla qisha** ~ that little girl acts like a grown-up woman

marabut n.m. (bla pl.) marabout

marad v. to get sick

maraskin n.m. (pl. **~i**) maraschino

marasm|a n.f. (pl. **~i**) marasmus

maraton|a n.f. (pl. **~i**) marathon race

marbat n.m. (pl. **mrabat**) place in which or instrument with which anything is bound, moorings

marbut pp. bound, tied, fastened

marċ n.m. (pl. **~i**; **~ijiet**) march; ~ **funebri** funeral march

marċa n.f. pus, matter; **bil-~** mattery, purulent

mard n.m. (bla pl.) disease, distemper; ~ **tal-imsaren** colitis; ~ **tal-griežem** quinsy; ~ **tan-ngħas** enchefalitis, lethargy; ~ **tan-nisa** gonorrhoea, syphilis, venereal disease; ~ **tal-qamar** epilepsy; ~ **tal-irqad** sleeping sickness; ~ **tas-sider** tuberculosis, phthisis; **mard|a** n.f. (pl. **~iet**) disease, illness; **il-~a daħlet 'il ġewwa** the condition is getting worse

marden n.m. (pl. **mraden**) spindle

mardud pp. restored; (l-art, l-għalqa, eċċ.) furrowed

marea n.f. (pl. **~t**) tide

marell|a n.f. (pl. **~i**) skein, husp

marelli: **il-~** (**u l-kobob!**) my lord!

maremot n.m. (pl. **~i**) sea-quake

marġ n.m. (pl. **mraġ**) marsh, fen

marġni n.m. (pl. **~jiet**) margin

marġarin|a n.f. (pl. **~i**) margarine

margerit|a n.f. (pl. **~i**) daisy

margun n.m. (pl. **~i**) asiatic cormorant; ~ **tat-toppu** mediterranean shag

marħab n.m. (pl. **mrieħeb**) monastery, convent, hermitage

marid n.m. (pl. **morda**) sick, patient; ~ **b'qalbu** heart condition; ~ **b'sidru** chest cold; ~ **mejjet** very sick

marinat ara **(i)mmarinat**

marixxall n.m. (pl. **~i**) marshal

Marjoloġij|a n.f. (pl. **~i**) Mariology

marjunett|a n.f. (pl. **~i**) marionette, puppet

mark|a n.f. (pl. **~i**) mark

markat ara **(i)mmarkat**

markatur n.m. (pl. **~i**) marker

markatur|a n.f. (pl. **~i**) marking

markiż n.m. (pl. **~i**) marquis, marqueness

markiżat n.m. (pl. **~i**) marquisate

marlazz n.m. (pl. **~i**) cleaver

marloċċ n.m. (pl. **~i**) mattock handle

marlozz n.m. (pl. **~i**) hake

marmad n.m. (pl. **mramad**) ash-tray

marmalejd n.f. (pl. **~ijiet**) marmalade

marmalj|a n.f. (pl. **~i**) mob, rabble, ragtail and bobtail

marmar v. to murmur

marmist n.m. (pl. **~i**) worker in marble

Maronit|a n.m. (pl. **~i**) Maronite

marqad n.m. (pl. **mraqad**) bed, dormitory

marr|a n.f. (pl. **~iet, marar**) mattock, pick-axe, hoe

marrad v. to make ill or sick, to render diseased

marradi aġġ. sickly

marrar v. to embitter, to make bitter

marrar|a n.f. (pl. **~iet**) gall, spleen; **ġebel fil-~a** gall-stone

marrub|a n.f. (pl. **~i**) horehound

marrun|a n.f. (pl. **~i**) horse-chestnut; (fig.) **bħal ~a** always on the go

mars|a n.f. (pl. **~iet, mrasi**) haven, harbour, gulf

marsus pp. pressed, close, thick

marsuttlat aġġ. hectic

martel v. to hammer

martell n.m. (pl. **mrietel**) hammer

martellat pp. hammered; **~|a** n.f. (pl. **~i**) hammer blow

martingan|a n.f. (pl. **~i**) martingale

martirizzat ara **martrizzat**

martrizzat pp. martyrized

martirj|u n.m. (pl. **~i**) martyrdom, torture

martiroloġju n.m. (pl. **~i**) martyrology

martor|a n.f. (pl. **~i**) marten

martri n.kom. (bla pl.) martyr

marxux pp. dashed, sprinkled
marzjali aġġ. martial; **liġi** ~ martial law; **qorti** ~ court martial
marzpan n.m. (pl. ~**i**) marchpane, marzipan; (xorta ta' ħuta) parrot-fish
Marzu n.pr. March
marżebba n.f. (pl. ~**iet**) beetle, brake, punner
masġar n.m. (pl. **msaġar**) grove, thicket
masħar v. to deride, to scorn
maskalzun n.m. (pl. ~**i**) rascal, knave
maskara n.f. (bla pl.) mascara
maskarat n.m. (pl. ~**i**) grotesque mask
maskarett|a n.f. (pl. ~**i**) vamp
maskarun n.m. (pl. ~**i**) grotesque mask
maskil aġġ. masculine
maskott n.m. (pl. ~**s**) mascot
maskr|a n.f. (pl. ~**i**) mask, visor; ~**a tal-gass** gas-mask; **neħħa l-~a** to throw off the mask
maskulin aġġ. masculine
massa n.f. (bla pl.) mass, heap
massaġġ n.m. (pl. ~**i**) massage; ~**jat** pp. massaged; ~**jatur** n.m. (pl. ~**i**) masseur
massaġġjat ara **(i)mmassaġġjat**
massaġġjatur n.m. (pl. ~**i**) masseur
massakrat pp. massacrated, slaughtered
massakr|u n.m. (pl. ~**i**) massacre, slaughter, butchery
massm|a n.f. (pl. ~**i**) maxim
mastell|a n.f. (pl. ~**i**; ~**at**) tub, vat, churn
mastiċi n.f. (bla pl.) mastic
mastika n.f. (bla pl.) mastic
mastin n.m. (pl. ~**i**) mastiff
mastite n.f. (bla pl.) mastitis
mastizz aġġ. massy, massive
mastodont n.m. (pl. ~**i**) mastodon
mastr|u n.m. (pl. ~**ijiet**) master; (peġ.) ~**u ġaħġaħ** a lazy guy; (peġ.) ~**u griefex** a guy who always bungles
mastrudaxx|a n.m. (pl. ~**i**) carpenter, joiner
masturbazzjoni n.m. (pl. ~**jiet**) masturbation
matador n.m. (pl. ~**i**) matador
matemati|ka n.f. (pl. ~**ċi**) mathematics
matemati|ku n.m. (pl. ~**ċi**) mathematician
materj|a n.f. (pl. ~**i**) matter, substance, subject; (ta' infjammazzjoni, eċċ.) pus, matter
materjal n.m. (pl. ~**ijiet**) material
materjali aġġ. material
materjalist n.m. (pl. ~**i**) materialist; ~**iku** aġġ. materialistic
materjaliżm|u n.m. (pl. ~**i**) materialism
materjalment avv. materially
matern aġġ. maternal, motherly
maternit|à n.f. (pl. ~**ajiet**) maternity; **sptar tal-~** maternity hospital
matin|è n.f. (pl. ~**ejiet**) matinee
matmura n.f. (pl. ~**iet, mtamar**) granary; (tjubija) goodness
matnazz aġġ. stong, solid
matra n.f. (bla pl.) target
matriċi n.f. (pl. ~**jiet**) matrix
matriċid|a n.kom. (pl. ~**i**) matricide
matriċidj|u n.m. (pl. ~**i**) matricide
matrikol|a n.f. (pl. ~**i**) matriculation
matrikulat pp. matriculated
matrun|a n.f. (pl. ~**i**) matron
matt aġġ. mat
mattinat|a n.f. duration of the morning; **qam mas-sette ~i** he woke up very early
matul prep. during
matur aġġ. mature
maturit|à n.f. maturity
matutin n.m. (pl. ~**i**) matins; **bil-~**: **tibdix bil-~** do not give trouble from the start // aġġ. of the morning, matutinal; **stilla ~a** morning star
Mawmettan n.m. (pl. ~**i**) // aġġ. Mohammedan
mawr|a n.f. (pl. ~**iet**) a going, a tour, a walking
mawran n.m. (bla pl.) the act of going
maxat v. to comb often
maxt|a n.f. (pl. ~**iet**) combing
maxtar v. to eat greedily
maxtur|a n.m. (pl. ~**i**) crib, manger, rack
maxx aġġ. mash
maxxat v. to comb often // n.m. (pl. ~**a**) comber, hairdresser
maxxit|a n.f. (pl. ~**iet**) chervil
mażetta: **kemm hu ~!** he is really stupid!; **ħareġ ta'** ~ he made a fool of himself
mażokist n.m. (pl. ~**i**) masochist
mażokiżm|u n.m. (pl. ~**i**) masochism
mażun n.m. (pl. ~**i**) freemason, mason
mażunerij|a n.f. (pl. ~**i**) freemasonary
mażżra n.f. (pl. ~**i**) counterpoise, anchor; **rabat ~ m'għonqu** he did something which restrained his liberty
mazz n.m. (pl. **mazez**) bunch, bundle; (fig.) **il-~ f'idejh** he has the right to speak; **bħal ~ karti** not strong
mazza n.f. (pl. **mazez**) club, cudged; (martell kbir) sledge, sledge-hammer
mazzamorr|a n.f. (pl. ~**i**) crumbs of biscuits
mazzpik n.m. (bla pl.) beetle
mazzarang|a n.f. (pl. ~**i**; ~**iet**) punner
mazzarell n.m. (pl. ~**i**) quill, (peġ.) dragonfly ~ **tat-tamburlin** drum-stick
mazzat|a n.f. (pl. ~**i**) blow
mazzaz v. to shuffle the cards
mazzett n.m. (pl. ~**i**) small bunch

mazzier n.m. (pl. ~**i**) mace-bearer, macer, beadle, verger
mazzit n.m.koll. f. ~**a** (pl. ~**iet**) black pudding
mazzola n.f. (pl. ~**t**) mallet; (xorta ta' ħut) common spiny dogfish
mazzun n.m. (pl. **mzazen**) rock goby; (fig. wieħed li jibla' kollox) a gullible person; ~**a** n.f. (pl. ~**iet**) mallet
mbagħad avv. after, afterwards, then; (f'dak il-ħin) at that time
mbaħbaħ pp. washed, rinsed
mbajja avv. on all fours
mbajjad pp. whitebed, white-washed
mbakkar pp. rised early
mballa' pp. crammed
mballat pp. beetled
mbandal pp. swung
maqbaq pp. well boiled; (irrabjat) angry
mbaqqa' pp. setained
mbaqqaq pp. full of bugs
mbaqqan pp. picked
mbaqqat pp. coagulated, curdled
mbarraġ pp. heaped or piled up
mbarri pp. excepted, exempted; (inf.) adultered
mbaskat pp. baked over again
mbassar pp. foretold, prophecised
mbattal pp. empty, unfurnished
mbattam pp. plastered
mbaxxar pp. announced
mbażwar pp. hernious, raptured; (xogħol, eċċ.) bad, amatorial
mbażża' pp. frightened, terrified, intimidated
mbażżar pp. peppered; (imdemmel) manured, dunged
mbe avv. on all fours
mbejjen pp. distnguished; (tramezzat) interposed, intermeddled
mbejjet pp. sown in holes
mbelgħen pp. inflamed with anger; (imxaħħam) slobbery
mbellah pp. mad, (iċċassat) astonished; ~ **wara xi ħadd** passionately in love
mbelleh ara **mbellah**
mbelles pp. velvety
mbenġel pp. livid
mbennen pp. rendered savoury, rocked
mberbaq pp. lavished, squandered
mberfel pp. hemmed; **moħħu** ~ eccentric, odd
mbergħed pp. full of fleas
mbergħen pp. inflamed with anger
mberraħ pp. wide open
mberraq pp. staring
mberred pp. cooled; (ikkwitat) appeased, pacified, reconciled
mbettaħ pp. sickly, weakly, infirm
mbewwaq pp. hollow
mbewweġ pp. disappeared clandestinely
mbewwel pp. (inf.) made or caused to use piss; (mimli awrina) full of urine
mbewwes pp. kissed repeatedly; (ikkwitat) pacified, reconciled
mbexbex pp. dawned
mbexxex pp. sprinkled
mbeżbeż pp. seized by the hair; (ġie ammonit) admonished
mbeżżaq pp. spit out
mbiċċeċ pp. cut in pieces
mbiċċer pp. butchered; (flaġellat) flagellated
mbidded pp. poured; (mibdul) changed, shifted
mbiegħed pp. removed, separated; (fil-bogħod) in the distance
mbierek pp. blessed; **ilma** ~ holy water; **kun i~** let God bless you; (ħudha b'xejn) don't pay for it; **dak l-i~ ta' tifel!** that naughty boy!; ~ **li hu!** how intelligent of him!
mbiġġel pp. venerated; (protett) protected, defended; (eżentat) exempted, discharged from
mbikkem pp. dumb, mute
mbikki pp. weeping, afflicted
mbissem pp. smiling
mbixkel pp. entangled, embroiled
mbiżżel pp. rendered active
mċafċaf pp. undulated
mċaħħad pp. deprived
mċajpar pp. hazy, misty, foggy
mċallas pp. besmeared, fouled
mċanfar pp. reproached, chidden
mċapċap pp. applauded, cheered; (imċappas) stained
mċaqċaq pp. cracked, crackled
mċaqlaq pp. moved; (fis-sakra) drunk, fuddled, tipsy
mċarċar pp. split, shed
mċarrat pp. rent, torn
mċeflaq pp. bleared
mċekken pp. lessened, diminished
mċerċer pp. tattered, ragged, in tatters
mċewlaħ pp. ill-dressed, shabby, slovenly
mċiegħek pp. pebbly, gritty, gravelly
MD n.m. (pl. ~**s**) MD; abbr. of Medical Doctor
mdabbar pp. ulcerous
mdagħdagħ pp. rageful
mdaħdaħ pp. disturbed, troubled
mdaħħak pp. excited to laughter
mdaħħal pp. introduced, penetrated; (involut) involved, implicated

mdaħħan pp. smoked, fumed; (mċajpar) bleared
mdakkar aġġ. caprificated
mdallam pp. darkened, obscured
mdamma' pp. weeping, full of tear
mdammem pp. strung
mdandan pp. dressed elegantly
mdann|a n.f. (pl. **~iet**) mother-in-law
mdaqq n.m. straw of threshed barley
mdaqqaq pp. played
mdaqqas pp. proportioned
mdardar pp. squeamished, disgusted; (bit-tajn, eċċ.) thick, muddy
mdarras pp. having the teeth set on the edge; (irritat) irritated, exasperated
mdawwal pp. illuminated, enlightened, lucent
mdawwar pp. turned; (magħmul tond) rounded; (msakkar, ċirkondat) environed, surrounded
mdebben pp. surrounded or full of flies
mdebber pp. promised to serve or work; (ikkummissjonat) commissioned; (ikkapparrat) engaged, having received earnest
mdeffes pp. intromitted, let in, introduced
mdejjaq pp. narrowed, closed; (qalbu sewda) grieved, vexed; (bla ħeġġa) bored
mdejjen pp. indebted
mdekkek pp. crumbled; (imsajjar wisq) cooked to rags
mdellek pp. unctuous, oily, greasy
mdellel pp. shaded or shadowed; (imżiegħel) caressed, flattered
mdemmel pp. dunged, manured, soiled
mdemmem pp. stained with blood
mdemmes pp. seasoned
mdendel pp. hanged, suspended
mdenneb pp. tailed; (imwaħħal) joined; put together
mdennes pp. fouled, spotted
mderri pp. winnowed
mdewwaq pp. tasted
mdewweb pp. melted, dissolved
mdewwed pp. verminious
mdewwem pp. delayed, retarded, detained
mdewwi pp. cured, medicated
mdexxex pp. ground coarsely; (mikul malajr) devoured, eaten quickly
mdieheb pp. gilt
mdiehex pp. frightened, terrified, dismayed
mdorri pp. accustomed, habituated
meċlaq v. to stammer, to stutter
meċmeċ v. to stammer, to stutter
medd v. to spread, to stretch; (tefa' mal-art) to make one to lay down; ~ **fl-art** to murder, to kill
medd|a n.f. (pl. **~iet, meded**) extension, stretching
mediċin|a n.f. (pl. **~i**) medicine
medikament n.m. (pl. **~i**) medication
medikat pp. medicated, dressed
medikatur|a n.f. (pl. **~i**) medication, treatment
mediku aġġ. medical
meditat ara **(i)mmeditat**
meditazzjoni n.f. (pl. **~jiet**) meditation
Mediterran n.m.pr. Mediterranean; **Forum tal-~** Mediterranean Forum
medj|a n.f. (pl. **~i**) average;
medjan aġġ. mean, middle
medjatur n.m. (pl. **~i**) mediator
medjazzjoni n.f. (pl. **~jiet**) mediation
medjokri aġġ. mediocre, middling
medjokrit|à n.f. (pl. **~ajiet**) mediocrity
medju aġġ. middle, mean, medium; **età medja** middle aged **M~ Evu** Middle Ages
medjum n.kom. (pl. **~ijiet**) medium
megafon|u n.m. (pl. **~i**) megaphone
megaliti|ku n.m. (pl. **~ċi**) megalithic
megaloman/ ~ija / ~iku n.f. (pl. **~i**) megalomania; ~**|ku** n.m. (pl. **~ċi**) megalomaniac
megħjien aġġ. eyed, gazed upon
megħjud pp. told, narrated
megħjun pp. helped, soccoured
megħliel pp. pale, sickly
megħlub pp. vanquished, conquered
megħud ara **megħjud**
mehbul ara **meħbul**
mehdi pp. occupied
mehġum pp. devoured, eaten greedily
mehla n.f. (pl. **~t**) slothfulness, sluggishness
mehli aġġ. tardy, sluggish, slow
mehmeż n.m. (pl. **miemeż**) goad
mehmuż pp. pinned
mehrież n.m. (pl. **mierez**) mortar
mehruż pp. pounded
meħbul pp. mad, distructed
meħbur pp. predicted, foreseen
meħdul pp. benumbed
meħjiel pp. valiant, stout, courageous
meħjut pp. sewed, stitched
meħlus pp. delivered, saved; (lest) ended, finished, completed
meħmur pp. fermented
meħtieġ pp. necessary, needful
meħud pp. taken; (mirbuħ) conquered, vanquished; (radikat) radicated; ~ **bil-qalb** accepted willingly
mejd|a n.f. (pl. **~iet, mwejjed**) table; **~a tal-qubbajt** nougat stand; (fig. bniedem li jħobb il-festi) a festa-lover
mejjel v. to incline, to bow, to bend

mejjet n.m. f. **mejta** (pl. **mejtin**) dead body, corpse; (inf. bniedem bla ħeġġa) a sluggish man; (fig.) **mejjet biex -** he desperately wants to -; ~ **ħaj** uninterested in life; ~ **bil-ġuħ/għatx/għeja** he is really hungry/thirsty/tired // patt. dead, deceased
mejjill|a n.f. (pl. **~i**) kneading trough, washing-basin
Mejju n.m.pr. May; **bekkaċċ ta'** ~ great snipe
mejkapp n.m. (pl. **~ijiet**) make-up
mejlaq n.m. (pl. **mwielaq**) whetstone
mejlaq v. to whet, to sharpen
mejt n.m. (pl. **~ijiet**) giddiness, dizziness
mekkaħ v. to spoil or dirty anything by use
mekkanik n.m. (pl. **~s**) mechanic
mekkanika n.f. (bla pl.) mechanics
mekkaniku aġġ. mechanical
mekkanikament avv. mechanically
mekkaniżmu n.m. (pl. **~i**) mechanism
mekkanizzat ara **(i)mmekkanizzat**
mekkanizzazzjoni n.f. (pl. **~jiet**) mechanization
mekkuk n.m. (pl. **mkiekel**) shuttle; (fig.) **donnu** ~ he is always around
mela v. to fill, to stuff; **mlieha** he increased her anger (for sb., etc.); ~ **fih innifsu** he suffered without complaining
melħ n.m.koll. f. **~a** (pl. **~iet**) salt; **bla ~ f'moħħu** stupid
melħ|a n.f. (pl. **~iet**) meddler, intruder; **ħelwa għall-~a**: **ma ħallihiex ħelwa għall-~a** he did not let everything pass as if nothing had happened
meliss|a n.f. (pl. **~i**) balm-mint, treacle
meljorat ara **(i)mmiljorat**
mell v. to feel annoyed, to be wearied
mell|a n.f. (pl. **~iet**) weariness, tedium
mellaħ v. to salt, to corn
mellej n.m. (pl. **~ja**) filler
melles v. to smooth, to sleek, to stroke
mellieħ n.m. (pl. **~a**) salter; **~a** n.f. (pl. **mlielaħ**) salt-pit
mellies n.m. (pl. **~a**) fondler, flatterer
melodij|a n.f. (pl. **~i**) melody
melodjuż aġġ. melodious, sweet
melodramm n.m. (pl. **~i**) melodrama
melodrammatiku aġġ. melodramatic
membran|a n.f. (pl. **~i**) membrane
membr|u n.m. (pl. **~i**) member
memorabbli aġġ. memorable
memorandum n.m. (pl. **~s**) memorandum
memorj|a n.f. (pl. **~i**) memory
memorjal n.m. (pl. **~i**) memorial, petition
mendikant n.m. (pl. **~i**) beggar, mendicant
mendil n.m. (pl. **mniedel**) omentum; (dvalja) tablecloth
meninġi n.pl. meninx
meninġite n.f. (pl. **~jiet**) meningitis
menopaws|a n.f. (pl. **~i**) menopause
menqa n.f. (pl. **~t, mnieq**) pool, haven, pond
mensa n.f. (pl. **~t**) revenue; ~ **veskovili** bishop's revenue
mensul|a n.f. (pl. **~i**) console
menta n.f. (bla pl.) mint
menti n.f. (pl. **~jiet**) mind
mentali aġġ. mental
mentalit|à n.f. (pl. **~ajiet**) mentality
mentalment avv. mentally
mentol n.m. (bla pl.) menthol
mentri avv. while
men|ù n.m. (pl. **~uwijiet**) menu
meqjum pp. honoured, venerated; (għoli) dear, costly; ~ **u mweġġaħ** venerated
meqjus pp. measured; (kritikat) criticised, censured; (li jfaddal) thrifty, frugal
meqrud pp. extripated, ruined
mequl pp. said
mera n.m. (pl. **mirja**) mirror; (eżempju, mudell) example, pattern; **ileqq daqs** ~ spick and span
meraħ v. to romp; (dar kullimkien) to roam
meraq n.m. (pl. **merqat**) broth; (sugu) juice; (fig. ksuħat) vain pretentiousness; **kulħadd merqtu u ftietu** on his own
meravilj|a n.f. (pl. **~i**) wonder, amazement; (xi ħaġa sabiħa) a wonder, an incredible thing; (persuna ta' barra minn hawn) an extraordnary person
meraviljat pp. astonished, amazed, surprised
meraviljuż aġġ. wonderful, marvellous
merċa n.f. (bla pl.) goods, merchandise; **ħanut tal-~** grocery
merċenarj|u aġġ., n.m. (pl. **~i**) mercenary
merċier n.m. (pl. **~a**) grocer
merdaq: **koċċ** ~ a rogue man
merdqux n.m.koll. f. **~a** (pl. **~iet**) (sweet) marjoram
merdugħ pp. sucked
merfugħ pp. raised; (imwarrab) preserved, saved; (irrabjat) wrathful; (fig.) in store: **min jaf x'hemm ~ għalina?** what has destiny in store for us?
merġugħ pp. returned
mergħa n.f. (pl. **~t, mriegħi**) pasture
merħ n.m. any fruit produced out of season
merħba n.f. (pl. **~t**) welcome; ~ **bik** you are welcome
merħi pp. feeble, weak; (mejjet) slow, lazy; (maħlul) loose, slack, unbent

merħla n.f. (pl. **~t, mrieħel**) herd, drove
meridjan n.m. (pl. **~i**) meridian
meridjonali aġġ. meridional, southern
merill n.m. (pl. **~i**) blue rock thrush; (fig.) one who speaks a lot
merilla ara **marella**
merin ara **morin**
meritat ara **(i)mmeritat**
merkant n.m. (pl. **~i**) merchant, trader
merkantil aġġ. mercantile, trading, commercial
merkanzij|a n.f. (pl. **~i**) goods, wares, merchandize
merkurju n.m. mercury, quicksilver
merl|a n.f. (pl. **~i, ~at**) brown arasse
merluzz ara **marlozz**
mermer v. to verminate, to rot; (għamel trab) to pulverize
merraq v. to make broth; (għamel sugu) to make juice; (mela bl-ilma) to add water
merrek v. to cicatrize
mert|u n.m. (pl. **~i**) merit
merut pp. contradicted
meruż pp. contradicted, opposed
merżaq v. to eradiate
merżuq n.m. (pl. **mrieżaq**) ray, beam
mesaħ v. to dry, to wipe
mesenterj|u n.m. (pl. **~i**) mesentery
mesbula ara **bisbula**
mesħa n.f. (pl. **~t**) drying, wiping
mesħun ara **misħun**
mesken v. to pity
mesmeriżm|u n.m. (pl. **~i**) mesmerism
mess v. to feel, to touch; (il-qalb, eċċ.) to move, to affect; ~ **il-polz** to feel a person's pulse; **imissu ma jafx!** he surely knows!; **tmissx miegħu** it is better not to have anything to do with him; **kif imiss** in the proper way; **trid lira ma tmissx ma' mkien** you need a lira just for that // **~a** n.f. (pl. **~iet**) touch, contact; (serq) robbery, theft
messaġġ n.m. (pl. **~i**) message
messaġġier n.m. (pl. **~a**) messenger, letter carrier
messal n.m. (pl. **~i**) missal
messej aġġ. touching
messes v. to palpate
messiesi aġġ. touching
Messij|a n.m. (pl. **~i**) Messiah
mest aġġ. sad, sorrowful, mournful
mestier n.m. (pl. **~i**) trade
mestruwazzjoni n.f. (pl. **~jiet**) menstruation
meta avv. when
metaboliżm|u n.m. (pl. **~i**) metabolism
metafiżi|ka n.f. (pl. **~ċi**) metaphysics
metafiżi|ku n.m. (pl. **~ċi**) metaphysician // aġġ. metaphysician
metafor|a n.f. (pl. **~i**) metaphor
metaforiku aġġ. metaphorical
metaforikament avv. metaphorically
metafrażi n.f. (pl. **~jiet**) metaphrase
metakarp|u n.m. (pl. **~i**) metacarpus
metall n.m. (pl. **~i**) metal
metalliku aġġ. metallic
metallografij|a n.f. (pl. **~i**) metallography
metallojdi aġġ. metalloid
metallurġij|a n.f. (pl. **~i**) metallurgy
metallurġiku aġġ. metallurgic(al)
metamorfosi n.f. (pl. **~jiet**) metamorphosis
metamorfiżm|u n.m. (pl. **~i**) metamorphism
metastasi n.f. (pl. **~jiet**) metastasis
metatars|u n.m. (pl. **~i**) metatarsus
metateżi n.f. (pl. **~jiet**) metathesis
metempsikożi n.f. (pl. **~jiet**) metempsychosis
meteor|a n.f. (pl. **~i**) meteor
meteorit n.m. (pl **~i**) meteorite
meteoroloġij|a n.f. (pl. **~i**) meteorology
meteoroloġiku aġġ. meteorologic(al)
meterolog|u n.m. (pl. **~i**) metereologist
metikoluż aġġ. meticulous
metod|u n.m. (pl. **~i**) method
metodoloġij|a n.f. (pl. **~i**) methodology
metodist n.m. (pl. **~i**) methodist
metodikament avv. methodically
metonimj|a n.m. (pl. **~i**) metonomy
metrika n.f. (bla pl.) metrics, prosody; **sistema** ~ metric system
metriku aġġ. metric, metrical
metronom|u n.m. (pl. **~i**) metronome
metropoli n.f. (pl. **~jiet**) metropolis
metropolit|a n.m. (pl. **~i**) metropolitan
metropolitan aġġ. metropolitan
metr|u n.m. (pl. **~i**) meter
mewġ n.m.koll. f. **~a** (pl. **~at**) wave, surge
mewġi aġġ. wavy
mewt n.f. (pl. **mwiet**) death; **donnu** ~ he is very skinny and pale; **għela għall-~** he was very sorry; **xtara l-~ b'idejh** it was all his fault; **ra l-~ fuq wiċċu** he went through big sufferings; **isfar** ~ very pale; **bilfors il-~** you have a free will; **ma mietx b'~u** he died in an accident; **il-~ ġabritu** he died; **ra l-~ ma' wiċċu** he was very close to death; **ħa l-~** he was given a death sentence; **~a** n.f. (pl. **~iet, mwiet**) death
mewweġ v. to wave
mewwes v. to stab
mewwet v. to cause death, to slay; (fig. il-ħoss, eċċ.) to mute
mewwieġi aġġ. wavy
mewwies n.m. (pl. **~a**) cutler

mexa v. to walk
mexmex to suck up (a bone); **mexmixha (tajjeb)** he enjoyed plenty of benefits
mexxa v. to guide, to lead
mexxej n.m. (pl. **~ja**) leader, guide // aġġ. flowing
mezz n.m. (pl. **~i**) means
mezz(al)ast|a n.f. (pl. **~i**) half mast
mezzalun|a n.f. (pl. **~i**) half moon
mezzan n.m. (pl. **~i**) middle // n.m. (pl. **~i**) middleman, mediator
mezzanin n.m. (pl. **~i**) entresol, mezzanine
mezzubust n.m. (pl. **~i**) bust
MFA n.m. (pl. **~s**) MFA; abbr. of Malta Football Association
mfaddal pp. saved
mfaħħal pp. fattened
mfaħħar pp. praised
mfaħħax pp. filthy, obscene
mfajjad pp. overflowed, overflowing
mfakkar pp. reminded, commemorated
mfallaz pp. falsified
mfalli pp. bankrupt
mfaqqa' pp. cracked; **wiċċ i~** round and plump face
mfaqqar pp. impoverished
mfaqqas pp. hatched
mfarrad pp. unmatched, odd
mfarraġ pp. refreshed, diverted, consoled
mfarrak pp. crumbled
mfartas pp. made bald
mfassal pp. cut out
mfawwar pp. boiled, seethed
mfejjaq pp. cured, healed, recovered
mfekkek pp. dislocated, sprained
mfelfel pp. curled
mfellel pp. cracked, chapped
mfelles pp. coined
mferfer pp. moved, stirred, wagged
mferkex pp. rasped, scraped
mfernaq pp. blazing, flaming
mferragħ pp. ramified
mferraħ pp. rejoiced; (imnibbet) sprouted
mferraq pp. divided, distributed, shared
mferrex pp. scattered, spread
mfesdaq pp. shelled
mfesfes pp. whispered
mfettaħ pp. enlarged, widened, dilated
mfettel pp. rolled between the hands/fingers
mfettet pp. sliced, cut into slices
mfewwaħ pp. perfumed, scented
mfewwaq pp. belched
mfewweġ pp. ventilated
mfidded pp. silvered
mfiehem pp. made to understand
mfisqi pp. swaddled
mfissed pp. caressed, flattered
mfisser pp. explained; (maqlub) translated; (interpretat) interpreted; (dikjarat) expounded
mfittex pp. searched, looked for; ~ **bil-qorti** summoned to appear in court
mfixkel pp. stumbled
mġabbar pp. mended, patched
mġagħal ara **mġiegħel**
mġamma' pp. accumulated, gathered up
mġannat pp. patched, mended
mġarrab pp. experimented, practised; (ippruvat) tempted
mġarraf pp. demolished
mġebbed pp. stretched, spread; **għex i~** he lived a poor life; **dak i~ wisq** he is too austere
mġebbel pp. mountainous, hilly
mġebbes pp. chalked, covered with chalk
mġedded pp. renewed, reformed
mġejjef pp. discouraged
mġejnen aġġ. mad
mġelben pp. budded, sprouted
mġelġel pp. cracked, flawed
mġelled pp. excited into quarrel
mġemġem pp. wet with tears
mġemmed pp. coagulated; (imsewwed bil-ġamar) blackened with soot
mġenneb pp. set apart/on the side; (li ma jintlaħaqx) out of hand
mġennen pp. maddened
mġerragħ pp. swallowed; (soffert) suffered
mġerraħ pp. wounded, hurt
mġewnaħ pp. winged
mġewwaħ pp. hungry, starved
mġewwef pp. abject
mġewweż pp. used sparingly
mġeżż pp. shears
mġib|a n. (pl. **~iet**) behaviour, demeanor, deportment
mġiddem pp. leprous
mġiegħed pp. curled, frizzled
mġiegħel pp. forced
mġiegħeż pp. endowed, jointured
mġieneb pp. set aside
mġissem pp. corpulent, bulky
mgarżam pp. unleavened bread
mgeddel pp. robust
mgeddes pp. heaped or piled up, amassed
mgedwed pp. grumbled, mumbled
mgemgem pp. lamented
mgerbeb pp. rolled, rounded
mgerfex pp. confounded

mgermed pp. blackened, smutted
mgerrem pp. gnawed, nibbled
mgerrex pp. boorish
mgeżwer pp. wrap up, involved
mgezzez pp. amassed
mgiddeb pp. belied, disapproved
mgiddem pp. bitten
mgħabbar pp. counterpoised; (mgħotti bit-trab) covered with dust
mgħabbex pp. stunned, dazzled
mgħaddab pp. angry
mgħaddam pp. bony
mgħaddar pp. paludal; (bl-ilma) flooded; (fis-sakra) drunk, fuddled
mgħaddas pp. plunged, dived; (ingannat) deceived, deluded
mgħaddeb pp. punished, lashed
mgħaffas pp. pressed, squeezed
mgħaffeġ pp. treaded
mgħaġġeb pp. wondering, admiring
mgħaġġeż pp. worn out of age
mgħajjar pp. reviled, offended; (imsaħħab) clouded
mgħajjat pp. called aloud
mgħajjeb pp. mocked, aped; (imċajpar) hazy
mgħajjen pp. bewitched; (iċċassat lejn) gazed at, stared at
mgħajjex pp. made to live; (mantnut) maintained
mgħajji pp. weary, tired
mgħajnas pp. eyed, stared at, gazed at
mgħakkar pp. fouled with clammy dregs; (umdu) humid
mgħakkes pp. oppressed, vexed; (bil-ġuħ) dying of hunger
mgħallaq pp. hanged
mgħallat pp. made to err, to be in error
mgħalleb pp. made lean, emaciated
mgħallek pp. glutnous, clammy
mgħall|em n.m. (pl. **~min**) teacher, master; **l-I~ em** God; ~ **tat-tnax** an architect // pp. marked, signed; **ta' ~em** learnedly, masterly
mgħammad pp. blindfolded, hoodwinked
mgħammar pp. inhabited, populated; (bl-għamara) furnished; (annimal) to be placed with partner
mgħammed pp. baptized, christened; (imħallat bl-ilma: inbid, eċċ.) mixed with water
mgħammex pp. dazzled; (imperreċ) blear
mgħammeż pp. winked
mgħamċeċ pp. radiated, glistening
mgħannaq pp. embraced
mgħanni pp. sung
mgħaqqad pp. knobby; (friżat) coagulated
mgħaqqal pp. made intelligent; (bilgħaqal) made prudent
mgħaqqar pp. wounded, ulcerated
mgħarbel pp. sifted, bolted; (eżaminat tajjeb) examined carefully; (interrogat fil-qorti) enquired into judicially
mgħarf|a n.f. (pl. **~iet**; **mgħaref**) spoon; **tahielu bl-i~** he spoke in a simple and clear way
mgħargħar pp. strangled, coaked
mgħarraf pp. notified, advised
mgħarram pp. indemnified
mgħarraq pp. sweated; (distillat) distilled; (fil-baħar, eċċ.) drowned
mgħarras pp. engaged, betrothed
mgħarrax pp. tickled
mgħarref pp. instructed, taught, learned
mgħarrem pp. stacked, piled up, heaped up
mgħarrex pp. cloudy, overcast; (mittawwal) peeped
mgħarwen pp. undressed, naked, bare
mgħasfar pp. escaped or fled away
mgħasleġ pp. unleafed
mgħasses pp. guarded
mgħattab pp. croppled, maimed
mgħattan pp. squashed, crushed
mgħattaq pp. brought up to youth
mgħawwar pp. made squint-eyed; (skavat) dug up, excavated
mgħawwed pp. reiterated
mgħawweġ pp. curved, bent, crooked, contorted
mgħawwem pp. swum, submerged
mgħax pp. interest; (gwadann) profit, advantage
mgħaxxaq pp. delighted, pleased
mgħaxxar pp. tithed, decimated
mgħaxxex pp. nestled; (dgħajjef) faint, weak
mgħaxxi pp. supped
mgħażgħaż pp. pressed/squeezed with the teeth
mgħażq|a n.f. (pl. **~iet, mgħażaq**) hoe, spade
mgħażżel pp. made to spin; (imċewlaħ) threadbare
mgħażżen pp. made lazy
mgħażżeż pp. beloved
mgħellem pp. taught, trained up
mgħid n.f. (bla pl.) mastication, chewing
mgħobbi pp. laden, loaded; (ingannat) cheated, deceived
mgħoddi pp. past, passed; ~ **bil-ħadida** ironed
mgħolli pp. raised up, lifted up; (fuq in-nar) boiled; (mhux kuntent) displeased; (inkwetat) troubled, afflicted
mgħotti pp. covered
mgħoxxi pp. swooned, fainted
mhedded pp. threatened, menaced

mheddi pp. appeased, calmed
mhejjem pp. caressed
mhejji pp. prepared
mhendem pp. demolished, destroyed
mhenni pp. consoled, comforted; (kuntent) happy
mherreż pp. crumbled, bruised
mherri pp. putrefied
mherwel pp. mad
mhewden pp. delirious
mheżżeż pp. shaken, vibrated
mhib|a n.f. (pl. **~iet, mhejjeb**) gift, present
mhux avv. it is not, not at all; **tifel u mhux tifel -** child or no child -
mħabb|a n.f. (pl. **~iet**) love, affection; **~a tal-ġenn** big love
mħabbar pp. announced, notified
mħabbat pp. knocked, struck; (bix-xogħol, eċċ.) busy
mħabbeb pp. rendered friendly, pacified
mħabbel pp. embroiled, entangled
mħabrek pp. endeavoured, striven
mħadda n.f. (pl. **mħaded**) pillow, cushion
mħaddan pp. embraced
mħaddar pp. made green
mħaddel ara **mħeddel**
mħaddem pp. fatigued, tired
mħaffef pp. hurried, done in a hurry; (mit-toqol) eased, lightened
mħaffer pp. dug, digged; (skavat) excavated, trenched
mħaġġar pp. stoned, lapidated
mħaġġeġ pp. inflamed, fiery, kindled
mħajjar pp. longing, desirous; (imsaħħar) allured, enticed
mħakk|a n.f. (pl. **~iet, mħakek**) grater
mħalla n.f. (pl. **mħalel**) distaff, reel
mħallas pp. liberated; (ix-xagħar) combed; (bil-flus) paid, paid off
mħallat pp. mingled, mixed
mħallef pp. made or obliged to swear
mħall|ef n.m. (pl. **~fin**) judge; **żorr qisu ~** an austere man
mħallel pp. accused of theft; (aċetuż) acetous, acetose
mħallem pp. dreamt
mħamħam pp. irritated, exasperated; (irrabjat) angry
mħammar pp. made red
mħammeġ pp. fouled, dirtied
mħammel pp. cleaned, cleansed, furbished
mħanfes pp. angered, displeased
mħannen pp. moved to pity; (immelles) caressed, flattered
mħannex pp. verminated
mħanxar pp. hewn/cut roughly
mħanxel pp. full of small roots; (mal-art, eċċ.) rooted
mħanżer pp. bungled
mħaqqaq pp. verified, proved
mħar n.m.koll. f. **~a** (pl. **~iet**) limpet
mħarbat pp. ruined, destroyed
mħares pp. watched, guarded, observed
mħarfex pp. botched, bungled
mħarħar pp. rattling
mħarrab pp. put to flight
mħarrax pp. rough; (mħamħam) angered
mħarreb pp. solitary, lonely; (diżabitat) uninhabited
mħarref pp. fabled, fictioned
mħarreġ pp. led out; (espert) trained, skilful
mħarrek pp. moved; (mgħajjat il-qorti) summoned to appear in court
mħassar pp. lamented, condoled; (mħarbat) damaged, endamaged; (moħli) rotten, spoiled; (etikament) depraved
mħasseb pp. pensive, thoughtful
mħassel pp. squashed
mħatra pp. wager, bet; **bl-i~ bejniethom** they are always competing
mħatteb pp. hunch-baked
mħattet pp. delineated
mħawtel pp. industrious, ingenious
mħawwad pp. confounded, mixed; (konfuż) perturbed, troubled
mħawwar pp. seasoned
mħawwel pp. planted
mħaxħax pp. asleep, drowsy
mħaxlef pp. bungled, botched
mħaxxen pp. swollen
mħaxxex pp. herbivorous
mħażżem pp. girded, bound
mħażżen pp. made cunning or crafty; (moħli) vitiated, corrupted, spoiled
mħażżeż pp. delineated, sketched
mħeddel pp. benumbled
mħeġġeġ pp. ardent, full of fervour
mħemmed pp. silenced
mħolli pp. left
mibdi pp. begun, commenced
mibdul pp. permuted, exchanged; (trasformat) transformed
mibegħd|a n.f. (pl. **~iet**) hate, abomination
mibgħud pp. hated, detested
mibgħut pp. sent
mibjugħ pp. sold; (ġie tradut) betrayed
mibki pp. bewailed, bemoaned

miblugħ pp. swallowed
mibluħ pp. astonished, surprised
miblul pp. wet
mibni pp. built, constructed
mibrud pp. filed
mibruħ pp. evident, well known
mibrum pp. twisted, twined; (imżaqqaq) plumped
mibrux pp. scraped, grated
mibsur pp. foretold, guessed
mibxux pp. sprinkled
mibżaq n.m. (pl. **mbieżaq**) spittoon
mibżugħ pp. feared, dreaded
mibżuq pp. spit
miċċa n.f. (pl. **miċeċ**) match, fuse
miċħba: **kiel** ~ he ate until he was full
miċħud pp. denied
midalj|a n.f. (pl. ~**i**) medal
midaljun n.m. (pl. ~**i**) medallion
midbaħ n.m. (pl. **mdiebaħ**) slaughter house, shambles; (tempju) temple; (altar) altar
middejjen pp. indebted
middi pp. shining, glittering; (mogħti) given, presented
middieħek pp. mocked, laughed at
middija n.f. (pl. ~**t**) present, donation
midfn|a n.f. (pl. ~**iet, mdiefen**) church-yard; **midfun** pp. burried; (moħbi) hidden; ~ **ħaj** a man which never goes out
midgħi pp. cursed, execrated
midhen n.m. (pl. **mdiehen**) unguent, ointment
midhi pp. engrossed (in), attentive
midhun pp. anointed
midħal n.m. (pl. **imdieħel**) entrance, ingress
midħla n.f. (bla pl.) familiar (with)
midħn|a n.f. (pl. ~**iet, mdieħen**) chimney, funnel
midħuk pp. laughed at, mocked; (ingannat) betrayed, deceived
midjun pp. indebted
midjuq pp. tasted
midluk pp. anointed
midmum pp. gathered, put together
midneb n.m. (pl. **midinbin**) sinner
midquq pp. sounded; (imsawwat) beaten or thrashed
midr|a n.f. (pl. **mdieri**) pitchfork, winning-fan
midrub pp. wounded
midrus pp. thrashed
midwi pp. echoed
miegħek v. to run; (iddisprezzja) to debase, to vilify
miegħer v. to debase; (weġġa') to injure; (waħħal f') to blame
miegħex v. to be profitable, to turn to account
miehel v. to retard
miekl|a n.f. (pl. ~**iet, mwiekel**) food
miel v. to lean, to incline; (fl-istatus soċjali, eċċ.) to condescend // n.m. (pl. **mwiel**) estates, means, riches
mielaħ aġġ. saline, briny
miera v. to contradict; (qal bil-maqlub) to gainsay; (oppona) to oppose
miet v. to die; **imut għalih** he would die for him; ~**et** let us not discuss it any more; ~ **bil-għali** he was in deep troubles; **ma jmut qatt** he never gets worried
miet|a n.f. (pl. ~**i**) tariff, assize
miexi patt. walking, travelling
mifdi pp. redeemed; (liberat) ransomed
mifdul pp. remained, extant, left
mifġur pp. suffering a bleeding nose
mifhum pp. comprehended, understood
mifles n.m. (pl. **mfieles**) bank, the treasury
mifli pp. cleaned or freed from lice/fleas; (eżaminat) examined, scrutinized
mifluġ pp. paralytic, paralitical; (muġugħ) afflicted
mifni pp. languishing, faint
mifqugħ pp. burst
mifrex n.m. (pl. **mfierex**) bed, couch
mifrud pp. separated, disunited, divided
mifruħ pp. congratulated, welcomed
mifruq pp. disjoined, forked
mifrux pp. spread, stretched out
mifsud pp. phlebotomized, bled; (li mar) addle, rotten
miftakar pp. reminded
miftaqar pp. impoverished
miftiehem pp. understood
miftuħ pp. open
miftum pp. weaned
miftuq pp. unstitched; (med.) ruptured, hernious; (bil-qoxra) shelled, lulled
mifxul pp. confused, disturbed
miġbud pp. pulled, drawn up; (stampat) printed; (ritratt) taken
miġbur pp. picked up, collected; (irranġat) repaired, mended; (solitarju) secluded, solitary
miġfn|a n.f. (pl. ~**iet, mġiefen**) fleet
miġġieled pp. contended, litigated
miġimgħa n.f.koll. (pl. ~**t**) congregation, assembly
miġj|a n.f. (pl. ~**iet**) coming, arrival
miġjub pp. brought, carried; (stmat) esteemed, regarded, valued
miġmugħ pp. assembled, gathered together
miġnun pp. mad, insane; (possedut) possessed by evil spirit; (inf. ibbażżjat) crazy/cool dude;

~ **biex -** he desperately wants to -; ~ **wara xi ħadd** he lost his mind on someone
miġri pp. run; (li ġara) happened
miġruħ pp. wounded, hurt
miġrur pp. transported, removed; (milwi) wound into skeins
miġżi pp. rewarded, recompensed
miġżuż pp. sheared
migdub pp. lied
migdum pp. bitten
migruf pp. scratched
mija n. num. kard. hundred; **mitt** (hundred) **elf darba aħjar** that is much better; **isarraf daqs** ~ he is indispensable; **mitt darba u elf** you are right but -
mijelite n.f. (pl. ~**jiet**) myelitis
mijokardite n.f. (pl. ~**jiet**) myocarditis
mijopi aġġ. short-sighted; ~**ja** n.f. (bla pl.) short-sightedness, myopia
mikbus pp. kindled
mikdud pp. fatigued, tired; (użat ħażin) ill-used
mikfuf pp. hemmed, welted
miklub pp. famished, insatiable
miknus pp. swept; ~**a bin-nies** full of people
mikri pp. hired, rented
mikrob|u n.m. (pl. ~**i**) microbe
mikrofon|u n.m. (pl. ~**i**) microphone
mikrokożm|u n.m. (pl. ~**i**) microcosm
mikrometr|u n.m. (pl. ~**i**) micrometer
mikroskopj|u n.m. (pl. ~**i**) microscope
miksi pp. clothed, covered
miksub pp. obtained, gained
miksur pp. broken; (fig.) ~ **ma'** he is on bad terms with
miktub pp. written; (reġistrat) enrolled, enlisted; **x'hemm ~ għalih** what fate has in store for him
mikul pp. eaten; (bis-sadid, eċċ.) corroded
mikwi pp. red-hot
mil n.m. (pl. ~**i**) mile; **minn seba' ~i bogħod** from miles away
milbus pp. dressed
milfuf pp. wrapt up
milgħub pp. played; (bi mħatra) betted; (ingannat) deceived, cheated
milgħun pp. cursed
milhum pp. inspired
milgħuq pp. licked
milħuq pp. overtaken; (rekord, eċċ.) equalled
mili n.m. (bla pl.) impletion
Milied n.m. (pl. **Milidijiet**) Christmas; **mill-~ sa San Stiefnu** in a short time
militanti aġġ. militant
militar n.m. military man;
militari aġġ. militiary
militariżm|u n.m. (pl. ~**i**) militarism
militarizzat ara **(i)mmilitarizzat**
militarizzazzjoni n.f. (pl. ~**jiet**) militarisation
milizzj|a n.f. (pl. ~**i**) militia, army
miljard n.m. (pl. ~**i**) milliard; ~**arj|u** n.m. (pl. ~**i**) multi-millionaire
miljorament n.m. (pl. ~**i**) improvement
milju n.m.koll. millet, canary seed
miljun n.m. (pl. ~**i**) million
miljunarj|u n.m. (pl. ~**i**) millionaire
millenarju aġġ. millenarian, millenary
millennj|u n.m. (pl. ~**i**) millennium
milleżm|u n.m. (pl. ~**i**) thousandth part, millesimal; (ta' Lira) mill
milli konġ. of that, which
millieġ n.m.koll. millet
milligramm n.m. (pl. ~**i**) milligramme, milligramm
millilitr|u n.m. (pl. ~**i**) millilitre
millimetr|u n.m. (pl. ~**i**) millimetre
milmuħ pp. seen or observed from a distance
milord: **jilgħabha tal-~** he acts as if he were a rich man
milqugħ pp. received, entertained
mils|a n.f. (pl. ~**iet, mlies**) spleen
milud pp. born; ~**a** n.f. (pl. ~**in**) women in childbirth
milum pp. scolded, reproached
milw|a n.f. (pl. ~**iet, mliewi**) skein; ~**a zalzett** roll, roller
milwi pp. twisted; (imdawwar) turned
milwiem pp. aqueous, pluvial, rainy
mim n.m. (pl. ~**i**) mime
mimdud pp. stretched out, lying
mimgħud pp. chewed, masticated
mimi|ka n.f. (pl. ~**ċi**) mimic, gesticulation
mimiku aġġ. mimic, mimical
mimli pp. replete, full, filled; (sħiħ) solid, compact, massive; ~ **bih innifsu** proud, haughty, ~ **drapp** thick
mimmi pupil of the eye; **il-~ tal-għajn** the pupil; (l-iktar ħaġa għażiża) the most important thing; **iħobbu daqs il-~ t'għajnejh** he treasures him immensely
mimnugħ pp. prohibited, forbidden
mimos|a n.f. (pl. ~**i**) mimosa
mimsuħ pp. wiped
mimsus pp. touched; ~ **mid-dud** infected, blighted
mimxut pp. combed
min pron. who?, whom?; ~ **kien jgħidlu** who could ever foretell what happened?
min|a n.f. (pl. ~**i**) tunnel; (tal-gwerra, eċċ.) mine

minaċċ|a n.f. (pl. ~**i**) menace
minaċċat pp. threatened, menaced
minaċċuż aġġ. threatening, menacing
minarett n.m. (pl. ~**i**) minaret
minat ara **(i)mminat**
minatur n.m. (pl. ~**i**) miner
minbarra prep, konġ. except
minbux pp. provoked
minċott n.m. (pl. ~**i**) tenon, dovetail
minċottjat ara **(i)mminċottjat**
mindil n.m. (pl. **mniedel**) caul
mindu avv. since, ever since
mineral n.m. (pl. ~**i**) mineral; ~**i** aġġ. mineral; **ilma** ~ mineral water; ~**oġij|a** n.f. (pl. ~**i**) mineralogy
minestr|a n.f. (pl. ~**i**) soup
minfaħ n.m. (pl. **mniefaħ**) bellows; (xorta ta' ħuta) boar-fish
minfes n.m. (pl. **mniefes**) nostril
minfexx pp. burst forth, broken out
minflok avv. instead
minfud pp. penetrated, transfixed
minfuħ pp. blown; (b'infezzjoni, eċċ.) swollen; ~ **bih innifsu** proud, haughty, vain
minfuq pp. spent, expended // avv. upwards
minġel n.m. (pl. **mnieġel**) sickle
minġur pp. hewn
minġuż n.m. (pl. **mnieġeż**) striped bream
mingħajr prep. without
mingħand prep. from
mingħi pp. doleful, mournful
mingħul pp. cursed
minħtieġ pp. necessary, needed
minħur pp. slaughtered
mini n.f. (pl. ~**s**) mini-skirt
minim|a n.f. (pl. ~**i**) minim; **minim|u** n.m. (pl. ~**i**) minimum // aġġ. least
miniskert n.m. (pl. ~**s**) miniskirt
ministerjali aġġ. ministerial
minister|u n.m. (pl. ~**i**) office
ministrell n.m. (pl. ~**i**) minstrel
ministr|u n.m. (pl. ~**i**) minister
minjatur|a n.f. (pl. ~**i**) miniature
minjier|a n.f. (pl. ~**i**) mine
minju n.m.koll. red lead, minium
minkeb n.m. (pl. **mniekeb**) elbow; (rokna) corner, angle
minkejja avv. in spite of, notwithstanding
minki pp. vexed
minn prep. from
minn bejn prep. from among, from between
minn daqqiet avv. sometimes, at times, now and then
minn fejn prep. from whence, where from
minnu aġġ. true
minnufih avv. quickly, directly
minnul|a n.f. (pl. ~**i**) cockerell
minotawr|u n.m. (pl. ~**i**) minotaur
minqi pp. cleaned, cleansed
minqugħ pp. macerated, steeped
minqur pp. pecked
minqux pp. carved, graved
minsi pp. forgot, forgotten
minsub pp. placed, erected, raised; (bil-mansab) ginned; (ikkaċċjat) hunted for
minsuġ pp. woven
mintb|a n.f. (pl. ~**iet**) hillock, mount, steep hill
mintuf pp. peeled, picked, plumed
mintul avv. through, along
minur aġġ. minor
minuranz|a n.f. (pl. ~**i**) minority
minurenni aġġ. under age
minuskolu aġġ. small, very small
minut|a n.f. (pl. ~**i**) minute
minutier|a n.f. (pl. ~**i**) hand, pointer
minwett n.m. (pl. ~**i**) minuet
minxtamm pp. smelled
minxuf pp. dried up, withered
minxur pp. sawed; (qalziet, eċċ.) hanged
minżel n.m. (pl. **mnieżel**) inclined plane
minżugħ pp. undressed
minżul pp. descended
mir|a n.f. (pl. ~**i**) sight; (tad-dart) target; (l-iskop) aim, end purpose
mirat ara **(i)mmirat**
miraġġ n.m. (pl. ~**i**) mirage
mirakl|u n.m. (pl. ~**i**) miracle, wonder; **għamel il-~i** he tried his utmost
mirakulat aġġ. miraculously cured
mirakuluż aġġ. miraculous
mirbuħ pp. won; (miksub) conquered
mirdum pp. buried
mirfes pp. treadle
mirfud pp. underset, propped
mirfus pp. trod, trampled
mirgun pp. subjected, terrified
mirgħi pp. pastured
mirgħub pp. greedy
mirgħux pp. abashed, ashamed
mirhun pp. pawned
mirjieħ aġġ. windy, blowy
mirjun n.m. (pl. ~**i**) helmet, casque
mirkeb n.m. (pl. **mriekeb**) vehicle; (karru) cart; (karozza) car; (kaless) carriage; (trakk) truck; (bastiment) vapur
mirkub pp. rode, ridden

mirli n.m. (pl. ~**jiet**) blotched picarel
mirqi pp. cured or healed of the jaundice
mirqum pp. arranged, adorned, embellished
mirra n.f. (pl. ~**t**) myrrh; **ġablu l-~** he caused him nausea
mirut pp. inherited
mirwaħ n.m. (pl. **mriewaħ**) fan
mirżuħ pp. chilled, frozen
mirżun pp. restrained
misantropij|a n.f. (pl. ~**i**) misanthropy
misantropiku aġġ. misanthropic(al)
misapprovazzjon|i n.f. (pl. ~**jiet**) misappropriation
misbi pp. enslaved; (irvinat) ruined
misbul pp. enraged, angry, out of temper
misbuq pp. outrun, outstripped
misdud pp. stopped, stocked, obstructed
misfatt n.m. (pl. ~**i**) misdeed, crime
misfi pp. serene, clear, fair
misfuf pp. suckled
misgħen n.m. (pl. **msiegħen**) support
mishur pp. awaked, watching
misħaq n.m. (pl. **msieħaq**) pulverizator, pulverizer
misħi pp. ceased raining
misħun n.m. (pl. **imsieħen**) hot water
misħuq pp. bruised, pounded
misħut pp. execrated, cursed
misjub pp. found
misjuħ pp. called
misjuq pp. driven
misjur pp. matured, ripened; (laħam, eċċ.) cooked
misk n.m. musk; **ifuħ** ~ he has a pleasant smell
miskin aġġ. (pl. **msieken**) unfortunate man
miskredent aġġ. unbelieving, misbelieving
miskta n.f. (bla pl.) mastic, mastich
Mislem n.m. (pl. **Misilmin**) Mohammedan
mislub pp. crucified
misluf pp. lent
misluħ pp. skinned, flayed
mislut pp. drawn, unsheated; (bil-ponta) sharpened, pointed; (irqajjaq) slim, slender
mislut|a n.f. (pl. ~**iet, msielet**) ear-ring, pendant; (bniedem li dejjem jiġri wara xi ħadd) a man who is always running after people
mismugħ pp. listened to, harkened to
mismut pp. scalded, burnt; (sorpriż) surprised
misnun pp. whetted, sharpened
misoġinij|a n.f. (pl. ~**i**) misogyny
misoġn|u n.m. (pl. ~**i**) misogynist
misqi pp. watered
misqj|a n.f. (pl. ~**iet**) trough
misraħ n.m. (pl. **msieraħ**) square
misrek n.m. (pl. **msierek**) lance, harpoon
misrum pp. entangled
misruq pp. robbed, stolen
misrur pp. packed up, bundled up
missellef pp. taken in loan, borrowed
missier n.m. (pl. **missirijiet**) father
missil|a n.f. (pl. ~**i**) missile
missjoni n.f. (pl. ~**jiet**) mission; missionary work
missjunarj|u n.m. (pl. ~**i**) missionary
mistabar pp. patient, enduring; (ikkomfortat) consoled, comforted
mistad pp. fished; (ikkaċċjat) hunted
mistagħdar pp. stagnated, still; (milwiem) paludal
mistagħġeb pp. astounded, astonished
mistħarreġ pp. examined attentively
mistejqer pp. recovered, returned to oneself
mistenbaħ pp. waked, awaked; (kawt) attentive, cautious
mistenni pp. expected, waited for
misterjożament avv. mysteriously
misterjuż aġġ. mysterious
mister|u n.m. (pl. ~**i**) mystery, arcanum
mistgħall pp. availed
mistgħan pp. helped, relieved
mistħajjel pp. imagined, fancied
mistħarreġ pp. investigated
mistħi pp. bashful, coy; (umli) modest; ~**ja** n.f. bashfulness; (umiltà) modesty
mistħoqq pp. deserving, worthy
mistiċiżm|u n.m. (pl. ~**i**) mysticism
mistieden n.m. (pl. **mistednin**) guest // pp. invited
mistienes pp. accompanied, escorted
mistifikazzjoni n.f. (pl. ~**jiet**) mystification
mistika n.f. (bla pl.) mystic
mistiku aġġ. mystic
mistkenn pp. sheltered
mistkerreh pp. abhorred, having dread or fear
mistmerr pp. loathed, nauseated, abhorred
mistoħbi pp. hidden, concealed; ~**ja** n.f. concealment
mistoħji pp. revived, animated
mistoqsi ara **msoqsi**
mistoqsij|a n.f. (pl. ~**iet**) question, interrogation
mistqarr pp. self accused
mistr|a n.f. (pl. ~**iet**) secret place
mistrieħ pp. reposed, quiet
mistur pp. covered, veiled; (mistoħbi) hidden, concealed
mistur|a n.f. (pl. ~**i**) medicine
miswi pp. appraised
mit n.m. (pl. ~**i**) myth
mita ara **meta**
mitbagħ n.f. (pl. **mtiebagħ**) printing-house, printing-office

mitbaħ n.m. (pl. **mtiebaħ**) kitchen
mitbiedel pp. changed, permuted
mitbna n.f. (pl. **~t**) a rick of straw
mitbugħ pp. printed
mitbuħ pp. dressed, cooked
mitbuk pp. crumbled or ground finely
mitbuq pp. shut up
miter n.m. (pl. **~s**) meter
mitfi pp. extinguished, quenched
mitfugħ pp. pushed, dashed
mitħaddet pp. discoursed; (diskuss) discussed, argued
mitħassar pp. commiserated
mitħna n.f. (pl. **mtieħen**) mill; ~ **tal-ilma** water-mill; ~ **tal-kafè** coffee-mill; ~ **tar-riħ** wind-mill; **ħaġra tal-~** millstone
mitħun aġġ. ground
mitiku aġġ. mythic(al)
mitjar n.m. (bla pl.) aerodrome
mitkellem pp. spoken, talked
mitkixxef pp. discovered, disclosed, revealed
mitlaq n.m. (pl. **mtielaq**) starting-point
mitlub pp. demanded, asked; (rel.) prayed
mitluf pp. lost; (moralment) damned; (iddisprat) desperate; ~ **fil-ħsieb** abstructed; ~ **wara xi ħadd** he is crazy for someone
mitlugħ pp. ascended; (iffermentat) fermented, leavened
mitluq pp. abandoned, deserted; (imkeċċi) dismissed; (moralment ħażin) dissolute, roguish
mitmiehel pp. retarded, delayed
mitmugħ pp. nourished, fed
mitmum pp. ended, finished; (ikkunsmat) consumed
mitni pp. folded; (milwi) crooked
mitniehed pp. sighed
mitoloġij|a n.f. (pl. **~i**) mythology
mitoloġiku aġġ. mythologic(al)
mitqal aġġ. of the weight of
mitqiegħed pp. placed, settled
mitql|a n.f. (pl. **~iet, mtieqel**) weightiness
mitqub pp. bored, pierced
mitr|a n.f. (pl. **~i**) mitre
mitraħ n.m. (pl. **mtieraħ**) matress; ~ **tar-rix** feather-bed
mitraq n.m. (pl. **mtieraq**) hatchet, pick
mitriegħed pp. trembled, shaked
mitrud pp. hastened, stimulated; (mixtieq) desired
mitruħ pp. dissolved, melted; (dgħajjef) faint, weak
mitrux pp. brushed; (imbellah) stunned
mittallab pp. begged
mittiefes ara **mittiesef**
mittieħed pp. infected
mittiekel pp. corroded
mittiesef pp. damaged, injured; (moħli) spoiled, corrupted
mitw|a n.f. (pl. **~iet, mtiewi**) beam
mitwi aġġ. wrapt, infolded
mitwiegħed pp. promised
mitwieled pp. born
mixdud pp. dressed; (fuq iż-żiemel) saddled; (mwebbes) hardened; (stitiku) constipated, costive
mixegħla n.f. (pl. **~t**) illumination
mixgħuf pp. repented
mixgħul pp. kindled, lightened; (ribelluż) rebelled; (ferventi) fervent; (mbeżżel) busy
mixhud pp. witnessed
mixhur pp. deplored, lamented; (proklamat) proclaimed, divulged
mixħut pp. thrown, flung; (marid) sick, ill; ~ **għal** dedicated to
mixi n.m. (bla pl.) walk; **bil-~** on foot
mixja pp. walk;
mixkuk pp. penetrated, transpierced
mixli pp. accused
mixmum pp. smelled
mixquq pp. cleft, slit, leaky
mixrub pp. drunk; (mitluf f') absorbed; (irqajjaq) lean, think
mixruk pp. associated
mixtarr pp. ruminated
mixtel n.m. (pl. **mxietel**) seminary
mixtieq pp. desirous, anxious; (mixtieq) desired
mixtl|a n.f. (pl. **~iet**) seminary
mixtri pp. purchased; (korrott) bribed
mixwi pp. roasted
mixxellanja n.f. miscellanea, miscellany
miżat|a n.f. (pl. **~i**) fee
miżbl|a n.f. (pl. **~iet, mżiebel**) dunghill
miżbugħ pp. dyed; (ingannat) cheated, deluded
miżbur pp. pruned, lopped
miżerabbli pp. miserable, wretched
miżerament avv. miserably
miżerikordja n.f. (bla pl.) mercy
miżerj|a n.f. (pl. **~i**) misery, poverty; **jibki l-~a** he is poor
miżeru pp. miserable
miżgħud pp. increased
miżieb n.m. (pl. **mwieżeb**) sprout
miżien n.m. (pl. **mwieżen**) scales; **bil-~** in a precise way
miżirgħa n.f. (pl. **mżiera'**) sowed field
miżjud pp. joined, augmented

miżjur pp. visited, examined
miżmum pp. held, kept
miżquq pp. billed
miżrugħ pp. sown; **x'hemm ~?** what is it that is being planned?
miżun pp. balanced, weighed; (eżaminat) pondered
miżur|a n.f. (pl. **~i**) measure
miżwed n.m. (pl. **mżiewed**) pod
miżżewweġ pp. paired, matched; (fi żwieġ) pondered
mjassar pp. enslaved
mkabbar pp. augmented, increased; (imtalla') brought up; (mimli bih innifsu) proud, haughty
mkabbaż pp. muffled
mkagħbar pp. used or treated ill
mkaħħal pp. covered, plastered; **baqa' ~ hemm** he sayed there (for a long time)
mkarkar pp. dragged, draggled
mkarrab pp. grieved; sighing
mkarwat pp. ground coarsely; (mikul bil-ħeffa) stuffed in; (temp, eċċ.) roared, thundered
mkasbar pp. maltreated, ill-treated; (maħmuġ) fouled, dirtied
mkattar pp. increased, multiplied
mkaxkar pp. dragged
mkebba pp. reel
mkebbeb pp. wound up, reeled
mkebbes pp. kindled, set on fire; (instigat) provoked, stirred up
mkebbex pp. cheated, deceived; (muqran) horned, cornuted
mkeċċi pp. expelled, sent away
mkedded pp. ill-treated, ill-used
mkeffef pp. hemmed
mkeffen pp. shrouded
mkellel pp. crowned
mkellem pp. spoken to
mkemmex pp. wrinkled, corrugated
mkennen pp. sheltered
mkerċaħ pp. weak, infirm
mkerreh pp. rendered ugly
mkeskes pp. confounded; (instigat) incited
mkessaħ pp. cooled
mkewkeb pp. starred, starry
mkewwes pp. decanted
mkexkex pp. driven away
mkien n.m. (pl. **mkejjen**) place
mkisseb pp. obtained, acquired, procured
mkisser pp. broken; (għajjien ħafna) wearied, fatigued
mkittef pp. tight
mkixxef pp. discovered, disclosed
mlagħlagħ pp. stummered, stuttered
mlaħħam pp. fleshy, plump
mlaħħaq pp. promoted
mlaħlaħ pp. loosed; (aġitat) shaken, stirred; (bl-ilma) rinsed; (bix-xorb) a bit drunk
mlanġas pp. stormy, bulstering
mlanżat pp. bristled
mlaqlaq pp. croaked; (mhux mexxej) gaggled
mlaqqa' pp. introduced to; (konfrontat) confronted, compared
mlaqqam pp. nicknamed; (med., agr.) grafted, inoculated
mlaqqat pp. gleaned
mlaqqax pp. chipped
mlebbet pp. routed; (għaddej jiġri) galopped
mlebleb pp. ardently desired
mleff n.m. (pl. **~ijiet**) cloak
mleflef pp. devoured, eaten greedily
mlegleg pp. guzzled
mleħħen pp. modulated
mlellex pp. adorned, decorated, embellished
mlenbeb pp. rolled; (imdawwar) reeled, winded
mlesti pp. prepared
mletlet pp. lapped
mlewwaħ pp. fanned, winnowed
mlewwen pp. coloured
mlewwet pp. dirted, mired
mlewweż pp. full of almonds
mlibbes pp. dressed, clothed
mliegħeb pp. slavered
mlieheġ pp. broken-winded
mlieħ v. to grow salty/brackish
mlies v. to grow smooth
mliġġem pp. bridled; (immoderat) restrained, curbed
mlissen pp. pronounced
mluħa n.f. (pl. **~t**) salami
mluħija n.f. (pl. **~t**) hibiscus
(i)mmajna v. to lower
(i)mmajnat pp. lowered
(i)mmakka v. to bruise, to contuse
(i)mmakkat pp. bruised, contused
(i)mmalja v. to twist
(i)mmaljat pp. twisted
(i)mmaltratta v. to maltreat
(i)mmaltrattat ara **maltrattat**
(i)mmanetta v. to handcuff, to manacle
(i)mmanettat pp. handcuffed
(i)mmanifesta v. to manifest
(i)mmanifestat pp. manifested
(i)mmaniġġa v. to handle, to manipulate
(i)mmanipula v. to manipulate
(i)mmanipulat pp. manipulated

(i)mmanjetizza v. to magnetize
(i)mmanjetizzat pp. magnetized
(i)mmanka v. to mutilate
(i)mmankat pp. mutilated, disabled
(i)mmannas pp. tamed
(i)mmansa v. to tame
(i)mmansat pp. tamed
(i)mmantar pp. languishing
(i)mmantat pp. covered (with)
(i)mmanuvra v. to manoeuvre
(i)mmanuvrat pp. manoeuvred
(i)mmaqdar aġġ. despised, blamed
(i)mmarċja v. to march
(i)mmarċjat pp. marched
(i)mmarina v. to pickle
(i)mmarinat pp. pickled
(i)mmarka v. to mark, to line
(i)mmarkat pp. marked
(i)mmarrar pp. embittered
(i)mmartella v. to hammer
(i)mmartellat ara **martellat**
(i)mmartirizza v. to martyrize
(i)mmartirizzat ara **martrizzat**
(i)mmasħan pp. enraged
(i)mmassaġġja v. to massage
(i)mmassaġġjat pp. massaged
(i)mmassakra v. to massacre
(i)mmassakrat ara **massakrat**
(i)mmatrikola v. to matriculate
(i)mmatrikolat ara **matrikulat**
(i)mmattja v. to mate, to give checkmate
(i)mmattja pp. matted, gave checkmate
(i)mmedika v. to medicate
(i)mmedikat ara **medikat**
(i)mmedita v. to meditate
(i)mmeditat pp. meditated
(i)mmejjel aġġ. bent, inclined
(i)mmekkanizza v. to mechanize
(i)mmekkanizzat pp. mechanized
(i)mmeljora v. to improve, to ameliorate
(i)mmeljorat pp. improved, ameliorated
(i)mmellaħ pp. salted; **laħam** ~ saltmeat; **mill-~** from what is in store;
(i)mmelles aġġ. flattered, caressed
(i)mmeravilja v. to amaze, to astonish, to surprise
(i)mmerita v. to deserve, to merit
(i)mmeritat pp. deserved, merited
(i)mmermer pp. rotten
(i)mmerraq aġġ. brothy
(i)mmerrek pp. cicatrized
(i)mmerċaq pp. radiant
(i)mmewweġ pp. wavy, undulated
(i)mmewwes pp. stabbed
(i)mmewwet pp. killed, slain
(i)mmexxi pp. guided
(i)mmeċmeċ aġġ. disgust
(i)mmiegħek pp. wallowed
(i)mmiegħer pp. despised
(i)mmieri pp. contradicted
(i)mmilitarizza v. to militarize
(i)mmilitarizzat pp. militarized
(i)mmina v. to mine
(i)mminaċċa v. to threaten, to menace
(i)mminaċċat ara **minaċċat**
(i)mminat pp. mined
(i)mminċotta v. to fit in wood or metal
(i)mminċottat pp. fitted in wood or metal
(i)mminda v. to amend, to correct oneself
(i)mmindat pp. amended
(i)mmira v. to take aim, to take sight, to sight
(i)mmirat pp. aimed, took sight
(i)mmissja v. to miss
(i)mmissjat pp. missed
(i)mmobilizza v. to mobilize
(i)mmobilizzat pp. mobilized
(i)mmobilizzazzjoni n.f. (pl. **~jiet**) mobilization
(i)mmobilja v. to furnish
(i)mmobiljat ara **mobbiljat**
(i)mmobiltà n.f. (bla pl.) immobility
(i)mmodera v. to moderate
(i)mmoderna v. to modernize
(i)mmodernat pp. modernized
(i)mmodifika v. to modify
(i)mmodifikat ara **modifikat**
(i)mmodula v. to modulate
(i)mmodulat ara **modulat**
(i)mmoffa v. to grow mouldy, to grow musty
(i)mmoffat ara **(i)mmuffat**
(i)mmola v. to whet
(i)mmolat pp. whetted
(i)mmolesta v. to molest
(i)mmolestat ara **molestat**
(i)mmolla v. to jump up and down
(i)mmollat pp. jumped up and down
(i)mmoltiplika v. to multiply
(i)mmoltiplikat ara **moltiplikat**
(i)mmonopolizza v. to monopolize
(i)mmonopolizzat ara **monopolizzat**
(i)mmonta v. to mount
(i)mmontat pp. mounted
(i)mmoralizza v. to moralize
(i)mmoralizzat pp. moralized
(i)mmormra v. to murmur
(i)mmormrat pp. murmured
(i)mmortifika v. to mortify
(i)mmortifikat ara **mortifikat**

(i)mmudella v. to model
(i)mmudellat ara **mudellat**
(i)mmuffat pp. mouldy, musty
(i)mmulta v. to fine
(i)mmultat pp. fined
(i)mmuntat ara **(i)mmontat**
(i)mmunzella v. to heap up
(i)mmunzellat pp. heaped up
(i)mmuta v. to become dumb
(i)mmutat pp. dumbed
(i)mmutila v. to mutilate
(i)mmutilat ara **mutilat**
(i)mmużika v. to set in music
(i)mmużikat ara **mużikat**
mnabbar pp. exposed, displayed
mnabbi pp. prophesied, foretold
mnaddaf pp. cleaned, cleansed
mnaddar pp. cleansed, scoured
mnaffar pp. frightened, startled; (irrabjat) angry, resentful
mnaġġar pp. hewn
mnajjar pp. inflamed, set on fire
mnalla pp. by the mercy of God
mnaqqar pp. pecked; (misruq) stolen, pilfered
mnaqqas pp. diminished, lessened
mnaqqax pp. engraved, graved; (mżewwaq) pied
mnar|a n.f. (pl. **~iet, mnajjar**) lamp
Mnarja n.f. (pl. **~t, Mnajjar**) St Peter's and St Paul's Day; ~ **bla vġili** an awful deed
mnassar pp. christianized, made christian
mnassas pp. machinated
mnawwan pp. mewed
mnawwar pp. blossomed; (bil-moffa) musty, mouldy
mnażża' pp. undressed, unclothed
mnebbaħ pp. waked; (spirat) inspired, prompted
mneffaħ pp. tumefied, swollen; (minfuh) blown
mneħħi pp. taken away; (abrogat) abrogated, repealed // (minn kariga) v. to be forced to resign
mnejn prep, avv. whence; ~ **sa fejn?** with what right?
mnemmel pp. full of ants
mnemmes pp. hunted with a ferret; (mimli żnażan) full of gnats
mnemmex pp. freckled
mnemonik|a n.f. (pl. **~i**) mnemonica
mnemoniku aġġ. mnemonic
mnessi pp. caused to forget
mnejn pp. whence, wherefrom; ~ **safejn** for what reason, by what right
mnewwel pp. brought, presented
mniddem pp. caused to repent
mniddi pp. moistened
mniedi pp. commenced, started
mniegħel pp. shod; **għand l-i~/bagħtu għand l-~** he sent him to the gallows
mniegħes pp. drowsed
mniehed pp. caused to sigh
mnieħer n.m. (pl. **mniħrijiet**) nose; ~ **imxammar** a proud man; ~ **twil** an intelligent man, one who foresees; **deffes imnieħru** he minded another person's business; **taħt imnieħru**: **kienet taħt imnieħru** it was right near him; **ma jgħaddi xejn minn taħt imnieħru** he knows exactly what is happening; **l-inbid ħareġ minn imnieħru** he has a lot of wine
mniffed pp. penetrated
mnifsejn n.m. pl. the nostrils; **imxebba' sa mnifsejh** he is extremely annoyed
mniġġes pp. contaminated, polluted; (profanat) profaned
mniggeż pp. pricked, stung; (stimulat) spurred
mnikkeb pp. cornered
mnikket pp. punctuated, dotted; (imdejjaq) mournful, doleful
mnissel pp. begot, generated; (oriġinat) originated
mnittef pp. plucked
mnitten pp. rendered fetid
mnixxef pp. dried, dried up
mnixxi pp. drained; (bil-materja, eċċ.) suppurated
mniżżel pp. caused to descend; (imbaxxi) lowered; (reġistrat) registered, recorded
mnoqqi pp. cleansed
mobilizzat ara **(i)mmobilizzat**
mobilizzazzjoni n.f. (pl. **~jiet**) mobilization
mobbilj|a n.f. (pl. **~i**) furniture
mobbiljat pp. furnished
mobbilt|à n.f. (pl. **~ajiet**) mobility
mobbli aġġ. movable
mod n.m. (pl. **~i**) way, manner; **ma nagħmlux il-~ li -** don't tell me that -; **nagħmlu** ~ let's suppose
mod|a n.f. (pl. **~i**) fashion, vogue
modali aġġ. modal
modalit|à n.f. (pl. **~ajiet**) formality, way, form
modd n.m. (pl. **mdiedet**) bushel
moderat aġġ. moderate, tempered
moderatur n.m. (pl. **~i**) moderator;
moderazzjoni n.f. (pl. **~jiet**) moderation
modern aġġ. modern
modernament avv. modernly
modernat ara **(i)mmodernat**
moderniżm|u n.m. (pl. **~i**) modernism
modest aġġ. modest
modestament avv. modestly
modestj|a n.f. (pl. **~i**) modesty

modifik|a n.f. (pl. ~**i**) modification, alteration
modifikat aġġ. modified, altered, changed
modifikazzjoni n.f. (pl. ~**jiet**) modification, alteration
modist|a n.f. (pl. ~**i**) milliner
modulat pp. modulated
modulazzjoni n.f. (pl. ~**jiet**) modulation
moffa n.f. (pl. **mofof**) mould, must
moffat ara **(i)mmuffat**
mogħdij|a n.f. (pl. ~**iet**) transit, passage, path; **il-~a taż-żmien** the passing of time; **tal-~a taż-żmien** a stupid person
mogħdrij|a n.f. (pl. ~**iet**) compassion, commiseration; (skuża) excuse
mogħġub pp. pleased, delighted
mogħjien pp. eyed, gazed upon
mogħjub pp. disappeared
mogħmi pp. blinded
mogħni pp. enriched
mogħoż n.m koll. f. (pl. **mogħżiet**): goats; **għamlu bħall-~** they followed each other blindly; **mogħża**: ~ **tal-baħar** sheepshead bream
mogħruk pp. scrubbed, rubbed
mogħti pp. given, delivered, presented; ~ **għal** inclined, addicted
mogħtij|a n.f. (pl. ~**iet**) donation, gift
mogħud pp. promised
mogħwi pp. instigated
mogħżi pp. goatish
mohor n.m. (pl. **mhar**) colt; (tifel bla ħażen) an innocent child
moħb|a n.f. (pl. ~**iet**) hiding-place
moħbi pp. hidden, concealed; **bil-~** secretly, privately
moħdar pp. verdant, green
moħfija n.f. (pl. **mħafi**) pan
moħħ n.m. (pl. **mħuħ**) brain; (intellett) intellect, judgement; ~**u fil-werqa** he thinks only of lovemaking, ~**u żurżieqa** he does not remember much, he was not reliable anymore; **ħadlu ~u, taqqablu ~u, xoroblu ~u** he annoyed him; **kif idoqq ~u** in his way; ~ **ir-riħ, nofs** ~ immature; **ħabbel ~u** he tried to solve a problem; **ħaddem ~u** he used his brains; **għadda minn ~u** he thought something; **ħareġ minn ~u** he forgot; **serraħ ~u, ~u mistrieħ** he stopped worrying; **fetaħ ~u** he became wise; (fiżikament) he suffered a blow on his forehead; **ħawwadlu ~u** he puzzled him; **~ok fejnu?** how did you forget?; (meta għamel xi ħaġa tad-daħk) how did you commit such a blunder?; **kellu ~ iċ-ċajt** he wanted to joke all the time; **mħuħ**: **donnu jaqra l-i~** it is as if he can read the mind
moħji pp. revived
moħli pp. wasted, consumed; (irvinat) ruined
moħlum pp. dreamed, dreamt
moħmi pp. baked
moħqrien n.m. (bla pl.) oppression, vexation
moħqrij|a n.f. (pl. ~**iet**) oppression, vexation, cruelty
moħrar pp. barren
moħriet n.m. (pl. **mħaret**) plough
moħrut pp. ploughed
moħsi pp. gelded
moħtar pp. elected, selected
moħtuf pp. snatched, wrested
moħud ara **meħud**
mol|a n.f. (pl. ~**i**) millstone; (tal-insinn) whetstone
molekul|a n.f. (pl. ~**i**) molecule
molekulari aġġ. molecular
molestat pp. molested, troubled, annoyed
moll n.m. (pl. ~**ijiet**) pier, jetty, mole
moll|a n.f. (pl. ~**iet, molol**) spring; **molol**: **qisu bil-~** he walks as if he's jumping
mollett|a n.f. (pl. ~**i**) tongs
mollusk n.m. (pl. ~**i**) mollusc, shellfish
moltiplikat pp. multiplied
moltiplikatur n.m. (pl. ~**i**) multiplier
moltiplikazzjoni n.f. (pl. ~**jiet**) multiplication
moltitudni n.f. (pl. ~**jiet**) multitude
monakell|a n.f. (pl. ~**i**) little ringed power
monark|a n.kom. (pl. ~**i**) monarch
monarkij|a n.f. (pl. ~**i**) monarchy
monarkiku aġġ. monarchic(al)
monasterj|u n.m. (pl. ~**i**) monastery, cloister;
monastiku aġġ. monastic
mondan aġġ. wordly, earthly
mondanit|à n.f. (pl. ~**ajiet**) worldliness
mondjali aġġ. world-wide
monetarju aġġ. monetary
monodij|a n.f. (pl. ~**i**) monody
monodramm n.m. (pl. ~**i**) monodrama
monogamija n.f. (bla pl.) monogamy
monografij|a n.f. (pl. ~**i**) monograph
monogramm n.m. (pl. ~**i**) monogram
monokol|u n.m. (pl. ~**i**) monocle, single eye-glass
monokrom n.m. (pl. ~**i**) monochrome
monolit n.m. (pl. ~**i**) monolith
monolog|u n.m. (pl. ~**i**) monologue
monomanij|a n.f. (pl. ~**i**) monomania
monomanija|ku n.m. (pl. ~**ċi**) monomaniac
monopolizzat pp. monopolized
monopolizzazzjoni n.f. (pl. ~**jiet**) monopolization
monopolj|u n.m. (pl. ~**i**) monopoly
monosillab|u n.m. (pl. ~**i**) monosyllable
monotonij|a n.f. (pl. ~**i**) monotony, monotonousness

monotonu aġġ. monotonous
monoverb n.m. (pl. ~**i**) one-word rebus
monsinjur n.m. (pl. ~**i**) monsignor, Your Lordship/Grace
monsun n.m. (pl. ~**ijiet**) monsoon
monstru ara **mostru**
montat ara **(i)mmontat**
mont|i n.m. (pl. ~**jiet**) market
monument n.m. (pl. ~**i**) monument
monumentali aġġ. monumental
moppa n.f. (pl. **mopop**) mop; ~ **tat-terra** powder-puff
moqbejl avv. a short time ago, just now
moqdi pp. served
moqdief n.m. (pl. **mqadef**) oar
moqli pp. fried
moqri pp. read
moqżież pp. nasty, loathsome
moral n.m. (bla pl.) moral
morali aġġ. moral
moralist n.m. (pl. ~**i**) moralist
moralit|à n.f. (pl. ~**ajiet**) morality
moralizzat ara **(i)mmoralizzat**
moralizzazzjoni n.f. (pl. ~**jiet**) moralization
moralment avv. morally
morbidu aġġ. soft
mordent n.m. (pl. ~**i**) mordant
moresk aġġ. moorish
morfin|a n.f. (pl. ~**i**) morphia, morphine
morfoloġij|a n.f. (pl. ~**i**) morphology
morfoloġiku aġġ. morphological
morga n.f. (bla pl.) oil-dregs
morganatiku aġġ. morganatic
moribond aġġ. moribund
morin n.m. (pl. ~**i**) marine
morin|a n.f. (pl. ~**i**) moray
molin n.m. (pl. ~**i**) ballan wrasse
morliti n.pl. (bla s) haemorroides, hemorrhoids
mormi pp. cast, thrown
mormorazzjoni n.f. (pl. ~**jiet**) murmur, murmuring
mormrat ara **(i)mmormrat**
morr pp. bitter // n.m.koll. f. ~**a** (pl. ~**at**) myrrh
morra n.f. (bla pl.) purslane-leaved, bird's food; (xorta ta' frott) mora
morrun|a n.f. (pl. ~**i**) six gilled shark
mors|a n.f. (pl. ~**iet**) vice
mortadella n.f. (bla pl.) mortadella, Bologna sausage, polony (sausage)
mortal|i aġġ. mortal
mortalit|à n.f. (pl. ~**ajiet**) mortality
mortalment avv. mortally
mortifikat aġġ. avv. mortified, humiliated
mortifikazzjoni n.f. (pl. ~**jiet**) mortification, humiliation
mortwarj|u n.m. (pl. ~**i**) mortuary
moske|a n.f. (pl. ~**j**) mosque
moss|a n.f. (pl. ~**i**) move, movement
most n.m. (bla pl.) must, new wine, unripe fruit
mostr|a n.f. (pl. ~**i**) show, exhibition
mostr|u n.m. (pl. ~**i**) monster
mostur ara **mistur**
mot|a n.f. (pl. ~**i**) peal of bells, chime
motiv n.m. (pl. ~**i**) motive, reason, cause
mott|u n.m. (pl. ~**i**) motto
moviment n.m. (pl. ~**i**) movement
moxa n.f. (bla pl.) heath, moor
moxt n.m. (pl. **mxat**) comb; **x'~ fih!** he's really stupid!
moxx aġġ. soft, tender
mozzjoni n.f. (pl. ~**jiet**) motion
możajk n.m. (bla pl.) mosaic
mpaċpaċ pp. tattled, blabbed
mpartat pp. bartered
mpejjep pp. smoked
mperper pp. waved
mperreċ pp. displayed
mpetpet pp. twinkled
mpinġi pp. painted; **ma jaħmlux i~** he really hates him; **i~ fuqu**: **il-kappell i~ fuqu** the hat really suits him
mpitter pp. painted
mpoġġi pp. put, placed
mqabbad pp. tied, fastend; (imxittel) rooted; (bin-nar) kindled
mqabbel pp. adapted, fit, proportioned; (ikkomparat) compared, equalled; (konfrontat) confronted; (bil-qbiela) let out, hired; (bir-rima) rhymed
mqabbeż pp. caused to leap/jump/skip
mqaċċat pp. cut off, lopped off; (maqtugħ) detached, separated; ~ **barra** expelled, driven out
mqadded pp. dried up, shrivelled; (rqajjaq) made lean, emanciated
mqaddem pp. made old
mqaddes pp. sanctified, made holy, canonized
mqaħqaħ pp. having a dry cough
mqajjem pp. raised; (imqajjem) waked, roused
mqalfat pp. caulked
mqalla' pp. inclined to vomit
mqallat pp. despised, condemned
mqalleb pp. upset
mqammat pp. bound with a rope
mqammel pp. swarming with lice/lousy
mqammes pp. caused to jump, to skip, to hop

mqanċeċ pp. spared or saved sordidly
mqandel pp. conveyed or removed with much ado
mqanqal pp. moved
mqar avv. even, so be it
mqarar pp. confessed
mqarben pp. communicated
mqardax pp. carded
mqareb aġġ. troublesome, uneasy, unquiet
mqarmeċ pp. crackeled, crackled
mqarqaċ pp. dried up, desiccated; (fuq ruħu) troublesome
mqarraħ pp. irritated, skinned, flayed
mqarram pp. mutilated
mqarran pp. cuckolded
mqarras pp. soured; **wiċċ i~** frown, scowl
mqarreb pp. approached
mqarrem pp. mutilated
mqarrun n.m.koll. f. **~a** (pl. **~iet**) macaroni
mqartaf pp. lopped off, cut off
mqartas pp. wrapped in a paper
mqarweż pp. made bald
mqasqas pp. scissored
mqass n.m. (pl. **~ijiet**) scissors, shears; **~tan-nar** fire-tongs
mqassam pp. parted, divided; (distribwit) distributed
mqassar pp. shortened, abridged
mqassas pp. slandered
mqassat pp. distributed; (ikkummentat) commented
mqasses pp. ordained
mqat v. to be harsh
mqat|a n.f. (pl. **~iet**) tartness, sourness
mqatta' pp. torn, lacerated
mqattar pp. dropped, distilled
mqattet pp. made in bundles
mqawwar pp. orbicular, globular, spherical
mqawwem pp. raised or stirred up to a rebellion; (mill-art) raised or lifted from a rebellion; (mill-mewt) raised from the dead
mqawwes pp. arched, curved, crooked
mqawwi pp. corroborated, strenghtened; (ikkurat) cured, healed
mqaxlef pp. dried up
mqaxqax pp. gnawed; (agr.) gleaned; (bla flus) without money
mqaxxar pp. scaled; (banana, eċċ.) peeled; (serduk, eċċ.) skinned
mqażżeż pp. nauseated
mqejjes pp. measured
mqiegħed pp. placed, settled
mqietgħa n.f. (pl. **~t**) task-work; **ħa xi ħaġa bl-i~** he took it for granted that he can do sth. without asking permission
mqit aġġ. sharp, harsh, rough; (dixxiplinat) strict
mqolli pp. fried
mqorbija n.f. (pl. **~i**) unquietness, restlessness
mqorri pp. caused to read
mrabba' pp. squared; (kwadruplikat) quadruplicated
mrabbat pp. tied, bound, fastened
mradd n.m. (pl. **~ijiet**) handle; (tat-tmun) tiller
mradda' pp. sucked, suckled
mraddad pp. caressed
mradden pp. spun
mraġġa' pp. made to come back; (stabbilit mill-ġdid) re-established, renewed
mraħħam pp. marbled; (mistoqsi b'umiltà) implored humbly
mraħħas pp. fallen, lowered in price; (agr.) buddled, sprouted
mrajden n.m. (pl. **~ijiet**) spindle
mrajjar aġġ. rather tart/bitter
mrajjed aġġ. sickly, weakly, infirm
mramma n.f. (pl. **~iet**) masterwall; (bniedem b'saħħtu) a strong man
mrammel pp. gravelled
mrampel pp. hooked; (imċempel) tolled
mranġat pp. staled, ranked
mraqqa' pp. patched, mended
mraqqad pp. made or caused to sleep; (umiljat) humbled, humiliated
mraqqaq pp. attenuated
mrar v. to grow bitter // n.m. (pl. **~at**) to grow bitter
mrassas pp. compressed, squeezed, close together
mrattab pp. softened, mollified
mrawwem pp. accustomed, used to
mraxxax pp. sprinkled
mrażżan pp. placated tamed; (ikkalmat) calmed, appeased
mrebbaħ pp. caused to vanquish or win
mreddgħa pp. wet nurse
mrejjaq pp. wet with spittle; (li ħa l-fatra) breakfasted
mrejjex pp. unplumed; (mimli rix) adorned or set off with feathers
mrekken pp. put or set in a corner
mressaq pp. approached, accosted
mrewħ|a n.f. (pl. **~iet, mriewaħ**) fan; (bniedem li jħobb isaħħan in-nies) an agitator
mrewwaħ pp. fanned, ventilated
mreżżaħ pp. benumbed, frost-bitten
mrieġi pp. regulated, controlled; (immexxi) administered, directed
mriegħed pp. shaken; (bir-ragħad) thundered; (bil-biża') terrified, horrified

mriegħex pp. reproved, reproached
mriffed pp. well propped, erected firmly
mrikkeb pp. made to ride, mounted
mrixtel pp. carded
mrobbi pp. brought up
msabbar pp. comforted, consoled
msabbat pp. thrown violently on the ground
msaddad pp. rusty
msaffaf pp. stratified
msaffar pp. whistled, hissed; (mhux approvat) disapproved
msaġġar pp. planted or covered with trees
msaħħab pp. clouded
msaħħaħ pp. strengthened; (ikkurat) cured, healed
msaħħan pp. warmed, heated; (instigat) instigated, provoked to anger
msaħħar pp. bewitched, becharmed
msajjar pp. cooked; (sar) matured, ripe
msakkar pp. barred, padlocked; (fis-sakra) drunk, fuddled
msallab pp. crucified; (f'forma ta' salib) crossed; (fig. f'hafna inkwiet) in big trouble
msaltan pp. reigned, ruled
msammam pp. hardened
msammar pp. nailed
msamsar pp. published, divulged
msappap pp. soaked
msaqqaf pp. roofed
msarbat pp. ranged
msarraf pp. changed
msarraġ pp. saddled
msarram pp. muzzled
msarsar pp. darned
msarwal pp. entangled, confounded
msawwar pp. devised, represented; (bis-swar) fortified with bastions
msawwat pp. beaten
msawweb pp. poured
msawwem pp. caused to fast
msebbaħ pp. adorned, embellished
msebbel pp. eared
mseddaq pp. rendered just/upright/true
mseffaq pp. thick
mseffed pp. thrusted
msefsef pp. whispered
msefter pp. served
msejjaħ pp. called
msejjes pp. founded, laid
msejken pp. poor, miserable
msekkek pp. ploughed (frequently)
msekken pp. caused to feel internal pain
mselħa n.f. (pl. **msielaħ**) broom, besom
msell n.m.koll. f. ~**a** (pl. ~**at**) gar-fish
msella n.f. (pl. **mselel**) bodskin
msellet pp. unravelled
msemmem pp. poisoned, envenomned
msemmen pp. poisoned, envenomed; (mħaxxen) fattened
msemmi pp. named, called, mentioned
msenna n.f. (pl. ~**t**) whetsome
msenneġ pp. dry and hard; **ħobż i~** stale bread
msensel pp. chained, linked
mserka n.f. (pl. **msierek**) quill, reel
mserraħ pp. rested, refreshed, reposed
mserser pp. chatted, prattled
msettaħ pp. spread
msewwed pp. blacken, blackened
msewwef pp. full of or covered with wool, woolly
msewwes pp. worm eaten; (provokat) provoked
msewwi pp. sized, adjusted; (ikkoreġut) corrected; (irranġat) mended, patched
msid|a n.f. (pl. ~**iet, msejjed**) fish-pond, fish-pool
msiefer pp. departed, gone away/abroad
msieħeb pp. matched; (f'kumpanija, eċċ.) taken into partnership
msiewi aġġ. equal, even, alike
msiħ n.m. (bla pl.) wiping, rubbing
msikket pp. appeased
msoffi pp. strained; (iċċarat) cleared up; (imredda') sucked up; (imnaddaf) cleansed
msoqqi pp. watered
msoqsi pp. demanded, interrogated
mtabba' pp. stained
mtabbab pp. medicated
mtabtab pp. tapped
mtaqqab pp. bored, pierced
mtaqqal pp. aggravated
mtarbaġ pp. hydropical, ascitical
mtarraf pp. bounded; (eżiljat) exiled, banished; (deskritt b'mod fqir) narrated superficially
mtarrax pp. deafened
mtarraż pp. striped
mtarri pp. mollified, softened
mtawwal pp. lengthened
mtebbaq pp. parted in two
mtedd v. to lie down
mteftef pp. felt, handled or touched lightly
mtejħn|a n.f. (pl. ~**iet**) little mill
mtejjeb pp. made good
mtejjeġ pp. married, wedded
mtektek pp. struck or knocked lightly
mtela v. to fill; (bl-ikel, eċċ.) to fill oneself; ~ **bih innifsu** to grow proud
mtellaq pp. repudiated
mtellef pp. forced onto a defeat

mtellet pp. triplet
mtemmem pp. finished, closed
mtenfex pp. softened
mtenni pp. repeated; (irduppjat) doubled
mtenten pp. tinkled
mtentex pp. unravelled
mteptep pp. twinkled
mterq|a n.f. (pl. **~iet, mtieraq**) hatchet
mterraq pp. hammered; (ġerrej) roved
mtertaq pp. shattered
mterter pp. numb with cold
mtess v. to be touched; (beda jmur) to begin to spoil
mtewwem pp. born twin; (bit-tewm) seasoned with garlic
mtiegħeb pp. diverted
mtiegħem pp. tasted, relished
mudell n.m. (pl. **~i**) model, pattern, mould
mudellat pp. modelled, moulded
mudellatur n.m. (pl **~i**) modeller, moulder
mudellatur|a n.f. (pl. **~i**) modelling, moulding
mudjieq pp. caused to narrow
mudlam pp. darkish
mudullun n.m. (pl. **~i**) marrow, pith
mudwal pp. luminous, bright
muftieħ n.m. (pl. **mfietaħ**) key; **taħt** ~ locked up; **ħa l-~** he took all the power; **imfietaħ**: **ħa l-i~** the raining season has started
muġugħ pp. afflicted, aching
mugran|a n.f. (pl. **~i**) hemicrania
mukożit|à n.f. (pl. **~jiet**) mucosity
Mulej n.pr. Lord, God; ~ **aħfirli!** oh God be with me!
mulett n.m. (pl. **~i**) mullet; ~ **tal-imċarrat** thin-lipped grey mullet
mulinell n.m. (pl. **~i**) windlass
mult|a n.f. (pl. **~i**) fine
multiformi aġġ. multiform
multilaterali aġġ. multilateral
multimiljunarj|u n.m. (pl. **~i**) multimillionaire
multipl|u aġġ., n.m. (pl. **~i**) multiple
mument n.m. (pl. **~i**) moment, instant
mumentarju aġġ. momentary
mumj|a n.f. (pl. **~i**) mummy; **donnu** ~ he always stays quiet and keeps staring
muna n.f. (pl. **mwejjen**) provision, victuals
munġbell n.m. (pl. **~i**) mountain, volcano
muniċipj|u n.m. (pl. **~i**) municipality
muniċipali aġġ. municipal
munit|a n.f. (pl. **~i**) coin; **~a antika** old coin; **~a falza** false coin
munizzjon n.m. (pl. **~ijiet**) ammunition
munqar n.m. (pl. **mnieqer**) bill, peak
munqar|a n.f. (pl. **~iet**) smare
muntanj|a n.f. (pl. **~i**) mountain; **ta' wara l-~i** a whimsical person
muntanjuż aġġ. mountainous
montatur|a n.f. (pl. **~i**) mounting
muntun n.f. (pl. **mtaten**) ram
munument ara **monument**
munxar n.m. (pl. **mnaxar**) compass-saw
munzell n.m. (pl. **mniezel**) rick, stack, heap
mur|a n.f. (pl. **~i**) luff
murat|a n.f. (pl. **~i**) bulwark
muri pp. shown, demonstrated
murtal n.m. (pl. **~i**) mortar
mus n.m. (pl. **mwies**) knife, folding-knife, clasp-knife; ~ **tal-leħja** razor; **qisu** ~ **tal-leħja** a thing which has a good balde
mus|a n.f. (pl. **~i**) muse
musbieħ n.m. (pl. **msiebaħ**) lamp; ~ **il-lejl** fire-fly, glow-worm
musfar pp. pale
musħab pp. clouded
muskat aġġ. musky
muskatell n.m. (bla pl.) muscatel, muscadel
muskett n.m. (pl. **~i**) musket
musketterij|a n.f. (pl. **~i**) musket-fire
muskettier n.m. (pl. **~a**) musketeer
muskettier|a n.f. (pl. **~i**) mosquito-net
muskolari aġġ. muscular
muskolat aġġ. muscled
muskolatur|a n.f. (pl. **~i**) musculature
muskol|u n.m. (pl. **~i**) muscle
musmar n.m. (pl. **msiemer**) nail; ~ **tal-ftila** thief; ~ **tal-qronfol** clove
musolin|a n.f. (pl. **~i**) muslin
musrana n.f. (pl. **msaren**) intestine(s), bowel; ~ **barranija** a thing which is not of your business; ~ **dritta** a person who purges immediately after eating; **msaren**: **imsarnu niżlu f'saqajh/kobba** he was really afraid; **qatta' msarnu** he was really worried
mustaċċ n.m. (pl. **~i**) moustache, whisker
mustaċċi ara **mustaċċ**; **bil-~** excellent
mustaċċun large whiskers; **dak** ~ he is really good (for the job)
mustarda n.f. mustard; **tellagħlu l-~** he really angered him
mustardier|a n.f. (pl. **~i**) mustard-pot
mustardin|a n.f. (pl. **~i**) lozenge
mustaxij|a n.f. (pl. **~i**) veil, crape, mourning band
Musulew n.m. (pl. **~ijiet**) Mausoleum; **qisu** ~ a tall man
Musulman n.m. (pl. **~i**) Muslim
muswaf aġġ. shaggy, hairy

MUT n.m. (bla pl.) MUT; abbr. of Malta Union of Teachers
muta aġġ. mute; **waqa' fil-~** he stopped talking
mutett n.m. (pl. **~i**) motet
mutetti ara **mutett**; **għandu ħafna** ~ he is really pompous
mutilat pp. mutilated
mutu aġġ. dumb // n.m. (pl. **~i**) dumb man
mutur n.m. (pl. **~i**) motorcycle; (ta' magna, eċċ.) motor
muturizzat aġġ. motorized
mutwalist|a n.kom. (pl. **~i**) mutualist
mutw|u n.m. (pl. **~i**) mutual
muxa ara **moxa**
muxgħar pp. covered with hair
muzzett|a n.f. (pl. **~i**) cape
mużew n.m. (pl. **~ijiet**) museum
mużiċist n.m. (pl. **~i**) musician
mużika n.f. (bla pl.) music; **surmast tal-~** music master
mużikali aġġ. musical
mużikant n.m. (pl. **~i**) musician
mużikat pp. musicated
mużikier n.m. (pl. **~i**) musician
mvenven pp. hurled
mwaddab pp. hurled, flung
mwaġġa' pp. pained, afflicted
mwaħħad pp. singularized
mwaħħal pp. joined, sticked
mwaħħar pp. slow; (li jittardja) tardy
mwaħħax pp. frightened
mwaqqa' pp. fallen; (mit-tron, eċċ.) overthrown; (irvinat) ruined
mwaqqaf pp. stopped, detained; (monument, eċċ.) raised, erected
mwaqqat pp. prefixed, determined
mwarrab pp. removed
mwarrad pp. blossomed
mwassa' pp. enlarged, dilated
mwassal pp. conveyed
mwebbel pp. instilled
mwebbes pp. hardened; (stinat) ostinated, stubborn
mweġġah pp. honoured, respected, worshipped; (glorifikat) glorified
mwelled pp. caused to bring fourth
mwelli ara **mwilli**
mwemmen pp. believed
mwennes pp. accompanied, escorted
mwerraq pp. full of leaves, leafy
mwerreċ pp. rendered squint-eyed
mwerrek pp. limped, lame
mwerwer pp. frightened
mwerżaq pp. shrilled
mwettaq pp. fortified, strengthened; (konfermat) confirmed
mwiddeb pp. admonished
mwieġeb pp. answered
mwiegħed pp. promised
mwiegħer pp. hindered; (imtaqqal) rendered difficult; (konfuż) confused
mwieled pp. born, begot
mwieżen pp. equilibrated; (appoġġjat, sostenut) supported, sustained
mwikki pp. given extra work; (rieqed) asleep
mwilli pp. renounced, quitted
mwissi pp. warned; (kmandat) commanded
mwitti pp. rendered plane, levelled
mxabba' pp. satiated; (imdejjaq) bored
mxabbat pp. climbed
mxaħħam pp. fat; (korrott) bribed
mxaħħat pp. deprived
mxaħxaħ pp. appeased, assuaged
mxammar pp. folded up, tucked up
mxammem pp. made to smell
mxandar pp. dilvulged, published
mxappap ara **msappap**
mxaqleb pp. overturned, upset; (inf. omosesswali) gay; ~ **lejn** biased in favour of
mxaqqaq pp. cracked, cloven
mxarrab pp. wet, macerated
mxarraf pp. rendered ancient; (msaħħaħ) hardened
mxarrax pp. made to whey
mxattab pp. harrowed
mxattar pp. rendered unequal
mxawwat pp. scalded
mxabbeh pp. compared
mxeblek pp. twisted, twined
mxedd n.m. (pl. **~ijiet**) girth
mxeffer pp. sharpened, edged
mxejjaħ pp. grown old
mxejjef pp. bored with an awl
mxejjen pp. annihilated
mxejjer pp. swung
mxejjet pp. carded
mxekkek pp. rambled
mxekkel pp. shackled, fettered
mxellef pp. blunted
mxellel pp. basted
mxemmex pp. sunned
mxemnaq pp. despised
mxengel pp. tottered, staggered
mxermed pp. covered with blood
mxerraħ pp. anatomized
mxerraq pp. stifled

mxerred pp. scattered, dispersed; (ippubblikat) declared, published
mxerref pp. leaned out
mxettel pp. renewed; (miżrugħ mill-ġdid) replanted
mxewlaħ pp. hurled, flung; ~ **mal-art** dashed to the ground
mxewwaq pp. longed
mxewwek pp. pricked with thorns; **wajer i~** barbed wire
mxewwel pp. wandered, rambled
mxewwex pp. revolted
mxiebha n.f. (pl. ~**t**) parable, similitude
mxiegħeb pp. diverted, averted
mxiegħel pp. busy
mxiegħer pp. mixed with barley; (maqsum) cracked, chopped
mxieher pp. published
mxierek pp. made partner
mxija n.f. (bla pl.) epidemy, grippe; (voga) usage, vogue
mxum aġġ. unhappy, poor
mżappap pp. maimed, lamed
mżammar pp. piped
mżanżan pp. worn for the first time
mżaqqaq pp. big-bellied
mżaqżaq pp. creaked
mżargħan pp. arrogant
mżarrad pp. stranded
mżattat pp. conceited
mżebbeġ pp. globose, globular
mżebbel pp. dunged, manured
mżeblaħ pp. despised
mżeffen pp. made to dance
mżeffet pp. pitched
mżeġġeġ pp. goggle-eyed
mżegleg pp. dislocated
mżejjen pp. adorned, embellished
mżejjet pp. oiled
mżellaq pp. made slippery
mżelleġ pp. smeared
mżemmel pp. unbridled
mżerżaq pp. caused to slide
mżewwaq pp. speckled, spotted, pied
mżewweġ pp. compared, equalized; (f'par) matched, coupled
mżiehel pp. flattered, caressed
mżużi pp. nasty, filthy

N n

n the eighteenth letter of the alphabet, fourteenth of the consonants and fourth of the liquids
-na suf. pron. of us, our
NAAFI n.m. (bla pl.) NAAFI; abbr. of Naval, Army and Air Force Institutes
nabba v. to prophetize, to prophesy, to foretell
nabi n.m. (pl. **nubjien**) prophet, diviner
nadar v. to look, to view
naddaf v. to clean, to tide; (fig.) ~ **kollox** he ate everything // n.m. (pl. ~**a**) cleaner, polisher
naddafi aġġ. abstergent, abstersive
naddar v. to make the barn-floor and to thrash; (naddaf) to brush, to clean, to sweep // n.m. (pl. ~**a**) observatory; (gwardjan) watchman
nadif aġġ. clean
nafar v. to shy; (irrabja) to grow angry
naffar v. to fright, to frighten; (irrabja lil xi ħadd) to make one angry
naffari aġġ. shy, skittish
nafr|a n.f. (pl. ~**iet**) a sudden flight for fear; (ta' nies) a multitude of fugitive persons; (sinjali tal-għadu) any sign which indicates the propinquity of an enemy
naft|a n.f. (pl. ~**i**) naphtha
naftalin|a n.f.koll. (pl. ~**i**) naphtalene, napthaline
naftol n.m. (bla pl.) naphtol
naġar v. to hew
naġġar n.m. (pl. ~**a**) stone-cutter
nagħa v. to whimper, to neigh
nagħaġ n.m.koll. f. **nagħġa** (pl. **nagħġiet**) sheep; **nagħġa**: **qisu** ~ a quiet person
nagħaj n.m. (pl. ~**ja**) whimperer
nagħal n.m.koll. f. **nagħla** (pl. **nagħlat**) leather, sole
nagħam n.m.koll. f. **nagħma** (pl. ~**iet**) ostrich
nagħas v. to doze, to slumber; ~**i** aġġ. sleepy, drowsy
nagħġi aġġ. of sheep
nagħl|a n.f. (pl. ~**iet**) horseshoe; **daqs ~a** certainly
nagħm|a n.f. (pl. ~**iet**) murmur, susurration
nagħniegħ n.m.koll. f. ~**a** (pl. **nagħnigħiet**) mint
nagħsa n.f. (pl. ~**t**) nap
nahar v. to dawn
naħ v. to lament, to complain
naħa n.f. (pl. ~**t, nħawi**) side, region
naħal n.m.koll. f. **naħla** (pl. **naħliet**) bee; **naħla**: ~ **bagħlija** wasp, drone; **bieżel daqs** ~ a laborious man
naħaq v. to bray
naħar v. to snore
naħħar n.m. (pl. ~**a**) snorer
naħħan aġġ. stentorous
naħli aġġ. of or belonging to a bee
naħnaħ v. to speak through one's nose
naħq|a n.f. (pl. ~**t**) bray
naħr|a n.f. (pl. ~**t**) a snoring
najjad|a n.f. (pl. ~**i**) naiad
najjar v. to inflame // n.m. (pl. ~**a**) fireman, stoker
namar abundance, ~ **Alla jbażża'** God's deeds can terrify us; **fih kemm in-~ Alla** there is plenty of it
namr|a n.f. (pl. ~**iet**) love, affection, inclination
namrat n.m. (pl. ~**i**) lover, amorist, wooer
namur n.m. (bla pl.) wooing, flirting
nan ara **nien**
nani aġġ. dwarfish; **nan|u** n.m. (pl. ~**i**) dwarf, manikin
nann|a n.f. (pl. ~**iet**) grandmother
nann|u n.m. (pl. ~**iet**) grandfather; **ġej in-~u boċċi** it is thundering; ~**u bożżu** a grumbling man
naqa v. to polish, to cleanse
naqa' v. to macerate, to steep, to soak
naqab v. to bore, to pierce
naqal n.m. (bla pl.) gravel
naqar v. to peck
naqas v. to fail; (rqaq) to grow thin; (ġab ruħu ħażin) he misbehaved; **minnu jonqos** it is his fault; **hekk jonqos** that would be too much; **ġie nieqes** he died; **jista' jonqos?** no doubt of that
naqax v. to carve, to grave
naqj|a n.f. (pl. ~**iet**) cleaning, winnowing, weeding

naqqa v. to cleanse
naqqar v. to peck
naqqas v. to diminish, to lessen, to abate // n.m. (pl. ~**a**) diminisher, abater
naqqax v. to sculpture, to carve, to engrave // n.m. (pl. ~**a**) graver, engraver, stonecutter
naqqej n.m. (pl. ~**ja**) cleanser, weeder
naqr|a n.f. (pl. ~**iet, nqaqar**) beakful; (ħarira, ftit) a little
naqs|a n.f. (pl. ~**iet**) dimunition, want
naqx|a n.f. (pl. ~**iet**) incision, cut
nar n.m. (pl. **nirien**) fire; ~ **bati** slow fire; ~ **ta' mħabba** affection, fire of love; ~ **tat-tiben** fire of straw; **ħa n-**~ to take fire; **ta n-**~ to light, to kindle; **jaħraq** ~ very hot; **aħmar** ~ very red; (bid-deni) very sick; **fuq in-**~ it is being cooked; **lagħab man-**~ he played with fire
narċis n.m.koll. f. ~**a** (pl. ~**i**, ~**iet**) narcissus, daffodil
narkoti|ku n.m. (pl. ~**ċi**) narcotic
narrattiv aġġ. narrative
narratur n.m. (pl. ~**i**) narrator, teller
NASA n.m. (bla pl.) NASA; abbr. of National Aeronautics and Space Administration
nasab v. to put, to place, to set; (ix-xbieki) to spread nets, to fowl
nasb|a n.m. (pl. ~**iet**) ambush; (nassa) trap
naska n.f. (bla pl.) scent, smell
naskat|a n.f. (pl. ~**i, iet**) snuff
naspl|a n.f. (pl. ~**i**) medlar; **qata'** ~ he blasphemed
nass|a n.f. (pl. **nases**) net; (nasba) trap; **daħal fin-**~ he cannot get out of it; **daħħlu f'**~ he put him in an unpleasant situation
nassab n.m. (pl. ~**a**) snarer
nassar v. to christianize // n.m. (pl. ~**a**) catechist
nassas v. to machinate, to plot, to hatch
nassies n.m. (pl. ~**a**) contriver, plotter
nasturżj|u n.m. (pl. ~**i**) nasturtium
nataħ v. to butt
NATO n.m. (bla pl.) NATO; abbr. of North Atlantic Treaty Organisation
nattiv aġġ. native
natur|a n.f. (pl. ~**i**) nature
natural n.m. (pl. ~**i**) nature
naturali aġġ. natural
naturalista n.m. (pl. ~**i**) naturalist
naturalizzat aġġ. naturalized
naturalizzazzjoni n.f. (pl. ~**jiet**) naturalization
naturaliżm|u n.m. (pl. ~**i**) naturalism
naturalment avv. naturally, of course
nav|a n.f. (pl. ~**i**) nave, aisle
navali aġġ. naval; **battalja** ~ naval battle, sea fight
navat|a n.f. (pl. ~**i**) nave, aisle
navi n.f. (pl. ~**jiet**) ship
navigabbli aġġ. navigable
navigant n.m. (pl. ~**i**) voyager, passenger, sailor
navigat pp. navigated
navigatur n.m. (pl. ~**i**) navigator
navigazzjoni n.f. (pl. ~**jiet**) navigation
nawċier n.m. (pl. ~**a**) boatswain
nawfraġj|u n.m. (pl. ~**i**) shipwreck
nawfrag|u n.m. (pl. ~**i**) shipwrecked fellow
nawtika n.f. (bla pl.) nautical science
nawwar v. to effloresce; (immoffa) to grow musty or mouldy
naxar v. to hang; (qata' bis-serrieq) to saw; ~ **mal-art** to strech on the ground; **naxru mal-art** he threw him to the floor (with a punch)
naxr|a n.f. (pl. ~**iet**) airing, display; (qtugħ bis-serrieq) sawing
naxxar n.m. (pl. ~**a**) he who displays; (dak li jaqta' bis-serrieq) sawyer
Nażi n.kom. Nazi
Nażist n.m. (pl. ~**i**) Nazi
Nażiżmu n.m. (bla pl.) Nazism
Nazzaren|u aġġ. n.m. (pl. ~**i**) Nazarene
nazzjon n.m. (pl. ~**ijiet**) nation
nazzjonali aġġ. national
nazzjonalist n.m. (pl. ~**i**) nationalist
nazzjonalit|à n.f. (pl. ~**ajiet**) nationality
nazzjonalizzat pp. nationalized
nazzjonalizzazzjoni n.f. (pl. ~**jiet**) nationalization
nazzjonaliżm|u n.m. (pl. ~**i**) nationalism
naża' v. to undress; (minn patri) did not complete the studies to priesthood
nażali aġġ. nasal
nażża' v. to undress
nbagħad v. to be hated
nbagħat v. to be sent
nbala' v. to be swallowed
nbarad v. to be filed
nbaram v. to be twisted; ~ **f'erbat ijiem** he died in a short time
nbarax v. to be scraped; (instelaħ bil-ħakk) to gall
nbasar v. to be guessed
nbeda v. to be commenced
nbid n.m. (pl. **nbejjed**) wine
nbidel v. to be changed; (ittrasforma ruħu) to be transformed
nbiegħ v. to be sold
nbies v. to be kissed
nbiet n.m.koll. f. ~**a** (pl. **nbitiet**) germen, bud, sprout
nbiħ n.m. (bla pl.) barking
nbit n.m. (bla pl.) germination
nbix n.m. (bla pl.) provocation, incitement, irritation

ndaf v. to become clean/natty
ndafa n.f. (bla pl.) cleanliness, neatness
ndaħal v. to intermeddle, to intrude
ndamm v. to be put or united together
ndaqq v. to be sounded/played
ndaqs avv. equally
ndar v. to have gone round
ndara v. to be accustomed (to)
ndarab v. to be struck bruised/wounded
ndehex v. to start, to shudder
ndehes v. to creep in
ndell v. to grow lean, to attenuate
ndewwa n.f. (bla pl.) humidity, moisture, moistness
ndiema n.f. (bla pl.) contrition, repentance
ndifen v. to be buried, to bury oneself; (fig.) to seclude oneself
ndilek v. to grease oneself
nebaħ v. to bark
nebbaħ v. to cause to bark
nebbeħ v. to awake, to arouse (ispira) to inspire
nebbieħ n.m. (pl. ~**a**) he who wakes; (min jispira) he that inspires, illuminates // n.m. (pl. ~**a**) barker
nebul|a n.f. (pl. ~**i**) cloud
neċessarju aġġ. necessary
neċessarjament avv. necessarily
neċessit|à n.f. (pl. ~**ajiet**) necessity, need
neddej ara **niddej**
nefaħ v. to blow, to inflate; **hemmhekk jonfoħ** up there is really windy; **beda jonfoħ** he was bored
nefaq v. to spend; ~ **għajnejh** to spend lavishly
neffaħ v. to blow, to tumefy
neffieħ n.m. (pl. ~**a**) blower, inflater
neffieq n.m. (pl. ~**a**) spender
nefħ|a n.f. (pl. ~**iet**) puff; ~**a riħ** gust
nefrite n.f. (pl. ~**jiet**) nephritis
nefritiku aġġ. nephritic
negattiv aġġ. negative
negattivament adv. in a negative way, negatively
negazzjoni n.f. (pl. ~**jiet**) negation, denying
negliġenti aġġ. negligent, careless
negliġenz|a n.f. (pl. ~**i**) negligence, carelessness
negliġibbli aġġ. negligible
negozjabbli aġġ. negotiable
negozjant n.m. (pl. ~**i**) tradesman
negozjat ara **(i)nnegozjat**
negozj|u n.m. (pl. ~**i**) business; (biċċa xogħol ta' ~**u**) deal, transaction
negr|u n.m. (pl. ~**i**) negro
neħħa v. to take away; (abolixxa) to abrogate, to abolish

nej aġġ. raw; f. **nejja**: **jew ~ jew maħruqa** it is either tit or tat
nejb|a n.f. (pl. ~**iet, njieb**) eye-tooth
neka v. to treat despitefully
nekroloġij|a n.f. (pl. ~**i**) obituary
nekromanzij|a n.f. (pl. ~**i**) necromancy
nekropoli n.f. (pl. ~**jiet**) necropolis
nekrosi n.f. (pl. ~**jiet**) necrosis
nekroskopij|a n.f. (pl. ~**i**) necroscopy
nektar n.m. (bla pl.) nectar
nemel n.m.koll. f. **nemla** (pl. ~**iet**) ant; **bħan-~** a big number; **qishom** ~ they look as small as ants from up here
nemes n.m. (pl. **inmsa**) **jara daqs** ~ he has a good eye-sight; **ma ssibx/tarahx b'~** you can't see/ find him easily
nemex n.m.koll. f. **nemxa** (pl. **nemxiet**) freckle
nemlun n.m. (pl. ~**i**) big ant
nemmel v. to swarm
nemmelij|a n.f. (pl. ~**iet**) ant-hill
nemmes v. to chase with the ferret
nemmex v. to freckle
nemnem v. to be weak/feeble
nemus n.m.koll. f. ~**a** (pl. ~**iet**) mosquito, gnat; ~ **tal-baħar** silvery pout
neofit|a n.kom. (pl. ~**i**) neophite
neokolonjali aġġ. neocolonial
neokolonjaliżm|u n.m. (pl. ~**i**) neocolonialism
neolatin aġġ. n.m. (pl. ~**i**) neolatin, romance
neolitiku aġġ. neolithic
neoloġiżm|u n.m. (pl. ~**i**) neologism
neon n.m. (bla pl.) neon
neoplażm|a n.f. (pl. ~**i**) neoplasm
nepotiżm|u n.m. (pl. ~**i**) nepotism
neputi n.m. (pl. ~**jiet**) nephew
neputij|a n.f. (pl. ~**iet**) niece
nerejdi n.f. (pl. ~**jiet**) nereid
ners n.kom. (pl. ~**is**) nurse
nerv n.m. (pl. ~**i**) nerve; ~ **tal-azzar** iron nerves
nervi n.kom. nerves; **in-~ kiluh, għandu ~ ta' kelb/inkaljati** he is really nervous
nervitur|a n.f. (pl. ~**i**) nervation
nervuż aġġ. nervous
nervużiżm|u n.m. (pl. ~**i**) nervousness
nesa v. to forget
nessa v. to cause to forget
nessej aġġ. forgetful
nett avv. completely, entirely // n.f. (pl. ~**ijiet**) net
nevew n.m.koll. f. ~**wa** (pl. ~**wat/nevej**) turnip
nevralġij|a n.f. (pl. ~**i**) neuralgia
nevralġiku aġġ. neuralgic
nevrastenij|a n.f. (pl. ~**i**) neurasthenia
nevrasteniku aġġ. neurasthenic

nevrosi n.f. (pl. ~**jiet**) neurosis
nevroti|ku n.m. (pl. ~**ki**, ~**ċi**) neurotic
newb|a n.f. (pl. ~**iet, nwieb**) turn, change; (okkażjoni) opportunity, occasion; **bin-**~ in turn, alternately
newħ|a n.f. (pl. ~**iet**) groan, lamentation
newl n.m. (pl. **nwiel**) loom
newtrali aġġ. neutral
newtralit|à n.f. (pl. ~**ajiet**) neutrality
newtralizzat pp. neutralized
newtralizzazzjoni n.f. (pl. ~**jiet**) neutralization
newtr|u n.m. (pl. ~**i**) neuter
newwaħ v. to pule, to howl; (il-ħoss tal-qattus) to meow
newweb v. to do by turns, to alternate; (qagħad għassa) to invigilate, to watch
newwel v. to reach, to present, to give
newwieħ n.m. (pl. ~**a**) mourner, whiner
newwiel n.m. (pl. ~**a**) porter, reacher
neżgħa n.f. stripping, despoilment
neżżiegħ n.m. (pl. ~**a**) despoiler
nfaġar v. to bleed at the nose
nfaqa' v. to burst, to crack
nfatam v. to be weaned
(i)nfaxxa v. to bandage, to swathe
(i)nfaxxat pp. bandaged, swaddled
nfeda v. to be redeemed
nfela v. to delouse oneself
nfena v. to fall away, to perish
nferaħ v. to be fascinated
nferaq v. to fissure
nfetaħ v. to open, to be opened
nfetaq v. to be unsewed/unstitched; (med.) to be hernious or raptured
nfexx v. gave vent to, expressed his feelings; ~ **fir-rabja** gave vent to his spleen/anger
nfid n.m. (bla pl.) penetration
nfiħ n.m. (bla pl.) blowing, puffing
nfileġ v. to be or become paralytic
nfiq n.m. (bla pl.) expense, charges
nfired v. was separated, was divided
nfirex v. to be dilated or spread
nfitel v. to twist, to be twisted, to twist oneself
nfixel v. became confused, lost his presence of mind
nftehem v. to agree upon
nġabar v. to be gathered; (ma' tfajla) he is finally going out with a girl; ~ **kmieni** he went back home early; (miet żgħir) he died at a young age; (mar joqgħod f'tax-xjuħ) he went to live in a home for the elderly
nġama' v. to meet, to assemble, to congregate
nġarr v. to be transported
nġeraħ v. to gall, to wound oneself
nġeżż v. to be sheared, to grow lean, to be attenuated
nġibed v. to drawn to, to be attracted; ~ **lejn xi ħadd** to get fond of, to become attached to
nġieb v. to be brought; (kien maħbub) to be liked, to be esteemed
ngidem v. to be bitten; (fig. sofra t-telf) he lost profit
ngiref v. to be scratched
ngħad v. to be said or told, it was rumoured
ngħadd v. to be reckoned/numbered/counted
ngħafas v. to be pressed/squeezed
ngħaġen v. to be kneaded
ngħalaq v. to be shut, to close
ngħaleb v. to be vanquished/subdued/conquered
ngħalef v. to be fed, to be baited
ngħamel v. to be done
ngħaqad v. to associate oneself, to unite oneself
ngħaqar v. to be covered with wound
ngħaraf v. to be known, recognised
ngħas n.m. (bla pl.) somnolency; **mejjet bi** ~ he is really tired; **ħadu n-**~ he fell fast asleep; (anat.) temple
ngħasar v. to become pressed, to be squeezed
ngħass v. to be watched/spied
ngħata v. to be given/conceded
ngħażaq v. to be dug or tilled
ngħażel v. to be separated, to be parted, to be divided; (hu u mhux l-oħrajn) to be chosen/selected; (id-drapp) to be spun
ngħeleb ara **ngħaleb**
ngħewa v. to be instigated
ngħex v. to live
ngħidu ara **qal**; **m'għandniex xi** ~**!** certainly!
ngħoġob v. to be liked, to be favoured
ngħorok v. to be rubbed/chafed
nhar n.m. (pl. ~**ijiet**) a day; **nofsta**~ the whole morning; **nofsi**~ midday; **bin-nofsta**~**i** he is working half-days
nħabb v. to be loved
nħabeż v. to be baked
nħadem v. to be wrought, to be worked
nħafen v. to be seized
nħafer v. to be forgiven
nħaġeb v. to become recluse
nħakem v. to be withheld, to be repressed
nħakk v. to scatch oneself
nħalaq v. to be created
nħaleb v. to be milked
nħalef v. to be sweared
nħaleġ v. to be separated from the seed
nħall v. got untied, got loosened, freed himself; (ma baqax shih) was dissolved, thawed, to melt; ~ **wara xi ħadd** he lost his mind on someone

nħamel v. to be suffered/tolerated
nħan v. to be deluded
nħanaq v. to be strangled, to be suffocated, to be choked; (marritlu l-vuċi) to grow hoarse
nħaqar v. to be vexed/afflicted, to gall
nħaraq v. to be burnt or kindled; ~ **bix-xemx** to become sunburned
nħarat v. to be ploughed
nħasa n.f. (pl. ~**t**) chaldron, kettle, pot
nħasad v. to be mown; (bil-biża', eċċ.) to be startled, to be shuddered
nħasel v. to be washed
nħass v. to be felt
nħataf v. to be ravished
nħatar v. to be elected/chosen/nominated
nħatt v. to be unloaded/disburdened; (twaqqa') to be demolished
nħażen v. to be stored
nħeba v. was concealed, was hidden, to conceal oneself, to be concealed, he hid himself
nħeja v. to be revived; (ġie f'tiegħu) to comfort oneself
nħela v. was wasted, was consumed, wasted away, ruined himself
nħeles v. to free oneself, to run free
nħema v. to be baked
nħiq n.m. (bla pl.) bray
nħir n.m. (bla pl.) snoring
nħolom v. to be dreamt
nħoloq v. to be created
nħtieġ v. to be needful/necessary
NI n.m. (pl. ~**s**) NI; abbr. of National Insurance
nibbet v. to sprout
nibbex v. to provoke
nobbiex n.m. (pl. ~**a**) teaser, banter
nibet v. to sprout, to germinate; (fig. tfaċċa) to be seen
nibex v. to banter
nibi ara **nabi**
nibt|a n.f. (pl. ~**iet**) sprout
nibx|a n.f. (pl. ~**iet**) provocation
niċċa n.f. (pl. **niċeċ**) niche
nida n.m. (bla pl.) dew; ~ **magħqud** white frost, hoar-frost
nidda v. to humidify, to moisten
niddem v. to make one repent, to cause one's repentance
niddej n.m. (pl. ~**ja**) crier
nidem v. to repent (for), to be sorry (for)
nieda v. to proclaim, to publish
niedem aġġ. penitent, sorrowful
niedi patt. humid, moist, damp
niegħel v. to shoe
niegħes v. to cause to sleep, to cause to drowse
niehed v. to cause to sigh
nien v. to faint, to swoon
nieqa n.f. (pl. **inwieqi**) cradle
nieqes patt. deficient, defective; **ġie** ~ he died; **ftit** ~ a bit stupid
nies n.f.koll. people, nation; **jaf imur man-**~ he is an affable man; **mhux** ~ he is an unpleasant man; **bħan-**~ in full etiquette; **sar** ~ he became someone; **għamlu** ~ he turned him into a gentleman
niesi patt. oblivious
niexef patt. dry; (irqajjaq) lean; **żelaq fin-**~ he commited a blunder
nieżel patt. going down, declining
nifd|a n.f. (pl. ~**iet**) transfixion; (ġerħa) wound; (penetrazzjoni) passage, crossing
nifed v. to transfix, to transpierce, to wound
nifel n.m.koll. f. **nifla** (pl. **nifliet**) lucern
nifex v. to enlarge, to extend, to stretch
niffed v. to border upon, to render continguous
niffiedi aġġ. penetrating
nifs n.m. (pl. ~**ijiet**) breath, respiration
niġem n.m.koll. f. **niġma** (pl. **niġmiet**) couch-grass
niġġes v. to pollute
niggeż v. to prick, to sting
niggież n.m. (pl. ~**a**) pricker, stinger
niggieżi aġġ. pungent, stinging, prickly
nigż|a n.f. (pl. ~**iet**) prick, sting
niket n.m. (bla pl.) mourning, sadness, melancholy
nikil n.m. (bla pl.) nickel
nikket v. to cause grief
nikkiet n.m. (pl. ~**a**) he who causes grief; (min jipponta) he who makes point
nikkieti aġġ. distressing; (bit-tikek) dotted
nikotin|a n.f. (pl. ~**i**) nicotine
nikt|a n.m. (pl. ~**iet**) spot, stain
niktalopij|a n.f. (pl. ~**i**) nyctalope
ninf|a n.f. (pl. ~**i**) nymph
nini inter. no
Nippon n.m. Japan
nir n.m. (pl. **njar**) indigo; **ikħal** ~ indigo blue
nisa n.pl. irreg. ta' **mara** women
niseġ v. to weave
nisel n.m. (pl. **insla**) generation, progeny, origin
nisġ|a n.f. (pl. ~**iet**) contexture, texture, weaving
nisj|a n.f. (pl. ~**iet**) forgetfulness, oblivion
niskata ara **naskata**
Nisrani aġġ. n.m. (pl. **Insara**) Christian
nissel v. to generate, to procreate; (ta bidu) to give origin
nissieġ n.m. (pl. ~**a**) weaver
nissiel n.m. (pl. ~**a**) generator, procreator; (oriġinatur) originator

nitef v. to pluck/pull out the hair
niten v. to stink, to putrefy
nitf|a n.f. (pl. **~iet, ntietef**) peeling, plucking; (ftit, ħarira) little
nitrat n.m. (pl. **~i**) nitrate
nitriku aġġ. nitric; **aċidu** ~ nitric acid
nitroġen|u n.m. (pl. **~i**) nitrogen
nitru n.m. (bla pl.) nitre
nittef v. to be plume
nitten v. to render stinking/fetid
nittief n.m. (pl. **~a**) plucker
nittien n.m. (pl. **~a**) he who causes stench or fector
nixef v. to grow dry, to be dried up
nixf|a n.f. (pl. **~iet**) dryness, siccity; (irquqija) leanness, emanciation, thinness
nixxa v. to drain, to spring
nixxef v. to wither, to emanciate, to dry
nixxief n.m. (pl. **~a**) dryer; **~i** aġġ. seccative
nixxiegħa n.f. (pl. **nixxighat**) spring
niżel v. to descend, to go, come/step down
niżl|a n.f. (pl. **~iet**) descent, slope, declivity
niżżel v. to cause to come down, to bring down; (taffa, naqqas) to lower, to diminish
niżżiel n.m. (pl. **~a**) he who brings down
njam ara **injam**
nkedd v. to be ill used; (għeja) to fatigue oneself
nkeff v. to be hemmed/edged/bordered
nkejj|a n.f. (pl. **~iet**) contempt, despite
nkejjuż aġġ. spiteful
nkera v. to be let
nkesa v. to cover oneself
nkewa v. to become red-hot
nkines v. to be swept
nkiser v. was broken, got broken; ~ (staħa) was ashamed, embarrassed
nkiteb v. to enrol oneself, to enlist
nkixef v. to uncover or discover oneself
(i)nnamra v. to fall in love (with)
(i)nnamrat pp. fell in love
(i)nnaviga v. to sail
(i)nnavigat ara **navigat**
(i)nnazzjonalizza v. to nationalize
(i)nnazzjonalizzat ara **nazzjonalizzat**
(i)nnega v. to deny
(i)nnegat pp. denied
(i)nnegabbli aġġ. undeniable
(i)nnegozja v. to negotiate
(i)nnegozjat pp. negotiated
(i)nnervja v. to be in a bad temper
(i)nnervjat pp. bad tempered
(i)nnewtralizza v. to neutralize
(i)nnewtralizzat ara **newtralizzat**
innoċentement avv. innocently
innoċenti aġġ. innocent
innoċenza n.f. (bla pl.) innocence
(i)nnokkla v. to curl
(i)nnokklat pp. curled
(i)nnomina v. to mention, to name, to appoint, tc elect, to nominate
(i)nnominat pp. mentioned, named, appointed, elected, nominated
innominabbli aġġ. unnominable
(i)nnormalizza v. to normalize
(i)nnormalizzat ara **normalizzat**
(i)nnota v. to note, to notice
(i)nnotat pp. noted, noticed
(i)nnotifika v. to notify, notificare
(i)nnotifikat pp. notified
innovazzjoni n.f. (pl. **~jiet**) innovation
innu n.m. (pl. **~innijiet**) hymn, anthem
(i)nnukklat pp. curled, curly; **tifla b'xagħarha** ~ a girl with curly hair
nobbilt|à n.f. (pl. **~ajiet**) nobility
nobbli aġġ. noble
nobis aġġ. very big; **bawxata** ~ a very big blunder
nofs aġġ. n.m. (pl. **~ijiet**) half, middle
nofsi aġġ. middle, middling
nofs siegħa n.f. half-hour or 30 minutes
nofsiegħa n.f. 12:30am or 12:30pm
nofsillejl n.m. (pl. **~ijiet**) midnight
nofsinhar n.m. (pl. **~ijiet**) midday
nogħr|a n.f. (pl. **~iet**) red lead, minium
noħħ n.m. (bla pl.) marrow
nokkl|a n.f. (pl. **~i**) curl, lock
noktul|a n.f. (pl. **~i**) noctule
nol(l) n.m. (pl. **~ijiet**) fare
noliġġ n.m. (pl. **~i**) freighter
nom n.m. (pl. **~i**) noun; **telaq bla** ~ he left without telling anybody
nom de plume n.m. (pl. **~s**) nom de plume
nomad|u n.m. (pl. **~i**) nomad
nomenklatur|a n.f. (pl. **~i**) nomenclature
nomin|a n.f. (pl. **~i**) appointment
nominal|i aġġ. nominal
nominalment avv. nominally
nominat ara **(i)nnominat**
nominattiv aġġ. nominative
nomni: **min-~ patri** from the beginning
noqba n.f. (pl. **nqab**) a young girl
noqsar n. abridging, shortening
nord n.m. (bl pl.) north
nordi|ku aġġ. north, northern // n.m. (pl. **~ċi**) northerner
norm|a n.f. (pl. **~i**) norm, rule
normali aġġ. normal

normalità n.f. (pl. ~**ajiet**) normality
normalizzat pp. normalized
normalizzazzjoni n.f. (pl. ~**jiet**) normalization
normalment avv. normally
nostalġij|a n.f. (pl. ~**i**) home-sickness
nostalġi|ku aġġ. nostalgic
nostrom|u n.m. (pl. ~**i**) boatswain
not|a n.f. (pl. ~**i**) note
notat ara **(i)nnotat**
notazzjoni n.f. (pl. ~**jiet**) notation
notifik|a n.f. (pl. ~**i**) notification
notifikat pp. notified
notifikat ara **(i)nnotifikat**
notifikazzjoni n.f. (pl. ~**jiet**) notification
notizzj|a n.f. (pl. ~**i**) news
notizzjarj|u n.m. (pl. ~**i**) news
novazzjoni n.f. (pl. ~**jiet**) innovation
novell aġġ. new
novell|a n.f. (pl. ~**i**) story, tale, short story
Novembru n.m.pr. November
noven|a n.f. (pl. ~**i**) novena
novit|à n.f. (pl. ~**ajiet**) novelty
novizz n.m. (pl. ~**i**) novice
novizzjat n.m. (pl. ~**i**) noviciate, novitiate
nqabad v. to be caught, to be captured
nqabeż v. to be skipped
nqafel v. to be locked
nqal ara **ntqal**
nqala' v. to be moved or displaced; (kien kapaċi) to be clever/able/skilful; (ħa l-iskomdu) to take the scomodity of; **ra xi** ~ he went to see what happened
nqaleb v. was upset, was overturned, capsized
nqara v. to be read
nqaras v. to be pinched
nqasam v. to be divided, parted, halved; (inkiser) to crack, to fissure; ~ **bir-rabja** was consumed with anger
nqata' v. to cut or split
nqatel v. to kill oneself, to be slain
nqeda v. to be served
nqela v. to be roasted
nqered v. to be ruined or destroyed
nqies ara **ntqies**
nsab v. to be found
nsadd v. to be closed/corked/bunged
nsaħaq v. to be pounded
nsama' v. to be heard/listened
nsamat v. to be scalded
nsann v. to be sharpened, (l-istatura) to become long and lean faced
nsaq v. to be driven
nsaram v. to get entangled, to get confused
nsarr v. to be bundled
nsatar v. to cover oneself, to hide
nsebaq v. to be preceeded/surpassed
nseff v. to be sucked
nseħet v. to be cursed
nselaħ v. to gall, to be flayed/peeled
nsenn v. ara **nsann**
nseqa v. to be watered
nseraq v. to be stolen
nsibek v. to become leafless; (irqaq) to attenuate
nsiġ n.m. (bla pl.) twill, contexture
nsilef v. to be lent
nsilet v. to be unsheathed; (inħall) to be unravelled
nstab ara **nsab**
nstabat ara **stabat**
nstadd ara **nsadd**
nstama' v. to be heard
nstamat ara **stamat**
nstaram ara **nsaram**
nsteħet ara **nseħet**
nstelaħ ara **nselaħ**
nsteraq ara **nseraq**
nstilet ara **nsilet**
ntafa' v. to fling oneself
ntaġar v. to be hewn
ntahar v. to be injured
ntaħan v. to be ground
ntala' v. to amount, to ascend
ntalab v. to be required or asked for
ntama' v. to feed (on)
ntaqab v. to be drilled or holed
ntarax v. to grow deaf
ntasab v. to place, to prepare, to present oneself
ntaxar v. to be hung out
ntaża' v. to undress or strip oneself
ntbagħat v. ara **nbagħat**
ntbasar v. ara **nbasar**
ntbexx v. to be sprinkled
ntbies ara **nbies**
ntebaħ v. to be aware
ntebaq v. to be closed
ntefa v. to be extinguished
ntefaħ v. to puff, to tumefy, to swell; (ftaħar) to boast, to pride oneself
ntefaq v. to be spent
ntelaq v. to lop/abandon oneself, to give oneself up; (għeja) to tire, to lose one's strength; (mara, raġel) to slip into languidity
ntemm v. to end, to have an end; (spiċċa) to be consumed; (miet) to die
ntena v. to bend/twist oneself
nteraħ v. to stretch oneself; (inħall) to dissolve, to melt

ntesa v. to be forgotten
ntgħad ara **ngħad**
ntgħadd ara **ngħadd**
ntgħafas ara **ngħafas**
ntgħaġen ara **ngħaġen**
ntgħalaq ara **ngħalaq**
ntgħaleb ara **ngħaleb**
ntgħalef ara **ngħalef**
ntgħamel ara **ngħamel**
ntgħaqad ara **ngħaqad**
ntgħaqar ara **ngħaqar**
ntgħaraf ara **ngħaraf**
ntgħasar ara **ngħasar**
ntgħass ara **ngħass**
ntgħata ara **ngħata**
ntgħażaq ara **ngħażaq**
ntgħażel ara **ngħażel**
ntgħewa ara **ngħewa**
ntgħex ara **ngħex**
ntgħoġob ara **ngħoġob**
ntgħorok ara **ngħorok**
ntibek v. to be finely ground or powdered
ntiena n.f. (pl. **ntejjen**) stink, stench
ntifed v. to be penetrated
ntifex jew **ntnifex** v. to grow up, to dilate, to swell up
ntilef v. to lose oneself; (taħ ħass ħażin) to faint; (fig. ħela ż-żmien fuq) he lost time on; (iġġennen fuq) he lost his mind on; **m'hawnx fejn ti~** this is a small place
ntiret v. to be inherited
ntiseġ v. to be woven
ntiżen v. to be balanced, to weigh oneself
ntlagħab v. to be played
ntlagħaq v. to be licked
ntlaħaq v. to have reached
ntlaqa' v. to stop; (ħabat ma') to meet
ntlaqat v. to be struck or hit
ntleff v. to be cloaked or mantled
ntlemaħ jew **nlemaħ** v. to be seen, to be observed
ntlewa jew **ltewa** v. to be twisted/contorted
ntlibes v. to be worn, to be dressed
ntmess v. to be touched
ntnaġar ara **ntaġar**
ntnasab ara **ntasab**
ntnaxar ara **ntaxar**
ntnaża' ara **ntaża'**
ntnebeħ ara **ntebeħ**
ntnefaħ ara **ntefaħ**
ntnefaq ara **ntefaq**
ntnesa ara **ntesa**
ntqal v. to be said
ntqies v. to be measured
ntrabat v. to be tied or bound
ntradam v. to be buried
ntradd v. to be returned, to be restored
ntrafa' v. to be relieved; (fiżikament) to be raised
ntrahan v. to be pawned
ntrass v. to be pressed/squeezed; (tgħaffeġ binnies) to crowd, to throng
ntrebaħ v. to be won
ntreħa v. to be slacken; (intelaq f'idejn xi ħadd) to abandon oneself, to rely
ntrema v. to be cast or thrown away
ntrifed v. to sustain on, to lean against
ntrifes v. to be trodden/trampled
ntrikeb v. to be ridden; (kien jittieħed) to be contagious
ntuża v. to be used
ntwera v. to show oneself
nuċċali n.m. (pl. **~jiet**) spectacles, glasses; **~ tax-xemx** sun glasses
nuċimuskat|a n.f. (pl. **~i**) nutmeg
nuċipersk ara **anċiprisk**
nud n.m. (bla pl.) nude
nudiżm|u n.m. (pl. **~i**) nudism
nuffara n.f. (pl. **nfafar**) scarecrow
nuffata n.f. (pl. **nfafet**) blister, blain
nugrufun n.m. (pl. **~ijiet**) soot, lamp-black
nuħħala n.f. (pl. **nħaħel**) bran
nukleu n.m. (pl. **nuklei**) nucleus
null aġġ. null, void
nullità n.f. (pl. **~ajiet**) nullity
numeratur n.m. (pl. **~i**) numerator
numerazzjoni n.f. (pl. **~jiet**) numeration
numeriku aġġ. numerical
numeruż aġġ. numerous
numiżmatika n.f. (bla pl.) numismatics
numiżmatiku aġġ. numismatist
numiżmati|ku n.m. (pl. **~ki, ċi**) numismatist
numr|u n.m. (pl. **~i**) number; **ħadlu n-~u** he summoned him; **għan-~u** he does not make any difference
nunzj|u n.m. (pl. **~i**) nuncio
nunzjatur|a n.f. (pl. **~i**) nunciature, nuncio's residence
nuqqas n.m. (bla pl.) defect, imperfection, penury
nutar n.m. (pl. **~i, ~a**) notary, notary public
nutriment n.m. (pl. **~i**) food, nourishment, aliment
nutrittiv aġġ. nutritious, nourishing, nutritive
nvell n.m. (pl. **~ijiet**) level
nwar n.m.koll. f. **~a** (pl. **~iet, nwarwar**) blossom; (moffa) mould, must
nwieħ n.m. (bla pl.) groan, lamentation; (tal-qtates) mewing

nxamm v. to be smelled
nxaqq v. to be split or slit
nxedd v. to be worn or dressed
nxegħel v. to be lit, to be inflamed/kindled
nxeħet v. to be thrown, to throw oneself down
nxekk v. to be pierced, to be penetrated
nxewa v. to be roasted/to parch
nxief n.m. (bla pl.) aridity, dryness; (irquqija) skinniness
nxir n.m. (bla pl.) airing
nxorob ara **nxtorob**
nxtamm ara **nxamm**
nxtara v. to be bought/purchased
nxtegħel ara **nxegħel**
nxteħet ara **nxeħet**
nxtered ara **xtered**
nxtewa ara **nxewa**
nxtorob v. to shrink
nxufij|a n.f. (pl. ~**iet**) dryness; (irquqija) thinness
NY n.m. (bla pl.) NY; abbr. of New York
nżabar v. to be pruned
nżamm v. to be kept // to be billed
nżar v. to be visited
nżara' v. to be sown
nżebagħ v. to be painted/dyed
nżegħed v. to be numerous
nżied v. to be grown/augmented, to be increased
nżigħ n.m. (bla pl.) despoilment
nżul n.m. (bla pl.) the act of descending; ~ **ix-xemx** sunset

O o

o nineteenth letter of the alphabet and fifth of the vowels
oasi n.m. (pl. ~**jiet**) oasis, sanctuary, haven
obbidjent aġġ. obedient
obbidjenz|a n.f. (pl. ~**i**) obedience
obbjetta v. to object
obbjettiv n.m. (pl. ~**i**) objective, object glass, object lens
obbjezzjoni n.f. (pl. ~**jiet**) objection
obbliga v. to oblige
obbligat pp. obliged
obblig|u n.m. (pl. ~**i**) obligation, duty
obbligazzjoni n.f. (pl. ~**jiet**) obligation
obbligatorju aġġ. obligatory
obda v. to obey
obdut pp. obeyed
OBE n.m. (pl. ~**s**) OBE; abbr. of Officer of the Order of the British Empire
obelisk n.m. (pl. ~**i**) obelisk
oblat n.m. (pl. ~**i**) oblate
oblikwu aġġ. oblique
oboe n.m. (pl. ~**jiet**) oboe, hautboy
oboist|a n.m. (pl. ~**i**) oboist
obrox n.m. (pl. **borox**) black-headed wagtail
oċċident n.m. (pl. ~**i**) west
oċċidentali aġġ. western, westerly
oċean n.m. (pl. ~**i**) ocean
odalisk|a n.f. (pl. ~**i**) odalisque
odi n.f. (pl. ~**jiet**) ode
odja v. to hate
odjat pp. hated, detested
odj|u n.m. (pl. ~**i**) hate, odium
odjuż aġġ. hateful
odontoloġij|a n.f. (pl. ~**i**) odontology
offenda v. to offend
offensiv aġġ. offensive
offensiva n.f. (pl. ~**i**) offensive
offert|a n.f. (pl. ~**i**) offer
offertorj|u n.m. (pl. ~**i**) offertory
offi: ~ **għalik**! well done, how could you?
offiċin|a n.f. (pl. ~**i**) workshop, office
offiċjuż aġġ. officious
offiż aġġ. offended
offiż|a n.f. (pl. ~**i**) offence
offra v. to offer
offsajd avv. offside
offsett n.m. (bla pl.) offset
oftalmij|a n.f. (pl. ~**i**) ophthalmia
oftalmoloġij|a n.f. (pl. ~**i**) ophthalmology
oftalmolog|u n.m. (pl. ~**i**) ophthalmologist
oftalmoskopj|u n.m. (pl. ~**i**) ophthalmoscope
oġġett n.m. (pl. ~**i**) object
oġġettiv aġġ. objective
oġġezzjona v. to object
oġġezzjonat pp. objected
oġġezzjoni n.f. (pl. ~**jiet**) objection
oġiv|a n.f. (pl. ~**i**) ogive
oġivali aġġ. ogival
ogħla komp. dearer; (iktar 'il fuq) higher
ogħna komp. richer
oħla komp. sweeter
oħra pron. aġġ. other, another; **la waħda u la l-**~ neither the one nor the other; **darb'**~ another time
oħt n.f. (pl. **aħwa**) sister
oħxon aġġ. thick, gross; **leħen** ~ thick voice
oj inter. ho there
ojlja to oil
okarin|a n.f. (pl. ~**i**) ocarina
okkażjonali aġġ. occasional
okkażjoni n.f. (pl. ~**jiet**) occasion
okkier|a n.f. (pl. ~**i**) eye-bath, eye cup
okkorrenz|a n.f. (pl. ~**i**) occurrence
okkult aġġ. occult
okkultist|a n.kom. (pl. ~**i**) occultist
okkultiżm|u n.m. (pl. ~**i**) occultism
okkupa v. to occupy
okkupat pp. occupied
okkupazzjoni n.f. (pl. ~**jiet**) occupation
okra n.f. (bla pl.) ochre
okulari aġġ. ocular
okulist|a n.m. (pl. ~**i**) oculist
O level n.m. (pl. ~**s**) (**livell ordinarju**) O level
oleandru ara **oljandru**

oligarkija n.f. (pl. ~**i**) oligarchy
oligarkiku aġġ. oligarchic(al)
Olimpjadi n.f. (bla pl.) Olympiad
Olimpiku aġġ. Olympic
oljandr|u n.m. (pl. ~**i**) oleander
oljat aġġ. oiled
oljier|a n.f. (pl. ~**i**) oil cruet
olm|u n.m. (pl. ~**i**) elm-tree
olograf|u n.m. (pl. ~**i**) holograph
olokawst|u n.m. (pl. ~**i**) holocaust
oltri avv. besides
olz|a n.f. (pl. ~**i**) bowline // v. to luff
ombr|a n.f. (pl. ~**i**) shadow
ombra v. to shade
ombrat pp. shaded
omega n.pr. omega
omelij|a n.f. (pl. ~**i**) homily
omeopatij|a n.f. (pl. ~**i**) homoeopathy
omiċid|a n.m. (pl. ~**i**) homicide
omiċidj|u n.m. (pl. ~**i**) homicide
omlett n.f. (pl. ~**ijiet**) omelet(te)
omm n.f. (pl. ~**ijiet**) mother; **mietet fuq ~ha** it stopped before it had even started; **waqgħet għand ~ha** it returned back; **sab l-~u**! he found what he had always wished; **ajma j'~i** oh my Lord!; **beżqitu ~u** he is indeed his mother's son; **~i ma!** oh dear!; **tiġi ~u** she is much older than him
ommetta v. to omit, to leave out
ommissjoni n.f. (pl. ~**jiet**) omission
omnibus n.f. (pl. ~**ijiet**) omnibus, bus
omnipotenti aġġ. omnipotent
omnipotenz|a n.f. (pl. ~**i**) omnipotence
omoġenjit|à n.f. (pl. ~**ajiet**) homogeneity, homogeneousness
omoġenju aġġ. homogeneous
omologazzjoni n.f. (pl. ~**jiet**) homologation
omonimu aġġ. homonymous // **omonim|u** n.m. (pl. ~**i**) homonym
omosesswali aġġ. homosexual
omosesswalit|à n.f. (pl. ~**ajiet**) homosexuality
onċ|a n.f. (pl. ~**i**) ounce
ondra v. to kennel
onest aġġ. honest
onest|à n.f. (pl. ~**ajiet**) honesty
onestament avv. honestly
oniċi n.f. (pl. ~**jiet**) onyx
onomatope|a n.f. (pl. ~**i**) onomatopoeia
onomatopejku aġġ. onomatopoeic
onora v. to honour
onorabbli aġġ. honourable
onorarju aġġ. honorary; **president** ~ honorary president
onorat pp. honoured
onorevoli aġġ. honourable // n.m. (bla pl.) Member of Parliament
onorifiċenz|a n.f. (pl. ~**i**) honour
ontoloġij|a n.f. (pl. ~**i**) ontology
opak aġġ. opaque
opal n.m. (pl. ~**i**) opal
OPEC n.m. (bla pl.) OPEC; abbr. of Organization of Petroleum Exporting Countries
opera v. to operate
operabbli aġġ. operable
operat pp. operated
operazzjoni n.m. (pl. ~**i**) operation
operett|a n.f. (pl. ~**i**) operetta, musical comedy
operist|a n.m. (pl. ~**i**) composer of operas
opinjoni n.f. (pl. ~**jiet**) opinion
oppju ara **loppju**
oppona v. to oppose
opportun aġġ. suitable, proper, right
opportunist n.m. (pl. ~**i**) opportunist
opportuniżm|u n.f. (pl. ~**i**) opportunism
opportunit|à f. (pl. ~**ajiet**) opportunity
oppost pp. opposed
oppożizzjoni n.f. (pl. ~**jiet**) opposition
oppressjoni n.f. (pl. ~**jiet**) oppression
oppressur n.m. (pl. ~**i**) oppressor
opra v. to operate
opr|a n.f. (pl. ~**i**) opera
opramort|a n.f. (pl. ~**i**) battlement
oprat pp. operated
opta v. to choose
optat pp. opted
opzjoni n.f. (pl. ~**jiet**) option
orakl|u n.m. (pl. ~**i**) oracle
oral n.m. (pl. ~**i**) oral
orali aġġ. oral
orangutan n.m. (pl. ~**i**) orang-outang, orangutan
orarj|u n.f. (pl. ~**i**) timetable
oratorj|a n.f. (pl. ~**i**) oratory, eloquence
oratorju n.m. (pl ~**i**) oratory, chapel; (muż.) oratorio
oratur n.m. (pl. ~**i**) orator
orazzjoni n.f. (pl. ~**jiet**) oration, prayer
orbit|a n.f. (pl. ~**i**) orbit
ordinali aġġ. ordinal
ordinanz|a n.f. (pl. ~**i**) ordinance
ordinarju aġġ. ordinary; ordinarjament avv. ordinarily
ordinazzjoni n.f. (pl. ~**jiet**) ordination
ordna v. to order, to command, to commission
ordnat pp. ordered, commanded
ordni n.m. (pl. ~**jiet**) order; ~ **alfabetiku** alphabetical order; ~ **kronoloġiku** chronological order

orfanotrofj|u n.m. (pl. ~**i**) orphanage
orfn|u n.m. (pl. ~**i**) orphan
orġj|a n.f. (pl. ~**i**) orgy
organdin n.m. (pl. ~**ijiet**) ordandis
organett n.m. (pl. ~**i**) hand organ
organiku aġġ. organic
organist|a n.m. (pl. ~**i**) organist
organizza v. to organize
organizzat pp. organized
organizzatur n.m. (pl. ~**i**) organizer; (ktejjeb tal-appuntamenti) organizer; (djarju elettroniku) personal organizer
organizzazzjoni n.f. (pl. ~**jiet**) organization
organiżm|u n.m. (pl. ~**i**) organism
organ|u n.m. (pl. ~**i**) organ
organza n.f. (bla pl.) organzine
orgażm|u n.m. (pl. ~**i**) orgasm
orgni n.m. (pl. ~**jiet**) organ
orħos komp. cheaper
orifjamma n.f. (pl. ~**i**) oriflamme
oriġinal n.m. (pl. ~**ajiet**) original
oriġinalit|à n.f. (pl. ~**jiet**) originality
oriġinali aġġ. original
oriġini n.m. (pl. ~**jiet**) origin
orizzont n.m. (pl. ~**i**) horizon
orizzontali aġġ. horizontal
orizzontalment avv. horizontally
orjent n.m. (bla pl.) east, orient
orjenta v. to orient os., to find/get one's bearings
orjentat pp. oriented os.
orjentali aġġ. eastern, oriental
ork|a n.f. (pl. ~**i**) orc, orca
orkestr|a n.f. (pl. ~**i**) orchestra
orkestrali aġġ. orchestral
orkestrazzjon|i n.f. (pl. ~**jiet**) orchestration
orkestrin|a n.f. (pl. ~**i**) orchestrina
orkide|a n.m. (pl. ~**i**) orchid
ork|u n.m. (pl. ~**i**) ogre
orlatur|a n.f. (pl. ~**i**) hemming, rimming
orl|u n.m. (pl. ~**i**) border, edge
ornament n.m. (pl. ~**i**) ornament
ornat n.m. (pl. ~**i**) ornamentation
ornitoloġij|a n.f. (pl. ~**i**) ornithology
ornitoloġiku aġġ. ornithological
ornitolog|u n.m. (pl. ~**i**) ornithologist
orografij|a n.f. (pl. ~**i**) orography
oroskopij|a n.f. (pl. ~**i**) horoscope
oroskopiku aġġ. horoscopic(al)
oroskop|u n.m. (pl. ~**i**) horoscope
orrajt avv. all right
orribbilment avv. horribly
orribbli aġġ. horrible
orrur n.m. (pl. ~**i**) horror
ors n.m. (pl. ~**ijiet**) bear; **lagħabha tal-~** he annoyed the people
ort n.m. (pl. ~**ijiet**) garden
ortensj|a n.f. (pl. ~**i**) hydrangea
ortikarj|a n.f. (pl. ~**i**) nettle-rash
ortikultur|a n.f. (pl. ~**i**) horticulture
ortodoss aġġ. orthodox
ortodossij|a n.f. (pl. ~**i**) orthodoxy
ortografij|a n.f. (pl. ~**i**) orthography
ortografiku aġġ. orthographical
ortopedij|a n.f. (pl. ~**i**) orthopaedy
ortopediku aġġ. orthopaedic(al)
ortulan n.m. (pl. ~**i**) ortolan
orza ara **olza**
osanna ara **hosanna**
oskul|u n.m. (pl. ~**i**) osculation
oskur aġġ. obscure
oskura v. to darken, to obsure, to dim
oskurat pp. darkened, obsured, dimmed
oskurantiżm|u n.m. (pl. ~**i**) obscurantism
oskurit|à n.f. (pl. ~**ajiet**) obscurity
ossarj|u n.m. (pl. ~**i**) ossuary
osserva v. to observe, to twig
osservant aġġ. n.m. (pl. ~**i**) observant
osservanz|a n.f. (pl. ~**i**) observance
osservat pp. observed
osservatorj|u n.m. (pl. ~**i**) observatory
osservatur n.m. (pl. ~**i**) observer
osservazzjoni n.f. (pl. ~**jiet**) observation
ossessjoni n.f. (pl. ~**jiet**) obsession
ossiġenat aġġ. oxygenated; **ilma** ~ hydrogen peroxide
ossiġen|u n.m. (pl. ~**i**) oxygen
ostaġġ n.m. (pl. ~**i**) hostage
ostakola v. to hinder
ostakolat aġġ. hindered
ostakol|u n.m. (pl. ~**i**) obstacle
ostensorj|u n.m. (pl. ~**i**) ostensory
ostentazzjoni n.f. (pl. ~**jiet**) ostentation
osterij|a n.f. (pl. ~**i**) inn, tavern
ostetriċj|a n.f. (pl. ~**i**) obstetrics, midwifery
ostetri|ku n.m. (pl. ~**ċi**) obstetrician
ostili aġġ. hostile
ostilit|à n.f. (pl. ~**ajiet**) hostility
ostj|a n.f. (pl. ~i) host
ostjarj|u n.m. (pl. ~**i**) door-keeper
ostraċiżm|u n.m. (pl. ~**i**) ostracism
ostrik|a n.f. (pl. ~**i**) oyster
ostruzzjoni n.f. (pl. ~**jiet**) obstruction, snag, obstacle
ostruzzjonist n.m. (pl. ~**i**) obstructionist
ostruzzjoniżm|u n.m. (pl. ~**i**) obstructionism
otite n.f. (pl. ~**jiet**) otitis
otoskopj|u n.m. (pl. ~**i**) otoscope

ottagonali aġġ. octagonal
ottagon|u n.m. (pl. ~**i**) octagon
ottangulari aġġ. octangular
ottattiv n.m. (pl. ~**i**) optative
ottav|a n.f. (pl. ~**i**) octave; ~**a tal-Għid** the octave of Easter
ottavarj|u n.m. (pl. ~**i**) octave
ottavin n.m. (pl. ~**i**) octave-flute
ottika n.f. (bla pl.) optics
ottiku aġġ. optic, optical
ottik|u n.m. (pl. ~**i**) optician
ottimist n.m. (pl. ~**i**) optimist
ottimiżmu n.m. (pl. ~**i**) optimism
ottimu aġġ. very good, excellent
ottjena v. to obtain
Ottoman aġġ. Ottoman
ottonarj|u n.m. (pl. ~**i**) octosyllabic
ottu eight; **ġabu** ~ he put him in big trouble; **erfagħli l-**~! it does not cost a shilling!
Ottubru n.pr. October
ottuplu aġġ. octuple
ottuż aġġ. obtuse
ovali aġġ. oval
ovarj|u n.m. (pl. ~**i**) ovary
ovat aġġ. ovate, egg-shaped
ovazzjoni n.f. (pl. ~**jiet**) ovation
overoll n.m. (pl. ~**ijiet**) overall
ovier|a n.f. (pl. ~**i**) egg-cup
ovvjament avv. obviously
ovvju aġġ. obvious, clear
oxxen aġġ. obscene
oxxenit|à n.f. (pl. ~**ajiet**) obsceneness, vulgarity, crudeness
oxxilla v. to oscillate
oxxillat pp. oscillated
oxxillatur n.m. (pl. ~**i**) oscillator
oxxillazzjoni n.f. (pl. ~**jiet**) oscillation
ozj|u n.m. (pl. ~**i**) idleness, laziness
ozjuż aġġ. idle, lazy, lethargic
ozone friendly n.m. (bla pl.) ozone friendly
ożonu n.m. (bla pl.) ozone; **saff tal-**~ ozone layer

P p

p a labial letter, twentieth letter of the alphabet and fifteenth of the consonants

pa n.m. (pl. ~**pajiet**) short for **papà**, father

pa n.m. (bla pl.) pa

paċenzj|a n.f. (pl. ~**i**) patience

paċenzjuż aġġ. patient, indulgent, forbearing

paċi n.f. (bla pl.) peace; **lagħab għall-~** he tried to win back what he had lost; **qegħdin** ~ we have sorted things out between us

paċier n.m. (pl. ~**a**) peacemaker

paċifikat pp. pacified

paċifikatur n.m. (pl. ~**i**) pacifier, peacemaker

paċifikazzjoni n.f. (pl. ~**jiet**) pacification

paċifiku aġġ. peaceful, pacific; **l-Ocean P~** Pacific Ocean

paċifist n.m. (pl. ~**i**) pacifist

paċifiżm|u n.m. (pl. ~**i**) pacifism

paċoċċ(u) aġġ. n.m. (pl. ~**i**) a good for nothing

paċpaċ v. to tattle, to blab, to gaggle

padell|a n.f. (pl. ~**i**) bed pan

padiljun n.m. (pl. ~**i**) pavilion

padrun n.m. (pl. ~**i**) master, landlord

paġama ara **piġama**

paġell n.m.koll. f. ~**a** (pl. ~**iet**) sea bream; ~ **aħmar** pandora; ~ **tal-garġi** red bream

paġell|a n.f. (pl. ~**i**) official document

paġġ n.m. (pl. ~**i**) page, footboy

paġġatur n.m. (pl. ~**i**) gallery

paġn|a n f. (pl. ~**i**) page

pag|a n.f. (pl. ~**i**) pay, salary

pagabbli aġġ. payable

pagament n.m. (pl. ~**i**) payment; **avviż ta'** ~ notice of payment

pagan n.m. (pl. ~**i**) pagan, heathen

paganiżm|u n.m. (pl. ~**i**) paganism

pagatur n.m. (pl. ~**i**) payer

pagn|a n.f. (pl. ~**i, pwagen**) sauce-pan

pagod|a n.f. (pl. ~**i**) pagoda

pagr|u n.m. (pl. ~**i**) sea bream

pagun n.m. (pl. ~**i**) peacock

paħpaħ v. to speak in stifled water; (rattab) to make tender; (bl-ilma) soak in a delicate manner

pajjiż n.m. (pl. ~**i**) country

pajp n.m. (pl. ~**ijiet**) pipe

Pajreks n.m. (bla pl.) Pyrex®

pajsaġġ n.m. (pl. ~**i**) landscape

pajunier ara **pijunier**

pajżan n.m. (pl. ~**a**) fellow countryman; **liebes** ~ civilian dressed

pakiderm n.m. (pl. ~**i**) pachyderm

pakk n.m. (pl. ~**i**) parcel, pack

pakkett n.m. (pl. ~**i**) packet

pakkettjat ara **(i)ppakkettjat**

pakkuttilja n.f. (pl. ~**i**) shoddy work

pal n.m. (pl. ~**i**) stake

pal|a n.f. (pl. ~**i**, ~**iet**) shovel, bat; ~**a tal-forn** peel; ~**a tal-id** palm; ~**a ta' moqdief** oar-blade; **sieq/id daqs ~a tal-bajtar** a very big sole/palm

paladin n.m. (pl. ~**i**) paladin; **donnu** ~ a well-built man

palamit n.m. (pl. ~**i**) skip-jack

palat n.m. (pl. ~**i**) taste

palat|a n.f. (pl. ~**i**) row; (għajnuna) help; **tah ~a** he really helped him

palatali aġġ. palatal

palazz n.m. (pl. ~**i**) palace; **dar qisha** ~ a very big house

palell|a n.f. (pl. ~**i**) oar-blade

palelli avv. openly, publicly; **kollox** ~ without secrets

paleografij|a n.f. (pl. ~**i**) palaeography

paleografiku aġġ. paleographic

paleograf|u n.m. (pl. ~**i**) paleographer

paleolitiku aġġ. palaeolitic

paleontoloġij|a n.f. (pl. ~**i**) palaeontology

palenteoloġiku aġġ. palaeontological

paleontolog|u n.m. (pl. ~**i**) palaentologist

paleożojku aġġ. palaeozoic

palestr|a n.f. (pl. ~**i**) palestra, gymnasium

palett|a n.f. (pl. ~**i**) pallet; (xorta ta' sikkina) pallette-knife; (xorta t'għasfur) spoonbill

palettun|a n.m. (pl. ~**i**) shoveler

palik(k) n.m. (pl. ~**ijiet**) toothpick; **baqa'** ~ he was left penniless

palindrom n.m. (pl. ~**i**) palindrome
palinġenesi n.f. (pl. ~**jiet**) palingenesis
palinsest n.m. (pl. ~**i**) palimpsest
palizzat|a n.f. (pl. ~**i**) palisade
palja aġġ. straw-colour
paljaċċat|a n.f. (pl. ~**i**) foolish-act
paljaċċ|u n.m. (pl. ~**i**) clown, buffoon
paljazz|a n.f. (pl. ~**i**) clout
paljett n.m. (pl. ~**i**) mat
paljol n.m. (pl. ~**i**) dunnage
palj|u n.m. (pl. ~**ijiet**) banner; (imrewħa, eċċ.) fan; **ħa ~u** he took a stubborn attitude; **ma tiħux ~u miegħu** he does not listen to suggestions
palk n.m. (pl. ~**i**) stage; ~ **tal-banda** bandstand
palkett n.m. (pl. ~**i**) box; small stage
pall|a n.f. (pl. ~**i**) pall
pallidu aġġ. pale
pallj|u n.m. (pl. ~**i**) pallium, pall
palm n.m.koll. f. ~**a** (pl. ~**at**) palm; **Ħadd il-~** Palm Sunday
palmipedu aġġ. palmiped, plamipede, web-footed
palomb|a n.f. (pl. ~**i**) siren, hooter
palpabbli aġġ. palpable
palpebr|a n.f. (pl. ~**i**) eyelid
palpitazzjoni n.f. (pl. ~**jiet**) palpitation
palptat ara **(i)ppalptat**
palptu n.m. (bla pl.) throb, beat
palumbrell|a n.f. (pl. ~**i**) stock dove
pamflet n.m. (pl. ~**s**) pamphlet
pampier n.m. (pl. ~**i**) piper
panaċe|a n.f. (pl. ~**i**) panacea
Panama n.m. (bla pl.) Panama
panċer n.f. (pl. ~**s**) puncture, flat tyre
panċier|a n.f. (pl. ~**i**) corset
pandemonj|u n.m. (pl. ~**i**) pandemonium, extreme confusion
pan(e)dispanj|a n.f. (pl. ~**i**) sponge-cake
paneġierk|u n.m. (pl. ~**i**) panegyric
paneġirist n.m. (pl. ~**i**) panegyrist
panew n.m. (pl. ~**ijiet**) panel
paniku n.m. (bla pl.) panic
panikuż aġġ. panicky
panjol n.m. (pl. ~**i**) greeneye
pankreas n.f. (bla pl.) pancreas
pann|a n.f. (pl. ~**i**) cream
pannell n.m. (pl. ~**i, pnienel**) pack-saddle
pannella n.f. (bla pl.) tinsel
pann|u n.m. (pl. ~**ijiet**) woolen cloth, coarse cloth; **raqqa' l-~ bil-qara' aħmar** he tried to sort things out in a rough way
panoram|a n.f. (pl. ~**i**) panorama
pantalun n.m. (pl. ~**i**) pantaloon
pantar n.m. (pl. ~**i**; ~**ijiet**) bog, fen
panteist n.m. (pl. ~**i**) pantheist
panteistiku aġġ. pantheistis(al)
panteiżm|u n.m. (pl. ~**i**) pantheism
panter|a n.f. (pl. ~**i**) panthera
pantoffl|a n.f. (pl. ~**i**) slipper
pantomin|a n.m. (pl. ~**i**) pantomime
pantor n.m. (pl. **pnatar**) flounce
Pap|a n.m. (pl. ~**iet**) Pope; **darba tmiss lill-~a** life can be unfortunate with every one of us
pap|à n.m. (pl. ~**ajiet**) papa, dad, daddy
papabbli aġġ. elegible to the papacy
papali aġġ. papal; (kbir ħafna) enormous; (xebgħa) soundly
papalin|a n.f. (pl. ~**i**) skull-cap
papas n.m. (pl. ~**ijiet**) papas; **qala' ~u** he grew very tired
papat n.m. (pl. ~**i**) papacy
papavr|u n.m. (pl. ~**i**) poppy
papiros n.m. (bla pl.) papyrus
papir|u n.m. (pl. ~**i**) papyrus
papoċċ n.m. (pl. ~**i**) slipper
papoċċi n.f.koll. snapdragon
pappa v. to gorge, to gobble up, to eat up; **pappieha tajjeb** he spent an easy life
pappafik n.m. (pl. ~**i**) top gallant mast
pappagall n.m. (pl. ~**i**) parrot; **bħall-~** he always repeats without knowing what he's saying; **donnu** ~ he can't keep a secret
pappamosk n.m. (pl. ~**i**) fly-catcher
papr|a n.f. (pl. ~**i**) duck; ~**a tal-barr** mallard; **papri**: **bħall-~i** he goes to excrete immediately after eating; **papru**: n.m. **ċafċaflu** ~ no one is helping him to sort out the mess he is making
paqq the sound of sth. bursting; **tahielu ~ fuq wiċċu** he gave him a good blow; ~ **pumm** quickly
par n.m. (pl. ~**i**) pair; **bil-~ f'idu** he always leads the discussion the way he wants it
parabbol|a n.f. (pl. ~**i**) parable; parabola
parabboli ara **parabbola**; **ġie b'ħafna** ~ he did not speak in an easy and clear way
paradimm|a n.f. (pl. ~**i**) paradigm
paradoss n.m. (pl. ~**i**) paradox
paradossali aġġ. paradoxical
parafang|u n.m. (pl. ~**i**) mudguard
parafernalj|a n.m. (pl. ~**i**) paraphernalia
parafin|a n.m. (pl. ~**i**) paraffin
parafrażi n.f. (pl. ~**jiet**) paraphrase
parafulmni n.f. (pl. ~**jiet**) lightning-conductor
paragoge n.f. (pl. ~**jiet**) paragoge
paragraf|u n.m. (pl. ~**i**) paragraph
paragun n.m. (pl. ~**i**) comparison
paragunabbli aġġ. comparable

paragunat pp. compared (with)
paraklitu n.m. (bla pl.) paraclete
paralisi n.f. (pl. ~**jiet**) paralysis
paralitik|u aġġ. paralytic
paralizzat pp. parlaysed
parallel aġġ. n.m. (pl. ~**i**) parallel
paralleliżm|u n.m. (pl. ~**i**) parallelism
parallelogramm n.m. (pl. ~**i**) parallelogram
paralloġiżmu n.m. (pl. ~i) paralogism
paralum n.m. (pl. ~**i**) lamp-shade
parament n.m. (pl. ~**i**) ornament; ~ **sagri** canonicals
parametru n.m. (pl. ~**i**) parameter
paramezzal n.m. (pl. ~**i**) keelson, kelson
parank n.m. (pl. ~**i**; ~**ijiet**) tackle, sling, pulley; **irid ~ biex jiċċaqlaq** he takes his time to do sth.
paranojja n.f. (bla pl.) paranoia, paranoea
paranz|a n.f. (pl. ~**i**) fishing-boat
parapett n.m. (pl. ~**i**) parapett
parapleġij|a n.f. (pl. ~**i**) paraplegia
parasol n.f. (pl. ~**ijiet**) parasol
parassit n.m. (pl. ~**i**) parasite
parastatali aġġ. parastatal
parata n.f. (pl. ~**i**) parade, review
paravent|u n.m. (pl. ~**i**) screen
paraxut n.m. (pl. ~**ijiet**) parachute
paraxutist n.m. (pl. ~**i**) parachutist
parċmin|a n.m. (pl. ~**i**) parchment, sheepskin
parentel|a n.m. (pl. ~**i**) relationship
parentesi n.f. (pl. ~**jiet**) parenthesis
parenz|a ara **apparenza**
par excellence inter. par excellance
pareżi n.f. (pl. ~**jiet**) paresis
pari avv. equally
pariġġ n.m. (pl. ~**i**) equalization
pariġġat pp. compared
parilj|a n.f. (pl. ~**i**) pair of horses; **fihom** ~ they really get together well
parir n.m. (pl. ~**i**) advice, councel
parit n.m. (pl. ~**i**) trammel
park n.m. (pl. ~**ijiet**) park
park|è n.m. (pl. ~**ejiet**) parquet
parla v. to speak, to talk
parlament n.m. (pl. ~**i**) parliament, **Membru tal-~** Member of Parliament
parlamentari aġġ. parliamentary
parlat|a n.f. (pl. ~**i**) talk, speech
parlatorj|u n.m. (pl. ~**i**) parlour
parmiġġan aġġ., n.m. (pl. ~**i**) parmesan; **ġobon** ~ parmesan cheese
paroċċi n (pl. bla s) blinkers
parodij|a n.f. (pl. ~**i**) parody
parpanjol n.m. (pl. ~**i**) cukoo-wrasse
parpar v. to run away
parriċid|a n.m. (pl. ~**i**) parricide
parrin|u n.m. (pl. ~**i**) god-father
parroċċ|a n.f. (pl. ~**i**) parish; **x'~ għandu** he has a big belly
parrokk|a n.f. (pl. ~**i**) wig, peruke, periwig
parrokkjali aġġ. parochial
parruċċan n.m. (pl. ~**i**) parishoner; (klijent) customer
parrukkett n.m. (pl. ~**i**) paroquet; (ta' bastiment, eċċ.) fore-top sail
parrukkier n.m. (pl. ~**a**) barber, hairdresser; **miġġieled mal-~** he let his hair grow long
parsimonj|a n.f. (pl. ~**i**) parsimony
parsott n.m.koll. f. ~**a** (pl. ~**iet**) violet fig
parta v. to depart, to leave
partat v. to barter, to exchange, to swap
parteċipant n.m. (pl. ~**i**) participator, partaking, sharing
parteċipat pp. announced
parteċipazzjoni n.f. (pl. ~**jiet**) participation
partenz|a n.f. (pl. ~**i**) departure
parterr n.m. (pl. ~**ijiet**) parterre
parti n.f. (pl. ~**jiet**) part, role
parti n.m. (parties) party
partiċell|a n.f. (pl. ~**i**) particle
partiċipjali aġġ. participial
partiċipj|u n.m. (pl. ~**i**) participle
partiġġjan aġġ., n.m. (pl. ~**i**) partisan
partiġġjanerij|a n.f. (pl. ~**i**) partisanship
partikul|a n.f. (pl. ~**i**) host
partikulari aġġ. particular
partikularit|à n.f. (pl. ~**ajiet**) particularity
partikularment avv. particularly
partit n.m. (pl. ~**i**) party; **sab ~ tajjeb** he is going to marry a rich girl
partit|a n.f. (pl. ~**i**) match, game
partitarj|u n.m. (pl. ~**i**) partisan
partitur|a n.f. (pl. ~**i**) score
partun n.m. (pl. ~**i**) brill
parzjali aġġ. partial; **eklissi** ~ partial eclipse
parzjalit|à n.f. (pl. ~**ajiet**) partiality
parzjalment avv. partially
Paskwa n.f. (bla pl.) Easter
paspar v. to forge; (peċlaq) to speculate
pass n.m. (pl. ~**i**) pace, step, footstep; ~ **fil-vojt** a setback; **progress b'~i ta' ġgant** a very striking progress; **qatgħu** ~ he gave him a short lift; ~ **ta' nemla** very slowly; ~ **wara** ~ in a gradual way; **qagħad ~ lura** he was cautious; **passi: mar jagħmel żewġ** ~ he went out for a short walk; **mexa fuq il-~ tagħha** he lived a life similar to hers
passa n.f. (pl. **pases**) season; (epidemija) epidemic

passa v. to pass
passabbli aġġ. passable
passaġġ n.m. (pl. ~**i**) passage
passaport n.m. (pl. ~**i**) passport
passat n.m. (pl. ~**i**) past, past time
passat|a n.m. (pl. ~**i**) coating; **għaddieh ~a** he really had a good laugh on him
passatemp n.m. (pl. ~**ijiet**) pastime
passatur n.m. (pl. ~**i**) colander, cullender, strainer; ~ **tat-te** tea strainer
passiġġat|a n.f. (pl. ~**i**) walk, promenade
passiġġier n.m. (pl. ~**i**) passenger
passiġġier|a n.m. (pl. ~**i**) perch
passiv aġġ. passive
passivament avv. passively
passivit|à n.f. (pl. ~**ajiet**) passivity
passjonali aġġ. passional
passjoni n.f. (pl. ~**jiet**) passion; **Ġimgħa tal-~** Passion Week; **warda tal-~** passion flower; **ra l-~** he really suffered
passjonist n.m. (pl. ~**i**) passionist
Passj|u n.m. (pl. ~**ijiet**) the Passion
passolin|a n.f. (pl. ~**i**) currant
past n.m. (pl. ~**i**) meal, food, ailment, course
past|a n.f. (pl. ~**i**) piece of sweet
pastard n.m.koll. f. ~**a** (pl. ~**iet**) cauliflower
pastaż aġġ. n.m. (pl. **psataż**) porter, (bniedem ħażin) villain; (travi) crossbeam, purlin, ridgepole
pastell n.m. (pl. ~**i**) pastel
pastellist n.m. (pl. ~**i**) pastellist
pastilj|a n.f. (pl. ~**i**) pastil, pastille; (tal-ħelu, eċċ.) tablet
pastizz n.m. (pl. ~**i**) cheesecake, pie, pastry; **qisu** ~ (inf.) he is really dumb
pastizzar n.m. (pl. ~**a**) pastry-cook, pie-man
pastizzerij|a n.f. (pl. ~**i**) pastry-shop
pastizzott n.m. (pl. ~**i**) light pastry
pastoral n.m. (pl. ~**i**) crosier, pastoral staff
pastorali aġġ. n.m. (pl. ~**jiet**) pastoral; **ittra** ~ pastoral letter; **poeżija** ~ pastoral poetry
pastorizzat pp. pasteurized
pastorizzazzjoni n.f. (pl. ~**jiet**) pasteurization
pastur n.m. (pl. ~**i**) figurine; **donnu** ~ he is really without zeal
patafjun n.m. (pl. ~**i**) copiousness, abudance
patat|a n.f.koll. (pl. ~**iet**) potato; ~**a maxx** mashed potatoes; ~**a mgħollija** boiled potatoes; ~**a moqlija** chips; **bela' ~a** he has a fat face
patella n.f. (pl. ~**i**) knee-cap
paten|a n.f. (pl. ~**i**) paten
patent|a n.f. (pl. ~**i**) certificate, diploma
paternali n.f. (pl. ~**jiet**) reprimand, rebuke
pater noster n.m. (bla pl.) pater noster; **jisimgħu l-~!** he has really big ears
patetikament avv. pathetically
patetiku aġġ. pathetic
patibol|u n.m. (pl. ~**i**) gallows, scaffold
patin|a n.f. (pl. ~**i**) patina
patoġeniku aġġ. pathogenic
patoloġij|a n.f. (pl. ~**i**) pathology
patoloġiku aġġ. pathological
patolog|u n.m. (pl. ~**i**) pathologist
patri n.m. (pl. ~**jiet**) monk, friar
patrij|a n.m. (pl. ~**i**) native country
patrijark|a n.m. (pl. ~**i**) patriarch
patrijarkali aġġ. patriarchal; **dehra** ~ patriarchal looks; **knisja** ~ patriarchal church
patrijarkat n.m. (pl. ~**i**) matriarcate, patriarchism
patrijott n.m. (pl. ~**i**) patriot
patrijottiku aġġ. patriotic
patrijottiżm|u n.m. (pl. ~**i**) patriotism
patrimonjali aġġ. patrimonial
patrimonj|u n.m. (pl. ~**i**) patrimony
patristiku aġġ. patristic
patroċinj|u n.m. (pl. ~**i**) patronage
patroloġij|a n.f. (pl. ~**i**) patristics
patronimik|u aġġ., n.m. (pl. ~**i**) patronymic
patrun n.m. (pl. ~**i**) patron
patrunanz|a n.f. (pl. ~**i**) mastery, command
patrunat n.m. (pl. ~**i**) patronage
patt n.m. (pl. ~**ijiet**) pact, condition, agreement
patta v. to make even, to atone for; (ivvendika ruħu) to be avenged // n.f. quits; ~ **para** ~ tit for tat; ~ **tal-ankra** fluke
pattiżmu: **ħadlu l-~ ta' moħħu/rasu** he really annoyed him
pattjat ara **(i)ppattjat**
pattulj|a n.f. (pl. ~**i**) patrol
pavaljun n.m. (pl. ~**i**) valance flaps
pavan|a n.f. (pl. ~**i**) pavan
paviment n.m. (pl. ~**i**) pavement
pavr|u n.m. (pl. ~**i**) lapel
pavunazz aġġ. peacock-blue, purple
paws|a n.f. (pl. ~**i**) pause
pax|à n.m. (pl. ~**ajiet**) pasha
paxxa v. to content, to please
paxxut pp. contented, easy-going
PAYE n.m. (pl. ~**s**) PAYE; abbr. of Pay As You Earn
pazjent n.m. (pl. ~**i**) patient
PE n.m. (bla pl.) PE; abbr. of Physical Education
peċpeċ v. to blink, to half-shut the eyes; (dawwar) to spin uneven
pedaġġ n.m. (pl. ~**i**) gratuity
pedagoġij|a n.f. (pl. ~**i**) pedagogy

pedagoġiku aġġ. pedagogic(al)
pedagoġist n.m. (pl. ~**i**) pedagogist
pedal n.m. (pl. ~**i**) pedal; ~ **ta' orgni** foot-key; **magna bil-~** treadle machine
pedalwett n.m. (pl. ~**i**) rocket larskspur
pedament n.m. (pl. ~**i**) foundation, base
pedan|a n.f. (pl. ~**i**) platform
pedanterij|a n.f. (pl. ~**i**) pedantry
pedanti aġġ. pedant
pedat|a n.f. (pl. ~**i**) footprint
pederast|a n.m. (pl. ~**i**) p(a)ederast
pedidalwett ara **pedalwett**
pedikjur n.m. (bla pl.) pedicure
pedillivj|u n.m. (pl. ~**i**) foot-bath
pedin|a n.f. (pl. ~**i**) pawn, man; **qegħdilha ~a** he went to say to his superiors what she had made; **lagħab ~a** he made a move
pedinat pp. followed
pedistall n.m. (pl. ~**i**) pedestal
pediatrij|a n.f. (pl. ~**i**) p(a)ediatrics, pediatry
pedometr|u n.m. (pl. ~**i**) pedometer
pedun|a n.m. (pl. ~**i**) sock
peġġorament n.m. (pl. ~**i**) worsening, aggravation
peġġjorattiv aġġ. pejorative
pejjep v. to smoke; ~ **lil xi ħadd** he made fun of someone
pejjez v. to chirp
pejjiep n.m. (pl. ~**a**) smoker
pejoff: **bil-~** he put him on the dole; **taha l-~** he left her
pekulat n.m. (pl. ~**i**) peculation
pekuljari aġġ. peculiar
pekuljarit|à n.f. (pl. ~**ajiet**) peculiarity
pellegrin n.m. (pl. ~**i**) pilgrim
pellegrin|a n.f. (pl. ~**i**) pelegrine
pellegrinaġġ n.m. (pl. ~**i**) pilgrimage
pellikan n.m. (pl. ~**i**) pelican
pellikol|a n.m. (pl. ~**i**) pellicle, membrane
penali n.m. (pl. ~**jiet**) penalty, fine
penali aġġ. penal; **kawża** ~ criminal suit; **liġi** ~ penal law, criminal law
penalti n.f. (pl. ~**s**) penalty
pendent n.m. (pl. ~**i**) pendant, ear-drop
pendenti aġġ. pending
pendenz|a n.f. (pl. ~**i**) pendency
pendil n.m. (pl. ~**i**) slant
pendl|u n.m. (pl. ~**i**) pendulum
pendulin n.m. (pl. ~**i**) penduline tit
penetranti aġġ. penetrating
penetrat pp. penetrated
penetrazzjoni n.f. (pl. ~**jiet**) penetration
penesillina n.f. (bla pl.) penecillin
penit n.m. (pl. ~**i**) barley sugar; **ħelu** ~ very sweet
penitent n.m. (pl. ~**i**) penitent
penitenz|a n.f. (pl. ~**i**) penance
penitenzerij|a n.m. (pl. ~**i**) penitentiary
penitenzier n.m. (pl. ~**i**) penitentiary
peniżola n.f. (pl. ~**i**) peninsula
peniżolari aġġ. peninsular
pennin|a n.f. (pl. ~**i**) nib
penombr|a n.f. (pl. ~**i**) penumbra
pensjer n.m. (pl. ~**i**) pansy
pensjonant n.m. (pl. ~**i**) pensioner
pensjonat pp. pensioned
pensjoni n.m. (pl. ~**jiet**) pension; ~ **tax-xjuħ** old age pension
pentagonali aġġ. pentagonal
pentagon|u n.m. (pl. ~**i**) pentagon
pentakol|u n.m. (pl. ~**i**) pentacle, pentagram
pentametr|u n.m. (pl. ~**i**) pentameter
Pentatewku n.m. (bla pl.) Pentateuch
Pentekost|e n.f. (pl. ~**ijiet**) Whit Sunday
pentiment n.m. (pl. ~**i**) repentance
penz n.m. (pl. ~**ijiet**) cheveron
pepè dandyism **tal-~** (inf.) a snobbish man/woman
pepermint n.f. (bla pl.) pepermint
peprin n.m.koll. f. ~**a** (pl. ~**at**) poppy; **aħmar** ~ very red
pepsina n.f. (bla pl.) pepsin
per annum (bla pl.) per annum
per capita (bla pl.) per capita
perenni aġġ. perennial
perentorju aġġ. peremptory
peress avv. on account of, due to the fact that
pereżempju avv. for instance
perfett aġġ. perfect
perfettament avv. perfectly
perfettibbli aġġ. perfectible
perfezzjonament n.m. (pl. ~**i**) perfecting, improvement
perfezzjonat pp. perfected, improved
perfezzjoni n.f. (pl. ~**jiet**) perfection
perfidj|a n.f. (pl. ~**i**) perfidiousness, perfidy
perfidu aġġ. perfidious, wicked
perforat ara **(i)pperforat**
perforatur n.m. (pl. ~**i**) perforator, piercer, borer
perforazzjoni n.f. (pl. ~**jiet**) perforation
pergamen|a n.f. (pl. ~**i**) parchment
pergl|a n.f. (pl. ~**i**) pergola, arbour
pergl|u n.m. (pl. ~**i**) pulpit
pergolat n.m. (pl. ~**i**) trellis
periant n.m. (pl. ~**i**) perianth
periferij|a n.f. (pl. ~**i**) perifery
periferiku aġġ. peripheric, peripherical
perifrażi n.f. (pl. ~**jiet**) periphrasis
periġew n.m. (pl. ~**ijiet**) perigee

perijod|u n.m. (pl. ~**i**) period
perikardiku aġġ. pericardic
perikardite n.f. (pl. ~**jiet**) pericarditis
perikardj|u n.m. (pl. ~**i**) pericardium
perikarpj|u n.m. (pl. ~**i**) pericarp
perikl|u n.m. (pl. ~**i**) danger, peril
perikolat ara **(i)pperikolat**
perikoluż aġġ. dangerous, perilious; **logħob** ~ perilious game
perimetr|u n.m. (pl. ~**i**) perimeter
perinew n.m. (pl. ~**ijiet**) perineum
periskopj|u n.m. (pl. ~**i**) periscope
peristilj|u n.m. (pl. ~**i**) peristyle
perit n.m. (pl. ~**i**) architect; (espert) expert
peritonew n.f. (pl. ~**ijiet**) peritoneum
peritonite n.f. (pl. ~**jiet**) peritonitis
perizj|a n.f. (pl. ~**i**) appraisement
perjodikament avv. periodically
perjodi|ku n.m. (pl. ~**ki**; ~**ċi**) periodical, magazine, review
perjodiku aġġ. periodic, periodical
perkaċċi n (pl. bla s) tips
perkażu avv. by chance
perklorat n.m. (pl. ~**i**) perchlorate
perkwiżizzjoni n.f. (pl. ~**jiet**) search
perl|a n.f. (pl. ~**i**) pearl
perlin|a n.f. (pl. ~**i**) sugar almond, comfit
permanenti aġġ. permanent
permanenz|a n.f. (pl. ~ **i**) permanence
permanganat n.m. (pl. ~**i**) permanganate
permeabbli aġġ. permeable
permess n.m. (pl. ~**i**) permission, licence // pp. permitted
permezz avv. through, by means of
permissibbli aġġ. permissible
permissjoni n.f. (pl. ~**jiet**) permission
permut|a n.f. (pl. ~**i**) permutation, exchange
permutazzjoni n.f. (pl. ~**jiet**) permutation
pern n.m. (pl. ~**ijiet**) pivot, axis
perniċi n.f. (pl. ~**jiet**) partridge
perniċott|a n.f. (pl. ~**i**) common pratincole
però konġ. but, however, nevertheless
perorat ara **(i)pperorat**
pernospra n.f. (bla pl.) peronospora
perorazzjoni n.f. (pl. ~**jiet**) peroration
perossidu n.m. (bla pl.) peroxide
perpendikulari aġġ. perpendicular
perper v. to wave
perpetwalment avv. perpetually
perpetwu aġġ. perpetual
perpless aġġ. perplexed
perplessit|à n.f. (pl. ~**ajiet**) preplexity
perpur n.m. (pl. **prieper**) scarecrow
perreċ v. to air, to weather; (dokument, eċċ.) to display, to publish
persegwitat pp. persecuted
persekutur n.m. (pl. ~**i**) persecutor
persekuzzjoni n.f. (pl. ~**jiet**) persecution
persentaġġ n.m. (pl. ~**i**) percentage
perseveranti aġġ. persevering
perseveranz|a n.f. (pl. ~**i**) perseverance
persistenti aġġ. persistent
persistenz|a n.f. (pl. ~**i**) persistence
persjan|a n.f. (pl. ~**i**) persienne, window blind
persona non grata (bla pl.) persona non grata
personaġġ n.m. (pl. ~**i**) personage; (karattru) character
personal n.m. (bla pl.) staff
personali aġġ. personal
personalit|à n.f. (pl. ~**ajiet**) personality
personalment avv. personally
personifikat pp. personified
personifikazzjoni n.f. (pl. ~**jiet**) personification
perspikaċi aġġ. perspicacious
persun|a n.f. (pl. ~**i**) person; **fih** ~**a** a well-built man
persunaġġ ara **personaġġ**
persważ pp. persuaded
persważiv aġġ. persuasive
persważiv|a n.f. (pl. ~**i**) persuasiveness
persważjoni n.f. (pl. ~**jiet**) persuasion
perżut n.m.koll. f. ~**a** (pl. **prieżet**) ham
pespes v. to pip, to peep, to twitter
pespus aġġ. delicate, thin, slender
pespus n.m. (pl. **psiepes**) meadow pipit; ~ **aħmar** red-throated pipit; ~ **tal-baħar** wood sandpiper; **donnu** ~ a very short and thin man; **għadu** ~ he is still young
pessimist n.m. (pl. ~**i**) pessimist
pessimiżm|u n.m. (pl. ~**i**) pessimism
pessmu aġġ. very bad, horrible
pest n.m. (pl. ~**ijiet**) pest
pest|a n.f. (pl. ~**i**) plague, pest; **jinten seba'** ~**i** he stinks a lot; **lanqas li kellu l-**~**a**! why is it that you do not want to speak to him?; **maħmuġ** ~**a** very dirty
pestilenz|a n.f. (pl. ~**i**) pestilence
petal|u n.m. (pl. ~**i**) petal
petit|u n.m. (pl. ~**i**) fribble
petizzjoni n.f. (pl. ~**jiet**) petition
petpet v. to blink
petrarkjan aġġ. petrarchian
petriċa n.f. (pl. ~**i**) angler fish
petrifikat pp. petrified
petrifikazzjoni n.f. (pl. ~**jiet**) petrification
petrol n.m. (bla pl.) petrol

pett n.m. (pl. **~ijiet**) sole
pettnatur n.m. (pl. **~i**) comber
pettinatur|a n.f. (pl. **~i**) combing
pettne n.m. (pl. **~jiet**) comb
pettoral n.m. (pl. **~i**) pectoral
petulanti aġġ. petulant
petunj|a n.f. (pl. **~i**) petunia
pexpex v. to piss
pexxun n.m. (pl. **pxiexen**) calf
pezza n.f. (pl. **pezez**) piece; ~ **tajba/ħażina** a good/bad man; **dawk ~ waħda** they have such a similar character!; ~ **kwistjoni** he's always causing problems
phu inter. indicating contempt for someone or disgust at sth. ~ **għalih!** how stupid of him!
pidalwett ara **pedalwett**
pied n.m. (pl. **~i**) foot
pieg n.m. (pl. **~i**) pleat, fold, crease
piena n.f. (pl. **pwieni**) grief, suffering; (tal-qorti, eċċ.) punishment, penalty; ~ **tal-mewt** capital punishment
piġam|a n.f. (pl. **~i, ~iet**) pyjamas
pigment n.m. (pl. **~i**) pigment
pigmew n.m. (pl. **pigmej**) pygmy, dwarf
pijemij|a n.f. (pl. **~i**) pyemia, pyaemia
pijorrea n.f. (pl. **~jiet**) pyorrhoea
pijunier n.m. (pl. **~i**) pioneer
pik n.m. (pl. **~i**) peak
pik|a n.m. (pl. **~i**) pique
pikè n.m. (bla pl.) pique
piket n.m. (pl. **~ijiet**) picket
pikkanti aġġ. piquant
pikles n.m.pl. pickles
piknik n.f. (pl. **~ijiet**) picnic
pikuż aġġ. stubborn
pil n.m. (pl. **~ijiet**) hair
pilandra ara **piramida**
pilastr|u n.m. (pl. **~i**) pillar, stanchion
Pilatu Pontius Pilate; **bħal ~ fil-Kredu** without knowing how he had anything to do in the matter
pillol|a n.f. (pl. **~i**) pill
piloru n.m. (bla pl.) pylorus
pilot|a n.m. (pl. **~i**) pilot
pilotaġġ n.m. (pl. **~i**) pilotage
piluż aġġ. hairy
piment n.m. (pl. **~i**) pimento
pimpinella n.f. (bla pl.) pimpernel
pinġa v. to paint; **kif tarani pinġini** I possess only what I carry with me; **tfajla** (eċċ.) **ma tpinġihiex** a very beautiful girl (etc.)
pinġut pp. painted, depicted; **il-libsa ~a** fuqha that dress was made for her; **ma jaħmlux ~** he really hates him; (football) **ballun ~** to give/pass the perfect goal or when the ball finishes right in the corner of the post
pingpong n.f. (pl. **~ijiet**) ping-pong
pingwin n.m. (pl. **~i**) penguin
pinn|a n.f. (pl. **~i; pinen**) pen; **bil-~a u l-klamar ma'** to be ready to satisfy his requisites; **nadif ~a** very clean; **ix-xogħol ġabu ~a** he did a good and precise job; **tal-~a** professional worker
pinni hearth-strings **qalagħlu l-~ ta' qalbu** he really gave him a tough job
pinnaċċ n.m. (pl. **~i**) plume
pinnur n.m. (pl. **~i; pniener**) pennon, vane, streamer; (wieħed li jdur) a man who does not give much importance to principles and loyalty
pinta n.f. (pl. **pinet**) pint
pinzell n.m. (pl. **pniezel**) brush
pinzett|a n.f. (pl. **~i**) tweezer
pinzillat ara **(i)ppinzillat**
pip|a n.f. (pl. **~i**) pipe; **għaddieh bil-~a** he made fun of him; **ġej bil-~a** he wants to have a good laugh
pippistrell n.m. (pl. **~i**) pipistrel(le); **donnu ~a** very thin man
piramid|a n.f. (pl. **~i**) pyramid
pirat|a n.m. (pl. **~i**) pirate
piraterij|a n.f. (pl. **~i**) piracy
pirjol n.m. (pl. **~i**) prior
pirjolat n.m. (pl. **~i**) priorate
pirjolat aġġ. priorship
pispisell n.m. (pl. **~i**) sanderling
pissidi n.m. (pl. **~jiet**) pyx, ciborium
pistaċċ|a n.f. (pl. **~i**) pistachio
pistill n.m. (pl. **~i**) pistil
pistol|a n.f. (pl. **~i**) pistol
pistun n.m. (pl. **~i**) piston
pitarr|a n.f. (pl. **~i**) little bustard
pitarrun n.m. (pl. **~i**) great bustard
pitazz n.m. (pl. **~i**) copy-book, exercise-book
pitgħada avv. the day after tomorrow
pitirross n.m. (pl. **~i, ~ijiet**) robin, continental redbreast
pitrav|a n.f. (pl. **~i**) beet
pitrolju n.m. (bla pl.) petroleum, kerosene
pitter v. to paint
pittm|a n.f. (pl. **~i**) bore; **bniedem ~a** a very demanding person
pittur n.m. (pl. **~i**) painter
pittur|a n.f. (pl. **~i**) painting
pitturat ara **(i)ppitturat**
pitturesk aġġ. picturesque
pivjal n.m. (pl. **~i**) cope, pluvial
pixka v. to float

pixkerij|a n.m. (pl. ~**i**) fish market
pixkier|a n.f. (pl. ~**i**) fish-pond, fish-pool
pixxa v. to piss, to urinate // n.f. (bla pl.) a piss, urine
pixxatur n.m. (pl. ~**i**) urinal
pixxiajkl|a n.f. (pl. ~**i**) eagle ray
pixxikornut|u n.f. (pl. ~**i**) armed gurnard
pixxilun|a n.f. (pl. ~**i**) ray's bream
pixxin|a n.f. (pl. ~**i**) piscine
pixxiplamt|u n.f. (pl. ~**i**) porbeagle shark
pixxipork|u n.f. (pl. ~**ijiet**) angular rough
pixxisanpietru n.f. (bla pl.) John Dory
pixxispat n.f. (pl. ~**ijiet**) sword-fish
pixxitond|u n.f. (pl. ~**i**) mackerel shark
pixxitrumbett|a n.f. (pl. ~**i**) snipe-fish
pixxivolpi n.f. (bla pl.) thresher shark
pizza n.f. (pl. **pizez**) pizza
pizzikat n.m. (pl. ~**i**) pizzicato
Pizzolu: **antik ta'** ~ an ancient thing
piż n.m. (pl. ~**ijiet**) weight; ~ **nett** net weight; ~ **speċifiku** specific gravity
piżanti aġġ. heavy, weighty
piżatur n.m. (pl. ~**i**) weigher
piżell|a n.f. (pl. ~**i**, ~**iet**) pea
pjaċere (I'm) pleased to meet you
pjaċevoli aġġ. pleasant
pjaċir n.m. (pl. ~**i**) pleasure, joy, delight; (għajnuna) favour, kindness; ~ **ta' mitt skud,** ~ **bil-qawwa** a very big pleasure; **bniedem tal-**~ a man who is always ready to help
pjag|a n.f. (pl. ~**i**) wound, sore; **reġa' fetaħlu l-**~**a** he reminded him of a very painful moment
pjan n.m. (pl. ~**i**) plane, level; (sular) storey; (skema) plan, idea, scheme
pjanat ara **(i)ppjanat**
pjanċ|a n.f. (pl. ~**i**) plate, sheet-iron
pjanċier ara **planċier**
pjanet|a n.f. (pl. ~**i**) planet; (rel.) chasuble
pjanist|a n.m. (pl. ~**i**) pianist
pjant|a n.f. (pl. ~**i**) plant; (ta' bini, eċċ.) plan
pjantat ara **(i)ppjantat**
pjanterran n.m. (pl. ~**i**) ground floor
pjanterren ara **pjanterran**
pjan|u n.m. (pl. ~**ijiet**) piano, pianoforte; **jaf idoqq il-**~**u** he knows how to steal
pjanuforti ara **pjanu**
pjanur|a n.f. (pl. ~**i**) plain
pjastrun n.m. (pl. ~**i**) plastron
pjazza n.f. (pl. **pjazez**) pension; (tar-raħal) square; **ħareġ bil-**~ he becaome a pensioner; **tawh il-**~ they put him on the dole
pjazzant aġġ. pensionable
pjazzist n.m. (pl. ~**i**) agent
pjega ara **(i)ppjega**
pjegat ara **(i)ppjegat**
pjen aġġ. full
pjerott n.m. (pl. ~**ijiet**) pierrot
pjeżometru n.m. (pl. ~**i**) piezometer
pjoti n. (pl. bla s.) sod
pjum|a n.f. (pl. ~**i**) plume
pjuttost avv. rather
plaċent|a n.f. (pl. ~**i**) placenta, afterbirth
plaċidu aġġ. placid
plaġjarj|u n.m. (pl. ~**i**) plagiarist
plaġj|u n.m. (pl. ~**i**) plagiarism, plagiary
plagg n.m. (pl. ~**ijiet**) plug
plajj|a n.f. (pl. ~**iet**) littoral, coast, sea-shore, shore; **xotta l-**~**a** we are facing a recession; **mal-**~**a l-**~**a** slowly
plakat ara **(i)pplakat**
plakk|a n.f. (pl. ~**i, plakek**) plate; socket
plamer n.m. (pl. ~**s**) plumber
plamt|u n.m. (pl. ~**i**) Atlantic bonito
planċier n.m. (pl. ~**i**) bandstand
planetarj|u n.m. (pl. ~**i**) planetarium, orrery // aġġ. planetary
planka n.f. (pl. **planek**) plank
plastiċit|à n.m. (pl. ~**ajiet**) plasticity
plastika n.f. (bla pl.) plastic
plastikament avv. plastically
plastiku aġġ. plastic
platan|u n.m. (pl. ~**i**) platan
plate|a n.f. (pl. ~**i**) pit
platoniku aġġ. platonic
platt n.m. (pl. ~**i**) plate, dish; ~ **fond** soup plate ~ **tad-deżerta** dessert plate; ~ **tal-fajjenza** platter; **laqqat il-**~ he liked the food
platti n.m. (pl. bla s.) cymbal(s); **għadu jaqbeż il-**~ he is still strong
plattin n.m. (pl. ~**i**) saucer
plattun n.m. (pl. ~**i**) large dish
platun n.m. (pl. ~**i**) platoon
plaxx n.m. (pl. ~**i**) plush
plażma n.f. (bla pl.) plasma
PLC n.m. (pl. ~**s**) PLC; abbr. of Public Limited Company
plebixxit n.m. (pl. ~**i**) plebiscite
pleġġ n.m. (pl. ~**ijiet**) pawn, pledge, bail, guarantee; (bniedem) bond(s)man
pleġġat ara **(i)ppleġġat**
pleġġjat ara **(i)ppleġġat**
plejju n.m.koll. pennyroyal
plejtu fuss; **qajjem** ~ he caused a fervour
plenarju aġġ. plenary
plenipotenzjarj|u aġġ. n.m. (pl. ~**i**) plenipotentiary
pleonastik|u n.m. (pl. ~**i**) pleonastic

pleonażm|u n.m. (pl. ~**i**) pleoasm
plettr|u n.m. (pl. ~**i**) plectrum
plewra n.f. (pl. ~**t**) pleura
plewrite n.f. (pl. ~**jiet**) pleurisy
plier n.m. (pl. ~**i**) pillar, pilaster, obelisk
PLO n.m. (bla pl.) PLO; abbr. of Palestine Liberty Organization
plural n.m. (pl. ~**i**) plural
pluralit|à n.f. (pl. ~**ajiet**) plurality
plutokrazij|a n.f. (pl. ~**i**) plutocracy
pluvier|a n.m. (pl. ~**i**) golden plover; ~**a pastarda** grey plover; ~**a żgħira** asiatic golden plover
pluvirott n.m. (pl. ~**i**) redshank; ~ **ta' denbu** bartran's plover
pluvjometr|u n.m. (pl. ~**i**) pluviometer, rainguage
pnewmatiku aġġ. pneumatic
pnewmatoloġij|a n.m. (pl. ~**i**) pneumatology
pnewmotoraċi n.m. (pl. ~**i**) pneumothorax
PO box n.m. (pl. ~**es**) PO box
podj|u n.m. (pl. ~**i**) conductor's platform
poem|a n.f. (pl. ~**i**) poem
poet|a n.m. (pl. ~**i**) poet
poetastr|u n.m. (pl. ~**i**) poetaster
poetika n.f. (bla pl.) poetics
poetikament avv. poetically
poetiku aġġ. poetical
poetizzat pp. poetized
poeżij|a n.f. (pl. ~**i**) poem, poetry
poġġa v. to put, to place
poġġaman n.m. (pl. ~**i**) handrail
poġġut pp. located; (inf min ipoġġi) cohabitator
pokit n.m. (pl. ~**s**) pocket
pol n.m. (pl. ~**ijiet**) pole
polari aġġ. polar; **stilla** ~ North star, pole-star
polarit|à n.f. (pl. ~**ajiet**) polarity
polarizzat ara **(i)ppolarizzat**
polemi|ka n.m. (pl. ~**ki, ~ċi**) polemics
polemiku aġġ. polemic
polemizzat ara **(i)ppolemizzat**
polifonij|a n.f. (pl. ~**i**) polyphony
polifoniku aġġ. polyphonic
poligamij|a n.m. (pl. ~**i**) polygamy
poligam|u n.m. (pl. ~**i**) polygamist // aġġ. polygamous
poliglott|a aġġ., n.m. (pl. ~**i**) polyglot
poligon|u n.m. (pl. ~**i**) polygon
poliklini|ka n.f. (pl. ~**ki, ~ċi**) polyclinic
polikromij|a n.f. (pl. ~**i**) polychromy
polikromu aġġ. polychrome, polychromous
polinomj|u n.m. (pl. ~**i**) polynomial
polip|u n.m. (pl. ~**i**) polyp(e)
polisillab|u n.m. (pl. ~**i**) polysyllabic
polisindet|u n.m. (pl. ~**i**) polysyndeton
politeknik|u n.m. (pl. ~**i**) polytechnic school, polytechnic institute // aġġ. polytechnic
politika n.f. (bla pl.) politics
politikament avv. politically
politikant n.m. (pl. ~**i**) politician
politi|ku n.m. (pl. ~**ki, ~ċi**) politic // aġġ. political (prudenti) politic
poljo n.f. (bla pl.) polio (myelitis)
poljomijelite ara **poljo**
polk|a n.f. (pl. ~**i**) polka; (tal-arloġġ) watch-chain
polp|a n.f. (pl. ~**iet**) pulp
polpt|u n.m. (pl. ~**i**) pulpit
polvri n.m.pl. gunpowder; **ressaq il-~ lejn in-nar** he caused big trouble
polz n.m. (pl. ~**i**) pulse
polza n.f. (pl. **poloz**) policy; ~**a tal-assigurazzjoni** insurance policy; ~**a tad-dwana** bill of landing; **telgħetlu l-~a** he was fortunate
pomat|a n.f. (pl. ~**i**) pomade, pomatum
pomp n.m. (pl. ~**ijiet**) water tap
pomp|a n.f. (pl. ~**i**) pump; (pompożità) pomp
pompier n.m. (pl. ~**i**) fire-man
pompjat ara **(i)ppumpjat**
pompożit|à n.f. (pl. ~**ajiet**) pomposity
pompuż aġġ. pompous
ponċ n.m. (pl. ~**ijiet**) pounch
poni n.m. (pl. ~**jiet**) pony
ponn n.m. (pl. ~**ijiet**) fist
pont n.m. (pl. ~**ijiet**) bridge
pont n.m. (pl. ~**i**) full stop; (med., tal-ħjata) stich
ponta n.f. (pl. **ponot**) point; (fuq il-wiċċ, eċċ.) pimple, pustle; **qiegħda fuq il-~ ta' lsienu** he is about to say something; **imxebba' sal-~ ta' mnieħru** he is really annoyed; **jara sal-~ ta' mnieħru** he cannot forsee the consequences of his actions; **ponot**: **jafha fuq ~ subgħajh** he really knows it well
ponta aġġ. little
pontifikal n.m. (pl. ~**i**) pontifical
pontifikali aġġ. pontifical
pontifikat n.m. (pl. ~**i**) pontificate
pontun n.m. (pl. ~**i**) pontoon
poplin n.m. (bla pl.) poplin
popl|u n.m. (pl. ~**i**) people; **kien hemm ~u sħiħ** there were many people
popolament n.m. (pl. ~**i**) peopling
popolari aġġ. popular
popolarit|à n.f. (pl. ~**ajiet**) popularity
popolarizzat pp. popularized
popolarizzazzjoni n.f. (pl. ~**jiet**) popularization
popolat ara **(i)ppopolat**
popolazzjoni n.f. (pl. ~**jiet**) population
popolin n.m. (bla pl.) common people

popoluż aġġ. populous
popp|a n.f. (pl. **~i**) stern; **riħ im~a** everything is going well
poppier ara puppier
por n.m. (pl. **~i**) pore
porċellana n.f. (bla pl.) porcelain
porfir n.m. (bla pl.) porphyry; (xorta ta' drapp) purple cloth
porga n.f. (pl. **porog**) purge; **mela ħadt ~?** why are you wearing the blazer?
porkerij|a n.f. (pl. **~i**) dirt, dirtiness; (xogħol) awful job
porku n.m. (bla pl.) pig
porkuspin n.m. (pl. **~i**) porcupine
pornografij|a n.f. (pl. **~i**) pornography
pornografiku aġġ. pornographic
porożit|à n.f. (pl. **~ajiet**) porosity, porousness
porporat n.m. (pl. **~i**) cardinal
porporin|a n.f. (pl. **~i**) bronze powder
porpr|a n.f. (pl. **~i**, **~at**) purple robe
port n.m. (pl. **~ijiet**) port, harbour, haven; **~ frank** free port; **~ tal-mistrieħ** haven of rest; **fanal tal-~** lighthouse; **ħlas tal-~** harbour duty; **kaptan tal-~** harbour master
portabbli aġġ. portable
portafoll n.m. (pl. **~i**) portfolio
portatur n.m. (pl. **~i**) bearer, messenger
portatur|a n.f. (pl. **~i**) portage
portavuċi n.f. (pl. **~i**) spokesman
porti|ku n.m. (pl. **~ċi**) portico, porch, colonnade
portmoni n.m. (pl. **~jiet**) purse
portulan n.m. (pl. **~i**) book of seaports, portolano
poruż aġġ. purous
porvli n.m. (pl. bla s.) gunpowder, vulcan powder
porvlina n.f. (bla pl.) yellow-vetching, lathyrus
porvlist|a n.f. (pl. **~i**) powder-magazine
porzjon n.m. (pl. **~ijiet**) portion, share, part
posponiment n.m. (pl. **~i**) postponement
pospost pp. postponed
possediment n.m. (pl. **~i**) possession
possedut pp. possessed
possess ara **pussess**
possessiv aġġ. possessive
possessur n.m. (pl. **~i**) possessor
possibbilment avv. possibly
possibbilt|à n.f. (pl. **~ajiet**) possibility
possibbli aġġ. possible
possident n.m. (pl. **~i**) man of property, land-owner
post n.m. (pl. **~ijiet**) place, room, site; **baqa'/ħallieh tal-~** he was killed/killed him
post|a n.f. (pl. **~i**) stall; (ittri) post, mail; (uffiċċju postali) post office; **ma bagħathiex bil-~a** he did not mind saying something against the person in front of him
postaġġ n.m. (pl. **~i**) postage
postali aġġ. postal; **kartolina ~** postcard; **uffiċċju ~** post office
postem|a n.f. (pl. **~i**) aposteme, abscess
postiljun n.m. (pl. **~i**) postilion
postill|a n.f. (pl. **~i**) marfine note, apostil
postulant n.m. (pl. **~i**) postulant
postulat n.m. (pl. **~i**) postulate
postulatur n.m. (pl. **~i**) postulator
postulazzjoni n.f. (pl. **~jiet**) postulation
postumu aġġ. posthumous
potassa n.f. (bla pl.) potash
potassj|u n.m. (pl. **~i**) potassium
potenti aġġ. powerful
potenz|a n.f. (pl. **~i**) power, might
poter n.m. (pl. **~i**) power
potest|à n.f. (pl. **~ajiet**) power, authority
povert|à n.m. (pl. **~ajiet**) poverty
povru aġġ. poor
povr|u n.m. (pl. **~i**) poor man
poż|a n.f. (pl. **~i**) posture
pożapjan|u n.m. (pl. **~i**) slowcoach
pożittiv aġġ. positive
pożittivament avv. positively
pożizzjoni n.f. (pl. **~jiet**) position
(i)ppaċċja v. to patch
(i)ppaċċjat pp. patched
(i)ppaċifika v. to pacify
(i)ppaċifikat ara **paċifikat**
(i)ppakkettja v. to make up in packets
(i)ppakkettjat pp. packeted
(i)ppakkja v. to pack, to stuff
(i)ppakkjat pp. packed
(i)ppalpta v. to palpitate
(i)ppalptat pp. palpitated
(i)ppanċja v. to punch
(i)ppanċjat pp. punched
(i)ppanna v. to tarnish
(i)ppannat pp. tarnished
(i)pparaguna v. to compare (to or with)
(i)pparagunat ara **paragunat**
(i)pparalizza v. to paralyse
(i)pparalizzat ara **paralizzat**
(i)ppariġġa v. to equal
(i)ppariġġat ara **pariġġat**
(i)pparkja v. to park; **~ l-karozza ħażin** he parked his car in the wrong manner
(i)pparkjar n.m. (bla pl.) parking
(i)pparkjat pp. parked
(i)pparteċipa v. to partecipate
(i)pparteċipat ara **parteċipat**

(i)ppassiġġa v. to walk
(i)ppassiġġat pp. walked
(i)ppassja v. to pass
(i)ppassjat pp. passed
(i)ppassula v. to wither
(i)ppassulat pp. withered
(i)ppastorizza v. to pasteurize
(i)ppastorizzat ara **pastorizzat**
(i)ppatrolja v. to patrol **il-pulizija ~a ż-żona kollha** the policeman patrolled the entire area
(i)ppatroljat pp. patroled
(i)ppattja v. to convenant, to agree
(i)ppattjat pp. agreed
(i)ppenetra v. to penetrate; **il-mus ~ l-istonku tiegħu** the penknife penetrated his stomach
(i)ppenetrat ara **penetrat**
(i)ppensjona v. to superannuate
(i)ppensjonat ara **pensjonat**
(i)ppercèiedu v. to defend, to protect
(i)ppperfezzjona v. to perfect, to bring to perfection
(i)ppperfezzjonat ara **perfezzjonat**
(i)ppperfora v. to perforate
(i)ppperforat pp. perforated
(i)ppperikola v. to be in danger, to put in danger
(i)ppperikolat pp. put in danger
(i)ppermetta v. to allow, to permit
(i)ppperora v. to perorate
(i)ppperorat pp. perorated
(i)ppersegwita v. to persecute; **Neruni ~ l-Insara** the emperor Nero persecuted the Christians
(i)ppersegwitat ara **persegwitat**
(i)pppersevera v. to persevere
(i)pppersevverat pp. persevered
(i)pppersista v. to persist
(i)pppersonifika v. to personify
(i)pppersonifikat ara **personifikat**
(i)pppersunat aġġ. well-built, robust
(i)ppperswada v. to convince, to persuade
(i)ppperswadut ara **persważ**
(i)ppetrifika v. to petrify
(i)ppetrifikat ara **petrifikat**
(i)ppettna v. to comb; **~ xagħru bil-ħeffa** to comb one's hair in a hurry
(i)ppettnat pp. combed
(i)ppika v. to pique, to vie
(i)ppikat pp. piqued, vied
(i)ppikkja v. to pick
(i)ppikkjat vpp. picked
(i)ppilla ara **appella**
(i)ppillat ara **appellat**
(i)ppinna v. to rear
(i)ppinnat pp. reared
(i)ppinzilla v. to imagine, to fancy
(i)ppinzillat pp. imagined, fancied
(i)ppittura v. to paint
(i)ppitturat pp. painted
(i)ppjaga v. to wound
(i)ppjagat aġġ. full of sores
(i)ppjana v. to plan
(i)ppjanat pp. smoothed, levelled
(i)ppjanta v. to plant; **il-kriminal ~ bomba mal-bini** the criminal planted a bomb by the edifice
(i)ppjantat pp. planted
(i)ppjega v. to fold
(i)ppjegat pp. folded
(i)pplaka v. to calm
(i)pplakat pp. calmed, appeased
(i)ppleġġa v. to pledge, to bail
(i)ppleġġat pp. pledged, bailed
(i)ppoetizza v. to poeticize, to make poetic
(i)ppoetizzat ara **poetizzat**
(i)ppolarizza v. to polarize
(i)ppolarizzat pp. polarized
(i)ppolemizza v. to polemize
(i)ppolemizzat pp. polemized
(i)ppompja v. to pump; **~ l-ilma 'l barra mill-bir** to pump the water out of one's well
(i)ppompjat pp. pumped
(i)ppponta v. to sew, to pin, to point, to sharpen
(i)pppontat pp. sewed, pinned, pointed, sharpened
(i)ppopola v. to populate, to people
(i)ppopolarizza v. to popularize
(i)ppopolarizzat ara **popolarizzat**
(i)ppopolat pp. populated, peopled
(i)ppporga v. to purge
(i)ppporgat ara **(i)ppurgat**
(i)pppospona v. to postpone; **il-kumitat ~ l-laqgħa għall-ġimgħa ta' wara** the committee postponed the meeting till the following week
(i)ppossjeda v. to own, to have, to possess
(i)pppostja v. to post, to place
(i)ppottja v. to pot
(i)ppottjat pp. potted
(i)ppoża v. to pose
(i)ppranza v. to dine, to have dinner
(i)ppranzat pp. dined
(i)pprattika v. to practise; **kemm-il darba ~ l-passatemp favorit tiegħu** he frequently practised his favourite pastime
(i)pprattikat ara **prattikat**
(i)ppredestina v. to predestine
(i)ppredestinat pp. destined, predestined
(i)pprefera v. to prefer
(i)ppreferit ara **preferut**
(i)ppreferixxa v. to prefer
(i)ppreġudika v. to prejudice

(i)ppreġudikat ara **preġudikat**
(i)ppremja v. to award a prize to
(i)ppremjat pp. awarded
(i)pprepara v. to prepare
(i)ppreparat ara **preparat**
(i)ppresedut pp. presided
(i)ppreserva v. to preserve; ~ **l-ikel f'landa ssiġillata** he preserved the food in a sealed can
(i)ppreservat ara **preservat**
(i)ppresieda v. to preside (over)
(i)ppressa v. to press
(i)ppressat pp. pressed
(i)ppresta v. to lend oneself
(i)pprestat pp. lended
(i)ppretenda v. to pretend
(i)ppreveda v. to foresee
(i)pprevedut ara **prevedut**
(i)pprezza v. to value
(i)pprezzat pp. valued, esteemed
(i)ppreżenta v. to present; ~ **xogħlu lill-għalliem tiegħu** to present one's work to the teacher
(i)ppreżentat ara **preżentat**
(i)pprietka v. to preach
(i)ppritkat pp. preached
(i)pprinzipja v. to begin to think about
(i)pprinzipjat pp. thought about
(i)ppriva v. to deprive
(i)pprivat pp. deprived
(i)pproċeda v. to proceed
(i)pproċedut pp. proceeded
(i)pproċessa v. to process
(i)pproċessat pp. processed
(i)pproduċa v. to produce; ~ **elf oġġett kuljum** he produced a thousand articles per day
(i)pprofana v. to profane
(i)pprofanat ara **profanat**
(i)pprofessa v. to profess
(i)pprofessat pp. professed
(i)pprofetizza v. to prophesy
(i)pprofetizzat ara **profetizzat**
(i)pprofitta v. to profit (by)
(i)pprofittat pp. profitted
(i)pprofuma v. to perfume
(i)pprofumat pp. sweet-smelling, perfumed, scented
(i)pproġetta v. to plan
(i)pproġettat ara **proġettat**
(i)pprojbixxa v. to forbid, to prohibit, to prevent, to refuse, to allow ~ **xi ħaġa milli ssir** he prevented something from being carried out or proceeded with
(i)pproklama v. to proclaim
(i)pproklamat ara **proklamat**
(i)pprokura v. to procure
(i)pprokurat ara **prokurat**
(i)pprometta v. to promise
(i)ppronta v. to prepare, to make ready
(i)ppronunzja v. to pronounce
(i)ppronunzjat ara **pronunzjat**
(i)ppropona v. to propose
(i)ppropomut ara **propost**
(i)pproroga v. to prorogue
(i)pprorogat ara **prorogat**
(i)pproteġut ara **protett**
(i)pprotesta v. to protest
(i)pprotestat ara **protestat**
(i)pprotieġa v. to protect
(i)pprova v. to prove
(i)pprovat ara **(i)ppruvat**
(i)pprovda v. to provide
(i)pprovdut ara **provdut**
(i)pprovoka v. to provoke
(i)pprovokat ara **provokat**
(i)ppruvat pp. tried, prooved
(i)ppubblika v. to publish
(i)ppubblikat ara **pubblikat**
(i)ppulċinella v. to buffoon
(i)ppulċinellat pp. buffooned
(i)ppulixxja v. to polish
(i)ppulixxjat pp. polished
(i)ppumpjat pp. pumped
(i)ppurċieda v. to protect, to defend
(i)ppurfuma ara **(i)pprofuma**
(i)ppurgat pp. purged, purified
(i)ppurifika v. to purify
(i)ppurifikat ara **purifikat**
(i)ppustjat pp. lying in wait
(i)ppużat pp. posed
praċett n.m. (pl. ~**i**) precept, first Holy Communion
pramm n.f. (pl. ~**ijiet**, ~**s**) pram
prammatika n.f. (bla pl.) custom
pranzat ara **(i)ppranzat**
pranz|u n.m. (pl. ~**ijiet**) dinner
prasepju ara **presepju**
praspura n.f. (pl. **praspar**) lark
prassi n.f. (bla pl.) praxis, practice
pratk|a n.m. (pl. ~**i**) pratique; **tah il-~a** he gave him the permission
pratti|ka n.f. (pl. ~**ċi**) practice
prattikabbli aġġ. practicable
prattikant n.m. (pl. ~**i**) apprentice
prattikat pp. practised
prattiku aġġ. practical, experienced
preambol|u n.m. (pl. ~**i**) preamble, preface
prebend|a n.f. (pl. ~**i**) prebend
prebendarj|u n.m. (pl. ~**i**) prebendary

preċedent n.m. (pl. ~**i**) precedent
preċedenz|a n.f. (pl. ~**i**) precedence
preċettur n.f. (pl. ~**i**) preceptor, teacher
preċipitat n.m. (pl. ~**i**) precipitate
preċipitazzjoni n.f. (pl. ~**jiet**) precipitancy, precipitateness
preċipizzj|u n.m. (pl. ~**i**) precipice
preċiż aġġ. precise, exact
preċiżament avv. precisely, exactly
preċiżjoni n.f. (pl. ~**jiet**) precision, exactness
predeċessur n.m. (pl. ~**i**) predecessor
predestinat ara **(i)ppredestinat**
predestinazzjoni n.f. (pl. ~**jiet**) predestination
predikatur n.m. (pl. ~**i**) preacher
predikazzjoni n.f. (pl. ~**jiet**) preaching
predominj|u n.m. (pl. ~**i**) supremacy, predominance
prefazj|u n.m. (pl. ~**i**) preface
preferenz|a n.f. (pl. ~**i**) preference
preferibbli aġġ. preferable
preferut pp. favourite
prefett n.m. (pl. ~**i**) prefect
prefettur|a n.f. (pl. ~**i**) prefecture
prefiss n.m. (pl. ~**i**) prefix
preġj|u n.m. (pl. ~**i**) value
preġudikat pp. prejudiced
preġudizzj|u n.m. (pl. ~**i**) prejudice
pregjier|a n.f. (pl. ~**i**) prayer
preistoriku aġġ. prehistorical
prekarju aġġ. precarious
prekawzjoni n.f. (pl. ~**jiet**) precaution
prekursur n.m. (pl. ~**i**) precursor
prelat n.m. (pl. ~**i**) prelate
prelatur|a n.f. (pl. ~**i**) prelature
prelazzjoni n.f. (pl. ~**jiet**) pre-emption
preliminari aġġ. preliminary
preludj|u n.m. (pl. ~**i**) prelude
prematur aġġ. premature
premeditat pp. premeditated, designed, wilful
premeditazzjoni n.f. (pl. ~**jiet**) premeditation, wilfulness
premess|a n.f. (pl. ~**i**) premise
premjat ara **(i)ppremjat**
premjazzjoni n.f. (pl. ~**jiet**) prize distribution
premj|u n.m. (pl. ~**ijiet**) prize, reward; (finanzjarju) premium
premur|a n.f. (pl. ~**i**) solicitude
preokkupat pp. preoccupied
preokkupazzjoni n.f. (pl. ~**jiet**) preoccupation
preparament n.m. (pl. ~**i**) preparation
preparat pp. prepared
preparatorju aġġ. preparatory
preparazzjoni n.f. (pl. ~**jiet**) preparation
prepostu ara **propstu**
prepotenti aġġ. prepotent
prepotenz|a n.f. (pl. ~**i**) prepotency
prerogattiv|a n.f. (pl. ~**i**) prerogative
presaġju n.m. (pl. ~**i**) presage, omen
presbite aġġ. long-sighted, presbyopic
presbiterat n.m. (pl. ~**i**) priesthood, presbirate
presbiterj|u n.m. (pl. ~**i**) presbitery
presbiter|u n.m. (pl. ~**i**) presbyter, priest
presedut ara **(i)ppresedut**
presentiment n.m. (pl. ~**i**) presentiment
presepj|u n.m. (pl. ~**i**) crib
preservat pp. preserved
preservattiv aġġ. preservative
preservazzjoni n.f. (pl. ~**jiet**) preservation
president n.m. (pl. ~**i**) president
presidenz|a n.f. (pl. ~**i**) presidency
presidenzjali aġġ. presidential
preskrizzjoni n.f. (pl. ~**jiet**) prescription
pressa n.f. (pl. preses) press
pressat ara **(i)ppressat**
pressjoni n.f. (pl. ~**jiet**) pressure; ~ **baxxa** low pressure; ~ **għolja** high pressure
prestazzjoni n.f. (pl. ~**jiet**) service
prestiġjatur n.m. (pl. ~**i**) prestidigitator, juggler, conjurer
prestiġj|u n.m. (pl. ~**i**) prestige
pretendent n.m. (pl. ~**i**) pretender; ~ **għat-tron** pretender to the throne
pretendut pp. pretended
pretenzjoni n.f. (pl. ~**jiet**) pretention
pretenzjuż aġġ. pretentious
preterintenzjonali aġġ. unintentional
pretest n.m. (pl. ~**i**) pretext, pretence, excuse
pretur n.m. (pl. ~**i**) praetor
prevedut pp. forseen
previżjoni n.f. (pl. ~**jiet**) prevision
prexxa n.f. (bla pl.) haste; ~ **tan-nies** throng, crowd
prezz n.m. (pl. ~**ijiet**) price, value; **ma jġibx ~u** it does not pay its price
prezzat ara **(i)pprezzat**
prezzatur n.m. (pl. ~**i**) valuer
prezzatura n.f. (pl. ~**i**) appraisal, valuation, estimation
prezzjuż aġġ. precious
preżent n.m. (bla pl.) present
preżentabbli aġġ. presentable
preżentat pp. presented
preżentatur n.m. (pl. ~**i**) presenter, compere
preżentazzjoni n.f. (pl. ~**jiet**) presentation
preżentement avv. at present, now
preżenti aġġ. present
preżenz|a n.f. (pl. ~**i**) presence

prietk|a n.f. (pl. ~**i**) preach, sermon, talk **għamillu** ~ he gave sound advices to him in a long talk
priġjunerij|a n.f. (pl. ~**i**) imprisonment
priġunier n.m. (pl. ~**i**) prisoner
prim aġġ. first
prim n.m. (pl. **prejjem**) keel
prima of the best quality; **tal-**~ excellent
primarju aġġ. primary; **skola ~a** primary school
primat n.m. (pl. ~**i**) primate
primaver|a n.m. (pl. ~**i**) continental blue-tit
primipir|a n.f. (pl. ~**i**) primipira
primittiv aġġ. primitive
primizzal ara **paramezzal**
primoġenitur|a n.f. (pl. ~**i**) primogeniture
primul|a n.f. (pl. ~**i**) primprose, cowslip
prinċep n.m. (pl. **prinċpijiet**) prince
prinċipal n.m. (pl. ~**i**) principal, boss
prinċipali aġġ. principal, main
prinċipalment avv. principally, mainly
prinċipat n.m. (pl. ~**i**) princedom
prinċipesk aġġ. princely
prinċipess|a n.m. (pl. ~**i**) princess
prinċipjant n.m. (pl. ~**i**) beginner
prinċipju n.m. (pl. ~**i**) principle
prinjol n.m.koll. f. ~**a** (pl. ~**i**) pine-apple; ~ **salvaġġ** pinaster; **miżwet tal-**~ pine-cone
printes n.m. (pl. ~**ijiet**) apprentice
prinzjon: **nofs** ~ (peġ.) a short man
pritkat ara **(i)ppritkat**
priv aġġ. devoid, destitute
privat aġġ. private lessons // ara **(i)pprivat**
privatament avv. privately
privazzjoni n.f. (pl. ~**jiet**) deprivation
privileġġ n.m. (pl. ~**i**) privilege
privileġġjat pp. privileged
priża n.f. (pl. **prejjeż**) prey; **għamel** ~ he thought that he has made an extraordinary feat
priżm|a n.f. (pl. ~**i**) prism
PRO n.m. (pl. ~**s**) PRO; abbr. of Public Relations Officer
probabbilment avv. probably
probabbilt|à n.f. (pl. ~**ajiet**) probability
probabbli aġġ. probable
problem|a n.f. (pl. ~**i**) problem
problematiku aġġ. problematic(al)
proboxxid|e n.f. (pl. ~**i**) proboscis
proċedur|a n.f. (pl. ~**i**) procedure
proċedut ara **(i)pproċedut**
proċess n.m. (pl. ~**i**) process, law suit, trial
proċessat ara **(i)pproċessat**
proċessjoni n.f. (pl. ~**jiet**) procession
prodgu aġġ. prodigal, lavish
prodott pp. produced // n.m. (pl. ~**i**) produce; (ħaġa prodotta) product
produttiv aġġ. producer
produttivit|à n.f. (pl. ~**ajiet**) productivity
produttur n.m. (pl. ~**i**) producer
produzzjoni n.f. (pl. ~**jiet**) production
profan aġġ. profane
profanat pp. profaned
profanatur n.m. (pl. ~**i**) profaner
profanazzjoni n.f. (pl. ~**jiet**) profanation
profanit|à n.f. (pl. ~**ajiet**) productivity, productiveness
profess aġġ. professed
professat ara **(i)pprofessat**
professjonali aġġ. professional
professjoni n.f. (pl. ~**jiet**) profession
professjonist n.m. (pl. ~**i**) professional man
professorat n.m. (pl. ~**i**) professorship
professur n.m. (pl. ~**i**) professor; **sar/leħaq** ~ he thinks that he has become a genius
profet|a n.m. (pl. ~**i**) prophet
profetiku aġġ. prophetic
profetizzat pp. prophetized
profezij|a n.m. (pl. ~**i**) prophecy
profil n.m. (pl. ~**i**) profile
profilassi n.f. (bla pl.) prophylaxis
profitt n.m. (pl. ~**i**) profit, gain, advantage
profittat ara **(i)pprofittat**
profitattur n.m. (pl. ~**i**) profiteer
profond aġġ. deep, profound
profondament avv. deeply, profoundly
profondit|à n.f. (pl. ~**ajiet**) depth, deepness
profum n.m. (pl. ~**i**) perfume, fragrance
profumat ara **(i)pprofumat**
profumerij|a n.f. (pl. ~**i**) perfumery; (ħanut) perfumery's shop
proġett n.m. (pl. ~**i**) project
proġettat pp. project
proġettist n.m. (pl. ~**i**) designer, projector, scheme
programm n.m. (pl. ~**i**) program(me)
progress n.m. (pl. ~**i**) progress
progressiv aġġ. progressive
progressivament avv. progressively
progressjoni n.f. (pl. ~**jiet**) progression; ~ **aritmetika** arithmetical progression; ~ **ġeometrika** geometrical progression
projbit pp. forbidden, prohibited
projbizzjoni n.f. (pl. ~**jiet**) prohibition
proklam|a n.f. (pl. ~**i**) proclamation
proklamat pp. proclaimed
proklamazzjoni n.f. (pl. ~**jiet**) proclamation
prokur|a n.f. (pl. ~**i**) power of attorney

prokurat pp. procured, acquired
prokuratur n.m. (pl. ~**i**) procurator
prolass n.m. (pl. ~**i**) prolapsus, prolapse
proletarjat n.m. (pl. ~**i**) proletariat(e)
proletarj|u aġġ, n.m. (pl. ~**i**) proletarian
proliss aġġ. prolix
prolissit|à n.f. (pl. ~**ajiet**) prolixity
prolog|u n.m. (pl. ~**i**) prologue
promess pp. promised
promess|a n.m. (pl. ~**i**) promise
prominenti aġġ. prominent
prominenz|a n.f. (pl. ~**i**) prominence
promontorj|u n.m. (pl. ~**i**) promontory
promoss pp. promoted
promotur n.m. (pl. ~**i**) promotor
promozzjoni n.m. (pl. ~**jiet**) promotion
proneputi n.m. (pl. ~**jiet**) grand-nephew
pronjosi n.f. (pl. ~**jiet**) prognosis
pronom n.m. (pl. ~**i**) pronoun
pronominali aġġ. pronominal
pronosti|ku n.m. (pl. ~**ċi**) prognostic
pront aġġ. ready
prontizz|a n.f. (pl. ~**i**) readiness, promptitude
pronunzj|a n.f. (pl. ~**i**) pronunciation
pronunzjat pp. pronounced
propaganda n.f. (bla pl.) propaganda, advertising
propagandist n.m. (pl. ~**i**) propagandist
propagazzjoni n.f. (pl. ~**jiet**) propagation
propizju aġġ. propitious, favourable
propjament ara **proprjament**
propjetà ara **proprjetà**
propju ara **proprju**
proponent n.m. (pl. ~**i**) proponent
proponiment n.m. (pl. ~**i**) resolution
proporzjon n.f. (pl. ~**ijiet**) proportion
proporzjonali aġġ. proportional
proporzjonat pp. proportionate, proportioned
proporzjonalment avv. proportionally
propost pp. proposed
propost|a n.f. (pl. ~**i**) proposal
proprjament avv. properly, really
proprjet|à n.f. (pl. ~**ajiet**) property; ~**à letterarja** copyright; ~**à privata** private ownership
proprjetarju n.m. (pl. ~**i**) proprietor, owner
proprju aġġ. proper; ~ **issa** just now
prorog|a n.f. (pl. ~**i**) delay, respite
prorogabbli aġġ. that may be delayed
prorogat pp. delayed, postponed
prosekutur n.m. (pl. ~**i**) pursuer
prosekuzzjoni n.f. (pl. ~**jiet**) prosecution
prosodij|a n.f. (pl. ~**i**) prosody
prosopopea n.f. (bla pl.) prosopopaea; **għandu** ~ to be very haughty
prospett n.m. (pl. ~**i**) prospect, view, prospect
prospettiv|a n.f. (pl. ~**i**) perspective, view, prospect
prostat|a n.f. (pl. ~**i**) prostate
prostesi n.f. (pl. ~**jiet**) prosthesis, prothesis
prostitut|a n.f. (pl. ~**i**) prostitute, whore
prostituzzjoni n.f. (pl. ~**jiet**) prostitution
protagonist|a n.m. (pl. ~**i**) protagonist
protasi n.f. (pl. ~**jiet**) protasis
protest n.m. (pl. ~**i**) protest
protest|a n.f. (pl. ~**i**) protest, remonstrance
Protestant n.m. (pl. ~**i**) Protestant
Protestantiżmu n.m. (pl. ~**i**) Protestantism
protestat pp. protested
protett pp. protected
protettiv aġġ. protective
protettur n.m. (pl. ~**i**) protector
protetturat n.m. (pl. ~**i**) protectorship, protectorate
protezzjoni n.f. (pl. ~**jiet**) protection
protokoll n.m. (pl. ~**i**) protocol
protomartri n.kom. protomartyr
protonotarju aġġ. prot(h)onary; ~ **appostoliku** Prot(h)onary Apostolic(al)
protoplażm|a n.f. (pl. ~**i**) protoplasm
prototip n.m. (pl. ~**i**) prototype
protożoa n.f. (pl. **protożoj**) protozoa
prov|a n.f. (pl. ~**i**) proof, trial
provdiment n.m. (pl. ~**i**) provision
provditur n.m. (pl. ~**i**) proveditor, purveyor
provdut pp. provided
provenjenz|a n.f. (pl. ~**i**) provenance
provenz aġġ. showery
proverbjali aġġ. proverbial
proverbj|u n.m. (pl. ~**i**) proverb
providenza n.f. (pl. ~**i**) providence
providenzjali aġġ. providential
provinċj|a n.f. (pl. ~**i**) province
provinċjal n.m. (pl. ~**i**) provincial
provinċjali aġġ. provincial
provinċjaliżm|u n.m. (pl. ~**i**) provincialism
proviżjon n.m. (pl. ~**ijiet**) provision, victuals, supply, proviant
proviżorjament avv. temporarily
proviżorju aġġ. temporary, provisional
provokanti aġġ. provoking, provocative
provokat pp. provoked
provokatur n.m. (pl. ~**i**) provoker
provokazzjoni n.f. (pl. ~**jiet**) provocation
provvediment ara **provdiment**
provveditur ara **provditur**
provvidenza ara **providenza**
provvidenzjali ara **providenzjali**

provviżorjament ara **proviżorjament**
provista n.f. (pl. ~**i**) supply
proxen n.m. (pl. ~**i**) proscenium
proxxm|u n.m. (pl. ~**i**) neighbour, fellow creature
prozij|u n.m. (pl. ~**i**) great-uncle
proża n.f. (bla pl.) prose
prożajk aġġ. prosaic
prożatur n.m. (pl. ~**i**) prose-writer
prudenti aġġ. prudent
prudenz|a n.f. (pl. ~**i**) prudence
prun|a n.f. (pl. ~**iet**) prune
pruvat ara **(i)ppruvat**
pruw|a n.f. (pl. ~**i**) prow, stem; **mill-~a sal-poppa** from stem to stern; **baxx mill-~a** a rogue person; **għaddieh mill-~a** he made fun of him
prużuntuż aġġ. presumptuous
prużunzjoni n.f. (pl. ~**jiet**) presumption
PS n.m. (bla pl.) PS; abbr. of Post Scritum
PSE n.m. (bla pl.) PSE; abbr. of Personal and Social Education
psewdonom|u n.m. (pl. ~**i**) pseudonym
psikanalisi n.f. (pl. ~**jiet**) psycho-analysis
psikanalist|a n.m. (pl. ~**i**) psycho-analyst
psik|e n.f. (pl. ~**i**) psyche
psikiku aġġ. psychic, psychical
psikjatr|a n.m. (pl. ~**i**) psychiatrist
psikjatrij|a n.f. (bla pl.) psychiatry
psikoloġij|a n.f. (pl. ~**i**) psychology
psikoloġikament avv. psychologically
psikoloġiku aġġ. psychological
psikolog|u n.m. (pl. ~**i**) psychologist
psikopatij|a n.f. (pl. ~**i**) psychopathy
psikopatiku aġġ. psychopathic
psikożi n.f. (pl. ~**jiet**) psychosis
PTA n.m. (pl. ~**s**) PTA; abbr. of Parents Teacher Association
ptanza n.f. (bla pl.) pittance
PTO n.m. (pl. ~**s**) PTO; abbr. of Please Turn Over
pubbliċist n.m. (pl. ~**i**) publicist
pubbliċit|à n.f. (pl. ~**ajiet**) publicity
pubblikament avv. publicly, in public
pubblikan n.m. (pl. ~**i**) publican
pubblikat pp. published
pubblikatur n.m. (pl. ~**i**) publisher
pubblikazzjoni n.f. (pl. ~**jiet**) publication
pubblik|u aġġ, n.m. (pl. ~**i**) public
pubert|à n.f. (pl. ~**ajiet**) puberty
pudij|a n.f. (pl. ~**i**) selvage, band
pudin|a n.f. (pl. ~**i**) pudding; ~**a tar-ross** rice pudding; ~**a tal-Milied** Christmas pudding
pulċinell n.m. (pl. ~**i**) punchinello, Jack-pudding
pulċinellat|a n.f. (pl. ~**i**) piece of buffoonery
pulen|a n.f. (pl. ~**i**) rostrum; **qisha ~a** a verydelicate lady
pulent|a n.f. (pl. ~**i**) hominy, polenta
pulikarja aġġ. Jack-a-dandy, beau
pulit aġġ. polite; **tkellem bil-~** he spoke in standard Maltese
pulitizz|a n.f. (pl. ~**i**) cleanliness
pulizija n.m. (bla pl.) policeman, constable
pullagr|a n.f. (pl. ~**i**) podagra, gout
pullowver n.m. (pl. ~**ijiet**) pullover
pulmonea ara **pulmonite**
pulmonite n.f. (pl. ~**jiet**) pneumonia
pulmun n.m. (pl. ~**i**) lung
pulpett|a n.f. (pl. ~**i**) rissole, croquette
pulsazzjoni n.f. (pl. ~**jiet**) pulsation, beat, throb
pultrun|a n.f. (pl. ~**i**) armchair
pulzier n.m. (pl. ~**i**) wristband, cuff; (tal-polz) cuff-link, stud; (kejl) inch
pum n.m. (pl. ~**i, ~ijiet**) knob
puma n.f. (pl. ~**i**) puma, cougar
pumpjatur n.m. (pl. ~**i**) pumper
punent n.m. (bla pl.) west
punġenti aġġ. pungent
Puniku aġġ. Punic
punizzjoni n.f. (pl. ~**jiet**) punishment, chastisement
punt n.m. (pl. ~**i**) point; ~ **u ċapċipa** well done!; **bil-~ u virgola** in the proper way
puntal n.m. (pl. ~**i**) pile, strut, prop
puntat|a n.f. (pl. ~**i**) part, number
punteġġ n.m. (pl. ~**i**) score
punteġġjatur|a n.f. (pl. ~**i**) punctuation
puntell n.m. (pl. ~**i**) punch
puntiljuż aġġ. spiteful, stubborn
puntill n.m. (pl. ~**i**) punctilio
puntini n.m. (bla pl.) dots
puntwal n.m. (pl. ~**i**) punctual
puntwalit|à n.f. (pl. ~**ajiet**) punctuality
puntwalment avv. punctually
punzun n.m. (pl. ~**i**) punch
pup|a n.f. (pl. ~**i**) doll; **qisha ~a (ta' Marsilja)** she is a very beautiful/delicate girl
pupill|a n.f. (pl. ~**i**) pupil; **nadif/ileqq** ~ spick and span
puplesij|a n.f. (pl. ~**i**) apoplexy; **kieku kienet ittih ~a** he would have had a hard blow
pupletiku aġġ. apopletic
puppier n.m. (pl. ~**i**) rower nearest the stern
pupress n.m. (pl. ~**i**) bowspirit
pupu n.m. (pl. ~**i**) puppet; (bniedem li jdawruh kif iridu) a puppet
pur aġġ. pure
purament avv. purely, simply
purċissjoni n.f. (pl. ~**jiet**) procession

pur|è n.m. (pl. ~**ejiet**) purée
purgant n.m. (pl. ~**i**) purge
purgat ara **(i)ppurgat**
purgatorj|u n.m. (pl. ~**i**) purgatory
purgattiv aġġ. purgative, laxative
purifikat pp. purified
purifikatur n.m. (pl. ~**i**) purificatory
purifikazzjoni n.f. (pl. ~**jiet**) purification; **festa tal-~** Candlemas
purist n.m. (pl. ~**i**) purist
purit|à n.f. (pl. ~**ajiet**) purity, integrity, virtue
puriżmu n.m. (pl. ~**i**) purism
purtant n.m. (bla pl.) amble
purtat|a n.f. (pl. ~**i**) load
purtell|a n.f. (pl. ~**i**) wicket
purtier n.m. (pl. ~**i**) door-keeper
purtier|a n.f. (pl. ~**i**) curtain
purtinar n.m. (pl. ~**i**) door-keeper
purtinerij|a n.f. (pl. ~**i**) porter's lodge
puss n.m. (bla pl.) pus
pussess n.m. (pl. ~**i**) possession
pustaġġ ara **postaġġ**
pustier n.m. (pl. ~**i**) postman
pustjat ara **(i)ppustjat**
pustumett|a n.f. (pl. ~**i**) pustule
putattiv aġġ. putative
putrefazzjoni n.f. (pl. ~**jiet**) putrefaction
putruna ara **pultruna**
pużat|a n.f. (pl. ~**i**) cover
PVC n.m. (pl. ~**s**) PVC abbr. of polyvinyl chloride

Q q

q twenty first letter of the alphabet, sixteenth of the consonants and third of the gutturals

qabad v. to take, to hold, to keep; (issekwestra) to seize, to confiscate; (beda) to begin; (ħa n-nar) to kindle, to take fire; (fehem) to perceive, to understand; (għamel l-għeruq) to take root; ~ **bis-snien** to catch with the teeth; ~ **fih** to assault, to assail; ~ **il-kelma** to take one at his word; ~ **fil-waqt** to surprise, to catch; ~ **ix-xogħol** to begin to work; ~ **l-art** to come to shore; ~**ha fuq** - he started to speak about -; ~ **fih** he punched him; ~ **tal-linja** he caught the bus; ~ **miegħu** he started to tease him

qabar n.m. (pl. **oqbra**) grave, tomb; **blata tal-~** grave-stone, tomb-stone; ~ **imbajjad** a hypocrite; **sa jibagħtu l-~** he inflicts him great pains

qabbad v. to tie, to bind, to fasten; (ġiegħel lil min jgħaddi minn) to cause to undertake; (impjega) to employ; (ipprovoka) to provoke; ~ **in-nar** to light fire; ~ **it-triq** to put in the way, to direct

qabbadi aġġ. combustible, inflammable

qabbel v. to adapt, to fit; (xi ħaġa m'oħra) to compare, to match; (ikkonfronta) to confront; (irrima) to rhyme; (kera jew ta bil-kera) to let out a ground

qabbeż v. to make one jump; (għadda) to surpass sb. in an unfair way; **min qabbżu**? who told him to get involved?

qabbiel n.m. (pl. ~**a**) he that compares, resembles; (dak li jirrima) rhymer

qabbieli aġġ. comparable

qabbież n.m. (pl. ~**a**) jumper, leaper

qabbieża: mara ~ a tart

qabbieżi aġġ. quick, active, brisk

qabd|a n.f. (pl. ~**iet**) capture; (ponn) handful; **fih** ~**a** it is quite big; **bil-~a** a lot

qabel v. to accord; (f'xi somma, eċċ.) to tally; (kien aħjar għalih) to suit; (irrima) to be in rhyme; **hemm jaqbel** up there the wind is more strong; **fejn jaqbel qabbel** make business where it pays back // avv. before, first; ~ **il-waqt** before the time; ~ **ma** before that; ~**xejn** first of all

qabeż v. to bound, to leap; (ħalla barra) to omit, to leave out; (l-għeneb) to get sour; ~ **fuqu** he tried to stop him from speaking; ~ **fuqha** (inf.) he wanted to make love with her; **qabżitlu kelma** he said what he was not supposed to say; ~ **għalih** he stood by him;

qabla n.f. (pl. **qwiebel**) midwife (also **majjistra**)

qabru n.m. (pl. **qwabar**) crab; **lura bħal** ~ he is getting worse

qabs n.m. (pl. **qbies**) fagot, faggot

qabż: ~ **ħadid** irrelevant words

qabż|a n.f. (pl. ~**iet**) leap, jump, bound; **qabeż** ~**a** he dived into the water; **qabeż** ~**a saż-Żejtun** (eċċ.) he just went to Żejtun (etc.) for a few minutes

qaċċat v. to prune; (ma baqax jaqta') to blunt; (qala' mill-qiegħ) to uproot, to eradicate; ~ **'il barra** to expel, to drive out

qada n.f. (bla pl.) the sentence of court; (sfortuna) misery, misfortune; (id-destin) fate, destiny; **donnu l-~ miegħek** you are very unfortunate; **narrah jiġik** ~ be damned!

qadd n.m. (pl. **qdud**) waist; **fuq** ~**u** courageous, daring; **fuq** ~**u** courageously; **qam fuq** ~ he stood up

qaddam v. to advance; (hemeż) to hew with an adze

qaddeb v. to whip

qadded v. to dry up; (raqqaq) to make lean, to emanciate; (żamm jistenna) to detain, to keep waiting

qaddej n.m. (pl. ~**ja**) servant, waiter

qaddem v. to make old

qaddes v. to sanctify, to saint, to canonize; (iċċelebra l-quddiesa) to celebrate mass

qaddief n.m. (pl. ~**a**) rower, puller, boatman

qaddies n.m. (pl. ~**a**) officiating priest

qaddis aġġ. n.m. (pl. ~**in**) holy, saint, religious; **bil-~** password; **mimli sa** ~**u** full to the brim; minn ~**u** his mannerisms; ~**u** hekk jgħid he thinks that is the proper way; **tah fuq** ~**u** he gave him a sound beating; **qaddisin**: **bil-~** he has friends who are in power

qadef v. to row; ~ **għal sidru** to work hard, to toil; ~ **għal rasu** he worked egoistically
qadf|a n.f. (pl. **~iet**) rowing, row
qadi n.m. (bla pl.) service; **qisu** ~ he always looks and scans around
qadib n.m. (pl. **qodbien**) branch, bough; (stikka żgħira) rod, switch, wand
qadim aġġ. old, ancient; **il-~ żomm miegħu** things made the old way last more
qadj|a n.f. (pl. **~iet**) business, affair, service, errand
qadum|a n.f. (pl. **~iet, qdajjem**) adz, adze
qafas n.m. (pl. **oqsfa**) cage, aviary; ~ **tas-sider** thorax, chest; ~ **ta' bastiment** carcass, carcase
qafel v. to lock, to hasp, to shut up; (buttuna) to button; (ċintorin) to buckle; (lazz) to tie; **qafluh** they took him to prison; (fi sptar tal-moħħ) they took him to a sanatarium
qafiż n.m. (pl. **qofża**) half a barrel
qafl|a n.f. (pl. **~iet, qfieli**) lace, string
qagħad v. to stand, to stop, to stay; (ikkuntenta) to please; (ħalla) to consent, to admit, to allow; (intefa' bilqiegħda) to sit down; (baqa') to remain, to abide; ~ **bilwieqfa** to stand up; ~ **fuq il-bajd** to incubate; ~ **il-mejda** to sit dow at table; ~ **għalih** to live alone; ~ **għarkopptejh** to kneel (down); ~ **ma'** to cohabit, to dwell together; **mur oqgħod bih!** he is such a nuisance!; ~ **b'seba' għajnejn fuqu** he watched on him closely; **ejja oqgħod!** inter. come to see us whenever you want; (b'mod ironiku) that is very intelligent of you!; **ħallieha toqgħod** he did not touch it again for some time
qagħd|a n.f. (pl. **~iet**) position, posture; (post tar-residenza) abode, residence, stay
qagħwara ara **qawwara**
qagħweġ ara **kagħweġ**
qaħba n.f. (pl. **qħab**) prostitute, whore; (vulg.) a promisciuous woman
qaħħab v. to prostitute
qaħqaħ v. to hack
qajd n.m. (pl. **qjud, qjad**) fetter, shackle; ~ **tal-idejn** manacle
qajjar v. to dry up
qajjel v. to open
qajjem v. to lift up; (mill-irqad) to wake up; (sesswalment) to rouse; (manifestazzjoni) to excite, to incite
qajl|a n.f. (pl. **~iet**) rest; **bil-~a** slowly, gently; **bil-~a l-~a** softly softly
qajsum n.m.koll. f. ~a (pl. ~**iet**) lavander cotton
qajż|u n.m. (pl. **~ijiet**) small pig

qal v. to say, to tell, to talk; **fehem** (mexa, eċċ.) **ingħid!** he really understood (walked, etc.); **stajt m'għidtux** yes, you're very right; **taf x'naf ingħid?** you know what?; **~ bih** he spoke badly about him; **ngħid jien, ikolli ngħid** in my opinion; **għidli x'int tiekol/tixrob** that food/drink is really good; **għax tgħid** you know; **lil min tgħid?** he does not listen to you; **kellu xi jgħid** he had an argument with sb.; **min kellu jgħidlu?** who could forsee what was going to happen?; **f'kemm ili ngħidlek** in a few moments; **ngħidu aħna** for instance
qala n.f. (pl. **~t, ~iet**) inlet, cove, armlet
qala' v. to pull off, to draw off; (ivvomta) to vomit, to spew; ~ **mill-art** to pull up; ~ **mingħand** to acquire, to gain; ~ **mill-għerq** to root up; ~ **minn taħt l-art** to unbury; ~ **minn xi mkien** to remove; ~ **qlajja'** to lie; ~ **sinna** to draw a tooth; **jaqlagħha u jikolha** he does not earn much // n.m. (pl. **qlugħ**) sail; ~ **tal-gabja** the main top sail; ~ **tal-kontrapappafik** the main top, the gallant royal; ~ **tal-latin** latin sail; ~ **tal-majjistra** the main sail; ~ **tal-mezzana** the mizen; ~ **tal-pappafik** the main top gallant sail; ~ **tal-quddimin** the fore sail; ~ **tat-trinkett** the fore sail; ~ **tal-parrukkett** the fore top gallant sail; **għandu r-riħ fil-~** the wind is in his favour; **qlugħ**: **għamel il-~** he is going abroad
qalb n.f. (pl. **qlub**) heart; ~ **ħażina/xierfa** evil-hearted; ~ **iebsa/ħadra** flint hearted, cruel; ~ **sewda** heavy hearted, sad; **~u tajba/f'idu/tad-deheb/taz-zokkor** a good-hearted man; **~u għamlet tikk** he really had a fright; **~u ħebritu** he had a premonition; **~u żgħira** a sensible man; **fetaħ** ~ he spoke with someone about his problems; **tatu l-~** he wanted to; **fuq ~u** against his wishes; **bil-~, għal ~u** happily; **qatagħlu** ~u he discouraged him; **għamel il-~, qawwa ~u** he stood up; (bid-dwejjaq) he grew sad; **tgħidli ~i** I'm feeling that; **bil-~ it-tajba** without causing much trouble; **fil-~ta' ~u** deep in his heart; **ħarġet ~u** he really cried; **misslu ~u** he touched him; **żamm f'~u** he did not forget; **rattab ~u** he became kind
qalb prep. between, among
qalba n.f. (pl. **qlub, qliebi**) tendril; (iċ-ċentru) heart, midst; (ta' frotta) kernel; **tal-~** one of them // n.f. (pl. **~iet**) over turn
qalbieni aġġ. courageous, magnanimous, brave
qaleb v. to turn, to overturn; (neħħa idea) to dissuade; (l-ikel) to dish; (inf. sar omosesswali) to turn homosexual; (fig. il-ħamsin, eċċ.) to turn fifty (etc.); ~ **kollox ta' taħt fuq** he

rummmaged the house all over; **qalibhielha** (inf.) he committed adultery
qaleb n.m. (pl. **qwiebel**) wicker-basket
qalfat v. to caulk // n.m. (pl. **~a**) caulker; (xorta ta' ħuta) lamprey
qalgħa n.f. (pl. **~t**) plucking, pulling; (tneħħija) removal; (kisba) attainment, acquisition; (gwadann) gain // n.f. (pl. **qlajja'**) calumny
qali n.m. (bla pl.) frying, fried dishes
qalil aġġ. rigid, severe; (kattiv) inhuman, cruel
qalj|a n.f. (pl. **~iet**) fry
qalla v. to fry lightly
qalla' v. to cause disgust; (tajjen) to trouble, to make muddy; (l-flus) to give or cause profit
qallat v. to leap
qalleb v. to trouble, to confound; to put in confusion; ~ **il-ktieb** to turn over the pages of a book; ~ **in-nar** to stir up the fire
qallej n.m. (pl. **~ja**) he who fries
qallieb n.m. (pl. **~a**) he that overturns
qalliebi aġġ. fickle, inconstant
qallut n.m. (pl. **qlalet**) turd
qalziet n.m. (pl. **qliezet**) trousers
qam v. to rise, to get up; (mill-irqad) to wake; (flus) to cost; ~ **fuq tiegħu** he stood up
qama n.f. (pl. **qjiem**) fathom
qamar n.m. (pl. **oqmra, qmura**) moon; ~ **ġdid** new moon; ~ **kwinta** full moon; ~ **fin-noqsar** waning moon; **nofs** ~ semilunar; **ta' kull** ~ monthly; **mard tal-~** epilepsy; **donnu** ~ he changes his opinion quite often; **ra l-~ fil-bir** he faced big troubles; **qed jgħix fil-~** his head is in the cloud; **f'mitt** ~ very seldomly
qamas ara **qames**
qamel n.m.koll. f. **qamla** (pl. **qamliet**) louse; (inf.) niggardness
qames v. to jump, to caper, to hop
qamħ n.m.koll. f. **~a** (pl. **~iet**) wheat, corn
qamħirrun maize, Indian corn
qamħi aġġ. brunette
qammas ara **qammes** // n.m. ara **qammies**
qammasa ara **qammies**; (inf.) a tart
qammat v. to clog, to handcuff
qammel v. to fill with lice; (inf. sar xhiħ) to grow niggard
qammes v. to cause to jump, to caper; (stieden id-daqqiet bis-saqajn) to incite to kick
qammies n.m. (pl. **~a**) jumper, hopper
qammiesi aġġ. jumping, hopping
qamri aġġ. lunar
qammilta ara **kammilta**
qams|a n.f. (pl. **~iet**) leap, jump, skip
qana n.f. (pl. **qonja**) canal, gutter
qanbi ara **qannbi**
qanċeċ v. to be stingy
qanċieċ n.m. (pl. **~a**) miser
qanċieċi aġġ. niggard, stingy
qandel v. to carry
qandul n.m. (pl. **qniedel**) trinket, pendant
qanfed v. to ruffle, to rumple
qanfud n.m. (pl. **qniefed**) hedgehog; **donnu** ~ he has a shabby hairstyle
qanfus ara **ħanfus**
qanja n.f. (pl. **qanjet**) dust-hole
qanna' v. to constrain one to acquiesce against his inclination
qannata n.f. (pl. **qnanet**) pitcher
qannbi aġġ. hempen
qanneb n.m.koll. f. **~a** (pl. **~at**) hemp
qannebus|a n.f. (pl. **~i**) hemp-seed
qanniċ n.m. (pl. **qnieneċ**) wicker-frame
qanpiena n.f. (pl. **qniepen**) bell; ~ **ta' bugħaddas** diving-bell; ~ **tal-ħalq** uvula; ~ **tal-ħġieġ** bell-glass; **ħabel tal-~** bell-pull; **lsien ta'** ~ bell-clapper; **sema'** ~ **waħda** he listened to only one opinion; **bil-~** in agony
qanqal v. to displace; (ħoloq l-inkwiet) to trouble
qantar v. to be heavy/weighty; **ħallas il-~** he took all the blame // n.m. (pl. **qnatar**) quintal, hundred-weight
qanun n.m. (pl. **qwienen**) canun; (kera) due, rent
qanżħ|a n.f. (pl. **qniżaħ**) gizzard // aġġ. fastidious, disdainful
qaqa v. to crackle
qaqoċċ n.m.koll. f. **~a** (pl. **~iet**) artichoke; **qaqoċċa**: **imdawrin** ~ they share the same opinion
qara v. to read, to persue; ~ **mill-ġdid** to read again; ~ **x-xorti** to divine, to guess
qarabagħli n.m.koll. f. **~ja** (pl. **~jat**) vegetable marrow
qaraboċċ n.m.koll. f. **~a** (pl. **~iet**) Indian millet
qarad v. to scour
qaraħ v. to flay, to skin
qarar v. to confess
qaras v. to pinch
qarb|a n.f. (pl. **~iet**) approach
qarben v. to communicate; **kemm kemm qarbnu** just a bit
qardax v. to card // n.m. (pl. **~a**) carder
qarden v. to card
qardien ara qurdien
qares patt. sour tart, harsh; ~ **ħall** very sour; ~ **tal-lumi** lemon-juice; **ħallas** ~ he had to pay // n.m.koll. sorrel, wood sorrel
qargħa n.f. (pl. **~t, qriegħi**) gourd, pumpkin; **ras** ~ bald, bald pated; (bniedem stupidu) a

stupid person; **bagħtu jiddobba** ~ he sent him to the gallows
qargħi aġġ. bald, hairless
qarħa n.f. (pl. **~iet**) scratch, excoriation
qari n.m. (bla pl.) reading
qarib aġġ. imminent; (li jorbot ma') related, consanguineous // n.m. (pl. **qraba**) kin
qarinza n.f. (pl. **~t**) serenade
qarja n.f. (pl. **~t**) perusal
qarmeċ v. to craunch, to crunch // n.m. **ħa** ~ he faced a disappointment
qarmuċ: **donnu** ~ a very thin child
qarmuċ|a n.f. (pl. **~iet**) cartilage, gristle
qarn n.m. (pl. **qrun**) horn; **donnu** ~ very small; **jagħtih** ~ no way; **qrun: jaf il-~ kollha** he knows all the defects; **ħareġ ~u** he stood up; **raqqad ~u** he retired into quietness; **kixef il-~** he revealed some facts
qarnanqliċ n.m. (pl. **~ijiet**) jay, roller
qarnit n.m.koll. f. **~a** (pl. **~iet**) octopus, cuttlefish, **qarnita**: polypus; **qabad ma' xi ħadd bħal** ~ he stuck to him; **il-~ daret għal subgħajha** he had to spend his savings
qarnun|a n.f. (pl. **~iet, qranen**) corner of a sack
qarċar v. to scorch
qarqar v. to gurgle, to rumble
qarquċ n.f. (pl. **qrieqeċ**) roast scraps of pork fat
qarr v. to confess
qarra v. to cause to read
qarrab|a n.f. (pl. **~iet, qrareb**) phial, flagon
qarraħ v. to treat roughly wound
qarraq v. to cheat, to deceive
qarras v. to sour, to make sour; ~ **wiċċu** to browbeat
qarreb v. to approach, to bring near to
qarrej n.m. (pl. **~ja**) reader // aġġ. readable, legible
qarrem v. to crob
qarrieb n.m. (pl. **~a**) approacher
qarrieq n.m. (pl. **~a**) cheater
qarrieqi aġġ. deceitful, deceptive
qars|a n.f. (pl. **~iet**) pinch; (xorta ta' ħaxixa) oxalis; **isfar daqs ~a** (tax-xama') very pale, yellowish
qartalla n.f. (pl. **qratal**) basket, hamper
qartas v. to wrap // n.m. (pl. **qratas**) cornet
qarweż v. to shear
qarwież n.m. (pl. **~a**) hair cutter
qasab n.m.koll. f. **qasba** (pl. **qasbiet**) cane, reed
qasam v. to cleave; (iddivida) to divide; (il-baħar, eċċ.) to cross, to pass, to go through // n.m. (pl. **oqsma**) farm, tenure; (tad-djar) housing estate; **m'għandux x'jaqsam** that is irrelevant
qasb|a n.f. (pl. **~iet**) rod, reed; **~a tas-sieq** shin, shin-bone; **niexef ~a** very thin; **bil-~a f'idu** very poor; **donnu ~a mar-riħ** he does not know what to do
qasbij|a n.f. (pl. **~iet**) stubble
qasir aġġ. short, brief; **fil-~** shorly, concisely; ~ **il-għomor** in a short time
qasm|a n.f. (pl. **~iet**) slit, cleft; (diviżjoni) division, partition; (sehem) portion, share
qasqas v. to scissor
qasrija n.f. (pl. **qsari**) flower pot
qass v. to shear, to cut
qassab v. to reed
qassam v. to distribute, to share; (ikklassifika) to order, to range, to classify // n.m. (pl. **~a**) divider, distributor; (klassifikatur) disposer, orderer, classifier
qassar v. to shorten, to abridge // n.m. (pl. **~a**) shortener, abridger
qassas v. to clip, to snip; (infama) to slander, to detract, to backbite; ~ **bil-pizzi** to jag
qassat v. to distribute; (ikkummenta) to comment
qassat|a n.f. (pl. **~i, ati**) cheese cake; **għamel ~a** he committed a big blunder
qassies n.m. (pl. **~a**) backbiter
qassis n.m. (pl. **~in**) priest
qastan n.m.koll. f. **qastna** (pl. **qastniet**) chestnut; ~ **mixwi** roasted chestnut; ~ **mgħolli** boiled chestnut; **qastna**: **ġiebha** ~ he did not succeed in striking his goal
qastni aġġ. bay, chestnut-coloured
qata' v. to cut, to cut off; (iddeċieda) to decide, to determine, to resolve; (iddeduċa) to deduct, to deduce; (beda jmur) to begin to spoil; ~ **barra** to get rid; (id, sieq, eċċ.) to cut off; ~ **d-drawwa** to dishabituate; ~ **jiesu** to despair; ~ **l-għatx** to quench; ~ **l-jies** to put one out of hopes; ~ **l-kliem** to cut short; ~ **n-nifs** to be out of breath; ~ **r-ras** to behead; ~ **qalbu** to despond, to lose courage; ~ **qalb xi ħadd** to discourage; **aqtagħha** stop, shush; **jekk taqta' għandux** it is obvious that he will; **ejja naqtgħuha** let us finish it; **qatgħu biċċa** he gave him a lift; **qatgħu minn ġewwa** he gave him a big fright
qatar v. to drop, to drip
qatel v. to kill, to murder; ~ **bil-ġuħ** to starve; ~ **ruħu b'idejh** to commit suicide; **joqtol għal** he would do anything for; **hemm isfel tista' toqtol u tidfen** down there is pitch dark
qatgħa n.f. (pl. **~t, qtajja'**) cut; (sehem) share, portion; (ta' biża', eċċ.) fright; **tal-~ tiegħu** he goes on well with him
qatigħ avv. much, many; **ilu** ~ much time, a long time

qatl|a n.f. (pl. **~iet**) slaughter, murder; **dik hi l-~a tiegħu** he really hates doing that

qatr|a n.f. (pl. **~iet, qtar**) drop; **bil-~a l-~a** drop by drop; **~a tal-ilma** drop of water; **iħobb il-~a** he enjoys drinking wine; **mejjet għal ~a** he is really eager to drink

qatran n.m. (bla pl.) pitch; **iswed daqs il-~** pitch-black

qatt avv. never; **jekk ~** if by chance

qatta n.f. (pl. **qatet**) truss, bunch, bundle; **~ ċwievet** bunch of keys; **~ tiben** bundle of straw; **~ bla ħabel** without refraining; **denneb il-~** he made things even

qatta' v. to tear, to rip; (bis-sikkina, eċċ.) to cut; (bis-snien) to mince; (bniedem) to massacre; **ta' qattagħni** a rogue man; **t~ u tiekol minnu** a very nice man

qattanija n.f. (bla pl.) fray, row, uproar

qattar v. to drip, to trickle

qattar|a n.f. (pl. **~iet**) gutter, sprout; (pajp) drop-tube

qattari aġġ. dripping, dropping

qattet v. to bundle, to sheaf

qattiegħ n.m. (pl. **~a**) cutter; **~ il-ġebel** stone cutter

qattiel n.m. (pl. **~a**) killer, murderer; **~ ta' ħuh** fratricide; **~ ta' martu** murderer of his wife; **~ ta' missieru** patricide; **~ t'ommu** matricide; **~ ta' re** regicide; **~ ta' tarbija** infanticide; **~ tiegħu nnifsu** suicide

qattieli aġġ. mortal, poisonous

qattus n.m. (pl. **qtates**) cat; **inħasel bħal ~** he washed himself carelessly; **qisu ~ f'Jannar** he loves flirting; **~ min għamel dan** damn who made this thing; **~ tal-qargħa** a sickly person // **qattusa**: **qisu ~ gerfixija** he is really careless; **qtates**: **erba' ~** a few people; **jinnamra daqs ~** he loves flirting

qawl n.m. (pl. **qwiel**) proverb

qawm|a n.f. (pl. **~iet**) rising; **~a mill-mewt** resurrection; **~a tan-nies** revolt, rebellion

qawmien n.m. (bla pl.) rising, awakening

qawqab n.m. (pl. **qwieqeb**) wooden sandal

qawqbi aġġ. squat; **qagħad la ~ja** to squat

qawr|a n.f. (pl. **~iet, qwawar**) circle, sphere

qawri aġġ. orbicular, spherical

qaws n.m. (pl. **qwas**) arch, semicircle; (tal-vleġeġ) bow

qawsall|a n.f. (pl. **~iet, qawsalel**) rainbow

qawwa v. to strengthen; (ħaxxen) to fatten; (fejjaq) to cure, to heal; (ikkonferma) to confirm, to corroborate

qaww|a n.f. (pl. **~iet**) strength, force, power; (utiqa) constancy, firmness; (ħxunija) fatness

qawwar|a n.f. (pl. **~iet, qwawar**) halo; (ċirkumferenza) circle, circumference; (tar-reffiegħa) porter's knot

qawwas ara **qawwes** // n.m. ara **qawwies**

qawwem v. to stand up

qawwes v. to curve, to bend; (leħħ) to dart

qawwi aġġ. fat, plump; (b'saħħtu) strong, stout; (f'sikktu) healthy, sane; (utiq) firm, constant; (mhux artab) hard, sound; **~ u sħiħ** safe and sound

qawwieli aġġ. loquacious

qawwiem n.m. (pl. **~a**) ringleader

qawwies n.m. (pl. **~a**) archer, bowman

qaxlef v. to dry up

qaxqax v. to pick, to grow

qaxxar v. to bark, to peel; (seraq) to plunder, to fleece; (selaħ) to fray, to skin; **qaxxru ħaj** he really exploited him // n.m. (pl. **~a**) barker, peeler; (min jisloħ) frayer; (ħalliel) fleecer

qażqajża n.f. (bla pl.) bladder common

qażquż n.m. (pl. **qżieqeż**) pig, hog; **dak ~** he misbehaves a lot

qażżeż v. to disgust, to nauseate

qbid n.m. (bla pl.) taking, holding; (sekwestru) sequestration, seizure, confiscation; (bidu) beginning; (ta' nar, eċċ.) kindling

qbiela n.f. (pl. **qbejjel**) rent

qbil n.m. (bla pl.) comparison, adaptation

qbiż n.m. (bla pl.) leaping, jumping; **~ għal xi ħadd** protection, aid, support

qdiem v. to grow ancient

qdif n.m. (bla pl.) rowing

qdumij|a n.f. (pl. **~ijiet**) antiquity, oldness

qdusij|a n.f. (pl. **~ijiet**) holiness, sanctity

qeda v. to serve

qedem n.m. (bla pl.) ancient times

qejjes v. to measure

qejjies n.m. (pl. **~a**) measurer; **~ ir-raba'** land surveyor

qela v. to fry

qerd|a n.f. (pl. **~iet**) destruction, ruin

qered v. to destroy, to exterminate, to ruin

qerq n.m. (bla pl.) fraud, deceit, illusion

qerqni aġġ. dwarf, pigmy

qerr v. to confess one's sins; **qisni qed in~** I am speaking truthfully; **mur ~!** you are lying!

qerra n.f. (pl. **qerer**) frost

qerried n.m. (pl. **~a**) destroyer

qfil n.m. (bla pl.) shutting, locking; (ta' buttuni) buttoning

qgħad n.m. (bla pl.) unemployment; **hemm mhux ~u** he is worth better

qiegħ n.m. (pl. **qigħan**) bottom; (sediment) sediment; lees; **il-biċċa jafha mill-~** he knows well what is happening; **intafa' f'~ta' sodda** he fell sick; **beda jidher il-~** we are near the end
qiegħa n.f. (pl. **qigħat, qigħan, qwiegħi**) paviment, threshing-floor; **saħnet il-~** a civilian outburst was imminent
qiegħed patt. sitting; (bla xogħol) unemployed; (għażżien) idle; **ilma** ~ still or standing water // v. to place, to lay, to put; **issa jqiegħdu** he will punish him
qiem v. to honour, to venerate
qieraħ patt. sharp, inclement; ~ **tas-sajf** the height of summer; ~ **tax-xitwa** midwinter, winter solstice
qies v. to measure // n.m. (pl. **qisien**) measure, dimension; (regola) rule; **bil-~** moderately; **bla** ~ immoderately
qill|a n.f. (pl. **~iet**) fierceness, cruelty; (kburija) pride
qima n.f. (bla pl.) adoration, veneration
qirew n.m. (pl. **~ijiet**) bonus, gratuity
qisd a sound, utterance **lanqas qal** ~ he did not utter a single word
qixx fishermen's, general word for very small boops **il-~ u l-mixx** some people are important while others are not
QK (Qabel Kristu) BC; abbr. of Before Christ
qlib n.m. (bla pl.) overthrow
qligħ n.m. (bla pl.) pulling or plucking out; (profitt) gain, profit; ~ **barrani** an additional income
qlubi aġġ. courageous, bold
qlubija n.f. (bla pl.) spunk
qluqi aġġ. inconstant, changeable, volatile
qmis n.f. (pl. **qomos**) shirt // n.m. (bla pl.) kicking
qodos n.m. (bla pl.) holiness, sanctity; **Ruħ il-~** the Holy Spirit
qoffa n.f. (pl. **qfief**) basket; (ras ta') top; **tah il-~** he put him on the dole
qofol n.m. (bla pl.) locking, shutting // n.m. (pl. **oqfla**) lock
qoħob v. to whore, to prostitute; (inf. dar lil kulħadd) to runaround
qoll|a n.f. (pl. **~iet, qolol**) hill // n.f. (pl. **qliel**) pitcher; **~a tan-naħal** hive, beehive
qollieb|a n.f. (pl. **~iet**) scab, crust
Qoran n.m. (pl. **~ijiet**) Koran
qorbien n.m. (bla pl.) approach
qorgħan n.m. (bla pl.) skull, cranium
qorob v. to approach, to come near; (kien imminenti) to be imminent
qorob n.m. (bla pl.) proximity, nearness
qorq n.m. (pl. **qrieq**) sandal
qorriegħa n.f. (pl. **qorrigħat**) top; (kranju) skull
qorti n.f. (pl. **qrati**) court house; **il-~** court of Justice; Tribunal; ~ **tal-Appell** court of Appeal; ~ **t'Isfel** police court; ~ **marzjali** court martial; **għamel** ~ he caused a lot of trouble; **daħħlu l-~** he took a legal advice about him
qosor n.m. (bla pl.) shortage; (kuntrarju ta' tul) shortness
qoton n.m.koll. f. **qotna** (pl. **~iet**) cotton; **qotna**: **abjad** ~ fragrantly white
qoxqox parched **niexef** ~ very dry
qoxr|a n.f. (pl. **~iet, qxur**) (ta' siġra) bark; (ta' mħar, eċċ.) rind, shell; (ta' bniedem) skin; (frotta) skin, peel; **daħal ġo qoxortu** he stayed quiet; **daħal f'~a** he retired alone by himself; **ħareġ minn qoxortu** he stood up
(i)qqortja v. to court
qrad|a n.f. (pl. **~iet**) abscess in the sole of the foot
qrar|a n.f. (pl. **~iet**) confession
qras v. to grow sour
qrejweż n.m. (pl. **qrieweż**) imp
qrempuċ n.m.koll. f. **~a** (pl. **~iet**) esculent bird's foot
qrib avv. near, by
qris n.m. (bla pl.) pinching
qroll n.m.koll. f. **~a** (pl. **~iet**) coral; **aħmar il-~** very red
qrolli aġġ. coralline
qronfol n.m.koll. f. **qronfla** (pl. **qronfliet**) carnation; clove-pink, clove-gillyflower; **musmar tal-~** clove
qroqqa n.f. (pl. **qrejjaq**) brood-hen; **donnha ~a** a women who stays in a place for a long time; (mara li tidħak mix-xejn) a woman who laughs excessively
qrubija n.f. (bla pl.) consanguinity, kindred
qrusa n.f. (bla pl.) sharpness, acidity, bitterness
qsar v. to grow short
qsim n.f. (bla pl.) division
qsurija n.f. (bla pl.) shortness
qtigħ n.m. (bla pl.) cutting; (deċiżjoni) decision; (interruzzjoni) interruption
qtil n.m. (bla pl.) murder
qtugħ n.m. (bla pl.) cutting
qubbajt n.m.koll. f. **~a** (bla pl.) nougat
quċċata n.f. (pl. **qċaċet**) summit, top
quċċied n.m.koll. f. ~a (pl. **~iet**) lice
quċċija n.f. (pl. **quċċiji**) ceremony foretelling a child's future
quddiem prep. avv. before, in the presence; **'il** ~ forward
quddiemi aġġ. anterior, foremost

quddies|a n.f. (pl. ~**iet**) mass
qurdien n.m.koll. f. ~**a** (pl. ~**iet**) tick; **qurdiena: mimli daqs** ~ he ate a lot of food
qużqajża ara **qażqajża**
qv n.m. (bla pl.) qv (quod vide), which see
qżież n.m. (bla pl.) nastiness, dirtiness
qżieżi aġġ. dirty, filthy, nasty
qżużi aġġ. nauseous, disgusting
qżużij|a n.f. (pl. ~**iet**) nastiness; (diżonestà) dishonesty, immorality, indecency
QWERTY n.f. (bla pl.) QWERTY, standard typewriter keyboard

R r

r twenty second letter of the alphabet, seventeenth of the consonants and fifth of the liquids

ra v. to see; ~ **l-marid** to visit a patient; **a~h u la tmissux** very proud of himself; **ma ta~x**! no, of course; **ja~ kbir** he thinks fondly of himself; **ħalli min ja~k** let's meet more often; **~jtx kemm jaf!** he does not know anything; **dejjem ja~ x'jinqala'** we cannot lead a peaceful life; **ma ta~x timxi** it is pitch dark; **a~ x'qallek!** that is very true; **a~ dan!** listen to what he said!

raba' n.m. ground, land; **xaqq ir-~** he ploughed; **rbajja'**: **erba' ~ falza** a cunning person // **raba'** aġġ. num. ord. fourth

rabarbru n.m. (pl. **~i**) rhubarb

rabat v. to tie, to bind; (obbliga) to oblige; **~ fuqu** he trusted him

rabba v. to bring up, to rear; **~ l-għaqal** to acquire sense

rabbab n.m. (pl. **~a**) bagpiper, fifer, piper

rabbab|a n.f. (pl. **~iet**) fife

rabbat v. to tie frequently

rabbi n.m. (pl. **~n**) rabbi

rabbinat n.m. (pl. **~i**) rabbinate

rabbiniżm|u n.m. (pl. **~i**) rabbinism

rabesk ara **arabesk**

rabj|a n.f. (pl. **~i**) rage

rabjatur|a n.f. (pl. **~i**) rage

rabott n.m. (pl. **~ijiet**) plane

rabt|a n.f. (pl. **~iet**) tie, band, ligature; (għaqda) league, alliance; (obbligazzjoni) obligation, contract; **~a ċoff** a weak nexus; **għandhom ir-~a tad-demm** they are relatives

raċanċ n.m. (pl. bla s.); oddments, rubbish

rada' v. to suck

radam v. to bury, to inter, to overwhelm; **għandu bir-~** he has heaps of them

radanċ|a n.f. (pl. **~i, ~iet**) thimble, washer

radar n.m. (bla pl.) radar

radd v. to restore, to return, to give back; **~ il-ħajr** to thank; **~ is-salib** to make the sign of the cross

radd|a n.f. (pl **~iet**) restitution; **~a ta' bastiment** furrow, wake; **~a ta' moħriet** furrow, drill; **f'~a ta'** salib in a few seconds

radda' v. to suckle, to give suck to, to nurse

radden ara **redden**

raddien|a n.f. (pl. **~iet**) wheel, spinning; **~a tal-ħalġ** cotton-gin; **~a tal-ġokdifoku** Catherine-wheel, **x'~a fin!** he speaks incessantly

radika n.f. (bla pl.) genealogy

radikali aġġ. radical

radikaliżm|u n.m. (pl. **~i**) radicalism

radikalment avv. radically

radjatur n.m. (pl. **~i**) radiator

radjazzjoni n.f. (pl. **~jiet**) radiation

radj|o n.m. (pl. **~ijiet**) radio

radjoattiv aġġ. radioactive

radjoattivit|à n.m. (pl. **~ajiet**) radio-activity

radjofonij|a n.m. (pl. **~i**) radiophony

rodjogonjometrik|u n.m. (pl. **~i**) radiogoniometer

radjografij|a n.f. (pl. **~i**) radiography

radjografiku aġġ. radiographic

radjogramm n.m. (pl. **~i**) radiotelegram, wireless message

radjoloġij|a n.m. (pl. **~i**) radiology

radjoloġiku aġġ. radiological

radjometrij|a n.f. (pl. **~i**) radiometry

radjometr|u n.m. (pl. **~i**) radiometer

radjoskopij|a n.f. (pl. **~i**) radioscopy

radjoskopju aġġ. radioscopic

radjoterapewtiku aġġ. radiotherapeutic

radjoterapij|a n.f. (pl. **~i**) radiotherapy

radj|u n.m. (pl. **~i**) radius

radju n.m. (bla pl.) radium; ara wkoll **radjo**

RAF n.m. (bla pl.) RAF; abbr. of Royal Air Force

rafa' v. to raise, to lift up; (warrab) to preserve, to store; (palo) to cock; **qiegħed jerfa'** he is dying; **refagħhielu** he kept in mind a comment which the other had said in his regards

rafanell n.m.koll. f. **~a** (pl. **~iet**) radish

raff n.m. (pl. **rfuf**) garret

raffja n.f. (bla pl.) raffia

raġa' v. to return, to come back; ~ **lura mill-kelma** to retract one's promise

raġel n.m. (pl. **rġiel**) man, husband; (bniedem serju) gentleman; ~ **magħmul** a grown up man; ~ **tal-kelma** man of his word; ~ **tar-ruħ** religious man, pious man; **ħareġ ta'** ~ he kept his word; ~ **magħmul** quite old; **ma mexiex ta'** ~ he did not keep his word; ~ **int!** you are very honest!; **qisu** ~ he is so mature; **jekk int** ~ - if you have the guts -; **ta' ~li hu** he really keeps his word; ~ **fuq l-irġiel** the most honest; **rġiel**: ~ **aħna!** we are so great!; (ftehimna) we have reached an agreement

raġġ n.m. (bla pl.) romp, play u n.m. (pl. ~**i**) ray

raġġa' v. to cause to return; ~ **lura** to drive back

raġġier|a n.f. (pl. ~**i**) aureola, halo

raġun n.m. (pl. ~**ijiet**) right, reason, justice; **bir-**~ justly, with good reason; **għandu** ~ **biex ibigħ** he is right

raġunament n.m. (pl. ~**i**) argument, reasoning

raġunat pp. logical, rational

raġunevoli aġġ. reasonable

raġuni n.f. (pl. ~**jiet**) reason; **ir-~ ma tridx forza** the right reasoning should prevail

ragadi n.f. (pl. bla s) rhagades

rag|ù n.m. (pl. ~**uwijiet**) ragout

ragħa v. to pasture, to graze; (iggverna) to regulate, to rule; (għamel ir-ragħwa) to spume, to foam

ragħad n.m.koll. f. **ragħda** (pl. **ragħdiet**) thunder

ragħaj n.m. (pl. ~**ja**) shepherd; ~ **il-baqar** cowherd; ~ **il-ħnieżer** swinehead; ~ **il-mogħoż** goatherd; ~ **in-nagħaġ** shepherd

ragħax v. to blush, to be ashamed

ragħj|a n.f. (pl. ~**iet**) pasturage, pasture

ragħw|a n.f. (pl. ~**iet**) spume, foam; ~**a tal-birra, tal-inbid** froth; ~**a tas-sapun** soap-suds; **ir-~a f'ħalqu** very angry

ragħxa ara **regħxa**

rahab v. to become a friar

rahan v. to pawn; **dak li għandek tirhan bigħu** what you have to do, do it at once // n.m. (pl. **irhna, rhun, rhuna**) pawn; (kapparra) token, earnest; (ostaġġ) hostage, bond // n.m. (pl. **rahniet**) pawner, pawnbroker, montagager

rahb|a n.f. (pl. ~**iet**) nun

raheb n.m. (pl. **rhieb**) friar, monk, hermit

raħal n.m. (pl. **rħula**) village, hamlet

raħħal n.m. (pl. ~**a**) countryman, peasant

raħħam v. to implore mercy; (l-irħam) to marble; n.m. (pl. ~**a**) implorer of mercy; (ħaddiem fl-irħam) worker in marble

raħħas v. to lower in price; (faqqas, ħareġ) to bud, to sprout, to pullulate; **x'sa jraħħsu?** why are they taking so long?

raħli n.m. (pl. ~**n**) villager

raħma n.f. mercy **raddet ir-~** (**u l-ġenna**) she thanked sb.

raħs n.m.koll. f. ~**a** (pl. ~**iet**) germination

raison d'etre n.m. (pl. **raisons d'etre**) raison d'etre (reason to be)

raj n.m. (bla pl.) deportment, behaviour; **minn ~h** spontaneously, voluntarily; **~h f'idejh** he is independent; (tal-Indja) (pl. ~**as**) raj, rajah, raja

rajja n.f. (pl. **raj**) thornback; ~ **tal-fosos** thornback ray; ~ **tal-kwiekeb** starry, ray; ~ **lixxa** brown ray; ~ **petruża** shagreen ray; ~ **tar-ramel** rough ray

rajjeb n.m. (pl. **rajbin**) rascal, rogue, knave

rajjes n.m. (pl. **rajjiesa**) captain, leader, head

rajm|a n.f. (pl. ~**iet**) broach

rakit n.f. (pl. ~**ijiet**) racket

rakitiku aġġ. rickety

rakitiżm|u n.m. (pl. ~**i**) rachitis, rickets

rakkomandat ara **rikkmandat**

rakkomandazzjoni n.f. (pl. ~**jiet**) recommendation

rakkmar n.m. (bla pl.) embroidery

rakkmatur n.m. (pl. ~**i**) embroiderer

rakkm|u n.m. (pl. ~**ijiet**) embroidery

rakkont n.m. (pl. ~**i**) story, tale

rakkontat ara **(i)rrakkontat**

rali n.m. (pl. ~**jiet**) rally

RAM n.m. (pl. ~**s**) RAM; abbr. of Random Access Memory

ram v. to be accustomed, to inure oneself // n.m. (pl. ~**ijiet**) copper; ~ **isfar** brass

rama v. to arm, to equip

Ramadan n.m. (pl. ~**ijiet**) Ramadan, Rhamadhan, Ramazan

ramel n.m.koll. f. **ramla** (pl. **ramliet**) sand

raml|a n.f. (pl. ~**iet**) sea beach

ramli aġġ. sandy

rammal ara **rammel**

rammel v. to sand, to cover with sand; (ġab ramel) to granulate; (spiċċa armel) to widow

rammolliment n.m. (pl. ~**i**) softening; ~ **ċerebrali** softening of the brain

ramp|a n.f. (pl. ~**i**) steep, acclivity

rampel v. to hook

rampil n.m. (pl. ~**i**) grapnell, grapple, hook

R&B n.m. (pl. ~**s**) R&B; abbr. of rhythm and blues

R&D n.m. (pl. ~**s**) R &D; abbr. of research and development

ranċis ara **ranġis**

rand n.m.koll. f. ~**a** (pl. ~**iet**) laurel
rand|a n.f. (pl. ~**i**) boom-sail
Randan n.m. (pl. ~**ijiet**) Lent; **ras ir-~** Ash Wednesday; **fejn għamiltu r-~?** that diet of yours did not work, did it?
rangament n.m. (pl. ~**i**) arrangement, adjustment
rangat v. to grow rancid
rangis, rancis n.m.koll. f. ~**a** (pl. ~**iet**) narcissus
rank n.m. (pl. ~**ijiet**) rank, degree
ranunkl|u n.m. (pl. ~**ijiet**) ranunclus
rapiment n.m. (pl. ~**i**) rapture; (ħtif) kidnapping
rapport n.m. (pl. ~**i**) report
rapportat ara **(i)rrappurtat**
rappreżentant n.m. (pl. ~**i**) agent, representative
rappreżentanz|a n.f. (pl. ~**i**) representation; ~**a proporzjonali** proportional representation
rappreżentat pp. represented
rappreżentattiv aġġ. representative
rappreżentazzjoni n.m. (pl. ~**jiet**) representation, performance
rappurtat ara **(i)rrappurtat**
rapsodij|a n.m. (pl. ~**i**) rhapsody
raqad v. to sleep, to fall asleep; (batta) to decline, to diminish, to abate; (baxxa rasu) to humble/abase oneself; **jorqod bilwieqfa** he sleeps everywhere; **mur orqod** get out of here!; ~ **mikxuf** he has a bad mood
raqas v. to limp, to halt
raqb|a n.m. (pl. ~**iet**) nape
raqd|a n.f. (pl. ~**iet**) sleep, rest, repose
raqdinek: **ma jgħidx** ~ he does not swear
raqq ara **reqq**
raqqa' v. to patch, to piece, to repair
raqqad v. to make to sleep; (pjanta, eċċ.) to layer // n.m. (pl. ~**a**) he who causes to sleep; (ipnotizzatur) hypnotizer
raqqadi aġġ. somniferous, soporific
raqqaq v. to thin
raqqiegħ n.m. (pl. ~**a**) patcher
raqqieq n.m. (pl. ~**a**) that makes thin; (post) refiner
rarament avv. seldom, rarely
rari aġġ. rare
rarit|à n.m. (pl. ~**ajiet**) rarity, rareness
ras n.f. (pl. **rjus**) head; (il-bidu) origin; (intellett) wit, brains; ~ **bla ħsieb** negligent fellow; ~ **iebsa** obstinate, wilful, stubborn; ~ **il-għajn** well spring; (fig.) directly to the source; ~ **qargħa** bald head; **ksur ir-~** bore; **fejn sejjer b'~ek** you are thinking about sth. else; ~**u marret** he keeps forgetting; ~**u merfugħ** he is not worried; ~**u qargħa/~vojta/bla** ~ a stupid person; ~ **kbira** an important person; ~ **il-għajn** the highest position; ~ **ma'** ~ always together; ~ **imb** ~ by themselves; ~ **taż-żonqor/tal-ħadid/~u iebsa/ta'** ~**u** a stubborn person; **ħabbel ~u/ħabbat ~u** he was anxious; **rafa'** ~**u** he took a proudish attitude; **b'~u jdur!** he will be sorry!; **għaddielu minn ~u** he thought; **ħakk ~u** he was confused; **mela ~u** he believed blindly (that); **dabbar ~u** he went away; **mlielu** ~**u** he confused him; ~**u tagħtih/terfa'/tajba/kwadra** he is intelligent; **tatu ~u** he was very stressed; **tilef ~u/ma jafx fejn sa jagħti ~u/qisu** ~ **maqtugħa** he did not know what to do; **ħadlu ~u** he annoyed him; **ħadlu minn ~u** he fished him; **ħariġlu minn ~u** he forgot; **ħaseb għal ~u** he acted egoistically; waħħal **f'~u/webbes ~u** he made up his mind; **ħabbat ~ek mal-ħajt!** do not waste your anger on me; ~**u fuq għonqu/għandu ~u flokha** a responsible person; **mexa b'~u** he used his mind; ~**u tqila** he has a lot of thoughts in his head; **iżomm f'~u** he has a good memory; **baxxa ~u** he submitted; **kif tgħidlu ~u** he does not listen to advices; **weħel ma' ~u** he gave vent on him; **fetaħlu ~u ktieb** he injured him in his head; **naqta' ~i li...** I am sure that...; **jaħdem għal** ~**u** self-employed; **mar għal ~u** he went alone; **fejn hi ~ek?** where have you been?; ~**u tikwi** he has fever; ~**u ġafja** his is bald
rasp|a n.f. (pl. ~**i, ~iet**) rasp
rass v. to press, to squeeze; (obbliga) to oblige, to force; (bin-nies) to crowd, to throng
rassa n.m. (bla pl.) crowd, throng
rassas v. to press often
rassenjament ara **rassenjazzjoni**
rassenjat pp. resigned
rassenjazzjoni n.f. (pl. ~**jiet**) resignation
rast|a n.f. (pl. ~**i**) bunch; ~**a ta' basal** string of onions
Rastafarjan n.m. (pl. ~**i**) Rastafarian, Rasta
rasul n.m. (pl. ~**in**) apostle
rat|a n.f. (pl. ~**i**) instalment
ratafja n.m. (bla pl.) ratafia, ratafee
ratal n.m. (pl. **rtal**) rotolo
ratba aġġ. soft, tender
ratifik|a n.m. (pl. ~**i**) ratification
ratifikat ara **(i)rratifikat**
rattab v. to soften, to mollify; (għażżeż) to render slow/lazy/sluggish // n.m. (pl. ~**a**) softener
rattabi aġġ. mollifying, emollient
ravanell ara. **rafanell**
ravellin ara **rivellin**
ravjul n.m.koll. f. ~**a** (pl. ~**iet**) raviolo
rawt|a n.f. (pl. ~**iet**) dung
rawwem v. to accustom, to inure

raxkat ara **(i)rraxkat**
raxx v. to sprit, to spray, to sprinkle // n.m.pl. sprinkling; ~ **tat-tajn** splash of mud; ~ **tax-xita** drizzling rain // n.m. (pl. **~ijiet**) rush, aspersion
raxxax v. to mizzle, to drizzle
raxxiexa n.f. (pl. **raxxixin**) sprayer, muffineer
raża n.f. (bla pl.) resin; ~ **ħamra** dragon blood; ~ **tal-kannabis** hashish, resin
rażan v. to check, to restrain/abase oneself
rażol|a n.f. (pl. **~i, ~iet**) strickle
rażżan v. to repress, to restrain, to stem // n.m. (pl. **~a**) repressor
razza n.f. (pl. **razez**) race, family, breed; **ir-~ u r-radika** all the relatives
razzett n.m. (pl. **irziezet**) farm-house, cowshed
razzjon n.m. (pl. **~ijiet**) ration
razzjonali aġġ. rational
razzjonaliżm|u n.m. (pl. **~i**) rationalism
razzjonalist n.m. (pl. **~i**) rationalist
razzjonalistiku aġġ. rationalistic
razzjonalment n.m. (pl. **~i**) rationing
razzjonat pp. rationed
rbat n.m.koll. f. **~a** (pl. **~iet**) sting, tie, band
(i)rbatta v. to clinch, to rivet; ~ **musmar** to rivet a nail
rbattitur n.m. (pl. **~a**) riveter
rbattitur|a n.f. (pl. **~i**) clinching, riveting
rbattut pp. clinched
rbit n.m. (bla pl.) binding, tying tie
(i)rbombja v. to boom, to roar, to resound, to echo
rbus n.m. (pl. **~ijiet**) punch
RC n.m. (pl. **~is**) RC; abbr. of Red Cross
rċeviment n.m. (pl. **~i**) reception
rċevitur n.m. (pl. **~i**) receiver
rċevut pp. received
rċevut|a n.f. (pl. **~i**) receipt
rċieva v. to receive, to welcome
rċipp n.m. (pl. **~ijiet**) a bunch produced late in the season
rdim n.m. (bla pl.) burial
(i)rdoppja v. to double, to redouble
rdoss n.m. (pl. **~ijiet**) shelter, screen
rdossa v. to take shelter, to be screened
rdum n.m. (pl. **~ijiet**) ravine, crag, cliff
rdumi aġġ. precipitous
rduppjat pp. doubled, redoubled
rdussat pp. sheltered
re n.m. (pl. **~jiet**) king, monarch
reali aġġ. real, royal
realist n.m. (pl. **~i**) realist, royalist
realistiku aġġ. realistic
realizzabbli aġġ. realisable
realizzat pp. realised
realizzazzjoni n.f. (pl. **~jiet**) realization
realiżm|u n.m. (pl. **~i**) realism, royalism
realment avv. really, indeed, in fact
realt|à n.m. (pl. **~ajiet**) reality
reat n.m. (pl. **~i**) crime
reattiv aġġ. reagent
reattur n.m. (pl. **~i**) reactor
reazzjonarj|u n.m. (pl. **~i**) reactionary
reazzjoni n.f. (pl. **~jiet**) reaction
rebaħ v. to win, to vanquish; (għadda) to surmount, to surpass; **il-manikomju/ħabs għad jirbħu** he is getting mad/going to jail
rebbaħ v. to cause or help one to win
rebbiegħa n.f. (pl. **rebbigħat**) spring; (fig.) happy moments
rebbiegħi aġġ. vernal
rebbieħ n.m. (pl. **~i**) winner, conquerer
rebbieħi aġġ. victorious
rebekkin n.m. (pl. **~i**) rebeck, brace
rebħ n.m. (bla pl.) winning, conquering
rebħ|a n.f. (pl. **~iet**) victory
rebus n.m. (pl. **~ijiet**) rebus
reċensjoni n.f. (pl. **~jiet**) review
reċensur n.m. (pl. **~i**) reviewer
reċentement avv. recently
reċenti aġġ. recent
reċidiv n.m. (pl. **~i**) recidivist // aġġ. recidivous
reċipjent n.m. (pl. **~i**) container
reċiprokament avv. reciprocally
reċiproku aġġ. reciprocal
reċitattiv aġġ. n.m. (pl. **~i**) recitative
reċitazzjoni n.f. (pl. **~jiet**) recitation, recital
reċt|a n.f. (pl. **~i**) performance
reda' v. to suck; **redgħu** (vulg.) to be unlucky in sth.
reddem ara **redden**
redden v. to spin cotton; (gerger) to mutter, to grumble
redentur n.m. (pl. **~i**) redeemer
redenzjoni n.f. (pl. **~jiet**) redemption
redgħa n.f. (pl. **~t**) suck; (inf.) lovebite
referendarj|u n.m. (pl. **~i**) referendary
referendum n.m. (pl. **~s**) referendum
referì n.m. (pl. **~ijie**t) referee
refert|a n.f. (pl. **~i**) report, information
refertorj|u n.m. (pl. **~i**) refectory
reffiegħ n.m. (pl. **~a**) porter
refgħa n.f. (pl. **~t**) a lift **fihom** ~ heavy; **xtara bir-~** he bought all that he could carry
refuġjat n.m. (pl. **~i**) refugee
refuġj|u n.m. (pl. **~i**) refuge, shelter
reġa' v. to do again **terġa' u tgħid** - and I should add that -
reġġent n.m. (pl. **~i**) regent

reġġenza n.f. (pl. ~**i**) regency
reġgħa n.f. (pl. ~**t**) the turning or coming back; (kopja) reiteration, repetition
reġiċida n.m. (pl. ~**i**) regicide
reġiċidju n.m. (pl. ~**i**) regicide, king-killing
reġij|a n.f. (pl. ~**i**) management, direction
reġim n.m. (pl. ~**ijiet**) regime, government
reġina n.f. (pl. **rġejjen**) queen; ~ **profittarum** he benefits from everything
reġist|a n.m. (pl. ~**i**) stage manager, director
reġistrat pp. registered, recorded
reġistratur n.m. (pl. ~**i**) registrar
reġistrazzjoni n.f. (pl. ~**jiet**) registration
reġistr|u n.m. (pl. ~**i**) register, roll, ledger
reġjonali aġġ. regional
reġjoni n.f. (pl. ~**jiet**) region, district
regolat ara **(i)rrigalat**
reggae n.m. (bla pl.) reggae
regol|a n.f. (pl. ~**i**) rule
regolament n.m. (pl. ~**i**) regulation
regolamentari aġġ. regulation, regular
regolari aġġ. regular
regolarit|à n.f. (pl. ~**ajiet**) regularity
regolarment avv. regularly
regolat pp. well regulated
regolatur n.m. (pl. ~**i**) regulator
regħba n.f. (bla pl.) avidity, greediness, eagerness
regħeb v. to be or become greedy
regħex v. to blush, to be ashamed
regħx|a n.f. (pl. ~**iet**) shame, confusion
reħa v. to let go; (abbanduna) to quit, to leave; (ċeda) to surrender, to yield up; (naqqas il-prezz) to lower/lessen in price; (fil-valuri) to render dissolute; (dgħajjef) to enfeeble, to weaken; (il-qalziet, eċċ.) to stain; **rħielha lejn** he took the road to; **erħilu għal hemm** he went there
reħi n.m. (bla pl.) relaxation, feebleness; (abbandun) leaving, forsaking; (tal-ħwejjeġ) staining
reħja n.f. (pl. ~**t**) leaving, forsaking
reħma n.f. (pl. ~**t**) compassion, pity, mercy
Reich n.m. (pl. ~**ijiet**) (tal-Imperu Ruman) first Reich; (tal-Imperu Hohenzollernu) Second Reich; (tad-dittatura Nażista) Third Reich
rejd n.m. (pl. ~**ijiet**) raid
rejjaħ aġġ. quiet, at rest // v. to become stinking
rejjaq v. to wet with spittle; (ħalla) to bestow; (ta ftit ilma, eċċ.)
rejjex v. to feather, to adorn; (neħħa r-rix) to strip off feathers; (ħela l-ħin) to occupy oneself in trifles; **baqa' j~** he waited too long for nothing
rekje: **jista' jgħidilha** ~ he can count it lost
rekken v. to put or set in a corner; to amass; ~ **il-flus** to amass money
rekkien n.m. (pl. ~**a**) accumulator
reklam n.m. (pl. ~**i**) advertisement
reklamat ara **(i)rreklamat**
reklut|a n.m. (pl. ~**i**) recruit
rekord n.m. (pl. ~**s**) record; (sport) record
rekorder n.m. (pl. ~**s**) recorder
rekordjat pp. (pl. ~**i**) recorded
rekwiżit n.m. (pl. ~**i**) requisite, qualification
rekwiżitorj|a n.f. (pl. ~**i**) accusation, charge
rekwiżizzjonat pp. requisitioned
rekwiżizzjoni n.f. (pl. ~**jiet**) requisition
relattiv aġġ. relative
relattivament avv. relatively, in respect to
relattivit|à n.f. (pl. ~**ajiet**) relativeness
relatur n.m. (pl. ~**i**) relater, reporter
relazzjoni n.f. (pl. ~**jiet**) relation
reliġjon n.f. (pl. ~**ijiet**) religion; ~ **Nisranija** Christian religion
reliġjożament avv. religiously
reliġjożit|à n.f. (pl. ~**ajiet**) religiousness, religiosity
reliġjuż aġġ. religious // n.m. (pl. ~**i**) member of a religious order
relikw|a n.f. (pl. ~**i**) relic
relikwarj|u n.m. (pl. ~**i**) reliquary
REM n.m. (pl. ~**s**) REM; abbr. of Rapid Eye Movement
rema v. to throw, to cast; (il-pjanta, eċċ.) to bud, to blossom; **mhux ta' min jarmih** it is not that bad
reminixxenza n.m. (pl. ~**i**) reminiscence
remiss|a n.f. (pl. ~**i**) shed, carriage-house
remissjoni n.f. (pl. ~**jiet**) remission
remittenti aġġ. remittent
renda v. to yield
rendevù n.m. meeting place, rendezvous
rendikont n.m. (pl. ~**ijiet**) report, statement
rendiment n.m. (pl. ~**i**) yield, rendering
renella n.f. (pl. ~**i**) gravel
renjant n.m. (pl. ~**i**) sovereign, monarch, ruler
renj|u n.m. (pl. ~**i**) kingdom, reign
renn|a n.f. (pl. ~**iet**) reindeer
rent|a n.f. (pl. ~**i**) revenue, income, rent, profit
repart n.m. (pl. ~**i**) departement; n.m. (pl. ~**i**) what has been found
repertorj|u n.m. (pl. ~**i**) repertory
replik|a n.f. (pl. ~**i**) repetition
replikat pp. repeated
reporter ara **riporter**
reprensjoni n.f. (pl. ~**jiet**) reprehension; n.f. (pl. ~**jiet**) repression
repubblik|a n.f. (pl. ~**i**) republic

repubblikan aġġ. republican
reputazzjoni n.f. (pl. ~**jiet**) reputation
reqa v. to grow thin
reqqa n.f. sharpness, subtility; (eżattezza) strictness, exactness; (xeħħa) avarice
Requiem n.m. (pl. ~**s**) Requiem
requiescat in pace requiescat in pace
resaq v. to come near, to approach; ~ **mal-art** to come to shore
resedan n.m. (pl. ~**i**) reseda, mignonette
reservoir n.m. (pl. ~**s**) reservoir
resident aġġ. n.m. (pl. ~**i**) resident
residenz|a n.f. (pl. ~**i**) residence
reskritt n.m. (pl. ~**i**) rescript
respir n.m. (pl. ~**i**) breath
respirabbli aġġ. breathable
respirat ara **(i)rrespirat**
respiratur n.m. (pl. ~**i**) respirator
respirazzjoni n.f. (pl. ~**jiet**) respiration, breathing
responsabbilt|à n.m. (pl. ~**ajiet**) responsibility
responsabbli aġġ. responsible
responsorju n.m. (pl. ~**i**) responsory
resq|a n.f. (pl. ~**iet**) approach
ressaq v. to approach, to draw near
ressieq n.m. (pl. ~**a**) approacher
restawr n.m. (pl. ~**i**) restoration
restawrat pp. restored
restawratur n.m. (pl. ~**i**) restorer
restawrazzjoni n.f. (pl. ~**jiet**) restoration
restituzzjoni n.f. (pl. ~**jiet**) restitution
restitwit ara **(i)rrestitwit**
restorant n.m. (pl. ~**ijiet**) restaurant
restrittiv aġġ. restrictive
restrizzjoni n.f. (pl. ~**jiet**) restriction
resurrezzjoni n.f. (pl. ~**ijiet**) resurrection
retiċenz|a n.m. (pl. ~**i**) reticence
retin|a n.f. (pl. ~**i**) retina
retnite n.f. (pl. ~**jiet**) retinitis
retribuzzjoni n.f. (pl. ~**jiet**) pay, reward
retroattiv aġġ. retroactive; **liġi** ~**a** retroactive law
retroċessjoni n.f. (pl. ~**jiet**) retrocession, degradation
retrogradu aġġ. retrograde, backward
retrospettiv aġġ. retrospective
rett aġġ. upright, right
retta n.f. (bla pl.) attention; **ta ~ lil** to listen to, to mind
rettangl|u n.m. (pl. ~**i**) rectangle
rettangolari aġġ. rectangular
rettifik|a n.f. (pl. ~**i**) rectification, amendement
rettifikat pp. amended, adjusted
rettifikatur n.m. (pl. ~**i**) rectifier
rettili n.m. (pl) reptile
rettilinju aġġ. rectilineal, rectilinear
rettitudni n.f. (pl. ~**jiet**) uprightness, straightforwardness, honesty
rettori|ka n.f. (pl. ~**ki**; ~**ċi**) rhetoric
rettorikament avv. rhetorically
rettoriku aġġ. rhetorical
rettur n.m. (pl. ~**i**) rector, director
retturat n.m. (pl. ~**i**) rectorship, rectorate
reverend|u n.m. (pl. ~**i**) priest, clergyman, reverend gentleman // aġġ. reverend
reviżjoni n.f. (pl. ~**jiet**) revision
reviżur n.m. (pl. ~**i**) reviser
revok|a n.f. (pl. ~**i**) revocation, repeal
revokabbli aġġ. revocable, repealable
revokat pp. revoked, repealed
revolver n.m. (pl. ~**s**) revolver
rewmatiku aġġ. rheumatic
rewmatiżm|u n.m. (pl. ~**i**) rheumatism
rewwaħ v. to fan, to blow
rewwieħ n.m. (pl. ~**a**) blower
rewwieħa n.f. (pl. **rewwiħat, rwiewaħ**) fan, ventilator
rewwixt|a n.f. (pl. ~**i**) revolt, bustle
rexissjoni n.f. (pl. ~**jiet**) rescission, annulment
rexxissjoni ara **rexissjoni**
reżaħ v. to be benumbed, to get chilled
reżħ|a n.f. (pl. ~**iet**) chill, chillness, cold
reżistenti aġġ. resisting, strong
reżistenz|a n.m. (pl. ~**i**) resistence
reżistit ara **(i)rreżistit**
reżus n. rhesus; **fattur** ~ rhesus factor, Rh factor
reżżaħ v. to chill, to benumb
RF n.m. (pl. ~**s**) RF; abbr. of Radio Frequency
rfigħ n.m. (bla pl.) rising; (ġarr) carrying, bearing; (preservazzjoni) preservation; ~ **mix-xogħol** ceasing from work
rfina v. to refine
rfinitur n.m. (pl. ~**i**) refiner
rfinitur|a n.f. (pl. ~**i**) refining
rfinut pp. refined
rfis n.m. (bla pl.) trampling
rfus avv. abbundantly, in great quantity
rġigħ n.m. (bla pl.) reiteration, repetition
rġugħ n.m. (bla pl.) returning or coming back
rġulija n.f. masculineness, manfulness
rgħib aġġ. covetous, eager, greedy
rhin n.m. (bla pl.) pawning
rhubija n.f. monachism, monastic life
rħam n.m.koll. f. ~**a** (pl. ~**iet**) marble; **rħama**: **qiegħed fuq l-i**~ he is dead
rħami aġġ. marmoreal, of marble
rħis aġġ. cheap

ribalt|a n.f. (pl. **~i**) forepart of stage; **dawl tar-~a** footlights
ribass n.m. (pl. **~i**) discount, reduction
ribell n.m. (pl. **~i**) rebel
ribelljoni n.f. (pl. **~jiet**) rebellion
ribes n.m. (bla pl.) gooseberry
riċerk|a n.f. (pl. **~i**) research
riċeviment ara **rċeviment**
Richter: **skala ~** n.f. (bla pl.) Richter scale
riċipett|u n.m. (pl. **~ijiet**) brassiere, bra
riċett|a n.f. (pl. **~i**) recipe, prescription
riċeviment reception
riċnu ara **riġnu**
ridikolaġni n.f. (pl. **~jiet**) ridiculousness
ridikolat ara **(i)rridikulat**
ridikolu aġġ. ridiculous
ridott pp. reduced
riduzzjoni n.f. (pl. **~jiet**) reduction
rieb n.m. (pl. **rjieb**) doubt
riebi aġġ. doubtful, dubious
ried v. to will, to be willing; **irid sitta bħalu** he has the strength of six men altogether; **għadu jridha** he still minds his appearances; **in-nies tridu** everyone loves him; **tridx tmur!** of course!; **għamel li ~ u li għoġbu** he did it his way; **x'irid ikun?** what can happen?
ried|a n.f. (pl. **~iet**) will
riedn|a n.f. (pl. **~i**) rein; **riedni**: **ħa r-~ f'idejh** he took the leadership; **bla ~** without control
riefnu n.m. (pl. **rwiefen**) whirlwind, squall
rieġa v. to direct, to control, to guide; (iggverna) to govern, to rule
riegħeb v. to render covetous
riegħed v. to thunder; (ferfer) to shake, to cause to tremble
riegħex v. to offend
riegħi patt. pasturing, grazing; (bir-ragħwa) foaming
rieħ v. to stink
riekeb aġġ. riding
riemi patt. shooting, budding
rieqed patt. sleeping; **qisu ~** he is not good for the job; **~ minn ġewwa** he does not know what he is doing
riesaq patt. approaching
rieżaħ patt. cold, chilled
rifd|a n.f. (pl. **~iet**) prop, support
rifed v. to prop, to support
riferenz|a n.f. (pl. **~i**) reference
rifer|ì ara **referì**
riferiment n.m. (pl. **~i**) reference
riferut pp. related, quoted
rifes v. to beat, to trample, to tread
riffed v. to prop well
riffied n.m. (pl. **~a, riffidin**) prop, support
riffies n.m. (pl. **~a**) treader
rifitt n.m. (pl. **~ijiet**) refit
rifjut n.m. (pl. **~i**) refusal
rifjutat pp. refused
rifless n.m. (pl. **~i**) reflex, reflection // pp. reflected
riflessiv aġġ. reflexive
riflessjoni n.f. (pl. **~jiet**) reflection
riflettenti patt. reflecting
riflettur n.m. (pl. **~i**) reflector
rifondut pp. refunded
riforma n.f. (pl. **~i**) reform
riformat pp. reformed, amended
riformatorj|u n.m. (pl. **~i**) reformatory
riformattiv aġġ. reformative
riformatur n.m. (pl. **~i**) reformer
riformazzjoni n.f. (pl. **~jiet**) reformation
rifrazzjoni n.f. (pl. **~jiet**) refraction
rifront n.m. (pl. **~i**) affront, reproach
rifs n.m. (pl. **~iet**) treadle
rifs|a n.f. (pl. **~iet**) treading; **~a ta' sieq** foot print, trace
riġel n.m. (pl. **riġlejn**) foot, leg; **riġlu fil-ħofra** he is about to die; **riġlejn**: **riġlejh ħallewh** his legs are not strong; **riġlejh imsammrin mal-art** he did not move
riġenerat pp. regenerated
riġenerazzjoni n.f. (pl. **~jiet**) regeneration
riġettat pp. rejected; (ivvomtat) vomited
riġidu aġġ. rigid, stiff, strict
riġment n.m. (pl. **~i**) regiment
riġnu n.m.koll. f. **~wa** (pl. **~wat**) ricinus; **żejt ir-~** castor oil
rig n.m. (pl. **~i**) line
rig|a n.f. (pl. **~i**) ruler
rigal n.m. (pl. **~i**) present, gift
rigattier n.m. (pl. **~i**) dealer in second hand articles
rignu n.m.koll. wild (f. **~wa** pl. **rigni**) marjoram
rigoruż aġġ. strict, severe
rigward avv. in this regard, in this respect
rigwardat ara **(i)rrigwardat**
riħ n.m. (pl. **rjieħ**) wind; **~ fuq** west-wind, north west wind; **~ isfel** east-wind, south east wind; **telaq għal ~u** he did it his way; **idur ma' kull ~** he changes his mind all the time; **fejn tefgħu r-~** destination anywhere; **skont ir-~** according to the mood; **~ isfel** nervous; **~ fuq** happy; **qiegħed fuq ir-~** he has all he needs; **għar-~ bla xita** without any profit; **tah ir-~** he stood by him; **tar mar-~** everything came

back to normal; **ir-~ kiser** it is not that windy anymore; **għadda** ~ he passed by as fast as an arrow; **rjieħ**: **xandru mal-erbat i~** he told everybody about him // n.m. (pl. **rjieħ**) cold; **ħa** ~ to take a cold; **ħa r-~** to grow bold
riħa n.f. (pl. **rwejjaħ**) smell, odour; **baqa' bir-~** he did not obtain what he wanted; ~ **taqsam** a concentrated smell; **b'riħet hekk** thanks to this
riħan n.m. myrtle
rikapitulazzjoni n.f. (pl. **~jiet**) recapitulation
rikatt n.m. (pl. **~i**) blackmailing
rikb|a n.f. (pl. **~iet**) ride, riding
rikeb v. to ride, to mount; **iħobb jirkeb** he does not pay rounds; **rikbu** he grew bold
rikjest|a n.f. (pl. **~i**) request, demand
rikk aġġ. rich, wealthy
rikkeb v. to mount
rikkezz|a n.f. (pl. **~i**) wealth, richness
rikkieb n.m. (pl. **~a**) rider
rikkiebi aġġ. rideable
rikkmandat pp. recommended
rikkmandazzjoni n.f. (pl. **~jiet**) recommendation
rikompens|a n.f. (pl. **~i**) recompense
rikompensat pp. rewarded, recompensated
rikonċiljat pp. reconciled
rikonċiljazzjoni n.f. (pl. **~jiet**) reconciliation
rikonoxxenti aġġ. recognizant
rikonoxxenz|a n.f. (pl. **~i**) recognitory, gratitude
rikonoxxibbli aġġ. recognizable
rikonoxximent n.m. (pl. **~i**) recognition, acknowledgement
rikonoxxut pp. recognized
rikordj|u n.m. (pl. **~i**) remembrance, souvenir
rikorrent n.m. (pl. **~i**) complainer, complainant
rikorrenti aġġ. recurrent
rikorrenz|a n.f. (pl. **~i**) recurrance
rikors n.m. (pl. **~i**) recourse
rikostitwent n.m. (pl. **~i**) reconstituent
rikostitwit pp. reconstituted
rikostruzzjoni n.f. (pl. **~jiet**) reconstruction
rikotta ara **rkotta**
rikreat ara **(i)rrikreat**
rikreazzjoni n.f. (pl. **~jiet**) recreation
rilevanti aġġ. considerable, important
riljiev n.m. (pl. **~i**) relief; **altu** ~ high relief; **bassu** ~ low relief
rim|a n.f. (pl. **~i**) rhyme, rime
rimandat ara **(i)rrimandat**
rimarj|u n.m. (pl. **~i**) rhyming dictionary
rimark|a n.f. (pl. **~i**) remark
rimarkat ara **(i)rrimarkat**
rimedjat ara **(i)rrimedjat**
rimessa n.f. (pl. **~i**) remittance
rimettat ara **(i)rrimettat**
rimi n.m. (bla pl.) throwing; (ta' fjura, eċċ.) sprout, bud, pollution
rimiżolj|a n.f. (pl. **~i**) remains
rimona n.f. (pl. **~i**) weight
rimors n.m. (pl. **~i**) remorse
rin|a n.f. (pl. **~i**) sand
rinaxximent n.m. (pl. **~i**) rebirth; **ir-~** the Renaissance
rinforz n.m. (pl. **~i**) reinforce
rinfurzat pp. strengthened, reinforced
ring ring, boxer's enclosure **mexa għar-~** he walked straight ahead
ringiela n.f. (pl. **~i**) row, file
ringrazzjament n.m. (pl. **~i**) thanksgiving
rinnegat n.m. (pl. **~i**) renegade
rinnovazzjoni n.f. (pl. **~jiet**) renovation
rinoċeronti n.m. (pl. **~jiet**) rhinoceros
rinomat aġġ. renowned, famous
rinunzj|a n.f. (pl. **~i**) renunciation, renouncement
rinunzjat pp. renounced
rinunzjatarj|u n.m. (pl. **~i**) renunciant
rinunzjatarju aġġ. renunciatory
RIP n.m. (pl. **~s**) RIP; abbr. of Rest in Peace/ Requescat in Pace
riparazzjoni n.f. (pl. **~jiet**) reparation
ripetizzjoni n.f. (pl. **~jiet**) repetition
ripetut pp. repeated
ripetutament avv. repeatedly, again and again
riport n.m. (pl. **~i**) amount to be carried forward
riporter n.m. (pl. **~ijiet**) reporter
riprodott pp. reproduced
riproduzzjoni n.f. (pl. **~jiet**) reproduction
riq n.m. (pl. **rjieq**) spittle; **għadu għar-~** he did not have any breakfast
riserv|a n.f. (pl. **~i**) reserve, reservation
riservat pp. reserved
riservwar n.m. (pl. **~ijiet**) reservoir
risk ara **riskju**
riskatt n.m. (pl. **~i**) ransom
riskattat ara **(i)rriskattat**
riskjat ara **(i)rriskjat**
riskj|u n.m. (pl. **~i**) risk
riskjuż aġġ. risky
rispett n.m. (pl. **~i**) respect, regard
rispettabbilt|à n.f. (pl. **~ajiet**) respectability
rispettabbli aġġ. respectable
rispettat pp. respected
rispettiv aġġ. respective
rispettivament avv. respectively
rispettuż aġġ. respectful
rispost pp. answered, replied
rispost|a n.f. (pl. **~i**) answer, reply

risq n.m. (bla pl.) fortune; ~ **ħażin** ill-omen; **ir-~ u l-barka** may God be with you
rit n.m. (pl. ~**i**) rite
rit|a n.f. (pl. ~**i**) membrane; **rqiq daqs ~a ta' basla** very thin
ritaljat pp. retaliated
ritmika n.f. (bla pl.) rhythmics
ritmikament avv. rhythmically
ritmiku aġġ. rhythmic(al)
ritm|u n.m. (pl. ~**i**) rhythm
ritorn n.m. (pl. ~**i**) return
ritornat ara **(i)rritornat**
ritornell n.m. (pl. ~**i**) refrain
ritratt n.m. (pl. ~**i**) picture, photograph; (fig.) flash of lightning
ritrattat pp. retracted
ritrattazzjoni n.f. (pl. ~**jiet**) retraction
ritrattist n.m. (pl. ~**i**) portrait-painter
ritwal n.m. (pl. ~**i**) ritual
ritwali aġġ. ritual
ritwalist n.m. (pl. ~**i**) ritualist
rival n.m. (pl. ~**i**) rival
rivalit|à n.f. (pl. ~**ajiet**) rivalry
rivedut pp. revised, reviewed
rivelat ara **(i)rrivelat**
rivelazzjoni n.f. (pl. ~**jiet**) revelation
rivellin n.m. (pl. ~**i**) ravelin
riverenz|a n.f. (pl. ~**i**) reverance
rivers n.m. (pl. ~**ijiet**) reverse
rivinċit|a n.f. (pl. ~**i**) return match
rivist|a n.f. (pl. ~**i**) review, parade; (magażin) review, magazine
rivit n.m. (pl. ~**ijiet**) rivet
rivoluzzjonarj|u n.m. (pl. ~**i**) revolutionary
rivoluzzjonarj|u aġġ. revolutionary
rivoluzzjoni n.f. (pl. ~**jiet**) revolution
rix n.m.koll. f. ~**a** (pl. ~**iet**) feather; **feraħ b'~u** he was so happy with what he possessed; **qajjem ~u** he grew proud; **ħafif** ~ very light
rix|a n.f. (pl. ~**iet**) plume
rixtel v. to card, to scutch
rixtell|u n.m. (pl. ~**i**) rake, scutcher; (grada tal-ħadid) iron gate
rixtiel n.m. (pl. ~**i**) carder
rizz|a n.f. (pl. ~**i**) sea urchin; **rizzi**: **ġralu bħal tar-~** he faced a misfortune when he tried to help others
rizzat ara **(i)rrizzat**
riżenj|a n.f. (pl. ~**i**) resignation
riżenjat ara **(i)rriżenjat**
riżm|a n.f. (pl. ~**i**) ream
riżolut pp. resolute, determined
riżolutament avv. resolutely
riżoluttiv aġġ. resolutive
riżoluzzjoni n.f. (pl. ~**jiet**) resolution
riżors|a n.f. (pl. ~**i**) resource
riżom|a n.m. (pl. ~**i**) rhizoma
riżultanti patt. resultant
riżultat n.m. (pl. ~**i**) result
rjal aġġ. royal; (ġeneruż) generous, liberal
rjali aġġ. royal
rkada v. to fall ill again
rkant n.m. (pl. ~**ijiet**) aution, auction sale
rkanta v. to sell by auction
rkantatur n.m. (pl. ~**i**) auctioneer
rkaptu rememberance **ta** ~ he tried his best to mend things; **sab i~** he found the way to solve the problem
rkib n.m. (bla pl.) riding
rkoċa v. to anneal
rkoppa n.f. (pl. **rkopop**, **rkopptcjn**) knee
rkotta n.f. (bla pl.) buttermilk curd
rmedja v. to remedy, to find a remedy
rmedj|u n.m. (pl. ~**i**) remedy, cure
rmied n.m.koll. f. ~**a** (pl. **rmidin**) ash; **għamlu** ~ he disintegrated him
rmiedi aġġ. ash-coloured, ash grey
rmiġġ n.m. (bla pl.) mooring
(i)rmiġġa v. to anchor, to moor
rmiġġat pp. anchored
rmixx n.m.koll. (pl. ~**ijiet**) refusal; (marmalja) riff-raff
rmixka v. to shuffle the cards
rmonda v. to prune
rmonk n.m. (pl. ~**jiet**) tow
rmonka v. to tow, to tug, to haul
rmulija n.f. widowhood
rmunkat pp. towed
rnexxa v. to succeed
rnexxitur|a n.f. (pl. ~**i**) success
rnexxut pp. succeeded
robbu a large part of a carcass **jiekol** ~ he eats a lot; **donnu** ~ he is quite fat; **ma fihx** ~ there is not much of it
robinj|a n.f. (pl. ~**i**) locust tree
rododendr|u n.m. (pl. ~**i**) rhododedron
rogazzjoni n.f. (pl. ~**jiet**) rogation
rogħd|a n.f. (pl. ~**iet**) tremble, quiver
roħos v. to grow cheap, to fall in price
roħs n.m. (bla pl.) low price, reduction
roker n.m. (pl. ~**s**) metaller
rokit n.m. (pl. ~**s**) rocket
rokkett n.m. (pl. ~**i**) rocket
rokna n.f. (pl. **rkejjen**) corner, recess
rokk n.m. (bla pl.) rock music; **rock-and-roll** rock-and-roll, rock-'n'-roll' ~ **qawwi** hard **rokk bil-mod** ~ slow rock

rokokò n.m. (bla pl.) rococo
roll n.m. (pl. ~**ijiet**) roll
ROM n.m. (pl. ~**s**) ROM; abbr. of Read Only Memory
romantiċiżm|u n.m. (pl. ~**i**) romanticism
romantikament avv. romantically
romantiku aġġ. romantic
romanz n.m. (pl. ~**i**) romance, novel
romanz|a n.f. (pl. ~**i**) ballad, romance
romanzier ara **rumanzier**
romblat ara **(i)rromblat**
romblu n.m. (pl. ~**i**) roll, roller; ~ **tas-sodda** bolster
rombojd n.m. (pl. ~**i**) rhomboid
rombojdali aġġ. rhomboidal
rombu n.m. (pl. ~**jiet**) rhomb
romol v. to become a widower
ronċil n.f. (pl. ~**i**) pruning-hook, spud
rond|a n.f. (pl. ~**i**) rounds, patrol, watch
rondinell|a n.f. (pl. ~**i**) flying fish
rond|ò n.m. (pl. ~**ojiet**) rondo
rondun n.m. (pl. ~**i**) common/European swift; ~ **tal-Asja** needle-tailed swift; ~ **kannella** pallid swift; ~ **ta' żaqqu bajda** alpine swift; ~ **żgħir** white-rumped or little swift
ronk|a n.f. (pl. ~**i, ronok, ronkiet**) pruning-knife
roqgħa n.f. (pl. **rqiegħi, rqajja'**) patch, clout; ~ **art** patch of land
rosp|u n.m. (pl. ~**i**) toad
ross n.m.koll. f. ~**a** (pl. ~**iet**) rice; **kiel ir-~ bil-labra** he was so worried; **bellagħlu r-~ bil-labra** he took advantage of him
roster n.m. (pl. ~**s**) roster
rot|a n.f. (pl. ~**i**) wheel; (mezz ta' trasport) bicycle; **daret ir-~a** there was a twist of fortune; (bqajna għaddejjin) life went on
rotazzjoni n.f. (pl. ~**jiet**) rotation
rotond aġġ. round
rotta n.f. (pl. **rotot**) course
roża aġġ. pink
rożolin n.m. (pl. ~**ijiet**) rosolio
rozz aġġ. rough
rpar n.m. (pl. ~**ijiet**) bulwark
rpara v. to shelter, to protect
rpilja v. to recover
rpoż n.m. (bla pl.) rest, repose
rpoża v. to rest
rpużat pp. rested, relieved; (kwiet) quiet, placid
rqad n.m. (bla pl.) sleep, sleeping
rqaq v. to grow thin, subtle
rqaqat n.f. (pl) trifles
rqiq aġġ. delicate, slim, slender; **fl-i~ ta' qalbu** in his most sensitive part; **jisma'** ~ he has a sharp sense of hearing

(i)rrabja v. to get angry
(i)rrabjat pp. enraged
(i)rraġġa v. to romp
(i)rraġuna v. to reason
(i)rraġunat ara **raġunat**
(i)rrakkma v. to embroider
(i)rrakkmat pp. embroidered
(i)rrakkonta v. to tell, to narrate, to relate, to recount; ~ **l-ġrajja lil uliedu** he narrated the tale to his children
(i)rrakkontat pp. related, narrated
(i)rrama v. to copper
(i)rramat pp. coppered
(i)rramba v. to snatch
(i)rrambat pp. snatched
(i)rranġa v. to adjust, to arrange, to adjust, to settle, to put in order
(i)rranġat pp. arranged
(i)rranka v. to work hard, to be laborious, to strive, to be pushing, to plod along, to trudge
(i)rrankat pp. worked hard, strived
(i)rrankja v. to rank
(i)rrankjat pp. ranked
(i)rrappa v. to shave, to make bald
(i)rrappat pp. with cropped hair
(i)rrapporta v. to report; **hu ~ l-każ fl-għassa tal-pulizija** he reported the incident at the police station
(i)rrappreżenta v. to represent
(i)rrappreżentat ara **rappreżentat**
(i)rrappurtat pp. reported
(i)rrassenja v. to resign oneself
(i)rrassenjat ara **rassenjat**
(i)rratifika v. to ratify
(i)rratifikat pp. ratied
(i)rraxka v. to scrape
(i)rraxkat pp. scraped
(i)rrazzjona v. to ration
(i)rrazzjonat ara **razzjonat**
(i)rreaġixxa v. to react; **hu ~ għad-deċiżjoni meħuda** he reacted to the decision taken
(i)rrealizza v. to realize
(i)rreċta v. to recite
(i)rreċtat pp. recited
(i)rrifera v. to report, to relate, to refer to
(i)rreffja v. to referee
(i)rreffjat pp. refereed
(i)rreġistra v. to register; ~ **ismu fil-lista** heregistered his name in the list
(i)rreġistrat ara **reġistrat**
(i)rregola v. to regulate
(i)rregolat ara **regolat**

(i)rreklama v. to claim, to advertize; ~ **n-negozju tiegħu fuq il-ġurnali kollha** he advertized his business on all the newspapers
(i)rreklamat pp. advertized
(i)rrekordja v. to record
(i)rrekordjat ara **rekordjat**
(i)rrekwiżizzjona v. to requisition
(i)rrekwiżizzjonat ara **rekwiżizzjonat**
(i)rrenda v. to render
(i)rrendat pp. rendered
(i)rrenja v. to reign
(i)rrenjat pp. reigned
(i)rreplika v. to repeat
(i)rreplikat ara **replikat**
(i)rrespira v. to breathe
(i)rrespirat pp. breathed
(i)rrestawra v. to restore
(i)rrestawrat ara **restawrat**
(i)rrestitwixxa v. to return, to give back
(i)rrestitwit pp. returned, gave back
(i)rreżista v. to resist
(i)rreżistit pp. resisted
(i)rreżistibbli aġġ. irresistible
(i)rreżuma v. to resume
(i)rretifika v. to rectify
(i)rretifikat pp. rectified
(i)rrevoka v. to revoke; ~ **d-deċiżjoni tiegħu** he revoked his decision
(i)rrevokat ara **revokat**
(i)rribella v. to rebel
(i)rribellat pp. rebelled
(i)rridikola v. to ridicule
(i)rridikolat pp. ridiculed
(i)rriduċa v. to reduce
(i)rrieċpa v. to babble
(i)rrieċpat pp. babbled
(i)rriferixxa v. to refer
(i)rrifjuta v. to refuse
(i)rrifjutat ara **rifjutat**
(i)rrifletta v. to reflect
(i)rrifonda v. to refund
(i)rriforma v. to reform; ~ **s-sistema kollha** he reformed the whole system
(i)rriformat ara **riformat**
(i)rrifronta v. to affront
(i)rrifrontat pp. affronted
(i)rriġetta v. to reject, to vomit
(i)rriġettat ara **riġettat**
(i)rriga v. to rule
(i)rrigala v. to present, to make a present of
(i)rrigalat pp. presented
(i)rrigat pp. ruled, striped
(i)rrigwarda v. to regard, to look over
(i)rrigwardat pp. regarded
(i)rrakkomanda v. to recommend; ~ **lil xi persuna għal** to recommend someone for/to
(i)rrikkmandat ara **rikkmandat**
(i)rrikompensa v. to reward, to recompense
(i)rrikompensat ara **rikompensat**
(i)rrikonċilja v. to reconcile
(i)rrikonċiljat ara **rikonċiljat**
(i)rrikonoxxa v. to recognize
(i)rrikorra v. to resort
(i)rrikrea v. to recreate; ~ **ruħu ħdejn il-baħar** he recreated himself by the seaside
(i)rrikreat pp. recreated
(i)rrima v. to rhyme, to rime
(i)rrimanda v. to send again
(i)rrimandat pp. sent again
(i)rrimarka v. to remark, to notice
(i)rrimarkat pp. remarked, noticed
(i)rrimat pp. rhymed, rimed
(i)rrimedja v. to remedy, to find a remedy (for)
(i)rrimetta v. (physical) to vomit, (give back) to send, to remit
(i)rrimettat pp. vomitted
(i)rrimedjat pp. remedied
(i)rrinforza v. to make stronger, to strengthen
(i)rrinforzat ara **rinforzat**
(i)rringrazzja v. to thank
(i)rrinunzja v. to renounce
(i)rrinunzjat ara **rinunzjat**
(i)rripeta v. to repeat; ~ **l-passaġġ kollu bl-amment** he repeated the entire passage by heart
(i)rriproduċa v. to reproduce; **l-artist** ~ **kopja tal-kapolavur** the painter reproduced a copy of the masterpiece
(i)rriserva v. to keep, to reserve; ~ **d-drittijiet tan-negozju** tiegħu he reserved his business rights
(i)rriskatta v. to ransom
(i)rriskattat pp. ransomed
(i)rriskja v. to risk, to hazard, to run the risk of; ~ **ħajtu** to risk one's life; ~ **li jikser għonqu** he ran the risk of breaking his neck
(i)rriskjat pp. risked
(i)rrispetta v. to respect
(i)rrispettat ara **rispettat**
(i)rrisponda v. to answer, to reply; ~ **għall-mistoqsija li saritlu** to answer the question presented
(i)rritalja v. to retaliate
(i)rritaljat ara **ritaljat**
(i)rritorna v. to return, to come back; **Pawlu** ~ **mis-safar** Paul returned from abroad
(i)rritornat pp. returned
(i)rritratta v. to retract

(i)rriveda v. to revise, to review
(i)rrivela v. to reveal; ~ **sigriet importanti ħafna** to reveal a very important secret
(i)rrivelat pp. revealed
(i)rriversja v. to reverse
(i)rriversjat pp. reversed
(i)rrizza v. to raise
(i)rrizzat pp. raised
(i)rriżenja v. to resign
(i)rriżenjat pp. resigned
(i)rriżulta v. to result; **il-logħob kollu** ~ **fi fjask** all the games resulted in a fiasco
(i)rriżultat pp. resulted
(i)rroffa v. to make up a loss by payment
(i)rrofta v. to refuse
(i)rrokka v. (cut off) to run aground, to strand, (obstacled) to stumble upon, to be stopped
(i)rrokkat ara **(i)rrukkat**
(i)rrolja v. (fall) to roll, to pitch
(i)rroljat pp. rolled, pitched
(i)rrombla v. to roll
(i)rromblat ara **(i)rrumblat**
(i)rronda v. to patrol, to make one's round
(i)rrondat pp. patroled
(i)rrotja v. to be uneasy
(i)rruftat pp. refused
(i)rrukkat pp. stranded, stumbled
(i)rrumblat pp. rolled
rsalta v. to stand out
rsas n.m.koll. f. ~**a** (pl. ~**at**) lead
rsipl|a n.f. (pl. ~**i**) erysipelas, St Anthony's fire
rsolva v. to resolve, to solve, to settle
rsir ara **lsir**
(i)rtab komp. softer, to soften, to become soft; (fig.) to relent, to slacken
rtabat v. to bind oneself, to be tied
rtadam ara **ntradam**
rtadd ara **ntradd**
rtafa' ara **ntrafa'**
rtahan ara **ntrahan**
rtass ara **ntrass**
rtebaħ ara **ntrebaħ**
rtema ara **ntrema**
rtenn n.m. (pl. ~**ijiet**) restraint
rtiegħed ara **triegħed**
rtifed ara **ntrifed**
rtifes ara **ntrifes**
rtikeb ara **ntrikeb**
rtir n.m. (pl. ~**ijiet**) retreat; (treġġigħ lura) withdrawl
rtira v. to withdraw, to retract; (mix-xogħol, eċċ) retire
rtirat pp. retracted, retired
rtirat|a n.f. (pl. ~**i**) retire, retreat
rtogħod v. to tremble, to shuddle, to shiver
rtokk n.m. (pl. ~**ijiet**) retouch
rtokka v. to retouch, to revise
rtub n.m. (bla pl.) humidity
rtuba n.f. softness, mellowness
rtubija n.f. softness, mellowness; (rilassament) relaxation, feebleness, faintness
rtukkat pp. retouched, touched up; (ikkoreġut) revised, corrected
rtukkatur|a n.f. (pl. ~**i**) retouching
rubakori n.m. (bla pl.) lady-killer
rubin n.m. (pl. ~**i**) ruby
rubl|u n.m. (pl. ~**i**) rouble
rubrik|a n.f. (pl. ~**i**) rubric
rudiment n.m. (pl. ~**i**) rudiment
rudimentali aġġ. rudimentary
ruffjan n.m. (pl. ~**i**) servile person
ruġġjat|a n.f. (pl. ~**i**) orgeat
ruħ n.f. (pl. **rwieħ**) soul, ghost; ~ **il-Qodos** the Holy Spirit; ~**u fi snienu** he is about to die; **b'~u u ġismu** with all his efforts; **qala'** ~**u** he was so tired; **ħa r-~** he progressed; **sa** ~ **ommu** full; **għamel tabir~u** he acted as if; **tah ir-~** he helped him to progress; **ġab** ~**u ħażin/tajjeb** he misbehaved/behaved; **sab** ~**u fil-frisk** he found himself in deep troubles; **bejnu u bejn** ~**u** to himself; **sa ħarġet** ~**u** with all his efforts; **mimli sa** ~**u** full; **fuq** ~**u** naughty; ~**u ħoxna** he is not going to die soon; **ma tarax** ~ uninhabited; **qatel** ~**u b'idejh** he committed suicide; **fiehem** ~**u** he explained what he tried to say; ~**i qalbi** my dear; **għin** ~**ek** try your best to grow strong; **tilef** ~**u** he damned his soul; **bla** ~ very cold; **erwieħ**: souls; **għall-~**! that's better!; **għandu sebat** ~ a person who is always near to death but still never dies; **rwieħ**: n.m. **għandu sebat i~** he has seven lives
ruħani aġġ. witty
rukkell n.m. (pl. **rkiekel**) bobbin, reel
rukkett ara **rokkett**
rulett n.f. (pl. ~**ijiet**) roulette
rum n.m. (pl. ~**ijiet**) rum
Ruma Rome; **antika** ~ you are not saying anything new
rumanz ara **romanz**
rumanesk aġġ. romanesque
rumanzier n.m. (pl. ~**a**; ~**i**) novelist
rummien n.m.koll. f. ~**a** (pl. **rumminiet**) pomegranate
rumnell n.m. (pl. ~**i**) cord
rundun ara **rondun**
russett n.m. (pl. ~**i**) heron; ~ **abjad** great white egret; ~ **aħmar** purple heron; ~ **griż** grey heron

Russ|u aġġ. n.m. (pl. ~**i**) Russian
rustiku aġġ. rustic
rutell|a n.f. (pl. ~**i**) tape-measure
ruttam n.m.koll. wax swealings
ruvett n.m. (pl. ~**i**) scourer
ruxxmat|a n.f. (pl. ~**i**) quantity, a lot of
rużarj|u n.m. (pl. ~**i**) rosary, beads
rużell n.m. (pl. ~**i**) four season's rose
rużett|a n.f. (pl. ~**i**) rosette or diamond ring; (xorta ta' ħuta) cleaver wrasse
rużinjol n.m. (pl. ~**i**) nightingale, sprosser; ~ **ta' Barbarija** rufous warbler
rużun n.m. (pl. ~**i**) rosace; (xorta ta' ħuta) ornate wrasse
rvell n.m. (pl. ~**ijiet**) rebellion
rvella v. to rebel/rise
rvina v. to ruin
rvin|a n.f. (pl. ~**i**) ruin
rvinat pp. ruined
rxiex n.m.koll. f. ~**a** (pl. **rxixiet**) drizzling rain, drizzle
rxoxta v. to resuscitate, to revive; **reġa'** ~ he began to come round again
rxuxtat pp. resuscitated
rżana n.f. (bla pl.) modesty
rżiħ (bla pl.) chill
rżin aġġ. composed, quiet, tranquil
rżit aġġ. lean

S s

s the twenty third letter of the alphabet and eighteenth of the consonants
sa prep. till, until, as far as; ~ **barra** entirely; ~**kemm** as long as
sab v. to find, to meet; (xi fenomenu, eċċ.) to discover; **kienu jsibuh bħala** they used to call him; **fejn issibha li** it is not right that; **fejn ~na ħalliena** he did not help us; **ma ssibu għal xejn** he does not help much
saba' n.m. (pl. **swaba'**) finger; ~ **l-kbir** thumb; ~ **l-werrej** forefinger; ~ **tan-nofs** middle finger; ~ **tal-ħatem** annular or ring finger; ~ **ż-żgħir** little finger; **bill sebgħu** he tasted; **inħeba wara sebgħu** he tried to make up excuses; **mis-~ ħa l-id** he took advantage of something; **sebgħu dritt** a righteous man; **ta' sebgħu f'ħalqu** a stupid man; **ħabat sebgħu** he argued with sb.; **subgħajn**: **lagħaq subgħajh** he liked the food; **swaba'**: **tgħoddhom fuq is-~** very few; **jgħaqqad fuq is-swaba'** very good (broth, etc.)
sabar v. to bear with patience, to tolerate
sabar n.m. patience, tolerance; **m'għandux** ~ he's always on the go; **raqad b'sabru** he slept peacefully
sabb n.m. (bla pl.) diarrhoea; ~ **tad-demm** flux
sabbar v. to animate a person to suffer; (ikkonsla) to comfort, to console // n.m. (pl. ~**a**) comforter, consoler
sabbar|a n.f. (pl. ~**iet**) aloe
sabbat v. to throw violently on the ground; (il-bieb, eċċ.) to bang, to slam
sabi n.m. (pl. **subien**) boy; (tifla) tomboy; (inf. tifel fuq ruħu) a troublesome boy; **donnha ~ ħażin** she is a very naughty girl
sabiex konġ. so that, in order that
sabiħ aġġ. beautiful, pretty // avv. beautifully; ~ ~ gently, softly, discreetly; **din isbaħ!** oh my goodness!; **xtara** (eċċ.) ~**!** he did not buy (etc.) anything at all; **għamel** ~ it was appropriate
saborr|a n.f. (pl. ~**i**) ballast; **tajjeb għas-~a** good for nothing; **nieqes mis-~a** very fat
sabutaġġ n.m. (pl. ~**i**) sabotage
saċerdot n.m. (pl. ~**i**) priest
saċerdotali aġġ. priestly, sacerdotal
saċertodess|a n.m. (pl. ~**i**) priestess
saċerdozj|u n.m. (pl. ~**i**) priesthood
sadanittant konġ. meanwhile, in the meantime
sadd v. to stop, close or dam up; ~ **widnejh** to stop one's ear
sadd|a n.f. (pl. ~**iet**) coryza, nasal obstruction
saddad v. to grow rusty, to make rusty; (kompla) to persevere, to continue, to be stedfast in a thing; (inf. ma' namrata) to continue to go out with someone
sadid n.m. (bla pl.) rust; (ġlata) blight; **bis-~** on bad terms
sadist n.m. (pl. ~**i**) sadist
sadiżm|u n.m. (pl. ~**i**) sadism
safa v. to clear up, to grow limpid // n.f. (bla pl.) serenty; (kastità) chastity
safa' v. to become, to turn out; (baqa') to remain, to be; ~ **waħdu** to be left alone
safar n.m. (bla pl.) navigation
safari n.m. (bla pl.) safari
saff n.m. (pl. **safef,** ~**i**) strato; **mibni b'~ejn** well-built
saffa v. to clear, to make clear; (iffiltra) to stain, to filter; (ippurifika) to cleanse, to purify, to refine
saffaf v. to stratify, to dispose in layers
saffal v. to abase
saffar v. to make yellow or pale; (bis-suffara, eċċ.) to whistle, to hiss; **baqa' j~** he was left stranded // n.m. (pl. ~**a**) whistler, hisser
saffik|u (pl. ~**i**) aġġ. sapphic
safi aġġ. clear, limpid, transparent
safja n.f. (bla pl.) pureness, clearness
sa fl-aħħar avv. at last
safr|a n.f. (pl. ~**iet**) voyage, journey // aġġ. yellow, pale, squalid
safrani aġġ. yellowish, squalid
saġġ n.m. (pl. ~**i**) essay
saġġar v. to plant with trees
saġittarj|u n.m. (pl. ~**i**) archer
sagrament n.m. (pl. ~**i**) sacrament

sagramentali aġġ. sacramental
sagrifiċċj|u n.m. (pl. ~**i**) sacrifice
sagrifikat pp. sacrified
sagrileġġ n.m. (pl. ~**i**) sacrilege
sagrilegu aġġ. sacrilegious
sagristan n.m. (pl. ~**i**) sacristan, sexton
sagristij|a n.f. (pl. ~**i**) sacresty, vestry
sagru aġġ. sacred, holy
sagħtar n.m.koll. thyme
sagħtrija n.f.koll. (pl. ~**t**) savory
sahar v. to wake, to watch, to work overtime
sahr|a n.f. (pl. ~**iet**) waking, watching; (overtime) working overtime
saħa ara **seħa** // n.f. (bla pl.) serenity, the ceasing of the rain
saħan v. to warm, to go warm; (irrabja) to grow angry
saħansitra avv. even
saħaq v. to pound, to bray, to hash, (l-punt, eċċ.) to repeat, to underline a fact; ~ **fl-ilma** to labour in vain
saħħ ara **seħħ**
saħħ|a n.f. (pl. ~**iet**) health; (qawwa) power; (mhux dgħufija) strength, force; **bis-~a** stoutly, strongly; **bis-~a ta'** with the help of; **bla ~a** strengthless; **ibigħ is-~a** very strong; **ħadlu ~tu** he tired him; **~a ta' ġgant** very strong; **qala' ~tu** he got really tired; **~a ta' ġgant/ljun** an outstanding strength; **~tu ħallietu** he got weak
saħħab v. to obscure; (bis-sħab) to cloud
saħħabi aġġ. gregarious
saħħaħ v. to heal, to make sound; (ma għamlux dgħajjef) to fortify, to strengthen // n.m. (pl. ~**a**) one that heals; (min isaħħaħ) strengthen, fortifier
saħħaħi aġġ. santative, healing; (li jsaħħaħ) corroborative
saħħam v. to tumble one in dirt
saħħan v. to warm, to heat; (irrabja) to provoke, to anger // n.m. (pl. ~**a**) heater; (min joħloq l-inkwiet) exciter
saħħaq v. to cause to pound
saħħar v. to bewitch, to charm, to enchant, to fascinate // n.m. (pl. ~**a**) witch, sorcerer, enchanter, wizard
saħħari aġġ. charming
saħħieħi aġġ. salutary, salutiferous, healthful
saħħieq n.m. (pl. ~**a**) he who pounds
saħn|a n.f. (pl. ~**iet**) excitement, excitation; **fis-~a tad-demm** in the moments of anger
saħq|a n.f. (pl. ~**iet**) bruise; (diskussjoni twila) a long discussion; **~a xita** a storm of rain
saħt|a n.f. (pl. ~**iet**) malediction, cursing; **ikrah ~a** very ugly; **għandu ~a** he is maledicted; **waqgħet ~a fuqna** it is like we are maledicted
sajd|a n.f. (pl. ~**iet**) fishing
sajf n.m. (pl. **sjuf**) summer, ~ **ta' San Martin** St Martin's summer
sajfi aġġ. festival, belonging to the summer
sajjar v. to cook; (sar misjur) to ripen, to mature, to make ripe // n.m. (pl. ~**a**) cook, man-cook
sajjem v. to fast; ~ **minn xi ħaġa** he does not know sth. // aġġ. fasting
sajjett|a n.f. (pl. ~**i**) thunderbolt, lightning bolt; **ġera daqs ~a** he ran as fast as lightning; **bħal ~a fil-bnazzi** a bolt in the blue
sajjied n.m. (pl. ~**a**) fisher, fisherman
sajjiem n.m. (pl. ~**a**) faster
sajran n.m. (bla pl.) maturity, ripeness; **bniedem nofs** ~ an indifferent man
sajtun n.m. (pl. ~**i**) carline
sakemm avv. till when, until
sakkar v. to shut, to bolt; (għamlu fis-sakra) to make drunk // n.m. (pl. ~**a**) he who shuts; (min jagħmel fis-sakra) he who causes drunkness
sakkar|a n.f. (pl. ~**iet**) bar, bolt
sakkarin|a n.f. (pl. ~**i**) saccarine
sakkeġġ n.m. (pl. ~**i**) sack, loot
sakr|a n.f. (pl. ~**iet**) drunkness; **f'~a ma jarax art/mejjet fis-~a** really drunk
sakranazz aġġ. drunk, drunkness
sala n.f. (pl. **swali**) hall
salamandr|a n.f. (pl. ~**i**) salamander
salamun n.m.koll. salmon // **għaref daqs S~** very wise
salamur ara **salamun**
salarj|u n.m. (pl. ~**i**) salary
salb|a n.f. (pl. ~**iet**) cruxifiction
saldatur n.m. (pl. ~**i**) soldering bolt, soldering iron; (il-kaxxa) coach-box
saldatur|a n.f. (pl. ~**i**) soldering
saldu n.m. (bla pl.) balance
Salesjan n.m. (pl. ~**i**) Salesian
salib n.m. (pl. **slaleb**) cross; (uġigħ, eċċ.) affliction; **radd ~ għal wiċċu** he turned over a new leaf; **f'kemm trodd** ~ in a short time; **rafa'** ~ **ħaddieħor** he minded other people's business; **f'~ it-toroq** he has to take a decision; **int is-~ tiegħi** you cause me so much trouble; **ġabu** ~ he really put him in big trouble; **slaleb: baqa' jrodd is-~** he was left astounded
saliċilat n.m. (pl. ~**i**) salicylate
saċiliku aġġ. salicylic; **aċidu** ~ salicyctic acid
salin|a n.f. (pl. ~**i**) saltern, salt pond, salt mine
saljatur|a n.f. (pl. ~**i**) corbel

saljenti aġġ. salient; (li tispara) jetting forth
salla v. to pray; (dagħa) to blaspheme, to curse; **bagħtu jsalli** imprecation
sallab v. to cross; (għadda minn naħa għal oħra) to trasverse, to pass through; (ma' salib) to crucify; (bl-inkwiet) to inflict great pain // n.m. (pl. ~**a**) he who crosses; (min jitfa' fuq salib) crucifier
sal-lum avv. until today
sallur n.m.koll. f. ~**a** (pl. ~**iet**) eel
salm n.m. (pl. ~**i**) psalm
salmastru aġġ. saltish, brackish; **ilma** ~ brackish water
salmist|a n.m. (pl. ~**i**) psalmist
salmodij|a n.f. (pl. ~**i**) psalmody
salmur|a n.f. (pl. ~**i**) pickle
salnitru n.m. (bla pl.) nitrate, potassium nitrate
salott n.m. (pl. ~**i**) drawing-room
salpa v. to sail, to weigh anchor
salsaparilja n.f. (pl. ~**i**) smilax
SALT n.m. (bla pl.) SALT; abbr. of Strategic Arms Limitation Talks
salt n.m. (pl. ~**ijiet**) bout
saltan v. to reign, to govern, to rule
salterj|u n.m. (pl. ~**i**) psalter, book of psalms
saltn|a n.f. (pl. ~**iet**) reign, kingdom
salun n.m. (pl. ~**i**) hall, reception-room
salut n.m. (pl. ~**i**) salute
salv aġġ. safe
salva v. to save
salvaġġ aġġ. savage, wild
salvat pp. saved
salvataġġ n.m. (pl. ~**i**) salvage
salvatur n.m. (pl. ~**i**) saver, rescuer; **S~ Divin** the Saviour
salvawom|u n.m. (pl. ~**i**) life belt, life buoy
salvazzjoni n.f. (pl. ~**jiet**) salvation
salvja n.f. (bla pl.) sage
sam v. to fast
sama' v. to hear, to listen; **isma' x'qallek!** did you hear that? **min jisimgħek! shush!; fejn smajnieha din!** no one on earth has ever made that!
Samaritan n.m. (pl. ~**i**) Samaritan
samat v. to scorch, to scald
samm aġġ. massive
samma' v. to cause one to hear; (tenna) to refer, to tell
sammam v. to harden as a flint
sammar v. to nail, to fasten with nails
samra aġġ. brown
samrani aġġ. brownish, swarthy
samsar v. to divulge, to publish; (għamilha ta' sensal) to act the broker // n.m. (pl. ~**a**) mediator, broker
samt|a n.f. (pl. ~**iet**) scalding, burning, burn
San aġġ. saint; **tellagħlu ~ Filep** he really angered him; **b'ta' ~ Franġisk** on foot; **iħobb lil ~ Ġorġ** he loves money; **ħabbtu ma' ~ Ġwann** he threw away his broken watch; **ta' taħt ~ Mikiel** Satan; **bħal ~ Tumas** he has to see himself; **bħal ~ Xmun Stokk** he did not budge an inch
sanatorj|u n.m. (pl. ~**i**) sanatorium
sandar pinnace; **qata'** ~ it did not pay him, he did not make a good bargain at all
sandl|a n.f. (pl. ~**i**) sandal
sandlija ara **sandl|a**
sandwiċċ n.m. (pl. ~**ijiet, sandwiċis**) sandwich
sanfason: **kemm għandu** ~ he's all foolishness
sanġakk n.m. (pl. ~**ijiet**) standard; (saħħa) strength
sangilott n.m. (pl. ~**i**) highwayman
sangisug n.m. (pl. ~**i**) leech; **qabad miegħu bħal** ~ he did not let him go for a second
sangwinarju aġġ. sanguinary
sanità n.f. (bla pl.) health; **tas-~** health officer
sanitarju aġġ. sanitary
sanpejper n.f. (bla pl.) sandpaper, emery paper
Sansun n.m. Samson **għandu saħħa ta'** ~ strong and robust man
sant|a n.f. (pl. ~**i**) holy picture; **is-~a mqattgħa u l-gwarniċ imkisser** my goodness!
santifikazzjoni n.f. (pl. ~**jiet**) sanctification
santissimu aġġ. sacred, most holy; **S~ Sagrament** the Blessed Sacrament
santit|à n.f. (pl. ~**ajiet**) sanctity, holiness
santomina n.f. (bla pl.) santonin
santu aġġ. holy; **Spirtu s-S~** Holy Spirit
santwarj|u n.m. (pl. ~**i**) sanctuary
sanzjoni n.f. (pl. ~**jiet**) sanction
sapjent aġġ. sapient, wise
sapjenz|a n.f. (pl. ~**i**) wisdom; **imbierka s-~ t'Alla** oh what a beauty!
sappap v. to sop, to drench, to soak, to imbue
sapport n.m. (bla pl.) support
sapun n.m.koll. f. ~**a** (pl. ~**iet**) soap; ~ **tal-leħja** shaving soap; **ragħwa tas-~** soap-suds; **jiżloq daqs is-~** very slippery; **għandu ħafna** ~ he is very proud
sapunier|a n.f. (pl. ~**i**) soap-box
saq v. to drive; **suq għax sebaħ** come on, let's hurry; **suq u ġerri** let's hurry
saqaf n.m. (pl. **soqfa**) ceiling; ~ **il-ħalq** the palate; **taħt ~ wieħed** under the same circumstances
saqqa v. to irrigate, to water
saqqaf v. to ceil // n.m. (pl. ~**a**) tiler
saqqej n.m. (pl. ~**ja**) irrigàtor, waterer
saqq|u n.m. (pl. ~**ijíet**) mattress
saqsa v. to ask, to interrogate

saqwi aġġ. watered soil
sar v. to become, to grow; (issajjar: frotta, eċċ.) to grow ripe, to ripen; (issajjar: laħam, eċċ.) to be cooked; ~ **bniedem** to take human flesh; ~ **il-lejl** to grow dark; ~ **għadma u ġilda** to grow thin
sarg|a n.f. (pl. ~**iet**) pilchard
saram v. to embroll, to entangle; **qisu ~ ta' konz** very naughty // n.m. (pl. **sriema**) entanglement
sarbat v. to array
sarbit n.m. (bla pl.) ranks
sarbut n.m. (pl. **sriebet**) array, rank
sardellin|a n.f. (pl. ~**i**) pilchard
sardin n.m.koll. f. ~**a** (pl. ~**iet**) sprat; **bħas-~** well packed
sardj|u n.m. (pl. ~**i**) sard
sarell|a n.f. (pl. ~**i**) teal
sardonikament avv. sardonically
sardoniku aġġ. sardonic
sarg|u n.m. (pl. ~**i**) white bream; **dak ~u** he's cunning
sraġ n.m. (pl. **sruġ**) saddle; (xorta ta' materjal) serge
sarim|a n.f. (pl. ~**iet**) muzzle
sarjett|a n.f. (pl. ~**i**) summer savory
sarkastikament avv. sarcastically
sarkastiku aġġ. sarcastic(al)
sarkażm|u n.m. (pl. ~**i**) sarcasm
sarkofag|u n.m. (pl. ~**i**) sarcophagus
sarkom|a n.f. (pl. ~**i**) sarcoma
sarm|a n.f. (pl. ~**iet**) entanglement
sarr v. to pack up, to bundle up; (żamm sigriet) to keep secret // n.m. (bla pl.) packing
sarraf v. to change money // n.m. (pl. ~**a**) money-changer
sarraġ v. to make saddles; (fuq is-sarġ) to saddle // n.m. (pl. ~**a**) saddle-maker, saddler
sarram v. to muzzle
sarrar v. to puck up, to bundle up
sarsar v. to prate; (ġebbed) to prolong, to delay; (raqqaq) to darn // n.m. (pl. ~**a**) prater; (min iġebbed) procrastinator; (min iraqqaq) darner
sarsell n.m.koll. f. ~**a** (pl. ~**iet**) teal
sarsi n.pl. shrouds
sarsir n.m. (bla pl.) prating; (dewmien) procrastination; (rquq) darning
sarsur n.m. (pl. **srasar**) cricket
sarsur aġġ. loquacious, prating
sarvetta n.f. (pl. **srievet**) napkin, serviette; **illum bis-~** he's invited to dinner
sarwal v. to embroil, to entangle; (gideb) to lie // n.m. (pl. ~**a**) he who embroils; (giddieb) liar
sarwan n.m. (pl. **srawan**) wide trousers (of turkish/greek fashion)
sarwil n.m. (bla pl.) embroiling; (gideb) lie, falsehood
sasl|a n.f. (pl. ~**i**) scoop
sata' v. to be able, to be allowed, to be permitted; **wieħed jista'** a rich person; ~ **miet** he did not care for him; **ma jistax għalih** he really hates him
satal n.m. (pl. **stali, istla**) pail
satar v. to cover, to veil; (ħeba) to hide, to conceal
satellit n.m. (pl. ~**i**) satellite
satin n.m. (pl. ~**ijiet**) satin
satir|a n.f. (pl. ~**i**) satire
satiriku aġġ. satiric
satla n.f. (pl. **stali**) aspersorium
satr|a n.f. (pl. ~**iet**) covering, veil; (ħabi) concealment; (segretezza) segrecy
sattar n.m. (pl. ~**a**) coverer; (min jaħbi) concealer
sawm n.m. (bla pl.) fasting
sawr|a n.f. (pl. ~**iet**) image, figure
sawrell n.m.koll. f. ~a (pl. ~**iet**) scad
sawt n.m.koll. f. ~**a** (pl. ~**iet**) staff, lash, whip; ~ **tal-baħar** great weaver; ~ **jimmarka l-farboj** trouble is building up
sawtarell|a n.f. (pl. ~**i**) bevel
sawwab v. to pour out, to transfuse // n.m. (pl. ~**a**) pourer
sawwaf v. to cover with wool
sawwafi aġġ. wooly, wool-bearing
sawwar v. to design, to draw; (għamel figura ta') to figure, to represent; (iffortifika) to fortify // n.m. (pl. ~**a**) designer, delineator; (inġinier) engineer
sawwat v. to beat, to strike, to lash // n.m. (pl. ~**a**) striker, hitter
sawweb v. to pour out; ~ **id-demm** transfuse
sawwem v. to cause to fast
sbatax n. num. kard seventeen
sbejjaħ aġġ. pretty, handsome
sbieħ v. to grow fine/handsome
sbiħ n.m. (bla pl.) dawn; **minn ~ Alla** from dawn
sbik n.m. (bla pl.) stripping
sbir n.m. (bla pl.) patience, sufference; (dewma) respite
sbir|a n.f. (pl. ~**iet**) respite, delay
sbuħija n.f. (bla pl.) beauty, grace
sbul n.m.koll. f. ~**a** (pl. ~**iet**) ear of corn; ~ **tal-qamħirrun** ear of indian corn
seba v. to enslave; (ġarraf) ruin
seba' aġġ. num. ord. seventh
sebaħ v. to dawn; ~ **u dalam** and the others
sebaq v. to forerun, to overrun; (għadda) to surpass, to excel, to exceed
sebbaħ v. to remain till day-break; (għamel iktar sabiħ) to adorn, to beautify

sebbel v. to ear, to shout into ears or spikes
sebbell|a n.f. (pl. ~**i**) lady bird
sebbieħ n.m. (pl. ~**a**) adorner
sebbieq n.m. (pl. ~**a**) forerunner
sebgħa aġġ. num. kard. seven
sebgħin aġġ. num. kard. seventy
sebħ n.m. (bla pl.) glory; (tal-jum) dawn; **mas-~** by day-break
sebq|a n.f. (pl. ~**iet**) outstripping; ~**et 'l ommha** carline
sebuq|a n.f. (pl. ~**iet**) elder
seċessjoni n.f. (pl. ~**jiet**) secession
sedattiv n.m. (pl. ~**i**) sedative
sedda n.f. (pl. ~**iet**) coryza
seddaq v. to render just, upright and true
sedentarju aġġ. sedentary
sedil n.m. (pl. ~**i**) seat, chair
sediment n.m. (pl. ~**i**) sediment, dregs
sedizzjoni n.f. (pl. ~**jiet**) sedition
sedizzjuż aġġ. seditious
sedj|a n.f. (pl. ~**i**) chair, seat; ~**a ġestatorja** gestatorial chair
sedott pp. seduced
sedq n.m. (bla pl.) veracity, sincerity
sedq|a n.f. (pl. ~**iet**) loyalty, fidelity
sedut|a n.f. (pl. ~**i**) setting, meeting
seduttur n.m. (pl. ~**i**) seducer
seduzzjoni n.f. (pl. ~**jiet**) seduction
seff v. to suck
seffaq v. to render or make bold, to thicken; ~ **il-wiċċ** to make a bold face
seffed v. to thrust, to stick in
seffied n.m. (pl. ~**a**) he who thrusts/drives in
seffud n.m. (pl. **sfiefed**) spit, broach; **qisu** ~ he is a meddler; **sfiefed**: **għandu s-~** he is always on the go
sefħ n.m. (bla pl.) woof
sefq|a n.f. (pl. ~**iet**) thickness, density; (wiċċ) impudence, sauciness
sefsef v. to whisper, to buzz; (reda') to suck
sefsief n.m. (pl. ~**a**) buzzer
sefsif n.m. (bla pl.) whispering or buzzing into one's ear
sefter v. to serve one
seftur n.m. (pl. ~**i**) servant
seg|a n.f. (pl. ~**i**) saw
segregat pp. isolated, secluded
segregazzjoni n.f. (pl. ~**jiet**) segregation, retirement
segretament avv. secretly
segretarjat n.m. (pl. ~**i**) secretariat(e)
segretarj|u n.m. (pl. ~**i**) secretary; ~**u privat** private secretary; ~**u tal-Istat** Secretary of State; ~**u** parlamentari parlamentary secretary; **sotto~u** under-secretary
segreterij|a n.f. (pl. ~**i**) secretary's office
segretezz|a n.f. (pl. ~**i**) secrecy
segriet n.m. (pl. ~**i**) secret
segu n.m. (bla pl.) sago
segwa v. to follow
segwaċi n.m. (bla pl.) follower
seha v. to distract oneself
sehem n.m. (pl. **ishma**) rate, portion; (fin.) shares; ~ **tal-gvern** government stock; ~ **tal-privat** private company stock; **sab sehmu** he found himself in a dead-end; **wasal sehmu** he is not good anymore
sehw|a n.f. (pl. ~**iet**) mental absence, oversight
sehwien patt. distracted, wandering
seħa v. to cease raining, to grow fair (weather)
seħaq: **isħaq u ilgħaq** he worked with no regard
seħer n.m. (pl. ~**ijiet**, **sħarijiet**) enchantment, charm; (tas-sħaħar) sorcery, witchcraft
seħet v. to curse
seħħ v. coming into effect, materialization (ġara) to happen; (irnexxa) to succeed, to be accomplished
sejb|a n.f. (pl. ~**iet**) find; ~**a ta' droga** a find of drugs
sejf n.m. (pl. **sjuf**) dagger; ~ **u tarka** a guard // n.m. (pl. ~**ijiet**) safe
sejftipinn n.f. (pl. ~**ijiet**; ~**s**) safety-pin
sejħ|a n.f. (pl. ~**iet**) call, calling
sejjaħ v. to call; **(i)ssejjaħ** v. to be named or called, was named; ~ **il-pulizija** to call the police; ~ **lil xi ħadd b'ismu** to call someone by his name; ~ **fil-ġenb** to call aside
sejjeb v. to sell out
sejjeb patt. knave, perverse
sejjer going; **dejjem** ~ always on the go; **baqa'** ~ he died
sejjes v. to lay the foundation, to ground
sejjieħ n.m. (pl. ~**a**) caller; **ħajt tas-~** dry wall
sekken v. to cause one to feel internal pain; (qata' b'sikkina) to cut with a knife
sekl|u n.m. (pl. ~**i**) century; **ilu** ~**u** it has been a long time
sekond aġġ. second
sekond|a n.f. (pl. ~**i**) second; placenta
sekondarjament avv. secondly
sekondarju aġġ. secondary; skola sekondarja secondary school
seksek v. to seek, to spy upon
seksieki aġġ. curious, spy, inquisitive
seksik n.m. (pl. ~**a**) curiosity
sekular n.m. (pl. ~**i**) layman // aġġ. secular, lay, temporal, wordly
sekularizzazzjoni n.f. (pl. ~**jiet**) secularization

sekwenz|a n.f. (pl. ~**i**) sequence
sekwestrabbli aġġ. distrainable, seizable
sekwestr|u n.m. (pl. ~**i**) sequestration, distraint
selaħ v. to have a looseness; (qala' l-ġilda) to take the skin off; (il-flus) to take a lot of money
selettivit|à n.f. (pl. ~**ajiet**) selectivity
selezzjoni n.f. (pl. ~**jiet**) selection
self n.m. (bla pl.) loan, lending, borrowing
selħ|a n.f. (pl. ~**iet**) loose dung; (girfa ħarxa) scratch, breach; (~**a f'ħajt tas-sejjieħ**) in a rubble wall
sella v. to greet, to give one's compliments to
sellef v. to loan
sellem v. to salute
sellet v. to fray, to unrevel, to unweave
sellief n.m. (pl. ~**a**) money lender
sellieħ n.m. (pl. ~**a**) flayer
selliet n.m. (pl. ~**a**) gladiator; (min isellet) frayer
sellieti aġġ. contentious, litigious
sellum n.m. (pl. **slielem**) ladder; **donnu ~ tal-ħallelin** he is very tall
selq n.m.koll. f. ~**a** (pl. ~**iet**) beet
selvaġġ n.m. (pl. ~**i**) savage; (bniedem bla manjieri) ungentlemanly person
sema n.m. (pl. **smewwiet**) sky; **tala' fis-seba' ~** he was very happy; **bejn ~ u ilma** far away, confused; **mingħalih miss is-~** he became haughty; **m'ogħla s-~** very high; **smewwiet: m'ogħla ~** very high
semafor n.m. (pl. ~**i**) semaphore
semanti|ka n.f. (pl. ~**ċi**) semantics
semestrali aġġ. half-yearly, semi-annual
semgħa n.f. (pl. ~**t**) audition, hearing
seminarist n.m. (pl. ~**i**) seminarist
seminarj|u n.m. (pl. ~**i**) seminary
Semitiku aġġ. Semitic
semiton n.m. (pl. ~**i**) semitone
semm n.m. (pl. **smum**) poison, venow
semma v. to name, to mention; (ta isem lil) to nominate, to give name to; (ta titlu lil) to give title to; **sabiħa ma ssemmix** very beautiful
semmej n.m. (pl. ~**ja**) nominator, nomenclator
semmem v. to poison, to envenom
semmen v. to fatten, to make fat
semmiegħ n.m. (pl. ~**a**) listener
semmiem n.m. (pl. ~**a**) poisoner
semmiemi aġġ. venomous, poisonous
semmien n.m. (pl. ~**a**) fattener
sempiterna everlasting, eternal; **ħaġa tas-~** neverending
sempliċement avv. simply
sempliċi aġġ. simple
sempliċit|à n.f. (pl. ~**ajiet**) simplicity
sempliċjott n.m. (pl. ~**i**) simpleton, blockhead, silly, fool
semplifikazzjoni n.f. (pl. ~**jiet**) simplification
sempreviv|a n.f. (pl. ~**i**) everlasting plant
sena n.f. (pl. **snin**) year; **l-ewwel tas-~** new year's day; **kull ~** every year; **ta' kull ~** annually, yearly; **kellu seba' mitt ~** he was impatient; **darba f'mitt ~** once in a lifetime; **qatt ma basarha f'mitt ~** he never expect it; **snin: is-~ qed jagħmlu tagħhom** he is getting old; **naqqaslu s-~ minn ħajtu** he gave him a very big fright; **mgħobbi bis-~** old; **donnu s-seba' ~ tal-għaks/abbundanza** very thin/fat
senap|a n.f. (pl. ~**i**) senape, mustard
senat n.m. (pl. ~**i**) senate
senatur n.m. (pl. ~**i**) senator
senduq n.m. (pl. **sniedaq**) chest; (bagalja tal-ivvjaġġar) trunk, travelling chest; **ta' fuqu ~u** very poor
sengħa n.f. (pl. **snajja'**) trade, art; **bis-~** artfully, cleverly; **raġel tas-~** tradesman, artisian
senn v. to whet, to sharpen; **ma jsinnx miegħu** they are on bad terms
senneġ v. to render hard
sennien n.m. (pl. ~**a**) grinder
sens n.m. (pl. ~**i**) sense
sens n.m. (bla pl.) sense, signification; (intellett) judgement, understanding
sensal n.m. (pl. ~**a**) broker, middleman
sensazzjoni n.f. (pl. ~**jiet**) sensation
sensazzjonali aġġ. sensational
sensel v. to chain, to unite together; (ħoloq il-ġlied) to embroil
senserij|a n.f. (pl. ~**i**) brokerage
sensibbli aġġ. sensible
sensibbilt|à n.f. (pl. ~**ajiet**) sensibility
sensiel n.m. (pl. ~**a**) he who ties or joins with chains; (sensal) broker
sensiel|a n.f. (pl. **sensiliet**) chain, little chain
sensil n.m. (bla pl.) concatenation
sensittiv aġġ. sensitive
sensj|a n.f. (pl. ~**i**) permission, licence, permit; (tluq) discharge; **ta s-~a** to dismiss, to send away; ~**a ta' suldat** to furlough
senswali aġġ. sensual, sensuous
senswalit|à n.f. (pl. ~**ajiet**) sensuality
sentenz|a n.f. (pl. ~**i**) sentence, decree, decision
sentenzjuż aġġ. sententious
sentiment n.m. (pl. ~**i**) judgement, knowledge; (opinjoni) opinion; (ħass) feeling; **sentimenti: ħadlu s-~ ta' moħħu** he annoyed him
sentimentali aġġ. sentimental
sentimentaliżm|u n.m. (pl. ~**i**) sentimentalism

sentimentalit|à n.f. (pl. **~ajiet**) sentimentality
sentin|a n.f. (pl. **~i**) bilge
sentinell|a n.f. (pl. **~i**) sentry, sentinel
sepal n.m. (pl. **~i, ijiet**) sepal
separabbli aġġ. separable
separat pp. seperated
separatament avv. separately
separazzjoni n.f. (pl. **~jiet**) separation
sepolkr|u n.m. (pl. **~i**) sepulchre
seqa v. to water // to give water to; **isqini u staqsini** I will never tell you as long as I am sober
seqer n.m. (pl. **isqra**) hawk, falcon; **donnu ~** he is always looking on sth.
seqi n.m. (bla pl.) chilblain; **~ fil-għarqub** kibe
serafiku aġġ. seraphic
serafin n.m. (pl. **~i**) seraphim, seraph
seraq v. to rob, to steal, to take away
serat|a n.f. (pl. **~i**) evening performance
serbut ara **sarbut**
serdek v. to strut
serduk n.m. (pl. **sriedek**) cock; **jisbaħ bla ~** we can make it all the same without that thing; **qam mas-~** he woke up early; **qisu ~** he harps on the same string; (fuq tiegħu) he stands rather proudly
serenat|a n.f. (pl. **~i**) serenade
serenit|à n.f. (pl. **~ajiet**) serenity
serħ n.m. (bla pl.) rest
serjament avv. seriously
serjet|à n.f. (pl. **~ajiet**) seriousness; **niġu għas-~a** let us start to speak seriously
serju aġġ. serious
serp n.m. (pl. **sriep**) serpent, shake; **~ il-baħar** serpent, water snake
serp|a n.f. (pl. **~iet**) wash board
serpentin n.m.koll. ophite
serpentun n.m. (pl. **~i**) serpent
serq n.m. f. **~a** (pl. **~iet**) theft, robbery
serqa: **bis-~** fleetingly
serra n.f. (pl. **serer**) greenhouse; (xorta ta' ħuta) leefish
serraħ v. to give rest to
serrall n.m. (pl. **~alji**) harem
serran n.m.koll. f. **~a** (pl. **~at**) channa
serratizz n.m. (pl. **~i**) rafter, scantling; **donnu ~** he is tall and thin
serratur|a n.f. (pl. **~i**) lock // n.f. (pl. **~i**) saw dust
serred v. to expose anything to the damps of the night air
serrep v. to wind, to weander
serried n.m. (pl. **~a**) he who exposes anything to the damps of the night air
serrieħ n.m. (pl. **~a**) he who gives repose
serrieq n.m. (pl. **srieraq**) saw, hand-saw; **~ tad-dahar** tenon saw
serrieq n.m. (pl. **~a**) thief, robber
serser v. to chat, to prattle, to talk idly
sersir n.m. (bla pl.) idle, talk, prattling
sersur n.m. (pl. **srieser**) prattler, chatterer
serv n.m. (pl. **~i**) servant
serva v. to serve
servili aġġ. servile
serviliżm|u n.m. (pl. **~i**) servility
servilment avv. servilely
servit|ù n.m. (pl. **~ujiet**) servitude
servizz n.m. (pl. **~i**) service, employ, dute
servut pp. made use of
sess n.m. (pl. **~i**) sex // n.m. (bla pl.) sexual intercourse; **għamlu s-~** they had sexual intercourse
sessjoni n.m. (pl. **~jiet**) session
sesswali aġġ. sexual
sesswalit|à n.m. (pl. **~ajiet**) sexuality
setaħ n.m. (pl. **setħat**) terrace; (lok ta' nżul) landing
setgħa n.m. (pl. **~t**) might, power, puissance
setgħan aġġ. powerful, mighty
sett n.m. (pl. **~ijiet**) set
setta n.f. (pl. **setet**) sect; **dak ma' tas-~** he is an atheist or belonging to a set of different beliefs; **setet**: **għamel is-~** he caused a lot of trouble
settaħ v. to spread corn upon the plain
settarj|u n.m. (pl. **~i**) sectarian
Settembru n.m.pr. September
settenarju aġġ. septenary
settur n.m. (pl. **~i**) sector
sever aġġ. severe
severament avv. severely
severit|à n.f. (pl. **~ajiet**) severity
sewa v. to cost, to be worth; (kellu l-qligħ minn) to profit, to avail, to advantage; (kien attiv) to be active/stirring; (kien ħaqqu) to deserve; **meta ~ ltewa** he died just when he was starting to get experience; **ma jiswa xejn** very weak
sewda aġġ. black; **qalbu ~** sad, melancholic
sewdieni aġġ. blackish, brownish
sewha: **mar sewhiet** he pushed aside all his problems
sewwasew avv. precisely, exactly
sewwa v. to make one just and upright; (irranġa) to mend, to repair; (ipprovda) to provide; (ikkwieta) to pacify, to appease; (għamel impotenti) to geld // n.f. (bla pl.) equity, truth, justice, uprightness; **bis-~ jew bid-dnewwa** compulsorily; **ngħidlek is-~** indeed, truly // avv. justly, faithfully

sewwaq v. to make channels or canals for the purpose of irrigation
sewwed v. to blacken; (sar iswed) to get blackish; ~ **il-qalb** to grieve, to sadden; ~ **qalbu** to fret, to grieve
sewwef v. to cover with wool
sewwej n.m. (pl. ~**ja**) restorer, repairer; (min jikkoreġi) corrector; (min jipprovdi) provider; (min joħloq il-paċi) reconciler, pacifier
sewwes v. to get worm eaten; (instiga) to instigate
sewwieq n.m. (pl. ~**a**) driver; (min imexxi il-merħla, eċċ.) drover
sewwies n.m. (pl. ~**a**) instigator
sezzjoni n.f. (pl. ~**jiet**) section
SF n.m. (pl. ~**s**) SF; abbr. of Science Fiction
sfaċċat aġġ. saucy, shameless, impertinent
sfaċċatament avv. shamelessly
sfaġġ n.m. (bla pl.) luxury
sfajjar aġġ. yellowish, palish
sfar v. to grow yellow; (baqa' sfajjar) to grow pale
sfarġel n.m.koll. f. **sfarġla** (pl. **sfarġliet**) quince
sfaxxa v. to shatter, to smash // to get smashed, to get shattered
sfaxxat pp. unbinded
sfer|a n.f. (pl. ~**i**) sphere, globe; (tal-adorazzjoni) monstrance
sfiċċa n.f. (pl. **sfiċeċ**) impetuosity, vehemence; **tatu bħal** ~ he was very nervous
sfida v. to dare, to challenge // **sfid|a** n.f. (pl. ~**i**) defiance, challenge
sfiduċja v. to distrust // **sfiduċj|a** n.f. (pl. ~**i**) mistrust, distrust
sfiduċjat pp. distrusted
sfieq v. to assume boldness
sfigura v. to disfigure
sfigurat pp. disfigured
sfila v. to unthread; (tal-mudellar, eċċ.) to defile
sfilat|a n.f. (pl. ~**i**) defiling
sfinġa n.f. (pl. **sfineġ**) muffin, fritter, pancake
sfinġi n.m. (pl. ~**jiet**) sphinx
sfinit aġġ. exhausted
sfiq aġġ. thick; (wiċċu jagħtih) impudent, shameless
sflask n.m. (pl. ~**i**) lint; (skart) waste
sfoga v. to vent
sfoll n.m. (bla pl.) light pastry
sfond n.m. (pl. ~**i**) background
sfonda v. to break down
sfortun|a n.f. (pl. ~**i**) bad luck
sfortunat aġġ. unfortunate, unlucky
sfortunatament avv. unluckily, unfortunately
sforz n.m. (pl. ~**i**) effort, attempt, exertion
sforza v. to strain, to force, to urge
sfratt n.m. (pl. ~**ijiet**) expulsion
sfratta v. to turn off, to turn out
sfrattat pp. sent away
sfrenat pp. dissolute, loose
sfrutta v. to exploit
sfruttat pp. exploited
sfuma v. to shade
sfumat pp. shaded
sfumatur|a n.f. (pl. ~**i**) shading
sfura n.f. (bla pl.) yellowness
sgħil n.m. (bla pl.) coughing
SHAPE n.m. (bla pl.) SHAPE; abbr. of Supreme Headquarters Allied Powers of Europe
shir n.m. (bla pl.) watching
sħab ara **sieħeb** // n.m.koll. (pl. ~**iet**) clouds **għex fis-**~ he did not know what was happening around him; ~ **ħalliebi** showers of rain; **sħaba**: cloud **ġiet** ~ **sewda** a sad moment
sħana n.f. (pl. ~**t**) warmth, heat
sħiħ aġġ. sound, entire; **telaq is-**~ **għar-riħ** he minded irrelevant things; bis-~ very
sħiq n.m. (bla pl.) pounding, crushing
sħuħija n.f. (bla pl.) association, society, company, partnership // strength, robustness
sħun aġġ. hot warm; (irrabjat) angry; ~ **mill-flus** flush of money; **kien** ~ **għalih** he was angry at him; ~ **jagħli** very hot; **ħadd ma jġibulu** ~ no one cares for him
si yes; **la jiġi għas-**~ u n-no when it comes to do something
sibek v. to browse
sibel v. to ear, to spike; (irrabja) to ruffle
siber v. to delay, to respite, to postpone
sibi n.m. (pl. **sibien**) pirate, rover // n.m. (pl. ~**jiet**) offshoot, scion; (ħaġa żgħira) trifle, a small thing; (skjavitù) slavery, bondage; (rovina) ruin, destruction
Sibt n.m. (pl. ~**ijiet**) Saturday
siċċ n.m.koll. f. ~**a** (pl. ~**at**) cuttle fish; **siċċa**: **kiesaħ daqs** ~ very cold
sid n.m. (pl. **sidien**) master, lord, owner; **min hu** ~**u?** he is free to do whatever he wants; **wieħed qisu** ~ **il-kera** a very austere man
sider n.m. (pl. **isdra**) breast, chest, thorax; **faqagħlu sidru** he gave him a hard blow on his chest; **qala'/ta għal sidru** he worked a lot
sidrija n.f. (pl. **sdieri**) waist-coat
sidt n.f. (pl. **sidtien**) mistress, madam
sieber aġġ. patient, enduring, suffering
siefer v. to embark, to depart; **se s**~ she is/it is in a mess
siegla n.f. (pl. **swiegel**) lash

siegħa n.f. (pl. **sigħat**) hour; **fis-~ u l-ħin** in that moment; **is-~ l-ħażina** suicidal mood; **daqqet is-~** the end has come; **tatu s-~** he made clownish gestures and faces; **ħa ~** he took a nap; **seħet is-~ u l-mument** he was really sorry; **sigħat**: **sejjer lura** (eċċ.) **bis-~** he is getting weaker and weaker (etc.); **qed jgħodd is-~** he is very eager
sieħ v. to call
sieħeb v. to associate, to accompany // n.m. (pl. **sħab**) partner, sharer; (raġel jew mara) consort, husband or wife
sieket patt. silent, noiseless, quiet
siel v. to be a creditor
sienja n.f. (pl. **swieni**) bucket wheel, chain-pump
sieq n.f. (pl. **saqajn**) foot; **'l hawn u 'l hemm** astride; **~ il-ħamiema** delphium peregrinum; **daqqa ta' ~** a kick; **ta bis-~** to hoof; **~ waħda fil-ħofra** he is about to die; **kieku waqa' u kiser ~u** I hate ifs and would-have-beens; **fuq ~ waħda** in an uneasy position; **deffes ~u** he took part in a piece of work; **qabadha minn ~qha** he confused all arguments; **saqajn**: **xeħetha għal saqajha** he tried his luck; **xeħet taħt saqajh** he despised sth.; **għadu fuq saqajh** he is still going strong; **kien ma' saqajh** he was always around; **kien mas-~** it was lying around; **qatgħu minn saqajh** he gave him a big fright; **qala' saqajh** he walked a lot; **ħabbat saqajh** he really got angry
sieqja n.f. (pl. **swieqi**) aqueduct
sies v. to insist, to persist in one's demand, to be pressing
sies n.m. (pl. **sisien**) groundwork, foundations
sifa n.m.koll. f. **sifja** (pl. **~jiet**) awn; **sifja**: aġġ. slender, lean, thin; **qisu ~** he is short and thin
siġġjol|a n.f. (pl. **~i**) binnacle
siġġ|u n.m. (pl. **~ijiet**) chair; **~u tad-dirgħajn** armchair; **saħħan is-~u** he was not paying attention; **għandu ~u fl-infern** he acted viciously
siġill n.m. (pl. **~i**) seal
siġr|a n.m. (pl. **~iet**) tree; **~et il-ġarab** oleander; **~et il-ħarir** asclepias, celandine; **~et il-kalli** cotyledon; dak **bħas-~a tal-luq** he acts niggardly; **~et il-virgi** chastre tree; **siġar**: **taħt is-~ tal-lawlaw** in the cemetery
sigarrett n.m. (pl. **~i**) cigarette
sigarr|u n.m. (pl. **~i**) cigar
siġurt|à n.f. (pl. **~ajiet**) security; (assikurazzjoni) insurance, assurance; **~à nazzjonali** national insurance
siker v. to get drunk
siket v. to be silent, to keep silent; (ikkonsla) to be consoled, to hush one's complaints
sikka n.f. (pl. **sikek**) ploughshare; (ta' xatt, eċċ.) reef; **mhux f'sikktu** he is not feeling well
sikkanti aġġ. boring
sikkatur|a n.f. (pl. **~i**) bother, botheration, annoyance
sikket v. to quiet, to still, to hush; (ikkomforta) to console, to comfort, to cheer
sikkina n.f. (pl. **skieken**) knife; **~ tal-karti** paper-knife; **għant ta' ~** sheath, knife-case; **tas-~** a rogue man; **jaqta' daqs ~** very sharp; **maqtugħ b'~** very exact
sikran aġġ. drunk, inebriated
sikrana n.f. (bla pl.) darnell
sikwit avv. often, very often, frequently
sila butter; **tari daqs ~** very tender; **għadu ~** he is still very young
silef v. to lend
silek v. to slip, to slide off
silem v. to appear, to sight
silenzj|u n.m. (pl. **~i**) silence
silenzjuż aġġ. silent
silet v. to unsheath; (idwella) to fight, to duel; (għamel bil-ponta) to sharpen, to point
silf n.m. (pl. **slejjef**) brother-in-law
silf|a n.m. (pl. **~i**) sylph
silfjun n.m. (pl. **~i**) fierce shark
silġ n.m.koll. f. **~a** (pl. **~iet**) snow; (borra) hail; (ilma ffriżat) ice; **kiesaħ ~** very cold; **abjad ~** snow-white
silla n.f. (pl. **silel**) clover, trefoil
sillab|a n.f. (pl. **~i**) syllable
sillabarj|u n.m. (pl. **~i**) syllabary
sillab|u n.m. (pl. **~i**) syllabus
sillar n.m. (pl. **~a**) saddler
silloġiżm|u n.m. (pl. **~i**) syllogism
silografij|a n.f. (pl. **~i**) xylography
silografiku aġġ. xylographic
silograf|u n.m. (pl. **~i**) xylographer
silt|a n.f. (pl. **~iet**) unsheating; (dwell) fight, duel; (minn ktieb, eċċ.) passage
simar n.m.koll. f. **~a** (pl. **~at**) rush, gorse
simblu ara **simbolu**
simbolikament avv. symbolically
simboliku aġġ. symbolic
simboliżm|u n.m. (pl. **~i**) symbolism
simbol|u n.m. (pl. **~i**) symbol
simen v. to fatten, to grow fat
siment n.m. (pl. **~ijiet**) cement
simetrij|a n.f. (pl. **~i**) symmetry
simili aġġ. like, alike, such
similor n.m. (pl. **~ijiet**) pinchbeck

simmetriku aġġ. symmetric(al)
simmetrikament avv. symmetrically
simn|a n.f. (pl. **~iet**) fatness, obesity
simonij|a n.f. (pl. **~i**) simony
simpatij|a n.f. (pl. **~i**) sympathy, liking
simpatiku aġġ. nice, sympathetic
simposj|u n.m. (pl. **~i**) symposium
simulakr|u n.m. (pl. **~i**) simulacrum, image
simultanjament avv. simultaneously
simultanju aġġ. simulatneous (with)
sinagog|a n.f. (pl. **~i**) sinagogue
sinċerament avv. sincerity
sinċerit|à n.f. (pl. **~ajiet**) sincerity
sinċier aġġ. sincere, honest, frank
sindakabbli aġġ. verifable, controllable
sindk|u n.m. (pl. **~i**) mayor, syndic
sinfonij|a n.f. (pl. **~i**) symphony
sinfonik|u aġġ. symphonic
sing n.m. (pl. **~ljiet**) line
singl|u n.m. (pl. **~i**) single
singular aġġ. singular
singularit|à n.f. (pl. **~ajiet**) singularity
sinifikanti aġġ. significant
sinifikat n.m. (pl. **~i**) significance
sinifikattiv aġġ. sigificant
sinjal n.m. (pl. **~i**) signal
sinjor: **taw is-~ si** they were married
sinjorin|a n.f. (pl. **~i**) young lady, Miss, Madame
sinjur n.m. (pl. **~i**) gentleman, sir, lord; ~ **minn daru** he became rich through inheritance; **jilgħabha tas-~** he does not want to work; **jgħix tal-aqwa** ~ he leads a comfortable life
sinjur|a n.f. (pl. **~i**) lady, madam, mistress
sinkope n.m. (pl. **~jiet**) syncope
sinkronizzat pp. syncronised
sinna n.f. (pl. **snien**) tooth; ~ **tal-ħalib** milk-tooth; ~ **mħassra** decayed tooth; ~ **ta' quddiem** front tooth; ~ **ta' rota** incisor; ~ **tewm** clove of garlic; **qala'** ~ have a tooth (pulled) out; **snien**: **armat sa ~u** very prepared; **wera ~u** he was not as timid as they thought; **qata' bi ~u** he really worked hard; **sabu għal taħt ~u** he took advantage of him; **mhux għal ~u** too hard for him
sinodali aġġ. synodal
sinod|u n.m. (pl. **~i**) synod
sinonimij|a n.f. (pl. **~i**) synonymy
sinonim|u n.m. (pl. **~i**) synonym
sinossi n.f. (pl. **~jiet**) synopsis
sinottiku aġġ. synoptic(al)
sinsl|a n.f. (pl. **~iet, sniesel**) chain; **~a tad-dahar** backbone, dorsal ridge; **bla ~a** cowardly person
sintassi n.f. (pl. **~jiet**) syntax
sintesi n.f. (pl. **~jiet**) synthesis
sintomatoloġij|a n.f. (pl. **~i**) symptomatology
sintetiku aġġ. synthetic(al)
sintom|u n.m. (pl. **~i**) symptom
siparj|u n.m. (pl. **~i**) curtain, drop curtain, drop-scene
sird|a n.f. (pl. **~iet, sried**) damp of the night
sireġ v. to scorch, to broil
siren|a n.f. (pl. **~i**) hooter, siren; (tal-baħar) mermaid
siring|a n.f. (pl. **~i**) syringe
sis|a n.f. (pl. **~i**) levy, surtax, excise
sisij|a n.f. (pl. **~iet**) begging
sismograf|u n.m. (pl. **~i**) seismograph
sismoloġij|a n.f. (pl. **~i**) seismology
sismolog|u n.m. (pl. **~i**) seismologist
sistem|a n.f. (pl. **~i**) system
sistematikament avv. systematically
sistematiku aġġ. systematic
sistemazzjoni n.f. (pl. **~jiet**) arrangement, settlement
sitta n. num. kard. six; **qed jgħodd is-~ fil-mija** he is fast asleep
sittax n. num. kard. sixteen
sittin n. num. kard. sixty; **għalaq is-~** he is old
sitwat aġġ. placed, situated
sitwazzjoni n.f. (pl. **~jiet**) situation
siwi n.m. (bla pl.) worth, value
Sjamiż n.m. (pl. **~i**) Siamese; **tewmin ~i** Siamese twins
skabjuż aġġ. scabby, scabious
skabruż aġġ. rough, scabious
skada v. to be due, to fall due
skadenz|a n.f. (pl. **~i**) maturity, expiry
skadut pp. due, expired
skaġunat pp. excused, justified
skala n.f. (pl. **skajjel**) scale; (sellum) ladder
skalapiż|a n.f. (pl. **~i**) step ladder
skalen|u n.m. (pl. **~i**) scalene; **~u trijanglu** scale triangle
skalm n.m. (pl. **~i**) thole, bar peg, row lock; (xorta ta' ħuta) lizard fish
skalora n.f. (bla pl.) canary seed
skalun|a n.f. (pl. **~i**) rung
skalz aġġ. bare-footed; **Karmelitan** ~ Discalced Carmelite
skambj|u n.m. (pl. **~i**) exchange
skampl|u n.m. (pl. **~i**) remnant
skanalatur|a n.f. (pl. **~i**) groove
skanċella v. to cancel
skanda v. to scan
skandalizza v. to scandalize
skandalizzat pp. scandalized
skandalja v. to sound; (kejjel) to measure, to examine, to fathom

skandaljat pp. measured, examined
skandall n.m. (pl. ~**i**) plummet
skandaluż aġġ. scandalous
skandl|u n.m. (pl. ~**i**) scandal
skanna v. to butcher, to slaughter
skansa v. to avoid, to shun
skansat pp. avoided, shunned
skansafaċendi n.m. (bla pl.) loafer
skansij|a n.f. (pl. ~**i**) shelf
skanta v. to astonish, to surprise
skantat aġġ. astonished
skappa v. to run away
skappament n.m. (pl. ~**i**) escapement
skappat|a n.f. (pl. ~**i**) flight, escape, escapade
skapula v. to make off
skapular n.m. (pl. ~**i**) scapular
skarga v. to discharge
skargat pp. discharged
skariġġa v. to run about
skariġġat pp. ran about
skarlat aġġ. scarlet
skarlatt n.m. (pl. ~**i**) scarlet cloth
skarlatina n.f. (bla pl.) scarlet fever
skarna v. to unflesh
skarnat pp. unfleshed
skarpan n.m. (pl. **skrapan**) shoe-maker; **dak** ~ he is a useless worker
skarpell n.m. (pl. **skriepel**) chisel
skarpin n.m. (pl. ~**i**) light shoe
skars aġġ. scanty, scarce
skarsezz|a n.f. (pl. ~**i**) scarcity
skart n.m. (bla pl.) refuse, remains, offscourings
skarta v. to discard, to set aside, to reject; ~ **mill-iskola** to play truant
skartafaċċ n.m. (pl. ~**i**) scribbling book
skartat pp. discarded, laid out, rejected
skartoċċ n.m. (pl. **skrataċ**) cartoughe, cartridge
skassa v. to force/break open a door, to prize
skassat pp. forced/picked the lock
skassatur|a n.f. (pl. ~**i**) lock-picking
skavi n.m. (pl. ~**jiet**) excavation
sked|a n.f. (pl. ~**i**) card, form; ~ **tal-votazzjoni** voting paper, ballot-paper // **skeda** v. to schedule
skedarj|u n.m. (pl. ~**i**) card-index
skedat pp. scheduled
skejt n.m. (pl. ~**ijiet**) skate
skejtja v. to skate
skeletr|u n.m. (pl. ~**i**) skeleton
skem|a n.f. (pl. ~**i**) scheme, summary, outline
skemati|ku (pl. ~**ċi**) aġġ. schematic
skerz n.m. (pl. ~**i**) joke, jest
skiet n.m. (bla pl.) silence, taciturnity; **bis-~** tacitly, silently
skjav n.m. (pl. ~**i**) slave
skjavit|ù n.f. (pl. ~**ujiet**) slavery, captivity
sklama ara **esklama**
sklamat ara **esklamat**
sklerosi n.f. (pl. ~**jiet**) sclerosis, scleroma
skluda ara **eskluda**
skojjattl|u n.m. (pl. ~**i**) squirrel
skola n.f. (pl. **skejjel**) school; ~ **elementari** primary school; ~ **privata** private school; ~ **sekondarja** secondary school
skolastikament avv. scholastically
skolastik|u aġġ. scholastic; **awla ~a** school room; **filosofija ~a** scholastic philosophy; **sena ~a** school year
skoll n.m. (pl. ~**ijiet**) rock, reef
skolla v. to cut the neck-hole in
skollat pp. cut the neck-hole
skolpa v. to sculpture
skolpit pp. sculptured
skolpixxa v. to sculpture
skomda v. to inconvenience, to disturb
skomdat pp. disturbed
skomd|u n.m. (pl. ~**i**) uncomfortableness
skomunika v. to excommunicate // **skomunik|a** n.f. (pl. ~**i**) excommunication
skomunikat pp. excommunicated
skont avv. according to, in accordance with, in conformity with // n.m. (pl. ~**ijiet**) discount, deduction
skonta v. to discount
skontat pp. discounted
skop n.m. (pl. ~**ijiet**) purpose, aim
skopert|a n.f. (pl. ~**i**) discover
skorda v. to untune
skordat pp. untuned
skorfin|a n.f. (pl. ~**i**) nut; **għandu ~a nieqsa/waqgħetlu ~a/tilef ~a** he is mad
skorfn|a n.f. (pl. ~**iet**) rock fish; **aħmar daqs ~a** very red
skorja v. to score
skorjat pp. scored
skornabekk n.m. (pl. ~**ijiet**) terebinth
skorpjun n.m. (pl. ~**i**) scorpion
skorra v. to surpass
skorrut pp. surpassed
skorta v. to escort, to convoy // n.f. (pl. ~**i**) escort
skortat pp. escorted
skoss n.m. (pl. ~**i**) shake
skotta n.f. (pl. **skotot**) sheet
skotti castanets (fig.) **iddoqq l-i~** very good, excellent
skrib|a n.m. (pl. ~**i**) scribe
skrin n.m. (pl. ~**s**) screen

skritt n.m. (pl. ~**i**) copy-book
skrittoj n.m. (pl. ~**i**) desk, writing desk
skrittur n.m. (pl. ~**i**) writer
Skrittur|a n.f. (pl. ~**i**) the Scripture
skrittur|a n.m. (pl. ~**i**) writing
skrivan n.m. (pl. ~**i**) clerk
skrivanij|a n.f. (pl. ~**i**) desk, writing desk
skrizzjoni n.f. (pl. ~**jiet**) subscription
skrofula n.f. (bla pl.) king's evil
skrun n.m. (pl. **skrejjen**) propeller, screw
skrupl|u n.m. (pl. ~**i**) scruple, qualm
skrupluż aġġ. scruplous
skrutatur n.m. (pl. ~**i**) scrutineer
skrutinj|u n.m. (pl. ~**i**) scrutiny
skudett n.m. (pl. ~**i**) scutcheon
skufj|a n.f. (pl. ~**i**) coif, head dress, bonnet, woman's cap; **ħareġ ta' ~a** he made fun of himself
skular n.m. (pl. ~**i**) scholar, student, pupil
skullat aġġ. low necked
skullatur|a n.f. (pl. ~**i**) neck hole
skultur n.m. (pl. ~**i**) sculpture
skultur|a n.f. (pl. ~**i**) sculpture
skumnikat ara **skomunikat**
skuna n.m. (pl. **skejjen**) schooner
skunċert n.m. (pl. ~**i**) confusion, disorder; (nuqqas ta' armonija) want of harmony
skunċerta v. to disconcert, to baffle
skunċertat pp. disconcerted, baffled
skur aġġ. obscure
skura v. to darken, to obscure
skurat pp. darkened, obscured
skurdat ara **skordat**
skurtat ara **skortat**
skutell|a n.f. (pl. ~**i**) bowl, porringer, ~**a tar-ras** skull
skuża v. to excuse, to pardon // **skuż|a** n.f. (pl. ~**i**) excuse, pretext, plea; **talab** ~ to apologize; ~ **fil-komma** he prepared some excuses
skużabbli aġġ. excusable
skużat pp. excused
skwadr|a n.f. (pl. ~**i**) squad
skwadrun n.m. (pl. ~**i**) squadron
skwalifika v. to disqualify // **skwalifik|a** n.f. (pl. ~**i**) disqualification
skwalifikat pp. disqualified
skwerr|a n.f. (pl. ~**i, skwerer**) ruler, square
skwilibrat aġġ. unbalanced; (miġnun) mad, lunatic
sliem n.m. (bla pl.) peace; (tislima) salutation, greeting; **qata' s-~** he was on bad terms with sb.
sliema n.f. (pl. ~**t**) safety, preservation
sliħ n.m. (bla pl.) diarrhoea; (akkużi) excoriation
slit n.m. (bla pl.) unsheating, duel
slitt|a n.f. (pl. ~**i**) sledge, sleigh, sled
slopp n.m. (pl. ~**ijiet**) slop-pail
smajjar aġġ. brownish, swarthy
smajtx n.m. (pl. ~**ijiet**) servant belonging to the soldiers
smar v. to grow brown/swarthy
smid n.m. (pl. **smejjed**) meal flower
smigħ n.m. (bla pl.) audition; (wieħed mis-sensi the hearing, the sense of hearing
smilaċ n.m. (pl. ~**ijiet**) smilax
smin aġġ. fat, obese
smugħi aġġ. audible
smura n.f. (bla pl.) browness, swarthiness
snieħ v. to putrefy, to grow rancid
soċjali aġġ. social; **relazzjoni** ~ social relation
soċjaliżm|u n.m. (pl. ~**i**) socialism
soċjalist n.m. (pl. ~**i**) socialist
soċjalment avv. socially
soċjet|à n.f. (pl. ~**ajiet**) society
soċjevoli aġġ. sociable
soċjoloġij|a n.f. (pl. ~**i**) sociology
soċjoloġiku aġġ. sociological
soċjolog|u n.m. (pl. ~**i**) sociologist
soċj|u n.m. (pl. ~**i**) member
sod aġġ. solid, firm, hard; **bis-~** in earnest
soda n.f. (bla pl.) soda
sodalit|à n.f. (pl. ~**ajiet**) sodality
sodda n.f. (pl. **sodod**) bed; ~ **bit-twavel** plank bed; **sab is-~ mifruxa** he took advantage of another person's previous efforts; **waqa' mis-~** he woke up earlier than usual; **sodod**: **ilu ħafna fis-~** he is very ill
soddieda n.f. (pl. **soddidiet**) stopple, stopper, cork, spigot
sodisfaċentement avv. satisfactorily
sodisfaċenti aġġ. satisfactory
sodisfatt aġġ. pleased with
sodisfazzjon n.m. (pl. ~**ijiet**) satisfaction
sodizz|a n.f. (pl. ~**i**) solidity
sodj|u n.m. (pl. ~**i**) sodium
sodomij|a n.f. (pl. ~**i**) sodomy
sodomit|a n.m. (pl. ~**i**) sodomite
sofferenz|a n.f. (pl. ~**i**) suffering
soffitt n.m. (pl. ~**i**) garret
soffokazzjoni n.f. (pl. ~**jiet**) suffocation
sofist|a n.m. (pl. ~**i**) sophist
sofistika n.f. (bla pl.) sophistry
sofistikament avv. sophistically
sofistikerij|a n.f. (pl. ~**i**) sophistry
sofistiku aġġ. sophistic, sophistical
sofiżm|a n.f. (pl. ~**i**) sophism
sofor aġġ. yellow, pale
sofra v. to suffer
soġġettiv aġġ. subjective

soġġettivament avv. subjectively
soġġettiviżm|u n.m. (pl. ~**i**) subjectivism
soġġettivit|à n.f. (pl. ~**ajiet**) subjectivity
soġġezzjoni n.f. (pl. ~**jiet**) subjection
soġġuntiv n.m. (pl. ~**i**) subjunctive; **mod** ~ subjunctive mood
soggol|u n.m. (pl. ~**ijiet**) wimple
sogru aġġ. hazardous
sogħb|a n.f. (pl. ~**iet**) sorrow, repentance
sogħbien aġġ. sorrowful, repented
sogħd|a n.f. (pl. ~**i**) sedge, fox sedge
sogħl|a n.f. (pl. ~**iet**) cough; ~**a konvulsiva** whooping cough, whooping; ~**a fil-vojt** dry cough
sogħob v. to repent, to be sorry
sogħol v. to cough
sokjuż avv. ajar
sokkors n.m. (bla pl.) help, aid
sokor n.m. (bla pl.) drunkenness; (ta' bieb, eċċ.) shutting or locking
sokr|a n.f. (pl. ~**iet, sokor**) bolt
solari aġġ. solar, of the sun
sold n.m. (pl. ~**i**) an old Maltese coin; **itfgħalha** ~ that thing is not worth a penny; **beża' għas-**~ he was a bit niggardly; **għamel xi** ~ he saved some money; ~ **ħażin** a person who is always around; **ma jiswiex** ~ it is not worth a penny; ~ **barrani** extra earnings
soleċiżm|u n.m. (pl. ~**i**) solecism
solfiġġ n.m. (pl. ~**i**) singing the gamut, solmization
solidarjet|à n.f. (pl. ~**ajiet**) solidarity
solidit|à n.f. (pl. ~**ajiet**) solidity, steadiness
solidu aġġ. solid, firm, strong
solilokwj|u n.m. (pl. ~**i**) soliloquay
solist n.m. (pl. ~**i**) soloist
solitarju aġġ. solitary, lonely, alone
solitudni n.f. (bla pl.) solitude
sollennement avv. solemnly
sollenni aġġ. solemn
sollenit|à n.f. (pl. ~**ajiet**) solemnity
soltu aġġ. usual
solubbli aġġ. soluble
soluzzjoni n.f. (pl. ~**jiet**) solution
solva v. to solve
solvent aġġ. solvent
solvibbli aġġ. soluble
solvut pp. solved
sombor ara **sonbor**
somm|a n.f. (pl. ~**iet, somom**) sum
sommarjament avv. summarily, briefly
sommarj|u n.m. (pl. ~**i**) summary
sonat|a n.f. (pl. ~**i**) sonata
sonambuliżm|u n.m. (pl. ~**i**) sleep-walking, sonnambulism
sonbor aġġ. very good, excellent, more than enough; **għalih** ~ he does not need him anymore
sonnambul|u n.m. (pl. ~**i**) sleep-walker
sonnifer|u n.m. (pl. ~**i**) somniferous
sonż|a n.f. (pl. ~**iet**) grease, hog's lard
sonżi aġġ. fat, greasy
soppa n.f. (pl. **sopop**) soup, panada; **sar kollox** ~ the food got squeezed
sopran n.m. (pl. ~**i**) soprano
sopranaturali aġġ. supernatural
sopranumru avv. excess of the normal number
soprataxx|a n.f. (pl. ~**i**) surtax, additional tax
soptu avv. suddenly, unexpectedly // aġġ. sudden, subitaneous; **mewt** ~ sudden death
sorb|a n.f. (pl. ~**iet**) sorb, mountain ash, rowan tree
sorfolj|a n.f. (pl. ~**i**) chervil, cicely
sorġa v. to anchor, to moor
sorġ|u n.m. (pl. ~**i**) sorghum
sorġut pp. berthed
sorm n.m. (pl. **srum**) (inf.) bottom, buttocks; **lixx daqs** ~ **ta' tarbija** (inf.) very smooth/sleak; **jarah** ~**u** (inf.) he has to suffer; ~**u dieħel u ħiereġ** (inf.) worried; (mbeżża') frightened; **srum**: **żewġt i~ f'qalziet wieħed** (inf.) always together
sorprendenti aġġ. astonishing, surprising
sorpriż pp. surprised, astonished
sorpriż|a n.f. (pl. ~**i**) surprise, astonishment
sorra n.f. (pl. **sarar** jew **soror**) bundle; (xorta ta' ħut) the flank of a tunny
sor|u n.f. (pl. ~**ijiet**) sister, nun
sorveljant n.m. (pl. ~**i**) inspector, caretaker, watchman
sorveljanz|a n.f. (pl. ~**i**) superintendence
SOS n.m. (bla pl.) SOS; abbr. of Save Our Souls
sospensjoni n.f. (pl. ~**jiet**) suspension; (aut.) suspension
sospir n.m. (pl. ~**i**) sigh
sospiż pp. suspended
sostantiv n.m. (pl. ~**i**) substantive, noun
sostanzjali aġġ. substantial
sostanzjalment avv. substantially
sostitut n.m. (pl. ~**i**) substitute
sostna v. to sustain
sotterran n.m. (pl. ~**i**) cave, vault, dungeon // aġġ. underground
sottintiż aġġ. understood
sottomarin n.m. (pl. ~**i**) submarine
sottomess pp. submissive
sottomissjoni n.f. (pl. ~**jiet**) submission
sottopassaġġ n.m. (pl. ~**i**) subway, underpass
sottoskritt aġġ. undersigned

sottovoċi avv. in a low voice
sovranit|à n.f. (pl. **~ajiet**) sovereignty, supremacy
sovran n.m. (pl. **~i**) sovereign
sovvenzjoni n.f. (pl. **~jiet**) subvention, subsidy
sovverżjoni n.f. (pl. **~jiet**) subversion
spag n.m.koll. f. **~a** (pl. **~iet**) pack thread, twine
spagett|i n.m.koll. f. **~a** (pl. **~iet**) spaghetti
spalla n.f. (pl. **spalel**) shoulder; **ta ~** to lend a hand, to aid; **~ ma' ~** side by side; **sab ~ tajba** he found a person to lean on; **spallejn**: **farfar minn fuq spallejh** he did not take the responsibility; **tefa' kollox wara spallejh** he did not take care of sth.
spallett|a n.f. (pl. **~i**) epaulet(te)
spallier|a n.f. (pl. **~i**) clothes peg
spanjulett n.m. (pl. **~i**) kestrell
spanjulett|a n.f. (pl. **~i**) espagnolette, hasp
spara v. to shoot, to fire, to discharge; **xtaq ~h** he wanted to clear him out of his sight
sparat in a hurry **kiel** (ċċċ.) ~ he dined (etc.) rapidly // pp. shooted
sparatur|a n.f. (pl. **~i**) shot, discharge
sparigġ n.m. (pl. **~i**) disparity
sparkja v. to spark
sparkjat pp. sparked
sparla v. to speak ill (of)
sparl|u n.m. (pl. **~i**) annular bream
sparalja v. to scatter, to disperse
spazja v. to space
spazjat pp. spaced
spazj|u n.m. (pl. **~i**) space
spazjuż aġġ. spacious, wide, large
spażm|u n.m. (pl. **~i**) spasm, pang
speċi n.f. (pl. **~jiet**) kind, sort
speċifika v. to specify
speċifikament avv. specifically
speċifikat pp. specified
speċifikatament avv. specifically
speċifikazzjoni n.f. (pl. **~jiet**) specification
speċifiku aġġ. specific
speċjali aġġ. special, peculiar
speċjalist|a n.m. (pl. **~i**) specialist
speċjalit|à n.f. (pl. **~ajiet**) speciality
speċjalizza v. to specialize
speċjalizzat pp. specialized
speċjalizzazzjoni n.f. (pl. **~jiet**) specialization
speċjalment avv. especially, specially
spedalier n.m. (pl. **~i**) hospital(l)er
spedizzjoni n.f. (pl. **~jiet**) expedition; **sab ~ oħra** he was faced with another problem
spekula v. to speculate
spekulat pp. speculated
spekulattiv aġġ. speculative
spekulatur n.m. (pl. **~i**) speculator
spekulazzjoni n.f. (pl. **~jiet**) speculation
spella v. to spell
spellizz|a n.f. (pl. **~i**) surplice
spellul pp. spelled
spera v. to hope, to expect
speranz|a n.f. (pl. **~i**) hope
sperat pp. hoped, expected
speriment n.m. (pl. **~i**) experiment
sperimenta v. to experiment, to try
sperimentali aġġ. experimental
spermaċeti n.m. (pl. bla s.) spermaceti
spettakl|u n.m. (pl. **~i**) spectacle, performance
spettakoluż aġġ. spectacular, grand
spettatur n.m. (pl. **~i**) spectator
spettrografij|a n.f. (pl. **~i**) spectrography
spettroskopij|a n.f. (pl. **~i**) spectroscopy
spettroskopj|u n.m. (pl. **~i**) spetroscope
spettr|u n.m. (pl. **~i**) spectrum
spettur n.m. (pl. **~i**) inspector
spezzjona v. to inspect
spezzjonat pp. inspected
spezzjon|i n.f. (pl. **~i**) inspection
spiċċa v. to finish, to end; **ma ti~ qatt** neverending; **għad ji~ hemm** he is destined to find himself there; **~t dalgħodu** she gave birth this morning
spiċċat pp. finished
spiċċut ara **spiċċat**
spidometr|u n.m. (pl. **~i**) speedometer, tachometer
spier|a n.f. (pl. **~i**) pit
spija v. to spy, to spy upon // **spij|a** n.m. (pl. **~i**) spy
spijat pp. spied
spika n.f. (bla pl.) lavender
spikka v. to excel
spikkat pp. excelled
spinaċi n.f. (bla pl.) spinach
spint|a n.f. (pl. **~i**) push
spira v. to aspire
spiral aġġ. spiral
spiritier|a n.f. (pl. **~i**) stove
spiritiżm|u n.m. (pl. **~i**) spiritism
spiritist n.m. (pl. **~i**) spiritist
spirituż aġġ. alcoholic; (fuq ruħu) witty, vivacious
spiritwali aġġ. spiritual
spiritwalit|à n.f. (pl. **~ajiet**) spirituality
spirt|u n.m. (pl. **~i**) spirit; **S~ s-Santu** the Holy Spirit; **~u pront** always with an answer in hand
spiss avv. often, frequently
spiża n.f. (pl. **spejjeż**) expense, expenditure; **~ ordinarja** recurring expenses; **~ pubblika** public expenditure; **~ straordinarja**; extraordinary expense **~ tal-posta** postage

expense; ~ **tat-trasport** carriage expense; ~ **tal-vjaġġ** travelling expense
spiżerij|a n.f. (pl. ~**i**) dispensary, pharmacy
spiżjar n.m. (pl. ~**a**) chemist, apothecary; (fig.) who sells with exhorbitant prices
spjaġġ|a n.f. (pl. ~**i**) shore, sea-shore, plage
spjanat|a n.f. (pl. ~**i**) esplanade
spjega v. to explain
spjegabbli aġġ. explainable
spjegazzjoni n.f. (pl. ~**jiet**) explanation
spjetat pp. pitiless, merciless
spjun n.m. (pl. ~**i**) spy
spjuna v. to spy
spjunaġġ n.m. (pl. ~**i**) espionage, spying
spjunar n.m. (bla pl.) espionage, spying
splendidu aġġ. splendid
splengun n.m. (pl. ~**i**) hat pin
sploda v. to explode
splodut pp. exploded
splużjoni n.f. (pl. ~**jiet**) explosion
spnar n.m. (pl. **spnajjar**) wedge
spona ara **espona**
spnott n.m.koll. f. ~**a** (pl. ~**iet**) sea bass
spolpja v. to take the flesh from
spolpjat pp. took the flesh from
sponta v. to blunt; (qarras) to sour
spontat pp. blunt
spontanjament avv. spontaneously
spontanju aġġ. spontaneous
sponża n.f. (pl. **sponoż**) sponge; (inf. fis-sakra ta' spiss) drunkard, tipsy
sporġa v. to jut out, to put out
sporġut pp. jutted
sport n.m. sport
sportiv aġġ. sporting, sportsmanlike
sportivament avv. sportingly
sposta v. to move, to shift
spostat pp. moved, shifted
SPQR n.m. (bla pl.) SPQR; abbr. of Senatus Popolusque Romanus
spraġ n.m.koll. f. ~**a** (pl. ~**iet**) asparagus
sprall n.m. (pl. ~**i**) hole, small opening, air hole, vent hole
sproporzjon n.m. (pl. ~**ijiet**) disproportion
sproporzjonat aġġ. disproportioned
sproporzjonatament avv. disproportionately
sptar n.m. (pl. ~**ijiet**) hospital
spulpjat ara **spolpjat**
spuntat ara **spontat**
sqaq n.m. (pl. ~**ijiet**, ~**ien**) lane, alley
srab n.m. (bla pl.) dazzling
sried n.m. (bla pl.) damp air, damp night
srim n.m. (bla pl.) entangling
SRN n.m. (pl. ~**s**) SRN; abbr. of State Registered Nurse
SS n.m. (bla pl.) (organizzazzjoni Nażista) SS; abbr. of Schutzstaffel
(i)ssabbar v. to take patience
(i)ssabbat v. to throw oneself violently upon a surface
(i)ssaddad v. to grow rusty, to rust
(i)ssaffa v. to grow limpid, clear, fair
(i)ssaffaf v. to be stratified, to be in layers
(i)ssaffal v. to debase oneself
(i)ssaġġja v. to assay, to cupel, to test
(i)ssaġġjat pp. assayable, tested
(i)ssagramenta v. to take an oath, to swear
(i)ssagramentat pp. took a note, swore
(i)ssagrifika v. to sacrifice
(i)ssagrifikat ara **sagrifikat**
(i)ssaħħab v. to grow cloudy
(i)ssaħħaħ v. to grow strong, to become powerful
(i)ssaħħan v. (temperature) to grow warm, (mood) to grow angry
(i)ssaħħar v. to be bewitched to be enchanted, to be charmed, fascinated; ~ **wara xi ħadd** he fell deeply in love with; **li jsaħħar** fascinating, enchanting
(i)ssajja v. to attempt
(i)ssajjat pp. attempted
(i)ssajjar v. to grow ripe, to ripen, to be cooked
(i)ssakkar v. (with alcohol) to get drunk, (locked) to be bolted, to be locked; ~ **bix-xorb** to make drunk, to be intoxicated
(i)ssakkeġġa v. to sack
(i)ssakkeġġat pp. sacked
(i)ssaldja v. to solder
(i)ssaldjat pp. soldered
(i)ssallab v. (crucify) to be crucified, (pain) to suffer, to support, to bear, (position) to become cruciform
(i)ssaltja v. to leap over, to assault
(i)ssaltjat pp. leaped over, assaulted
(i)ssaluta v. to salute
(i)ssalutat pp. saluted
(i)ssalvaġġa v. to grow wild, to become wild
(i)ssalvaġġat pp. grew wild
(i)ssalvagwarda v. to safeguard
(i)ssalvagwardat pp. safeguarded
(i)ssamma' v. to eavesdrop, to overhear
(i)ssammar v. to be nailed
(i)ssantifika v. to sanctify
(i)ssantifikat pp. sanctified
(i)ssanzjona v. to sanction
(i)ssanzjonat pp. sanctioned
(i)ssapna v. to soap

(i)ssapnat pp. soaped
(i)ssaporta v. to support, to endure
(i)ssaportut pp. supported
(i)ssappap v. to be sopped
(i)ssaqqa v. to be watered, to be irrigated
(i)ssaqqaf v. to cover with a roof, to be heaped or piled loosely
(i)ssara v. to wrestle; ~ **bl-aħrax mal-għadu tiegħu** he wrestled fiercely with his enemy
(i)ssarbat v. to draw up
(i)ssarraf v. to be changed; **sarraf il-flus** to change money
(i)ssarraġ v. to be interweaved with a thing of the same substance
(i)ssarram v. to be muzzled, to get entangled
(i)ssarrar v. to be bundled, to be tied together in a bundle
(i)ssarsar v. to be darned
(i)ssarwal v. to put on pantaloons
(i)ssatnat pp. satined
(i)ssawwaf v. to be covered with wool, to grow wooly
(i)ssawwar v. to become well formed
(i)ssawwat v. to be cudgeled, to be beaten
(i)ssawwab v. to be poured, essere versato
(i)ssawwem v. to be fasted
(i)ssebbaħ v. to adorn onself, to become more beautiful
(i)sseddaq v. to be rendered just, upright and true
(i)sseduċa v. to seduce
(i)sseffaq v. to grow thick, to make a bold face
(i)ssega v. to saw
(i)ssegat pp. sawn
(i)ssegrega v. to segregate
(i)ssejjes v. to base oneself (on)
(i)ssekonda v. to second
(i)ssekondat pp. seconded
(i)sseksek v. to pry, to seek to know
(i)ssekwestra v. to distrain, to sequester, to confiscate
(i)ssekwestrat pp. distrained, sequestered, confiscated
(i)ssellef v. to take in loan, to borrow
(i)ssellem v. to congreet, to salute each other, to greet
(i)ssellet v. to fray out, to get frayed
(i)ssemma v. to be named
(i)ssemmem v. to poison oneself
(i)ssemmen v. to grow fat
(i)ssemplifika v. to simplify
(i)ssemplifikat pp. simplified
(i)ssenneg v. to become very stale
(i)ssensel v. to be linked
(i)ssensja v. to license, to permit, to dismiss
(i)ssensjat pp. dismissed
(i)ssentenzja v. to sentence, to judge
(i)ssentenzjat pp. sentenced, judged
(i)ssepara v. to separate
(i)sseparat pp. separated
(i)sserdaq v. to grow proud, to perk
(i)sserja v. to grow serious
(i)sserpja v. to meander, to wind
(i)sserpjat pp. meandered
(i)sserra v. to saw
(i)sserraħ v. to rest, to rest oneself, to relieve, to mitigate, to alleviate, to ease
(i)sserrat pp. sawn
(i)sserva v. to make use
(i)sservja v. to serve (in tennis, table-tennis)
(i)ssetilja v. to settle
(i)ssetiljat pp. settled
(i)ssettab v. to spread out
(i)ssettja v. to set, to adjust
(i)ssettjat pp. in order, in good order
(i)ssewwa v. to be just, right or correct, to become friends again
(i)ssewwed v. to grow black
(i)ssewwes v. to get worm-eaten
(i)ssiegħen v. to lean, to rest
(i)ssieħeb v. to associate with, to subscribe, to enter into partnership with
(i)ssielet v. to duel, to fight a duel
(i)ssiġilla v. to seal
(i)ssiġillat pp. sealed
(i)ssikka v. to annoy, to fasten
(i)ssikkat pp. annoyed, fastened
(i)ssikket v. to render silent, to silence, to quiet, to still, to cause to be silent, to muzzle, to hush
(i)ssillaba v. to syllabicate
(i)ssillabat pp. syllabicated
(i)ssilloġizza v. to syllogize
(i)ssilloġizzat pp. syllogized
(i)ssimbolizza v. to symbolize; **it-tajr abjad** ~ **l-paċi** the white birds symbolized peace
(i)ssimbolizzat pp. symbolized
(i)ssimpatizza v. to sympathize
(i)ssimpatizzat pp. sympathized
(i)ssindika v. to peep furtively
(i)ssindikat pp. peeped furtively
(i)ssingja v. to line
(i)ssingjat pp. lined
(i)ssinjala v. to signal; **il-kaptan** ~ **lis-suldati biex jimxu** the captain signalled the soldiers to march forward
(i)ssinjalat pp. signalled
(i)ssinjifika v. to mean
(i)ssinjifikat ara **sinifikat**

(i)ssintesizza v. to synthesize
(i)ssintesizzat pp. synthesized
(i)ssiringa v. to syringe
(i)ssiringat pp. syringed
(i)ssoċja v. to associate
(i)ssoċjat pp. associated
(i)ssoċjalizza v. to socialize
(i)ssoċjalizzat pp. socialized
(i)ssoda v. to consolidate; ~ **l-konvinzjoni tiegħu** to consolidate one's conviction
(i)ssodat pp. consolidated
(i)ssodisfa v. to satisfy, to suffice
(i)ssodisfat pp. satisfied
(i)ssoffa v. to blow
(i)ssoffat pp. blew ones nose
(i)ssogra v. to dare; ~ **jersaq lejn xifer l-irdum** he dared near the edge of the cliff
(i)ssokkorra v. to succour
(i)ssokkorrut pp. succoured
(i)ssokta v. to go on, to proceed
(i)ssollennizza v. to solemnize
(i)ssollennizzat pp. solemnized
(i)ssomma v. to add up, to astonish
(i)ssommat pp. astonished
(i)ssonda v. to sound
(i)ssondat pp. sounded
(i)ssopona v. to suppose; **hu ~ li missieru kien diġà telaq** to suppose that one's father has already left
(i)ssoponut pp. supposed
(i)ssorprenda v. to surprise; **il-buffu ~ l-udjenza bil-bużullotti tiegħu** the clown surprised the audience with his tricks
(i)ssortja v. to sort
(i)ssortjat pp. sorted
(i)ssorvelja v. to oversee, to watch; **il-kuntistabbli ~ sew iż-żona kollha** the constable watched the entire area well
(i)ssorveljat pp. watched
(i)ssospenda v. to suspend; **il-kumitat ~ l-attivitajiet kollha** the committee suspended all the activities
(i)ssossa v. to raise, to lift
(i)ssossat pp. raised, lifted
(i)ssostitwixxa v. to take the place of, to replace
(i)ssostitwit pp. replaced
(i)ssotta v. to pelt
(i)ssottat pp. pelted
(i)ssottolinja v. to underline
(i)ssottolinjat pp. underlined
(i)ssottometta v. to subdue, to submit; **Ġwanni ~ x-xogħol tiegħu għall-kompetizzjoni** John submitted his work for the competition
(i)ssottoskriva v. to subscribe
(i)ssottra v. to subtract
(i)ssottrat pp. subtracted
(i)ssuċċieda v. to happen
(i)ssudat ara **(i)ssodat**
(i)ssufraga v. to pray
(i)ssufragat pp. prayed
(i)ssuġġerit pp. suggested
(i)ssuġġerixxa v. to suggest; **il-president ~ pjan ġdid** the president suggested a new plan
(i)ssuġġetta v. to subject
(i)ssuġġettat pp. subjected
(i)ssugrat pp. risked
(i)ssuktat pp. continued
(i)ssundat ara **(i)ssondat**
(i)ssupera v. to surpass
(i)ssuperat pp. surpassed
(i)ssuppervja v. to become proud, to grow proud, to be arrogant; **il-ħaddiem ~ mal-imgħallem** the worker grew proud in the confront of his employer
(i)ssuppervjat pp. became proud, grew proud, became arrogant
(i)ssupplika v. to implore
(i)ssupplikat pp. implored
(i)ssupplixxa v. to supply, to substitute, to replace
(i)ssurroga v. to take the place of, to substitute
(i)ssurrogat pp. took place, substituted
(i)ssurtjat ara **(i)ssortjat**
(i)ssuspetta v. to suspect; **id-detektiv ~ xi ħaġa tinten** the detective suspected something fishy
(i)ssuspettat pp. suspected
(i)ssuspira v. to sigh
(i)ssuspirat pp. sighed
(i)ssussidja v. to subsidize
(i)ssussidjat pp. subsidized
(i)ssuttat ara **(i)ssottat**
(i)ssuwiċida v. to commit suicide; **hu ~ ruħu** he committed suicide
(i)ssuwiċidat pp. committed suicide
stabar v. to have patience, to endure; (ikkonsla) to console oneself
stabat v. to throw oneself down
stabbiliment n.m. (pl. ~**i**) establishment
stabbilit pp. established, stabilized
stabbilixxa v. to establish, to stabilize
stabbilt|à n.f. (pl. ~**ajiet**) stability, stableness
stad n.m. (pl. ~**ijiet**) furlong; **dam ji~u ħafna** he tried to fish him // v. to fish; (ġera wara) to hunt, to chase
stadd v. to be stopped or obstructed
stadj|u n.m. (pl. ~**i**) stadium; (ta' progress, eċċ.) stage
staff|a n.f. (pl. ~**i**) stirrup
staffier n.m. (pl. ~**a**) groom, lackey, footman

staġna v. to congeal, to freeze; (twebbes) to grow hard, to harden
staġnat pp. congealed, frozen; (imwebbes) hardened
staġun n.f. (pl. ~**i**) season, tide
stagħder v. to stagnate
stagħdir n.m. (pl. ~**i**) stagnation
stagħġeb v. to wonder, to be surprised, to be astonished
stagħġib n.m. (bla pl.) amazement, stupor, astonishment
stagħna v. to get rich, to become rich, to grow wealthy
staħa v. to coy, to be ashamed
staħba v. to hide oneself, to be hidden
staħja v. to revive, to revivify
staħreġ v. to discover cunningly, to investigate; (staqsa b'mod suġġettiv) to make inquirics underhand
staħriġ n.m. (bla pl.) investigation
stakka v. to detach
stakkament n.m. (pl. ~**i**) detachment
stakkat pp. detached
stalab n.f. (pl. **stalel**) to be crucified
stalla v. to stop
stallett n.m. (pl. ~**i**) dagger, stiletto, dirk
stama v. to esteem, to value, to prize
stama' v. to be heard
stampa v. to print, to coin // **stamp|a** n.f. (pl. ~**i**) picture, image
stampat pp. printed, stamped
stampatur n.m. (pl. ~**i**) printer
stamperij|a n.f. (pl. ~**i**) printing press, printing office, printing house
stampier n.m. (pl. ~**a**) printer, coiner
standard n.m. (pl. ~**i**) standard, banner
stanga n.f. (pl. **staneg**) bar, beam; **bala'** ~ very tall and upright; **iebes** ~ very hard; **sar** ~ (the corpse) hardened
stangett|a n.f. (pl. ~**i**) small bar
stanja v. to tin, to cover with tin; (għamel qiegħed) to stagnate, to be stagnant
stanjat pp. stagnated, tinned
stanjat|a n.f. (pl. ~**i**) tinned pot
stann n.m. (bla pl.) tin
stantuff n.m. (pl. ~**i**) piston
stanz|a n.f. (pl. ~**i**) stanza, strofa; (kamra) room
staqsa v. to ask, to demand
star n.m. (pl. ~**ijiet**) veil, curtain
stasij|a n.f. (pl. ~**i**) steel yard
stat n.m. (pl. ~**i**) state, rank, quality, condition; **Segretarju tal-I~** Secretary of State
statali aġġ. statal
statiku aġġ. static(al)
statist|a n.m. (pl. ~**i**) statesman
statistik|a n.f. (pl. ~**i**) statistics
statistiku aġġ. (pl. **statistiċi**) statistical
statur|a n.f. (pl. ~**i**) stature, size
status n.m. (bla pl.) status
statut n.m. (pl. ~**i**) statute, fundamental law
statw|a n.f. (pl. ~**i**) statue; **baqa' qisu ~ tal-ġibs** he was left astounded
statwarj|u n.m. (pl. ~**i**) statuary
stazzjon n.m. (pl. ~**ijiet**) station
stedin|a n.f. (pl. ~**iet**) invitation
stejġ n.m. (pl. ~**ijiet**) bus stop
stejqer v. to recover one's senses
stekkat n.m. (bla pl.) stockade
stenbaħ v. to awake, to wake, to rouse
stenbiħ n.m. (bla pl.) waking, rousing
stenna v. to expect, to wait; **[illegible]** it will take a long time; **qed jistennieh jisbaħ** (eċċ.) it will not wait for him
stennija n.f. (bla pl.) waiting, expectation
stenografij|a n.f. (pl. ~**i**) shorthand, stenographer
stenograf|u n.m. (pl. ~**i**) shorthand-writer, stenographer
steraq v. to be stolen
stereografij|a n.f. (pl. ~**i**) stereography
stereografiku aġġ. stereographic
stereometrij|a n.f. (pl. ~**i**) stereometry
stereometriku aġġ. stereometrical
sterometr|u n.m. (pl. ~**i**) stereometer
stereoskopiku aġġ. stereoscopic(al)
stereoskopju n.m. (pl. ~**i**) stereoscope
stereotipat n.m. (pl. ~**i**) stereotyped
steriku aġġ. hysteric, hysterical
sterili aġġ. sterile
sterilit|à n.f. (pl. ~**ajiet**) sterility
sterilizza v. to sterilize
sterilizzat pp. sterilized
sterilizzazzjoni n.f. (pl. ~**jiet**) sterilization
sterliżm|u n.m. (pl. ~**i**) hysteria
sterlin|a n.f. (pl. ~**i**) pound, pound sterling
stess pron, aġġ. self, same; **aħna** ~ ourselves
stetoskopij|a n.f. (pl. ~**i**) stethoscopy
stetoskopiku aġġ. stethoscopic
stetoskopj|u n.m. (pl. ~**i**) stethoscope
sthajjel v. to image, to fancy, to form an idea
sthaqq v. to deserve, to merit, to be worthy of
sthareġ v. to investigate, to inquire
sthariġ n.m. f. ~**a** (pl. ~**iet**) investigation; (eżerċizzju) exercise
stieden v. to invite; **kien ilu jistedinha** it was all his fault; **la stedinha joqgħod għaliha** now he has to make up with it

stienes v. to familiarize oneself, to grow familiar
stikk n.m.koll. (pl. **~ijiet**) stick, stick-plaster
stikk|a n.f. (pl. **~i, stikek**) cue; **ħa falza** ~ he made the wrong move
stikkadenti n.m. (pl. **~jiet**) toothpick
stikkja v. to stick; (staporta) to tolerate, to endure
stil n.m. (pl. **~ijiet**) style; ~ **barokk** baroque style; ~ **gotiku** gothic style
stilist|a n.m. (pl. **~i**) stylist
stilla n.f. (pl. **stilel**) star
stillier|a n.f. (pl. **~i**) cross spine
stima v. to esteem, to value, to appreciate // **stim|a** n.f. (pl. **~i**) esteem, valuation, appraisal; (opinjoni) estimation
stimatur n.m. (pl. **~i**) appraiser, valuer
stimola v. to stimulate
stimulant aġġ. stimulant
stimulat pp. stimulated
stina v. to persist, to insist
stinat pp. obstinate, stubborn, refractory
stinazzjoni n.f. (pl. **~jiet**) obstinacy, stubborness
stink n.m. (bla pl.) labour, fatigue, ado; **bl-i~** with much difficulty, with much ado
stinka v. to toil, to drudge
stinkat pp. toiled, drudged
stipendj|u n.m. (pl. **~i**) stipend, salary
stipulant n.m. (pl. **~i**) stipulator
stira v. (fig.) he died
stitiku aġġ. costive, constipated
stiva v. to stow // **stiv|a** n.f. (pl. **~i**) hold
stivat pp. stowed
stkenn v. to shelter, to take shelter
stkerrah v. to abhor, to loathe
stmell v. to abhor
stmerr v. to nauseate, to loathe, to abhor
stoċċ n.m. (pl. **~ijiet**) needle-case, box, case
stokinett n.m. (pl. **~ijiet**) stockinet
stokk n.m. (pl. **~ijiet**) putty, stucco, plaster
stokkja v. to plaster, to stucco, to coat with plaster
stola n.f. (pl. **stejjel**) stole
stona v. to be out of tune
stonk|u n.m. (pl. **~i**) stomach; **aqlagħha minn fuq l-i~u**! out with it!; **~u xieref** cruel; **għandek ~u**? are you going to do that?; **għandu ~u** he does not loath easily
stoppa n.f. (bla pl.) tow, oakum
stor n.m. (pl. **~s**) store
storbj|u n.m. (pl. **~i**) tumult, uproar; (ħoss) loud noise
storda v. to stun
stordut pp. stunned, dazzled
storikament avv. historically
storiku aġġ. historical // **stori|ku** n.m. (f. **~ka**) (pl. **~ċi**) historian, historiographer
storja n.f. (pl. **stejjer**) history; (parabbola, eċċ.) tale; ~ **antika** ancient history; ~ **medjevali** medieval history; ~ **moderna** modern history; **għad jagħmel xi** ~ I'm afraid he is going to get into trouble; ~ **antika** we have already heard that // v. to store
storkiper n.m. (pl. **~s**) store-keeper
stqarr v. to own, to confess
stqarrij|a n.f. (pl. **~iet**) statement, confession
straġi n.f. (pl. **~jiet**) disaster
strajk n.m. (pl. **~ijiet**) strike
stral n.m. (pl. **~ijiet**) stay; ~ **tal-gabja** main-top-stray; ~ **tal-majjistra** main-stay; ~ **tal-pappafik** main-top-gallant-stay; ~ **tal-parrukett** fore-top-stay; ~ **tat-trinkett** fore-stay
stramb aġġ. strange, uncouth, whimsical
stramberij|a n.f. (pl. **~i**) oddity, whimsicality
stranġier n.m. (pl. **~i**) stranger, foreigner
strangula v. to strangle, to throttle
strangulat pp. strangled, throttled
straordinarjament avv. extraordinarily
straordinarju aġġ. extraordinary
strapazz n.m. (pl. **~i**) fatigue
strapazza v. to ill-use, to ill-treat
strapazzat pp. tiring
strapuntin n.m. (pl. **~i**) small mattress
strat n.m. (pl. **~i**) layer
strateġij|a n.f. (pl. **~i**) strategy
straxxna v. to drag, to shuffle
straxxnat pp. dragged, shuffled
streċer n.m. (pl. **~s**) stretcher
strett n.m. (pl. **~i**) strait // aġġ. strict
strettament avv. strictly, tightly
strettizz|a n.f. (pl. **~i**) narrowness
strieħ v. to rest os., to take one's ease; (fuq is-sodda, eċċ.) to sleep, to go to rest; ~ **u serraħ** he died and was relieved from suffering
strilja n.f. (pl. **~t**) curry-comb // v. to curry
strina n.f. (pl. **strejjen**) gift, present
stringa v. to tighten, to press
stringut tightened, pressed
stripp|a n.f. (pl. **~i**) trestle; **strippi**: **kellu par** ~ he had long legs
strixx|a n.f. (pl. **~i**) strip
strof|a n.f. (pl. **~i**) stanza, strophe
strom|u n.m. (pl. **~i**) boatman
stropp n.m. (pl. **~s**) strop
strument n.m. (pl. **~i**) instrument, implement, tool; ~ **tad-daqq** musical instrument
strumenta v. to instrument
strumentali aġġ. instrumental; (importanti) of utmost importance
strumentazzjoni n.f. (pl. **~jiet**) instrumentation
struppjat pp. crippled

struttur|a n.f. (pl. **~i**) structure, form, framework
student n.m. (pl. **~i**) student
studja v. to study
studjat pp. studied, prepared
studjow n.m. (pl. **~s**) recording studio
studj|u n.m. (pl. **~i**) study; (kamra) studio
studjuż n.m. (pl. **~i**) scholar // aġġ. studious
stuf|a n.f. (pl. **~i**) stove
stuffat n.m. (pl. **~ijiet**) stewed meat
stukkjat aġġ. plastered, covered with stucco
stunat pp. out of tune
stunatur|a n.f. (pl. **~i**) false note, dissonance
stupend aġġ. stupendous
stupidament avv. sillily, foolishly
stupidaġni n.f. (pl. **~jiet**) foolishness
stupidit|à n.f. (pl. **~ajiet**) stupidity, dullness
stupidu aġġ. stupid, woolen headed // **stupid|u** n.m. (pl. **~i**) fool, blockhead, gull
sturdament n.m. (pl. **~i**) giddiness, dizziness
sturjun n.m. (pl. **~i**) sturgeon
sturnell n.m. (pl. **~i**) starling
stut|a n.f. (pl. **~i**) extinguisher
stval|a n.f. (pl. **~i**) boot
stwiel n.m. (pl. **~ijiet**) spindle; **donnu** ~ very tall
subbast|a n.f. (pl. **~i**) auction
subborg n.m. (pl. **~i**) suburb
subien n.m.koll. f. **~a** (pl. **subiniet**) nit
sublimat n.m. (pl. **~i**) sublimate
sublimi aġġ. sublime
sublimit|à n.f. (pl. **~ajiet**) sublimity, loftines
subordinat aġġ. subordinate
subordinatament avv. subordinately
subordinazzjoni n.f. (pl. **~jiet**) subordination
suċċess n.m. (pl. **~i**) success
suċċessiv aġġ. successive, the following
suċċessivament avv. successively
suċċessjoni n.f. (pl. **~jiet**) succession; **taxxa tas-~** succession duty
suċċessur n.m. (pl. **~i**) successor
suċċint aġġ. concise, brief, short
sudditanz|a n.f. (pl. **~i**) citizenship
suddit|u n.m. (pl. **~i**) subject
suddiviżjoni n.f. (pl. **~jiet**) subdivision
suddjakn|u n.m. (pl. **~i**) subdeacon
suddjakonat n.m. (pl. **~i**) subdiaconate
sodisfazzjon n.m. (pl. **~ijiet**) satisfaction
suf n.m.koll. f. **~a** (pl. **~iet**) wool, fleece; ~ **tal-kalzetti** fingering; **kulma għażel sarlu** ~ all his plans failed; **ħabbel ~u** (inf.) he was worried; **ma rridx inkun ~a f'ġismu** he has so much to worry about; **qalgħu s-~ kollu** they discussed a lot of things
sufan n.m. (pl. **~ijiet**) sofa
suffara n.f. (pl. **sfafar**) whistle, flageolet; **tah** ~ he did not give him anything
suffarell n.m. (pl. **~i**) spark; (tal-festa, eċċ.) sky rocket; **donnu** ~ he is always on the go
suffejr|a n.f.koll. (pl. **~i**) jaundice
suffejra n.f. (pl. **suffejr**) field marygold
suffiċjenti aġġ. sufficient, enough
suffiss n.m. (pl. **~i**) suffix
suffraġj|u n.m. (pl. **~i**) suffrage; **~u universali** universal suffrage
sufi aġġ. woolen, woolly
sufr|a n.f. (pl. **~i**) cork; **~i tal-għawm** cork cacket
sufrun n.m. (pl. **~i**) fierce shark
suġġeriment n.m. (pl. **~i**) suggestion
suġġeritur n.m. (pl. **~i**) prompter
suġġestiv aġġ. suggestive
suġġestjoni n.f. (pl. **~jiet**) suggestion
suġġett ara **soġġett**
suġġett|a n.f. (pl. **~i**) sedan, sedan chair
sugu n.m. (bla pl.) juice; **bla ~ ta' xejn** not important
suguż aġġ. juicy
sukkar|a n.f. (pl. **~iet**) bolt, bar
sulamank avv. at least
sular n.m. (pl. **~i**) floor; **beda jmur mis-~ ta' fuq** he is getting mad
suldat n.m. (pl. **~i**) soldier; ~ **tal-fanterija** footman; **suldati**: ~ **tat-tafal** cowardly persons
sulett|a n.f. (pl. **~i**) insole, inner sole, cork sole
sulfarin|a n.f. (pl. **~i**) match
sulfat n.m. (bla pl.) sulphate
sulliev n.m. (pl. **~i**) relief, comfort, alleviation
sulluzz|u n.m. (pl. **~i**) hiccup, hiccough
sultan n.m. (pl. **slaten**) king, sovereign; ~ **iċ-ċawl** beardless mullet; ~ **il-gamiem** common cuckoo; ~ **is-summien** wryneck
sultana n.f. (pl. **slaten**) queen // n.f.koll. sultana
summien n.m.koll. f. **~a** (pl. **~iet**) quail; **summiena**: **itaqtaq daqs** ~ he speaks incessantly
sunett n.m. (pl. **~i**) sonnett
sunnara n.f. (pl. **snanar**) hook, fish hook; **beżaqlu fis-~** he did not let himself get caught in the trap; **bela'** ~ he let himself get caught in the trap
sunt n.m. (pl. **~i**) summary
superabbli aġġ. superable, surpassable
superfiċjali aġġ. superficial
superfiċjalment avv. superficially
superjorit|à n.f. (pl. **~ajiet**) superiority
superjur n.m. (pl. **~i**) superior
superjuri aġġ. superior, higher
superlattiv aġġ. superlative
superstizzjoni n.f. (pl. **~jiet**) superstition
superstizzjuż aġġ. superstitious

supperv aġġ. proud, haughty, arrogant
suppervj|a n.f. (pl. **~i**) pride, haughtiness
suppier|a n.f. (pl. **~i**) tureen soup, tureen
supplenti n.m. (bla pl.) substitute
supplik|a n.f. (pl. **~i**) petition, supplication
supplikant n.m. (pl. **~i**) supplicant
suppliment n.m. (pl. **~i**) supplement
supplimentari aġġ. supplementary
supplit pp. supplied
suppost aġġ. supposed
suppożitorj|u n.m. (pl. **~i**) suppository
suppożizzjoni n.f. (pl. **~jiet**) supposition
supraport|a n.f. (pl. **~i**) cornice pole
suprastant n.m. (pl. **~i**) overseer, inspector, chief, surveyor
suprem aġġ. supreme
supremazij|a n.f. (pl. **~i**) supremacy
supretendent n.m. (pl. **~i**) superintendent
suq n.m. (pl. **swieq**) market; **mhuwiex fuq is-~** he is not in business
sur n.m. (pl. **swar**) bastion, bulwark, rampart; **m'ogħla** ~ very high; **swar**: **bena u ħatt is-~** he performed outstanding feats
Sur (vok) Mr; ~ **Borg** Mr Borg
sur|a n.f. (pl. **~iet**) figure, image, picture; **~a ta' nies** in the proper way
surġent n.m. (pl. **~i**) sergeant
surmast n.m. (pl. **~rijiet**) school-master, head-teacher; (f'xi ħaġa) an ace of (soccer, etc.)
surtun n.m. (pl. **~i, sraten**) surtout, frock-coat
sus n.m. (bla pl.) liquorice
susa n.f.pl. woodlouse
susan n.m.koll. f. **~a** (pl. **~at**) white lily
suspett n.m. (pl. **~i**) suspicion, doubt, mistrust
suspettuż aġġ. suspicious
sussegwentement avv. subsequently, successively
sussegwenti aġġ. subsequent
sussidj|u n.m. (pl. **~i**) subsidy, dole
sustanz|a n.f. (pl. **~i**) substance
sustanzjuż aġġ. substantial, nourishing
suttana n.f. (pl. **staten**) cassock, gown
suttosopra avv. upside down, topsy-turvy
suwiċid|a n.m. (pl. **~i**) suicidal
suwiċidj|u n.m. (pl. **~i**) suicide
suxxetibbli aġġ. susceptible
swasti|ka n.f. (pl. **~ki**) swastica
swat n.m. (bla pl.) the striking or beating
swejjed aġġ. blackish, sunburnt

T t

t twenty fourth letter of the alphabet and nineteenth of the consonants

ta n.m. (bla pl.) da, dad(dy), father, papa // v. to give, to present; (offra) to bid, to offer; ~ **bil-ħarta** to cuff; ~ **l-kelma** to promise, to give one's word; ~ **lsien** to revile, to insult; ~ **r-riħ** to allow too much liberty; **ma jagħtikx li** you find it difficult to; **x'tah**? what's the matter with him?; **~lu kemm lelah** he gave him a sound beating; **~tu ġewwa** he is really worried about it; **~ha għax-xorb** (eċċ.) he started to lead a life of drinking (etc.); **x'għandi ntik/nagħtik?** how much do I owe you?

ta' prep. of

tab|a n.f. (pl. **~i**) plaster

taba' v. ara **tebagħ**

tabakk n.m. (bla pl.) tobacco; ~ **tal-imnieħer** snuff

tabakkar n.m. (pl. **~a**) tabacconist

tabakkier|a n.f. (pl. **~i**) snuff-box

tabbab v. to medicate, to heal, to cure

tabba' v. to maculate, to stain, to pollute

tabell|a n.f. (pl. **~i**) table, list

tabernakl|u n.m. (pl. **~i**) tabernacle

tabib n.m. (pl. **tobba**) physician, doctor

tabilħaqq avv. certainly, surely, truly, indeed

tabsin|a n.f. (pl. **~i**) bed-pan

tabl|ò n.m. (pl. **~ojiet**) tableux

tabtil n.m. f. ~a (pl. **~iet**) emptying, removal; (waqfa) vacation, rest

tab|ù n.m. (pl. **~ujiet**) taboo

tabx|a n.f. (pl. **~iet**) trouble, entanglement

taċċ n.m. (pl. **~i**) small nail, tack, spring; ~ **tal-iskarpan** brad; ~ **tal-qronfol** clove

tadam n.m.koll. f. **~a** (pl. **~iet**) tomato

tafa' v. to push, to shove, to urge forward; (waddab) to cast, to throw, to hurl

tafal n.m.koll. f. **tafla** (pl. **taflat, taflin**) clay

taffa v. to quench, to mitigate; (ħonoq) to extinguish

taffaj n.m. (pl. **~ja**) mitigator

tafj|a n.f. (pl. **~iet**) extinction or quenching of fire/heat; (sturdament) swoon

tafli aġġ. clayey, full of clay

taftan n.m. (bla pl.) taffetta

taġen n.m. (pl. **twaġen**) frying pan

tagħam v. to feed, to nourish

tagħbij|a n.f. (pl. **~iet**) burden, load, charge

tagħbir n.m. f. **~a** (pl. **~iet**) trial of the equilibrium or weights; (il-mili bit trab) dust covering; (tħaffir ħafif) light digging

tagħbix n.m. f. **~a** (pl. **~iet**) dazzling, stunning

tagħdib n.m. f. **~a** (pl. **~iet**) punition, punishment; (rabja) anger, wrath

tagħdid n.m. f. **~a** (pl. **~iet**) enumeration

tagħdir n.m. f. **~a** (pl. **~iet**) drowsiness; (tfawwir ta' xmara, eċċ.) innundation; (sakra) drunkenness

tagħdis n.m. f. **~a** (pl. **~iet**) immersion, plunging, dipping; (ingann) cheat, deceit

tagħfiġ n.m. f. **~a** (pl. **~iet**) squeezing, pressing, crushing

tagħfis n.m. f. **~a** (pl. **~iet**) squeezing, pressure

tagħġib n.m. f. **~a** (pl. **~iet**) astonishment; (esaġerazzjoni) exaggeration, amplification

tagħġil n.m. f. **~a** (pl. **~iet**) haste, speed, solicitation

tagħġiż n.m. f. **~a** (pl. **~iet**) ageing

tagħha pron. poss. her, hers

tagħhom pron. poss. their, theirs

tagħjib n.m. (bla pl.) aping, mimicking; (ħabi concealment; (inżul ix-xemx) the setting down of the sun

tagħjin n.m. f. **~a** (pl. **~iet**) bewitchment, fascination; (stagħġib lejn) gazing, staring

tagħjir n.m. f. **~a** (pl. **~iet**) reviling, insulting; (dalma) cloudiness

tagħkir n.m. f. **~a** (pl. **~iet**) viscosity, clamminess, stickness

tagħkis n.m. f. **~a** (pl. **~iet**) oppression, vexation

tagħkom pron. poss. your, yours

tagħlib n.m. f. **~a** (pl. **~iet**) attenuation

tagħlij|a n.f. (pl. **~iet**) raising, elevation

tagħlil n.m. f. **~a** (pl. **~iet**) disease, distemper; (bil-frott) fructification; (bil-wild) procreation

tagħlim n.m. f. ~**a** (pl. ~**iet**) teaching; (sinjal) signing, sign
tagħliq n.m. f. ~**a** (pl. ~**iet**) hanging; (twaħħid) the act of uniting or joining together
tagħlit n.m. f. ~**a** (pl. ~**iet**) mistake, error
tagħma n.f. (pl. ~**t**) woof, weft
tagħmid n.m. f. ~**a** (pl. ~**iet**) christening, baptism; (tal-għajnejn) blindfolding
tagħmir n.m. f. ~**a** (pl. ~**iet**) coabitation; (tat-tiben) the making up in sheaves; (għodda, eċċ.) assets
tagħmira n.f. (pl. ~**iet**) assortment, furniture
tagħmix n.m. f. ~**a** (pl. ~**iet**) dazzling
tagħmiż n.m. f. ~**a** (pl. ~**iet**) twinkle, twink
tagħna pron. poss. our, ours; **minn** ~ very affable
tagħniq n.m. f. ~**a** (pl. ~**iet**) embrace, cuddling
tagħqid n.m. f. ~**a** (pl. ~**iet**) knotting; (iffriżar) freezing, congelation
tagħqil n.m. f. ~**a** (pl. ~**iet**) the act of taming
tagħqir n.m. f. ~**a** (pl. ~**iet**) ulceration
tagħrif n.m. f. ~**a** (pl. ~**iet**) notification, declaration; (illuminazzjoni) revelation, divine inspiration
tagħrim n.m. f. ~**a** (pl. ~**iet**) heaping; (ħallas) disbursement; (bħala kumpens) indemnification
tagħriq n.m. f. ~**a** (pl. ~**iet**) drowning, submersion
tagħris n.m. f. ~**a** (pl. ~**iet**) betrothal
tagħrix n.m. f. ~**a** (pl. ~**iet**) observing; (dalma) cloudiness; (tagħrix) titillation, tickling
tagħsid n.m. f. ~**a** (pl. ~**iet**) kneading; (taħwira) mixture
tagħsil n.m. f. ~**a** (pl. ~**iet**) sweeting with honey
tagħtib n.m. f. ~**a** (pl. ~**iet**) maiming
tagħtin n.m. f. ~**a** (pl. ~**iet**) bruise, bruising
tagħtir n.m. f. ~**a** (pl. ~**iet**) stumbling
tagħwid n.m. f. ~**a** (pl. ~**iet**) repetition, reply
tagħwiġ n.m. f. ~**a** (pl. ~**iet**) crookedness; (taħwid) intrigue
tagħwim n.m. f. ~**a** (pl. ~**iet**) swimming, act of swimming
tagħxiq n.m. f. ~**a** (pl. ~**iet**) delectation, pleasure
tagħxir n.m. f. ~**a** (pl. ~**iet**) tithing
tagħxix n.m. f. ~**a** (pl. ~**iet**) nestling
tagħżiż n.m. f. ~**a** (pl. ~**iet**) pressing/gnashing (of teeth)
taħan v. to grind, to mill, to pound
taħar v. to reproach, to scold; (irrabja) to rage, to rave
taħbib n.m. f. ~**a** (pl. ~**iet**) the act of making friends; (intimità) intimacy
taħbil n.m. f. ~**a** (pl. ~**iet**) entanglement, embroiling; (kunfużjoni) confusion, disorder; ~ **il-moħħ** problems
taħbir n.m. f. ~**a** (pl. ~**iet**) annunciation
taħbit n.m. f. ~**a** (pl. ~**iet**) beating; (storbju) noise; (inkwiet) toil, trouble; (rabja) fury, rage; ~ **tal-bieb** knocking; ~ **tal-idejn** applause, clapping; ~ **tal-qalb** palpitation, heart throbbing
taħdil n.m. f. ~**a** (pl. ~**iet**) numbness
taħdin n.m. f. ~**a** (pl. ~**iet**) embrace, embracing
taħdir n.m. f. ~**a** (pl. ~**iet**) being or getting green
taħdit n.m. f. ~**a** (pl. ~**iet**) discourse, speech; (narrazzjoni) narration, account, relation; ~ **fuq għemil sabiħ** panegyric, eulogy; ~ **fuq il-mewt** funeral oration, necrology
taħfif n.m. f. ~**a** (pl. ~**iet**) lightening
taħfir n.m. f. ~**a** (pl. ~**iet**) digging, ditching, excavating
taħġiġ n.m. f. ~**a** (pl. ~**iet**) kindling
taħġir n.m. f. ~**a** (pl. ~**iet**) lapidation, stoning
taħħan n.m. (pl. ~**a**) miller
taħħar v. to circumcise
taħħat v. to subject, to subjugate; (naqqas) to depress
taħjil n.m. f. ~**a** (pl. ~**iet**) immagination, idea, fancy
taħjir n.m. f. ~**a** (pl. ~**iet**) desire, inclination; (għażla) choice
taħkik n.m. f. ~**a** (pl. ~**iet**) scratching, grating
taħlil n.m. f. ~**a** (pl. ~**iet**) robbing
taħlis n.m. f. ~**a** (pl. ~**iet**) combing
taħlit n.m. f. ~**a** (pl. ~**iet**) mingle, mixture, compound
taħlit|a n.f. (pl. ~**iet**) blend
taħmiġ n.m. f. ~**a** (pl. ~**iet**) foulness, nastiness
tagħmil n.m. f. ~**a** (pl. ~**iet**) polishing; (tolleranza) tollerance
taħmil n.m. f. ~**a** (pl. ~**iet**) ~ **is-snin** a cheap thing
taħmir n.m. f. ~**a** (pl. ~**iet**) blushing, blush
taħn|a n.f. (pl. ~**iet**) grinding, milling
taħnin n.m. f. ~**a** (pl. ~**iet**) lullaby
taħqiq n.m. f. ~**a** (pl. ~**iet**) verification
taħrib n.m. f. ~**a** (pl. ~**iet**) desolation, devastation, ruin; (ħarba) putting to flight
taħrif n.m. f. ~**a** (pl. ~**iet**) recital of fables
taħriġ n.m. f. ~**a** (pl. ~**iet**) training, practice
taħrik n.m. f. ~**a** (pl. ~**iet**) motion, movement
taħrik|a n.f. (pl. ~**iet**) citation, summons
taħriq n.m. f. ~**a** (pl. ~**iet**) running of water
taħris n.m. (bla pl.) protection, defence
taħrix n.m. f. ~**a** (pl. ~**iet**) austerity, severity; (sar aħrax) a making rough
taħsil n.m. f. ~**a** (pl. ~**iet**) squashing, bruising; (kisba) acquisition
taħsir n.m. f. ~**a** (pl. ~**iet**) sorrow, grief; (tnawwir) deprivation, corruption; **bit-~** corruptly

taħt prep. under, below, underneath; **minn** ~ secretly; **baqa' ~ha** he died; **mar minn** ~ he went under; **għamel minn** ~ he worked in secrecy; **ta'** ~ **fuq** very bad
taħtib n.m. f. ~**a** (pl. ~**iet**) crookedness
taħtieni aġġ. inferior, secondary, subaltern
taħtif n.m. f. ~**a** (pl. ~**iet**) seizing
taħtim n.m. f. ~**a** (pl. ~**iet**) sealing (up)
taħtit n.m. f. ~**a** (pl. ~**iet**) delineation
taħtinijiet avv. underhand, secretly
taħwid n.m. f. ~**a** (pl. ~**iet**) mingling, mixing
taħwil n.m. f. ~**a** (pl. ~**iet**) plantation
taħwir n.m. f. ~**a** (pl. ~**iet**) seasoning
taħxim n.m. f. ~**a** (pl. ~**iet**) plumpness, fatness
taħżim n.m. f. ~**a** (pl. ~**iet**) girding
taħżima n. f. ~**a** (pl. ~**iet**) band, binding, ligature
taħżin n.m. f. ~**a** (pl. ~**iet**) deterioration
taħżiż n.m. delineation
tajba aġġ. good; ~ **din**! oh my lord!; **it-~ hi** and that's not all
tajfa n.f. (pl. ~**iet**) company
tajjar v. to cause to fly; (berbaq) to lavish, to spend prodigally; ~ **ix-xrar** to sparkle // n.m.koll. f. ~**a** (bla pl.) cotton, **twieled fuq it-~** he is a delicate person
tajjeb aġġ. good, benign; (kapaċi) proper, fit, apt; (favorevoli) favourable, propitious; **tat-~** rich, **jagħmilha** ~ he is rich; **laqqatha** ~ he earned good money; (qala' xebgħa) he has had a sound beating; **ġietu** ~ he prospered from the way things took their turn; **ħabat** ~ it came in just in the right moment; (qabillu) he prospered // avv. well, right
tajn n.m. (pl. **tjun**) mud, dirt; (tat-tikħil) mortar; **donnu** ~ really meek
tajr|a n.f. (pl. ~**iet, tajr**) kite; (għasfur, eċċ.) fowl, volatile; ~ **safra** golden oriole
tajran n.m. (bla pl.) flying
takamaħak n.m. tacamahac
takbir n.m. f. ~**a** (pl. ~**iet**) enlargement
takkalj|a n.f. (pl. ~**i**) garter
takkun n.m. f. ~**a** (pl. **tkaken**) heel; **takkuna**: **kien taħt it-~ tiegħu** he was completely his master's puppet
taktir n.m. f. ~**a** (pl. ~**iet**) multiplication, increasing
tala' v. to mount, to ascend; (għola fil-prezz) to rise, to increase in price; **talagħlu** he grew angry
talab v. to pray; (xi ħaġa) to beg, to request; (il-flus) to mendicate, to ask alms
tal-anqas avv. at least
talb n.m. (bla pl.) beggary
talba n.f. (pl. ~**iet**) request; supplication; prayer
talban aġġ. praying
talent n.m. (pl. ~**i**) talent, faculty, power
tali aġġ. such
talj|a n.f. (pl. **i**) tax, subsidy; (multa) fine, mulct (qies) tally
taljakarti n.f. (bla pl.) paper-knife
taljamar n.m. (pl. ~**i**) cutwater
Taljan aġġ. n.m. (pl. ~**i**) Italian, Italic
taljanizzat pp. italianized, italianate
taljarini n.pl. ribbon, vermiċelli
taljatur n.m. (pl. ~**i**) cutter
taljol|a n.f. (pl. ~**i**) pulley
talla' v. to raise, to lift up; ~ **u niżżel** he thought twice; ~ **mas-smewwiet** to exalt to the skies; ~ **u niżżel** not to know one's mind, to be of two minds, to show uncertainty, indecision, doubt
tallab n.m. (pl. ~**a**) beggar, mendicant; (wiehed li jitlob) petitioner, supplicant
talli avv. of what, for what
tallj|u n.m. (pl. ~**i**) thallium
tall|u n.m. (pl. ~**i**) thallus
talment avv. so, so much
talp|a n.f. (pl. ~**iet, tlapi**) mole; **donnu ~a** stupid
tama n.f. (pl. ~**t**) hope, trust // v. to hope
tama' v. to feed
tamar n.m.koll. f. **tamra** (pl. **tamriet**) date
tamarindi n.f. (pl. ~**jiet**) tamarind
tames n.m. (pl. **twames**) rennet
tamma v. to raise sb.'s hopes
tammar v. to fructify, to bear fruit
tammri v. fructiferous, fruitful
tammas v. to coagulate, to curdle
tampar avv. of the same age
tamr|a n.f. (pl. ~**iet**) date; ~**a tal-baħar** sea date
tamtil n.m. f. ~**a** (pl. ~**iet**) delay, dilatoriness
tanbar v. to drum, to roll, to beat the drum
tanborlin n.m. (pl. ~**i**) tambourine, timbrel
tanbur n.m. (pl. **tnabar**) drum; ~ **tal-arloġġ** barrel; ~ **tar-rakkmu** tambour; ~ **tas-suwed** kettle-drum; **ġild tat-~** drum head
tanġent n.m. (pl. ~**i**) tangent
tanġibbli aġġ. tangible
tank n.m. (pl. ~**ijiet**) tank
tanker n.m. (pl. ~**ijiet,** ~**s**) tanker
tannuto n.f. (pl. ~**i**) black bream
tant aġġ. so much, so long
taparsi avv. feignedly
tapir n.m. (pl. ~**i**) tapir
tapit n.m. (pl. **twapet**) carpet; ~ **ta' mejda** table cover; ~ **tat-taraġ** stair carpet
tapizzar n.m. (pl. ~**a**) upholsterer
tapizzerij|a n.f. (pl. ~**i**) tapestry
tapjoka n.f. (bla pl.) tapioca

app n.m. (pl. ~**ijiet**) bung, cork, stopper; (fig. bniedem qasir) a short man; ~ **ta' bittija** vent-peg
appan v. to make opaque; (rifes fuq) to press, to tread
apsin|a n.f. (pl. ~**i**) bed pan
aptap v. to tap, to stroke, to pat
aptip n.m. f. (pl. ~**iet**) tap; (daqqa ta' bastun) dressing; **qala'** ~ he had a sound beating
apx|a n.f. (pl. ~**iet**) fix, embarassment
aq v. to mind, to fag; (tama') to nourish, to strengthen
aqbid n.m. f. ~**a** (pl. ~**iet**) tying, fastening; (qtugħ mill-għeruq) the taking or striking root; (teħid ta' direzzjoni) direction
aqbil n.m. f. ~**a** (pl. ~**iet**) adaptation; (paragun) comparison, comparing; (rima) rhyme
aqbiż n.m. f. ~**a** (pl. ~**iet**) leaping, jumping, skipping
ċit n.m. f. ~**a** (pl. ~**iet**) lopping; (meta ma jaqtax) blunting, dulling
aqbid n.m. f. ~**a** (pl. ~**iet**) whipping, lashing
taqdim n.m. f. ~**a** (pl. ~**iet**) the growing old
taqdir n.m. f. ~**a** (pl. ~**iet**) misfortune, fatality
taqdis n.m. f. ~**a** (pl. ~**iet**) sanctification, beatification
taqjid n.m. f. ~**a** (pl. ~**iet**) the putting in fetters
taqjim n.m. f. ~**a** (pl. ~**iet**) waking, rousing; (tlugħ dritt) erecting, rising; (kburija) pride, haughtiness, presumption
taqjir n.m. f. ~**a** (pl. ~**iet**) drying
taqlib n.m. f. ~**a** (pl. ~**iet**) perturbation, trouble
taqligħ n.m. f. ~**a** (pl. ~**iet**) removing; (tal-moħħ) getting turpid; (taqlib fl-istonku) queasiness
taqlit n.m. f. ~**a** (pl. ~**iet**) leaping
taqmil n.m. f. ~**a** (pl. ~**iet**) breeding of lice
taqmis n.m. f. ~**a** (pl. ~**iet**) disorder, confusion
taqmit n.m. f. ~**a** (pl. ~**iet**) the binding of the hands and feet; (issikkar tal-libsa) tightening of the dress
taqqab v. to bore, to pierce
taqqal v. to render heavy // n.m. (pl. ~**a**) he that burdens
taqrib n.m. f. ~**a** (pl. ~**iet**) approach
taqriħ n.m. f. ~**a** (pl. ~**iet**) irritation of a wound
taqrim n.m. f. ~**a** (pl. ~**iet**) mutilation
taqriq n.m. f. ~**a** (pl. ~**iet**) cheating, deception; **bit-**~ deceitfully
taqris n.m. f. ~**a** (pl. ~**iet**) dried cow dung
taqsim n.m. f. ~**a** (pl. ~**iet**) division, partition, distribution
taqsir n.m. f. ~**a** (pl. ~**iet**) shortening, abridging
taqsis n.m. f. ~**a** (pl. ~**iet**) the cutting with scissors; (malafamar) slandering, detraction; (sar qassis) ordaining to holy orders
taqsit n.m. f. ~**a** (pl. ~**iet**) contemplation
taqtaq v. to palpitate, to pant, to throb; (ħoss taż-żrinġ) to cluck, to croak
taqtigħ n.m. f. ~**a** (pl. ~**at**) laceration, tearing; (straġi) slaughter, havoc, massacre, butchery
taqtiq n.m. f. ~**a** (pl. ~**iet**) palpitation, throbbing, croaking
taqtir n.m. f. ~**a** (pl. ~**iet**) dropping, dripping
taqwil n.m. f. ~**a** (pl. ~**iet**) babbling, chattering, garrulity
taqwim n.m. f. ~**a** (pl. ~**iet**) raising; (rebellion) insurrection, rebellion, sedition
taqwis n.m. f. ~**a** (pl. ~**iet**) crookedness, bending
taqxir n.m. f. ~**a** (pl. ~**iet**) barking, peeling
taqżiż n.m. f. ~**a** (pl. ~**iet**) loathing, surfeit, qualm; **bit-**~ disgustingly
tar v. to fly; (sparixxa) to vanish, to disappear
tara n.f. (pl. ~**t**) tare, tret; **qatagħlu t-**~ he was not gullible
tarantell|a n.f. (pl. ~**i**) tarantella
tarat v. to hasten, to pursue; (xtaq) to desire
tarax v. to brush
taraġ ara **tarġa**; **waqgħet it-**~ she became a lady
tarbija n.f. (pl. **trabi**) baby, infant, child; ~ **tat-twelid** a newborn; **beka bħal** ~ he cried out his joy/sorrow
tarbit n.m. f. ~**a** (pl. ~**at**) tie, tying
tarbux n.m. (pl. **trabex**) fez
tard aġġ. late, tardy
tarf n.m. (pl. **truf**) extremity, end, margin; ~ **ta' ġażra** thread of a skein; **bla** ~ endless; **sab it-**~ to find the clue; **truf**: **qabad ħafna** ~ he involved himself in a lot of things
tarġ|a n.f. (pl. ~**iet, taraġ**) step, stair; ~ **tal-bieb** threshold
tarġuman n.m. (pl. ~**i**) dragoman, interpreter
tari aġġ. tender, soft; (frisk) fresh
tariff|a n.f. (pl. ~**i**) tariff, rate, fare
tarj|a n.f. (pl. ~**iet**) fine paste, vermicelli
tark|a n.f. (pl. ~**i**) shield, target, buckler
tarkij|a n.f. (pl. ~**iet**) sprit-sail
tarlat|à n.m. (pl. ~**ijiet**) tarlatan
tarmak n.m. (bla pl.) tarmac
tarra v. to soften, to make tender
tarraf v. to exile, to banish; (illimita) to confine, to limit; (tenna) to relate, to narrate
tarraġ v. to divide into steps
tarrax v. to deafen; (bellah) to stun
tarraż v. to stripe, to streak; (min jirrakkma) embroider
tartariku aġġ. tartaric
tartarun n.m. (pl. ~**i**) seine
tartib n.m. f. ~**a** (pl. ~**iet**) mollification, mollifying

tartil n.m. f. **~a** (pl. **~iet**) playing and singing
tartru n.m. (bla pl.) tartar
tartuf|a n.f. (pl. **~iet**) truffle
tarx|a n.f. (pl. **~iet**) slight sweeping
tarzn|a n. f. **~a** (pl. **~iet**) arsenal, yard, dockyard
tarznar n.m. (pl. **~i**) dockyard
tass n.m. (pl. **~ijiet**) goldsmith's anvil // **Tass** n.f. (bla pl.) (storja: id-dar tal-pubblikazzjoni Sovjetika) Tass
tassazzjoni n.f. (pl. **~jiet**) taxation
tassew avv. truly, certainly, really
tast n.m. (pl. **~i**) key of an organ
tastatur n.m. (pl. **~i**) bevel
tastier|a n.f. (pl. **~i**) keyboard
tatt n.m. (pl. **~i**) tact
tattik|a n.f. (pl. **~i**) tactics
tavla n.f. (pl. **twavel**) plank, board; ~ **tal-abjad** deal
tavlar n.m. (pl. **~i**) plank floor, wooden floor
tavlat n.m. (pl. **~i**) plank floor, wooden floor
tavlozz|a n.f. (pl. **~i**) palette
tavlun n.m. (pl. **~i**) plank
tawes n.m. (pl. **twas**) peacock
tawmaturg|u n.m. (pl. **~i**) thaumaturgist, wonder-worker
tawr n.m. (pl. **twar**) bull
taws ara **tawes**
tawr|u n.m. (pl. **~i**) sand shark
tawwal v. to lengthen, to stretch out; (fil-hin) to prolong, to delay // n.m. (pl. **~a**) he who lengthens
tawwali aġġ. oval, oblong
tawwar v. to plough in large furrows
tawweb v. to fill with clods
taxx|a n.f. (pl. **~i**) tax, duty, impost
taxxabbli aġġ. taxable, assessable
taxxier n.m. (pl. **~a**) assessor
tażdim n.m. (bla pl.) stuffing of the nose
tazz|a n.f. (pl. **~i**) glass, tumbler; **nadif ~a** spick and span; **daqs ~a ilma** very easily; **bies it-~a** he took just a sip
tbagħbas v. to be fingered
tbagħbis n.m. f. **~a** (pl. **~iet**) fingering, touching
tbagħtar v. to become muddy
tbagħtir n.m. f. **~a** (pl. **~iet**) recent wetness of land
tbahrad v. to romp, to revel, to frisk
tbahrid n.m. f. **~a** (pl. **~iet**) revel, romping, frisking
tbaħbaħ v. to bath or wash os.
tbaħbiħ n.m. f. **~a** (pl. **~iet**) rinsing
tbaħħar v. to be navigable; (kontra l-għajn, eċċ.) to be fumigated
tbajjad v. to be whitewashed; (għadda fl-istonku to be digested, to be concocted in the stomac
tbakkar v. to be an early-riser
tbalbil n.m. f. **~a** (pl. **~iet**) babbling
tballa' v. to be ingested
tbattat v. to be well beaten
tbandal v. to swing
tbandil n.m. f. **~a** (pl. **~iet**) swinging, oscillatio
tbaqbaq v. to seethe; (iddispjaċih) to afflict, t disquiet os.; (irrabja) to fume
tbaqbiq n.m. f. **~a** (pl. **~iet**) the noise of wate boiling violently
tbarqim n.m. f. **~a** (pl. **~iet**) cooing
tbarra v. to exempt os.
tbarrij|a n.f. (pl. **~iet**) exemption
tbarważ v. to remain empty and full of wind
tbarwiż n.m. f. **~a** (pl. **~iet**) bad sewing
tbaskat v. to be baked over again
tbaskit n.m. f. **~a** (pl. **~iet**) the baking ove again of
tbatij|a n.f. (pl. **~iet**) suffering, misery, trouble; **xogħol ta' ~a** drudgery
tbattal v. to be empty
tbattil v. evacuation
tbaxxa v. to lower, to lower os.; (fig. kien umli) to humble os.
tbaxxar v. to be announced
tbażwar v. to become hernious/ruptured
tbażża' v. to be frightened; (qata' qalbu) to lose courage
tbażżis n.m. f. **~a** (pl. **~iet**) peppering
tbegħid n.m. f. **~a** (pl. **~iet**) (act of) removing
tbejjen v. to interpose, to interfere
tbejjin n.m. f. **~a** (pl. **~iet**) mediation
tbekbik n.m. f. **~a** (pl. **~iet**) guzzling
tbekka v. to weep repeatedly
tbelbel v. to flutter, to wave
tbelbil n.m. f. **~a** (pl. **~iet**) flapping, fluttering
tbell v. to become wet/moisted
tbelgħen v. to be angry, to be inflamed with anger; (bil-passjoni) to fall in passion; (kellu d-deni) to become very feverish
tbelgħin n.m. f. **~a** (pl. **~iet**) indication of anger; (deni) heat of fever
tbell v. to become wet/moistened
tbellah v. to grow crack-brained, crazy; (sar stupidu) to become stupid; ~ **wara xi ħadd** to be passionately in love
tbellet v. to go and live in town
tbenġel v. to grow livid
tbenġil n.m. f. **~a** (pl. **~iet**) lividity, lividness
tbennen v. to grow savoury, tasty; (f'benniena) to be rocked, to be cradled

bennin n.m. f. ~**a** (pl. ~**iet**) rocking, cradling
berbaq v. to be lavished or squandered away
berbiq n.m. f. ~**a** (pl. ~**iet**) profusion, lavishness; **bit-~** lavishly, profusely
berdil n.m. f. ~**a** (pl. ~**iet**) noise/bustle/clatter of children
berfel v. to be hemmed; (sar fanatiku) to grow fanatical
berfil n.m. f. ~**a** (pl. ~**iet**) hemming
berfil|a n. f. ~**a** (pl. ~**iet**) hem
bergħed v. to grow full of fleas
bergħen v. to grow full of small and bad insects; (tbaqbaq) to grow warm with anger, to boil with anger
berik n.m. f. ~**a** (pl. ~**iet**) blessing, benediction; ~ **tal-Għid** Easter blessing
berkil n.m. f. ~**a** (pl. ~**iet**) the blossoming of cabbages
tberbiċ n.m. f. ~**a** (pl. ~**iet**) the rolling between thumb and forefinger
tberraħ v. to open wide, to be wide open
tberred v. to grow cold, to cool; (ikkalma) to be appeased
tberren v. to be pierced with a gimlet
tberrin v. ara **tibrin**
tbettaħ v. to grow unhealthy
tbewwaq v. to grow hallow
tbewwes v. to kiss one another
tbexbex v. to be wet with a dizzling rain
tbexbix n.m. f. ~**a** (pl. ~**iet**) dizzling rain; (tlugħ ix-xemx) dawn
tbexxaq v. to be half open
tbeżbiż n.m. f. ~**a** (pl. ~**iet**) the seizing forcibly by the hair; (twissija) reprimand, admonition
tbeżlik n.m. f. ~**a** (pl. ~**iet**) light suckling of milk
tbeżżigħ n.m. f. ~**a** (pl. ~**iet**) dismay, amazement, dread
tbeżżiq n.m. f. ~**a** (pl. ~**iet**) the act of spitting often
tbiċċeċ v. to be reduced into pieces
tbiċċer v. to be murdered
tbidded v. to be shed
tbiddel v. to be changed or transformed; (xtaq jinbala') to become ashamed and dashed
tbiegħed v. to move away
tbierek v. to be blessed
tbiġġel v. to be protected, defended
tbiġġil n.m. f. ~**a** (pl. ~**iet**) protection, defence
tbigħ n.m. (bla pl.) printing, impression
tbiħ n.m. (bla pl.) soup, broth
tbikkem v. to become dumb, mute
tbiq n.m. (bla pl.) close, the shutting
tbissem v. to smile
tbissim n.m. f. ~**a** (pl. ~**iet**) smiling; **bit-~** smilingly
tbixkel v. to embroil, to intricate
tbixkil n.m. f. ~**a** (pl. ~**iet**) disorder, entanglement
tbiżżel v. to become active/diligent
te n.m. (pl. ~**jiet**) tea; ~ **ħafif** weak tea; ~ **qawwi** strong tea
teatrali aġġ. theatrical
teatrin n.m. (pl. ~**i**) theatricals; **qajjem ħafna** ~ he caused a lot of trouble
teatr|u n.m. (pl. ~**i**) theatre, opera house; **tromba tat-~** operaglass
tebagħ v. to print, to stamp
tebaħ v. to cook, to dress food
tebaq v. to shut, to close; **ma sewiex ~ fwiedu** he was not worth anything at all
tebbaq v. to divide, to part in two
tebbiegħ n.m. (pl. ~**a**) printer, typographer
tebbieħ n.m. (bla pl.) cook
tebgħa n.f. (pl. ~**t, tbajja'**) stain, spot, blot, blur; ~ **fil-ġieħ** taint, blotch; ~ **fil-ġilda** blotch; ~ **tas-sadid** iron mould
tebq|a n.f. (pl. ~**at, ~iet**) one part equal to another; **f'~a t'għajn** in a few seconds
tebut n.m. (pl. **twiebet**) coffin
teknikaler n.m. (pl. ~**s**) technicolour
tedjuż aġġ. tedious, weary
tefa v. to extinguish fire (id-dawl) to extinguish light; (marlu l-kulur: oġġett) to lose colour, to discolour
teffej n.m. (pl. ~**ja**) extinguisher
teffiegħ n.m. (pl. ~**a**) lancer, flinger, slinger
teffiegħa n.f. (pl. ~**t**) racket
tefgħa n.f. (pl. ~**t**) throw, cast, shot; (imbottatura) push, shove; ~ **ta' azzarin** gun-shot; ~ **ta' ġebla** a short distance
teftef v. to feel, to finger; (fittex bħal fid-dlam) to fumble, to grope; (kiel kontra qalbu) eat with reluctancy
teftif n.m. f. ~**a** (pl. ~**iet**) feeling or handling lightly; (tiftixa bħal fid-dlam) groping; (meta tiekol kontra qalbek) eating with reluctance; (affarijiet żgħar) trifles, bagatelles
tegħim n.m. f. ~**a** (pl. ~**iet**) tasting; (konsiderazzjoni) consideration
tegħlim n.m. f. ~**a** (pl. ~**iet**) signing, sign
tehid n.m. f. ~**a** (pl. ~**iet**) menancing, threatening
tehjib n.m. f. ~**a** (pl. ~**iet**) menancing/intimidating (by butting)
tehlil n.m. f. ~**a** (pl. ~**iet**) exultation
tehmiż n.m. f. ~**a** (pl. ~**iet**) pinning
teħġiġ n.m. f. ~**a** (pl. ~**iet**) burning, setting on fire; (fervur) fervour, fervency, great zeal

tejjeb v. to make good
tejjeġ v. to marry
tek|a n.f. (pl. ~**i**) theca
teknik|a n.f. (pl. ~**i**) technique
teknikament avv. technically
teknik|u aġġ. f. ~**a** (pl. **tekniċi**) technical
tekno n.m. (bla pl.) techno music
teknoloġij|a n.f. (pl. ~**i**) technology
teknoloġiku aġġ. technological
teknolog|u n.m. (pl. ~**i**) technologist
tektek v. to knock gently
telaq v. to leave off; (ċeda) to surrender, to yield up, to deliver up; (dgħajjef) to weaken to enfeeble; (mexa għal għonq it-triq) to go forward; ~ **dan** he is not reliable any more
telefon n.m. (pl. ~**s**) telephone
telefonat|a n.f. (pl. ~**i**) telephone call
telefonij|a n.f. (pl. ~**i**) telephony
telefoniku aġġ. telephonic; **apparat** ~ telephone set; **direttorju** ~ telephone directory; **gabina telefonika** telephone call-box; **sistema telefonika** telephone system; **uffiċċju** ~ telephone office
telefonist n.m. (pl. ~**i**) telephonist, telephone operator
telefotografij|a n.m. (pl. ~**i**) telephoto(graphy)
telefown ara **telefon**
telegraf n.m. (pl. ~**i**) teleograph
telegrafij|a n.f. (pl. ~**i**) telegraphy
telegrafiku aġġ. telegraphic; **apparat** ~ telegraphic set; **arblu** ~ telegraphic pole; **indirizz** ~ telegraphic address; **uffiċċju** ~ telegraphic office
telegrafist n.m. (pl. ~**i**) telegrapher
telegramm|a n.m. (pl. ~**i**) telegram; ~**a bi tweġiba** reply-paid telegram; ~**a urġenti** urgent telegram
telekomunikazzjoni n.f. (pl. ~**jiet**) telecommunication
telepatij|a n.f. (pl. ~**i**) telepathy
telepatiku aġġ. telepathic
telepatist|a n.m. (pl. ~**i**) telepathist
teleskopiku aġġ. telescopic(al)
teleskopj|u n.m. (pl. ~**i**) telescope
telespettatur n.m. (pl. ~**i**) televiewer
televixin n.m. (pl. ~**s**) television
telf n.m. (bla pl.) loss; ~ **tal-ġieħ** dishonour, ignominy; ~ **tar-ruħ** perdition, damnation; ~ **taż-żmien** loss of time, waste of time
telf|a n.m. (pl. ~**iet**) loss; (f'eċċitament) excitement
telgħa n.f. (pl. ~**t**) hill, ascension, ascent
tellaq v. to start; (tiġrija) to race, to compete
tellef v. to make one lose
tellerit|a n.f. (pl. ~**i**) stone-curlew, thick kne chatterbox, talkative person
tellet v. to triple, to triplicate
tellief n.m. (pl. ~**a**) loser // aġġ. subdue vanquished
tellieħi (fix-xogħol) aġġ. expeditious, quick active
tellieq n.m. (pl. **tlielaq**) runner, racer; (min jitlaq he who leaves off
telq|a n.f. (pl. ~**iet**) departure, derelict
tem|a n.f (pl. ~**i**) theme
tematiku aġġ. thematic
temenz|a n.f. (pl. ~**i**) fear, fright, dread
temerarj|u n.m. (pl. ~**i**) rash, temerarious
temerit|à n.f. (pl. ~**ajiet**) temerity
temm v. to finish, to end, to close; (spiċċa, ħela to consume, to waste, to destroy; ~ **xi taħdit** to conclude a speech
temm|a n.f. (pl. ~**iet**) termination, end, close
temmiem n.m. (pl. ~**a**) finisher
temp n.m. (pl. ~**ijiet**) time; (passat, preżent, eċċ. tense; (xemxi, xitwi, eċċ.) weather; (mużika tempo; ~ **ikrah** (ħażin) bad weather; ~ **sabiħ** (tajjeb) fine weather; ~ **tax-xita** rainy weather **it-~ fetaħ/ħareġ** the weather is nice; **it-~ qaleb** the weather has changed
temperament n.m. (pl. ~**i**) disposition, temperamen
temperanza n.f. (bla pl.) temperance, moderation ~ **fix-xorb** temperance in drinking
temperatur|a n.f. (pl. ~**i**) temperature; ~**a baxxa** low temperature; ~**a għolja** high temperature; **ħa t-~a** to take one's temperature
temperoż|a n.f. (pl. ~**i**) tuberose
tempest|a n.f. (pl. ~**i**) storm, tempest, foul weather
tempestuż aġġ. tempestous, stormy
tempj|u n.m. (pl. ~**i**) temple
temporali aġġ. temporal, transitory
temporanjament avv. temporarily
temporanju aġġ. temporary, transitory
tempr|a n.f. (pl. ~**i**) temper, mood, aptitude
temprin n.m. (pl. ~**i**) penknife
temtem v. to stammer, to stutter
temtim n.m. f. (pl. ~**iet**) stammering, stuttering
temtumi aġġ. stattering, stammering
tena v. to plait, to fold
tanaċi aġġ. tenacious
tanaċit|à n.f. (pl. ~**ajiet**) tenaciousness
tendenz|a n.f. (pl. ~**i**) tendency, bent
tendin|a n.f. (pl. ~**i**) curtain, blind
tenent n.m. (pl. ~**i**) lieutenent
teneru aġġ. tender
tenfex v. to soften, to make soft; (għamlu ma jaqtax) to fray

tenfix n.m. f. **~a** (pl. **~iet**) softening; (meta għamlu ma jaqtax) fraying
tengħud ara **tengħut**
tengħut n.m. f. **~a** (pl. **~iet**) spurge, croton; **ħażin daqs** ~ very bad
tenna v. to repeat; (irrakkonta) to relate, to tell
tensjoni n.f. (pl. **~jiet**) tension
tentattiv n.m. (pl. **~i**) attempt
tentazzjoni n.f. (pl. **~jiet**) temptation
tenten v. to tinkle, to ink
tentex v. to unravel, to unweave
tentin n.m. f. **~a** (pl. **~iet**) tinkling of a bell
tentix n.m. f. **~a** (pl. **~iet**) filaments, threads
tentux|a n.f. (pl. **~iet**) filament
tenur n.m. (pl. **~i**) tenor
teodolit n.m. (pl. **~i**) theodolite
teoloġij|a n.f. (pl. **~i**) theology, divinity
teoloġikament avv. theologically
teoloġiku aġġ. theological
teologali aġġ. theological
teolog|u n.m. (pl. **~i**) theologian
teorem|a n.f. (pl. **~i**) theorem
teoretikament avv. in theory
teorij|a n.f. (pl. **~i**) theory
teorik|u n.m. (pl. **~i**) theorist
teptep v. to twinkle, to wink, to blink
teptip n.m. f. **~a** (pl. **~iet**) twinkling **teptipa**: **f'~ t'għajn** very quickly
teqel v. to grow heavy, wieght
teqgħid n.m. f. **~a** (pl. **~iet**) placing, setting
teql|a n. f. **~a** (pl. **~iet**) weight, heaviness
teraħ v. to melt, to dissolve; (korriet) to miscarry
terapewtika n.f. (pl. **~jiet**) therapeutics
terapewtiku aġġ. therapeutic
terapewtist n.m. (pl. **~i**) therapeutist
terapij|a n.f. (pl. **~i**) therapy
Tereżjan n.m. (pl. **~i**) Discalced Carmelite, Teresian
terħa n.f. (pl. **trieħi**) band, sash
terminologij|a n.f. (pl. **~i**) terminology
termometr|u n.m. (pl. **~i**) thermometer
termos n.m. (pl. **~ijiet**) vacuum flask, thermos, thermos flask
termoskopj|u n.m. (pl. **~i**) thermoscope
tern n.m. (pl. **~ijiet**) tern; **għamel** ~ he did not succeed
ternarj|u n.m. (pl. **~i**) tenary
terpentina n.f. (pl. **~i**) turpentine
terra n.f. (pl. **terer**) powder, toilet powder; **kaxxa tat-~** powder box; **moppa tat-~** powder puff
terraċċj|u n.m. (pl. **~i**) loam, mould
terraferma n.f. (bla pl.) land
terraħ v. to throw corn or barley upon the thrashing floor; (fetaħ ix-xbieki) to open or spread nets
terrakott|a n.f. (pl. **~i**) terracotta, baked clay
terrapien n.m.koll. (pl. **~i**) debris
terraq v. to make or open a way; (ġera 'l hemm u 'l hawn) to roam, to go; (sammar) to hammer
terrazzin n.m. (pl. **~i**) small terrace, belvedere
terremot n.m. (pl. **~i**) earthquake; **għandu ~ minnhom** he has plenty
terrestri aġġ. terrestrial
terribbilment avv. terribly
terribbli aġġ. terrible, awful, dreadful, monstrous
terrieħ n.m. (pl. **~a**) he who throws corn or barley upon the thrashing floor; (min jiftaħ ix-xbieki) opener or spreader of nets
terrieħa n.f. (pl. **trieraħ**) casting net, sweep net
terrin|a n.f. (pl. **~i**) terrine, salad-bowl
territorjali aġġ. territorial
territorj|u n.m. (pl. **~i**) territory
terrorist n.m. (pl. **~i**) terrorist
terroriżmu n.m. (bla pl.) terrorism
terrur n.m. (pl. **~i**) terror
tertaq v. to break or split into pieces, to smash, to shatter
terter v. to quake with cold, to shiver
tertex v. to stammer
tertiq n.m. f. **~a** (pl. **~iet**) breaking/spliting into pieces
tertuxa n.f. (pl. **trietex**) little stint; ~ **griża** temminck's stint
terz n.m. (pl. **~i**) one third; **iqasqas fuq it-~ u l-kwart** he minds the other people's business
terzana n.f. (bla pl.) tertian fever
terzett n.m. (pl. **~i**) terzetto
terzin|a n.f. (pl. **~i**) triplet
terzjarj|u n.m. (pl. **~i**) tertiary
tessera n.f. (pl. **~i**) membership card
tesserament n.m. (pl. **~i**) distribution of a membership card
tesserat n.m. (pl. **~i**) holder of a membership card
tessuti aġġ. textile
test n.m. (pl. **~ijiet**) text
testamentarju aġġ. testamentary
testatur n.m. (pl. **~i**) testator
testment n.m. (pl. **~i**) testament, will; **fl-antik** ~ a long time ago
testwali aġġ. textual
testwalment avv. exactly, precisely
tetan|u n.m. (pl. **~i**) tetanus
tetrark|a n.m. (pl. **~i**) tetrarch
tewa v. to plait, to wrap up, to fold up, to tuck
tewb|a n.f. (pl. **~iet**) penitence, penance

tewm n.m.koll. f. **~a** (pl. **~iet**) garlic; **sinna** ~ clove of garlic; **tewma**: **maħruqa t-~** he's drunk
tewmi aġġ. twin
tewq n.m. (pl. **twieq**) collar, ruff
tewwaq v. to sow here and there
tewwej n.m. (pl. **~ja**) folder, plaiter
tewwem v. to be delivered of twins; (ħawwar bit-tewm) to season with garlic
tewwet v. to speak much without making os. understood
tewwiemi aġġ. gemelliparous
teżi n.f. (pl. **~jiet**) thesis
teżor n.m. (pl. **~i**) treasure
teżorerij|a n.f. (pl. **~i**) treasury
teżorier n.m. (pl. **~a, ~i**) treasurer
tfaddal v. to be saved/spared/econonized
tfaħħal v. to grow like a stallion
tfaħħam v. to become charcoal; (tfaħħal) to grow large and tall
tfaħħar v. to boast of, to glory in
tfaħħax v. to grow obscene in speech
tfaħħir n.m. f. **~a** (pl. **~iet**) boasting, bragging
tfajjel n.m. (pl. **tfal**) little boy
tfajl|a n.f. (pl. **~iet**) girl
tfakkar v. to be reminded/called to memory
tfakkir|a n.f. (pl. **~iet**) remembrance
tfallaz v. to be falsified/counterfeited/forged
tfantas v. to sulk
tfantis n.m. f. **~a** (pl. **~iet**) prefiguration
tfaqqar v. to grow poor
tfaqqir n.m. f. **~a** (pl. **~iet**) impoverishing
tfarfar v. to shake off the dust; (ħeles minn) to disentangle os., to get rid off; (kiber) to grow into an adult
tfarrad v. to be unpaired/unmatched
tfarraġ v. to console os.
tfarrak v. to be smashed
tfartas v. to become bald
tfartis n.m. f. **~a** (pl. **~iet**) baldness
tfażżar v. to grow barethreated
tfehim n.m. f. **~a** (pl. **~iet**) understanding, intelligence
tfekkek v. to dislocate
tfekkik n.m. f. **~a** (pl. **~iet**) dislocation
tfelfel v. to curl
tfelfil n.m. f. **~a** (pl. **~iet**) curling
tfellel v. to become chapped
tfellil v. chapping
tferċaħ v. to become hipped
tferċiħ n.m. f. **~a** (pl. **~iet**) the state of being hip-shot
tferfer v. to wag; (inkwieta) to fret os.
tferfir n.m. f. **~a** (pl. **~iet**) agitation/stirring; (ta' ħsus) momentary displeasure
tferfix n.m. f. **~a** (pl. **~iet**) bustle
tferiq n.m. f. **~a** (pl. **~iet**) separation of those while fighting or contending
tferkex v. to become scrapped
tferkix n.m. f. **~a** (pl. **~iet**) scraping, scratching
tferniq n.m. f. **~a** (pl. **~iet**) noisy blazing, crackling
tferraq v. to divide into lots or shares
tfesdaq v. to be taken out of the shell
tfesdiq n.m. f. **~a** (pl. **~iet**) the taking out of the shell
tfesfis n.m. f. **~a** (pl. **~iet**) whispering, susuration
tfettaħ v. to stretch, to be extended; (inf. ħa ħafna post) to sit in a contented way
tfettel v. to be rubbed/rolled between the hands or fingers
tfettet v. to chafe, to fret
tfettit n.m. f. **~a** (pl. **~iet**) the cutting into slices
tfewwaq v. to belch, to eruct
tfief n.m. f. **~a** (pl. **~iet**) sow-thistle
tfiehem v. to understand one another/to agree
tfieraq v. to separate
tfigħ n.m. (bla pl.) push, shove
tfisqija n.f. (pl. **~t**) swaddling, bandage
tfissed v. to be fondled
tfittex v. to be sought after
tfixkel v. to be tripped up, to stumble; (nesa x'kien qed jgħid) to lose the thread of one's discourse; **m'hemmx fiex ti~** things are quite straightforward
tfixkil n.m. f. **~a** (pl. **~iet**) stumbling; (interruzzjoni) interruption; (ostaklu) hindrance, obstacle
tfuli aġġ. childish, boyish
tfulij|a n. f. **~a** (bla pl.) puerility, childishness
tgargir n.m. f. **~a** (pl. **~iet**) murming
tgawdij|a n.f. (pl. **~iet**) enjoyment
tgeddel v. to grow strong/robust
tgeddes v. to heap; ~ **ma'** to cuddle
tgeġwiġ n.m. f. **~a** (pl. **~iet**) clatter
tgemgim n.m. f. **~a** (pl. **~iet**) grumbling, muttering
tgennen v. to get a shelter, to put os. under cover
tgennin n.m. f. **~a** (pl. **~iet**) sheltering of os.
tgerbeb v. to roll down, to tumble
tgerbib n.m. f. **~a** (pl. **~iet**) rolling down
tgerfex v. to be mixed or confounded together; (inf. tħarbat) to start to lead a bad life; (inf. tħawwad) to fumble
tgerfix n.m. f. **~a** (pl. **~iet**) confusion, disorder
tgerger v. to be disgusted
tgergir n.m. f. **~a** (pl. **~iet**) grumbling, muttering
tgergis n.m. (bla pl.) displeasure, disgust

tgermed v. to grow dirty/sooty/nasty
tgermid n.m. f. ~**a** (pl. ~**iet**) dirtiness, nastiness
tgerrem v. to be gnawed/nibbled
tgerrex v. to coy
tgerrim n.m. f. ~**a** (pl. ~**iet**) gnawing, nibbling
tgerwil n.m. f. ~**a** (pl. ~**iet**) babbling, chattering
tgezzez v. to be heaped
tgezziz n.m. f. ~**a** (pl. ~**iet**) heaping
tgeżwer v. to be wrapt up
tgeżwir n.m. f. ~**a** (pl. ~**iet**) wrappage, twisting
tgiddeb v. to retract, to recant, to recall
tgiddem v. to bite one another
tgħabba v. to be loaded; (b'bicċa xoghol) to take upon os. an affair/obligation; ~ **mill-ġdid** to resume the care, charge, etc.
tgħabbar v. to be counterpoised; (imtela bit-trab) to be covered with dust
tgħabbir n.m. f. ~**a** (pl. ~**iet**) ponderation
tgħadda v. to be transmitted; (minn xi ħaġa) to be passed over
tgħaddam v. to grow largeboned; (issaħħaħ) to ossify, to harden
tgħaddar v. to grow marshy
tgħaddim n.m. f. ~**a** (pl. ~**iet**) ossification
tgħaffas v. to be squeezed with the hand
tgħaffeġ v. to be pressed/squeezed
tgħaġġeb v. to wonder, to be amazed
tgħaġġeż v. to grow old
tgħajjar v. to abuse one another like blackguards; (imtela bis-sħab) to be clouded, to be overcast
tgħajjeb v. to disappear, to vanish out of sight
tgħajjen v. to be bewitched
tgħakkar v. to grow fouled with dregs
tgħakkes v. to be oppressed
tgħakkir ara **tagħkir**
tgħakkis ara **tagħkis**
tgħakrek v. to work little and slowly
tgħakrik n.m. f. ~**a** (pl. ~**iet**) working little and slowly
tgħallaq v. to be hanged, to get hanged
tgħallel v. to grow full of ailments, diseases, distempers
tgħallem v. to learn
tgħallik n.m. f. ~**a** (pl. ~**iet**) glueyness, viscosity, calmness
tgħam n.m. f. ~**a** (pl. ~**iet**) nourishment; (xgħir, eċċ.) corn, barley
tgħammad v. to be blindfolded
tgħammar v. to become populated; (intrama) to be furnished; (għamel f'qatet) to be sheaved, to be made into sheaves
tgħammed v. to be baptised; (fis-sajd) to be the first one to catch fish
tgħammem v. to grow dark
tgħammex v. to become blighted, foggy; (bid-dawl) to be dazzled
tgħammix ara **tagħmix**
tgħan n.m. (pl. ~**ijiet**) scymitar, sabre
tgħannaq v. to embrace one another
tgħanniq ara **tagħniq**
tgħaqqad v. to grow nodious/knotty
tgħaqqal v. to acquire sense of judgement; (immansa) to grow tame
tgħaqqar v. to be galled at the back
tgħaqqid ara **tagħqid**
tgħaqqil n.m. f. ~**a** (pl. ~**iet**) to render intelligent
tgħarax to be tickled
tgħarbel v. to be sifted; (ġie eżaminat) to be examined
tgħarbil n.m. f. ~**a** (pl. ~**iet**) sifting; (eżaminazzjoni) examination
tgħargħar v. to be suffocated
tgħargħir n.m. f. ~**a** (pl. ~**iet**) gargling; (gargariżmu) trill, warbling; (fgar) suffocation
tgħarix n.m. f. ~**a** (pl. ~**iet**) tickling, tintillation
tgħarrab v. to adopt the arabic costume
tgħarraf v. to be notified/published
tgħarras v. to become engaged; (inżara' mill-ġdid) to be replanted
tgħarref v. to become wise
tgħarrex v. to become cloudy/overcast
tgħarwen v. to strip os. naked
tgħarwin n.m. f. ~**a** (pl. ~**iet**) denudation, stripping
tgħasfir n.m. f. ~**a** (pl. ~**iet**) flight, escape
tgħasleġ v. to be stripped from the leaves
tgħasliġ n.m. f. ~**a** (pl. ~**iet**) the stripping off of leaves
tgħatta v. to be covered // to cover os.
tgħattan v. to become squashed
tgħattaq v. to increase in age and corpulency
tgħawwar v. to become squint-eyed; (tħaffer) to be dug up
tgħawwed v. to be reiterated/repeated
tgħawweġ v. to wriggle
tgħawwem v. to float, to be buoyant
tgħaxxa v. to sup
tgħaxxaq v. to delight in, to take pleasure in
tgħaxxar v. to be subjected to tithes
tgħaxxex v. to languish, to faint; (bejjet) to nestle, to settle os.
tgħaxxiq ara **tagħxiq**
tgħaxxix n.m. f. ~**a** (pl. ~**iet**) languor, weakness
tgħażgħiż n.m. f. ~**a** (pl. ~**iet**) pressing/gnashing (of teeth)
tgħażża v. to be comforted
tgħażżel v. to become thread-bare

tgħażżen v. to grow lazy
tgħażżeż v. to gain one's friendship
tgħierek v. to rub os.
tharhar v. to be rendered ruinous
tharhir n.m. f. **~a** (pl. **~iet**) the rendering a wall ruinous
thebhib n.m. f. **~a** (pl. **~iet**) waving or wavering of a flame
thedda v. to tranquillize os.
theddid n.m. f. **~a** (pl. **~iet**) threat, menance
tħejja v. to prepare os.
tħejjem v. to be too nice
tħejjij|a n.f. (pl. **~iet**) preparation
themmeż v. to be stitched here and there
thendem v. to be cooked slowly; (sa jaqa' fir-rovina) to be on the verge of ruin
thendim n.m. f. **~a** (pl. **~iet**) a slow cooking; (meta tkun sa taqa' fir-rovina) the being on the brink of ruin
thendwil n.m. (bla pl.) frenzy, madness
thenna v. to be consoled; (ferah) to grow happy
thennij|a n.f. (pl. **~iet**) to be made happy, to be consoled
therra v. to be putrefied, to be rotten
therreż v. to be crumbled
therrij|a n.f. (pl. **~iet**) corruption, putrefaction
therwel v. to grow mad
therwil n.m. f. **~a** (pl. **~iet**) insanity, madness
thewden v. to be delirious
thewdin n.m. (bla pl.) raving, delirium
theżżeż v. to shake, to vibrate
theżżiż n.m. f. **~a** (pl. **~iet**) shaking, vibration; **theżżiża**: ~ **tal-art** earthquake
thir n.m. f. **~a** (pl. **~iet**) reprimand, rebuke
tħabat v. to strain, to labour
tħabbar v. to be announced
tħabbat v. to be tossed, to be shaken
tħabbeb v. to contract a friendship
tħabbel v. to be embroiled, to be entangled; (tħawwad) to confound os.; **tħabblet** (inf. inqabdet tqila) she became pregnant
tħabrik n.m. f. **~a** (pl. **~iet**) quickness, eagerness
tħaddan v. to be embraced
tħaddet v. to talk, to discourse
tħaffer v. to grow full of holes
tħaġġar v. to be lapidated; (imtela bil-ġebel) to grow full of stones; (sar tal-ġebel) to be petrified, to become stony; (ġie ssuttat bil-ġebel) to be thrown stones at
tħaġġeġ v. to kindle, to set fire
tħajjar v. to be enamoured of anything
tħajjel ara **stħajjel**
tħajjen v. to grow cunning/crafty
tħakkek v. to rub os.
tħalaq v. to joke, to be in jest
tħalla v. to sweeten, to grow mild; (baqa' l-art) to be left
tħallas v. to be paid // to pay os.; (patta għal) to be revenged
tħallat v. to marry into, to get familiar with; (tħawwad) to mingle
tħambel v. to be twisted or contorted roughly
tħambiq n.m. f. **~a** (pl. **~iet**) cry, outcry
tħamħam v. to get waspish/angry with
tħamħim n.m. f. **~a** (pl. **~iet**) waspishness, spite, anger; **bit-~** angrily, waspishly
tħamij|a n.f. (pl. **~iet**) protection, defence
tħammeġ v. to foul os., to stain os.
tħemmes v. to redouble five times
tħandaq v. to entrench os.
tħandiq nm (bla pl.) entrenching
tħanfes v. to begin to grow angry
tħanis n.m. f. **~a** (pl. **~iet**) irritation, anger
tħannex v. to breed/bring forth worms; (tkaxkar) to go crawlingly, creepingly
tħannix n.m. f. **~a** (pl. **~iet**) breeding worms; (tkaxkir) growing crawlingly or creepingly
tħanxel v. to take root
tħanxil n.m. f. **~a** (pl. **~iet**) taking roots, radication
tħanxir n.m. f. **~a** (pl. **~iet**) the hewing or cutting roughly
tħanżer v. to be piggish; (ixxaħxaħ) to be a miser (kiel sa ma xaba') to glut os.
tħaqqaq v. to be verified, to be ascertained
tħaqqiq|a n. f. **~a** (pl. **~iet**) strifem dispute, contention
tħarbat v. to be destroyed, ruined; (inf. tħawwad) to start to lead a bad life
tħarbex v. to be scratched
tħarbit n.m. f. **~a** devastation, destruction
tħarbix n.m. f. **~a** (pl. **~iet**) scratch, scratching; (ta' kitba) illegible writing
tħares v. to keep, to guard
tħarfex v. to be worked roughly
tħarix n.m. f. **~a** (pl. **~iet**) bungling
tħarħir n.m. f. **~a** (pl. **~iet**) rattling in the throat
tħarrax v. to roughen
tħarreb v. to grow desolate
tħarreġ v. to accustom, to inure os.
tħarrek v. to move
tħarrif ara **taħrif**
tħassat v. to bewail; (bniedem: sar korrott) to grow corrupt; (ikel: mar) to grow rotten
tħasseb v. to meditate, to reflect; (inkwieta) to grow anxious about; (issuspetta) to grow suspicious

tħassel v. to be squashed/bruised flat; (instab) to be acquired/obtained
tħassib n.m. f. ~**a** (pl. ~**iet**) meditation, contemplation; (inkwiet dwar) anxiety about
tħassil n.m. f. ~**a** (pl. ~**iet**) payment by instalment
tħattab v. to grow woody
tħatteb v. to become hunch-backed
tħawtil n.m. f. ~**a** (pl. ~**iet**) industry
tħawwad v. to be mingled; (issaħħab) to grow cloudy; (biddel il-kulur u d-dehra) to change colour and countenance; (tberfel) to be confounded
tħawwef v. to grow lean; (beża') to be frightened
tħaxken v. to be shut in; (issakkar, ibblukkar) to be blocked up/beseiged
tħaxkin n.m. f. ~**a** (pl. ~**iet**) the shutting in; (assedju, blokk) siege, besieging
tħaxlef v. to grow as dry as hay; (inħadem bla sengħa) to be cobbled
tħaxlif n.m. f. ~**a** (pl. ~**iet**) the growing dry as hay; (ħdim ħażin) cobbling
tħaxwix n.m. f. ~**a** (pl. ~**iet**) the rustling of leaves
tħaxxem v. to grow high and big; (iffesteġġja) to feast, to drink and eat merrily
tħaxxen v. to grow big, to grow fat; (kattar) to increase; (sar oħxon) to grow clumsy/awkward
tħaxxim ara **taħxim**
tħaxxin ara **taħxin**
tħażżem v. to gird os.
tħażżen v. to grow cunning; (mar għall-agħar) to grow worse; (sar kattiv) to grow wicked
tħeġġeġ v. to become ferven
tħin n.m. (bla pl.) grinding
tħir ara **thir**
tħollij|a n. f. ~**a** (pl. ~**iet**) leaving, abandoning; (ommissjoni) omission; (permess) permission, leave; (wirt) legacy
tibċir n.m. (bla pl.) butchering
tibdid n.m. f. ~**a** (pl. ~**iet**) effusion, pouring out
tibdil n.m. f. ~**a** (pl. ~**iet**) mutation, changing; ~**a** a mutation; (libsa) a suit
tibek v. to grind minutely
tiben n.m.koll. f. **tibna** (pl. **tibniet**) straw; **qatta** ~ sheaf of straw; **tibna**: (fig.) a defect
tibġil n.m. f. ~**a** (pl. ~**iet**) exemption; (protezzjoni) protection, defence; (tifħir) adoration, veneration, reverence
tibħir n.m. f. ~**a** (pl. ~**iet**) navigation
tibtil n.m. f. ~**a** (pl. ~**iet**) evacuation, emptying
tibwiq n.m. f. ~**a** (pl. ~**iet**) void, vacuity, emptiness
tibwis n.m. f. ~**a** (pl. ~**iet**) the kissing repeatedly
tibxir n.m. f. ~**a** (pl. ~**iet**) annunciation, news
tibxix n.m. f. ~**a** (pl. ~**iet**) aspersion, sprinkling
tibżil n.m. f. ~**a** (pl. ~**iet**) activity, promptitude
tibżiq n.m. f. ~**a** (pl. ~**iet**) spitting
tibżir ara **tbażżir**
tiċħid n.m. f. ~**a** (pl. ~**iet**) depriving, privation
tiċkin n.m. f. ~**a** (pl. ~**iet**) dimunition
tiċliq n.m. f. ~**a** (pl. ~**iet**) besmearing, staining
tiċpis n.m. ~**a** (pl. ~**iet**) daubing
tiċrit n.m. f. ~**a** (pl. ~**iet**) laceration, tearing
tidbir n.m. f. ~**a** (pl. ~**iet**) ulceration; (traqqim) patching, mending; (kommixin) commision; (kapparra) earnest money
tiddin n.m. f. ~**a** (pl. ~**iet**) crock-crowing
tidfis n.m. f. ~**a** (pl. ~**iet**) thrusting or driving in
tidhib n.m. f. ~**a** (pl. ~**iet**) gilding
tidħil n.m. f. ~**a** (pl. ~**iet**) introduction, intrusion
tidħin n.m. f. ~**a** (pl. ~**iet**) fumigation, fuming, exhaltation
tidħis n.m. f. ~**a** (pl. ~**iet**) obreption
tidjin n.m. f. ~**a** (pl. ~**iet**) credit
tidjiq n.m. f. ~**a** (pl. ~**iet**) restriction; (dwejjaq) annoyance, weariness, vexation
tidkir n.m. f. ~**a** (pl. ~**iet**) caprification
tidlik n.m. f. ~**a** (pl. ~**iet**) anointing, unction; (tiċpis) viscosity, clamminess
tidlil n.m. f. ~**a** (pl. ~**iet**) umbrage, shade
tidlim n.m. f. ~**a** (pl. ~**iet**) obscurity, gloom, darkness
tidmigħ n.m. f. ~**a** (pl. ~**iet**) lachrymation
tidmil n.m. f. ~**a** (pl. ~**iet**) manuring
tidmim n.m. f. ~**a** (pl. ~**iet**) collection, gathering; (ta' lazzijiet) stringing; (tat-tajjar) separation of cotton from the pod; (tad-demm) imbruing with blood
tidnij|a n.m. f. ~**a** (pl. ~**iet**) pus, purulent, matter
tidnis n.m. f. ~**a** (pl. ~**iet**) filthiness, contamination
tidqis n.m. f. ~**a** (pl. ~**iet**) proportion, symmetry
tidrij|a n.f. (pl. ~**iet**) habit, custom; (tifrix) dispersing, scattering; (tax-xgħir) winnowing
tidris n.m. f. ~**a** (pl. ~**iet**) irritation, exasperation; ~ **tas-snien** adging of one's teeth
tidwib n.m. f. ~**a** (pl. ~**iet**) liquefaction, melting, dissolving
tidwid n.m. f. ~**a** (pl. ~**iet**) vermination
tidwij|a n.f. (pl. ~**iet**) medication, treatment
tidwil n.m. f. ~**a** (pl. ~**iet**) illumination
tidwim n.m. f. ~**a** (pl. ~**iet**) perpetuity, eterbal duration
tidwiq n.m. f. ~**a** (pl. ~**iet**) tasting, relishing
tidwir n.m. f. ~**a** (pl. ~**iet**) turn, whirl, a going around; ~ **minn xi ħsieb** dissuasion
tidwir|a n. f. ~**a** (pl. ~**iet**) volution
tidxix n.m. f. ~**a** (pl. ~**iet**) devouring, gluttony; (tħin) grinding coarsely

tieġ n.m. (pl. **tiġien, tiġijiet**) nuptials, wedding, marriage
tiegħeb v. to interrupt, to divert
tiegħem v. to taste with, to savour; (ikkunsidra) to reflect upon, to consider
tiegħi pron. pos. my, mine
tiegħu pron. pos. his; ~ **f'**~ all by himself; **fuq** ~ naughty; (ħaddiem) laborious; **ġie f'**~ he recovered one's senses; **għaddiet** ~ things were done his way; **ilha ġejja** ~ it was going to happen anyway; **mhux f'**~ he is ill; **waslet** ~ he had to pay for what he had done; **l-aħjar** ~ in his bloom; **kulħadd għandu** ~ everyone has his defects; **għamlu** ~ he made it his own; **kulħadd qal** ~ everyone had his say; **magħmula** ~ he encountered a misfortune
tiela' going up; **bit-**~ **u bin-nieżel** without much fervour
tieni n.m. (pl. **twieni**) ram
tieq ara **taq**
tieqa n.f. (pl. **twieqi**) window; **ħoġor it-**~ sill, window-sill
tieri aġġ. tender, soft
tiewi aġġ. fainting
tifdid n.m. f. ~**a** (pl. ~**iet**) covering with silver
tifdil n.m. f. ~**a** (pl. ~**iet**) savings
tifel n.m. (pl. **tfal**) boy, child; ~ **tajjeb/sew** a nice man; **stmah ta'** ~ he did not care for him; **tfal**: **għamel bħat-**~ he acted in an immature way; **kien għadu** ~ he was still very young
tifħir n.m. f. ~**a** (pl. ~**iet**) commendation, encomium
tifi n.m. f. **tifja** (pl. **tifjiet**) extinction
tifjiq n.m. f. ~**a** (pl. ~**iet**) cure, recovery
tifkik n.m. f. ~**a** (pl. ~**iet**) luxation, dislocation
tifkir n.m. f. ~**a** (pl. ~**iet**) reminiscence, remembrance; **tifkir|a** n.f. (pl. ~**iet**) souvenir,
tifla n.f. (pl. **tfal**) girl; **it-**~ **tal-kappillan** a red-haired girl
tifliġ n.m. f. ~**a** (pl. ~**iet**) paralysation
tiflil n.m. f. ~**a** (pl. ~**iet**) chop, slit, fissure
tiflis n.m. f. ~**a** (pl. ~**iet**) coinage, mintage; (files, kavilja) wedge; (ftuħ) budding, sprouting
tifojde n.f. (pl. ~**jiet**) typhoid
tifqigħ n.m. f. ~**a** (pl. ~**iet**) explosion, crack
tifqir n.m. f. ~**a** (pl. ~**iet**) impoverishing
tifqigħa n.f. (pl. ~**t**) burst, crack
tifqis n.m. f. ~**a** (pl. ~**iet**) hatching; (ta' tumuri) generation of tumours
tifrid n.m. f. ~**a** separation, parting
tifriġ n.m. f. ~**a** recreation, solace
tifrigħ n.m. f. ~**a** ramification; (evakwazzjoni) evacuation
tifrik n.m. f. ~**a** (pl. ~**iet**) act of breaking into pieces, grinding
tifriq n.m. f. ~**a** (pl. ~**iet**) partition, distribution
tifsil n.m. f. ~**a** (pl. ~**iet**) cutting; **tifsila**: ~ **oħra** a different character
tifsir n.m. f. ~**a** (pl. ~**iet**) explanation
tiftiħ n.m. f. ~**a** (pl. ~**iet**) enlarging, dilating
tiftil n.m. f. ~**a** (pl. ~**iet**) rubbing
tiftir v. dinner; (tagħfiġ) squashing
tiftit n.m. f. ~**a** (pl. ~**iet**) slicing
tiftix n.m. f. ~**a** (pl. ~**iet**) search, research
tifu n.m. (bla pl.) typhus
tifun n.m. (pl. ~**i**) typhoon
tifwiġ n.m. f. ~**a** (pl. ~**iet**) ventilation; (żiffa friska) fresh breeze
tifwiħ n.m. f. ~**a** (pl. ~**iet**) perfume, scent
tifwiq n.m. f. ~**a** (pl. ~**iet**) belch, belching
tifwir n.m. f. ~**a** (pl. ~**iet**) slight boiling; (evaporazzjoni) volatalization, evaporation
tifxil n.m. f. ~**a** (pl. ~**iet**) haste, spees, expedition; (konfużjoni) confusion, disorder
tiġbid n.m. f. ~**a** (pl. ~**iet**) stretching, pulling; (tax-xiri) haggling
tiġbis n.m. f. ~**a** (pl. ~**iet**) plastering, chalking
tiġdid n.m. f. ~**a** (pl. ~**iet**) renovation, renewing
tiġdim n.m. f. ~**a** (pl. ~**iet**) leprosy
tiġdir n.m. f. ~**a** (pl. ~**iet**) poch marks
tiġgħid n.m. f. ~**a** (pl. ~**iet**) curling, crisping
tiġgħil n.m. f. ~**a** (pl. ~**iet**) constraint, force, order
tiġieġ n.m.koll. f. ~**a** (pl. ~**iet**) hen; **it-**~ **refa'** the hens laid no eggs; **dak bħat-**~ he sleeps early; **tiġieġa**; ~ **tal-baħar** coot; ~ **tal-baħar tat-toppu** crested coot
tiġjif n.m. f. ~**a** (pl. ~**iet**) cowardice
tiġmid n.m. f. ~**a** (pl. ~**iet**) coagulation; (tal-faħam) blackness of coal or soot
tiġmigħ n.m. f. ~**a** (pl. ~**iet**) gathering
tiġmil n.m. f. ~**a** (pl. ~**iet**) embellishment, ornament
tiġnib n.m. f. ~**a** (pl. ~**iet**) the placing sideways
tiġnis n.m. f. ~**a** (pl. ~**iet**) contamination, profanation
tiġnit n.m. f. ~**a** (pl. ~**iet**) patching up
tiġrib n.m. f. ~**a** (pl. ~**iet**) experience, happenings
tiġrif n.m. f. ~**a** (pl. ~**iet**) casting down, demolition; (rdum) precipice; **tiġrif|a** n.f. fall, falling
tiġrigħ n.m. f. ~**a** (pl. ~**iet**) swallowing, deglutition; (sofferenza) sufferance
tiġriħ n.m. f. ~**a** (pl. ~**iet**) the act of wounding or ulceration
tiġrij|a n.f. (pl. ~**iet**) race; ~**a tad-dgħajjes** regatta
tiġsim n.m. f. ~**a** (pl. ~**iet**) the making copulent; (inkarnazzjoni) incarnation

tiġwiż n.m. f. ~**a** (pl. ~**iet**) parsimony, thriftness
tigdim n.m. f. ~**a** (pl. ~**iet**) biting
tigdis n.m. f. ~**a** (pl. ~**iet**) heaping or piling up
tigr|a n.f. (pl. ~**i**) tiger
tigrim n.m. f. ~**a** (pl. ~**iet**) gnawing
tigrix n.m. f. ~**a** (pl. ~**iet**) putting to flight
tihdij|a n.f. (pl. ~**iet**) cessation
tihjib n.m. f. ~**a** (pl. ~**iet**) menacing or intimidating by butting
tihrij|a n.f. (pl. ~**iet**) corruption, putrefaction
tikbib n.m. f. ~**a** (pl. ~**iet**) making into a coil
tikbir ara **takbir**
tikbis n.m. f. ~**a** (pl. ~**iet**) burning or setting on fire
tikbix n.m. f. ~**a** (pl. ~**iet**) cheat, delusion
tikħil n.m. f. ~**a** (pl. ~**iet**) plastering with mortar or clay
tikjil n.m. f. ~**a** (pl. ~**iet**) measurement, mensuration
tikka n.f. (pl. **tikek**) dot
tikkett|a n.f. (pl. ~**i**) label; **bit-~a miegħu** they are on bad terms
tiklil n.m. f. ~**a** (pl. ~**iet**) coronation
tikmix n.m. f. ~**a** (pl. ~**iet**) ruck, crease; (tal-ġilda) wrinkling
tikrih n.m. f. ~**a** (pl. ~**iet**) making ugly; (kruha) ugliness
tiksib n.m. f. ~**a** (pl. ~**iet**) acquisition, obtaining for
tiksiħ n.m. f. ~**a** (pl. ~**iet**) cooling
tiksir n.m. f. ~**a** (pl. ~**iet**) breaking, fracture; (debbolizza) weakness, fatigue
tiktif n.m. f. ~**a** (pl. ~**iet**) shrugging up of one's shoulders; (rebħ fil-logħob) the winning at play; (tkattir) multiplication, augmentation
tikwis n.m. f. ~**a** (pl. ~**iet**) decanting
tikxif n.m. f. ~**a** (pl. ~**iet**) uncovering or lying bare; (spijar) spying; (li juri) revealing
til|a n.f. (pl. ~**i**) canvas
tilar n.m. (pl. ~**i**) frame
tilef v. to lose; ~ **il-ġieħ** to dishonour; ~ **il-għaqal** to dote; ~ **it-triq** to lose one's way; ~ **moħħu (rasu)/beda jitlef** to grow mad; ~ **ruħu** to damn os.; **m'għandux x'jitlef** he has nothing to lose
tilġim n.m. f. ~**a** (pl. ~**iet**) curbing, check
tilgħib n.m. f. ~**a** (pl. ~**iet**) foam, froth, slaver
tilgħin n.m. f. ~**a** (pl. ~**iet**) execration
tilgħiq n.m. f. ~**a** (pl. ~**iet**) licking, lapping
tilħim n.m. f. ~**a** (pl. ~**iet**) fattening, fleshness
tilħiq n.m. f. ~**a** (pl. ~**iet**) approaching
tilkim n.m. f. ~**a** (pl. ~**iet**) giving of blows; (twaddib ftit ftit) throwing a little at a time
tillier|a n.f. (pl. **tilliriet**) flea-bane
tilqigħ n.m. f. ~**a** (pl. ~**iet**) recounter, meeting; (konfrontar) collation, confronting
tilqim n.m. f. ~**a** (pl. ~**iet**) an infrafting, vaccination, inoculation (ta' laqam) nicknaming; **tilqim|a** n.f. (pl. ~**iet**) graft
tilqit n.m. f. ~**a** (pl. ~**iet**) gleanings
tilwiħ n.m. f. ~**a** (pl. ~**iet**) the shovelling of corn
tilwim n.m. f. ~**a** (pl. ~**iet**) reproving, reproaching
tilwin n.m. f. ~**a** (pl. ~**iet**) colouring
tilżim n.m. f. ~**a** (pl. ~**iet**) constancy, steadiness
tim n.m. (pl. ~**ijiet**) team
timbratur|a n.f. (pl. ~**i**) stamping, postmarking
timbr|u n.m. (pl. ~**i**) stamp
timħit n.m. f. ~**a** (pl. ~**iet**) blowing one's nose (often)
timidament avv. timidly
timidezz|a n.f. (pl. ~**i**) timidity
timidu aġġ. timid
timjil n.m. f. ~**a** (pl. ~**iet**) inclining, bending or leaning downwards
timliħ n.m. f. ~**a** (pl. ~**iet**) salting
timlis n.m. f. ~**a** (pl. ~**iet**) smoothing, sleeking; (karezza) caress, caressing; (immansar) to act of taming, meekness
timnigħ n.m. f. ~**a** (pl. ~**iet**) prohibition, forbidding
timpan|u n.m. (pl. ~**i**) kettle-drum
timpanist n.m. (pl. ~**i**) timpanist, kettle-drummer
timpanite n.f. (bla pl.) tympanitis
timplor n.m. (pl. ~**i**) bodkin, awl
timqit n.m. f. ~**a** (pl. ~**iet**) exasperation
timriħ n.m. f. ~**a** (pl. ~**iet**) exultation, delight
timrik n.m. f. ~**a** (pl. ~**iet**) cicatrization
timriq n.m. f. ~**a** (pl. ~**iet**) juiceness
timrir n.m. f. ~**a** (pl. ~**iet**) bitterness, embittering; **bit-~** bitterly
timwiġ n.m. f. ~**a** (pl. ~**iet**) fluctuation, undulation
tin n.m.koll. f. ~**a** (pl. ~**iet**) (fig.) ~ **taċ-ċappa** a cheap/common thing
tinbir n.m. f. ~**a** (pl. ~**iet**) exposing, situating or putting in sight
tinbix n.m. f. ~**a** (pl. ~**iet**) incitement, irritation
tinda n.f. (pl. **tined**) tent
tindif n.m. f. ~**a** (pl. ~**iet**) cleaning, polishing
tines v. to groan, to moan; (newwaħ) to whine
tinfiħ n.m. f. ~**a** (pl. ~**iet**) tumefaction
tinfis n.m. f. ~**a** (pl. ~**iet**) breathing, respiring
tinfix n.m. f. ~**a** (pl. ~**iet**) enlarging, extending
tinġir n.m. f. ~**a** (pl. ~**iet**) the cutting stones
tingiż n.m. f.f. ~**a** (pl. ~**iet**) pricking
tingħil n.m. ff. ~**a** (pl. ~**iet**) horse-shoeing
tingħis n.m. ff. ~**a** (pl. ~**iet**) slumbering, dozing
tinkit n.m. f. ~**a** (pl. ~**iet**) punctuation

tinqir n.m. f. ~**a** (pl. ~**iet**) pecking
tinqis n.m. f. ~**a** (pl. ~**iet**) abatement, diminution
tinqix n.m. f. ~**a** (pl. ~**iet**) craving, graving
tinsib n.m. f. ~**a** (pl. ~**iet**) placing, putting; (tax-xbiek tal-għasafar) the spreading of nets to catch birds; (sejba, invenzjoni) invention, finding
tinsil n.m. f. ~**a** (pl. ~**iet**) generation
tinwib n.m. f. ~**a** (pl. ~**iet**) alternation; **bit-~** alternately
tinwiħ n.m. f. ~**a** (pl. ~**iet**) groaning, wail
tinwil n.m. f. ~**a** (pl. ~**iet**) handing
tinwir n.m. f. ~**a** (pl. ~**iet**) fructification; (fjoritura) blossoming, blooming; (immoffar) mustiness, mouldiness
tinżigħ n.m. f. ~**a** (pl. ~**iet**) stripping, putting off
tinżlor n.m. (pl. ~**i**) reef
tip|a n.f. (pl. ~**i**) type
tipikament avv. typically
tipiku aġġ. typical
tipjip n.m. f. ~**a** (pl. ~**iet**) smoking
tipografij|a n.f. (pl. ~**i**) typography, printing press
tipografikament avv. typographically
tipografiku aġġ. typographic(al)
tipograf|u n.m. (pl. ~**i**) printer
tipoloġij|a n.f. (pl. ~**i**) typology
tipoloġiku aġġ. typological
tipp n.m. (pl. ~**ijiet**) tip
tipriċ n.m. f. ~**a** (pl. ~**iet**) airing
tir n.m. (pl. ~**i**) shot; (ħsieb) intent, purpose; **it-~ ta' moħħu** his goal
tira n.f. (bla pl.) moistness of the soil
tirabux|ù n.m. (pl. ~**ijiet**) cork-screw
tirann n.m. (pl. ~**i**) tyrant, despot
tiranniċid|a n.m. (pl. ~**i**) tyrannicide
tiranniċidj|u n.m. (pl. ~**i**) tyrannicide
tirannij|a n.f. (pl. ~**i**) tyrannicide
tirannosawr|u n.m. (pl. ~**i**) tyrannosaur(us); ~**u rex** tyrannosaurus-rex
tiratur|a n.f. (pl. ~**i**) printing
tirbit n.m. f. ~**a** (pl. ~**iet**) binding, tying
tird|a n.f. (pl. ~**iet**) green wrasse
tirdigħ n.m. f. ~**a** (pl. ~**iet**) sucking
tirdim n.m. f. ~**a** (pl. ~**iet**) internment
tirfid n.m. f. ~**a** (pl. ~**iet**) supporting
tirġigħ n.m. f. ~**a** (pl. ~**iet**) returning or coming back; (ripetizzjoni) reiteration, repetition
tirgħix n.m. f. ~**a** (pl. ~**iet**) blushing, blush
tirħim n.m. f. ~**a** (pl. ~**iet**) imploring of mercy or clemency
tirħis n.m. f. ~**a** (pl. ~**iet**) pollulation, springing up; (tnaqqis fil-prezz) lowering in price
tirjaka n.f. (bla pl.) treacle, theriac
tiroċinj|u n.m. (pl. ~**i**) apprenticeship, tirrocinium
tirojd|e n.f. (pl. ~**i**) thyroid
tirqid n.m. f. ~**a** (pl. ~**iet**) making the sleep
tirqigħ n.m. f. ~**a** (pl. ~**iet**) mending, patching
tirqim n.m. f. ~**a** (pl. ~**iet**) embellishment
tirqiq n.m. f. ~**a** (pl. ~**iet**) thinning, render slender
tirsis n.m. f. ~**a** (pl. ~**iet**) compression, pressing
tirtib n.m. f. ~**a** (pl. ~**iet**) mollifying, softening
tirwiħ n.m. f. ~**a** (pl. ~**iet**) producing of wind
tirxix n.m. f. ~**a** (pl. ~**iet**) springling, aspersion
tirżiħ n.m. f. ~**a** (pl. ~**iet**) numbness
tirżin n.m. f. ~**a** (pl. ~**iet**) restraint, humiliation, submission
tisbiħ n.m. f. ~**a** (pl. ~**iet**) embellishment, ornament
tisbil n.m. f. ~**a** (pl. ~**iet**) getting in ear, the earing
tisbir n.m. f. ~**a** (pl. ~**iet**) sufferance; (konsolazzjoni) consolation, comfort
tisdid n.m. f. ~**a** (pl. ~**iet**) stopping
tisdiq n.m. f. ~**a** (pl. ~**iet**) making right
tisfif n.m. f. ~**a** (pl. ~**iet**) stratification
tisfij|a n.f. (pl. ~**iet**) cleaning up; (filtrazzjoni) filtration; (purifikazzjoni) purification
tisfil n.m. f. ~**a** (pl. ~**iet**) abasement
tisfiq n.m. f. ~**a** (pl. ~**iet**) thickness, density; (il-wiċċ) impudence, sauciness; **bit-~** audaciously, impudently, boldly
tisfir n.m. f. ~**a** (pl. ~**iet**) whistling
tisħib n.m. f. ~**a** (pl. ~**iet**) association, society
tisħiħ n.m. f. ~**a** (pl. ~**iet**) curing, cure; (iktar saħħa) strengthening; (materjalizzazzjoni) materialization
tisħiq n.m. f. ~**a** (pl. ~**iet**) pounding
tisħin n.m. f. ~**a** (pl. ~**iet**) warming, heating
tisħir n.m. f. ~**a** (pl. ~**iet**)) witchcraft, sorcery
tisjir n.m. f. ~**a** (pl. ~**iet**) cooking
tisjis n.m. f. ~**a** (pl. ~**iet**) foundation
tiskir n.m. f. ~**a** (pl. ~**iet**) (bix-xorb) drunkness, inebriation
tislib n.m. f. ~**a** (pl. ~**iet**) intersection; (ma' salib) crucifixion
tisliħ n.m. f. ~**a** (pl. ~**iet**) looseness, flux
tislij|a n.f. (pl. ~**iet**) salutation, greeting
tislim n.m. f. ~**a** (pl. ~**iet**) salute, salutation; ~ (bix-xorb) toast
tislit n.m. f. ~**a** (pl. ~**iet**) unravelling, unweaving
tismij|a n.f. (pl. ~**iet**) nomination; (nomenklatura) nomenclature
tismim n.m. f. ~**a** (pl. ~**iet**) hardness (avvelenament) empoisonment
tismir n.m. f. ~**a** (pl. ~**iet**) nailing, tackling
tisnin n.m. f. ~**a** (pl. ~**iet**) whetting, wet
tisqif n.m. f. ~**a** (pl. ~**iet**) roofing
tisqij|a n.f. (pl. ~**iet**) irrigation, watering
tisrif n.m. f. ~**a** (pl. ~**iet**) exchange

tisrip n.m. f. **~a** (pl. **~iet**) meander
tiswib n.m. f. **~a** (pl. **~iet**) pouring
tiswid n.m. f. **~a** (pl. **~iet**) blacking, blackness
tiswif n.m. f. **~a** (pl. **~iet**) the covering with wool
tiswij|a n.f. (pl. **~iet**) restoring; (paċi) reconcilitation; (korrezzjoni) correction
tiswir|a n.f. (pl. **~iet**) image, picture
tiswis n.m. f. **~a** (pl. **~iet**) worm-eating; (instigament) instigation
titbigħ n.m. f. **~a** (pl. **~iet**) maculation
titbiq n.m. f. **~a** (pl. **~iet**) bipartion, bisection
titgħib n.m. f. **~a** (pl. **~iet**) interruption, diversion
titħir n.m. f. **~a** (pl. **~iet**) circumcision
titħit n.m. f. **~a** (pl. **~iet**) abasement, humiliation
titjib n.m. f. **~a** (pl. **~iet**) the making good
titjir n.m. f. **~a** (pl. **~iet**) flying, flutter; ~ **tat-tajn** splash of mud; ~ **tax-xrar** sparkling
titligħ n.m. f. **~a** (pl. **~iet**) raising; (fermentazzjoni) fermentation; (tas-snien) dentition
titlit n.m. f. **~a** (pl. **~iet**) triplicity, trebleness
titl|u n.m. (pl. **~i**) title
titnij|a n.f. (pl. **~iet**) repetition, duplication
titqib n.m. f. **~a** (pl. **~iet**) piercing
titqil n.m. f. **~a** (pl. **~iet**) gravation
titrid n.m. f. **~a** (pl. **~iet**) vicissitude
titrif n.m. f. **~a** (pl. **~iet**) relegation, banishment
titrij|a n.f. (pl. **~iet**) softening
titrix n.m. f. **~a** (pl. **~iet**) deafness
titriż n.m. f. **~a** (pl. **~iet**) the striping or streaking any stuff
titular aġġ., n.m. (pl. **~i**) titular
titwib n.m. f. **~a** (pl. **~iet**) yawning, gaping
titwil n.m. f. **~a** (pl. **~iet**) prolongation, lengthening; (ħarsa 'l barra) looking out of
tiw|i n.m. (pl. **~ijiet**) folding, doubling
tixbih n.m. f. **~a** (pl. **~iet**) comparison, resemblance; **tixbiha**: n.f. (pl. **~t**) similitude; (parabbola) parable
tixbit n.m. f. **~a** climbing
Tixert (pl. **~s**) T-shirt
tixgħil n.m. f. **~a** (pl. **~iet**) lighting, kindling
tixħim n.m. f. **~a** (pl. **~iet**) bribery
tixjin n.m. f. **~a** (pl. **~iet**) annihilation
tixjir n.m. f. **~a** (pl. **~iet**) swinging, leaning; (vertiġni) vertigo, dizziness
tixkil n.m. f. **~a** (pl. **~iet**) impediment, obstacle
tixlif|a n.f. (pl. **~iet**) notch; (ma baqax jaqta') blunting
tixlij|a n.f. (pl. **~iet**) reporting, accusation
tixlil n.m. f. **~a** (pl. **~iet**) blasting
tixmim n.m. f. **~a** (pl. **~iet**) smelling
tixmir n.m. f. **~a** (pl. **~iet**) tucking up
tixmix n.m. f. **~a** (pl. **~iet**) exposition to the sun
tixrib n.m. f. **~a** (pl. **~iet**) wetting
tixrid n.m. f. **~a** (pl. **~iet**) spilling, scattering, dispersing; (ta' sigriet, eċċ.) divulging
tixrif n.m. f. **~a** (pl. **~iet**) looking out
tixriħ n.m. f. **~a** (pl. **~iet**) anatomy
tixrik n.m. f. **~a** (pl. **~iet**) association, partnership, company
tixtib n.m. f. **~a** (pl. **~iet**) harrowing, dragging
tixlil n.m. f. **~a** (pl. **~iet**) renewing; (ta' pjanti, eċċ.) replanting
tixtir n.m. f. **~a** (pl. **~iet**) unequality, disparity
tixwil n.m. f. **~a** (pl. **~iet**) ramble, wandering, vagrancy
tixwit n.m. f. **~a** (pl.n**~iet**) burning, scalding; (eritema) erythema
tixwix n.m. f. **~a** (pl. **~iet**) incitation, incitement
tiżdim n.m. f. **~a** (pl. **~iet**) coryza
tiżfit n.m. (bla pl.) pitching
tiżhir n.m. f. **~a** (pl. **~iet**) florescence, flowering, bloom
tiżi n.m. (pl. **~jiet**) phtisis
tiżiku aġġ. phtisical
tiżjid n.m. f. **~a** (pl. **~iet**) increase, addition
tiżjin n.m. f. **~a** (pl. **~iet**) ornament, decoration
tiżliġ n.m. f. **~a** (pl. **~iet**) burnish, polishing
tiżmim n.m. f. **~a** (pl. **~iet**) arrest, holding, catching
tiżmir n.m. f. **~a** (pl. **~iet**) playing the fife
tiżwiġ n.m. f. **~a** (pl. **~iet**) proportionment, equalling; (akkoppjar) coupling, pairing
tiżwil n.m. f. **~a** (pl. **~iet**) the act of sending far away; (eżilju) banishment, exilement
tiżwiq n.m. f. **~a** (pl. **~iet**) variegation
tizpip n.m. f. **~a** (pl. **~iet**) limping
tjar|a n.f. (pl. **~i**) tiara, triple-crown
tjassar v. to become a slave
tjassir n.m. f. **~a** (pl. **~iet**) captivity, slavery
tjieb v. to become very good
tjieba n.f. (bla pl.) goodness
tjubija ara **tjieba**
tkabbar v. to grow pround/haughty/vain
tkabbaz v. to muffle
tkabbir n.m. f. **~a** (pl. **~iet**) ostentation, pride, haughtiness
tkabras v. to tumble (down); to overturn
tkabris n.m. f. **~a** (pl. **~iet**) tumble
tkagħweġ v. to crawl, to crankle
tkagħwex ara **tkagħweġ**
tkaħħal v. to be plastered
tkarkar v. to drag os., to wriggle, to crawl
tkarkir n.m. f. **~a** (pl. **~iet**) dragging
tkarmas v. to wither away, to become viscid/arid
tkarmis n.m. f. **~a** (pl. **~iet**) the blasting of fruit

tkarrab v. to sigh, to groan
tkarwat v. to be grounded coarsely
tkarwit n.m. f. ~**a** (pl. ~**iet**) rumbling; (meċlaq bis-saħħa) grinding coarsely
tkasbar v. to moil, to foul os.
tkattar v. to increase
tkattir n.m. (bla pl.) multiplication
tkaxkar v. to be dragged; (mal-art, eċċ.) to crawl, to creep
tkaxkir n.m. f. ~**a** (pl. ~**iet**) dragging
tkebbeb v. to enwind, to wrap os. up
tkeċċa v. to be turned out/sent away
tkeċċij|a n.f. (pl. ~**iet**) expelling, expulsion
tkeffer v. to grow cruel
tkejjel v. to be measured
tkejjet v. to be idle
tkellel v. to be crowned
tkellem v. to speak, to talk; **il-ħaġa ti~ weħidha** it is obvious
tkemmex v. to wrinkle
tkennen v. to hive, to take shelter, to find refuge
tkerrah v. to grow ugly; (għawweġ ħalqu, eċċ.) to make a wry face or mouth
tkeskis n.m. f. ~**a** (pl. ~**iet**) disorder, confusion
tkessaħ v. to grow cold; (iffanfar) to spoon
tkewkib n.m. f. ~**a** (pl. ~**iet**) adorning with stars
tkewtil n.m. f. ~**a** (pl. ~**iet**) the making vain or insufficient excuses
tkexkex v. to tremble, to shudder, to shiver
tkexkix n.m. f. ~**a** (pl. ~**iet**) fear, awe, fright; ~ **tal-bard** chilliness, to feel sick
tkisser v. to be broken into pieces; (għeja) to get tired; ~ **f'xi ħaġa** he really studied/practiced sth.
tkittef v. to shrug up one's shoulders; (tilef f'logħba) to be conquered in a game
tkixxef v. to spy, to observe/watch clandestinely
tkompla v. to be continued
tlablib n.m. f. ~**a** (pl. ~**iet**) loquacity
tlaħħam v. to grow fat
tlaħlaħ v. to joggle; (bl-ilma) to rinse os.
tlaħliħ n.m. f. ~**a** (pl. ~**iet**) rinsing
tlajja v. to delay, to lop
tlaqliq n.m. f. ~**a** (pl. ~**iet**) croacking
tlaqqam v. to be vaccinated; (b'laqam) to be nicknamed; (ġie mlaqqam) to be grafted, to be inoculated
tlaqqix n.m. f. ~**a** (pl. ~**iet**) the act of making chips
tlebleb v. to covet, to wish eagerly; (bir-riħ) to shake about
tleblib n.m. f. ~**a** (pl. ~**iet**) ardour, eagerness; (tferfir) fluttering
tleflef v. to be eaten up greedily
tleflif n.m. f. ~**a** (pl. ~**iet**) devouring, greediness
tleglig n.m. f. ~**a** (pl. ~**iet**) drinking, quaffing
tlellex v. to adorn or embellish os.
tlellix n.m. f. ~**a** (pl. ~**iet**) embellishment, ornament
tletin n.m. num. kard. (pl. ~**ijiet**) thirty
tlettax n.m. num. kard. thirteen
tlewwem v. to reprove each other
tlewwen v. to be coloured
tlewwet v. to get bespattered with mud
tlibbes v. to be dressed, clothed
tliġġem v. to repress or restrain os.
tliegħeb v. to play often; (lagħaq ix-xemx għaddejja) to dally
tliegħeq v. to lick here and there
tliet|a n.f. num. kard. (pl. **tlitiet**) num. three; **fuq ~a toqgħod il-borma** the third goes on well with the first two
tligħ n.m. (bla pl.) ascending, ascension; (fermentazzjoni) fermentation, leaven
tliq n.m. (bla pl.) abandoning, forsaking, leaving
tlittax ara **tlettax**
tlubi aġġ. requireable, demandable
tlugħ n.m. (bla pl.) ascent, ascension; ~ **ix-xemx** sun rising
tlugħi aġġ. steep, uphill
tmannas v. to grow mild or meak
tmannis n.m. f. ~**a** (pl. ~**iet**) taming; **bit-~** tamely
tmaqdir n.m. f. ~**a** (pl. ~**iet**) despising; **bit-~** contemptuously
tmaqqat v. to grow severe
tmarrad v. to become ill, to feel ill
tmartil n.m. (bla pl.) hammering
tmasħan v. to get angry, to fume
tmasħar v. to deride, to mock, to laugh at
tmasħir n.m. f. ~**a** (pl. ~**iet**) derision, mocking
tmatal v. to delay, to retard
tmatil n.m. f. ~**a** (pl. ~**iet**) retardation, delay
tmattar v. the stretching os.
tmattir n.m. f. ~**a** (pl. ~**iet**) the stretching os.
tmeċliq n.m. f. ~**a** (pl. ~**iet**) the smacking of one's lips in eating
tmedd v. to lie down
tmegħik n.m. f. ~**a** (pl. ~**iet**) rolling over
tmegħir n.m. f. ~**a** (pl. ~**iet**) vituperation
tmehil n.m. f. ~**a** (pl. ~**iet**) retardation
tmejjel v. to lean on one side, to incline
tmellaħ v. to be salted; ~ **bih** he made fun of him; **bagħtu ji~** he sent him to the gallows
tmenin n.m. num. kard. (pl. ~**ijiet**) eighty
tmenzil n.m. f. ~**a** (pl. ~**iet**) heaping
tmerij|a n.f. (pl. ~**iet**) contradiction, gainsaying
tmermer v. to moulder, to be corrupted
tmermir n.m. f. ~**a** (pl. ~**iet**) corruption

tmerżiq n.m. f. ~**a** (pl. ~**iet**) irradiation
tmess v. to be touched
tmewwet v. to languish
tmexmex v. to be picked
tmexmix n.m. f. ~**a** (pl. ~**iet**) picking
tmexxa v. to be conducted, to be led
tmexxij|a n.f. (pl. ~**iet**) conduct; (maniġment) management
tmeżmeż v. to loathe
tmeżmiż n.m. f. ~**a** (pl. ~**iet**) loathing
tmiegħek v. to wallow
tmiegħex v. to gain, to profit, to get lucre
tmiegħeż v. to amuse os., to toy/trifle (with)
tmiehel v. to retard, to stay, to loiter; (irrifletta) to reflect, to mediate
tmiem n.m. (bla pl.) end, termination
tmienja n.f. num. kard. eight
tmiera v. to contradict each other
tmieraħ v. to romp, to frisk
tmigħ n.m. (bla pl.) nourishment, food
tmintax n.m. num. kard. eighteen
tmun n.m. (pl. ~**ijiet**) helm, rudder; (gwida) guide; **ħa t~** (f'idejh) he took the lead
tmunier n.m. (pl. ~**a**) steersman, helmsman
tnaddaf v. to become clean
tnaffar ara **nafar**
tnagħnigħ n.m. f. ~**a** (pl. ~**iet**) the speaking through one's nose
tnalj|a n.f. (pl. ~**i**) pincers, pliers
tnaqqa v. to be cleansed
tnaqqar v. to be pecked
tnaqqas v. to grow less
tnaqqax v. to be engraved
tnassar v. to turn or become christian
tnassas v. to be machinated // n.m. f. ~**a** (pl. ~**iet**) to be machinated
tnassis n.m. f. ~**a** (pl. ~**iet**) machination, plot
tnawwar v. to blossom, to bloom; (immoffa) to grow musty or mouldy
tnax n.m. num. kard. twelve; **daqq ~ għalija** I feel that I'm going to die
tnażża' v. to undress (oneself), to strip os.
tnebbiħ n.m. f. ~**a** (pl. ~**iet**) inspiration; (viġilanza) vigilance
tnedij|a n.f. (pl. ~**iet**) publication, promulgation
tnegħil ara **tingħil**
tnehid n.m. f. ~**a** (pl. ~**iet**) sighing, sigh
tneħħa v. to be taken away; (ġie abolit) to be abolished/annulled
tnejn n.m. num. kard. (pl. ~**ijiet**) two; **it-~** both; **milwi** ~ bent, not straight
tnejni aġġ. binary, two, double
tnell n.m. (pl. ~**ijiet**) washing-tub
tnemmel v. to be crowned (with); (bin-nemel) to grow full of ants
tnemmil n.m. f. ~**a** (pl. ~**iet**) swarm
tnessa v. to be forgotten
tnewweb v. to act by turns
tnewwel v. to be presented/offered/reached
tnewwiħ ara **tinwiħ**
tneżżigħ ara **tinżigħ**
tnidda v. to moisten, to become moist
tniddij|a n.f. (pl. ~**iet**) moistening
tnieda v. to be published
tniegħa v. to groan
tniegħes v. to nap, to doze; (nefaħ) to sigh, to wail
tniffes v. to breathe; **ma tniffisx** he did not move, he stayed put
tniffex v. to dilate, to expand
tniġġes v. to be contaminated
tniġġis n.m. f. ~**a** (pl. ~**iet**) contamination, profanation
tniggeż v. to be goaded, to be prickled
tnikker v. to work slowly and carelessly
tnikket v. to be spotted; (bid-dwejjaq) to grow sorrowful/dull
tnikkir n.m. f. ~**a** (pl. ~**iet**) the act of working slowly and carelessly
tnissel v. to draw origin, to proceed from
tnissil n.m. f. ~**a** (pl. ~**iet**) origin
tnittef v. to strip off hair or feathers
tnitten v. to grow stinking/fetid
tnixxef v. to become arid, dry; (ġie rqajjaq) to become thin/emaciated
tniżżel v. to be descended; (ġie rreġistrat) to be registered
tniżżil n.m. f. ~**a** (pl. ~**iet**) the bringing down; (tnaqqis fil-prezzijiet) the lowering or reducing of pricing; ~ **fil-ktieb** the registering or setting down
tnoqqij|a n.f. (pl. ~**iet**) cleansing, polishing
TNT n.m. (pl. ~**s**) TNT; abbr. of trinitrotoluene
tog|a n.f. (pl. ~**i**) gown, toga
togħlij|a n.f. (pl. ~**iet**) elevation, exaltation; (fuq in-nar) boiling
togħm|a n.f. (pl. ~**iet**) taste, relish; **ħalla ~a qarsa** he gave a bad impression; **baqa' bit-~a** he did not succeed
toħlija ara **tħollija**
tokk n.m. (pl. ~**i**) toll, stroke of bell // n.m. (pl. ~**ijiet**) central place, public place
tokka n.f. (pl. **tokok**) pen-holder; (kriterju) touchstone
tollerabbli aġġ. tolerable
tolleranti aġġ. tolerant
tolleranz|a n.f. (pl. ~**i**) tolerance, endurance

tom n.m. (pl. **~i**) tome, volume
tomb|a n.f. (pl. **~iet**) hillock
tombl|a n.f. (pl. **~i**) tombola
Tomist|a n.m. (pl. **~i**) Thomist
Tomistiku aġġ. Thomistic(al)
Tomiżm|u n.m. (pl. **~i**) Thomism
tomna n.f. (pl. **tmiem**) top hat, high hat
ton n.m. (pl. **~ijiet**) tone, tune
tonalit|à n.f. (pl. **~ajiet**) tonality
tond aġġ. round, spheral, circular
toniċit|à n.f. (pl. **~ijiet**) tonicity
tonik|u n.m. (pl. **~i**) tonic // aġġ. tonic
tonka (pl. **tonok**) tunic, frack, cowl
tonn n.m.koll. f. **~a** (pl. **~iet**) blue-fin tuna, tunny; ~ **immellaħ** pickled tunny; **igdem it-~** shut your mouth!
tonsill|a n.f. (pl. **~i**) tonsil
tonsillite n.f. (pl. **~jiet**) tonsillitis
tonsur|a n.f. (pl. **~i**) tonsure
topazj|u n.m. (pl. **~i**) topaz
topiku aġġ. topical
topografij|a n.f. (pl. **~i**) topography
topografikament avv. topographically
topografiku aġġ. topographic(al)
topograf|u n.m. (pl. **~i**) topographer
toponomastik|a n.f. (pl. **~i**) toponomy
topp|u n.m. (pl. **~ijiet**) bun, toupet
toqba n.f. (pl. **toqob**) hole, opening; **għamel ~ fl-ilma** he did not succeed; **toqob**: **isodd it-~** he acts as a stopgap
toqlij|a n.f. (pl. **~ijet**) onion sauce
toqol n.m. f. **toqla** weight, gravity
toqqal|a n.f. (pl. **~iet**) whorl, spindle-wheel
toraċi n.m. (pl. **~jiet**) thorax
torbier|a n.f. (pl. **~iet**) turbary, peatbog
torċ|a n.f. (pl. **~i**) torch, flambeau
torġu: mar għat-~ he got confused
Tork n.m. (pl. **Torok**) Turk; **twieled** ~ it is sunny and rainy at the same time; **iswed** ~ pitch-black
torkj|u n.m. (pl. **~i**) press
torkullier n.m. (pl. **~a**) pressman, presser
torn n.m. (pl. **~ijiet**) lathe, turner's wheel
torna v. to return; (dar) to turn
tornitur n.m. (pl. **~i**) turner
tornasol n.m. (pl. **~i**) dyers croton
torri n.m. (pl. **~jiet**) tower
torsin|a n.m.koll. f. **~a** (pl. **~iet**) parsley; ~ **il-bir** maidenhair, fern
tort n.m. (bla pl.) fault, wrong, injury
tort|a n.f. (pl. **~i**) tart, pie
tortur|a n.f. (pl. **~i**) torture
tor|u n.m. (pl. **~ijiet**) bull
tosku n.m. (bla pl.) poison; **morr** ~ very bitter
tossikoloġij|a n.f. (pl. **~i**) toxicology
tossikolog|u n.m. (pl. **~i**) toxicologist
tost aġġ. impudent; **b'wiċċ** ~ impudently, shameless
totali aġġ. total; **eklissi** ~ total eclipse
totalit|à n.f. (pl. **~ajiet**) totality, entirely
totalitarju aġġ. totalitarian
totalizzatur n.m. (pl. **~i**) totalizator
totalizzazzjoni n.f. (pl. **~jiet**) totalization
totalment avv. totally, entirely, wholly
totn|u n.m. (pl. **~i**) cuttlefish
tpaħpaħ v. to grow tender
tpaħpiħ n.m. f. **~a** (pl. **~iet**) the act of making tender
tpartit n.m. f. **~a** (pl. **~iet**) truck, bartering
tpaxxa v. to be pleased with, to like
tperreċ v. to be weathered, to be exposed
tqabad v. to come to blows
tqabbel v. to be leased; (tpoġġa ħdejn) to be compared
tqabeż v. to hop or skip, to frisk
tqabid n.m. f. **~a** (pl. **~iet**) figh, fray, row
tqabiż n.m. f. **~a** (pl. **~iet**) skipping
tqaċċat v. to get looped off, to cut down
tqaddam v. to present os., to come forth, to advance
tqadded v. to be dried up
tqaddes v. to become a saint, to become holy
tqagħwex v. to turn about, to whirl about
tqagħwix n.m. f. **~a** (pl. **~iet**) a turning about
tqaħħab v. to prostitute os., to coquet, to flirt
tqaħqiħ n.m. f. **~a** (pl. **~iet**) dry cough
tqajjar v. to be dried
tqal|a n.f. (pl. **~iet**) pregnancy
tqalfit n.m. f. **~a** (pl. **~iet**) caulking
tqalla' v. to disgust with; (imtela bit-tajn) to grow muddy or thick
tqalleb v. to be turned upside down, to topsy-turvy; (aġita ruħu) to get perturbed/agitated; (fis-sodda) to turn in bed; ~ **l-ajru** to grow cloudy, to be overcast
tqamas v. to kick
tqamis n.m. f. **~a** (pl. **~iet**) kicking
tqanċiċ n.m. f. **~a** (pl. **~iet**) sordidness, avarice
tqandel v. to be carried from one place to another with difficulty
tqandil n.m. f. **~a** (pl. **~iet**) the conveying of anything from one place to another with difficulty
tqanfed v. to ruffle, to rumple; (inxtorob) to shrivel up, to contract, to shrink
tqanfid n.m. f. **~a** (pl. **~iet**) ruffling, rumpling; (xrib) shrinking in
tqanna' v. to put up sth. unpleasant reluctantly

tqanqal v. to move or go on, to stir; ~ **mill-post** to shift
tqanqil n.m. f. ~**a** (pl. ~**iet**) movement, motion; (ta' ħsus) incitement, raising feelings
tqanżaħ v. to exert
tqanżiħ n.m. f. ~**a** (pl. ~**iet**) effort, endeavour
tqarar v. to communicate mutually or confidently
tqarben v. to communicate, to receive holy communion
tqarbin n.m. f. ~**a** (pl. ~**iet**) communion
tqardix n.m. f. ~**a** (pl. ~**iet**) carding
tqarmiċ n.m. f. ~**a** (pl. ~**iet**) crunching
tqarqaċ v. to be toasted; (inħaraq) to scorch; (fig. qam fuq tiegħu) to get waspish
tqarqiċ n.m. f. ~**a** (pl. ~**iet**) toasting; (fig. meta tqum fuq tiegħek) waspishness
tqarqir n.m. f. ~**a** (pl. ~**iet**) rumbling
tqarraq v. to be cheated/deceived
tqartas v. to be wrapped in paper
tqartif n.m. f. ~**a** (pl. ~**iet**) the cutting off the tops of trees
tqartis n.m. f. ~**a** (pl. ~**iet**) the wrapping in paper
tqarweż v. to be sheared
tqarwiż n.m. f. ~**a** (pl. ~**iet**) shearing
tqassam v. to be distributed/shared
tqatel v. to kill one another
tqatta' v. to be cut to pieces; (spiċċa fi ċraret) to become ragged, to rend
tqawwa v. to grow fat, to fatten; (ġie f'tiegħu) to recover; (issaħħaħ) to grow strong, to become powerful
tqawwas v. to grow crooked/arched
tqaxlef v. to dry, to get dried up
tqaxlif n.m. f. ~**a** (pl. ~**iet**) dryness
tqaxqax v. to be gnawed/eaten/lapped up
tqaxqix n.m. f. ~**a** (pl. ~**iet**) gnawing; (tal-qamħ) gleaning
tqaxxar v. to be barked, to be peeled; (ġie kkritikat) to get flayed
tqażqiż n.m. f. ~**a** (pl. ~**iet**) grinting
tqażżeż v. to loathe, to disgust
tqegħid n.m. f. ~**a** (pl. ~**iet**) putting, setting
tqejjes v. to be measured
tqil aġġ. heavy; (diffiċli) difficult, hard; **ma ġitux bi ~a biex** he did not find it difficult to
tqila aġġ. pregnant
trab n.m.koll. f. ~**a** (pl. ~**iet**) dust; **għamlu** ~ he gave him a sound beating
trabakkl|u n.m. (pl. ~**i**) lugger
trabba v. to be brought up/trained up
trabokk n.m. (pl. ~**ijiet**) snare, trap
traċċj|a n.f. (pl. ~**i**) trace, mark
traċina n.f. (pl. ~**t**) carbuncle, anthrax; (xorta ta' brimba) spotted weaver
tradiment n.m. (pl. ~**i**) treason, betrayal
traditur n.m. (pl. ~**i**) traitor, betrayer
tradizzjonali aġġ. traditional
tradizzjonalist n.m. (pl. ~**i**) traditionalist
tradizzjonaliżm|u n.m. (pl. ~**i**) traditionalism
tradizzjonalment avv. traditionally
tradizzjoni n.f. (pl. ~**jiet**) tradition
tradott pp. translated
traduċibbli aġġ. translatable
tradut pp. betrayed
traduttur n.m. (pl. ~**i**) translator
traduzzjoni n.f. (pl. ~**jiet**) translation
traffikabbli aġġ. negotiable
traffikant aġġ. trafficker, dealer, trader
traġedj|a n.f. (pl. ~**i**) tragedy
traġġa' v. to recoil, to go or draw back; (bagħat lura) to send back
traġiġit|à n.f. (pl. ~**ajiet**) tragicalness
traġikament avv. tragically
traġikomi|ku n.m. (pl. ~**ċi**) tragicomic
traġiku aġġ. tragic(al)
traġikummiedj|a n.f. (pl. ~**i**) tragicomedy
traġitt n.m. (pl. ~**i**) journey, trip
trajb|u n.m. (pl. ~**i**) puppet, bolster; ~**u tal-bizzilla** lace pillow
trajja n.f. (pl. ~**t**) hyades, pleiad
trajjex aġġ. hard of hearing, rather deaf, somewhat deaf
trajju aġġ. pretty, tender
trak avv. behold (suf. pronominali ~**u**, ~**ha**, ~**na**, ~**om**, ~**hom**)
trak|ea n.f. (pl. ~**ej**) windpipe, trachea
trakeite n.f. (pl. ~**jiet**) tracheitis
trakeotomij|a n.f. (pl. ~**i**) tracheotomy
trakite n.f. (pl. ~**iet**) trachyte
trakk n.m. (pl. ~**ijiet**) truck
trakom|a n.f. (pl. ~**i**) trachoma
tram|a n.f. (pl. ~**i**) intrigue
trampel v. to be hooked
trampil n.m. f. ~**a** (pl. ~**iet**) the catching with a hook
tramuntan|a n.f. (pl. ~**i**) north, boreas
trampl|u n.m. (pl. ~**i**) stilt
tranġat v. to grow rancid
tranj|a n.f. (pl. ~**i**) light swell of the sea
trankwill aġġ. tranquil, quiet, peaceful, calm
trankwillament avv. tranquilly, calmly, quietly
trankwillit|à n.f. (pl. ~**ajiet**) tranquillity, peacefulness
transatlantiku aġġ. transatlantic
transatt pp. came to an agreement
transazzjoni n.f. (pl. ~**jiet**) transaction

transesswali n.kom. (bla pl.) transsexual
transfer n.m. (pl. ~**s**) transfer
transitivament avv. transitively
transitorjament avv. transitorily, temporarily
transitorju aġġ. transitory
transittiv aġġ. transitive
transizzjoni n.f. (pl. ~**jiet**) transition; **perijodu ta'** ~ transition period
transkontinentali aġġ. transcontinental
trapan n.m. (pl. ~**i**) trapan, auger, drill
trapezj|u n.m. (pl. ~**i**) trapezium; (taċ-ċirku) trapeze
trapezojdali aġġ. trapezoidal
trapezojdi aġġ. trapezoid
trapjant n.m. (pl. ~**i**) transplant
trappist n.m. (pl. ~**i**) trappist
trasbord n.m. (pl. ~**i**) trans-shipment
trasferibbli aġġ. transferable
trasferiment n.m. (pl. ~**i**) removal, transfer, change
trasferut pp. transferred
trasfigurazzjoni n.f. (pl. ~**jiet**) transfiguration
trasformabbli aġġ. transformable
trasformatur n.m. (pl. ~**i**) transformer
trasformazzjoni n.f. (pl. ~**jiet**) transformation
trasformist n.m. (pl. ~**i**) transformist
trasformiżm|u (pl. ~**i**) transformism
trasfużjoni n.f. (pl. ~**jiet**) transfusion; ~ **tad-demm** blood transfusion
trasgressjoni n.f. (pl. ~**jiet**) transgression
traskrittur n.m. (pl. ~**i**) transcriber
traskrizzjoni n.f. (pl. ~**jiet**) transcript
traskurabbli aġġ. negligible
traskuraġni n.f. (pl. ~**jiet**) carelessness
traskurat pp. careless, negligent
traslazzjoni n.f. (pl. ~**jiet**) removal, transfer
trasmittur n.m. (pl. ~**i**) transmitter
trasmigrazzjoni n.f. (pl. ~**jiet**) transmigration
trasmissjoni n.f. (pl. ~**jiet**) broadcasting, transmission
trasparenti aġġ. transparent
trasparenz|a n.f. (pl. ~**i**) transparence, transparency
trasport n.m. (pl. ~**i**) transport
trasportatur n.m. (pl. ~**i**) transporter
traspożizzjoni n.f. (pl. ~**jiet**) transposition
traspurtat pp. transported
tratenut pp. pulled back
tratt large stone cut from a quarry; **jiflaħ** ~ **blat** he is really strong
trattab aġġ. to soften, to grow soft
trattabbli aġġ. tractable, reasonable
trattament n.m. (pl. ~**i**) reception, treatment
trattat n.m. (pl. ~**i**) treaty
trattativ|a n.f. (pl. ~**i**) negotiation
trattazzjoni n.f. (pl. ~**jiet**) treatment
travers|a n.f. (pl. ~**i**) cross-piece, cross-bar
traversat|a n.f. (pl. ~**i**) passage, crossing
travestiment n.m. (pl. ~**i**) travesty
travestit pp. travestied
trav|u n.m. (pl. ~**i**) beam, rafter; **travi**: **qiegħed jgħodd it-~** he doesn't have anything to do
trawm|a n.f. (pl. ~**i**) trauma
trawmatiku aġġ. traumatic
trawmatiżm|u n.m. (pl. ~**i**) traumatism
trawwem v. to inure os.
traxxendentali aġġ. trascendental
traxxendentaliżm|u n.m. (pl. ~**i**) trascendentalism
trażżan v. to refrain from, to control os.
treddin n.m. f. ~**a** (pl. ~**iet**) grumbling
tregħid n.m. f. ~**a** (pl. ~**iet**) trembling, quaking, shivering; ~ **bil-biża'** dread, fright, horror
trejdjunjin n.m. (pl. ~**s**) trade union
trejdjunjinist n.m. (pl. ~**i**) trade-unionist
trejdjunjiniżm|u n.m. (pl. ~**i**) tradeunionism
trejjaq v. to eat only a little
trekken v. to hide os. in a corner
tremend aġġ. tremendous, fearful, awful
tremendament avv. tremendously
trepidazzjoni n.f. (pl. ~**jiet**) trepidation
trewwaħ v. to take or catch a cold
trib|ù n.m. (pl. ~**ujiet**) tribe
tribulat pp. afflicted, distressed
tribulazzjoni n.f. (pl. ~**jiet**) tribulation
tribun n.m. (pl. ~**i**) tribune
tribun|a n.f. (pl. ~**i**) tribune, stand
tribunal n.m. (pl. ~**i**) tribunal, court of justice
tribut n.m. (pl. ~**i**) tribute, tax, duty
tributarj|u n.m. (pl. ~**i**) tributary
tridentin aġġ. tridentine
trid|u n.m. (pl. ~**ujiet**) triduo, tridium
triegħed v. to tremble, to shake, to quake
trigonometrij|a n.f. (pl. ~**i**) trigonometry
trigonometriku aġġ. trigonometric(al)
trijangl|u n.m. (pl. ~**i**) triangle
trijangolari aġġ. triangular
trijonf n.f. (pl. ~**i**) triumph
trijonfali aġġ. triumphal; **ark** ~ triumphal arch; **karru** ~ triumphal car
trijonfalment avv. triumphantly, triumphingly
trijunfant aġġ. triumphant, victorious
trijunfatur n.m. (pl. ~**i**) triumpher
trikkitrakk n.m. (pl. ~**i**) cracker
trilaterali aġġ. trilateral
triljun n.m. (pl. ~**i**) trillion
trill n.m. (pl. ~**i**) trill
triloġij|a n.f. (pl. ~**i**) trilogy
trinċett n.m. (pl. ~**i**) shoemaker's knife, paring knife
Trinit|à n.f. (pl. ~**ajiet**) trinity; ~**à Qaddisa** the Holy Trinity

trinka n.f. (pl. **trinek**) trench, groove
trinkett n.m. (pl. ~**i**) fore staysail
tripied n.m. (pl. ~**i**) trivet, tripod
triplikat pp. triplicated
triplu aġġ. triple
triq n.f. (pl. **toroq**) street, road; ~ **magħluqa** no thoroughfare; **ħallieh nofs** ~ he did not help him till the end; **għamel** ~ **fil-baħar** he succeeded in doing what he wanted to do; **fetaħ it-**~ he paved the way; **it-**~ **tan-nofs** the mean; **għalaqlu t-**~ he caused him big troubles; **telaq għal** ~**tu** he went where he wanted to go; **iżejjen** ~ very nice; **tat-**~ prostitute-like
trirenj|u n.m. (pl. ~**i**) triple crown, tiara
trist aġġ. sad, grieved
tristezz|a n.f. (pl. ~**i**) sadness, sorrow, gloominess
trixtil n.m. f. ~a (pl. ~**iet**) carding
trobbij|a n.f. (pl. ~**iet**) nurture, rearing, education
trofew n.m. (pl. **trofej**) trophy
troffa n.f. (pl. **trofof**) bunch; ~ **xagħar** lock, tuft
troglodit|a n.m. (pl. ~**i**) troglodyte
trogloditiżm|u n.m. (pl. ~**i**) trogloditism
tromb|a n.f. (pl. ~**i**) spying-glass; (trumbetta) trumpet; ~**a tal-ilma** pump; ~**a ta' ljunfant** trunk; ~**a tat-taraġ** the wall of the staircase; **daqq it-**~**a** he boasted of sth.
trombożi n.f. (pl. ~**jiet**) thrombosis
trumbun n.m. (pl. ~**i**) trombone
tron n.m. (pl. ~**ijiet**) throne
tronġ n.m.koll. f. ~**a** (pl. ~**iet**) citron
tronġi aġġ. firm, compact
tropikali aġġ. tropical
tropi|ku n.m. (pl. ~**ki,** ~**ċi**) tropic
tropoloġij|a n.f. (pl. ~**i**) tropology
tropoloġiku aġġ. tropological
trott n.m. (pl. ~**ijiet**) trot; **bit-**~ at a trot
trumbett|a n.f. (pl. ~**i**) trumpet
trumbettier n.m. (pl. ~**a**) trumpeter; ~ (għasfur) trumpeter bullfinch
trunċier|a n.f. (pl. ~**i**) trench
trupp|a n.f. (pl. ~**i**) troop
trux aġġ. deaf
truxij|a n.f. (pl. ~**iet**) surdity, deafness
(i)ttabba' v. to grow stained, spotted
(i)ttaffa v. to relent, to soften, to mitigate, to soften
(i)ttaffal v. to become clayish
(i)ttaħħat v. to down os., to humiliate os.
(i)ttajjar v. to flutter, to fly; **l-għasfur** ~ **fis-smewwiet** the bird flew in the sky
(i)ttajmja v. to time
(i)ttajmjat pp. timed
(i)ttajpja v. to type
(i)ttajpjat pp. typed, typewritten
(i)ttakilja v. to tackle
(i)ttakiljat pp. tackled
(i)ttalla' v. to be raised, to lift, to rasie, to exalt;
(i)ttallab v. to beg, to ask, to go begging
(i)ttama v. to hope
(i)ttamat pp. hoped
(i)ttamas v. to curdle
(i)ttanta v. to vex, to seduce
(i)ttantat pp. vexed, seduced
(i)ttapizza v. to tapestry
(i)ttapizzat pp. tapestried
(i)ttappan v. to make opaque
(i)ttaqqab v. to be pierced, to be holed, to be bored, to drill, to prick
(i)ttaqqal v. to become heavy or weighty, to make heavier, to aggravate
(i)ttardja v. to delay; **it-titjira** ~**t b'siegħa** the flight was delayed by an hour
(i)ttardjat pp. delayed
(i)ttarraf v. to confine os., to be exiled
(i)ttarrax v. to grow deaf
(i)ttastja v. to feel
(i)ttastjat pp. felt
(i)ttavla v. to plank
(i)ttavlat pp. covered with planks, wainscotted
(i)ttawwal v. to look from, to grow long, to lengthen, to prolong, to protract, to extend the duration of; ~ **it-taħdita** to prolong the discussion
(i)ttedja v. to bore
(i)ttedjat pp. bored
(i)tteffel v. to grow young again
(i)tteftef v. to be touched lightly
(i)ttejjeb v. to become good, to make better, to improve, to grow better
(i)tteka v. to lean, to rest
(i)ttelefona v. to telephone, to phone
(i)ttelefonat pp. telephoned, phoned
(i)ttelegrafa v. to telegraph
(i)ttelegrafat pp. telegraphed
(i)ttellet v. to triplicate
(i)ttemmem v. to be finished, to finish, to end, to terminate, to complete, to conclude
(i)ttempra v. to temper, to sharpen
(i)ttemprat pp. temperate, sharpened
(i)ttenda v. to perceive
(i)ttenna v. to be repeated
(i)ttentex v. to become unravelled
(i)tterrorizza v. to terrorize; **id-dittatur** ~ **n-nazzjon kollu** the dictator terrorized the entire nation
(i)tterrorizzat pp. terrorized
(i)ttertaq v. to shatter, to be shattered

(i)tterżenta v. to stun

(i)tterżentat pp. stunned

(i)ttestifika v. to testify

(i)ttestifikat pp. testified

(i)ttestja v. to test; **il-mekkanik ~ l-karozza għall-ħsarat** the mechanic tested the car for any fault

(i)ttestjat pp. tested

(i)ttewwaq v. to be left sown hither and thither

(i)ttewweb v. to yawn, to gape

(i)ttiegħem v. to be tasted

(i)ttieħed v. to be taken; **il-ferut ~ mill-ewwel l-isptar** the injured person was immediately carried off to the hospital

(i)ttiekel v. to be eaten

(i)ttieraħ v. to toss or turn over the bed

(i)ttiesef v. to putrify

(i)ttigrat pp. striped, streaked

(i)ttikkja v. to dot

(i)ttikkjat pp. dotted

(i)ttimbra v. to stamp; **l-iskrivan ~ l-ittri b'ħeffa kbira** the clerk stamped the letters with great rapidity

(i)ttimbrat pp. stamped

(i)ttoffa v. to plunge

(i)ttoffat pp. plunged

(i)ttollera v. to tolerate; **il-paċifista ~ lil kulħadd madwaru** the pacifist tolerated everybody around him

(i)ttollerat pp. tolerated

(i)ttomba v. to butt

(i)ttombat pp. butted

(i)ttondja v. to make round

(i)ttondjat pp. rounded

(i)ttorpedina v. to torpedo

(i)ttorpedinat pp. torpedoed

(i)ttortura v. to torture; **l-inkwiżitur innifsu ~ lill-eretiku** the inquisitor in person tortured the heretic

(i)ttorturat pp. tortured

(i)ttossja v. to toss

(i)ttossjat pp. tossed

(i)ttotalizza v. to totalize

(i)ttotalizzat pp. totalized

(i)ttradixxa v. to betray; **Ġuda ~ lil Ġesù Kristu** Judas betrayed Jesus Christ

(i)ttraduċa v. to translate

(i)ttradut ara **tradut**

(i)ttraffika v. to deal, to trade, to traffic

(i)ttraffikat pp. trafficked

(i)ttraġitta v. to ferry, to cross

(i)ttraġittat pp. ferried, crossed

(i)ttrakka v. to get alongside

(i)ttrakkat pp. got alongside

(i)ttrama v. to plot; **ix-xirka ~t kontra l-Istabbiliment** the gang plotted against the Establishment

(i)ttramat pp. plotted against

(i)ttranja v. to draw, to grag

(i)ttranjat pp. drew, gragged

(i)ttransiġa v. to come to an agreement

(i)ttrapjanta v. to transplant

(i)ttrapjantat pp. transplanted

(i)ttrapana v. to drill

(i)ttrapanat pp. drilled

(i)ttraponta v. to quilt

(i)ttrapontat pp. quilted

(i)ttrasferixxa v. to transfer, to move

(i)ttrasfigura v. to transfigure; **Ġesù Kristu ~ ruħu fuq il-muntanja** Jesus Christ transfigured himself on the mountain

(i)ttrasfigurat pp. transfigured

(i)ttrasforma v. to transform

(i)ttrasformat pp. transformed

(i)ttraskriva v. to trascribe

(i)ttraskritt pp. trascribed

(i)ttraskura v. to neglect; **il-perit ~ għalkollox il-proġett** the architect totally neglected the project

(i)ttraskurat pp. neglected

(i)ttrasmetta v. to transmit

(i)ttrasporta v. to transport, to convey

(i)ttrasportat pp. transported, conveyed

(i)ttratiena v. to hold back

(i)ttratta v. to treat, to deal

(i)ttrattat pp. treated, dealt

(i)ttraversa v. to cross; **l-avventurier ~ x-xmara bil-mixi** the adventurer crossed the river on foot

(i)ttraversat pp. crossed

(i)ttravesta v. to travesty

(i)ttrenja v. to train

(i)ttrenjat pp. trained

(i)ttrijonfa v. to triumph; **il-ġeneral ~ fil-battalja** the general triumphed in the battle

(i)ttrijonfat pp. triumphed

(i)ttrikkja v. to trick

(i)ttrikkjat pp. tricked

(i)ttrimmja v. to trim

(i)ttrimmjat pp. trimmed

(i)ttrinċja v. to carve

(i)ttinċjat pp. carved

(i)ttrinka v. to drink greedily, to cut up

(i)ttrinkat pp. drunk greedily

(i)ttriplika v. to triplicate; **in-neguzjant ~ l-profitti tiegħu** the businessman triplicated his profits

(i)ttriplikat pp. triplicated

(i)ttrombja v. to look through a spy-glass
(i)ttrombjat pp. looked through a spy-glass
(i)ttrottja v. to trot
(i)ttrottjat pp. trotted
(i)ttrumbetta v. to trumpet
(i)ttrumbettat pp. trumpeted
(i)ttuffat ara **(i)ttoffat**
(i)ttumbat ara **(i)ttombat**
(i)ttundjat ara **(i)ttondjat**
(i)tturmenta v. to torment
(i)tturmentat ara **turmentat**
(i)tturufna v. to exile, to banish, to expel from one's country
(i)tturufnat pp. exiled, banished
tuba n.f. (pl. **twieb**) clod, sod, lump of earth, dumb
tuberkolożi n.m. (bla pl.) tubercolosis
tuber|u n.m. (pl. **~i**) tuber
tub|u n.m. (pl. **~i**) tube, pipe
tudun n.m. (pl. **~i**) wood pigeon; ~ **ġebel** rock dove; ~ **tas-siġar** stock dove
tuffieħ n.m.koll. f. **~a** (pl. **~at, tuffiħiet**) apple
tul n.m. (pl. **~ijiet**) length; (prokrastinazzjoni) procrastination; (fit-taħdit) prolixity; **ġibidha fit-~** he took his time to do sth.; **ġej bit-~** he's taking a lot of time
tulij|a n.f. (pl. **~iet**) cession, renouncing
tulipan n.m. (pl. **~i**) tulip
tull n.m. (bla pl.) tulle
tumbarell n.m. (pl. **~i**) padded cap; (xorta ta' ħuta) grigate-macherel
tumur n.m. (pl. **~i**) tumour, abscess
tuniċell|a n.f. (pl. **~i**) dalmatic
tunik|a n.f. (pl. **~i**) tunic
tunnar|a n.f. (pl. **~i**) tunny fish ground
turbant n.m. (pl. **~i**) turban
turij|a n.f. (pl. **~iet**) demonstration, manifestation; (eżempju) example, pattern, model
turist n.m. (pl. **~i**) tourist
turistiku aġġ. touring, touristic
turiżm|u n.m. (pl. **~i**) turism
turment n.m. (pl. **~i**) torment, pain
turmentat pp. tormented
turnavit n.m. (pl. **~i**) screw-driver
turne|w n.m. (pl. **~j**) tournament
turrett|a n.f. (pl. **~i**) turret
turufnament n.m. (pl. **~i**) exile
turufnat pp. exiled
tursin ara **torsin**
turtier|a n.f. (pl. **~i**) tart-pan, pie-dish
tusigħ n.m. (bla pl.) enlargement
tusij|a n.f. (pl. **~iet**) commandment, precept, order
tut n.m.koll. f. **~a** (pl. **~iet**) mulberry; **iswed ~** pitch-black
tutel|a n.f. (pl. **~i**) tutelage, guardianship
tutiq n.m. (bla pl.) firmness, steadiness
tutur n.m. (pl. **~i**) tutor, guardian, protector
tużell n.m. (pl. **~i**) baldachin, balquin
tużurier n.m. (pl. **~i**) bastard greenfinch
tużżan|a n.f. (pl. **~i**) dozen; **minn tat-~a** of a low dignity
TV n.m. (pl. **~s**) TV; abbr. of television
tvarja v. to wary
twaddab v. to rush upon
twaddib n.m. f. **~a** (pl. **~iet**) hurling, throwing
twaġġa' v. to be offended; (nissillu l-uġigħ) to hurt someone
twaħħad v. to be rendered single; (qagħad għalih) to withdraw os., to retire from
twaħħam v. to long for, to desire eagerly
twaħħar v. to tarry, to lag, to delay
twaħħax v. to get afraid, to shudder
twaħħil n.m. f. **~a** (pl. **~iet**) sticking, tacking
twaħħir n.m. f. **~a** (pl. **~iet**) procrastination, delay
twaħwiħ n.m. f. **~a** (pl. **~iet**) crying with pain; (ta' ħanqa) hoarseness
twajjeb aġġ. good natured
twal v. to grow long
twalett|a n.f. (pl. **~i**) toilet table, dressing table
twaqqaf v. to stop; (qam bilwieqfa) to stand up
twaqqif n.m. f. **~a** (pl. **~iet**) stopping; (qawmien bilwieqfa) erecting, raising
twaqqigħ n.m. f. **~a** (pl. **~iet**) knocking down, precipitation
twaqqit n.m. f. **~a** (pl. **~iet**) determination of time
twarrab v. to stand astride, to go from
twarrib n.m. f. **~a** (pl. **~iet**) putting away
twassa' v. to widen, to grow wide
twassil n.m. f. **~a** (pl. **~iet**) leading, carrying on; (rapport) information, report
twebbel v. to grow tall; (xtaq xi ħaġa) to fancy a thing
twebbes v. to grow hard; (stina rasu) to become obstinate
twebbil n.m. f. **~a** (pl. **~iet**) increase, growth; (suġġeriment) insinuation, suggestion; (xewqa għal xi ħaġa) fancying (sth.)
twebbis n.m. f. **~a** (pl. **~iet**) hardness; ~ **tar-ras** obstinacy, stubborness; ~ **tal-qalb** hardness of heart
tweġġah v. to be honoured/respected, to glorify os.
tweġġih n.m. f. **~a** (pl. **~iet**) honour, respect, reverance
tweġib n.m. f. **~a** (pl. **~iet**) answer
tweghir n.m. f. **~a** (pl. **~iet**) entanglement, intrigue
twelid n.m. f. **~a** (pl. **~iet**) birth, nativity

twella v. to be renounced/quitted/forsaken
twemmen v. to be believed
twemmin n.m. (bla pl.) belief, faith; **bit-~** credibly
twennes v. to be accompanied
twennis n.m. f. **~a** (pl. **~iet**) accompanying, company
twerdin n.m. f. **~a** (pl. **~iet**) whirring
twerreċ v. to become squint-eyed
twerrek v. to dislocate one's hips
twerriċ n.m. f. **~a** (pl. **~iet**) strabismus
twerwer v. to be appalled/frightened
twerwir n.m. f. **~a** (pl. **~iet**) fright, terror, fear
twerżiq n.m. f. **~a** (pl. **~iet**) shriek, screech, creaking
twetij|a n.f. (pl. **~t**) succour
twettaq v. to get strong, to be confirmed
twettiq n.m. f. **~a** (pl. **~iet**) consolidating; (konferma) affirmation, corroboration
tweżin n.m. f. **~a** (pl. **~iet**) **ekwilibriju**; (għajnuna) support, help, assistance
tweżwiż n.m. f. **~a** (pl. **~iet**) hypocrisy
twiddeb v. to be admonished
twiddib n.m. f. **~a** (pl. **~iet**) admonition, advice; **bit-~** warningly
twieled v. to be born; **qisu ~ ilbieraħ** he stares in wonder at everything
twieżen v. to lean, to rest on, to balance
twikka v. to rest upon, to lean
twil aġġ. long, tall; **~ filli jagħmel** very prolific; **twila**: **jafha bi ~** he knows what to do; **iġibha bi ~** he takes his time to do something
twissij|a n.f. (pl. **~iet**) admonition, advice
twitta v. to become plane, to be levelled
twittij|a n.f. (pl. **~iet**) levelling

U u

u twenty fifth letter of the alphabet and sixth of the vowels
u konġ. and
ubbidjent ara **obbidjent**
ubbidjenza ara **obbidjenza**
u-boat n.m. (pl. **~s**) u-boat
uċċellier|a n.f. (pl. **~i**) aviary, bird-cage
udajj|a n.f. (pl. **~i**) addle
udit n.m. (bla pl.) hearing
uditorj|u n.m. (pl. **~i**) audience, auditory
uditur n.m. (pl. **~i**) hearer, listener
udjenz|a n.f. (pl. **~i**) audience
UE n.f. (bla pl.) (Unjoni Ewropea) EU; abbr. of European Union
UEFA n.f. (bla pl.) UEFA; abbr. of Union of European Football Associations
uff inter. what a bore!
uffiċċj|u n.m. (pl. **~i**) office, duty, charge
uffiċin|a n.f. (pl. **~i**) workshop
uffiċjal n.f. (pl. **~i**) officer
uffiċjali avv. official
uffiċjalment avv. officially
uffizzjatur|a n.f. (pl. **~i**) office
UFO n.pr. (pl. ~s) UFO; abbr. of Unidentified Flying Object
uġġett ara **oġġett**
UHF n.pr. UHF; abbr. of Ultra High Frequency)
uġigħ n.m. (bla pl.) pains, bodily sufferings, an ache, a smart, a throe; ~ **tal-ħlas** throes; ~ **ta' ras** headache; ~ **jaqsam** excruciating pain
ugwali aġġ. equal
ugwalit|à n.f. (pl. **~ajiet**) equality
ugwalizza v. to equal
ugwaljanza n.f. (pl~**i**) equality
UĦM n.pr. (Union Ħaddiema Magħqudin) abbr. of UHM
uħud n.pl. some
ukoll avv. also, too, as well
ulċer|a n.f. (pl. **~i**) ulcer
ulm|u n.m. (pl. **~ijiet**) elm
ultimatum n.m. (pl. **~jiet**) ultimatum
uman aġġ. (pl. **~i**) human
umanament avv. humanely
umanit|à n.f. (pl. **~ajiet**) humanity
umbrella n.f. (pl. **umbrelel**) umbrella
umbrellin|a n.f. (pl. **~i**) parasol
umdità n.f. (bla pl.) dampness, humidity, moisture
umdu avv. damp, moist
umilja v. to humiliate
umiljanti avv. humiliating
umiljat pp. humbled, humiliated, mortified
umiljazzjoni n.f. (pl. **~jiet**) humiliation
umilment avv. humbly
umilt|à n.f. (pl. **~ajiet**) humility, humbleness
umli avv. humble, modest
umorist|a n.m. (pl. **~i**) humorist
umoristiku avv. humorous; **ġurnal** ~ comic paper; **kittieb** ~ humorous writer; **rakkont** ~ humorous story
unanimament avv. unanimously
unanimi avv. unanimous
unanimit|à n.f. (pl. **~ajiet**) unanimity
UNESCO n.pr. UNESCO; abbr. of United Nations Educational, Scientific and Cultural Organization
ungwent ara **ingwent**
UNICEF n.pr. UNICEF; abbr. of United Nations International Children's Emergency Fund
uniformi n.m. (pl. **~jiet**) uniform // avv. uniform
uniformit|à n.f. (pl. **~ajiet**) uniformity
uniġenit|u n.m. (pl. **~i**) unigenital
unikament avv. solely
uniku avv. sole, unique
unilaterali avv. unilateral
unit avv. u pp united
univers n.m. (pl. **~i**) univers
universali avv. universal; **eredi** ~ universal legatee, sole heir; **Ġudizzju U~** the Last Judgement
universit|à n.f. (pl. **~ajiet**) university
unixxa v. to unite, to join
unjoni n.f. (pl. **~jiet**) union; (storja) **U~ Sovjetika** Soviet Union

unur n.m. (pl. ~**i**) honour
uqij|a n.f. (pl. **ewieq, ~iet**) an ounce; **uqitejn** two ounces; (bejn wieħed u ieħor) rough measure for two ounces
ura prep. behind, after
uragan n.m. (pl. ~**i**) hurricane
uranju n.m. (bla pl.) uranium
uri n.m. (pl. ~**jiet**) houri, nymph
urġenti avv. urgent
urġenz|a n.f. (pl. ~**i**) urgency
urn|a n.f. (pl. ~**i**) urn
urtikarj|a n.f. (pl. ~**i**) nettle rash
utajja n.m. (pl. **utajjet**) saddle cloth
utieq aġġ. tonic
utli avv. useful
utopj|a n.f. (pl. ~**i**) utopia
utr|u n.m. (pl. ~**i**) womb, the uterus of a woman
u-turn n.f. (pl. ~**s**) u-turn
UV n.pr. UV; abbr. of Ultra Violet
uvier|a n.f. (pl. ~**i**) egg cup
uża v. to use, to make use of sth.
użanz|a n.f. (pl. ~**i**) usage, custom
użat pp. used
użin n.m. (pl. ~**ijiet**) weight, ponderation
użufrutt n.m. (pl. ~**i**) usufruct
użur|a n.f. usury (pl. ~**i**)
użurpa v. to usurp
użurpat pp. usurped
użurpazzjoni n.f. (pl. ~**jiet**) usurpation

V v

v twenty sixth letter of the alphabet and twentieth of the consonants
v n.m. v. (volt); (kontra) v. (versus)
vaċċin n.m. (pl. **~i**) vaccine
vadrappa ara **faldrappa**
vag aġġ. vague
vagabond n.m. (pl. **~i**) vagabond, vagrant, wanderer, a loafer, a rogue
vagament avv. vaguely
vaganti aġġ. vacant, unfilled
vaganz|a n.f. (pl. **~i**) holiday
vagun n.m. (pl. **~i**) carriage; railway truck; wag(g)on
vajlor|a n.f. (pl. **~i**) ferrile, verril
vajlova ara **vajlora**
vajjin|a n.f. (pl. **~i**) draw string; **labra tal-~a** bodkin
valang|a n.f. (pl. **~i**) avalanche
valerjan|a n.f. (pl. **~i**) valerian
validament avv. efficacious, effectually, effectively
validit|à n.f. (pl. **~ajiet**) validity
validu aġġ. valid
valiġġ|a n.f. (pl. **~i**) (ittri) mail; (bagalja tas-safar) suit case, trunk, valise
valleran n. (pl. **~i**) ibis
valorożament avv. bravely, valorously
valoruż aġġ. brave, valorous, valiant
valur n.m. (pl. **~i**) valour, worth; ~ **nominali** nominal value; ~ **reali** real value
valutazzjoni n.f. (pl. **~jiet**) valuation
valvassur n.m. (pl. **~i**) vavasour
valvul|a n.f. (pl. **~i**) valve
valz n.m. (pl. **~ijiet**) waltz
vamp|a n.f. (pl. **~i**) flame; **kien ~ nar** it was very hot; (kien aħmar ħafna) it was very red
vampir n.m. (pl. **~i**) vampire
vanaglorj|a n.f. (pl. **~i**) vainglory; excessive vanity
vanament avv. vainly
vandaliżm|u n.m. (pl. **~i**) vandalism
vanilj|a n.f. (pl. **~i**) vanilla; (fjur) heliotrope
vanit|à n.f. (pl. **~ajiet**) vanity
vanituż aġġ. vain, conceited
vann n.m. (pl. **~ijiet**) van
vantaġġ n.m. (pl. **~i**) advantage; (bakketta) a composing stick; **~już** aġġ. advantageous, favourable; beneficial
vapur n.m. (pl. **~i**) steamer; screw steamer; steam boat
vara v. to launch // var|a n.f. (pl. **~i**) a sacred image; statue; **donnu l-~a l-kbira** he is very obese
varat pp. launched
varjabbli aġġ. variable; changeable; varjabbilment avv. variably
varjabbiltà n.f. (pl. **~jiet**) variability
varjazzjoni n.f. (pl. **~jiet**) variation
varjet|à n.f. (pl. **~ajiet**) variety
varju aġġ. various
varlopp|a n.f. (pl. **~i**) plane
vasellina ara **važellina**
vask|a n.f. (pl. **~i**) vat; basin, pond; **~a tal-ħut** fish-pond
vaskulari aġġ. vascular
vassall n.m. (pl. **~i**) vassal // n.m. (pl. **~i**) vassallage
vast aġġ. wide, vast
vastament avv. widely, extensively
vastit|à n.f. (pl. **~ajiet**) great extent vast extent, vast size
VAT n.pr. VAT; abbr. of Value Added Tax
vava n.f. (pl. **~i**) a little girl; a baby girl; young girl
vavalor n.m. (pl. **~i**) bib
vavat|a n.f. (pl. **~i**) childishness
vavu n.m. (pl. **~i**) a little baby boy; **ħareġ ta' ~** he made fun of himself
važ n.m. (pl. **~ijiet**) vase, vessel, chamber pot **x'~ fih!** (inf. he is always around)
važ|a n.f. (pl. **~ijiet**) (fil-logħob) **~ijiet**; (ta' kolonna) a box of a column
važellin|a n.f. (pl. **~i**) vaseline
važett n.m. (pl. **~i**) small pot
važi n.pl. (għall-varar ta' bastimenti) ways

vażun n.m. (pl. ~**i**) vase
VCR n.m. (pl. ~**s**) VCR; abbr. of Video Cassette Recorder
VDU n.m. (pl. ~**s**) VDU; abbr. of Visual Display Units
V-E: jum il-V-E n.pr. V-E Day
vedut|a n.f. (pl. ~**i**) sight, view
veġetali aġġ. vegetal
velen|u n.m. (pl. ~**i**) poison; **morr ~u** very bitter; **mielaħ ~u** very salty; **l-ikel niżillu ~u** he could not eat in a comfortable way
velenuż aġġ. poisonous, venomous
velier n.m. (pl. ~**a**) sailmaker
velkro n.m. (pl. ~**s**) velcro
veloċement avv. swiftly, quickly, rapidly
veloċi aġġ. swift, quick, rapid, fast, speedy
veloċipied n.m. (pl. ~**i**) velocipede, cycle
veloċit|à n.f. (pl. ~**ajiet**) velocity, speed, swiftness, quickness, rapidity
vel|u n.m. (pl. ~**ijiet**) veil; **ħadet il-~** to take the veil
venali aġġ. venal
vend|a n.f. (pl. ~**i**) bus terminus
vendett|a n.f. (pl. ~**i**) revenge, vengeance
vendikabbli aġġ. revengeable
vendikattiv aġġ. revengeful
venerabbilment avv. venerably
venerabbli aġġ. venerable
venerat pp. venerated, worshipped
venerazzjoni n.f. (pl. ~**jiet**) veneration
veneww|a n.f. (pl. ~**i**) lapwing, ruff
venjal aġġ. venial
venjalit|à n.f. (pl. ~**ajiet**) veniality
venjenalment avv. vanially
ventalor|a n.m. (pl. ~**i**) flywheel
ventaltar n.m. (pl. ~**i**) altar-frontal
ventilat aġġ. airy, ventilated
ventilatur n.m. (pl. ~**i**) ventilator
ventilazzjoni n.f. (pl. ~**jiet**) ventilation
ventrist n.m. (pl. ~**i**) bilge shores, props
ventura n.m. (pl. ~**i**) fortune; venturier adventurer; soldier of fortune
venven v. to hurl, to whiz, to shoot, to fling, to throw
veraċit|à n.f. (pl. ~**ajiet**) veracity
verament avv. (tabilħaqq) truly, certainly
verand|a n.f. (pl. ~**i**) veranda(h)
verb n.m. (pl. ~**i**) verb
verbal n.m. (pl. ~**i**) verbal, oral, minutes
verbali aġġ. verbal
verbalment avv. verbally
verben|a n.f. (pl. ~**i**) vervain, verbena
verdemar aġġ. sea-green
verdett n.m. (pl. ~**i**) verdict
verdirram n.m. (bla pl.) verdigris
verdun n.m. (pl. ~**i, vrieden**) greenfinch, green linnet
verġinali aġġ. virgin, virginal
verġnit|à n.f. (pl. ~**ajiet**) virginity
verġni n., aġġ. (bla pl.) virgin; **V~ Mqaddsa** the Blessed Virgin; **art** ~ virgin soil
vergonj|a n.f. (pl. ~**i**) shame
verifik|a n.f. (pl. ~**i**) inspection, examination, verification
verifikabbli aġġ. verificable
verit|à n.f. (pl. ~**ajiet**) truth
verniċ n.m. (bla pl.) varnish; **ta l-~** to varnish; **mogħti l-~** varnished
vers n.m. (pl. ~**i, vrus**) verse; line
versa n.f. (pl. **veres**) breadth
versall n.m. (pl. ~**i**) target, butt; mark to shoot at
versett n.m. (pl. ~**i**) verse or passage in a scripture
versifikazzjoni n.f. (pl. ~**jiet**) versification
versjar n.m. (pl. ~**a**) (kant ta' għasfur) singing
vertebr|a n.f. (pl. ~**i**) vertebra
vertebrali aġġ. vertebral
vertiġni n.f. (pl. ~**jiet**) vertigo
vertikali aġġ. vertical
vertikalment avv. vertically
ver|u aġġ. true, real (pl. ~**i**)
verskovat n.m. (pl. ~**i**) episcopate
verżjoni n.f. (pl. ~**jiet**) version
veskovili aġġ. episcopal
vespri n.m. (pl. ~**jiet**) vespers
vestibul|u n.m. (pl. ~**i**) vestibule
vestizzjoni n.f. (pl. ~**jiet**) (ceremony of) putting on the habit
vestwarj|u n.m. (pl. ~**i**) clothes
veteran n.m. (pl. ~**i**) veteran
veterenarj|u n.m. (pl. ~**i**) veterenary surgeon
veto n.m. (pl. ~**jiet**) veto
vetrin|a n.f. (pl. ~**i**) glass case; show window
vettur|a n.f. (pl. ~**i**) cab, carriage, conveyance
vġum n.m. (pl. ~**i**) touch-hole
vġili n.m. (pl. ~jiet) vigil, eve
VHF n.pr. VHF; abbr. of Very High Frequency
vi: jew ~ jew va it's either good or bad
Viagra n.pr. Viagra
vibrazzjoni n.f. (pl. ~**jiet**) vibration
viċi n.m. (pl. ~**jiet**) vice; ~ **ammirall** vice admiral; ~ **kanċillier** vice chancellor; ~ **president** vice president; ~ **re** viceroy
viċin aġġ. near
viċipark|u n.m. (pl. ~**i**) curate-in-charge
viġilant aġġ. attentive; alert; vigilant
vigarjat n.m. (pl. ~**i**) vicariate

vigarj|u n.m. (pl. ~**i**) vicar
vili aġġ. mean, vile, villainous
viljakk aġġ. sly, cunning, subtle, dastard
villa n.f. (pl. **vilel**) villa
villaġġ n.m. (pl. ~**i**) village
villeġġant n.m. (pl. ~**i**) summer visitor
villeġġatur|a n.f. (pl. ~**i**) (fil-kampanja) country residence; (ħdejn il-baħar) seaside residence
vilment avv. meanly
vilt|à n.f. (pl. ~**ajiet**) meanness
vina v. to vein // **vin|a** n.f. (pl. ~**i**) vein; ~**a tal-ilma** a spring of water; ~**a tal-injam** grain
vinar n.m. graining
vinat pp. veined
vinazz n.m. sap-wood
vingl|u n.m. (pl. ~**i**) entailment; tailzie
vinċibbli aġġ. conquerable, vanquishable, vincible
VIP n.m. (pl. ~**s**) VIP; abbr. of Very Important Person
vira v. to heave
virat pp. heaved
virga n.f. (pl. **vireg**) a rod
virgun n.m. (pl. **vriegen**) a bar
virgul|a n.f. (pl. ~**i**) comma
virt|ù n.f. (pl. ~**ujiet**) virtue; ~**ù kardinali** cardinal virtues; ~**ù teologali** teological virtues
virtwali aġġ. virtual
virtwalment avv. virtually
virtwożament avv. virtuously
virtuż aġġ. virtuous
viskonti n.m. (pl. ~**jiet**) viscount
vist|a n.f. (pl. ~**i**) visit; (tal-għajnejn) eyesight; ~**a tajba** good sight; ~**a qasira** short sight; ~**a ta' tabib** a short visit
vistu n.m. (bla pl.) mourning
vistuż aġġ. in mourning; in mourning clothes
vit n.m. (pl. ~**ijiet**) screw; (morsa) vice; ~ **tal-ilma** water tap; ~ **tal-gass** cock; ~ **jew skorfina** let us try our luck
vitellin n.m. (pl. ~**i**) calf dressed leather; calf skin; cowhide
vitrar n.m. (pl. ~**a**) glazier
vitrijol n.m. (pl. ~**i**) vitriol
vittma n.f. (pl. ~**i**) victim
vittorja n.f. (pl. ~**i**) victory
vittorjożament avv. victoriously
vittorjuż avv. victorious; triumphant
viva inter. long live, hurrah
vivaċement avv. livelily, vivaciously
vivaċi aġġ. lively, vivacious
vivaċit|à n.f. (pl. ~**ajiet**) liveliness, vivacity
vivandier|a n.f. (pl ~**i**) vivandiere; a sutler
vivisessjoni n.f. (pl. ~**jiet**) vivisection
vixxri n.m. pl. bowels, intestines
vizzjat pp. vicious
vizzjożament avv. viciously
vizzj|u n.m. (pl. ~**i**) vice; a fault; a blemish; an imperfection; a (bad) habit
vizzjuż aġġ. vicious; corrupt; wicked
viżibbli aġġ. visible
viżibbilt|à n.f. (pl. ~**ajiet**) visibility
viżibilj|u n.m. (pl. ~**i**) great number
viżibbilment avv. visibly
viżikant n.m. (pl. ~**i**) a vesicatory; an epispastic; blistering plaster
viżir n.m. (pl. ~**i**) vizier; Prime Minister of the Turkish Empire
viżitatur n.m. (pl. ~**i**) visitor
viżitazzjoni n.f. (pl. ~**jiet**) visitation; ~ **tal-Madonna** the Visitation
viżjer|a n.f. (pl. ~**i**) vizard; visor; ventail
viżjonarj|u aġġ. n.m. (pl. ~**i**) visionary
viżjoni n.f. (pl. ~**jiet**) vision; appearance; direction
viżt|a n.f. (pl. ~**i**) visit; **biljett tal-~ a** visiting card
vjaġġ n.m. (pl. ~**i**) a voyage; a journey; a trip; a passage; ~ **Ingliż** a job which we have not been paid for; **ma felaħx għall-~** it was too hard for him
vjaġġatur n.m. (pl. ~**i**) voyager, travaller, voyageer; ~ **kommisjonat** commercial traveller
Vjatk|u n.m. (pl. ~**i**) (Holy) Viaticum
vjeġġ n.m. (pl. ~**ijiet**) transport; carriage; (darba) once; **dan il-~** this time, this once
vjol|a n.f. (pl. ~**i**) viola; (fjura) violet; (kulur: bla pl.) violet
vjolent aġġ. violent
vjolin n.m. (pl. ~**i**) violin; fiddle; (xorta ta' ħuta) guitar fish
vjolinċell n.m. (pl. ~**i**) violincello; cello
vjolinist n.m. (pl. ~**i**) violinist
vleġġa n.f. (pl. **vleġeġ**) an arrow; shaft; dart; (tat-tfal) catapult; ~ **militari** springal; springald; **tar bħal** ~ he ran fast
vlontin n.m. (pl. ~**i**) (ħajt taż-żugraga) string, twine
vojt aġġ. empty; vacant; void, uninhabited
vokabolarj|u n.m. (pl. ~**i**) vocabulary
vokali n.m. (pl. **vokali**) vowel
vokalizzazzjoni n.f. (pl. ~**jiet**) vocalization
vokalment avv. vocative
vokattiv aġġ. n.m. (pl. ~**i**) vocativ
vokazzjoni n.f. (pl. ~**jiet**) vocation, calling
volant n.m. (pl. ~**i**) flying wheel
volont|à n.f. (pl. ~**ajiet**) will

volontarjament avv. of one's own free will
volontarj|u aġġ. n.m. (pl. **~i**) voluntary
volpi n.m. (pl. **~jiet**) (ġilpa) fox
volt n.m. (pl. **~ijiet**) volt
volt|a n.f. (pl. **~i**) turn
voltaġġ n.m. (pl. **~i**) voltage
volum n.m. (pl. **~i**) volume; (ta' ktieb) volume; (ammont) pile
voluminuż aġġ. voluminous
voluntier n.m. (pl. **~i, ~a**) volunteer
vomtu n.m. (bla pl.) vomit
vop|a n.f. (pl. **~iet, ~i**) boop; **~a imperjali** spanish bream
vot n.m. (pl. **~i**) vote // **qala' ħafna ~i** he was criticized quite harshly
votant n.m. (pl. **~i**) voter
votat pp. approved
votazzjoni n.f. (pl. **~jiet**) voting
votiv aġġ. votive
vs. vs., abbr. of versus
vuċi n.f. (pl. **~jiet**) voice
vulgari aġġ. vulgar
vulgarit|à n.f. (**~ajiet**) vulgarity
vulgarment avv. vulgarly
Vulgata n.f. (bla pl.) Vulgate
vulkan n.m. (pl. **~i**) volcano
vulkanite n. vulcanite
vulkanist n.m. (pl. **~i**) vulcanist
vulkanizzazzjoni n.f. (pl. **~jiet**) vulcanization
vulvu sant n.m. (pl. **~i**) image of the Redeemer
(i)vvampa v. to blaze up
(i)vvampat pp. blazed up
(i)vvantaġġja v. to advantage
(i)vvantaġġjat pp. advantaged
(i)vvela v. to dim
(i)vvelat pp. dimmed
(i)vvelena v. to poison, to envenom
(i)vvelenament n.m. (pl. **~i**) poisoning
(i)vvelenat pp. poisoned, envenomed
(i)vvendika v. to vendicate; **hu ~ ruħu bil-kbir** to grossly vendicate os.
(i)vvendikat pp. vendicated
(i)vvenera v. to venerate; **bniedem tal-qedem ~ l-idoli tagħhom** the ancients venerated their idols
(i)vvenerat pp. venerated
(i)vventila v. to ventilate
(i)vventilat pp. ventilated
(i)vverifika v. to verify
(i)vverifikat pp. verified
(i)vversja v. to versify
(i)vversjat pp. versified
(i)vvessa v. to oppress
(i)vvessat pp. oppressed
(i)vvettja v. to vet
(i)vvettjat pp. vetted
(i)vvibra v. to vibrate; **il-korda ~t tajjeb ħafna** the chord vibrated very well
(i)vvibrat pp. vibrated
(i)vvina v. to vein, to grain
(i)vvinat pp. veined
(i)vvinkla v. to entail, to free-tail
(i)vvinklat pp. entailed
(i)vvizzja v. to vitiate
(i)vvizzjat pp. vitiated
(i)vvjaġġa v. to travel; **il-vjaġġatur ~ madwar id-dinja kollha** the traveller travelled all around the world
(i)vvjatka v. to give holy communion to a dying person
(i)vvjatkat pp. gave holy communion to a dying person
(i)vvomta v. to vomit
(i)vvomtat ara **(i)vvumtat**
(i)vvota v. to vote
(i)vvotat pp. voted
(i)vvumtat pp. vomited

W w

W twenty seventh letter of the alphabet and twenty first of the consonants
wadab n.m. (pl. **udab**) sling; (xlief għall-qiegħ) fishing line (for deep fishing)
waddab v. to fling, to sling, to throw, to hurl; ~ **flokk fuqu** he put on quickly a shirt // n.m. (pl. ~**a**) slinger
waddaba n.m. (bla pl.) spring, springald
wadi n.m. (pl. ~**ijiet**) valley, vale
waġa' v. to grieve, to ache
waġġa' v. (nissel uġigħ) to inflict, to hurt; (insulta) to mortify, to offend, to afflict; (lilu nnifsu) to hurt os.
waħam n.m. (pl. **waħmiet**) longing, earnest, desire
waħda aġġ. one, a; ~ ~ one by one; **sab/qabad** ~ he is going out with a girl; **ċapċaplu** ~ he gave him a blow; **għamel** ~ **minn tiegħu** he did one of his larkings; **x'kull** ~! I can't believe it!; **ħa** ~ he fell; **isma' x'kull** ~! is it true?; **ħareġ b'**~ he said sth. stupid; **ħarġitlu** ~ he swore inconsciously; **għamel** ~ **tinkiteb** he gave big trouble; **għamel** ~ **tajba** he did a good thing; **ma jiħux minn** ~ he cannot hear from one ear; **waħdi, waħdek, waħdu** aġġ. by myself, single handed, alone; **maqtugħ għalih waħdu** he stays all alone; **mhux ta' waħdu** he is still dependent; **baqa' waħdu** he did not marry
waħdanija n.f. (bla pl.) singularity, unity
waħdieni aġġ. singular, only, unique; (solitarju) solitary, retired, lonely
waħdiet n.m.pl. units
waħħad v. to render single
waħħal v. to stick, to join together, to unite; ~ **fih** to inculpate, to blame // n.m. (pl. ~**a**) one who joins or unites
waħħali aġġ. sticky; clammy; viscous; adhesive
waħħar v. to be slow, to delay; (dewwem, ġebbed) procrastinate, to put off or differ
waħħari aġġ. tardy late; slow; lingering; backward
waħħax v. to terrify; to excite horror
waħħaxi aġġ. fearful; dreadful; frightful; gruesome; horrible
waħħir n.m. (bla pl.) lateness
waħwaħ v. to utter; (tkellem b'vuċi maħnuqa) to speak hoarse
waħwiħ n.m. f. ~**a** (pl. ~**iet**) hoarseness
waħx n.m. (bla pl.) horror; fear; dread; (babaw) scare crow; bogey man; ~ **il-baqar** wild beast; wild ox; **donnu** ~ very ugly
waqaf v. to stop, to say; (qam) to stand up, to get up; ~ **lil** to oppose, to obj. to; ~ **ma'** to help, to assist; ~**lu** he did not let him act in so a laissez-faire way
waqa' v. to fall; ~ **fid-dnub** to sin; ~ **fil-ġenn** to grow mad; ~ **f'idejn** to fall into a person's power; ~ **fuq** to inherit, to succeed to; ~ **fuq xi ħadd** to have to recourse to; ~ **għalih** to submit; ~ **kobba** to fall flat on one's face; ~ **marid** to fall sick; **il-kliem** ~ **fuq** we talked about; **ix-xogħol** ~ **fuqu** he made all the work; **il-flus waqgħu fuqu** he inherited all the money; **jaqa' u jqum** he does not care less
waqf|a n.f. (pl. ~**iet**) stoppage; stop; rest; pause; a pausing; a halt
waqgħa n.f. (pl. ~**t**) a fall; falling
waqqaf v. (nieda) to raise, to set up, to erect; (ġab wieqaf) to stop, to arrest // n.m. (pl. ~**a**) a raiser; (dak li jgħin) a helper; a protector; a prop
waqqa' v. to throw down; (ħa l-post ta') to overthrow; ~ **fid-dnub** to cause to sin;
waqt n.m. (pl. ~**iet**) time; instant; point; **dal**~ just now; **fil**~ in due time; timely; opportunely; **il-**~ the moment
waqwaq v. to guggle
wara prep, avv. behind, after, afterwards; ~ **li** after (that)
waranijiet avv. backwards, back
waranofsinhar n.m. afternoon
ward n.koll. f. ~**a** (pl. ~**iet**) roses, flowers; ~ **il-ħena** garden balsam; ~ **tal-passjoni** passion flower; ~ **tax-xemx** sun flower; ~ **u żahar** utopia; **warda**: rose; ~ **bajda** white rose; ~ **demmija** red rose; ~ **Maltija/taż-żejt** Maltese rose; ~ **tal-bukketti** Lady bank's ose; ~ **tal-**

girlandi climbing rose; ~ **tal-Ingliżi** monthly rose; ~ **te** tea rose; ~ **xandrija** French rose; **frisk bħal** ~ very fresh; ~ **ta' tifla** a very beautiful girl; **wardiet**: rosy cheeks
wardi aġġ. rose coloured; roseate
warrab v. to make room; to give place; (resaq min-nofs) to withdraw, to remove os.; (ressaq fil-ġenb) to lay aside; (il-flus) to save
warrad v. to blossom, to bloom, to flower
warrani aġġ. posterior; hinder; **il-~** the past; (parti ta' wara ta' xi ħaġa) the back side; (ta' ġakketta, eċċ.) back (of coat, etc.)
wasa' v. to contain, to hold
wasa' aġġ. ample, large, wide
wasal v. to arrive, to reach, to come to; **ma jasalx s'hemm** he won't do that; **dak jasal** he will do it; **ser naslu** we are getting on well
wasl|a n.f. (pl. **~iet**) arrival, coming; **il-~a tal-moħriet** the pole of a plough
wassa' v. to enlarge, to amplify, to dilate
wassal v. to convey, to lead, to bring; **ma j~x** he will die; (mhux biżżejjed) that is not enough // n.m. (pl. **~a**) leader, guide; (min iħabbar, tal-aħbarijiet) reporter; relater
watar n.m. (pl. **utar**) catgut; fiddle strings
wati aġġ. plain; even; smooth; level
watt n.m. (pl. **~s**) watt
WC n.m. (pl. **~s**) WC; abbr. of Water Closet
wċuħ ara uċuħ
webbel v. to prompt, to suġġest
webbes v. to harden, to make hard; **~ rasu** to grow obstinate or stubborn
weġġaħ v. to honour, to venerate; (ta glorja lil) glorify
weġġiegħ n.m. (pl. **~a**) he that mortifies/afflicts
weġġieh n.m. (pl. **~a**) he that honours; a glorifier
weġgħa n.f. (pl. **~t**) pain; an aching
weġgħan aġġ. afflicted; grieved; sorrowful; doleful
wegħd|a n.f. (pl. **~i, ~iet**) vow, promise; **trid tagħmel ~a biex** it is impossible to; **mela għamilt xi ~a?** how on earth did you succeed?; **wegħdi**: **donnu tal-~** he is so unfortunate!
wegħied n.m. (pl. **~a**) promiser
weħel v. to be joined, stuck
weħl|a n.f. (pl. **~iet**) a sticking; a delay; a cohesion; coherence
wejb|a n.m. (pl. **~iet**) Maltese grain and land measure
wejd|a n.m. (pl. **~iet**) a pretty little hand
wella v. to renounce, to make over, to give up
welled v. to assist women in childbirth
wellieda n.f. (bla pl.) midwife
wemmen v. to make one believe
wemmien n.m. (pl. **~a**) believer
wennes v. to escort; to accompany
wennies n.m. (pl. **~a**) an escort; a companion; one who keeps company
wens n.m. (pl. **~ijiet**) company; escort
wensi aġġ. inhabited; full of people; **post ~** a frequented place; a place of great resort
wera v. to show; **~ ħaġa b'oħra** to dissimilate; **~ ruħu** to show os., to present os.; **~ snienu** to be daring; **beda juri** the side-effects were showing out
werċ aġġ. squint-eyed
werden v. to hum, to grumble; (tkellem minn taħt l-ilsien) to mutter, to grumble; (imtela wirdien) to grow full of bectles
werqa n.f. (pl. **~t, ~iet**) leaf, foliage
werraq v. to leaf
werreċ v. to make one squint-eyed; **~ bid-dagħa** he really swore
werrej n.m. (pl. **~ja**) index; (dak li juri) demonstrator; representer
werrek v. to break the thigh; (zappap) to walk lame
werret v. to cause one to inherit
werrex v. to slap
werriet n.m. (pl. **~a**) heir
werwer v. to frighten, to stun, to dumb-fold
werżaq v. to shrill, to whiz, to creak
werżieq n.m. (pl. **urieżaq**) cricket; **~ ta' binhar** cicada
werżieqi aġġ. shrill
wesgħa n.m. (pl. **~t**) an opening, square, wideness
wessiegħ n.m. (pl. **~a**) enlarger; widener
wet n.m. (pl. **~ijiet**) ram
wetq|a n.f. (pl. **~iet**) firmness; confirmation
wettaq v. to fortify, to strengthen; (ikkonferma) to confirm
wettieq n.m. (pl. **~a**) fortifier; (min jikkonferma) confirmer
wettiq n.m. (pl. **~iet**) (mekkuk tan-newl) bobbin of the shuttle; spindle
weżweż v. to say one's prayers loud up
weżwież n.m. (pl. **~a**) bigot; hypocrite
WHO n.pr. WHO; abbr. of World Health Organisation
wiċċ n.m. (pl. **uċuħ**) face; visage; countenance; ~ **bil-buri** long face; ~ **bil-geddum** long face; ~ **ikreh** ugly face; ~ **tost** saucy; ~ **iż-żarbun** uppers; ~ **il-qoffa** the pick of the basket; ~ **tal-arloġġ**, eċċ dial of the clock, etc.; ~ **is-sema** firmament; the sky; ~ **il-mejda** surface; ~ **tar-raba'** the crops; ~ **itajjar in-nar** a nice rosy face; **ħammarlu ~u** he embarassed him; ~ **Laskri** an austere person; **kellu l-~** he acted shamelessly;

fuq ~ l-idejn adored; b'~ il-ġid safely; **baqa' ma' ~u** he did not get rid of him; **baqa' f'~u** things did not turn out like he wanted them; **~u ħa d-dawl** he became happy; **ta l-~** he got confident with; **waqqagħlu ~u l-art** he made him really desolate and ashamed; **~u mqaxxar** he resembles; **qala' fuq ~u** he really suffered; **b'~u minn quddiem** shamelessly; **qalhielu f'~u** he spoke shamelessly; **~ ġdid** a stranger; **rah ma' ~u** he met him accidentally; **qarras ~u** he did not like something; **~ ta' pupa** a very beautiful face; **~ ta' kelb** a cruel man, **jafu mill-~** he knows him roughly; **seffaq ~u** he tried not to be ashamed; **uċuħ**: **ta' żewġ ~/jimxi bl-~** he is a hypocrite

widaħ n.m. (bla pl.) the sung that sticks to the fleece of the sheep; (xema' tal-widnejn) ear-wax

widb|a n.f. (pl. **~iet**) admonishment; warning; admonition

widdeb v. to admonish, to warn, to advise

widdieb n.m. (pl. **~a**) admonisher; monitor, mentor

widdien n.m. (pl. **~a**) muezzin

widek n.m. (bla pl.) corruption; pus; (ħmieġ) fat; grease

widen n.m. (bla pl.) ear, hearing; **ta ~** to harken, to give ear to

widn|a n.f. (pl. **~iet**) ear; (ikel għall-bhejjem) prickly caterpillar; (fig. spija) a spy; **mhix tal-~a** not melodious; **~et il-baħar** aġġ. Maltese national plant; **~ejn**: **~ taż-żarbun** the vamp of a shoe; (tip ta' marda) mumps; **fetaħ ~ejh** he heared attentively; **għadda minn għala ~ejh** he heared that; **ġebbidlu ~ejh** he shouted at him; **taqqablu ~ejh** he kept speaking and shouting

wied n.m. (pl. **widien**) valley; **~ tal-ilma** (tax-xita) torrent; rushing stream; **għaddej ~** the streets are flooded; **~ tad-dmugħ** cruel life

wieġeb v. to answer

wiegħed v. to give hopes, to promise

wiegħer v. to hinder; (ħoloq il-konfużjoni) to disturb, to create confusion

wieħed aġġ. one // n.m. num. kard. one // n.m. (pl. **uħud**) an individual, someone, sb.; **l-istess ~** the same; **kull ~** everyone; **~ ~** one by one; **~ kien hawn bħalek** I really appreciate that; **sabet ~** she's going out with a guy

wieled v. to give birth (to)

wieqaf aġġ. still, stopped; (dritt) standing, straight, upright; bilwieqfa standing

wieta v. to benefit

wieżen v. to counterbalance, to counterpoise; (immodera) to moderate; (żamm) to support, to sustain, to prop

wikka v. to recline; (qarraq fil-bejgħ) to cheat in stealing

wikkiel aġġ. a glutten; a gormandizer

wild n.m. (pl. **ulied**) birth; issue; son, daughter; **ulied**: **~ il-forka** low people

wild|a n.f. (pl. **~iet**) birth; litter

wiled v. to give birth to, to bring forth, litter

wilġa n.f. (pl. **wileġ**) a large field; a large tract of cultivable land

wirdien n.m.koll. f. **~a** (pl. **wirdiniet**) cockroach;

wiret v. to inherit

wiri n.m. show; demonstration; exhibition; **~ tal-għarajjes** presentation; **bil-~** openly; without disguise; ostentatiously

wirj|a n.f. (pl. **~iet**) show, exhibition; **~a tal-arti** art exhibition; **~a tal-fjuri** flower show

wirk n.m. (pl. **uriek**) thigh, leg

wirt n.m. (pl. **~iet**) inheritance; heritage

wisa' n.m. (pl. **wesgħat**) width; accomodation; room; extent; wideness; extension; ampleness

wiski n.m. (pl. **~jiet**) whisky

wisq avv. much; many; greatly; by far; too much; **bil-~** very much, very great; **tgħidx ~** it is not that impossible

wissa v. to command, to order, to charge; (ta parir) to advise, to admonish, to warn

wissej n.m. (pl. **~ja**) warner; admonisher; one who admonishes

wistani aġġ. (tan-nofs) middle; (it-tieni wild) the second born

wita n.m. (pl. **~jiet**) a plain; an esplanade

witet n.m. (pl. **utiet**) a peg

witi n.m. (bla pl.) relief, benefit

witta v. to plain, to level; (qered) to extirpate, to raze, to demolish

wittej n.m. (pl. **~ja**) leveller

witwet n.m. (pl. **~iet**) he-goat

wixx avv. good hope, prosperity; **ma fihx ~** there's not much to hope on

wiżen v. to weigh; (ikkonsidra) to weigh in mind, to condsider attentively

wiżgħa n.f. (pl. **~t**) gecko, gecko lizard, newt; **~ tal-baħar** spotted dragonet

wiżn|a n.f. (pl. **~iet**) a pesa; five rotoli (140 lbs)

wiżż n.m.koll. f. **~a** (pl. **~at, ~iet**) geese; **~a selvaġġa** bean goose

wiżżien n.m. (pl. **~a**) weigher

wiżżu n.m. (pl. **~a**) gander

WK Wara Kristu; AD; abbr. of Anno Domini

(i)wweldja v. to weld

(i)wweldjat pp. welded

X x

x twenty eighth letter of the alphabet and twenty second of the consonants; (fil-matematika) x, an unknown quantity

x', xi pron. what?; **x'taf** what do you know?; **x'jimpurtak** what is it to you?

xaba' v. to satiate os.; ~ **minn** to be weary or tired of // n.m. (bla pl.) satiety; **bix-~** in abundance; **bla** ~ insatiable, insatiate

xabba' v. to satiate; (kellu bosta) to abound, to be plentiful; (sar imxabba' b') to weary, to poster

xabbat v. to cause to creep up, to cause to scrable up

xabla n.f. (pl. **xwabel**) sable, sword; (xorta ta' ħuta) scabband-fish

xablott n.m. (pl. **~i**) dagger, dirk

xab|ò n.m. (pl. **~ojiet**) frill

xadin n.m. (pl. **~i**) monkey, ape; (fig. wieħed li jimita) an imitator; (bniedem ikrah) an ugly person

xafra n.f. (pl. **xfafar**) blade

xagħar n.m.koll. f. **~a** (pl. **~at**) hair; daqs kemm **għandu ~ f'rasu a lot; qatta' xagħru** he really cried; ~ **abjad** an old man; **imdendel b'xagħra** he is about to lose everything; **taqta' xagħra fl-ilma** it really has a good blade

xagħat n.m. (pl. **~iet**) caterpillar

xagħba n.f. (pl. **~t, ~iet**) whispering, murmur

xagħr|a n.f. (pl. **~i**) heath, moor, barren land; (art ċatta u watja) a plain/level surface

xagħri aġġ. heathy, barren; capillary

xagħtar n.m.koll. St John's wort

xagħtri aġġ. sterile

xahar n.m. (pl. xhur) month

xaħam n.m. f. **~a** (pl. **xaħmiet**) lard, fat; ~ **tad-dam** tallow; **qisu ~ f'karta** a lingering person

xaħħ v. to be niggardly

xaħħaħ v. to sift very closely

xaħħam v. to grease; (għamel il-korruzzjoni) to bribe, to oil one's hand // n.m. (pl. **~a**) greaser; (min jagħmel korruzzjoni) briber

xaħħat v. to bereave

xaħma aġġ. slow, lingering

xaħmet l-art n.m. (bla pl.) skink

xaħt|a n.f. (pl. **~iet**) dearth, scarcity

xaħx n.m.koll. f. **~a** (pl. **~iet**) shivers of stone

xaħxaħ v. to appease, to assuge

xaħxieħ n.m. (pl. **~a, ~iet**) he who makes one sleep

xaħxieħ n.m.koll. f. **~a** (pl. **~at, ~iet**) opium poppy

xaħxieħi aġġ. somniferous, soporific

xaħxiħ n.m. (bla pl.) sleepness, drowsiness

xajtan v. to invoke the devil in swearing

xalar n.m. (bla pl.) diversion, amusement

xalat|a n.f. (pl. **~i**) recreation; (tal-festa) feast merrymaking; **għamel/kellu** ~ he really had a good time

xalatur n.m. (pl. **~i**) spendthrift, reveller

xall n.m. (pl. **~ijiet**) shawl

xalup|a n.f. (pl. **~i**) shallop

xama' n.m.koll. wax; ~ **verġni** bee's wax; **qattar ix-~ fuq xi ħadd** he took advantage of; **abjad daqs ix-~** about to faint; **qisu tax-~** very beautiful/fragrant

xambekk n.m. (pl. **~ijiet**) xebec(k)

xamm v. to smell; (deherlu b'xi ħaġa) to have a presentiment of, to get wind of; **~u** he perceived him; ~ **xi ħaġa** tinten he perceived a nasty affair

xamm n.m. (bla pl.) the act of smelling

xamm|a n.f. (pl. **~iet**) hint, presentiment; **għandu xi ~a** he perceived a cònspiration

xammar v. to tuck up; **malajr** ~ he was ready to fight; ~ **u erfa'** ready for work; ~ **u għaddi** save the compliments

xammem v. to cause one to smell

xammiem n.m. (pl. **~a**) smeller

xammiem|a n.f. (pl. **~iet**) scent vessel; **nadifa** ~ spick and span

xampanj|a n.f. (pl. **~i**) champagne

xandar v. to divulge, to publish, to broadcast // n.m. (pl. **~a**) divulger, publisher

xandir n.m. f. **~a** (pl. **~iet**) broadcasting, publication

xankura n.f.koll. ground pine

xantkura ara **xankura**

xanxe': **għala** ~ in a careless/carefree way
xaqf|a n.f. (pl. **~iet**) chamber pot; **ikrah daqs** ~ very ugly
xaqleb v. to throw down, to overturn
xaqlib n.m. f. **~a** (pl. **~iet**) the reversing of, throwing down, the overturning
xaqlib|a n.f. (pl. **~iet**) declivity
xaqlieb n.m. (pl. **~a**) he who overturns
xaqq v. to cut, to incise; (qasam) to cleave, to slit or split; ~ **il-għaraq** to sweat, to perspire // n.m. (pl. **xquq**) crevice, slit, creft, rift, fissure; ~ **tas-safra** rhagades; ~ **it-tama/ta' dawl** a ray of hope
xaqqaq v. to cut, to make an incision in; (niseġ) to weave cloth
xaqquf|a n.f. (pl. **xqaqef, ~iet**) shard
xaqra aġġ. ruddy
xarad|a n.f. (pl. **~i**) charade
xarb|a n.f. (pl. **~iet**) drinking bout, drought
xarbitelli n.m.pl. implements
xarj|a n.f. (pl. **~iet**) brawl, squabble, quarrel; **għamel ~a** to brawl, to squabble
xarp|a n.f. (pl. **~iet**) sash, scarf
xarrab v. to macerate, to steep, to soak, to wet; **~lu jdejh** he corrupted him; **~hielu** he gave him a sound beating
xarrab n.m. (pl. **~a**) he who soaks
xarraf v. to harden
xarrax v. to make whey
xatb|a n.f. (pl. **~iet, xtabi**) harrow, drag, rake; (grada) gate; **ġarr ix-~a** he did only hard work
xatra n.f. (pl. **xtur**) disparity
xatt n.m. (pl. **xtut**) shore, sea coast, strand; ~ **ta' xmara** bank; **max-~ ix-xmara** along the sea shore
xattab v. to harrow
xattab n.m. (pl. **~a**) harrower
xattar v. to make unequal
xawwat v. to scorch, to singe, to scald
xagħat n.m. (pl. **xagħtiet**) caterpillar
xbejb|a n.f. (pl. **~iet**) lady
xbieha n.f. (pl. **xbihat**) image, resemblance, likeness
xbiek n.m. (pl. **~ijiet**) fowling net
xbin n.m. (pl. **xbejjen**) godfather
xbubi aġġ. virgin, verginal
xbubija n.f. (bla pl.) adolescence, youth; (verġinità) virginity
xdedija n.f. (bla pl.) costiveness, constipation
xdid aġġ. costive; (oħxon) thick; (xħiħ) niggard
xdidi aġġ. costive, astringent
xebb aġġ. unmarried, single // n.m. (pl. **xbieb**) youth; // n.m.koll. alum; ~ **il-ġmiel** rock alum
xebba n.f. (pl. **~iet**) maid, girl, virgin
xebb|a aġġ. nubile, marriageable
xebbeh v. to compare, to liken; (imita) to copy, to imitate
xebbek v. to weave nets, to mesh; (fetaħ ix-xbieki) to lay or spread nets; (qabbad) to entangle
xebbieh n.m. (pl. **~a**) he who compares or equals; (pittur) portrait-painter, portraitist
xebbiehi aġġ. comparable
xebbiek n.m. (pl. **~a**) net maker
xebeh v. to resemble, to be like to
xebgħa n.f. (pl. **~t**) satiety; (abbundanza) abundance, plenty; (daqqa) blow; **tah ~ kliem** he shouted at him; **qala' ~ xi ħaġa** he beat him sth.; **waħħallu** ~ he gave him a sound beating
xebgħan aġġ. satiated, satisfied; (għeja) tired, weared
xebh n.m. (bla pl.) resemblance, likeness; **ħadu mix-~** he recognized him through his resemblance with sb. else
xeblek v. to twist, to twine
xeblik n.m. (bla pl.) twining, twisting
xedaq n.m. (pl. **xdieq**) jaw, maxilla; **tax-~** maxillary; **xdieq**: **kiel b'żewġt i~** he did two jobs simultaneously
xedd v. to studdle; (libbes) to dress, to clothe; (mela) to render costive; (saħħaħ) to corrobate, to strengthen; (libes) to dress os.; (ibbies) to become hard
xedd n.m. (bla pl.) dressing, dress
xedd|a n.f. (pl. **~iet**) constipation, costiveness; (websa) hardness
xefaq n.m. (pl. **xefqat**) horizon
xeffer v. to sharpen, to whet
xegħel v. to kindle, to light, to illuminate; (ħoloq l-għagħa) to raise or stir up a rebellion; (inqabad) to take fire; (irrabja) to grow warm, to boil with anger; (qam) to rebel, to rise (against)
xegħil n.m. (bla pl.) occupation, employment
xegħt|a n.f. (pl. **~iet**) aridity, siccity, draught, dryness
xeha v. to desire, to wish
xehba aġġ. grey
xehd|a n.f. (pl. **~iet**) comb, honeycomb
xehed v. to testify, to give evidence, to depose
xeher v. to cry loud; (ħareġ fil-pubbliku) to divulge, to publish
xehj|a n.f. (pl. **~iet**) desire, will
xehr|a n.f. (pl. **~iet**) shrill cry, noisy crying
xehw|a n.f. (pl. **~iet**) longing; (tebgħa tat-twelid) birth-mark, mole
xeħet v. to throw, to cast, to fling
xeħħ|a n.f. (pl. **~iet**) avarice, greediness, sordidness
xeħt|a n.f. (pl. **~iet**) throw, cast

xejb n.m. (bla pl.) grey hair; (xjuħija) senescence, old age
xejbieni aġġ. senile, hoary
xejjaħ v. to cause one to grow old
xejjef v. to bore with an awl
xejjen v. to annihilate, to reduce to nothing
xejjer v. to swing, to vibrate; **bagħtu jix~** he sent him to the gallows
xejjet v. to card
xejn n.m. (pl. **~ijiet**) nothing; **ix-~**, ~ that is better than nothing; **ma ssibu b'~** you won't find him; ma **ssibu għal** ~ he does not help you; **ġie fix-~** he lost all his money; **m'għamel** ~ he did not succeed; **tgħidli** ~ yes, I know; ~ **ma ngħidlek** do as I'm telling you; ~ **li** ~ nothing at all; **mhux b'~** rather expensive; **il-flus għalih mhuma** ~ he does not care for money; ~ **m'għandu minnu** he does not help; (ma jħabbtux) he is a really quiet person; (ma jixbhux) he does not resemble him; **għal~ b'~** for no reason at all; **għadu ma jaf** ~ he is still immature; ~ ~ **noħroġ** (eċċ.) if nothing, it would serve me as a walk (etc.); **tgħid** ~ it could have happened much worse; ~ **ma jrid biex** he does not hesitate to; **ma tgħid** ~ it's not good
xekk v. to thrust into; (eżamina sew) to examine minutely
xekkek v. to wander about
xekkel v. to shackle, to fetter; (waqqaf) to hinder, to stop, to impede
xekkiek n.m. (pl. **~a**) vagabond, vagrant
xekkieki aġġ. rambling, wandering
xekkiel n.m. (pl. **~a**) shackler, hinderer
xela v. to accuse, to spy, to indict
xelin n.m. (pl. **~i**) shilling
xellef v. to notch, to blunt; ~ **is-sittin** (eċċ.) he's just in his sixties (etc.)
xellej n.m. (pl. **~ja**) accuser, spy
xellek: ~ **bellek** in a careless manner
xellel v. to baste
xellex n.m. (pl. **~iet**) mote
xellug aġġ. n.m. (pl. **~in**) left; **max-~** to the left
xellugi aġġ. left handed
xelt|a n.f. (pl. **~iet**) choice, selection
xelter n.m. (pl. **~s, xeltrijiet**) shelter
xemgħa n.f. (pl. **~t**) candle; **tfielu x-~** he killed him; **dritt** ~ very straight; **miżżewweġ bla** ~ he is married only legally
xemmex v. to insolate, to sun
xemmiegħ n.m. (pl. **~a**) wax chandler
xemmiex n.m. (pl. **~a**) one who dries in the sun
xemnaq v. to despise, to alight
xemnieq n.m. (pl. **~a**) despiser, contemner
xemnieqi aġġ. contemptible
xempj|u n.m. (pl. **~i**) model, examplar
xemx n.f. (pl. **xmux**) sun; **ward ix-~** sun-flower **ħaditu x-~** he got tanned; **jgħatti x-~ bl għarbiel** he brings excuses; **lagħaq ix-~** h spent his time in the sun; **nibex ix-~ għaddejj** he bothered people; ~ **taqli l-ftajjar/ankri klieb** it was very hot; ~ **u xita** always
xemxat|a n.f. (pl. **~i**) sun-stroke
xemxi aġġ. sunny, solar
xena v. to accuse
xen|a n.f. (pl. **~i**) scene
xenarj|u n.m. (pl. **~i**) scenary
xenat|a n.f. (pl. **~i**) sun-stroke; **qajjem ~a** he caused a row
xendi aġġ. n.m. (pl. **~jiet**) dwarf, pigmy
xengel v. to stagger, to joggle, to noddle
xengul aġġ. tottering, noddling
xennaq v. to allure, to awake a desire in someone
xenografij|a n.f. (pl. **~i**) scenography
xenografiku aġġ. scenographic
xenograf|u n.m. (pl. **~i**) scenographer, scenepainter
xenxel v. to root
xenxul n.m. (pl. **xniexel**) radicle, fibril; ~ **għeneb** cluster of grapes, bunch of grapes
xeraħ v. to dissect, to anatomize
xeraq v. to beseem; (bl-ikel, eċċ.) to choke
xerif n.m. (pl. **~fi**) sherif
xeriff n.m. (pl. **~i**) sheriff
xermed v. to stain with blood
xerq|a n.f. (pl. **~iet**) a choking (in eating, etc.)
xerraq v. to choke (in eating, etc.)
xerred v. to scatter, to spread; (ħareġ fil-beraħ) to divulge, to publish; ~ **demmu għal art twelidu** to shed one's blood for one's country
xerref v. to lean out of the window; (saħħaħ) to harden
xerrej n.m. (pl. **~ja**) buyer, purchaser
xerrek v. to associate, to affiliate
xerried n.m. (pl. **~a**) spreader
xerrieħ n.m. (pl. **~a**) anatomist
xerriek n.m. (pl. **~a**) he who unites in a company
xerrieki aġġ. companionable, sociable
xerrieq n.m. (pl. **~a**) stifler, choker
xerr|u n.m. (pl. **~ijiet**) scirrhus
xettiċiżm|u n.m. (pl. **~i**) scepticism
xettik|u n.m. (pl. **~i**) sceptic // **xettiku** aġġ. sceptical
xettr|u n.m. (pl. **~i**) sceptre
xewa v. to roast, to parch, to toast
xewk n.f.koll. f. **~a** (pl. **~iet, xwiek**) thorn; **ġismu qam** ~ ~ he was afraid; **xewka: għandu** ~ **f'qalbu** he has a thorn in his heart; **fih** ~ he is

very naughty; **xwiek**: **fuq ix-~** he is very excited; **għandu x-~ f'ġismu** he is always on the go

xewki aġġ. spiny, thorny

xewl|a n.f. (pl. **~iet**) a roving

xewlaħ v. to throw away, to hurl

xewlieħ n.m. (pl. **~a**) lancer, flinger

xewlien n.m. (pl. **~a**) a rambling or wandering about

xewq|a n.f. (pl. **~t, ~iet**) desire, wish; **~a bla temma** an unfulfilled wish

xewqan aġġ. desirous, wishful

xewwaq v. to excite desire

xewwek v. to pierce with thorns

xewwekij|a n.f. (pl. **~iet**) prickly anthus

xewwel v. to wander, to gad

xewwex v. to provoke, to incite, to foment

xewwiel n.m. (pl. **~a, ~xewwiliet**) wanderer, rambler

xewwiex n.m. (pl. **~a**) provoker, mutineer

xgħil n.m. (bla pl.) burning, lightening

xgħir n.m.koll. f. **~a** (pl. **~iet**) barley

xgħir|a n.f. (pl. **~t, ~iet**) sty, sye

xgħuli aġġ. combustible, inflammable

xhid n.m. (bla pl.) attestation, testimony

xhieb v. to grow hoary

xhieda n.f. (bla pl.) evidence, proof

xhir n.m. (bla pl.) clamour, cry

xhubija n.f. (bla pl.) greyness

xhud n.m. (pl. **xhieda**) witness

xħajjaħ aġġ. greedy

xħiħ n.m. (pl. **xħaħ**) niggard // aġġ. miser, sordid, stingy, covetous

xħin avv. when, at what time

xħit n.m. (bla pl.) throw, throwing, **duwa tax-~** emetick

xi aġġ. pron. avv. some; **~ darba** sometimes; **~ ħadd** sb., anybody; **~ wieħed** someone, sb.; **x'nesa nesa** (eċċ.) no, he did not forget! (etc.)

xiber n.m. (pl. **xbar**) span; **baqa b'~ imnieħer** he did not succeed in obtaining what he wanted; **kejjel b'xibru** he thought wrongly; **~ nies** a pretentious man

xibka n.f. (pl. **xbiek**) net, snare; **xibk|a** n.f. (pl. **~iet**) trap; **daħal f'~a** he was let astray

xibt n.m. (pl. **~ijiet**) dill

xidi n.m. (pl. **~jiet**) wooden-latch, wooden-bolt

xidj|a n.f. (pl. **~jiet**) ox-fly, gad-fly, horse-fly; **qabdek bħal ~a** he wouldn't let you go for a single second

xiegħeb v. to avert

xiegħel v. to give work, to keep busy

xiegħef v. to cause one to repent

xiegħer v. to chap

xiegħet v. to produce caterpillars

xiehed v. to make witness

xieher v. to publish, to divulge

xiel v. to ramble, to stroll, to roam, to rove

xieraq aġġ. allowable, permitted, just, right

xieref aġġ. hard; (xiħ) old

xif|a n.f. (pl. **~iet**) awl

xifer n.m. (pl. **xfar**) edge, brim, border; **~ tal-għajnejn** the edge of the eye-lid; **wasal f'~ il-kief/qattara** he's about to die; **jinsab fix-~** he's about to die; **xfar**: **mimli sa ~ għajnejh** full to the brim

xifri aġġ. marginal

xifxief n.m.koll. f. **~a** (pl. **xifxifiet**) Saint John's wort

xiħ n.m. (pl. **xjuħ**) old man; **~ għakka** a very old man // aġġ. old, ancient

xikel n.m. (pl. **xkelijiet**) foot-shackle

xili n.m. (bla pl.) spying

xilpa n.f. (pl. **xilep**) salema; **xilep**: **ġewwa x-~** he's in

xilxieni aġġ. reciprocal, mutual

ximitarr|a n.f. (pl. **~i**) scimitar

ximpanzi n.m. (pl. **~jiet**) chimpanzee

xinat|a n.f. (pl. **~i**) strife, dispute, quarrel

xini n.m. (pl. **xwieni**) galley

xipli aġġ. lean, thin, slender

xiref v. to look out of; (ħareġ) to project; **b'xirfu** kollu with all his cunning

xirf|a n.f. (pl. **~iet**) a looking out of

xirġien n.m. (pl. **xrieġen**) banded bream

xiri n.m. buying, purchase, bargain

xirj|a n.f. (pl. **~iet**) a purchase, buying

xirk|a n.f. (pl. **~iet**) society; **Ħamis ix-X~** Maundy Thursday

xita n.f. (bla pl.) rain; **~ ħafifa** light shower, drizzly rain; **~ qawwija** heavy rain; **~ bil-qliel/ħodon/ġarra** to rain in torments; **bħax-~** in great quantities; **ix-~ mdendla** it's about to rain

xitan n.m. (pl. **xjaten**) devil, demon; **ix-~ u s-salib** in a quarreling attitude; **ix-~ deffes denbu** there was trouble; **rah ~** he was really angry at sb.; **sar ~** he was red with fury; **qisu ra ~** he got angry as soon as he saw him; **ix-~ laqqagħhom** they get angry as soon as they met; **xjaten**: **għandu seba' ~** he is evil; **bagħtu għand ix-~/ġliba ~** he sent him to the gallows; **fejn ix-~ ikun** just anywhere; **ix-~ kollha nqalgħu** there was a lot of trouble; dawn **ix-~ ta'**... those damn...

xitl|a n.f. (pl. **~iet, xtieli**) sapling

xitli aġġ. new, green, of a new plantation

xittel v. to replant, to plant again

xitwa n.f. (pl. **xtiewi**) winter; **l-eqqel tax-~** the thick of winter; **il-qieragħ tax-~** the thick of winter

xitwi aġġ. brumal, winterly
xiwi n.m. roasting, grilling
xiwj|a n.f. (pl. ~**iet**) roast meat, roast beef; (l-att) roasting
xiżm|a n.f. (pl. ~**i**) schism
xiżmatiku aġġ. schismatic
xjatika n.f. (bla pl.) sciatica, hip-gout
xjentement avv. knowingly
xjentifikament avv. scientifically
xjentifiku aġġ. scientific
xjenz|a n.f. (pl. ~**i**) science
xjenzat n.m. (pl. ~**i**) man of science, scientist // aġġ. learned
xjieħ v. to grow or get old
xjuħija n.f. (bla pl.) old age, oldness, hoar age
xkaffa n.f. (pl. **xkafef**) shelf, ledge; **baqgħet fuq l-i~** no man wanted to marry her
xkak n.m. (pl. ~**ijiet**) sheet of paper
xkana v. to levigate
xkanat pp. levigated
xkatl|u n.m. (pl. ~**i**) angel shark
xkatta v. to burst, to explode
xkiel n.m. (pl. **xkilijiet**) hobble, shackle, fretter
xkomp n.m.koll. f. ~**a** (pl. ~**at**) lemon
xkora n.f. (pl. **xkejjer**) sack, bag, poke; **daħħal 'il xi ħadd fl-i~** he cheated on sb.; ~ **għerf** very wise; **eħżen minn ~ mqattgħa** very cunning
xkubett|a n.f. (pl. ~**i**) gun, musket
xkum|a n.f. (pl. ~**i**) spume, froth, foam; (xorta ta' kejk) meringue; **kellu l-i~a kollha** he had all the low people with him
xkumatur n.m. (pl. ~**i**) skimmer
xkumvat n.m. (pl. ~**ijiet**) fitter
xkup|a n.f. (pl. ~**i**) broom, besom; ~**a ġdida** a very laborious newly-employed
xkupilj|a v. to brush u n.f. (pl. ~**i**) brush
xlief n.m. (pl. **xolfa**) fishing line
xlieq|a n.f. (pl. ~**i**) exulceration
xlokk n.m. (pl. ~**ijiet**) south east wind
xmara n.f. (pl. **xmajjar**) river; **sa jaqsam ~a** he pulled up his trousers; ~ **ta' għerf** a very intelligent person
xmiel n.m. (pl. **xmilijiet**) north wind
xniegħa n.f. (pl. **xnigħat**) rumour
xnien n.m.koll. f. ~**a** (pl. ~**at**) cow-grass
xofer: **qiegħed** ~ he is about to lose the game
xoff|a n.f. (pl. ~**iet**) lip; (xifer) brim; **għamel ix-~a** he was about to cry; ~**tejn**: **kemmex ~tejh** he disagreed about something; **dendel ~tejh** he was about to cry; ~**tejn meħjuta** one who keeps a secret; **gidem ~tejh** he was repentful; **lagħaq ~tejh** he liked the food; ~ **il-liebru** a parted upper lip
xogħf|a n.f. (pl. ~**iet**) repentence
xogħfien aġġ. repentant
xogħof v. to repent, to be sorry, to regret
xogħol n.m. (pl. **xogħlijiet**) affair, employmen (ħidma) work, labour; ~ **ta' mgħallen** masterpiece; **ħwejjeġ tax-~** working clothes **ix-~ rafa' rasu** it was about to end; **mar għa xogħlu** he left; **inqalagħlu x-~** he had busines to do; ~ **bizzilla** a very delicate and fine job **illum** ~ I'm working today; ~ **tal-għaġla** careless job; **rafa' x-~** he stopped working **fiha biċċa** ~ it is quite difficult; (maghmul bis-sengħa) it has skill; ~ **għal-lasta** unpayed work; ~ **ta' kelb** hard work
xoljiment n.m. (pl. ~**i**) dissolution; ~ **tal parlament** dissolution of parliament
xoqqa n.f. (pl. **xaqaq**) cloth, linen; ~ **tal għażel** linen cloth; ~ **samra** brown holland; **ix-~ f'moxtha** the best moment
xorb n.m. (bla pl.) drinking, drink, spirits; **ix-~ tela' għal rasu** he was getting drunk
xorban aġġ. tipsy, half seas over
xorob v. to drink; (tebba', ċappas) to blot; (skanta) to enchant, to stupefy, to bewitch; ~ **kulma qallu** he understood him immediately; **tah x'jixrob** he gave him extra money
xorraf n.m. (pl. ~**ijiet**) cockerell
xorraf|a n.f. (pl. ~**iet**) excortiation
xorrox n.m. (bla pl.) serum, whey, buttermilk
xorta n.f. (bla pl.) sort, kind
xorta waħda avv. like, equal, all one
xorti n.f. (pl. ~**jiet**) luck, fate, fortune; ~ **ħażina** misfortune; ~ **tajba** good luck; ~**h miegħu/tagħtih** very lucky; **kulħadd ~h** in somethings you are lucky and in others not; **ma kienx bix-x~** it had to happen like that; **ittanta ~h** he tried his luck
xort'oħra avv. diversely, differently
xott aġġ. dry; **illum** ~ I do not have money
xpakkatur|a n.f. (pl. ~**i**) split, cleft, crack
xprun n.m. (pl. ~**i**) spur
xprunar|a n.f. (pl. ~**i**) sailing boat
xqajri n.m. (~**jiet**) linen cloth
xqura, xqurija n.f. (bla pl.) reddishness
xraba avv. wet; **għarqan** ~ he is full of sweat
xraf v. to grow hard
xrar n.m. (pl. ~**iet**) spark; **itajjar ix-~** he is very laborious/always on the go
xrar|a n.f. (pl. ~**iet**) spark; **kif ~a bih** he said what he had heard
xriek n.m. (pl. **xorok**) scantling, roofing stone; (kantun) slab; (bank tal-ġebel) stone-bench
xrif n.m. (bla pl.) the looking out of
xrik n.m. (pl. **xorka**) partner, sharer

xrik|a n.f. (pl. ~**iet**) a species of dog-grass
xropp n.m. (pl. ~**ijiet**) syrup
xtara v. to buy; (għamel il-korruzzjoni) to bribe
xtarr v. to ruminate, to chew the cud; (ħaseb għal darba tnejn) to muse in, to meditate over and over again
xtarr|a n.f. (pl. ~**iet**) rumination, chewing the cud, meditation
xtedd ara **nxedd**
xtieq v. to desire, to wish
xtillier|a n.f. (pl. ~**i**) rack, ~**a tal-kpiepel** hat stand; ~**a tal-iskarpan** shoemaker's rack
xtur: **sewwa** ~**u** he corrected his vices; **ħeba** ~**u** he tried to hide his vices
xufier n.m. (pl. ~**a**) driver, chauffeur
xulliefa n.f. (pl. **xullief**) agnail
xulliel n.m.koll.f. ~**a** (pl. ~**at,** ~**iet**) stones for building
xulxin avv. reciprocally, mutually
xummiema ara **xammiema**
xurban ara **xorban**
xutt n.m. (pl. ~**ijet**) shot
xux|a n.f. (pl. ~**iet**) hair; **qatta'** ~**tu** he was very angry // aġġ. bare-headed
xuxan aġġ. hairy
xuxxarell n.m. (pl. ~**i**) blow-pipe
xwejjaħ aġġ. rather old
(i)xxabbat v. to climb
(i)xxadinja v. to ape, to mimic
(i)xxadinjat pp. aped, mimicked
(i)xxaħħaħ v. to become stingy
(i)xxaħħam v. to be greased
(i)xxaħxaħ v. to sleep soundly; **l-għażżien dam ji~ fis-sodda sa nofsinhar** the lazy person slept soundly in bed till noon
(i)xxakkwa v. to rinse
(i)xxakkwat pp. rinsed
(i)xxala v. to enjoy os., to revel
(i)xxalat pp. enjoyed os.
(i)xxammar v. to tuck one's sleeves
(i)xxammem v. to smell
(i)xxampla v. to ungild
(i)xxamplat pp. with wide and unbuttoned clothes
(i)xxandar v. to be reported, to be broadcasted, publicated; **l-aħħar bullettin tal-aħbarijiet** ~ **f'nofsinhar** the latest news bulletin was broadcasted at noon
(i)xxappap v. to be sopped
(i)xxaqleb v. to be overturned
(i)xxaqqaq v. to crack
(i)xxarrab v. to wet; **hu** ~ he wet himself all over
(i)xxattar v. to melt down
(i)xxawwat v. to broil os. to brown
(i)xxebbeb v. to rejuvenate
(i)xxebbah v. to be like, to resemble, to compare with
(i)xxebblek v. to be entangled, to be entwined
(i)xxeblek v. to twine
(i)xxejjaħ v. to grow or get old
(i)xxejjen v. to be or become annihilated
(i)xxejjer v. to swing os., to brandish, to wave as a weapon
(i)xxekkel v. to be shackled
(i)xxellef v. to chip **il-vażun is-sabiħ waqa' u** ~ the beautiful vase fell and was chipped
(i)xxellel v. to be basted
(i)xxemmex v. to sun, to be exposed to the sun
(i)xxempja v. to model, to mould
(i)xxempjat pp. modelled, moulded
(i)xxengel v. to stagger, to topple, to totter
(i)xxena ara **(i)xxenja**
(i)xxenat ara **(i)xxenjat**
(i)xxenja v. to make a row
(i)xxenjat pp. made a row
(i)xxennaq v. to desire eagerly, to covet
(i)xxenxel v. to root, to take root
(i)xxerraħ v. to be anatomized
(i)xxerred v. to spread, to scatter, to spill, to divulge
(i)xxerref v. to lean out
(i)xxettel v. to be replanted, to rejuvenate, to make young
(i)xxewwaq v. to desire
(i)xxewwek v. to surround os. with thorns
(i)xxewwex v. to take off one's hat, to be incited for a fray, to incite, to stir up, to agitate
(i)xxiebah v. to resemble, to be like
(i)xxiegħer v. to become hairy, to crack, to open, to become or grow into barley
(i)xxiegħet v. to grow arid or dry
(i)xxierek v. to associate os.
(i)xxiftja v. to shift
(i)xxiftjat pp. shifted
(i)xximjotta v. to ape
(i)xximjottat pp. aped
(i)xxokkja v. to shock
(i)xxokkjat pp. shocked
(i)xxortja v. to short-circuit
(i)xxotta v. to dry up
(i)xxottat pp. dried up
(i)xxoxxa v. to enjoy the cool; ~ **mnieħru** to blow one's nose
(i)xxoxxat pp. blew one's nose
(i)xxuga v. to blot
(i)xxugat pp. blotted
(i)xxurtjat pp. fortunate, lucky
(i)xxuttja v. to shoot, to kick
(i)xxuttjat pp. shooted, kicked

Ż ż

ż twenty ninth letter of the alphabet and twenty third of the consonants

żabar v. to lop, to prune, to dress vines

żabbar n.m. (pl. **~a**) pruner, lopper

żabr|a n.f. (pl. **~iet**) lopping, pruning

żabrell|a n.f. (pl. **~i**) smooth lady or Golden beetle

żabri aġġ. a tree or plant that is pruned

żaffir n.m. (pl. **~i**) saphire

żaftur n.m.pl. koll. glue used to stop up the holes of beehives

żafżaf n.m.koll. sallow, round leaved willow

żagarell|a n.f. (pl. **~i**) ribbon, riband

żagħfran n.m.koll. f. **~a**; (pl. **~iet**) soffron crocus

żagħfrani aġġ. saffron coloured

żagħrun n.m. (pl. **~i**) wild hawthorn; (dud) larva; (ħuta) granulous shark

żagħżigħ n.m.koll. f. **~a** (pl. **żagħżiegħ**) strong scented erigeron; ~ **salvaġġ** flax leaved fleebane; ~ **tal-ganfra** camphorated erigeron

żagħżugħ n.m. (pl. **żgħażagħ**) young man; ~ **ġelliedi** chocheree; **~a** young woman // aġġ. young

żahar v. to blossom, to bloom, to blow, to effloresce // n.m. (pl. **żahra**) flowers, orange

żahra n.f. (pl. **~t, żahar**) flower, bloom, blossom

żahri aġġ. floriferous, bearing flowers

żahrija n.f. (bla pl.) evening star, Venus

żajbar n.f. (bla pl.) down/soft hair

żajbri aġġ. downy

żajjar v. to frequent/visit often

żajran n.m. (bla pl.) visitation, visiting

żal n.m. (bla pl.) to go away, to go from; **dar** (eċċ.) **żul minn hemm** an extraordinarily beautiful house (etc.)

żambur n.m. f. **~a** (pl. **~iet**) aniseed

żamm v. to hold, to support; (għamel tiegħu) to keep; (qagħad ma') to entertain, to amuse, to keep waiting; (ma ħalliex jgħaddi) to repress, to keep within bounds; (faddal, ħa ħsieb) to reserve, to maintain; (għamilha ta' gwardja) to save, to guard; ~ **iebes** to hold firm, to resist; ~ **f'qalbu** to keep in mind; ~ **kollox għalih** he kept everything hidden and secret; ~ **ruħu** he minded his body image // n.m. f. **~a**; (pl. **~iet**) staying, stopping

żamma n.f. composure, gravity

żammar v. to pipe, to fife, to play the reed // n.m. (pl. **~a**) fifer

żammiem n.m. (pl. **~a**) keeper

żanżan v. to begin, to make use of; (għamel ħoss ta' żunżan) to buzz, to hum

żanżarell n.m. (pl. **~i**) white collared flycatcher; spotted flycatcher

żanżin n.m. (bla pl.) humming, buzzing, buzz, whizzing, whiz; (uża xi ħaġa għall-ewwel darba) the first use of anything new

żaqq v. to feed, to cram // n.f. (pl. **żquq**) belly, stomach; (tad-daqq) bag pipe; (ġild għall-ilma) leather bottle; **sa taqagħlu ~u għal** - he really wants -; **jagħmel għal ~u** he is always eating; **~u ma' dahru** a very skinny man; **ta' ~u f'fommu** a man who says what he feels is right to say; **mela ~u** he ate enough; **kien fuq ~u** he annoyed him

żaqqieq aġġ. gluttonous, go(u)rmand // n.m. (pl. **~a**) glutton, gormandizer

żaqżaq v. to creak

żaqżiq n.m. (bla pl.) creaking

żar v. to visit

żarad v. to strand

żara' v. to sow; (raxxax) to disseminate, to propogate, to scatter, to spread // n.m. (bla pl.) that which is sown // n.m.koll. crop of wheat/barley

żarbun n.m. (pl. **żraben**) shoe; **wiżż iż-~** vamp, the upper leather of a shoe; **qiegħ iż-~/pett taż-~** the sole of a shoe

żard|a n.f. (pl. **~i**) habit, custom, vice; **qatagħlu ż-~a** he did not let him go on behaving that way

żarġan v. to produce twigs

żarġun n.m. (pl. **żraġen**) twig, sprig, branch, spray

żarmat ara **(i)żżarmat**

żarmuġ n.m. (pl. **żrameġ**) young rabbit, young coney; (daqsxejn ta' tifel) little boy, brat

żarrad v. to fray, to strand; ~ **waħda** he blasphemed
żarra' v. to run to seed, to go to seed
żarżar v. to clang, to blare
żarżarell n.m. (pl. ~**i**) dragonfly
żarżir n.m. (bla pl.) humming/buzzing noise; ~ **ta' tromba** shrill clear sound of a trumpet; ~ **fil-widnejn** tingling in the ears
żarżur n.m. (pl. **żrażar**) iron spindle
żatat aġġ. an assuming man, a forward person
żattat v. to meddle wit
żawran n.m. (bla pl.) visiting, visitation
żawwal v. to remove, to drive away // aġġ. despicable, contemptible
żbalja v. to commit a mistake, to err
żbaljat pp. wrong, mistaken
żball n.m. (pl. ~**ji**) mistake, error; ~ **taż-żmien** anachronism
żbanda v. to disband
żbandat pp. disbanded
żbandol|a n.f. (pl. ~**i**) sling, springold
żbandut n.m. (pl. ~**i**) outlaw, bandit
żbanka v. to ruin, to bankrupt
żbankat pp. ruined, bankrupted
żbarazza v. to clear away, to prine
żbark n.m. (pl. ~**i**) landing, disembarking
żbarka v. to disembark, to land, to put ashore
żbarkat pp. disembarked
żbarr|a n.m. (pl. ~**i**) dock
żbib n.m.koll. f. ~**a** (pl. ~**iet**) raisins; **żbiba**: **sar donnu** ~ he really became thin
żbigħ n.m. (bla pl.) dyeing, colouring
żbilanċ n.m. (pl. ~**i**) lack of balance
żbilanċja v. to unbalance
żbilanċjat pp. unbalanced
żbir n.m. (bla pl.) pruning, lopping
żbirr n.m. (pl. ~**i**) a bailliff, a policeman
żbokk n.m. (pl. ~**ijiet**) outlet, opening
żbokka v. to fall/flow (into)
żbornja n.f. (pl. ~**t**) drunkness
żborża v. to disburse
żborżat pp. disbursed
żboxxla v. to derange one's mind
żboxxlat pp. deranged one's mind
żbozz aġġ. rough
żbranża v. to tear to pieces
żbranat pp. torn to pieces
żbriga n.f. (pl. ~**i**) a machine to knead paste
żbroff n.m. (pl. ~**i**) afflorescence, an eruption
żbroffa v. to erupt, to squirt
żbukkat pp. foul; **bniedem** ~ foul-mouthed person
żdied v. increased, augmented; **żdidna** we had another child
żdingar n.m. (bla pl) truancy
żdingat aġġ. vagabond; (ma jagħtix kas) careless
żebagħ v. to paint
żebbed v. to make butter
żebbeġ v. to tell one's beads; (ħares) to look at with interest
żebbel v. to dung, to manure
żebbiegħ n.m. (pl. ~**a**) painter, dyer; (wieħed li jqarraq) a cheat, a cheating fellow
żebbiel n.m. (pl. ~**a**) dustman, gatherer of sweepings
żebbuġ n.m.koll. f. ~**a** (~**iet**) olive; **siġra taż-~** an olive tree
żebbuġi aġġ. olive coloured
żebgħa n.f. paint, dye; ~ **tax-xagħar** hair dye
żeblah v. to insult
żeblieh n.m. (pl. ~**a**) contemner, despiser
żeblih n.m. (bla pl.) despising
żebr|a n.f. (pl. ~**i**) zebra
żeffen v. to dance // to make one dance; ~ **fin-nofs lil xi ħadd** he referred to a person who did not have anything to do with the matter
żeffien n.m. (pl. ~**a**) dancer
żeġġ v. to slide
żeġġ|a n.f. (pl. ~**iet**) sliding
żeġġeġ v. to roll one's eyes about
żegleg v. to wriggle
żegliega n.m. (pl. **żeglieg**) wriggle, squirming
żeglieg|i n.m. (pl. ~**a**) he who wriggles in walking
żeglig n.m. (pl. ~**iet**) wriggling in walking
żegħed v. to increase or grow in number/quantity
żegħil n.m. (bla pl.) caresses, kind words, allurements
żeher v. to neigh, to whinny
żehra n.f. (bla pl.) whining, neighing
żejjed n.m. (bla pl.) excess, superabundance; **taż-~ u n-nieqes** used only when needed // aġġ. superfluous, excessive
żejjen v. to adorn, to decorate, to embellish
żejjet v. to anoint, to oil
żejt n.m. (pl. **żjut**) oil; ~ **ir-riġnu** castor oil; ~ **tal-kittien** linseed oil; ~ **taż-żebbuġa** olive oil; ~ **il-lewż** almond oil; ~ **tal-ħut** cod liver oil; **inqela f'~u** he suffered a setback from sth. that he himself had made; **bla** ~ **f'wiċċu** an impudent man; **iż-~ jitla' f'wiċċ l-ilma** truth will always reign; **baħar qisu** ~ a calm sea; ~ **fil-bażwa** a useless effort
żejti aġġ. oily; (lewn iż-żejt) olive coloured
żejż|a n.f. (pl. ~**iet**) woman's teat or breast; **inqatgħetlu ż-~a** he is not obtaining things as easily as before
żelant aġġ. zealous, fervent, ardent
żelaq v. to slip; (ħa żball) to err, to mistake; (ħarab) to escape

żellaq v. to cause one to slip; (ta ż-żejt) to lubricate; ~ **il-flus** he corrupted sb.
żelleġ v. to smear
żellieq(i) aġġ. slippery
żellum|a n.m. (pl. ~**iet, żlielem**) twin, twist
żelq|a n.f. (pl. ~**iet**) slip, slipping; (żball) oversight, mistake, error, slip; ~ **fin-niexef** lie, story, fib
żelu n.m. (bla pl.) zeal
żemmel v. unbrindle, to become lose
żena v. to fornicate
żenbaq n.m. (pl. **żniebaq**) arabian jasmine
żenbil n.m. (pl. **żniebel**) a broom basket
żenit n.m. (bla pl.) vertex
żennej n.m. (pl. ~**ja**) fornicator, lecherous
żennun|a n.f. (pl. ~**iet**) nozzle; (ta' pajp)
żenq|a n.f. (pl. ~**iet**) lane, blind alley
żeppelin n.m. (pl. ~**i**) zeppelin
żerbinott n.m. (pl. ~**i**) Jack-a-dandy
żergħa n.f. (pl. ~**t**) seed, green barley
żergħi aġġ. seminal
żernaq v. to dawn
żerniq n.m. (bla pl.) dawn, break of day
żerqa aġġ. blue, azure
żerra' v. to seed, to grow to seed
żerriegħ n.m. (pl. **żerrigħat**) sower
żerriegħa n.f. (pl. **żerrigħat**) seed; (nisel) race, linage; ~ **tal-ħniex** coral-line; ~ **tal-kittien** linseed; **żerrigħet il-briegħed** flea wort plantain; **żerriegħi** n.m. a herb/plant which contains and produces many seeds; ~ **ħażina** a rogue man
żer|u n.m. (pl. ~**ijiet**) cipher, zero, naught
żerżaq v. to cause to slide or glide
żerżieqi aġġ. gliding, sliding
żewgm|a vf (pl. ~**i**) zuegma
żewġ n.m. (pl. **żwieġ**) pair, couple, brace, two; (ir-raġel ta') husband; ~ **il-bint** son-in-law; ~ **l-omm** step-father; **daqqa ta'** ~/**biż-**~ a kick; (mhux fard) even; ~ **u fard** odd and even; **ġiebha** ~ he succeeded in striking his goal; **jagħti biż-**~ a person who rebels
żewq n.m. (pl. ~**iet**) diversified colour
żewwaq v. to variagate, to mottle
żewweġ v. to match, to pair; (ta fiż-żwieġ) to marry one to, to give in marriage
żewwel ara **żawwal**
żfin n.m. (bla pl.) dancing, dance, ball
żġieġ n.m.koll. ~**a** (pl. **żġiġiet**) glass
żgajja v. to reproach
żgajjat pp. reproached
żgamirr|u n.m. (pl. ~**i**) bastard mackerel
żganga v. to dislocate
żgangat pp. dislocated, out of joint, rickety
żgangilli n.m.pl. affectation, an affected carriage
żgarra v. to go wrong
żgarrat pp. went wrong
żgassa ara **sgassa**
żgassat ara **sgassat**
żgejj|a n.m. (pl. ~**iet**) reproach
żgiċċ n.m. slider, scamper
żgiċċa v. to escape, to sneak, to slink
żgiċċat pp. escaped
żgombra v. to clear, to evict
żgorbj|a n.f. (pl. ~**i**) gouge, drill
żgumbrament n.m. (pl. ~**i**) eviction
żgombrat aġġ. obstructed
żgombru n.m. (pl. ~**i**) obstruction; (xorta ta' ħuta common macherel
żgorbj|a n.f. (pl. ~**i**) gouge, drill
żgur aġġ. safe; (ċert) sure
żgura v. to assure
żgurat pp. assured
żgħar v. to grow or become less, to diminish // n.m. (pl. **żgħajjar**) (ċekċik ta' flus) coppers, small change;
żgħebil n.m. (bla pl.) walking proudly
żgħir aġġ. small, little, tiny
żgħożija n.f. (bla pl.) youth, adolescence
żgħurija n.f. (bla pl.) littleness, smallness, minoration
żhir n.m. (bla pl.) neighing, whinnying
żibda n.m.koll. butter
żibel n.m.koll. f. **żibla** (pl. **żibliet**) sweepings; (skart) refuse; (demel) dung, manure; **sar** ~ he really got muddy and dirty
żibellin n.m. (pl. ~**i**) sable
żibġ|a n.f. (pl. ~**iet**) bead
żied v. to augement, to add to
żiegħel v. to caress, to fondle, to stroke
żiemel n.m. (pl. **żwiemel**) horse; ~ **tal-baħar** sea horse, hippocampus; ~ **bil-ġwienaħ** pegasus, the winged horse; ~ **imsewwi** a gelding; ~ **tat-tiġrija** race-horse; (fig. kapaċi) able, dexterous, expert; (fig. ma jieqaf qatt) hard worker
żieni aġġ. libidinous, sensual
żifen v. to dance; ħallewh jiżfen he had to mind all the people
żiffa n.f. breeze, zephyr
żifn|a n.m. (pl. ~**iet**) a dance; **fiż-**~**a** on the go
żift n.m. (bla pl.) tar, pitch; **iswed** ~ pitch-black
żigarella ara **żagarella**
żigot|e n.m. (pl. ~**i**) zygote
żigżag aġġ., avv., n.m. (pl. ~**ijiet**) zigzag
żikk word with vague meaning indicating sth. petty/insignificant; **donnu** ~ a very short and thin person

żimarra n.f. (pl. ~**i**) robe
żina n.f. (bla pl.) fornication, lust; (sess anali) sodomy // **żina** n.f. (bla pl.) ornament, finery
żinġla n.f. (pl. **żnieġel**) little basin, chorn
żinġor n.m. pl. verdigris; **għadu** ~ still unripe; (tifel) he is still an innocent boy
żingaru n.m. (pl. ~**i**) gypsy
żing|u n.m. (pl. ~**ijiet**) zinc
żinnj|a n.f. (pl. ~**i**) zinnia
żinżil(l) n.m. f. ~a (pl. ~**i**) common ziziphus, jujube
żinżil n.m. (pl. ~**i**) lad, chap; **donnu** ~ he is as strong as a young lad
żipp n.m. (pl. ~**ijiet**) zip (fastener)
żir n.m. (pl. **żjar**) pitcher
żirm|a n.f. (pl. ~**iet**) wen
żist n.m. (bla pl.) the spray that comes out of the rind of the lemon or orange when squeezed
żiżi caress; **irid min joqgħod jagħmillu** ~ he loves getting fondled
żjara n.f. (pl. ~**t, żjajjar**) visit, call
ż(j)ied|a n.f. (pl. ~**iet**) increase, addition; (suppliment) suppliment; **biż-~a** with an increase in pay; (il-mara) the woman got pregnant
żleali aġġ. disloyal
żlealt|à n.f. (pl. ~**ajiet**) disloyalty
żlieġ|a n.f. (pl. **żliġiet**) crust, film; (tal-għajnejn) dimness
żliq n.m. (bla pl.) slipping, sliding
żloga v. to dislocate
żlogat pp. dislocated
żlugatura n.f. (pl. ~**i**) dislocation, luxation
żmaċtu queer and strange person; **donnu** ~ he is an atheist
żmakk n.m. (pl. ~**i**) shame, disgrace
żmagat nm. aġġ. (pl. ~**i**) imbecile, crazy, not reliable anymore
żmalda v. to dissipate, to squander, to lavish
żmaldat pp. dissipated, squandered, lavished
żmalditur n.m. (pl. ~**i**) prodigal, squanderer
żmalt n.m. (pl. ~**i**) smalt
żmanġat aġġ. worn out (the thread of a screw)
żmarġass n.m. (pl. ~**i**) braggart, boaster
żmarr aġġ. clownish, rough, rustic
żmatta v. to derange
żmattat pp. unkept
żmerald n.m. (pl. ~**i**) emerald
żmerċ avv. obliquely, aslant
żmerill n.m. (pl. ~) emery, emeril
żmien n.m. (pl. **żminijiet**) time, age, epoch, period; **fiż-~** anciently; ~ **fiż-~** anachronism; **minn ~ żemżem/il-brodu** from a very long time; **għaddieh biż-~** he mocked him; ~ **in-nannu** a long time ago; **insieh ~u** he forgot when he did worse; **dak kien** ~! that was a good time!; **għandu ż-~** he's old; **għamlu ~u** not good anymore // n.m. (pl. **iżmna**) season
żmonta v. to dismount
żmontat pp. dismounted
żmontor n.m. (bla pl.) tinsel
żnejbet n.m. (pl. **żnejbta**) a small basket
żnejjed n.m. (pl. **żnejda**) a small steel
żniebel n.m.pl. a large basket made of broom carries by beasts of burden **mur raqqa' ż-~!** get out of here!
żnied n.m. (pl. **żnidiet**) ~**a** n.f. a piece of flint; will, free will; **minn ~u** of his own free will; (gideb) made up, false lies; (tal-lampa, eċċ.) (to strike light)
żnuber n.m. (pl. **żnieber**) scoth pine, pine fir
żofżf|a n.f. (pl. ~**i**) bitter vetches, officine lentil, tares
żogħor n.m. (bla pl.) puerility; **miż-~** from one's childhood; (ċokon) smallness
żokr|a n.f. (pl. ~**iet**) navel; **żokortu sa taqagħlu** he needs sth. badly; **lanqas idur maż-~a** that is not enough to fill me up!
żolf n.m. (pl. **żluf**) brimstone
żon|a n.f. (pl. ~**i**) zone
żond|u n.m. (pl. ~**i**) star-gazer
żonq|or n.m.koll. f. ~**ra** (pl. ~**riet**) limestone; **iebes daqs iż-~or** very hard
żorba n.f. (pl. ~**t, żorob**) sorp apple, service tree; **waqa'** ~ he tired himself down
żorr aġġ. rigid, stern, austere, insociable
żoolatrij|a n.f. (pl. ~**i**) zoolatry
żooloġija n.f. (pl. ~**i**) zoology
żoopatoloġij|a n.f. (pl. ~**i**) zoopathology
żraf|a n.f. (pl. ~**i**) camelopard, giraffe
żrar n.m.koll. f. ~**a** (pl. ~**iet**) small stone
żrieq v. to grow azure
żrigħ n.m. (bla pl.) sowing
żrinġ n.m. (pl. ~**ijiet**) frog; **qisu** ~ he's always jumping about
żubrun n.m. (pl. **żbieren**) beacon
żuffjett n.m. (pl. ~**i**) ridicule, prank
żugrag|a n.f. (pl. ~**i, żgagar**) top, paleo; ~**a ta' billejl** humming top; **idur qisu ~a** he does not know what to do
żukkett|a n.f. (pl. ~**i**) zucchetta, zucchetto, catholic, skull-cap
żumbrell n.m. (pl. ~**i**) tub fish, large scaled gurnard
żummara n.f. (pl. **żmamar**) reed; **tah** ~ he did not give him anything
żundajru n.m. (pl. **żundajra**) gypsy
żunżan n.m. (pl. **żnażan**) wasp, hornet
żurżieqa n.f. (pl. **żurżiqat, żurżiqiet**) declivity, cant; ~ **tal-varar tal-bastimenti** slipway; **moħħu** ~ his memory is getting weaker

żvaluta v. to depreciate
żvalutat pp. depreciated
żvalutazzjoni n.f. (pl. ~**jiet**) depreciation, devaluation
żvantaġġ n.m. (pl. ~**i**) disadvantage
żvantaġġjuż aġġ. unfavourable
żveljarin n.m. (pl. ~**i**) alarm clock
żvelt aġġ. quick, rapid, swift
żveltizza n.f. (pl. ~**i**) quickness, rapidity
żveniment n.m. (pl. ~**i**) swoon, faint
żviluppa v. to develop
żviluppat pp. developed
żvina v. to be left with no blood
żvinat pp. left with no blood
żvirġna v. to deflower
żvirġnat pp. deflowered
żvojta v. to empty
żvojtat pp. emptied
żvista n.f. (pl. ~**i**) oversight; **bi** ~ by oversight
żvolġiment n.m. (pl. ~**i**) development, course
żwieġ n.m. (pl. **żwiġijiet**) matrimony, marriage, nuptials, wedding; (għaqda) coupling (with); (pari) pairs
żwiel n.m. (pl. ~**a**) sifting
(i)żżaddam v. to have one's nose stuffed up
(i)żżagħbel v. to walk with a haughty air, to walk proudly, to romp, a life of self-indulgence, doing nothing
(i)żżakkar v. to bulge, to jut out
(i)żżamel v. to throw off all restraint
(i)żżanżan v. to come in to use, to be used
(i)żżaqqaq v. to become big-bellied
(i)żżarġan v. to sprout, to put os. forward
(i)żżarma v. to be disarmed, to be reduced to spare parts
(i)żżarmat pp. disarmed
(i)żżarrad v. to be stranded, to be frayed
(i)żżattat v. to stand forward boldly, to meddle (with)
(i)żżebbeġ v. to become like beads
(i)żżebbel v. to become manured
(i)żżeblaħ v. to be despised
(i)żżeffen v. to dance
(i)żżeffet v. to be smeared with pitch, to be pitched, to meddle
(i)żżegħber v. to skip, to hop
(i)żżejjen v. to adorn os.
(i)żżejjed too much; **ta' sikwit**; too often; ~ **imbidded** too much of a thing is good for nothing
(i)żżellaq v. to slidder
(i)żżelleġ v. to be burnished, to be smeared
(i)żżerżaq v. to slip, to slide, to glide
(i)żżewweġ v. to marry
(i)żżomm v. to keep, to hold, to detain, to stop, to maintain, to keep back; ~ **sigriet** to keep a secret; ~ **f'moħħok** to keep in mind
(i)żżuffjetta v. to mock; **it-tifel** ~ **bix-xwejjaħ** the boy mocked the old man

Z z

Z thirtieth letter of the alphabet and twenty fourth of the consonants
zakak n.m. (pl. **zikzka, zokzka**) white wagtail; ~ **tad-dell** grey wagtail; **donnu** ~ he has long legs
zallier|a n.f. (pl. ~**i**) salt-cellar
zalza n.f. (pl. **zlazi**) sauce; **biz-**~ really expensive
zalzett n.m. f. ~**a** (pl. ~**iet**) sausage; **għamluh** ~ they really thronged him; **iz-**~ (inf.) the dick
zannur n.m.koll. f. ~**a** (pl. ~**i**) thistle, carso
zappap v. to maim, to lame, to cripple; (beda jzappap) to go lame, to limp
zappapied n.m. (pl. ~**a**) life line
zappin n.m. (pl. ~**i**) fir tree
zappun n.m. (pl. **zpapen**) hoe, mattock
zekka n.f. (pl. **zekek**) mint
zekkin n.m. (pl. ~**i**) sequin, a ducat
zekzek v. to hiss
zekzik n.m. (bla pl.) hissing
zunnarij|a n.f. (pl. ~**i**) carrot; ~**a bajda** parsnip
zij|a n.f. (pl. ~**iet**) aunt
zij|u n.m. (pl. ~**iet**) uncle
zintlu centre; **qegħidlu z-**~ he made sth. to stop him
zizi childrens' word for hen; **mur kakki maz-**~ (inf.) you are not up to the job
zizka n.f. (pl. ~**i**) pied wagtail
zokk n.m. (pl. **zkuk**) stalk, stem, trunk; ~ **ta' kolonna** shaft; ~ **ta' żiemel** a jade, a sorry nag, a worthless horse; **weħel biz-**~ he took all the blame; **skont iz-**~ **il-fergħa** like father like son; **bħaz-**~ **tal-fiġel** he was not reliable anymore; **donnu** ~ he is really tall
zokklatur|a n.f. (pl. ~**i**) dado, podium, plinth
zokkli(n) n.m.pl. wooden shoes
zokkl|u n.m. (pl. ~**ijiet**) plinth, sockle; ~ **tal-injam** wainscot
zokkor n.m.koll. f. **zokkra** lump of sugar; (pl.) sugar; ~ **taċ-ċangatura** lamp sugar; **għandu z-**~ he is diabetic // aġġ. **ħelu** ~ very sweet; **raġel taz-**~ a person of great sweetness and amiability
zopp aġġ. lame, crippled
zoptu aġġ. suddenly; **miet/waqa'** ~ he died in a matter of few seconds
zukkarier|a n.f. (pl. ~**i**) sugar-basin
zuklett|a n.f. (pl. ~**i**) clog, wooden shoe, sabot
zuntier n.m. (pl. ~**i**) church-square; ~ **tal-knisja** the vestibule of the church, parvis
zupparit|a n.f. (pl. ~**i**) seville orange
(i)zzappap v. to cripple, to limp, to be lame
(i)zzoppja v. to cripple, to make lame
(i)zzuppjat pp. crippled

INGLIŻ - MALTI

ENGLISH - MALTESE

A a

A n. (mus.) A; (ling.) l-ewwel ittra tal-alfabett Malti u Ingliż
a indef. art. (before vowel or silent h an)
1 ~ **book** ktieb
2 (instead of the number "one") ~ **year ago** sena ilu
3 (in expressing ratios, prices, etc.): **3 ~ day/ week** 3 kuljum/kull ġimgħa
AA brit. n. abbr. of **Automobile Association**; AA; (**Alcoholics Anonymous**) AA
AAA US. n. abbr. of **American Automobile Association**; AAA
aback adv. **to be taken** ~ nħasad, nqata'
abacus (pl. **abaci**) n. abaku
abandon vt. abbanduna; (give up) qata' qalbu minn; **~ed** adj. mitluq/a, abbandunat/a
abashed adj. mistħi/ja, mirgħux/a
abate vi. (storm) tbatti; (anger) tnaqqas; (terror) ittaffa
abattoir (brit.) n. biċċerija
abbey n. abbatija, dar ir-rħieb
abbot n. abbati; superjur tal-abbatija
abbreviate vt. qassar; ċekken
abbreviation n. (short form) taqsira
abdicate vt., vi. ħalla (t-tron); ċeda (il-jedd, eċċ.); **abdication** n. telqien; tħollija; abdikazzjoni
abdomen n. żaqq
abduct vt. ħataf, seraq (xi persuna); **~ion** n. serq; ħtif ta' persuna; **~or** n. persuna li ħatfet (xi persuna)
abet vt. għen, assista (xi ħaġa ħażina)
abeyance n. **in** ~ (law) wieqaf; (matter) wieqfa
abhor vt. stkerraħ; stmerr; bagħad; **~rence** n. mibegħda kbira; stmerrija; stkerrih; **~rent** adj. li jqanqal il-mibegħda/stkerrih/ stmerrija
abide vt. **I can't ~ to see** ma nissaportix nara; **to ~ by** għamel dak li qal
ability n. abbiltà, ħila; (talent) talent, don
abject adj. (poverty) tal-biża'; (apology) umiljanti
ablaze adj. mqabbad/mqabbda; ħuġġieġa waħda; **he was ~ with anger** kien irrabjat ħafna
able adj. intelliġenti; (skilled) kapaċi; **to be ~ to do sth.** kien kapaċi jagħmel xi ħaġa; **~-bodied** adj. mibni/ja, b'saħħtu/ b'saħħitha; **ably** adv. abbilment
abnormal adj. barra mir-regola; mhux regolari
aboard adv. abbord // prep. abbord (il-vapur)
abode n. **of no fixed** ~ mingħajr dar fissa
abolish vt. abolixxa, neħħa għalkollox; qered; ħassar
abolition n. tneħħija għalkollox; tħassir
abominate vt. bagħad; stmerr
abominable adj. ta' min jobogħdu/jobgħodha
aborigine n. aboriġini
abort vt., vi. abortixxa; **~ion** n. (intentional) abort; (unintentional) korriment; **to have an ~ion** abortiet, għamlet abort; **~ive** adj. abortiv/a
abound vi. kellu bosta; **to ~ in** kellu fejn jintilef
about adv.
1 (approximately) bejn wieħed u ieħor; ~ **a hundred thousand**, etc. xi mitt elf
2 (referring to place) 'l hinn u 'l hawn, kullimkien; **to leave things lying** ~ ħalla l-affarijiet jiġru fin-nofs; **to run** ~ ġera 'l hemm u 'l hawn
3 to be ~ to do something kien lest/pront biex jagħmel xi ħaġa
// prep.
1 (relating to) dwar; **a book ~ London** ktieb dwar Londra
2 (referring to place) madwar; **to walk ~ the town** mexa madwar il-belt
above adv. fuq // prep. iktar minn; (greater than: in number) iktar minn; (in rank) ogħla minn; **mentioned** ~ msemmi/ja iktar 'il fuq; ~ **all** fuq kollox; ~ **board** adj. onest/a
abrasion n. barxa; (on skin) girfa
abrasive adj. barrax/a, li jobrox/tobrox; (manner) sever/a, aħrax/ħarxa
abreast adv. linja waħda; spalla ma' spalla; **to keep ~ of** (fig.) żamm aġġornat
abridge vt. qassar; naqqas minn kitba, eċċ.
abroad adv. (to be) msiefer; (to go) siefer
abrupt adj. (sudden) f'daqqa; ta' malajr; għal għarrieda; (curt) ta' mod goff

abruptly adv. (leave) f'daqqa waħda; (speak) bil-herra
abscess n. musmar maqlub, pustuletta
abscond vi. (thief): **to ~ with** ħarab ma'; (prisoner): **to ~ (from)** ħarab minn
absence n. nuqqas
absent adj. nieqes/nieqsa; assenti; **~ee** n. dak li jonqos, li ma jmurx; **~minded** adj. moħħu/moħħha mhux hemm; aljenat/a
absolute adj. assolut/a; għalkollox; **~ly** adv. (totally) kompletament; (certainly!) żgur fuq li żgur
absolve vt. **to ~ sb. (from)** nħafer minn
absorb vt. xorob; ħa; **to be ~ed in a book** kien medhi fi ktieb; **~ent cotton** (US.) n. tajjar li jixrob; **~ing** adj. ta' interess kbir; **~tion** n. xorb; (engage attention) attenzjoni kbira
abstain vi. **to ~ (from)** żamm ruħu lura minn; m'għamilx
abstemious adj. moderat/a
abstention n. astensjoni
abstinence n. astinenza
abstract adj. astratt/a // n. (summary) taqsira // vt. ħareġ; **~ion** n. firda ta' xi ħaġa minn oħra; telfien fil-ħsieb; aljenazzjoni; **~ed** adj. meħud/a minn; mitluf/a fil-ħsieb; aljenat/a
absurd adj. assurd/a; redikolu/redikola; ikraħ/kerha
abundance n. abbundanza; xaba'; ħafna ġid
abbundant adj. bix-xebgħa; abbundanti
abuse n. (insults) insulti, malafama; (ill-treatment) maltrattament; (misuse) użu ħażin // vt. abbuża (minn)
abusive adj. abbużiv/a
abysmal adj. għammieqi/għammieqa; (failure) totali; (ignorance) kbir/a
abyss n. dagħbien, abbiss, fond bla tarf
AC abbr. of **alternating current**; AC
academic adj. akkademiku/akkademika // n. studjuż/a, espert/a
academy n. (learned body) akkademja; (school) istitut, kulleġġ; **~ of music** akkademja tal-mużika
accede vi. **to ~ to** (request) laqa'; qabel ma'; (throne, right, etc.) kiseb, irnexxielu jirbaħ
accelerate vt., vi. ħaffef; għaġġel
accent n. aċċent; (fig.) enfasi
accept vt. aċċetta, laqa'; (reponsibility, blame) ħa; **~able** adj. aċċettabbli; ta' min jilqgħu; **~ance** n. aċċettazzjoni
access n. dħul, daħla; **to have ~ to**; **~ible** adj. (place, person) aċċessibbli
accessory n. aċċessorju; (law): **~ to** mdaħħal f'xi ħaġa; kompliċi
accident n. aċċident; (chance event) inċident; **by ~** (unintentionally) bla ma ried; (by chance) bla ħsieb; **~al** adj. aċċidentali; **~ally** adv. aċċidentalment; **~ insurance** n. assigurazzjoni fuq l-aċċidenti; **~-prone** adj. suġġett għal aċċidenti
acclaim vt. laqa' bil-ferħ u ċapċip // n. għajjat ta' ferħ u ċapċip
acclimatize (US. **acclimate**) vt. **to become ~d** ħassu li dara, adatta
accommodate vt. (subj. person) ospita; (car, hotel, etc.) kapaċi takkomoda; (oblige, help) affronta
accommodating adj. ġentili
accommodation n. (US. **~s** n.pl.) akkomodazzjoni
accompany vt. akkumpanja
accompaniment n. akkumpanjament (ta' daqq, eċċ.)
accompanist n. akkumpanjatur
accomplice n. kompliċi, wieħed imsieħeb fil-ħtija
accomplish vt. (finish) temm, lesta; (achieve) wettaq; **~ed** adj. mitmum/a; (person) mżejjen/mżejna b'kollox; **~ment** n. (skill: gen. pl.) mġiba tajba; (completion) ħaġa mitmuma, lesta
accord n. qbil, ftehim // vt. qabel; **of his own ~** minn rajh; **~ing: ~ing to** prep. skont; (in accordance with) fi qbil ma'; **~ingly** adv. (appropriately) bix-xieraq; (as a result) per konsegwenza
accordion n. kunċertina; organett; akkordjin; **~ist** n. dak li jdoqq il-kunċertina, l-organett; akkordjinista
accost vt. resaq fuq; resaq lejn xi ħadd biex jitkellem miegħu
account n. (comm.) kont; (report) rapport; **~s** n.pl. (comm.) kontijiet; **of no ~** mhux importanti; **to take into ~/take ~ of** ta kas; (explain) spjega; (represent) irrappreżenta; **~able** adj. **~able (to)** responsabbli; **~ancy** n. żamma tal-kontijiet; **~ant** n. accountant; **~ number** (at bank, etc.) kontijiet
accredited adj. akkreditat
accresion n. xi ħaġa mibnija fuq; kobor
accrue vi. tnissel minn; żied; **~d interest** n. interessi miżjuda
accumulate vt. akkumula; gezzez; ġamma'; ġabar // vi. nġabar
accumulation n. tigdis, tiġmigħ, akkumulazzjoni
accuracy n. (of total) eżattezza; (of description, etc.) korrettezza
accurate adj. (total) eżatt, preċiż; (description) eżatta, preċiża; (person, device) preċiż; **~ly** adv. bi preċiżjoni/eżattezza
accusation n. gażja; akkuża

accusative n. (ling.) akkużattiv, dak li qed jagħmel l-azzjoni
accuse vt. **to ~ sb. (of sth.)** akkuża lil xi ħadd (b'xi ħaġa); **~d** n. (law) akkużat; mixli
accustom vt. darra; rawwem; ħarreġ; **~ed** adj. **~ed to** mdorri/ja; mrawwem/mrawma
ace n. (playing cards) ass; (inf.) buli, persuna eċċellenti; **within an ~ of** għal tentufa
ache n. uġigħ // vi. (be sore) muġugħ; **my head ~s** għandi wġigħ ta' ras; **I'm aching all over** inħossni muġugħ kullimkien
achieve vt. (aim, result) kiseb; **~ment** n. (completion) temma; (success) suċċess
acid adj. aċiduż/a; (taste) qares/qarsa // n. (chem. inf. LSD) Lysergic Acid Diethylamide (droga qawwija ħafna li tipproduċi l-alluċinazzjonijiet) // **~ rain** xita aċiduża
acknowledge vt. (letter: also **~ receipt of**) ittra ta' tagħrifa; (fact, situation) stqarr; (person) għaraf; **~ment** n. stqarrija; ammissjoni
acne n. akne
acorn n. ġandra
acoustic adj. akustiku/akustika; **~s** n.pl. akustika
acquaint vt. għarraf, informa, avża; **to ~ somebody with sth.** (inform) għarraf 'il xi ħadd b'xi ħaġa; **to become ~ with** sar jaf lil; **~ance** n. (person) wieħed li nafuh; (with person, subject) sar jaf lil
acquire vt. akkwista; kiseb; xtara; iddobba; ħa
acquisition n. akkwist; ksib; xiri; dak li takkwista
acquisitive adj. persuna li tħobb iġġemma' l-oġġetti
acquit vt. ħafer; ħeles (ħati); **to ~ os. well** għamel xogħlu tajjeb; ġieb ruħu sewwa; **~tal** n. ħelsa; ħelsien minn xi ħtija, delitt, eċċ.
acre n. qies (4047 m^2); **~age** n. tul tal-medda tal-għelieqi
acrid adj. li jirritak/tirritak, qawwi/ja
acrimonious adj. mdejjaq/mdejqa, ħorox/ħarxa
acrobat n. akrobatiku; wieħed li jagħmel il-logħob fl-arja
acrobatics n.pl. akrobatika
across prep. (on the other side of) għan-naħa l-oħra; (crosswise) salib (ma' ħaġa oħra) // adv. għan-naħa l-oħra; (measurement): **the road is 10m ~** it-triq twila 10 metri bejn naħa u oħra; **to run/swim ~** ġera/għam għan-naħa l-oħra; **~ from** quddiem minn
acrylic adj. tal-akrilik // n. akrilik
act n. għamel; (of play) att; (in music hall, etc.) item; (law) att tal-parlament; // vi. (behave) ġab ruħu; (have effect: drug, chemical) ħadem; (theatre) ħadem; (pretend) għamel tabirruħu; (take action) ħa l-passi; // vt. (part) ta sehmu; **to ~ Hamlet** ħadem il-parti ta' Amlet; **in the ~ of**: **to catch sb. in the ~ of** qabad lil xi ħadd jagħmel; **to ~ as** għamilha ta'; **~ing** adj. aġent // n. (activity) play; (profession) xogħol ta' attur
action n. għemil, azzjoni; (ethics) mġiba; (mil.) battalja; (law) kawża; **out of ~** (person: (sport) barra mil-logħob; (thing) ma taħdimx; **to take ~** ħa l-passi; **~ replay** n. (tv.) ripetizzjoni
activate vt. (mechanism) ħaddem; (chem. phys.) attiva
active adj. attiv/a, ħaddiemi/ħaddemija; (volcano) attiv; **~ly** adv. (participate) b'mod attiv; (discourage, dislike) bis-saħħa kollha;
activity n. bżulija, ħerqa; **~ holiday** n. vaganza fuq xogħol
actor n. attur
actress n. attriċi
actual adj. attwali; (emphatic use) li hu/hi tassew; **~ly** adv. fil-fatt; (even) anke
acumen n. dehen; għaqal kbir; moħħ tajjeb
acupuncture n. akupuntura
acute adj. mislut/a; (mind, observer) li jilħaqlu/jilħqilha
ad n. abbr. of **advertisement**
AD adv. abbr. of **Anno Domini**; WK (Wara Kristu)
Adam n. Adam; **~'s apple** n. il-gerżuma
adamant adj. li ma jitgħawwiġx/titgħawwiġx
adapt vt. addatta; // vi. **to ~ (to)** addatta ruħu għal; **~able** adj. li jaddatta/taddatta ruħu/ruħha malajr; **~er**
adaptor see **adapter**
add vt. żied; għadd ma'; (figures: also **~ up**) għadd kollox; // vi. **to ~ to** (increase) żied ma'; **it doesn't ~ up** (fig.) ma jagħmilx sens
adder n. lifgħa velenuża
addict n. adikt; (enthusiast) fanatiku/fanatika, iffissat/a; **~ed** adj. **to be ~ed to** mogħti għal(l); (football, etc.) iffissat (fil-futbol); **~ion** n. (to drugs, etc.) adikxin; **~ive** adj. li jġiegħlek/ġġiegħlek issir adikt
adding machine n. magna li tgħodd
addition n. (adding up) għadd; somma; (thing added) żjieda; **in ~ to** barra minn dan; **~al** adj. żejjed/żejda
addled adj. (egg) mifsuda
address n. indirizz; (speech) indirizz, diskors // vt. (letter) kiteb l-indirizz; (speak to) kellem lil; (problem) indirizza
adenoids n.pl. adenojdi
adept adj. **~ at** mgħallem/mgħallma f'xi ħaġa
adequate adj. (satisfactory) xieraq/xierqa; adegwat/a; (enough) biżżejjed; **~ly** adv. adegwatament

adhere vi. **to ~ to** (stick to) weħel ma'; (fig. abide by) żamm ma'; (belief, etc.) baqa' jsostni
adhesion n. waħla
adhesive adj. li jwaħħal/twaħħal; // n. **~ tape** tejp;
ad hoc adj. ad hoc, improvizzat/a
adjacent adj. **~ to** li jmiss/tmiss ma'
adjective n. aġġettiv
adjoining adj. viċin/a // prep. biswit
adjourn vt. aġġorna // vi. issospenda (s-seduta); (go) mar xi post ieħor
adjudicate vi. iġġudika
adjust vt. (change) irranġa, biddel; (clothing) sewwa; (machine) sewwa // vi. **to ~ (to)** addatta ruħu għal; **~able** adj. li jista'/tista' jiċċaqlaq/tiċċaqlaq; **~ment** n. ftehima; (prices) bidla; (to machine) tiswija
adjutant n. ajjutant/a
ad-lib vt., vi. improvizza // n. improvizzazzjoni // adv. **ad lib** mingħajr preparamenti
administer vt. amministra; mexxa
administration n. (management) amministrazzjoni; (government) (l-) amministrazzjoni, il-gvern
administrative adj. amministrattiv/a
administrator n. amministratur/amministratriċi
admiral n. ammirall; **A~ty** (brit.) n. l-Ammiraljat
admiration n. ammirazzjoni
admire vt. ammira; **~able** adj. (object) tal-għaġeb; (person) ta' min jammirah/a jew jitgħaxxaq bih/a; **~r** n. (fan) ammiratur/ammiratriċi
admission n. (to university, club) dħul; (entry fee) ħlas jew miżata tad-dħul; (confession) stqarrija
admit vt. (confess) ammetta; stqarr; (confession) ammissjoni; stqarrija; (entrance) dħul; **~tedly** adv. apposta
admonish vt. widdeb; ċanfar; wissa
admonision n. twiddiba; twissija
ad nauseum adv. ad nauseum
ado n. **without (any) more ~** mingħajr iktar frattarija żejda
adolescence n. (l-)adolexxenza
adolescent adj. n. adolexxenti
adopt vt. adotta; (plan) adotta; **~ed** adj. adottat/a; **~ion** n. adozzjoni
adore vt. adura; ta qima
adorable adj. ħlejju/ħlejja; ta' min iħobbu/iħobbha
adoration n. adorazzjoni; qima
adoringly adv. b'qima; bi mħabba
adorn vt. żejjen; **~ment** n. tiżjin
adrenalin n. adrenalina
Adriatic n. **the ~ (Sea)** (il-Baħar) Adrijatiku
adrift adv. mitluq għall-mewġ tal-baħar; **to break ~** kiser l-irmiġġar; **to set ~** telaq jixxejjer mal-baħar
adroit adj. (talented) kapaċi, kollu/kollha talent; (rapid, light) ħafif/a
adult n. adult/a; raġel jew mara kbira // adj. (grown-up) kbir/a; (for adults) għall-kbar (biss)
adulterate vt. ħawwad, iffalsifika
adultery n. adulterju
advance n. (progress) titjib, progress; (money) ħlas bil-quddiem; (mil.) mixi 'l quddiem // adj. 'il quddiem; **~ booking** xiri ta' biljetti minn qabel; **~ notice**, **~ warning** nota ta' twiddiba bil-quddiem // vt. (money) ħallas bil-quddiem; (theory, idea) ressaq, ippropona // vi. ressaq; **to make ~s (to sb.)** ressaq il-proponimenti tiegħu (quddiem xi ħadd) **in ~** bil-quddiem; **~d** adj. avvanzat/a; (sch. studies) tal-livell avvanzat
advantage n. (tennis) vantaġġ; **to take ~ of** (person) approfitta ruħu (minn xi ħadd); (opportunity) approfitta ruħu (minn okkażjoni); **~ous** adj. vantaġġjuż/a
advent n. miġja, wasla; **A~** n. (rel.) l-Avvent
adventure n. avventura; **~r** n. avventurier/a
adventurous adj. avventuruż/a
adverb n. avverbju
adversary n. avversarju/avversarja; persuna li hi kontra
adverse adj. (circumstances) kontrarji, mhux favorevoli; (opponent) li hu kontra; **~ to** ostili lejn
adversity n. żventura, hemm
advert (brit.) abbr. of **advertisement**
advertise vi. (in newspaper, etc.) għamel avviż, avża, xandar; **to ~ for** (staff, accommodation, etc.) irreklama għal // vt. ħabbar; **~ment** n. (comm.) reklam; **~r** n. xandar; **advertising** n. reklamar; (industry) industrija tar-reklami
advice n. parir; (notification) twissija; **a piece of ~** parir; **to take legal ~** ħa parir legali
advisable adj. konvenjenti
advise vt. ta parir; (inform.): **to ~ sb. of sth.** informa/għarraf lil xi ħadd b'xi ħaġa; **to ~ sb. against sth./doing sth.** fetaħ għajnejn xi ħadd dwar xi ħaġa/biex ma jagħmilx xi ħaġa; **~dly** adv. (deliberately) bil-ħsieb
advisor n. min jagħti parir; (consultant) konsulent/a; **~y** adj. konsultattiv/a
advocate vt. iddefenda // n. (lawyer) avukat; (supporter): **~ of** jaqbeż għal
Aegean n. **the ~ (Sea)** l-Eġew; il-Baħar Eġew

aegis n. **under the ~ of** taħt il-kappa ta'
aerial n. arblu // adj. tal-ajru
aerobics n. ajrobika
aeroplane (brit.) n. ajruplan
aerosol n. ajrosol
aesthetic adj. estetiku/estetika
afar adv. **from ~** mill-bogħod
affable adj. minn tagħna, fabbli, dħuli
affair n. affari; (business) biċċa negozju; (**love ~**) storja, nisġa tal-imħabba
affect vt. (influence) influwenza; (afflict, concern) ħasseb; (move) mess il-qalb ta', qanqal; **~ation** n. manjieri fiergħa; **~ed** adj. affetwat/a
affection n. ġibda lejn, mħabba; **~ate** adj. miġbud/a lejn, li jħobb/tħobb; **~ately** adv. bi mħabba
affiance vi. (to get engaged) tgħarras; (to get married) iżżewweġ
affidavit n. affidavit, dikjarazzjoni b'ġurament
affiliate v. daħal f'xirka jew għaqda; **~ed** adj. f'għaqda ma'
affinity n. (bond, rapport): **to feel an ~ with** ħass affinità ma'/ġibda lejn; (resemblance) xebh
affirm v. iddikjara; **~ation** n. dikjarazzjoni solenni
affirmative adj. iva // n. **in the ~** iva
affix vt. waħħal, żied ma' // n. (ling.) affiss
afflict vt. ħaqar, weġġa', nikket; **~ion** n. diqa ta' qalb, niket, hemm, għali
affluence n. stat ta' ġid
affluent adj. (wealthy) għani/għanja; **the ~ society** is-soċjetà tal-għonja; (person) għani/għanja
afford vt. (provide) ipprovda, forna; **can we ~ (to buy) it?** Naffordjaw nixtruha?
affray n. ġlieda, taqbida, rewwixta
affront n. ċanfira, insult; **~ed** adj. mċanfar/mċanfra, insultat/a
afield adv. **far ~** 'il bogħod ħafna
Afghanistan n. l-Afganistan
afloat adj. f'wiċċ l-ilma // adv. (floating): **to stay ~** żamm fil-wiċċ; **to keep/get a business ~** żamm in-negozju/bena negozju sod
afoot adv. **there is mischief ~** qed issir xi ħaġa ħażina minn taħt
aforesaid adj. msemmi/ja fuq/qabel, li ntqal fuq/qabel
afraid adj. **to be ~ of** beża' minn; **to be ~ to** beża' jagħmel; **I am ~ that** (wisq) nibża' illi
afresh adv. mill-ġdid; **to start ~** beda mill-ġdid
Africa n. l-Afrika; **~n** adj. Afrikan/a
aft adv. lejn il-pruwa tal-vapur
after prep. (time) wara; (place, order) wara // adv. wara // conj. dwar; **what/who are you ~?** xi trid/lil min trid?; **it's twenty past eight** bħalissa huma t-tmienja u għoxrin; **to ask ~ sb.** tkixxef dwar xi ħadd; **~all** wara kollox; **~ you** warajk; **~-effects** n.pl. effetti ta' wara; **~math** n. (il-)konsegwenza; **~noon** n. waranofsinhar; **~s** (inf.) n. (dessert) deżerta; **~-sales service** (brit.) n. servizz ta' wara l-bejgħ; **~-shave** (lotion) n. (likwidu) ta' wara l-leħja; **~-sun** (**lotion/cream**) n. (likwidu) ta' wara x-xemx; **~thought** n. ħsieb li jiġi wara; **~wards** (US. ~ward) adv. wara
again adv. mill-ġdid, għal darb'oħra; **to do sth. ~** għamel xi ħaġa mill-ġdid; **~ and ~** għal bosta drabi
against prep. (in opposition to) kontra; (leaning on) iserraħ fuq; (touching) jmiss ma', maġenb
age n. età, żmien; (period) epoka // vi, vt. kiber, xjaħ; **she is 20 years of ~** għandha għoxrin sena; **to come to ~** sar għandu l-età tiegħu; **it's been ~s since I saw you** ilni ħafna ma narak; **~d 10** ta' għaxar snin; **the ~d** n.pl. ix-xjuħ, l-anzjani; **~ group** n. **to be in the same ~ group** kien fl-istess grupp t'etajiet; **~ limit** n. limitu ta' età
agency n. aġenzija
agenda n. aġenda, l-ordni tal-ġurnata
agent n. aġent; (comm. holding concession) aġent, rappreżentant; (chem. fig.) aġent
aggravate vt. (situation) għarraq, bagħat għall-agħar; (person) għamel ħażin lil
aggrevation n. (of quarrel) taħrix ta'
aggregate n. is-somma kollha; **on ~** (sport) b'agrigejt
aggression n. aggressjoni, attakk għal għarrieda
aggressive adj. (belligerent) aggressiv/a; (assertive) enerġetiku/enerġetika; **~ness** n. aggressjoni
aggressor n. aggressur; persuna li jattakka/tattakka
aggrieved adj. bil-qalb muġugħa; mdejjaq/mdejqa
aghast adj. mwerwer/mwerwra; mbażża'
agile adj. aġli, ħafif/a, lvent/a
agitate vt. (trouble) qanqal, xewwex // vi. **to ~ for/against** qanqal favur/kontra
agitator n. (pol.) xewwiexi, demagogu
AGM n. abbr. of **Annual General Meeting**); LĠA (Laqgħa Ġenerali Annwali)
ago adv. **2 days ~** jumejn ilu; **not long ~** m'ilux wisq; **how long ~?** kemm ilu?

agog adj. (eager) anzjuż/a; (excited) emozzjonat/a
agonizing adj. (pain) terribbli; (decision, wait) ta' tertiq il-qalb
agony n. (pain) agunija, uġigħ terribbli; (distress) diqa kbira
agree vt. (price, date) qabel // vi. (have the same opinion): **to ~ (with/that)** qabel (ma'/li); (correspond) jaqbel; (consent) ta l-kunsens; **to ~ with** (subj. person) qabel ma', ftiehem ma'; (food) jaqbel; (ling.) jaqbel ma'; **to ~ to sth./to do sth.** qabel ma' xi ħaġa/li jagħmel xi ħaġa; **to ~ that** (admit) ammetta li; **~able** adj. (sensation) sabiħ/a; (person) fabbli/ja; (willing) lest/a li; **~d** adj. (time, place) miftiehem; **~ment** n. qbil; (contract) patt; **in ~ment** fi qbil
agricultural adj. agrikulturali
agriculture n. agrikultura
aground adv. **to run ~** (naut.) inkalja
ahead adv. (in front) il quddiem; (into the futurc): **shc had no timc to think ~** ma kellhiex il-ħin biex taħseb għall-futur; **~ of** quddiem; (in advance of) wara; **~ of time** wara l-ħin; **go right or straight ~** (direction) ikser fuq il-lemin jew ibqa' sejjer dritt 'il quddiem; (permission) orrajt, iva
aid n. għajnuna; (device) apparat (ta l-għajnuna) // vt. għan, waqaf ma', ta daqqa t'id; **in ~ of** għall-benefiċċju ta'
aide n. (person, also mil.) ajjutant
AIDS n. abbr. (**Acquired Immune Defiency Syndrome**) AIDS
ailment n. ħass ħażin, għilla
aim vt. (gun, camera) ipponta; (blow, missile) immira (remark) indirizza // vi. (also **take ~**) ipponta, immira // n. (in shooting: skill) mira; (objective) fini, tir, għan, ħsieb; **to ~ to do** kellu l-ħsieb li; **~less** adj. mingħajr ħsieb
ain't (inf.) **am not; aren't; isn't**
air n. arja; (appearance) bixra (look) ħarsa // vt. (room) rewwaħ, perreċ, ivventilizza; (clothes) perreċ (ideas) turi // cpd. ajru; **to throw sth. into the ~** (ball, etc.) waddab xi ħaġa (ballun, eċċ.) fl-arja; **by ~** (travel) bl-ajru; **to be on (the) ~** (radio, tv.) kien qed ixandar; **~bag** (aut.) erbeg; **~bed** (brit.) n. sodda tal-arja; **~-conditioned** adj. bl-arja kkundizzjonata; **~ conditioning** n. arja kkundizzjonata; **~craft** n. inv. ajruplan (tal-gwerra); **~craft carrier** n. erkraftkerjer; **~field** n. kamp tal-avjazzjoni; **A~ force** n. forza tal-ajru; **~freshener** fewwieħ tal-arja; **~ gun** n. pistola tal-arja; **~ hostess** (brit.) airhostess; **~ letter** (brit.) ittra bl-ajru; **~lift** n. servizz bix-xatil; **~line** n. linja tal-ajru; **~liner** n. ajruplan tal-passiġġieri; **~ mail** n. **by ~mail** bil-posta tal-ajru; **~ plane** (US.) n. ajruplan; **~port** n. ajruport, mitjar; **~ raid** n. attakk mill-ajru; **~ sick** adj. **to be ~sick** mdardar/mdardra bl-ajru; **~space** n. spazju tal-ajru; **~tight** adj. li ma tgħaddix arja minnu/minnha; **~-traffic controller** n. kontrollatur tal-ajru; **~y** adj. (room) arjuża; (fig. manner) ferrieħi/ferriħija, ħieles/ħielsa
aisle n. (of church) navi; (of theatre, supermarket) passaġġ, kuritur; **~ seat** n. (on plane) sit ta' barra
ajar adj. mbexxaq/mbexxqa
akimbo adv., adj. bl-idejn fuq il-qadd u l-minkbejn 'il barra
akin adj. tal-istess demm
alacricity n. ħeffa
alarm n. (in shop, bank) allarm; (anxiety) ansjetà // vt. allarma, bażża'; **~ call** n. (in hotel, etc.) scjħa tal-alarm; **~ clock** n. żvcljarin; **~ing** adj. li jbażża'/tbażża' (manner) li joħloq/toħloq tħassib
alas adv. sfortunatament
Albania n. l-Albanija
albeit conj. għalkemm, għad illi
album n. (photo) album (tar-ritratti); (L.P.) album (tad-diski)
albumen n. albumina; (of egg) l-abjad tal-bajda
alchemy n. alkemija
alcohol n. alkoħol, spirtu; **~ic** adj. n. alkoħoliku/alkoħolika
alcove n. alkova
alderman n. kunsillier muniċipali Ingliż
ale n. birra (bajda); **~-house** ħanut tal-birra
alert adj. (attentive) attent/a, b'għajnejh/a miftuħin; (to danger, opportunity) għal-lest // n. attenzjoni // vt. widdeb, avża; **to be on the ~** (also mil.) qagħad b'għajnejh miftuħa
algebra n. alġebra
Algeria n. Alġerija; **~n** adj. Alġerin/a
alias adv. magħruf aħjar bħala // n. (of criminal) laqam; (of writer) psewdonimu
alibi n. alibi
alien n. (foreigner) barrani; (extraterrestrial) ET, aljen // adj. **~ to** differenti għal; **~ate** vt. warrab (mental) aljena
alight adj. jixgħel/tixgħel, jaqbad/taqbad; (eyes) jixegħlu // vi. (person) niżel (minn fuq żiemel, eċċ.); (bird) poġġa (fuq fergħa, bandla, eċċ.)
align vt. għamel f'linja
alike adj. ta' għamla waħda // adv. bħal; **to look ~** ixxiebah

alimony n. (payment) ħlas ta' manteniment
alive adj. ħaj/ja; (lively) fuq ruħu/ruħha
alkali n. alkali
all adj. (sg.) kollu; (pl.) kollha; ~ **day** il-jum kollu; ~ **night** il-lejl kollu; ~ **men** l-irġiel kollha; ~ **five came** il-ħamsa ġew; ~ **the books** il-kotba kollha; ~ **his life** ħajtu kollha
// pron.
1 kollha; **I ate it ~, I ate ~ of it** kiltha kollha; ~ **of us went** kollha morna; ~ **the boys went** is-subien kollha marru; **is that ~?** dak kollox?; (in shop) m'għandekx iktar?
2 (in phrases): **above** ~ fuq kollox; **after** ~ wara kollox; **at** ~: **not at** ~ (in answer to question) lanqas xejn; (in answer to thanks) m'hemmx imniex; **I'm not at ~ tired** xejn ma jien għajjien; **anything at ~ will do** kollox tajjeb għalija; ~ **in** ~ kollox ma' kollox
// adv. ~ **alone** waħdu; **it's not as hard as ~ that** mhijiex daqshekk tqila; ~ **the more the better** iktar ma nkunu iktar aħjar; ~ **but** kollox minbarra; **the score is 2** ~ qegħdin 2 bi 2
all: ~ **right** adv. tajjeb; (as answer) orrajt, owkej; ~ **rounder** n. wieħed li jinqala' għal kollox **he's a good ~-rounder** tajjeb kullimkien; **~-time** adj. (record) ta' kull żmien
all-embracing adj. universali
all-important adj. kruċjali
all-in (brit.) adj. adv. (charge) kollha f'daqqa; ~ **wrestling** n. resling ħieles (mingħajr regoli fissi)
allegation n. allegazzjoni
all-night adj. (shop, etc.) miftuħ/a l-lejl kollu; (party) li jtul/ttul il-lejl kollu
all-out adj. (effort, etc.) kbir/a immens/a; ~ adv. bis-saħħa kollha
allay vt. (fears) ikkalma
all clear n. (after attack, etc.) tmiem it-twissija; (fig.) dawl aħdar
allege vt. allega; **~dly** adv. allegatament
allegiance n. lealtà
allegory n. allegorija, ħrafa (morali)
allergic adj. ~ **to** allerġiku/allerġika għal
allergy n. allerġija
alleviate vt. taffa, naqqas
alley n. sqaq, triq dejqa; (in garden) mogħdija
alliance n. alleanza, għaqda
allied adj. alleat/a
alligator (zool.) n. kukkudrill tal-Amerika, alligatur
alliteration n. alliterazzjoni
allocate vt. (money, etc.) qassam, alloka
allot vt. (share out) qassam; (time): **to ~ sth. to** alloka xi ħaġa lil; (duties): **to ~ sth. to** assenja xi ħaġa lil; **~ment** n. (share) sehem; (garden) plot, medda t'art
allow vt. ippermetta; (a claim) laqa'; (sum, time, etc.) ta; (concede): **to ~ that** ħalla illi; **to ~ sb. to do** ħalla lil xi ħadd jagħmel; **he is ~ed to** jista'; ~ **for** vt. ikkonsidra; **~ance** n. tħollija; (welfare payment) konċessjoni, ħlas; (pocket money) pocket money; (tax ~ance) konċessjoni tat-taxxa; **to make ~ances for** (person) talab skuża lil; (thing) ikkonsidra
alloy n. liga
allude vi. **to ~ to** irrefera għal
allure v. ħajjar, saħħar
alluring adj. li jħajjar/tħajjar, sabiħ/a
allusion n. referenza
alluvium n. alluvju
ally n. alleat/a // vt. **to ~ os. with** ngħaqadna ma'
almighty adj. omnipotenti
almond n. lewża
almost adv. kważi
alms n. att ta' karità
alone adj. adv. waħdu/waħidha; **to leave sb.** ~ ħallieh/ħallieha waħdu/weħidha; **to leave sth.** ~ ħalla xi ħaġa weħidha; **let** ~ mur ara
along prep. maġenb // adv. **is he coming ~ with us?** ġej magħna?; **he was limping** ~ kien qed izappap il-medda kollha; ~ **with** flimkien; **all** ~ (all the time) il-ħin kollu; **~side** prep. ħdejn // adv. maġenb
aloof adj. riżervat/a // adv. **to stand** ~ qagħad/qagħdet għalih/a waħdu/weħidha
aloud adv. b'leħen għoli
alphabet n. alfabett
alpine adj. tal-muntanji
Alps n.pl. **the** ~ l-Alpi
already adv. diġà
alright (brit.) adv. **all right**
Alsatian n. (dog) pastur, alsejxin
also adv. ukoll, anke
altar n. artal
alter vt. biddel // vi. tbiddel; **~ation** n. tibdil; (to clothes) sewwa; (to building) dar
alternate adj. (actions, etc.) alternattiv/a; (events) bin-newba; (US. **alternative**) // vi. **to ~ (with)** biddel ma'; **on ~ days** fuq jiem newbija
alternating current n. kurrent newwiebi, AC
alternative adj. alternattiv/a // n. alternattiva; ~ **medicine** mediċina alternattiva; **~ly** adv. alternattivament **~ly one could** inkella missek
alternator n. (aut.) olternejter, alternatur

although conj. għalkemm, għad illi, avolja (jew allavolja)
altitude n. għoli, altitudni
alto n. (f.) kontralto; (m.) alto, fuqani
altogether adv. għalkollox; (on the whole) kollox f'daqqa, kollox flimkien
altruism n. altruwiżmu
altruistic adj. altruwist/a
aluminium (brit.); **aluminum** (US.) n. aluminju
always adv. dejjem, kull ħin, kull żmien
Alzheimer's (disease) n. il-marda t'Alzheimer
am v. see **be**
am adv. abbr. of **ante meridiem**; a.m.
amalgamate vi. tħallat, twaħħad // vt. għaqqad, waħħad
amass vt. geddes, ħażen
amateur n. dilettant/a; **~ish** adj. dilettantesk/a
amaze vt. għaġġeb, bellah; **to be ~d (at)** stagħġeb bi; **~ment** n. għaġeb (kbir)
amazing adj. tal-għaġeb; (fantastic) fantastiku/fantastika, ta' barra minn hawn
Amazon n. (geog.) l-Amażon
ambassador n. ambaxxatur/ambaxxatriċi
amber n. ambra; **at** ~ (brit., aut.) fl-għanbar
ambidextrous adj. ambidestruż/a
ambiguity n. ambigwità, nuqqas ta' ċarezza
ambiguous adj. ambigwu/ambigwa, mhux ċar/a
ambition n. ambizzjoni
ambitious adj. ambizzjuż/a
ambivalent adj. (attitude) ambivalenti
amble vi. (gen. to ~ along) mexa b'pass kalm u trankwill
ambulance n. ambulanza
ambush n. nasba // vt. għamel nasba
ameliorate vt. tejjeb
amen (inter.) ammen
amenable adj. li jiġi/tiġi kkontrollat/a malajr; ~ **to the law** responsabbli għal-liġi
amend vt. (law) emenda; (text) biddel; (habits) ikkoreġa // vi. ikkoreġa ruħu; **to make ~s** irranġa d-difetti tiegħu; **~ment** n. (to law) emenda; (to text) biddel
amenities n.pl. kumditajiet
America (USA) l-Amerika; **~n** adj. Amerikan/a; **a~nize** vt. amerikanizza
amethyst n. ametist
amiable adj. ħlejju/ħlejja, ta' min iħobbu/iħobbha
amicable adj. ta' ħabib/a
amid(st) prep. fost, qalb, ġo; **amidships** f'nofs il-bastiment
amiss adj. adv. **to take** ~ ħa għalih, ħa fastidju; **there's something** ~ hemm xi ħaġa ħażina
ammonia n. ammonja
ammunition n. munizzjon
amnesia n. amnesija, telfien ta' memorja
amnesty n. amnestija
amok adv. **to run** ~ għadda minn mumenti ta' ġenn jew furur omiċida
among(st) prep. fost, qalb, f'nofs, bejniet
amoral adj. amorali
amorous adj. amoruż/a, tal-imħabba
amorphous adj. bla sura
amount n. (gen.) ammont; (of bill, etc.) somma // vi. **to** ~ **to** laħaq, ammonta; (be same as) ugwalja
amp(ere) n. amper
amphibian n. anfibju
amphibious adj. anfibju/anfibja
amphitheatre n. amfiteatru
ample adj. (large) wiesa', kbir/a; (abundant) abbundanti; (enough) kbir/a; **to have ~ time/room** kellu biżżejjed ħin/spazju
amplifier n. amplifajer, amplifikatur
amplify vt. kabbar, żied
amply adv. abbundantement, bil-bosta
amputate vt. qata' (biċċa mill-ġisem)
amuck adv. **amok**
amuse vt. ta gost; (distract) derra; **~ment** n. divertiment; (pastime) passatemp; (laughter) daħk, pjaċir; **~ment arcade** n. lok tad-divertiment; **~ment park** n. park tad-divertiment
an indef. art see **a**
anaemia n. anemija
anaemic (US. **anemic**) adj. anemiku/anemika; (fig.) debboli, fjakk/a
anaesthetic n. (US. **anesthetic**) anestetiku, loppju; **under the** ~ taħt l-anestetiku/il-loppju
anaesthetist n. anestetist/a
anagram n. anagramma
analgesic adj. n. analġeżiku/analġeżika
analog(ue) adj. (computer, watch) analogu/analoga
analogy n. analoġija, xebh (bejn żewġ ħwejjeġ)
analogous adj. analogu/analoga
analyse (US. **analyze**) vt. analizza
analysis (pl. **analyses**) n. analiżi;
analyst n. (political analyst, psychoanalist analist(a)/a
analytic(al) adj. analitiku/analitika
analyze (US.) vt. **analyse**
anarchist n. anarkiku/anarkika
anarchy n. anarkija
anathema n. **it is ~ to him** lanqas biss ried jisma' (fuqu/fuqha)
anatomy n. anatomija
anatomical adj. anatomiku/anatomika

ancestor n. antenat
ancestral adj. tal-antenati
ancestry n. siġra tal-familja, dinastija
anchor n. ankra // vi. (also **to drop**) xeħet // vt. ankar; **to weigh** ~ rafa' l-ankra
anchovy n. inċova
ancient adj. antik/a, qadim/a; (fig.) għandu/għandha ħafna żmien
ancillary adj. taħtieni/taħtiena; (person) servjent/a
and conj. u; **men** ~ **women** irġiel u nisa; **father** ~ **son** missier u iben; **trees** ~ **grass** siġar u ħaxix; ~ **so on** u nibqgħu sejrin; **try** ~ **come** għamel ħiltek u ejja; **he talked** ~ **talked** qabad iparla u ma waqafx; **better** ~ **better** dejjem għall-aħjar
Andes n.pl. **the** ~ l-Andes
anecdote n. aneddotu
anemia n. (US. **anaemia**)
anemic n. (US. **anaemic**)
anesthetic n. (US. **anaesthetic**)
anesthetist n. (US. **anaesthetist**)
anew adv. mill-ġdid
angel n. anġlu; **Guardian A**~ l-Anġlu Kustodju
anger n. korla, rabja
angina n. spażmu, uġigħ qawwi fis-sider
angle n. anglu; **from their** ~ mill-fehma tagħhom
angler n. sajjied bix-xlief u l-qasba
Anglican adj. n. Anglikan/a
anglicize vt. qaleb għall-Anglikaniżmu
angling n. sajd bix-xlief u l-qasba
Anglo... pref. Anglo...
angrily adv. inkurlat/a, bil-korla
angry adj. irrabjat/a, inkurlat/a; (wound) infjammata; **to be** ~ **with sb./at sth.** kien irrabjat għal; **to get** ~ irrabja, inkorla
anguish n. (physical) uġigħ (fiżiku); (mental) uġigħ (mentali), diqa
angular adj. angulat/a
animal n. annimal; (pej. person) annimal/a, bhima // adj. annimali
animate vt. ta l-ħajja // adj. ħaj/ja; ~**d** adj. animat/a
animosity n. animożità, mibegħda, odju
aniseed n. żerriegħa tal-ħlewwa
ankle n. għaksa tas-sieq; ~ **sock** n. kalzetti qosra
annals n. annali, kitba ta' ġrajjiet, fatti, rakkonti ta' sena
annex n. (also brit. **annexe**) (building) kabbar // vt. (territory) żied
annihilate vt. qered għalkollox; ~ **dinner** n. bala'
anniversary n. anniversarju
annotate vt. annota, niżżel in-noti/kummenti
announce vt. ħabbar; ~**ment** n. aħbar, avviż; (official) aħbar uffiċjali; ~**r** n. (radio, tv.) annawnser, ħabbar, xandar
annoy vt. dejjaq, xabba'; **don't get** ~**ed!** tiħux għalik!; ~**ance** n. fittaġni, sikkatura; ~**ing** adj. li jdejjaq/iddejjaq; (person) dejjaq, iffitta
annual adj. ta' kull sena // n. (bot.) annwali; (book) annwali, ta' kull sena; ~**ly** adv. kull sena
annuity n. annwalità; **life** ~ vitalizju
annul vt. ħassar, neħħa; (law) abroga; ~**ment** n. annullament, tħassira
annum n. see **per**
anoint vt. ikkonsagra
anomaly n. anomalija
anomalous adj. anomalu, mhux regolari
anonymity n. anonimità
anonymous adj.anonimu/anonima
anorak n. inċirata
anorexia n. (med. also ~ **nervosa**) anoressja (nervoża)
another adj. (one more, a different one) ieħor // pron. ieħor; see **one**
answer n. tweġiba, risposta; (to problem) soluzzjoni // vi. wieġeb // vt. (reply to) wieġeb; (problem) solva; (prayer) risposta; **in** ~ **to your letter** bi tweġiba għall-ittra tiegħek; **to** ~ **the phone** wieġeb/irrisponda t-telefown; **to** ~ **the bell** or **the door** ra min ġie, mar u fetaħ il-bieb; ~ **back** vi. irrisponda; ~ **for** vt. fus. għamel tajjeb għal; ~ **to** vt. fus. (description) qabel/qablet (mad-deskrizzjoni); ~**able** adj. ~**able to sb. for sth.** jagħmel/tagħmel tajjeb għal xi ħadd dwar xi ħaġa; ~**ing machine** n. magna li twieġeb
ant n. nemla; ~**-hill** bejta tan-nemel
antagonism n. antagoniżmu
antagonist n. antagonist/a
antagonistic adj. antagonistiku/antagonistika
antagonize vt. oppona, mar kontra
Antarctic n. **the** ~ l-Antartiku
anteater n. wikkiel in-nemel
antecedent n. ta' qabel, ħaġa li saret qabel oħra
antelope n. ċerv/a
antenatal adj. antenatali; ~ **clinic** n. klinika antenatali
antenna (pl. ~**e**) n. antenna
anthem n. innu; **national** ~ innu nazzjonali
anthology n. antoloġija, ġabra
anthropology n. antropoloġija
anthropologist n. antropologu/antropologa
anti- pref. anti(-); ~**aircraft** adj. antiaeru (difiża kontra ajruplani, missili tal-għadu); ~**biotic** n. antibijotiku; ~**body** n. antiġisem
anticipate vt. antiċipa; (expect) basar; (look forward to) ħejja minn qabel; (do first) antiċipa

anticipation n. (expectation) stennija; (eagerness) ħrara kbira
anticlimax n. antiklajmaks
anticlockwise (brit.) adv. kontra l-arloġġ
antics n.pl. (of clown) buffonati; (of child, animal, etc.) akrobaziji li jdaħħku; (pej.) ċajt
anticyclone n. antiċiklun
antidote n. antidotu, kontravelenu
antifreeze n. antifriża, kontrafriża
antihistamine n. antistaminiku
antiquarian adj. ~ **bookshop** ħanut ta' kotba antiki // n. espert/dilettant ta' oġġetti antiki
antiquated adj. antikwat/a
antique n. antikità // adj. antik/a, qadim/a; ~ **dealer** n. bejjiegħ l-antikità; ~ **shop** n. ħanut tal-antikità
antiquity n. antikità, żmien antik, qdumija
antisemitism n. antisemitiżmu
antiseptic adj. n. antisettiku
antisocial adj. mhux soċjabbli; (against society) antisoċjali
antlers n.pl. qran iċ-ċerv/a
anus n. fomm il-musrana d-dritta, toqba tat-tint
anvil n. inkwina
anxiety n. xewqa kbira; (med.) ansjetà; ~ **to do** ħerqan biex jagħmel
anxious adj. ansjetà; (worrying) qalbu ttaqtaq; (keen): **to be** ~ **to do** ħerqan biex jagħmel
any adj.
1 (in questions, etc.) xi ftit; **have you** ~ **butter/children?** għandek ftit butir/tfal?; **if there are** ~ **tickets left** jekk hemm xi ftit biljetti żejda?
2 (with negative): **I haven't** ~ **money/books** m'għandix flus/kotba
3 (no matter which) kull, liema; ~ **excuse will do** kull skuża tgħodd; **choose** ~ **book you like** agħżel liema ktieb trid; ~ **teacher you ask will tell you** tistaqsi liema għalliem trid, jgħidlek
4 (in phrases): **in** ~ **case** hu x'inhu; ~ **day now** f'xi jum minn dawn; **at** ~ **moment** meta trid; **at** ~ **rate** hu x'inhu; ~ **time**: **come (at)** ~ **time** ejja meta trid; **he might come (at)** ~ **time** jista' jiġi f'kull ħin
// pron.
1 (in questions, etc.): **have you got** ~**?** għandek minn dawn/dawk?; **can** ~ **of you sing?** hemm xi ħadd minnkom li jaf ikanta?
2 (with negative): **I haven't** ~ **(of them)** m'għandi xejn minn dawk
3 (no matter which one (s): **take** ~ **of those books (you like)** ħu liema ktieb trid minn dawn
// adv.
1 (in questions, etc.): **do you want** ~ **more soup/sandwiches?** trid iktar soppa/sandwiċis?; **are you feeling** ~ **better?** qed tħossok xi naqra aħjar?
2 (with negative): **I can't hear him** ~ **more** ma nistax nisimgħu iktar; **don't wait** ~ **longer** tistenniex iktar
anybody pron. kull (min); (in interrogative sentences) kwalunkwe; (in negative sentences): **I don't see** ~ ma jiena qed nara lil ħadd; **if** ~ **should phone**... jekk iċempel xi ħadd...
anyhow adv. (at any rate) ikun kif ikun, b'kull mod; (haphazard): **do it** ~ **you like** agħmilha b'liema mod trid; **she leaves things just** ~ tħalli kollox bl-addoċċ; **I shall go** ~ jiġri x'jiġri, jien sa mmur
anyone see **anybody**
anybody prep. kulħadd
anything pron. (in questions, etc.) kwalunkwe ħaġa, kull ħaġa; (with negative) xi ħaġa; **can you see** ~**?** Qed tara xi ħaġa? ; **if** ~ **happens to me**... jekk jiġrili xi ħaġa...; (no matter what): **you can say** ~ **you like** tista' tgħid kulma trid; ~ **will do** kollox jgħodd; **he'll eat** ~ kapaċi jiekol kollox
anyway adv. (at any rate) ikun kif ikun; **I shall go** ~ jien xorta waħda sa mmur; (besides): ~**, I couldn't come even if I wanted to** wara kollox, jien ma nistax niġi, lanqas kieku rrid; **why are you phoning,** ~**?** Għaliex qed iċċempel, wara kollox?
anywhere adv. (in questions, etc.): **can you see him** ~**?** qed tarah xi mkien?; **are you going** ~**?** sejjer xi mkien?; (with negative): **I can't see him** ~ ma nista' narah imkien; ~ **in the world (no matter where)** fid-dinja kollha (ma jimpurtax fejn); **put the books down** ~ poġġi l-kotba fejn trid
apart adv. (aside) fil-ġenb; (situation): ~ **(from)** 'il bogħod minn; (movement): **to pull** ~ fired; **10 miles** ~ mifrudin b'10 mili; **to take** ~ warrab; ~ **from** prep. apparti
apartheid n. apartheid
apartment n. (US.) appartament; (room) sala; ~ **building** (US.) n. blokk t'appartamenti
apathetic adj. apatetiku/apatetika
apathy n. apatija
ape n. xadin/a // vt. għamel bħal xadin
aperitif n. aperittiv
aperture n. fetħa; (phot.) apertura
APEX n. abbr. of **Advanced Purchase Excursion Fare**; APEX

apex n. apiċi; (fig.) quċċata, qċaċet
aphrodisiac adj. n. afrodiżijaku/afrodiżijaka
apiece adv. kull wieħed/waħda
aplomb n. ċertezza
apocalypse n. apokalissi
apolitical adj. apolitiku/apolitika
apologetic adj. b'apoloġija (person) li jiskuża ruħu
apologize v. **to ~ (for sth. to sb.)** għamel apoloġija lil/skuża ruħu ma' xi ħadd għal xi ħaġa
apology n. apoloġija
apoplexy n. apoplesija, puplesija
apostle n. appostlu
apostrophe n. (gramm.) appostrofi; (ling.) apostrofi
appal vt. werwer bil-biża'; **~ling** adj. li jwerwer/twerwer (bil-biża'); (awful) li jwaħħax/twaħħax
apparatus n. (equipment) apparat; (organization) sistema; (in gymnasium) atrezzatura
apparel (US.) n. lbies, żina
apparent adj. li jidher/tidher; (obvious) ċar/a; **~ly** adv. milli jidher
apparition n. dehra
appeal vi. (law) appella // n. (law) appell; (request) sejħa; (plea) talba; (charm) sbuħija; **to ~ for** appella għal; **to ~ to** (be attractive to) għoġob lil, ħawwad lil (inf.); **it doesn't ~ to me** ma tappellax għalija; **~ing** adj. (attractive) sabiħ/a, li jiġbdek/tiġbdek
appear vi. deher; (law) wera ruħu; (publication) ġie ppubblikat; (seem) deher; **to ~ on tv./ in "Hamlet"** deher fuq it-tv./f'"Amlet"; **it would ~ that** jagħti x'jidher illi; **~ance** n. apparenza; (look) dehra
appease vt. (pacify) ikkalma, berred, ikkwieta; (satisfy) issodisfa; **~r** n. dak/dik li jikkwieta/tikkwieta, jissodisfa/tissodisfa, jikkuntenta/tikkuntenta
appendage n. dendil // (writing) żjieda ma'
appendicitis n. appendiċite
appendix (pl. **appendices**) n. (med.) appendiċi; (of book) żieda
appetite n. aptit (tal-ikel), ġuħ; (fig.) xewqa
appetizer n. (drink) aperitiv; (food) ikel ta' tnaqqir, epitajżers
applaud vt., vi. ċapċap
applause n. ċapċip, applaws
apple n. tuffieħa; **~ tree** siġra tat-tuffieħ
appliance n. strument, mezz, għodda; **electrical ~** strumenti elettriċi (għall-użu tad-dar)
applicable adj. (relevant): **to be ~ (to)** kien jgħodd/relevanti għal
applicant n. applikant/a
application n. applikazzjoni; (for a job, etc.) talba (għal xogħol); **~ form** n. formola tal-applikazzjoni
applied adj. applikat/a; **~ linguistics** (physics, etc.), (sch.) lingwistika (fiżika, eċċ.) applikata
apply vt. (paint, etc.) żebagħ; (law, etc.: put into practice) applika, implimenta // vi. **to ~ to** (ask) għamel talba; (be applicable) kien tajjeb; **to ~ for** (permit, grant, job) applika għal(l-); **to ~ os. to** irrikorrejna għand xi ħadd biex
appoint vt. (to post) appunta, ħatar; **~ed** adj. **at the ~ed time** fil-ħin miftiehem; **~ment** n. (with client) appuntament; (act) ħatra; (post) kariga; (at hairdresser, etc.): **to have an ~ment** kellu appuntament; **to make an ~ment (with sb.)** għamel appuntament (ma' xi ħadd)
apportion n. qassam is-sehem ta' kulħadd
appraisal n. stima
appreciable adj. ta' min jistmah/a jew japprezzah/a
appreciate vt. apprezza; (be grateful for) apprezza; (be aware of) qagħad attent minn // vi. (comm.) qiegħed stima
appreciation n. stima; (gratitude) ringrazzjament, gratitudni; (comm.) tqegħid ta' prezz fuq
appreciative adj. ta' ammirazzjoni; (comment) ta' eloġju, tifħir
apprehend vt. arresta; (understand) fehem
apprehensive adj. (intelligent) intelliġenti; (afraid of) beżżiegħi minn; apprensiv
apprentice n. apprendist(a)/a jew apprentist(a)/a; **~ship** n. apprendistat jew apprentistat
approach vi. resaq qrib // vt. resaq qrib; (ask, apply to) dar fuq; (situation, problem) qorob // n. qarba; (access) aċċess; (to problem, situation): **~ (to)** qorob lejn; **~able** adj. (person) li tista' ddur fuqu/fuqha; (place) li tista' toqorbu
appropriate adj. adattat/a, xieraq/xierqa // vt. (take) ħa (u għamel tiegħu)
approval n. kunsens; (permission) permess, approvazzjoni; **on ~** (comm.) bil-provi
approve vt. approva; **~ of** vt. fus. (thing) ta kunsens; (person): **they don't ~ of her** ma jilqgħuhiex
approximate adj. li jersaq/tersaq lejn; **~ly** adv. qrib sewwa, approssimatament
approximation n. qrubija
apricot n. berquqa; **~-tree** siġra tal-berquq
April n. April; **~ Fools' Day** n. l-Ewwel t'April
apron n. fardal
apt adj. tajjeb/tajba; (likely): **~ to do** aktarx li jagħmel/tagħmel

aptitude n. xeħta, qagħda
aqualung n. respiratur awtomatiku
aquarium n. akwarju
Aquarius n. Akwarjus
aquatic adj. akwatiku/akwatika; tal-ilma; (sport) (logħob) akwatiku
aqueduct n. akwadott
Arab n. Għarbi/ja; **~ia** n. l-Arabja; **~esque** n. Arabesk; **~ian** adj. Għarbi/ja
Arabic adj. Għarbi; (numerals) in-numri Għarab
arable adj. (art) ħarratija
Aragon n. Aragona
arbiter n. arbitru/arbitra
arbitrary adj. arbitrarju/arbitrarja
arbitrate vi. għamilha t'arbitru
arbitration n. qtigħ ta' kwistjoni bl-arbitraġġ
arc n. qaws; (arch.) ħnejja; (math.) ark
arcade n. (round a square) portiku; (shopping mall) loġoġ
arch n. arkata, ħnejjiet; (of foot) arkata tas-sieq // vt. qiegħed f'forma ta' arkata
arch-enemy n. l-akbar għadu
archaeologist (US. **archeologist**) n. arkeologu/arkeologa
archaeology (US. **archeology**) n. arkeoloġija
archaic adj. arkajku/arkajka
archbishop n. arċisqof
archer n. arċier; **~y** n. is-sengħa ta' tfigħ il-vleġeġ bil-qaws
archetype n. arketip
archipelago n. arċipelagu
architect n. arkitett; **~ural** adj. arkitettoniku; **~ure** n. arkitettura
archives n.pl. arkivji
archivist n. arkivjarju/arkivjarja
archway n. mogħdija msaqqfa jew bl-arkata
Arctic adj. Artiku/Artika / n. **the** ~ l-Artiku
ardent adj. mħeġġeġ/mħeġġa
arduous adj. (task) ta' ħafna xogħol, diffiċli; (journey) iebes, diffiċli
are v. see **be**
area n. bur; (part of place) biċċa art; (math., etc.) wesgħa; (in room: eg. dining ~) il-kamra (eż. tal-pranzu); (of knowledge, experience) qasam
arena n. arena; (of circus) arena (taċ-ċirku)
Argentina n. Arġentina
Argentinian adj. Arġentin/a
argue vi. (quarrel) ġlieda; (reason) ħaqqaq (ir-raġunijiet); **to ~ that** saħaq illi
argument n. argument; (reasons) raġunijiet; **~ative** adj. argumentattiv/a
arid niexef; aridu; **~ity** n. ariditā; nixfa
Aries n. (il-)Kibx
arise (pt. **arose**, pp. **arisen**) vi. qam; **to ~ from** qam, feġġ minn
arisen pp. of **arise**
aristocracy n. aristokrazija
aristocrat n. aristokratiku/aristokratika; **~ic** adj. aristokratiku/aristokratika
arithmetic n. aritmetika
ark n. arka; **Noah's A~** l-Arka ta' Noè
arm n. driegħ; (mil. branch) fergħa // vt. rama/libes l-armi; **~s** n.pl. (weapons, heraldry) armi; ~ **in** ~ lambranzetta; **~band** n. armband; **~chair** n. pultruna; **~ful** n. ħodon, ponn
armaments n.pl. armamenti
armchair n. siġġu bid-dirgħajn
armed adj. armat/a; ~ **robbery** n. serqa bl-armi
armistice n. armistizju
armour (US **armor**) n. korazza, (mil. **tanks**) pjanċi tal-metall fuq it-tankijiet, **~ed car** n. karozza armata
armpit n. abt
armrest n. braċċjol
army n. armata; (fig.) miġemgħa kbira
aroma n. riħa ta' ħwawar; **~therapy** n. aromaterapija
arose pt. of **arise**
around adv. madwar; (in the area): **there is no one else** ~ m'hawn ħadd iktar // prep. madwar
arouse vt. qajjem; (anger) qanqal (ir-rabja)
arpeggio n. arpeġġ
arrange vt. irranġa; (organize) organizza; **to ~ to do sth.** ha ħsieb biex jagħmel xi ħaġa; **~ment** n. arranġament; (agreement) ftehim; **~ments** n.pl. (preparations) arranġamenti, preparazzjonijiet
array n. ~ **of** (things) ordni; (people) skjerament
arrears n.pl. lura; **to be in ~ with one's rent** kien lura fil-ħlas tal-arretrati
arrest vt. arresta; (sombodies attention) attira, ġibed (l-attenzjoni) // n. arrest; **under** ~ taħt arrest
arrival n. wasla, miġja; **new** ~ wasla ġdida; (baby) twelid
arrive vi. wasal; (baby) twieled
arrogance n. arroganza
arrogant adj. arroganti
arrow n. vleġġa
arse (brit.) pej. n. sorm
arsenal n. arsenal, maħżen tal-armi
arsenic n. arseniku, tosku, velenu
arson n. ħruq intenzjonali
art n. arti; (skill) ħila, sengħa; **Arts** n.pl. (sch.) Arti
artefact n. manifattura (bl-idejn)

artery n. arterja
artful adj. makakk/a, moħħu/moħħha jilħaqlu/ jilħqilha
art gallery n. mużew/gallerija tal-arti; (saleroom) sala tal-bejgħ (ta' pitturi)
arthritis n. artrite
artichoke n. qaqoċċ; **Jerusalem ~** qaqoċċ ta' Ġerusalemm
article n. artiklu; (brit. law training): **~s** n.pl. apprendisti; **~ of clothing** indument, ħwejjeġ
articulate adj. msensel/msensla // vt. ippronunzja, lissen; **~d lorry** (brit.) n. trejler
artifice n. ħżunija
artificial adj. artifiċjali; (insincere) falz, mhux sinċier/a; **~ respiration/insemination** respirazzjoni/inseminsazzjoni artifiċjali
artillery n. artillerija
artisan n. artiġġjan/a
artist n. artist/a; (mus.) mużiċist/a; **~ic** adj. artistiku/artistika; **~r** n. artistrija
artless adj. sempliċi
art school n. skola tal-arti
as conj.
1 (referring to time) hekk kif, minn; **~ the years went by** hekk kif gerbu s-snin; **he came in ~ I was leaving** daħal hekk kif kont ħiereġ; **~ from tomorrow** minn għada
2 (in comparisons): **~ big ~** kbir daqs; **twice ~ big ~** id-doppju fil-kobor ta'; **~ much money/ many books ~** flus/kotba daqs; **~ soon ~** eżatt kif
3 (since, because) għax; **he left early ~ he had to be home by 10** ħareġ kmieni għax kellu jkun id-dar sal-10
4 (referring to manner, way): **do ~ you wish** agħmel kif trid; **~ she said** bħalma qalet; **he gave it to me ~ a present** tahieli bħala rigal
5 (in the capacity of): **he works ~ a barman** jaħdem bħala barmen; **~ chairman of the company, he** bħala ċermen tal-kumpanija, huwa
6 (concerning): **~ for** or **to that** rigward
7 **~ if** or **though** bħallikieku; **he looked ~ if he was ill** deher bħallikieku kien marid; see also **long**; **such**; **well**
a.s.a.p. abbr. of **as soon as possible**; k.j.j.m. (kemm jista' jkun malajr)
asbestos n. asbestos
ascend vt. tala', għola; (throne) sar re
ascent n. tlugħ; (slope) telgħa
ascertain vt. aċċerta, żgura
ash n. (of a dead man) trab; (of cigarette, etc.) rmied; (tree) fraxxnu
ashamed adj. mistħi/ja; **to be ~ of** staħa minn
ashen n. lewn l-irmied jew il-fraxxnu
ashore adv. fl-art, fuq ix-xatt; (swim, etc.) tela' mill-ilma/fuq ix-xatt
ashtray n. extrej
Ash Wednesday n. l-Erbgħa tal-Irmied
Asia n. l-Ażja; **~n** adj. Ażjatiku/Ażjatika
aside adv. fil-ġenb // n. (esp. theat.) esajd
ask vt. (question) staqsa; (invite) stieden; (beg) talab; **to ~ sb. sth./to do sth.** staqsa xi ħaġa lil xi ħadd/talab lil xi ħadd biex jagħmel xi ħaġa; **to ~ sb. about sth.** staqsa lil xi ħadd dwar xi ħaġa; **to ~ (sb.) a question** staqsa mistoqsija (lil xi ħadd); **to ~ sb. out to dinner** stieden lil xi ħadd għall-ikel; **~ after** vt. fus. staqsa dwar, xtaq jinforma ruħu dwar; **~ for** vt. fus. staqsa għal; (trouble) lagħab man-nar
askance adv. **to look ~ at sb.** ħares lejn xi ħadd bil-maqlub
askew adv. bil-maqlub
asking price n. il-prezz tal-bidu, il-prezz tat-tluq
asleep adj. rieqed/rieqda; **to fall ~** raqad, għajnu marret bih
asp n. lifgħa, serp żgħir velenuż
asparagus n. (plant) spraġ; (food) asparagu
aspect n. aspett, wiċċ wieħed; (direction in which a building, etc. faces) espożizzjoni
aspersions n.pl. **to cast ~ on** xeħet attakki malizzjużi rigward xi ħaġa
asphalt n. asfalt
asphyxiate vt. asfissja, storda lil
asphyxiation n. sturdament
aspirate vt. ippronunzja // adj. bin-nifs kollu
aspiration n. (act of breathing) ħa n-nifs 'il ġewwa; (ambition) ħsieb, xewqa, aspirazzjoni
aspire vi. **to ~ to** immira għal
aspirin n. aspirina
ass n. ħmar; (inf. idiot) bniedem/bniedma bla ras; (US. pej.) sorm
assail vt. ħabat għal; **~ant** n. persuna li jaħbat/ taħbat għal xi ħadd
assassin n. assassin/a, qattiel/a; **~ate** vt. qatel; **~ation** n. assassinju, qtil
assault n. assalt; (law) aggressjoni // vt. ħabat; (sexually) attakka, immolesta
assemble vt. ġabar; (tech.) għaqqad, immonta // vi. ngħaqad
assembly n. assemblea; (parliament) assemblea (parlamentari); (construction) muntaġġ; **~ line** n. linja ta' muntaġġ
assent n. approva, ta l-kunsens
assert vt. qal, iddikjara; (authority) ta l-ordni; **~ion** n. affermazzjoni, dikjarazzjoni

assess vt. ikkalkula; (tax, damages) stama; (for tax) intaxxa; **~ment** n. stima; (sch.) assessment, rendikont tal-marki; (for tax) stima ta' taxxa; **~or** assessur
asset n. assi; **~s** n.pl. (comm.) assi; (property) propjetà; (funds) fondi
assiduous adj. assidwu/assidwa, bieżel/ bieżla
assign vt. **to ~ (to)** (date) ta; (task) għadda; (resources) qassam; **~ment** n. biċċa xogħol; (sch.) xogħol, assenjament
assimilate vt. assimila (food, etc.) assorba; (understand) fehem; (make similar) xebbaħ, qabbel ma'
assimilation n. assimilazzjoni
assist vt. assista, (give help) għen, waqaf ma'; (watch) kien preżenti għal; **~ance** n. għajnuna; **~ant** n. assistent; (brit. also **shop ~ant**) ajjutant f'ħanut
assizes n.pl. qrati reġjonali
associate adj. msieħeb/msieħba ma' // n. (at work) sieħeb/sieħba // vt. għamel sħab; (ideas) għaqqad, waħħad // vi. **to ~ with sb.** ngħaqad ma'
association n. għaqda, xirka
assorted adj. mħallta/mħalltin
assortment n. (of shapes, colours) taħlita; (of books) għażla; (of people) taħlita
assume vt. assuma; (responsibilities) refa' r-responsabbiltà; (attitude) ħa bixra
assumption n. suppożizzjoni; (of power, etc.) refa' fuq spallejh (il-poter, eċċ.)
assurance sigurtà; (confidence) kunfidenza; (insurance) assigurazzjoni
assure vt. assigura, żgura, serraħ ras lil
asterisk n. stilla, asterisk
astern adv. lejn il-poppa
asthma n. ażma; **~tic** adj. n. ażmatiku/ażmatika
astir adv. mqajjem/mqajma
astonish vt. għaġġeb; **~ment** n. stagħġib
astound vt. għaġġeb
astray adv. **to go ~** tilef ir-rotta; **to lead ~** (morally) mexxa 'l barra mir-raġunament it-tajjeb, ikkorrompa
astride adv. prep. b'saqajh miftuħa
astringent adj. (severe) aħrax/ħarxa, qalil/a // n. sustanza qalila, ħarxa
astrologer n. astrologu/astrologa
astrology n. astroloġija
astronaut n. astronawta, kożmonawta
astronomer n. astronomu
astronomical adj. astronomiku/astronomika
astronomy n. astronomija
astute adj. moħħu/moħħha jilħaqlu/jilħqilha, makakk/a
asunder adv. fi tnejn, f'biċċtejn
asylum n. (refuge) refuġju; (mental hospital) manikomju
at prep.
1 (referring to position) fi; (direction) lejn; **~ the top** fil-quċċata; **~ home/ school** id-dar/l-iskola; **to look ~ sth./ sb.** ħares lejn xi ħadd/xi ħaġa
2 (referring to time): **~ 4 o'clock** fl-4; **~ night** billejl; **~ Christmas** fil-Milied; **~ times** f'xi waqtiet
3 (referring to rates, speed, etc.): **~ £1 a kilo** lira l-kilo; **two ~ a time** tnejn kull darba; **~ 50 km/h** bil-50 mil fis-siegħa
4 (referring to manner): **~ a stroke** f'daqqa waħda; **~ peace** fil-paċi
5 (referring to activity): **to be ~ work** daħal ix-xogħol; (in the office, etc.) kien ix-xogħol; **to play ~ cowboys** lagħab tal cowboys; **to be good ~ sth.** kien tajjeb f'xi ħaġa
6 (referring to cause): **surprised/ annoyed ~ sth.** sorpriż/mdejjaq b'xi ħaġa; **I went ~ his suggestion** għamilt kif qalli
ate pt. of **eat**
atheism n. ateiżmu
atheist n. ateu
Athens n. Ateni
athlete n. atleta
athletic adj. atletiku/atletika; **~s** n. atletika
Atlantic adj. Atlantiku/Atlantika // n. **the ~ (Ocean)** (l-Oċean) Atlantiku
atlas n. atlas
ATM n. abbr. of **Automated Telling Machine**; ATM
atmosphere n. atmosfera; (of place) atmosfera
atmospheric adj. atmosferiku/atmosferika; **~s** n. (radio) textix
atoll n. gżira korali (li ddawwar laguna)
atom n. atomu; **~ic** adj. atomiku/atomika; **~(ic) bomb** n. bomba atomika; **~izer** n. atomizzatur
atone vi. **to ~ for** patta għal (xi ħaġa ħażina); (give satisfaction) ta pjaċir
atrocious adj. atroċi
atrocity n. atroċità
atrophy n. ħela // vt. ħlieħ/a // vi. nħela
attach vt. (fasten) waħħal; (join) waħħad, għaqqad; (document, letter) hemeż; (importance, etc.) attribwixxa, ta'; **to be ~ed to sb./sth.** (to like) kellu ġibda lejn xi ħadd/ħaġa

attachè case n. bagalja attachè
attachment n. (tool) aċċessorju; (love): ~ **(to)** ġibda, mħabba lejn
attack vt. (mil.) attakka; (subj. criminal) aggredixxa, ħebb; (criticize) attakka, ikkritika bl-aħrax; (task) affronta // n. attakk; (on somebodies life) aggressjoni; (fig. criticism) attakk, kritika ħarxa; (of illness) attakk; **heart** ~ attakk ta' qalb; **~er** n. attakkant
attain vt. (also ~ **to**) irnexxielu jikseb; (achieve) kiseb
attempt n. attentat; (attack) ta s-salt // vt. ipprova; **~ed** adj. **~ed burglary/murder/suicide** attentat ta' serq/qtil/suwiċidju
attend vt. wassal; (patient) dar bi; ~ **to** vt. fus. qeda; (customer, patient) ħa ħsieb ta'; **~ance** n. attendenza; (people present) dawk preżenti; **~ant** n. servjent; (in garage, etc.) kustodju
attention n. attenzjoni; (care) ħsieb // excl. (mil.) attenzjoni; **for the ~ of...** (admin.) għall-attenzjoni ta'...
attentive adj. attent
attenuate vt. fjakka
attest vi. **to ~ to** xehed għal
attic n. kamra ta' fuq il-bejt
attire n. ġibda, attrazzjoni
attitude n. attitudni, xeħta; (disposition) dispożizzjoni, qagħda
attorney n. (law) prokuratur; **A~ General** n. (brit.) avukat ġenerali (US.) il-Ministru tal-Ġustizzja
attract vt. ġibed lejh; (sb.'s attention) ġibed l-attenzjoni ta' xi ħadd; **~ion** n. ġibda, attrazzjoni; (gen. pl. amusements) attrazzjonijiet; (phys.) attrazzjoni; (fig. towards sb., sth.) ġibda; **~ive** adj. li jiġbdek/tiġbdek, attraenti; (interesting) interessanti
attribute n. attribut // vt. **to ~ sth. to** attribwixxa xi ħaġa lil xi ħadd
attrition n. attrizzjoni; **war of ~** gwerra ta' reżistenza fiżika
aubergine (brit.) brunġiela; (colour) kulur il-brunġiela, vjola
auburn adj. ta' kulur ħamrani skur, qastni/ja ċar
auction n. (also **sale by** ~) bejgħ bl-irkant // vt. irkanta; **~eer** n. irkantatur/irkantatriċi
audacious adj. qalbieni/qalbenija
audacity n. awdaċja, qlubija
audible adj. li jinstama'/tinstama'
audience n. udjenza; (radio) semmiegħa; (tv.) telespettaturi; (interview) intervista
audio-visual adj. awdjoviżiv/a; ~ **aid** n. għajnuna awdjoviżiva
audit vt. eżamina
audition n. eżaminazzjoni
auditor n. awditur
auditorium n. sala, awditorju
augment vt. żied, kattar
augur vi. kien sinjal ta' xi ħaġa li tista' tiġri; **it ~s well** ibassar għat-tajjeb
August n. Awwissu
august adj. maestuż/a, sultani/ja
aunt n. zija; **~ie** n. diminutive of **aunt**; **~y** n. diminuttiv ta' zija
au pair n. (also ~ **girl**) au pair
aura n. awra
auspices n.pl. **under the ~ of** taħt l-awspiċju ta'
auspicious adj. favorevoli
austere adj. aħrax/ħarxa, iebes/iebsa
austerity ħruxija, qilla
Australia n. l-Awstralja; **~n** adj. Awstraljan/a
Austria n. Awstrija; **~n** adj. Awstrijakk/a
authentic adj. awtentiku/awtentika, ġenwin/a; **~ate** vt. għamel ġenwin/a, awtentiċizza
author n. awtur, kittieb
authoritarian adj. awtoritarju/awtoritarja
authoritative adj. li għandu/għandha s-setgħa; (manner) (mġiba) awtoritattivja
authority n. awtorità; (official permission) permess uffiċjali; **the authorities** n.pl. l-awtoritajiet
authorize vt. awtorizza
authorship n. paternità letterarja
autistic adj. akustiku/akustika
auto (US.) n. karozza
auto: ~biography n. awtobijografija; **~graph** n. awtografu // vt. (photo, etc.) għamel dedika; (programme) iffirma; **~mated** adj. jaħdem/taħdem weħidha; **~matic** adj. awtomatiku/awtomatika // n. (gun) rivolver/pistola/rajfil awtomatiku; (car) karozza awtomatika; **~matically** adv. awtomatikament; **~mation** n. użu ta' inġenji awtomatiċi; **~mobile** (US.) n. karozza; **~nomy** awtonomija
autocratic adj. awtokratiku/awtokratika
autopsy n. awtopsja
autumn n. il-ħarifa
auxiliary adj., n. awżiljarju/awżiljarja
avail vt. **to ~ os. of** nqdejna bi // n. **to no** ~ għall-ebda profitt
available adj. (unoccupied) disponibbli; (person: unattached) singil, mhux marbut/a ma' sieħeb/sieħba
availability n. disponibbiltà
avalanche n. valanga
avant-garde adj. avant-garde

avaricious adj. rgħib/a, xħiħ/a
ave. abbr. of **avenue**
avenge vt. ivvendika (ruħu/ruħha)
avenue n. vjal; (fig.) triq
average n. il-medja // adj. medjan/a; (ordinary) normali // vt. ikkalkula l-medja; **above/below (the) average** taħt il-medja; **on** ~ skont il-medja; ~ **out** vi. **to** ~ **out at** ġibed il-medja ta'
averse adj. **to be** ~ **to sth./doing** għandu stmerrija lejn xi ħaġa/jobgħod jagħmel xi ħaġa
aversion n. antipatija
avert vt. dar 'il hemm; (blow) skansa; (one's eyes) dawwar ħarstu
aviary n. guva
aviation n. avjazzjoni
avid adj. rgħib/a; ~**ly** adv. rgħiba
avocado n. (also brit. ~ **pear**) avokado
avoid vt. evita, skansa; ~**able** adj. li jista'/tista' jkun/tkun maħrub/a
await vt. stenna; ~**ing delivery** (comm.) stenna l-konsenja
awake (pt. **awoke**, pp. **awoken** or **awaked**) adj. mqajjem/mqajma // vt. qam // vi. tqajjem; **to be** ~ kien imqajjem; ~**ing** n. qawma
award n. premju; (law damages) ħlas // vt. ippremja; (law damages) ħallas
aware adj. ~ (**of**) jaf (b'); **to become** ~ **of/that** (realize) irrealizza li; (learn) tagħlim; ~**ness** kuxjenza; (knowledge) tagħlim
awash adj. livell mal-ilma; ~ **with** mgħarraq bi
away adv. 'il bogħod; (movement): **she went** ~ marret 'il hemm; (far ~) 'il bogħod; **two kilometres** ~ żewġ kilometri 'l bogħod; **two hours** ~ **by car** sagħtejn bil-karozza; **the holiday was two weeks** ~ kien fadal ħmistax biex tasal il-vaganza; **he's** ~ **for a week** siefer għal ġimgħa/indispost għal ġimgħa; **to take** ~ (**from**) ħa mingħand; **to fade** ~ (**colour**) iċċara, iffejdja; (**sound**) iffejdja; ~ **game** n. (sport) logħba barra mid-dar
awe n. intimidazzjoni; ~-**inspiring** adj. imponenti
awful adj. (fam.) orribbli, terribbli; (quantity): **an** ~ **lot** (**of**) ħafna; ~**ly** adv. (very) ħafna
awhile adv. għal ftit (żmien)
awkward adj. goff/a; (shape) bla grazzja; (embarassing) li jnissel/tnissel mistħija
awl n. timplor, xifa
awning n. (of caravan, shop) tinda, tinda kbira
awoke pt. of **awake**
awoken pp. of **awake**
awry adv. **to be** ~ kien ħażin
axe (US. **ax**) n. mannara // vt. (project) warrab; (jobs) qaċċat
axes n.pl. of **axis**
axiom n. asjoma, verità
axis (pl. **axes**) n. ass, fus.
axle n. fus. (also ~-**tree**) fus. ta' karozza jew karettun
ay(**e**) excl. iva // adv. (in poetry) għal dejjem; **the ayes** n.pl. l-ivijiet, il-voti favur
azure adj. kaħlani/ja

B b

B n. (mus.) B **it-tieni ittra tal-alfabett Ingliż**
BA abbr. of **Bachelor of Arts**
babble vi. lablab, paċpaċ // n. tlablib, tpaċpiċ
baboon n. babun, babwin
baby n. tarbija; (US. inf. darling) sbejħa; ~ **carriage** (US.) n. karozzina; ~**-sit** vi. għamilha ta' baby-sitter, qagħad mat-trabi; ~**-sitter** n. baby-sitter, dak/dik li joqgħod/ toqgħod mat-tfal; ~ **wipe** n. lavalor
bachelor n. għażeb; **B~ of Arts/Sciences** għandu/ għandha l-Baċellerat fl-Arti/fix-Xjenzi
back n. (of person) dahar; (of animal) dahar; (of hand) il-wara tal-id; (as opposed to front) wara; (of chair) dahar; (of page) in-naħa ta' wara tal-paġna; (of book) wara ta'/tal-ktieb; (football) difensur; (of crowd): **the ones at the** ~ dawk ta' fuq wara // vt. (candidate: also ~ **up**) appoġġa; (horse: at races) għamel imħatra fuq // adj. (payment, rent) bit-tard; (seats, wheels) ta' wara // adv. (not forward) lura; (returned): **he's** ~ ġie lura; **he ran** ~ mar lura; (restitution): **throw the ball** ~ waddab il-ballun lura; **can I have it ~?** nista' nerġa' neħodha lura?; (again): **he called** ~ reġa' ċempel; ~ **down** vi. abbanduna; ~ **out** vi. (of promise) ma żammx; ~ **up** vt. (person) appoġġa; (theory) ikkonferma; (comput.) issejvja; ~**bencher** (brit.) n. backbencher; ~**bone** n. xewka tad-dahar; ~**date** vt. (pay rise) żieda b'lura; (letter) b'lura; ~**drop** n. purtiera ta' wara; ~**fire** vi. (plans) kellu effetti kuntrarji; ~**ground** n. sfond; (of events) sfond; (basic knowledge) tagħrif bażiku; (experience) esperjenza; **family ~ground** sfond familjari; ~**hand** n. (tennis: also ~**hand stroke**) backhand; ~**hander** (brit.) n. (bribe) tixħima; ~**ing** n. (fig.) appoġġ; ~**lash** n. reazzjoni vjolenti; ~**log** n. ~**log of work** xogħol b'lura; ~ **number** n. (of magazine, etc.) numru tal-magażin (li ħareġ diġà); ~**pack** n. basket; ~ **pay** n. ħlas b'lura; ~**side** (inf.) n. sorm; ~**stage** adv. bekstejġ; ~**stroke** n. backstroke; ~**up** adj. supplementari; (comput.) żejjed/żejda // n. (support) appoġġ; (also ~**-up file**) beking; ~**ward** adj. (person, country) għadu/għadha lura; ~**wards** adv. lura; ~**yard** n. bitħa ta' wara
bacon n. bejken
bacteria n.pl. batterja
bad adj. ħażin/a; (mistake, accident) gravi; (food) (ikel) ħażin, mhux nutrijenti; **his** ~ **leg** siequ l-ħażina; **to go** ~ (food) mar, skada, qata'
badge n. beġġ; (policeman's) beġġ tal-pulizija; (stick-on) stiker
badger n. baġer
badly adv. ħażin (ħafna); **to reflect** ~ **on sb.** ta impressjoni ħażina tiegħu lil xi ħadd; ~ **wounded** ferut/a gravi; **he needs it** ~ għandu bżonnha ħafna; **to be** ~ **off** (**for money**) kien bla sold, kien batut finanzjarjament
badminton n. badminton
bad-tempered adj. bil-buri/buli; (temporarily) għandu/għandha burdata ħażina
baffled vt. (puzzle) tfixkel, tħawwad
bag n. basket; (handbag) ħendbeg; (satchel) basket (tal-iskola); (case) bagalja; ~**s** of (inf.) xebgħa; ~**gage** n. bagalja; ~**gage allowance** n. konċessjoni fuq il-bagalji; ~**gage reclaim** n. talba ta' troddija lura ta' bagalji; ~**gy** adj. wiesa'/wiesgħa; ~**pipes** n.pl. żummara, żaqq
Bahamas n.pl. **the** ~ il-Bahamas
bail n. pleġġ // vt. (prisoner: gen. **grant** ~ **to**) ikkonċeda pleġġ lil; (boat: also ~ **out**) neħħa l-ilma minn, battal; **on** ~ (prisoner) bi pleġġ; **to** ~ **sb. out** xeħet 'il barra lil xi ħadd; see also **bale**
bailiff n. marixxall; (law) uffiċjal ġudizzjarju, marixxall
bait n. lixka // vt. tefa' lixka; (tease) neka
bake vt. ħema (fil-forn) // vi. nħema; ~**d beans** n.pl. fażola moħmija; ~**d potato** n. patata l-forn; ~**r** n. furnar; ~**ry** n. forn; (for cakes) pastiċċerija
baking n. (act) ħami, furnata; (batch) qabda, gods; ~ **powder** n. trab tal-ħami

balaclava n. (also ~ **helmet**) elmu tal-balaklava
balance n. bilanċ; (comm. sum) bilanċ (finanzjarju); (remainder) il-bqija; (scales) miżien // vt. ibbilanċja; (budget) ibbilanċja; (account) ibbilanċja; (make equal) ugwalja; ~ **of trade/payments** bilanċ tan-negozju/tal-ħlas; **~d** adj. (personality, diet) ibbilanċjat/a; (report) tajjeb, ibbilanċjat; ~ **sheet** n. rendikont tal-bilanċ
balcony n. (open) gallarija miftuħa; (closed) gallarija magħluqa; (in theatre) gallerija (tat-teatru)
bald adj. qargħi, fartas; (tyre) mifqugħ
bale n. (agr.) munzell; (of papers, etc.) qabda, gods; ~ **out** vi. waddab 'il barra
Balearics n.pl. **the** ~ il-Baleari
baleful adj. minaċċjuż/a
balk vi. **to** ~ **(at)** tieqaf zoptu (quddiem); (horse) ippinna
ball n. ballun; (football) ballun (tal-futbol); (of wool, string) kobba; (dance) ballu; **to play** ~ (fig.) lagħab il-ballun ma'
ballad n. ballata
ballast n. saborra
ball bearings n.pl. bronżina
ballerina n. ballerina
ballet n. ballu; ~ **dancer** n. żeffien tal-ballu, ballerin
ballistics n. ballistika
balloon n. bużżieqa
ballot n. votazzjoni (sigrieta); ~ **paper** n. karta tal-votazzjoni
ballpoint (pen) n. pinna bl-isfera
ballroom n. sala taż-żfin
Baltic n. **the** ~ **(Sea)** il-(Baħar) Baltiku
bamboo n. bambù
bamboozle vt. qarraq
ban n. projbizzjoni // vt. projbixxa, ma tax il-kunsens
banal adj. banali
banana n. banana
band n. (strip) strixxa; (stripe) faxxa; (mus. jazz) grupp; (rock) bend, grupp (rock); (mil.) banda tal-armata; ~ **together** vi. qafel (flimkien)
bandage n. faxxa (għall-feriti) // vt. infaxxa
Bandaid (US.) n. stikk
bandit n. ħalliet, brigant, żbandut
bandwagon n. **to jump on the** ~ (fig.) ngħaqad ma' xi ħaġa li tidher li sa tagħmel suċċess
bandy vt. (jokes, insults) qal; **to** ~ **about** vt. tkellem għalenija
bandy-legged adj. xipli/ja
bang n. (of gun) sparar; (of door) tisbita; (blow) daqqa // vt. (door) sabbat; (one's head) sawwat // vi. spara; (door) sabbat
banger n. (car: gen. **old** ~) karrakka
Bangladesh n. il-Bangladexx
bangle n. ċappetta
bangs (US.) n.pl. frenża
banish vt. eżilja; **~ment** n. eżilju
bannister(s) n.pl. balavostra
banjo, ~es or **~s** n. banġo/banġi
bank n. (comm.) bank; (of river, lake) xatt; (of earth) munzell (ta' ħamrija) // vi. (aviat.) xaqliba 'l ġewwa waqt it-tlugħ; ~ **on** vt. fus. għamel affarih; ~ **account** n. kont tal-bank; ~ **card** n. kard tal-bank; **~er** n. bankier; **~er's card** (brit.) n. ~ **card**; **B~ holiday** (brit.) n. vaganzi tal-bank; **~ing** n. tal-bank; **~note** n. karta tal-flus; ~ **rate** n. rata tal-bank
bankrupt adj. fallut; **to go** ~ falla; **to be** ~ ma kellux flus; **~cy** n. falliment
bank statement n. rendikont tal-bank
banner n. standard, bandiera
bannister(s) n. (pl.) **banister(s)**
banns n.pl. tnedijiet taż-żwieġ
banquet n. bankett, pranzu
bantam-weight n. bantam-weight
banter n. iċċajta
baptism n. magħmudija; (act) att tal-magħmudija
baptist n. għammied
bar n. (pub) bar, ħanut tax-xorb; (counter) bar; (rod) virga; (of window, cage) lasta; kjub; (of chocolate) biċċa; (fig. hindrance) ostaklu; (prohibition) projbizzjoni; (mus.) bar // vt. (road) għalaq, ħoloq ostaklu; (person) eskluda; (activity) projbixxa; **the B~** (law) l-Ordni tal-Avukati; **behind ~s** fil-ħabs; ~ **none** mingħajr eċċezzjonijiet
Barbados n. il-Barbados
barbaric adj. salvaġġ/a
barbarous see **barbaric**
barbecue n. barbikju
barbed wire n. wajer imxewwek, barbdwajer
barber n. barbier
barbiturate n. barbiturat
bar code n. kodiċi tal-bejgħ
bare adj. għeri/għerja; (trees) mikxuf/a; (necessities, etc.) essenzjali // vt. tgħarwen; (teeth) kixef; **~back** adv. mingħajr sarġ; ~ **faced** adj. tost/a; **~foot** adj. adv. ħafi/ħafja; **~ly** adv. bilkemm
bargain n. roħs; (good buy) affari tajba // vi. xtara bl-irħis; (haggle) iġġebbed; **into the** ~ għalhekk, iktar minn hekk; ~ **for** vt. **he got more than he ~ed for** kiseb iktar milli xtaq
barge n. ċattra, barkun, puntun; ~ **in** vi. interrompa; (interrupt: conversation) qabeż

fin-nofs, interrompa; **to ~ into** vt. fus. issabbat ġo
baritone n. baritonu
bark n. (of tree) qoxra; (of dog) nebħa // vi. nebaħ
barley n. xgħir
barmaid n. barmejd
barman n. barmen, ta' wara l-bar
barmy adj. (col.) ċuċ
barn n. maħżen
barnacle n. koċċla
barometer n. barometru
baron n. baruni; (**press** ~, etc.) baruni; **~ess** n. baruness
barracks n.pl. barraks, kwartieri tas-suldati
barrage n. (mil.) faxxa nar; (dam) lqugħ; (of criticism) xita ta'
barrel n. bettija; (of gun) kanna (ta' xkubetta)
barren adj. ħawli/ja
barricade n. barrikata
barrier n. ostruzzjoni, ostaklu; ~ **cream** krema protettiva
barring prep. minbarra, ħlief
barrister (brit.) n. avukat
barrow n. (cart) barella, reffiegħa; **wheel-~** karretta
bartender (US.) n. bartender, ta' wara l-bar
barter vt. **to ~ sth. for sth.** partat xi ħaġa ma' ħaġa oħra
base n. bażi, pedament, sies // vt. **to ~ sth. on** ibbaża xi ħaġa fuq // adj. l-inqas, l-iktar komuni
baseball n. baseball
basement n. sotterran, semiterrat
bash (inf.) vt. sawwat; ~ **in** damdam, sawwat; ~ **up** farrak
bashful adj. mistħi, timidu, beżżiegħ
basic adj. bażiku/bażika; **~ally** adv. bażikament; (simply) sempliċement; **~s** n.pl. **the ~s** il-bażiku
BASIC n. BASIC
basil n. ħabaq
basin n. lenbija; (geog.) ħawt; (also **wash~**) friskatur
basis (pl. **bases**) n. bażi; **on a part-time/trial ~** bis-siegħa/fuq prova
bask vi. **to ~ in the sun** tbaskat fix-xemx
basket n. basket; **~ball** n. baskitbol
Basque adj., n. Bask/a; ~ **Country** n. pajjiż Bask
bass n. (mus. instrument) baxx; (**double** ~) kuntrabaxx; (singer) baxx
bassoon n. fagott
bastard n. bagħal; (pej.) annimal, pufta
baste vt. (culin.) dilek (bil-butir); (sewing) xellel
bastion n. sur
bat n. (zool.) farfett il-lejl; (for ball games) pala; (brit. for table tennis) pala // vt. **he didn't ~ an eyelid** ma teptipx għajnejh
batch n. (of bread) furnata; (of letters, etc.) mazz
bated adj. **with ~ breath** fuq ix-xwiek
bath n. (action) ħasla; (**~tub**) vaska tal-banju // vi. nħasel; **to have a ~** nħasel; see also **~s**
bathe vi. tbaħbaħ, nħasel // vt. (wound) baħbaħ; **~r** n. għawwiem
bathing n. għawm; ~ **costume** (US. ~ **suit**) n. malja
bath: ~robe n. ħwejjeġ tal-banju; **~room** n. kamra tal-banju; **~s** n.pl. (also **swimming ~s**) pixxina; ~ **towel** n. xugaman
batman n. (mil.) qaddej (ta' uffiċjal)
baton n. (mus.) bakketta; (athletics) xhud; (weapon) lenbuba
battalion n. battaljun
batter vt. farrak, ġarraf; (subj. rain, etc.) ħabbat // n. taħlita; **~ed** adj. (hat) mċarrat, mgħaffeġ; (person, baby, woman, etc.) mbenġel/mbenġla, immaltrattat/a
battery n. (aut.) batterija (tal-karozza); (of torch) batterija
battle n. taqbida, battalja, kumbattiment; (fig.) kompetizzjoni, taqbida // vi. iggwerra, tqabad; ~ **dress** n. xedd tal-gwerra; **~field** n. kamp tal-gwerra, lok tal-gwerra; **~ments** n.pl. bastjuni; **~ship** n. vapur tal-gwerra
baulk see **balk**
bawdy adj. vulgari; **~-house** burdell
bawl vi. tmasħan, għajjat; (child) werżaq
bay n. (geog.) qala; **B~ of Biscay** il-Bajja ta' Biscay; **to hold sb. at ~** rass lil xi ħadd f'rokna; ~ **leaf** n. werqa tar-rand / n. (zool.) żiemel qastni
bayonet n. bajjunetta
bay window n. kamra tal-morda
bazaar n. bażar; (**charity** ~) bażar għall-karità
bazooka n. bażuka
B&B n. abbr. of **bed and breakfast**; sodda u fatra
BBC n. abbr. of **British Broadcasting Corporation**; BBC
BC adv. abbr. of **before Christ**; QK (Qabel Kristu)
BCG n. BCG
be (pt. **was**, **were**, pp. **been**) aux. v.
1 (with present participle: forming continuous tenses): **what are you doing?** x'qed tagħmel?; **they're coming tomorrow** ġejjin għada; **I've been waiting for you for hours** ili s-sigħat nistennik

2 (with pp. forming passivies but often replaced by active or reflective constructions); **to ~ murdered** li tinqatel; **the box had been opened** il-kaxxa nfethet; **the thief was nowhere to ~ seen** il-ħalliel ma seta jinstab imkien
3 (in tag questions): **it was fun, wasn't it?** ħadna pjaċir, hux veru?; **he's good-looking, isn't he?** gustuż, hux veru?; **she's back again, is she?** ġiet lura, hux veru?
4 (+ to + infin): **the house is to ~ sold** (necessity) id-dar trid tinbiegħ; (future) id-dar sa tinbiegħ; **he's not to open it** m'għandux jiftaħha
// v. + complement
1 (with n. or num. complement, but see also **3**, **4**, **5** and impers. v. below); **he's a doctor** dak tabib; **2 and 2 are 4** 2 u 2 jagħmlu 4
2 (with adj. complement: expressing quality) **I'm English** Jien Ingliż; **he's young** dak żagħżugħ; **~ careful/good/quiet** oqgħod attent/sew/kwiet; **I'm tired** nħossni mkisser; **it's dirty** dik maħmuġa
3 (of health); **how are you?** kif inti?; **he's very ill** jinsab ħażin ħafna; **I'm better now** nħossni aħjar issa
4 (of age); **how old are you?** kemm għandek żmien?; **I'm sixteen (years old)** għandi sittax-il sena
5 (cost); **how much was the meal?** kemm tiswa l-ikla?; **that'll ~ LM5.75, please** jiswa LM5.75, jekk jogħġbok; **this shirt is LM17** il-flokk jiswa LM17
// vi.
1 (exist, occur, etc.) hu**; the best singer that ever was** l-aqwa kantant ta' kull żmien kien; **is there a God?** hemm Alla?; **~ that as it may** hu x'inhu; **so ~ it** hekk ikun
2 (referring to place) **I won't ~ here tomorrow** m'iniex sa nkun hawn għada
3 (referring to movement): **where have you been?** fejn kont?
// impers. v.
1 (referring to time): **it's 5 o'clock** il-ħamsa; **it's the 28th of April** illum għandna 28 mix-xahar t'April
2 (referring to distance): **it's 10 km to the village** hemm 10 km biex naslu sal-villaġġ
3 (referring to the weather): **it's too hot/cold** wisq sħana/kesħa; **it's windy today** illum qed jonfoħ ir-riħ
4 (emphatic): **it's me** jien; **it was Maria who paid the bill** Maria ħallset il-kont

beach n. xatt il-baħar; **sandy ~** bajja ramlija; **~ comber** mewġa kbira li tħabbat fuq il-bla[illegible] // vt. tella' d-dgħajsa fuq ix-xatt
beacon n. (lighthouse) dawl; (marker) sinjal ta' periklu
bead n. żibġa; (of sweat, etc.) qtar
beak n. (of bird) munqar; (of object) żennuna; (col.) maġistrat
beaker n. (small) tazza biż-żennuna; (big) buqar
beam n. (arch.) travu; (of light) raġġ // vi. idda; (smile) tbissima sabiħa; **~ing with joy** wiċċu għad-daw[l]
bean n. fula; **runner/board ~** fula żgħira; **coffee ~** trab tal-kafè; **~sprouts** n.pl. rimja/żargħuna tas-soja
bear (pt. **bore**, pp. **borne**) n. ors // vt. (weight, etc.) rafa'; (cost) ħallas; (responsibility) refa' (r-responsabbiltà); (endure) issaporta; (children) wildet; (fruit) ipproduċa // vi. **to ~ right/left** kiser fuq il-lemin/ix-xellug; **~ out** vt. (suspicions) ikkonferma; (person) issaporta; **~ up** vi. (remain cheerful) ma qatax qalbu, baqa' kuntent
beard n. (small) leħja; (long) daqna; **~ed** adj. bid-daqna
bearer n. wieħed li jerfa', iġorr
bearing n. mġiba; (connection) relevanza; **~s** n.pl. (also **ball ~s**); **to take a ~** tieħu direzzjoni; **to find one's ~s** orjenta ruħu
beast n. annimal, bhima; (inf.) bhima, annimal; **~ly** (inf.) adj. ta' bhima, moqżież
beat (pt. **beat**, pp. **beaten**) n. (of heart) taħbit; (mus.) bit; (of policeman) ronda // vt. sawwat, ta daqqa; (eggs) kisser; (defeat: opponent) rebaħ; (record) kiser // vi. (heart) tħabbat; (drum) (in a nice way) daqq (in a noisy way) sabbat; (rain, wind) ħabbtet; **off the ~en track** waħdu/waħidha; **to ~ it** (inf.) warrab; **~ off** vt. imbotta 'l hemm; **~ up** vt. (attack) sawwat; **~ing** n. swat
beautician n. sebbieħ/a, bjutixin
beautiful adj. sabiħ/a; **~ly** adv. meraviljożament, b'mod sabiħ, grazzjuż
beautify vt. sebbaħ
beauty n. sbuħija; **~ salon** n. salun tas-sbuħija; **~ spot** n. (tourism) post mogħni bi sbuħija (li ma titwemminx)
beaver n. kastur
becalmed adj. wieqaf/wieqfa
became pt. of **become**
because conj. għaliex/għal, billi; **~ of** minħabba
beckon vt. (also **~ to**) għajjat lil xi ħadd b'mossa
become (irreg. like come) vt. (suit) tajjeb għal // vi. sar; **to ~ fat** ħxien

becoming adj. (behaviour) tajjeb/tajba, adattat/a; (clothes) li jmur/li tmur
bed n. sodda; (of flowers) ħammiela; (of coal, clay) saff; (of river) qiegħ; (of sea) qiegħ; **to go to** ~ mar fis-sodda; ~ **and breakfast** n. (place) pensjoni; (terms) sodda u fatra; **~-clothes** n.pl. ħwejjeġ tas-sodda; **~ding** n. il-firxa ~ **ridden** adj. dejjem fis-sodda; **~room** n. kamra tas-sodda; ~ **side** n. **at the ~side of** ħdejn is-sodda ta'; **~sit(ter)** (brit.) n. flat b'kamra waħda; **~spread** n. gverta; **~time** n. ħin l-irqad
bedlam n. manikomju
bedpost n. pilastru tas-sodda
bedraggled adj. (untidy person) mħarbat; (clothes, hair) diżordinat/a
bee n. naħla
beech n. fagu
beef n. laħam taċ-ċanga; **roast** ~ laħam mixwi; ~ **burger** n. berger taċ-ċanga; **B~eater** gwardjani tat-Torri ta' Londra
beehive n. ġarra tan-naħal
beeline n. **to make a** ~ **for** tiġbed linja dritta
been pp. of **be**
beer n. birra
beet (US.) n. (also **red** ~) xitla tal-pitravi
beetle n. ħanfusa; **black** ~ wirdiena
beetroot (brit.) n. pitrava
befall vi. (vt.) (irreg. like fall) ġara lil
befit vt. xeraq
before prep. (of time) qabel; (of space) qabel // conj. iktar kmieni (minn), qabel // adv. qabel; ~ **going** qabel imur; ~ **she goes** qabel tmur; **the week** ~ il-ġimgħa ta' qabel; **I've never seen it** ~ qatt ma rajtha qabel; **~hand** adv. qabel
befriend vt. tħabbeb
beg vi. ittallab // vt. talab; (entreat) talab bi ħrara; **to** ~ **sb. to do sth.** talab xi ħaġa lil xi ħadd; see also **pardon**
began pt. of **begin**
beggar n. (also **~man**, **~woman**) tallab/a
begin (pt. **began**, pp. **begun**) vt., vi. beda; **to** ~ **doing** or **to do sth.** beda biex għamel/jagħmel xi ħaġa; **~ner** n. novizz; **~ning** n. bidu
begrudge vt. **to** ~ **sb. sth.** ċaħħad xi ħaġa lil xi ħadd; **I don't** ~ **doing it** nagħmilha kontra qalbi
begun pp. of **begin**
behalf n. **on** ~ **of** għan-nom ta'; (for benefit of) għall-beneficċju ta'; **on my/his** ~ għall-interessi tiegħi/tiegħu
behave vi. (person) ġieb ruħu; (well: also ~ **os**) ġibna ruħna tajjeb; **behaviour** (US. **behavior**) n. imġiba
beheld pt., pp. of **behold**
behind prep. wara; (supporting): **to be** ~ **sb.** issapportja lil xi ħadd // adv. lura; // n. warrani; **to be** ~ (schedule) waqa' lura; ~ **the scenes** (fig.) wara l-kwinti
behold (irreg. like **hold**) vt. ra, osserva
beige adj. bex
Beijing n. Bejxing, Peking
being n. kreatura, esseri; (existence): **in** ~ li jeżisti/jgħix; **to come into** ~ twieled
Beirut n. Bejrut
Belarus n. il-Belarussja
belated adj. li jiddawwar, li jittardja
belch vi. iddixxa, tfewwaq // vt. (gen. ~ **out: smoke**, etc.) ħruġ ta' nar u duħħan
belfry n. kampnar
Belgian adj. Belġjan/a
Belgium n. Belġju
belie vt. giddeb, ikkalunja
belief n. twemmin; (faith) fidi
believe vt., vi. emmen; **to** ~ **in** emmen fi; **~r** wieħed li jemmen; (rel.) wieħed li għandu l-fidi
belittle vt. maqdar
bell n. qanpiena; (small) qanpiena żgħira; (on door) qanpiena (tal-bieb); (electric) qanpiena elettrika; **~-bottomed trousers** n.pl. qliezet bellbottom
belligerent adj. (at war) fi gwerra; (fig.) aggressiv/a
bellow vi. għajjat; (person) inkorla // vt. (orders) għajjat
belly n. żaqq
belong vi. **to** ~ **to** appartjena lil; (club, etc.) assoċja ruħu; **this book ~s here** post dan il-ktieb hu hawn; **~ings** n.pl. propjetà
beloved adj. għażiż, għażiż bosta
below prep. isfel; (less than) inqas minn // adv. taħt; **see** ~ ara taħt
belt n. ċinturin; (tech.) ċinga // vt. (thrash) sawwat biċ-ċinga; **~way** (US.) n. (aut.) highway tal-bypass
bench n. bank; (brit. pol.): **the Government/ Opposition ~es** is-siġġijiet tal-oppożizzjoni; **the B~** (law judges) bank tal-Imħallfin
bend (pt., pp. **bent**) vt. għawweġ, lewa // vi. tgħawweġ // n. (brit. in road, river) liwja; (in pipe) tagħwiġa; ~ **down** vi. tgħawweġ 'l isfel; ~ **over** vi. tgħawweġ fuq
beneath prep. taħt; (unworthy of) ma jistħoqqlux // adv. 'l isfel
benefactor n. benefattur
benefactress n. benefattriċi

beneficial adj. vantaġġuż, li jiswa
benefit n. għemil tajjeb; (allowance of money) benefiċċju // vt. ibbenefika // vi. **he'll ~ from it** hu bbenefika minn
Benelux n. il-Beneluks
benevolent adj. (person) karitattiv/a
benign adj. ta' qalbu tajba; (smile) ħanina
bent pt., pp. of **bend** // n. liwja // adj. **to be ~ on** kien deċiż, riżolut
bequeath vt. ħalla fit-testment
bequest n. li tħalla fit-testment, wirt
bereaved n.pl. **the** ~ il-familjari bil-luttu
bereavement n. telf/mewt ta' xi ħadd
beret n. tip ta' kappell
Berlin n. Berlin
Bermuda n. Bermuda
berry n. tuta
berserk adj. **to go** ~ iġġennen, tilef it-tempra
berth n. (bed) sodda (tal-vapur jew tren); (cabin) kabina; (for ship) kuċċetta // vi. tqiegħed f'kabina
beseech (pt., pp. **besought**) vt. talab bil-ħrara
beset (pt., pp. **beset**) vt. (person) dawwar, għalaq
beside prep. barra minn; **to be ~ os. with anger** kien barra minn sensih bir-rabja; **that's ~ the point** dak barra mis-suġġett; **~s** adv. barra minn hekk // prep. maġenb
besides adv. barra minn // prep. iżjed, ukoll
besiege vt. assedja; (fig.) assedja
besought pt., pp. of **beseech**
bespectacled adj. b'żewġ nuċċalijiet
best adj. l-aħjar // adv. l-aħjar; **the ~ part of** (quantity) l-aħjar biċċa ta'; **at** ~ l-iktar l-iktar; **to make the ~ of sth.** għamel kulma seta' b'xi ħaġa; **to do one's** ~ għamel ħiltu kollha; **to the ~ of my knowledge** sa fejn naf jien; **to the ~ of my ability** b'ħilti kollha; **~-before date** n. data tal-iskadiment; ~ **man** n. bestmen
bestow vt. (title) ta, onora b'(titlu)
bestseller n. bestseller
bet (pt., pp. **bet** or **betted**) n. għamel imħatra // vt. **to ~ money on** għamel imħatra fuq; **to ~ sb. sth.** għamel imħatra ma' xi ħadd fuq xi ħaġa // vi. għamel imħatra
betray vt. ittradixxa; (trust) ma kienx leali, ittradixxa; **~al** n. tradiment
better adj., adv. aħjar // vt. tejjeb // n. **to get the ~ of sb.** ħa l-aħjar minn xi ħadd; **you had ~ do it** aħjar tmur tagħmilha; **he thought ~ of it** ħasibha aħjar; **to get** ~ (med.) mar għall-aħjar; ~ **off** adj. aħjar; (wealthier) komdi finanzjarjament
betting n. mħatra; ~ **shop** (brit.) n. ħanut tal-imħatri
between prep. bejn // adv. (time) bejn; (plac bejn
bevel n. (also ~ **edge**) testatur, ċanfrin
beverage n. xorb
bevy n. **a ~ of** għadd ta'
beware vt., vi. **to ~ (of)** ittendu (minn); **"~ of th dog"** "ittendu mill-kelb"
bewildered adj. ikkonfondut
bewitching adj. li jsaħħar bil-ġmiel
beyond prep. aktar 'l hemm; (past: understanding li ma jistax jinftiehem; (after: date) war d-data; (above) 'il fuq aktar // adv. (in space aktar 'l hemm; (in time) aktar 'l hemm fil-ħin ~ **doubt** mingħajr dubju; ~ **repair** impossibbl biex issewwih
bias n. (prejudice) preġudizzju; (preference) preferenzi; **~(s)ed** adj. inklinat/a
bib n. bavalor, vavalor
Bible n. il-Bibbja
bibliography n. bibljografija
bibliographer bibljografu/bibljografa
bicarbonate of soda n. bikarbonat tas-soda
bicker vi. tlewwem, kellu xi jgħid ma' xi ħadd
bicycle n. rota
bid (pt. **bade** or **bid**, pp. **bidden** or **bid**) n. offerta; (in tender) offerta (ta' tender); (attempt) tentattiv // vt. (offer) offra; **to ~ sb. good day** ta l-ġurnata t-tajba lil xi ħadd; **~der** n. **the highest ~der** l-iktar li offra; **~ding** n. (at auction) żieda
bide vt. **to ~ one's time** stenna l-mument, l-okkażjoni tasal
bier n. tebut, katalett, barella
bifocals n.pl. bifokali
big adj. kbir/a; ~ **brother** organizzazzjoni li tikkontrolla l-imħuħ; (brother, sister) ikbar
bigamy n. bigamija
bigheaded adj. rasu kbira
big-hearted adj. qalbu żgħira
bigot n. intolleranza; **~ed** adj. intolleranti; **~ry** n. intolleranza
big top n. (at circus) it-tinda l-kbira
bigwig n. (col.) persuna importanti
bike n. rota
bikini n. bikini
bile n. bila
bilingual adj. bilingwi/bilingwa
bilious adj. ibati bil-bili; (fig.) li jinnervja malajr
bill n. kont; (invoice) fattura; dikjarazzjoni; (US. **banknote**) karta tal-flus; (of bird) munqar; (of show) avviż, riklam; **"post no ~s"** twaħħlux avviżi; **to fit** or **fill the** ~ (fig.) mela r-rekwiżiti; **~board** n. reklam kbir

billet n. kwartieri // biċċa injam jew ħadid
billfold (US.) n. basket
billiards n. biljards, l-Ingliża
billion n. (brit.) biljun, miljun ta' miljuni; (US.) eluf ta' miljuni
billy goat n. bodbod
bimbo (inf.) n. mara ġerrejja, żagħżugħa moħħ ir-riħ
bin n. kaxxa; (also **dust** ~) kaxxa taż-żibel; (for coal) kaxxa għall-faħam; **bread** ~ n. kaxxa tal-ħobż
bind (pt., pp. **bound**) vt. rabat; (book) illega; (oblige) obbliga // n. (inf. **nuisance**) antipatku/antipatka; **~ing** adj. (contract) li jobbliga
binge (inf.) n. **to go on a** ~ tħanżer
bingo n. bingo
binoculars n.pl. tromba, binoklu
bio pref.: **~chemistry** n. bijokimika; **~degradable** adj. bijodegradabbli; **~graphy** n. bijografija; **~logical** adj. bijoloġiku/bijoloġika; **~logy** n. bijoloġija
birch n. (tree) ġummar
bird n. għasfur; (brit. inf. girl) xbejba; **~'s eye view** n. (aerial view) dehra mill-għoli; (overview) dehra inġenerali; ~ **watcher** n. li jħares lejn it-tjur
Biro ® n. bajro, pinna
birth n. twelid; **to give** ~ **to** welled; ~ **certificate** n. ċertifikat tat-twelid; ~ **control** n. (policy) kontrolli tat-twelid; (methods) metodi kontraċettivi; **~day** n. għeluq snin // cpd. (cake, card, etc.) ta' għeluq snin; **~place** n. post tat-twelid; ~ **rate** n. rata tat-twelid
biscuit (brit.) n. gallettina
bisect vt. qasam f'biċċtejn
bishop n. isqof; (chess) alfier
bit pt. of **bite** // n. bukkun; (comput.) bit; (for horse) loqma; **a** ~ **of** ftit; **a** ~ **mad** naqra miġnun; ~ **by** ~ naqra naqra
bitch n. kelba; (pej. woman) qaħba
bite (pt. **bit** pp. **bitten**) vt. gidem // vi. migdum; (insect, etc.) tniggeż // n. (**insect** ~) gidma t'insett; (mouthful) gidma; **to** ~ **one's nails** naqqar difrejh; **let's have a** ~ **(to eat)** (inf.) tlaqna nieklu biċċa loqma
biting adj. li jaqta'; (satirical) li jwaġġa'
bitten pp. of **bitle**
bitter adj. qares; (wind) aħrax; (battle) mimlija niket // n. (brit. beer) morra; **~ness** n. qrusa; (anger) kbir; **~sweet** adj. ħelu-morr
bivouac n. kamp temporanju
bizarre adj. stramb/a, biżarr/a
blab vi. parla fil-vojt, lablab // vt. (also ~ **out**) kixef l-għawar
black adj. iswed; (tea, coffee) iswed // n. iswed; (person): **B~** nigru // vt. (brit. industry) negozju iswed; **to give sb. a** ~ **eye** għamillu blekaj; ~ **and blue** (bruised) mbenġel/mbenġla; **to be in the** ~ (bank account); **~berry** n. tut; **~bird** n. mirlu; **~board** n. blekbord, lavanja; ~ **coffee** n. kafè iswed; **~currant** n. passulina sewda; **~en** vt. (fig.) ħammeġ, immalafama; ~ **ice** n. silġ li ma jidhirx fit-triq; **~leg** (brit.) n. kissier l-istrajk; **~list** n. lista s-sewda; **~mail** n. rikatti // vt. sewwed; ~ **market** n. suq iswed; **~out** n. (mil.) qtugħ id-dawl; (power cut) qtugħ id-dawl; (tv., radio) interruzzjoni tal-programmi; (fainting) sturdament; **B~ Sea** n. **the B~ Sea** il-Baħar l-Iswed; ~ **sheep** n. (fig.) in-nagħġa s-sewda; **~smith** n. ħaddied; ~ **spot** n. (aut.) post perikoluż; (for unemployment, etc.) post mifni bil-qgħad
bladder n. bużżieqa (tal-awrina)
blade n. xafra; (of propeller) il-pala tal-moqdief; **a** ~ **of grass** werqa twila u ċatta
blame n. ħtija // vt. **to** ~ **sb. for sth.** tefa' l-ħtija ta' xi ħaġa fuq xi ħadd; **to be to** ~ kellu tort
bland adj. (music, taste) ħlejju
blank adj. battal; (look) mħawda // n. (of memory): **my mind is a** ~ moħħi battal, ma jiena qed niftakar xejn; (on form) spazju; (cartridge) skartoċċ vojt; ~ **cheque** n. ċekk mingħajr ċifra
blanket n. gverta; (of snow, fog) kutra ta', sorra ta'; **wet** ~ wieħed li jfixkel, iħassar il-logħob
blare vi. (the trumpet) daqq; (shout) werżaq, għajjat
blarney n. kliem ta' ftaħir
blase adj. mdejjaq/mdejqa
blasphemy n. dagħa
blasphemous (person) adj. li jidgħi/tidgħi
blast n. (of wind) buffura; (of explosive) splużjoni // vt. (blow up) sploda; **~-off** n. (space) it-tluq ta' rokit
blatant adj. frattarjuż/a, li jgħajjat/tgħajjat ħafna
blaze n. (flare) vampa, ħuġġieġa; (fig. of colour) splużjoni ta' kuluri; (of glory) mument ta' glorja // vi. nqabad, nħaraq; (fig.) idda // vt. **to** ~ **a trail** (fig.) fetaħ triq; **in a** ~ **of publicity** b'ħafna riklamar
blazer n. ġlekk
bleach n. (also **household** ~) bliċ // vt. bajjad; **~ed** adj. (hair) ibblijċat/a; **~ers** (US.) n.pl. (sport) postijiet bilqiegħda
bleak adj. (countryside) mingħajr kenn; (prospect) mhux sabiħ; (weather) kiesaħ, mimlija riħ; (smile) mdejqa

bleary-eyed adj. b'għajnejh/a imperrċin

bleat vi. l-għajta ta' nagħġa, mogħża jew għoġol/ erħa; leħen dgħajjef bekkej

bleed (pt., pp. **bled**) vt., vi. demmem; **my nose is ~ing** nfġart

bleeper n. bliper

blemish n. difett; (on reputation) tebgħa

blend n. taħlita // vt. ħallat; (colours, etc.) ħallat // vi. (colours, etc.: also **~in**) tħallat

bless (pt., pp. **blessed** or **blest**) vt. bierek; **~ you!** (after sneeze) evviva!; **~ing** n. (approval) l-approvazzjoni; (godsend) mibgħut minn Alla, salvatur; (advantage) barka

blew pt. of **blow**

blight n. (of plants) ġlata // vt. (hopes, etc.) farrak il-ħolm tiegħu

blimey excl. (col.) illallu, illostra

blind adj. agħmi/għamja; (fig.): **~ (to)** għami (biex) // n. (for window) persjana // vt. għama; (dazzle) għammex; (deceive): **to ~ sb. to -** tagħmi lil xi ħadd (biex) -; **the ~** n.pl. l-għomja; **~ alley** n. cul-de-sac, sqaq li ma jinfidx; **~ corner** (brit.) n. rokna magħluqa; **~fold** n. mgħammad // adv. mgħammad // vt. għammad; **~ly** adv. bl-amment; **~ness** n. għomija; **~ spot** n. (aut.) blind spot

blink vi. teptep; (light) teptep; **~ers** n.pl. blinkers, nuċċalijiet

blinking adj. (col.): **this ~...** espressjoni użata għal persuna jew oġġett li jirritak jew idejqek

bliss n. hena, kuntentizza kbira; **~ful** adj. mimli bil-ferħ, kuntent

blister n. nuffata // vi. (paint) għamel il-bżieżaq

blithe adj. ferħan, hieni, daħkan

blithering adj. (col.): **this ~ idiot** dan il-baħnan

blitz n. attakk qawwi mhux mistenni

blizzard n. tempesta qawwija

bloated adj. (face) minfuħ; (person: full) mimli, mifqugħ

blob n. (drop) qatra; (indistinct object) forma stramba

bloc n. (pol.) blokk

block n. blokka; (in pipes) tisdi; (of buildings) blokk // vt. żamm; (progress) waqqaf; **~ of flats** (brit.) kwartier ta' flets(ijiet); **mental ~** blokk mentali; **~ade** n. ibblokka // vt. ibblokka; **~age** n. blukkaġġ; **~buster** n. (book) bestseller; (film) suċċessun, blockbuster; **~ letters** n.pl. ittri kapitali

bloke (brit. inf.) n. bahbuh

blond(e) adj., n. bjond/a

blood n. demm; **~ donor** n. donatur tad-demm; **~ group** n. il-grupp tad-demm; **~hound** n. kelb tal-kaċċa; **~ poisoning** avvelenament tad-demm; **~ pressure** n. pressjoni tad-demm; **~shed** n. ċarċir tad-demm; **~shot** adj. iffjammati, ħomor ; **~stream** n. ċirkulazzjoni tad-demm; **~ test** n. test tad-demm; **~thirsty** adj. għatxan għad-demm; **~ vessel** n. vina, arterja; **~y** adj. mdemmi; (nose, etc.) mifġur; (brit. inf.): **this ~y -** daż-żobb ta' - // adv. **~y strong/good** (brit. inf.) b'saħħtu għall-ostja; **~y-minded** (brit. inf.) adj. pufta, ma jgħinekx

bloom n. nwar (flower) żahar; (fig.): **in ~** fl-aħjar żmien tal-ħajja // vi. iffjorixxa

blossom n. blanzun // vi. (also fig.) iffjorixxa, warrad

blot n. tebgħa, tiċpisa; (fig.) diżunur // vt. (stain) tebba', ċappas; **~ out** vt. (view) sfoka, tellef

blotchy adj. (complexion) mimli daqqiet

blotting paper n. kartaxuga

blouse n. blaws

blow (pt. **blew**, pp. **blown**) n. daqqa; (with sword) daqqa ta' xabla // vi. ntefaħ; (dust, sand, etc.) ittajjar; (fuse) ittajjar // vt. (subj. wind) nefaħ; (fuse) tajjar; (instrument) nefaħ, daqq; **to ~ one's nose** maħat; **~ away** vt. tajjar (money) berbaq; **~ down** vt. ġarraf; **~ off** vt. tifqigħa, splużjoni; **~ out** vi. ntefa'; **~ over** vi. waqqa' fuqu; **~ up** vi. tajjar // vt. sploda; (tyre) faqa'; (phot.) kabbar; **~-dry** n. blow-dry; **~lamp** (brit.) n. lampa taż-żebgħa; **~-out** n. (of tyre) panċer f'daqqa waħda; **~torch** n. **~lamp**

blubber n. biki u għajjat // vi. (pej.) beka bħal erħa

bludgeon n. mazza

blue adj. blu, ikħal; (depressed) imdejjaq; **~ film** film blu, film porno **~joke** ċajta maħmuġa; **out of the ~** (fig.) għal għarrieda; **~bell** n. kampanella; **~bottle** n. nemusa kbira; **~s** (mus.) blus

bluff vi. qarraq bi // pretensjoni; **to call sb.'s ~** sfida lil xi ħadd bil-fatti

blunder n. żball kbir // vi. għamel granċ

blunt adj. (pencil) bla ponta; (knife) ma taqtax; (person) li jgħidha kif iħossha

blur n. (shape): **to become a ~** sar daħna // vt. (vision) msaħħba, mdaħħna; (distinction) mhux faċli

blurt: to ~ out vt. (reveal) kixef; (say) tkellem bla qies

blush vi. ħmar // n. mistħija

blustering adj. storbjuż/a

blustery adj. (weather) b'ħafna riħ

BO n. abbr. of **Body Odour**; BO

boar n. ħanżir

board n. (**card~**) cardbord; (wooden) tavla tal-injam; (on wall) tabella mal-ħajt; (for chess, etc.) bord taċ-ċess; (committee) kumitat; (in firm) bord; (naut., aviat.): **on** ~ abbord // vt. (ship) tela' abbord; (train) rikeb; **full** ~ (brit.) kollox inkluż, full board; **half** ~ (brit.) half-board; **to go by the** ~ (fig.) fallielu; ~ **up** vt. (door) kesa; ~ **and lodging** n. kamra u ikel; **~er** n. (sch.) student ta' kulleġġ; **~ing card** (brit.) n. kard tad-dħul; **~ing house** n. dar fejn tista' tiekol; **~ing pass** (US.) n. **~ing card**; **~ing school** n. kulleġġ; ~ **room** n. kamra tal-ikel

boast vi. **to** ~ (**about** or **of**) ftaħar bi /dwar

boat n. bastiment; (small) dgħajsa, frejgatina

bob vi. (also ~ **up and down**) tiela' u nieżel; ~ **up** vi. faqqas

bobbin n. ċumbin; (of sewing machine) mekkuk

bobby (brit., inf.) n. pulizija

bobsleigh n. bob

bode vi. **to** ~ **well/ill** (**for**) jidher li ġej kollox sabiħ/ħażin (għal)

bodice n. kurpett

bodily adj. tal-ġisem // adv. (move: person) bit-toqol

body n. ġisem; (corpse) katavru; (of car) bodi; (fig. group) għaqda; (organization) organizzazzjoni; **~-building** n. bodibilding; **~guard** n. bodigard; **~work** n. karozzerija

bog n. art niedja, art moxa // vt. **to get ~ged down** (fig.) weħel

boggle vi. **the mind ~s** ma setax jemmen

bogie n. trakk

bogus adj. falz/a

boil vt. (water) għalla; (eggs) għalla // vi. tbaqbaq; (fig. with anger) tbaqbaq bir-rabja; (with heat) miet bis-sħana // n. (med.) nefħa, musmar; **to come to the ~, to come to a** ~ (US.) beda jbaqbaq; **to** ~ **down to** (fig.) spiċċa biex sar; ~ **over** vi. far; (anger, etc.) far bir-rabja; **~ed egg** n. bajda mgħollija; **~ed potatoes** n.pl. patata mgħollija; **~er** n. kaldarun; **~er suit** (brit.) n. bojlersjut; **~ing point** n. temperatura ta' tgħallih

boisterous adj. (noisy) storbjuż/a; (excitable) eċitat/a; (crowd) bi fratterija

bold adj. qlubi/ja; (pej.) nebbiex/a; (colour) iswed

Bolivia n. il-Bolivja; **~n** adj. Bolivjan/a

bollard (brit.) n. (aut.) marka

bolster n. kuxinett; vt. (also ~ **up**) ta s-sostenn tiegħu; **to** ~ **sb.'s courage** inkoraġġixxa lil xi ħadd

bolt n. (lock) firroll; (with nut) musmar bil-vit; (of prisoners) qajd; (anger) saħna // adv. ~ **upright** dritt // vt. (door) sakkar; (also ~ **together**) waħħad; (food) irremetta // vi. ħarab

bomb n. bomba // vt. għamel il-bombi; ~ **disposal** n. tneħħija ta' bombi; **~er** n. (aviat.) bomer; **~shell** n. (fig.) xokk

bombastic bombastiku/bombastika

bona fide adj. bla qerq, sinċerament; (offer) serju/serja

bond n. (promise) obbligazzjoni; (finance) ishma; (link) rabta; (comm.): **in** ~ miżmum fl-imħażen tad-dwana

bondage n. jasar

bone n. għadma; (of fish) xewka // vt. neħħa l-għadam; ~ **marrow** n. mudullun

bonfire n. ħuġġieġa

bonnet n. għata, barnuża; (brit. of car) bonit

bonus n. (payment) bonus; (fig.) rigal

bony adj. (arm, face) mgħaddam/mgħaddma; (med. tissue) ċelloli tal-għadam; (meat) mimli għadam; (fish) mimlija xewk

boo excl. bu, jupp // vt. ibbuja

booby trap n. ċajta;

book n. ktieb; (of tickets) ktejjeb tal-biljetti; (of stamps, etc.) album (tal-bolol, eċċ.) // vt. (ticket) qata'; (seat, room) ibbukkja; **~s** n.pl. (comm.) kotba; ~ **case** n. librerija; **~ing office** n. (brit. rail.) uffiċċju tal-buking; (theat.) uffiċċju tal-buking; **~-keeping** n. iż-żamma tal-kotba; **~let** n. ktejjeb; **~maker** n. dak li jagħmel il-kotba; **~seller** n. bejjiegħ il-kotba; **~shop, ~store** n. ħanut tal-kotba

boom n. (noise) bumm; (in prices, etc.) mument tajjeb; (econ. in population) tkattir enormi // vi. (cannon) għamel bumm, damdam; (econ.) tjieb ħafna

boomerang n. bumerang

boon n. favur

boorish adj. goff/a, ċakkar/a

boost n. spinta // vt. ta spinta; **~er** n. (med.) injezzjoni supplimentari

boot n. stvala; (brit. of car) but // vt. (comput.) ibbutja; **to** ~ (in addition) barra minn hekk

booth n. (**telephone ~, voting ~**) but (tat-telefown jew tal-votazzjoni)

booty n. priża, serqa

booze (inf.) n. xorb alkoħoliku

border n. bordura; (of country) fruntiera; (for flowers) wesgħa ta' ġnien // vt. (road) mexa fit-tarf ta'; (another country: also ~ **on**) ikkonfina ma'; **B~s** n. **the B~s** il-Fruntieri; ~ **on** vt. fus. (insanity, etc.) lagħab ma' (l-ġenn, eċċ.); **~line** n. **on the ~line** fuq il-linja tal-fruntiera; **~line case** n. każ dubjuż

bore pt. of **bear** // vt. (hole) taqqab, niffed; (well) ħaffer; (person) dejjaq // n. (person) dwejjaq; (of gun) kalibru; **to be ~d** kien imdejjaq, mxebba'; **~dom** n. dwejjaq, xeba'
boring adj. tad-dwejjaq
born adj. **to be ~** kien imwieled; **I was ~ in 1960** jien twelidt fl-1960
borne pp. of **bear**
borough n. post, lok
borrow vt. **to ~ sth. (from sb.)** issellef xi ħaġa mingħand xi ħadd
Bosnia (-Herzegovina) n. il-Bożnija (-Herżegovina) **~n** adj. Bożnijan/a
borstal n. riformatorju
bosom n. sider ta' mara
boss n. mgħallem, kap // vt. (also **~ about or around**) qagħad jibbossja; **~y** adj. awtoritarju
botanical adj. botaniku/botanika
botanist n. botanist/a
botany n. botanika
botch vt. (also **~ up**) ħela (minħabba t-traskuraġni)
both adj. pron. it-tnejn; **~ of us went, we ~ went** it-tnejn li aħna morna, aħna t-tnejn morna // adv. **~ A and B** kemm A u kemm B
bother vt. (worry) inkwieta; (disturb) iddisturba, dejjaq // vi. (also **~ os**) ħadna l-biċċa xogħol // n. (trouble) inkwiet; (nuisance) dwejjaq; **to ~ doing** ħa l-biċċa xogħol li jagħmel
bottle n. flixkun; (small) flixkun żgħir; (baby's) flixkun tat-trabi // vt. sakkar; **~ up** vt. għalaq; **~ bank** n. flixkun tal-ħġieġ; **~neck** n. (aut.) tgħalliq; (in supply) ostaklu; **~opener** n. trabuxù
bottom n. (of box, sea) qiegħ; (buttocks) warrani; (of page) fl-aħħar; (of list) fil-qiegħ; (of class) l-aħħar // adj. (lowest) ta' taħt nett; (last) l-aħħar
bough n. fergħa ta' siġra
bought pt., pp. of **buy**
boulder n. blata gerbubija
bounce vi. (ball) qabeż; (cheque) ċekk irrifjutat // vt. qabbeż // n. (rebound) qabża; **~r** (inf.) n. bawnser, gurilla
bound pt., pp. of **bind** // n. (leap) qabża; (gen. pl. limit) limiti // vi. (leap) qabeż, immolla // vt. (border) dawwar // adj. **~by** mrażżan minn; **to be ~ to do sth.** (obliged) kien marbut/obbligat jagħmel xi ħaġa; **he's ~ to come** obbligat jiġi; **out of ~s** barra mil-limiti; **~ for** dirett għal
boundary n. konfini, tarf, limiti, xifer
boundless adj. mingħajr fruntieri
bouquet n. (of flowers) bukkett fjuri
bourgeois adj., n. borgeżija
bout n. (of malaria, etc.) attakk; (of activity) perjodu; (boxing, etc.) logħba
bow n. (knot) għaqda; (weapon, mus.) ark; (of the head) reverenza; (naut. also **~s**) pruwa // vi. inklina; (yield): **to ~ to** or **before** issottometta ruħu quddiem
bowels n.pl. intestini, msaren; (fig.) il-ġewwieni
bowl n. skutella, bieqja; (ball) boċċa // vi. (cricket) qassam; see also **bowls**
bow-legged adj. xikli/ja
bowler n. (cricket) bawler; (brit. also **~ hat**) kappell bit-tromba tonda, nofs tomna, faldi ibsin
bowling n. (game) bawling; **~ alley** n. bawling; **~ green** n. kamp tal-boċċi
bowls n. logħob tal-boċċi
bow tie n. ingravata
box n. (also **cardboard ~**) kaxxa tal-kartun; (theatre) palk // vt. sawwat // vi. (sport) ibboksja; **~er** n. (person) bokser; **~ing** n. (sport) boksing; **B~ing Day** (brit.) n. Jum San Stiefnu; **~ing gloves** n.pl. ingwanti tal-boksing; **~ing ring** n. ring tal-boksing; **~ office** n. uffiċċju tal-biljetti; **~room** n. kamra tal-imbarazz
boy n. (young) tfajjel; (older) tifel; (son) iben
boycott n. bojkott // vt. ibbojkottja
boyfriend n. namrat
boyish adj. ta' tifel; (girl) (donnha) sabi
BR n. abbr. of formerly **British Rail**.; BR
bra n. bra, riċipettu
brace n. (brit. also **~s: on teeth**) ħadida; (tool) rebekkin // vt. (knees, shoulders) iddritta; **~s** n.pl. (brit.) ċineg; **to ~ os.** (fig.) ippreparajna ruħna
bracelet n. brazzuletta
bracing adj. li jagħti/tagħti s-saħħa
bracken n. felċi
bracket n. (tech.) support, mensula; (group) grupp, kategorija; (also **brace ~**) morsa; (also **round ~**) parentesi; (also **square~**) parentesi kwadra // vt. (word, etc.) tefa' f'parentesi
brag vi. ftaħar; **~gard** n. bniedem faħħari
braid n. (trimming) trimjatura; (of hair) malju
braille n. brejl
brain n. moħħ; **~s** n.pl. mhuħ; **she's got ~s** dik intelliġenti; **~wash** vt. brejnwoxx; **~wave** n. idea tajba; **~y** adj. intelliġenti ħafna
braise vt. sajjar stuffat
brake n. (on vehicle) brejk, krikk // vi. ibbrejkja, ikkrikkja; **~ light** n. dawl tal-brejks
bramble n. tut

bran n. nuħħala, granza
branch n. fergħa; (comm.) fergħa, qasam; ~ **out** vi. (fig.) estenda
brand n. immarka (b'ħadida taħraq); (fig. type) tip // vt. (cattle) immarka; ~**-new** adj. ġdid fjamant; (fig. pej.): **to ~ sb. a communist, etc.** laqqam lil xi ħadd komunist, eċċ.
brandish vt. xejjer
brandy n. kunjakk, brandi
brash adj. nebbiexi, nebbixija
brass n. ram isfar; **the ~** (mus.) ir-ram; ~ **band** n. banda tar-ram
brassiere n. breżjer, bra, riċipettu
brat (pej.) n. sabi
bravado n. bravata
brave adj. kuraġġuż/a // vt. (face up to) iċċalinġja // n. gwerrier (Indjan aħmar); ~**ry** n. ħila, qlubija, wiri ta' kuraġġ
brawl n. ġlieda frattaruża
brawn n. (anat.) muskolu; (strength) saħħa; (meat) laħam taċ-ċingjal; ~**y** adj. mibrum/a, ta' saħħa
bray n. naħqa (ta' ħmar) // vi. naħaq
brazen adj. (thing) tar-ram; (person, comment) bla mistħija // vt. **to ~ it out** għamel bla mistħija, sfaċċatament; ~**-faced** bla mistħija, tost/a
brazier n. braċier, reċipjent (tal-faħam jixgħel)
Brazil n. il-Brażil; ~**ian** adj. Brażiljan/a
breach vt. fetaħ, kisser // n. (gap) fetħa; (breaking): ~ **of contract** ksur ta' kuntratt; ~ **of the peace** ksur tal-paċi pubblika
bread n. ħobż; ~ **and butter** n. ħobż u butir; (fig.) il-ħobża ta' kuljum; ~**bin** n. landa għall-ħobż; ~**crumbs** n.pl. il-frak tal-ħobż (culin.) ilbieba; ~**line** n. **on the ~line** b'livell ta' ħajja ħażin
breadth n. wisa'; (fig.) ftuħ tal-moħħ
breadwinner n. dak li jġib il-ħobża ta' kuljum
break (pt. **broke**, pp. **broken**) vt. kisser; (promise) ma żammx, kiser; (law) kiser; (record) kiser // vi. nkiser; (storm) faqqgħet; (dawn) kiser (il-jum); (news, etc.) ngħatat // n. (gap) ħofra; (fracture) kisra, frattura; (time) intervall; (at school) brejk; (chance) ċans; **to ~ the news to sb.** ta l-aħbar lil xi ħadd; ~ **down** vt. (figures, data) kont // vi. (machine) ħsara; (aut.) waqfien; (person) kollass; (talks) twaqqif; ~ **even** vi. ġab l-ispejjeż; ~ **free** or **loose** vi. nħeles; ~ **in** vt. (house, etc.) dħul // vi. (burglar) daħal biex jisraq; (interrupt) interrompa; ~ **into** vt. fus. (house) daħal fi; ~ **off** vi. (speaker) waqqaf; (branch) nqasam; ~ **open** vt. (door, etc.) fetaħ; ~ **out** vi. (war) nfetħet; (prisoner) ħarab; **to ~ out in spots** mtela dbabar; ~ **up** vi. (ship) tfarrket; (crowd, meeting) nfirxet; (marriage) falla; (sch.) waqfet (l-iskola) // vt. (rocks, etc.) kisser; ~**age** n. danni; ~**down** n. (aut.) ħsara; (in communications) interruzzjoni; (med. also **nervous ~down**) eżawriment mentali; (of marriage, talks) falliment; (of statistics) tifsir; ~**down van** (brit.) n. vann tal-irmunkar; ~**er** n. ħaġa li tkisser il-mewġ
breakfast n. fatra, kolazzjon
break: ~**-in** dħul; ~**ing and entering** n. (law) vjolazzjoni tal-liġi bi dħul u ħruġ ta' dar; ~**through** n. (also fig.) sejba deċiżiva; ~**water** n. diga, breakwater
breast n. (of woman: polite) sider (inf.) żejżiet; (chest) sider, ħdan; (of bird) sider; ~**-feed** (irreg. like feed) vt., vi. reddgħat; ~**-stroke** n. qadfa ta' żrinġ
breath n. nifs; **to take a deep ~** ħa nifs fil-fond; **out of ~** bla nifs
Breathalyser ® (brit.) n. bretilajżer
breath: ~less adj. bla nifs; ~**taking** adj. li jaqtagħlek/taqtagħlek nifsek
breathe vt., vi. ħa nifs; ~ **in** vt., vi. ħa nifs 'il ġewwa; ~ **out** vt., vi. ħa nifs 'il barra; ~**r** n. nifs
breathing n. teħid tan-nifs
breech n. warrani; (trousers) qalziet; ~ **delivery** meta tarbija titwieled billi toħroġ saqajha l-ewwel
breed (pt., pp. **bred**) vt. nisel, razza // vi. nissel // n. (zool.) boton; (type) tip; ~**ing** n. (of person) trobbija
breeze n. fewġa, żiffa; **gentle ~** fewġa, żiffa ħelwa
breezy adj. biż-żiffa; (person) fuq ruħu
brevity n. qosor
brew vt. (tea) ipprepara t-te; (beer) għamel il-birra // vi. (fig. trouble) ħoloq; (storm) ipprepara; ~**ery** fabbrika tal-birra
bribe n. tixħim // vt. xaħħam; ~**ry** n. korruzzjoni, xiri ta' flus
bric-a-brac n. inv. oġġetti żgħar u prezzjużi
brick n. maduma; ~**layer** n. min jiċċanga, min jibni bil-madum
bridal adj. tal-għarusa
bride n. għarusa; ~**groom** n. għarus; ~**smaid** n. xbejba ta' qaddejja tal-għarusa fit-tieġ
bridge n. pont; (naut.) briġġ; (of nose) l-għadma tal-imnieħer; (cards) bridge // vt. (fig.): **to ~ a gap** mela ħofra
bridle n. brilja, rażna; ~ **path** n. passaġġ (għaż-żwiemel)

brief adj. qasir, konċiż // n. (law) dossjer; (task) inkarigu // vt. qassar; **~s** n.pl. (for men) qalziet ta' taħt; (for women) qalziet ta' taħt; **~case** n. valiġġetta; **~ing** n. (press) briefing; **~ly** adv. (glance) bil-ħarba; (say) fil-qasir

brigade n. (mil.) brigata

brigadier n. brigadier

bright adj. mdawwal/mdawla; (room) mdawla; (day) mxemmxa; (person: clever) moħħu tajjeb; (lively) ferrieħi; (colour) jgħajjat; (future) sabiħ; **~en** (also **~en up**) vt. (room) dawwal; (event) ġrajja ta' ferħ // vi. (weather) sbieħ; (person) feraħ; (prospects) tejjeb

brilliance n. leqqien; (of talent, etc.) deher

brilliant adj. li tleqq; (inf.) fenomenali

brim n. xifer; (of hat) falda

brine n. (culin.) salmura

bring (pt., pp. **brought**) vt. (thing, person: with you) ġab; (to sb.) wassal, ġieb, (trouble, satisfaction) nissel; **~ about** vt. ġagħal isir; **~ back** vt. qajjem; (return) ġieb lura; **~ down** vt. (government, plane) waqqa'; (price) raħħas; **~ forward** vt. ressaq; **~ off** vt. (task, plan) wasal biex ħa, akkwista; **~ out** vt. ħareġ; (book, etc.) ippubblika; (meaning) issottolinea; **~ round** vt. (unconscious person) ġab f'sensih; **~ up** vt. tella'; (person) rabba; (question) ressaq; (food: vomit) irremetta

brink n. xifer

brisk adj. (abrupt: tone) żorr/a; (person) enerġetiku/enerġetika; (pace) ħafif/a; (trade) attiv/a

bristle n. lanżita // vi. **to ~ in anger** terter bir-rabja

Britain n. (also **Great ~**) l-Ingilterra

British adj. Ingliż/a // n.pl. **the ~** l-Ingliżi; **~ Isles** n.pl. **the ~ Isles** il-Gżejjer Brittanniċi; **~ Rail** n. British Rail

Briton n. Brittanniku

Brittany n. Brittanja

brittle adj. mqarqaċ/mqarqċa, li jitfarrak/titfarrak malajr

broach vt. (subj.) qabad taħdita; (pierce cask) fasad bittija

broad adj. wiesa'/wiesgħa; (range) kbira; (smile) kbira; (general: outlines, etc.) wiesa'/wiesgħa; (acent) qawwi; **in ~ daylight** fid-dawl tax-xemx; **~cast** (irreg. like cast) n. xandir // vt. (radio) xandar; (tv.) ittrażmetta // vi. ittrażmetta; **~en** vt. wessa' // vi. twessa'; **to ~en one's mind** fetaħ moħħu iktar; **~ly** adv. b'mod ġenerali; **~minded** adj. moħħu/moħħha miftuħ

broccoli n. brokkoli

brochure n. brochure

broil vt. (culin.) xawwat fuq in-nar

broke pt of **break** // adj. (inf.) browk, fixxa

broken pp. of **break** // adj. miksur/a; (machine: also **~down**) miksura; **~ leg** miksur; **in ~ English** b'Ingliż miksur; **~-hearted** adj. b'qalbu/qalbha maqsuma

broker n. sensal; (**insurance ~**) sensal tal-assigurazzjoni

brolly (brit. inf.) n. umbrella

bronchitis n. bronkite

bronze n. bronż

brooch n. labra tad-deheb, djamanti, eċċ.

brood n. boton // vi. (person) nissel

broom n. xkupa; (bot.) pjanta bil-weraq isfar

Bros. abbr. (Brothers) Bros.

broth n. brodu

brothel n. burdell

brother n. ħu; **~-in-law** ħaten

brought pt., pp. **of bring**

brow n. (forehead) ġbin; (**eye~**) ħaġeb; (of hill) xifer

brown adj. (colour) kannella/kannellija; (hair) qastni/ja; (tanned) mxemmex/mxemmxa // n. (colour) kannella // vt. (culin.) kesa, indura; **~ bread** n. brawnbred

Brownie n. tifla gwida; **b~** (US. cake) kejk

brown paper n. karta samra, tat-tqartis

brown sugar n. zokkor kannella

browse vi. (through book, internet) qalleb, brawżja; (in shop) qalleb

bruise n. tbenġila // vt. benġel

brunch n. fatra u ikla

brunette n. qastnija

brunt n. vjolenza, attakk; **to bear the ~ of** issaporta l-eqqel ta'

brush n. xkupilja; (for painting, shaving, etc.) pinzell; (artist's) pinzell; (with police, etc.) // vt. (sweep) kines; (also **~ against**) tħakkek ma'; **~ aside** vt. injora; **~ up** vt. (knowledge) irreveda ta' malajr

Brussels n. Brussell; **~ sprout** n. kaboċċa ta' Brussell; brokkoli

brutal adj. brutali; **~ity** n. brutalità

brute n. bhima; (person) bhima // adj. **by ~ force** b'għemil ta' bhima

brutish adj. ta' bhima

BSc abbr. (**Bachelor of Science**)

BSE n. abbr. of **Bovine Spongiform Encephalopathy**

bubble n. bużżieqa (tal-ilma) // vi. għamel il-bżieżaq; **~ bath** n. likwidu tas-sapun; **~ gum** n. bubble gum

buck n. (rabbit) fenek; (deer) ċerv; (US. inf.) dollaru // vi. irreżista; **to pass the ~ (to sb.)** waddab ir-responsabbiltà fuq xi ħadd; **~ up** vi. (cheer up) qam fuq tiegħu
bucket n. barmil
buckle n. bokkla // vt. għamel il-bokkla // vi. għawweġ
bud n. (of plant) rimja; (of flower) blanzun // vi. beda tikber
Buddhism n. Buddiżmu
budding adj. xi ħaġa li tibda fuq nota pożittiva
buddy (US.) n. ras
budge vt. ċaqlaq; (fig.) ċeda // vi. ċċaqlaq
budgerigar n. amorin
budget n. baġit, estimi, stima ta' nefqa // vi. **to ~ for sth.** ibbaġitja/alloka l-flus għal xi ħaġa
budgie n. **budgerigar**; amorin
buff adj. (colour) ġild // n. (inf. enthusiast) entużjast
buffalo (pl. ~ or **~es**) n. (brit.) buflu; (US. bison) biżonti
buffer n. (comput.) bafer; (rail.) kuxinett
buffet n. (brit. in station) bar, kafetterija; (food) bufè; **~ car** (brit.) n. (rail.) karozza tal-ikel // vt. sawwat, ta daqqiet
buffoon n. buffun
bug n. (esp. US. insect) baqqa, insett żgħir; (comput.) bagg; (germ) vajrus, infezzjoni; (spy device) mikrofonu moħbi // vt. (inf. annoy) dejjaq; (room) daħħal il-mikrofoni moħbija fi...
buggy n. karozzina
bugle n. bjuger
build (pt., pp. **built**) n. (of person) binja // vt. bena; **~ up** vt. (morale, forces, production) tkabbar, issaħħaħ; **~ing** n. bini; (structure) struttura; **~ing society** (brit.) n. soċjetà tal-bini
built pt., pp. of **build** // adj. **~-in** (wardrobe, etc.) gwardarobba built-in; **~-up area** n. bur mibni (kollu)
bulb n. (bot.) basla; (elec.) bozza
Bulgaria n. il-Bulgarija; **~n** adj. Bulgaru/Bulgara
bulge n. nefħa 'l barra // vi. iżżaqqaq; (pocket, etc.): **to ~ (with)** timla
bulk n. il-biċċa l-kbira; **in ~** (comm.) bil-balk; **the ~ of** il-kobor; **~y** adj. kbir/a, goff/a
bull n. gendus; (m. animal) ir-raġel; **~dog** n. buldog
bulldozer n. buldowżer
bullet n. bulit, balla; **~-proof** ma jgħaddux il-bulits minnha
bulletin n. bulettin; (journal) bulettin informattiv
bullfight n. sarar mat-toru, korrida; **~er** n. torero; **~ing** logħob tat-toru
bullion n. ingotti tad-deheb jew tal-fidda
bullock n. gendus imsewwi
bullring n. arena għas-sarar mat-toru
bull's-eye n. iċ-ċentru tal-mira
bully n. buli // vt. qagħad jippretendiha
bum n. (inf. backside) sorm; warrani; (esp. US. tramp) vagabond
bumblebee n. żunżan kbir
bump n. (blow) daqqa; (jolt) qabża; (on road, etc.) ħabta; (on head, etc.) daqqa // vt. (strike) daqqa; **~ into** vt. fus. ħabat ġo, baqa' dieħel fi; (person) ħabat ġo; **~er** n. (aut.) bamper // adj. **~er crop/harvest** ħsad abbundanti; **~er cars** n.pl. bampin kars; **~y** adj. (road) qammiesa
bumptious adj. wieħed li jidhirlu li hu xi ħaġa, wieħed mimli bih innifsu
bun n. (brit. cake) kejk; (US. bread) ħobża; (of hair) toppu
bunch n. (of flowers) mazz, bukkett; (of keys) mazz; (of grapes) għanqud; (of people) miġemgħa, grupp; (pej.) klikka; **~es** n.pl. (in hair) malji
bundle n. sorra; (of sticks) qatta; (of papers) mazz // vt. (also **~up**) sarr; **to ~ sth./sb.** titfa' lil xi ħadd jew xi ħaġa malajr fi...
bung n. tapp kbir // vt. (throw: gen.: **~ into**) nxteħet
bungalow n. terran, villa żgħira
bungle vt. tħarfix, żball kbir
bunion n. nefħa
bunk n. kuċċetta (fuq bastiment); **~ beds** n.pl. sodod fuq xulxin
bunker n. (coal store) maħżen tal-faħam; (mil.) banker; (golf) banker
bunny n. (also **~ rabbit**) fenek
bunting n. materjal tal-bnadar
buoy n. baga; **~ant** adj. (ship) iżżomm fil-wiċċ; (economy) tajba; (person) ħafif/a
burden n. piż // vt. refa' l-piż
bureau (pl. **bureaux**) n. (brit. writing desk) skrivanija; (US. chest of drawers) komodina; (office) uffiċċju
bureaucracy n. burokrazija
bureaucrat n. burokratu/burokrata; **~ic** adj. burokratiku/burokratika
burglar n. ħalliel; **~ alarm** n. allarm kontra l-ħallelin; **~y** n. serq (mid-djar)
burgle n. battal, seraq
Burgundy n. Burgundija
burial n. dfin; **~ ground** n. ċimiterju
burlesque n. parodija
burly adj. mġissem, matnazz
Burma n. Burma

Burmese adj. Burmiż/a
burn (pt., pp. **burned** or **burnt**) vt. ħaraq; (house) qabbad // vi. nħaraq; (sting) tniggeż // n. ħarqa; ~ **down** vt. ħaraq (kompletament); ~**er** n. (on cooker, etc.) berner; ~**ing** adj. (building, etc.) jaqbad/taqbad; (hot: sand, etc.) jikwi; (ambition) tbaqbaq
burnish vt. imborna
burp (col.) n. tfewwiq // vt. tfewwaq
burrow n. bejta // vi. bejjet; (rummage) qalleb
bursar n. teżorier; (student) dak/dik li jakkwista/takkwista borża ta' studju; ~**y** (brit.) n. post f'kulleġġ bla ħlas
burst (pt., pp. **burst**) vt. faqa'; (subj. river: banks, etc.) kisser // vi. tkisser; (tyre) nfaqa' // n. (of gunfire) ftuħ; (also ~**pipe**) tiċrita; **a ~ of energy/speed/enthusiasm** splużjoni t'enerġija/veloċità/entużjażmu; **to ~ into flames** mimli telefonati; **to ~ into tears** nfaqa' f'bikja; **to ~ out laughing** nfaqa' jidħak; **to open** jinfetaħ bis-salt; **to be ~ing with** (subj. container) bata bi; (person) nfaqa'; ~ **into** vt. fus. (room, etc.) daħal bis-salt
bury vt. difen; (body) **to ~ one's face in one's hands** ħeba wiċċu f'idejh; **to ~ one's head in the sand** (fig.) ħarab il-problemi b'mod irresponsabbli; **to ~ the hatchet** temm il-ġlied/l-inkwiet
bus (pl. ~**es**) n. xarabank, karozza tal-linja
bush n. arbuxxell; (scrub land) art moxa, xagħri; **to beat about the ~** qagħad idur mal-lewża
bushel n. kejl ta' tmien galluni
bushy adj. (thick) dens, magħqud
busily adv. b'impenn, b'ħidma
business n. (matter) affari; (trading) xogħol; (firm) ditta; (occupation) sengħa; **to be away on ~** tkun barra fuq xogħol; **it's my ~ to...** hija biċċa tiegħi illi... ; **it's none of my ~** mhux affarija; **he means ~** jagħmel u jgħid bis-sod; ~**like** adj. effiċjenti; ~**man** n. neguzjant; ~ **trip** n. xogħol fuq negozju; ~ **woman** n. negozjanta
busker (brit.) mużiċist ġerrej
bus: ~ **shelter** n. xelter; ~ **station** n. venda; ~**-stop** n. stejġ, maqwaf
bust n. (anat.) sider; (sculpture) bust // adj. (inf. broken) miksur/a; **to go ~** kiser il-liġi
bustle n. frattarija // vi. ħaffef
bustling adj. (town) ħajja
busy adj. okkupat/a; (shop, street) miżgħud; (tel. line) engaged // vt. **to ~ os. with** nokkupaw ruħna bi; ~**body** n. li jħobb/tħobb jindaħal/tindaħal; ~ **signal** (US.) n. (tel.) sinjal ta' komunikazzjoni
but conj.
1 imma; **he's not very bright, ~ he's hard-working** ma tantx huwa intelliġenti, imma jistinka ħafna
2 (in direct contradiction) ; **he's not English ~ French** mhuwiex Ingliż imma Franċiż; **he didn't sing ~ he shouted** ma kantax imma werżaq
3 (showing disagreement, surprise, etc.): ~ **that's far too expensive!** imma dak huwa għoli wisq!; ~ **it does work!** imma taħdem tabilħaqq!
// prep. (apart from, except); **we've had nothing ~ trouble** kellna biss inkwiet; **no-one ~ him can do it** ħadd ħliefu ma jista' jagħmilha; **who ~ a lunatic would do such a thing?** min jekk mhux miġnun jasal biex jagħmel din il-ħaġa; **anything ~ that** kollox barra dak
// adv. (just, only); **she's ~ a child** għadha daqsxejn ta' tifla; **I can ~ try** nista' biss nipprova; **it's all ~ finished** żgur li mhux mitmuma
butane n. butan
butcher n. biċċier // vt. biċċer; (cattle, etc.) qatel; ~**'s (shop)** n. taċ-ċanga
butler n. maġġordom
butt n. (barrel) bittija; (of gun) ċipp; (of cigarette) il-fdal (ta' sigarett); (brit. fig. target) il-mira // vt. daħal bir-ras; ~ **in** vi. (interrupt) iddeffes, interrompa
butter n. butir // vt. dilek; ~**up** n. ranunkli
butterfly n. farfett; (swimming: also ~ **stroke**) qadfa butterfly
buttocks n.pl. tint, nakta
button n. buttuna; // vt. (also ~ **up**) għalaq // vi. ngħalaq
buttress n. ħajt li jifred
buxom adj. mġissem/mġissma
buy (pt., pp. **bought**) vt. xtara // n. xirja; **to ~ sb. sth./sth. from sb.** xtara xi ħaġa lil xi ħadd/mingħand xi ħadd; **to ~ sb. a drink** offra drink lil xi ħadd; ~**er** n. xerrej/ja
buzz n. żanżin; (inf phone call) ċempila // vi. ċarċar; ~**er** n. sirena; ~ **word** n. kelma popolari
buzzard n. belhieni
buzzer n. bażer
by prep.
1 (referring to cause, agent) bil-; **killed ~ lightning** miet bis-sajjetti; **a painting ~ Picasso** pittura ta' Picasso
2 (referring to method, manner, means):

~ **bus/car/train** bil-karozza tal-linja/bil-karozza/bit-tren; **to pay ~ cheque** ħallas b'ċekk; ~ **moonlight/candlelight** taħt id-dawl tal-qamar/fid-dawl tax-xemgħa; ~ **saving hard, he** peress li faddal, huwa
3 (via, through): **we came ~ Dover** għaddejna minn Dover
4 (close to, past): **the house ~ the river** id-dar ħdejn ix-xmara; **she rushed ~ me** għaddiet minn mieghi; **I go ~ the post office every day** ngħaddi minn ħdejn l-uffiċċju tal-posta kuljum
5 (time: not later than) għal (during): ~ **daylight** matul il-jum; ~ **4 o'clock** sal-4; ~ **this time tomorrow** sa għada bħal dan il-ħin; ~ **the time I got here was too late** sakemm wasalt hawn kien tard wisq
6 (amount): ~ **the metre/kilo** bil-metru/kilo; **paid ~ the hour** mħallas bis-siegħa
7 (math., measure): **to divide/multiply ~ 3** iddivida bi 3/immultiplika għal 3 darbiet; **a room 3 metres ~ 4** kamra 3 metri b'4; **it's broader ~ a metre** usa' b'metru
8 (according to); **it's 3 o'clock ~ my watch** skont l-arloġġ tiegħi, bħalissa t-3; **it's all right ~ me** għalija kollox sew
9 (all) ~ **oneself** għalih waħdu; **he did it (all) ~ himself** għamlu kollu waħdu; **he was standing (all) ~ himself in a corner** qagħad għalih waħdu bilwieqfa f'rokna
10 ~ the way bilħaqq; **this wasn't my idea, ~ the way** bilħaqq, dik ma kinitx l-idea tiegħi // adv.
1 see go; **pass, etc**
2 ~ and ~ ftit wara; **they'll come back ~ and ~** sa jiġu lura ftit ieħor; ~ **and large** jekk nieħdu kollox

bye (-bye) excl. ċaw, saħħa

by(e)-law n. by-law

by: **~-election** (brit.) n. elezzjonijiet supplimentari, by-elections; **~gone** adj. li għadda // n. **let ~gones be ~gones** li għadda għadda; **~pass** n. bajpass; (med.) bajpass // vt. evita; **~-production** n. produzzjoni b'konsegwenza; (of situation) konsegwenza; **~stander** n. min jinzerta jkun iħares

byte n. (comput.) byte

byword n. **to be a ~ for** tkun sinonimu għal

C c

c it-tielet ittra tal-alfabett Ingliż
C n. (mus.): ~ **sharp/flat do**
C. abbr. of **centigrade**; C.
cab n. karozzin; (of train) kabina; (of truck) kabina
cabaret n. dverna; diskoteka
cabbage n. kaboċċa
cabin n. kabina; (aviat.) kabina; ~ **cruiser** n. xorta ta' dgħajsa moderna
cabinet n. gabinett m; (for china) vetrina; gabinett; (pol.) il-kabinett; ~-**maker** n. mastrudaxxa (li jaħdem l-għamara)
cable n. gumna, ħabel oħxon; (tel.) kejbil; (telegram) telegramm; messaġġ telegrafu // vt. bagħat telegrafu; ~ **television** n. televixin bil-kejbil
cache n. depożitu jew moħba sigrieta taħt l-art (ta' proviżjonijiet, ikel, oġġetti, eċċ.)
cackle n. tqaqiq; (people) daħk storbjuż; tlablib
cactus (pl. **cacti**) n. kaktus
cadet n. kadett
cafè n. kafè; ħanut tal-kafè (brit.)
cafeteria n. kafetterija
caffein(e) n. kaffeina
cage n. gaġġa // vt. poġġa ġol-gaġġa
cagey adj. makakk; malizzjuż
cajole vt. ġibed lejh u dawwar biż-żegħil u t-tmellis
cake n. kejk; (of soup) sapuna; ~**d** adj. miksi bi
Cairo n. il-Kajr
calamity n. hemm kbir; niket; żventura; diżgrazzja li tasal għal għarrieda
calcium n. kalċju
calculate vt. ikkalkula;
calculating adj. attent; kawt; għaqli
calculation n. kalkolu
calculator n. kalkulatur
calculus kalkulu
calendar n. kalendarju; ~**month** n. annu ċivili
calf (pl. **calves**) n. għoġol; erħa; vitella; ~**skin** ġilda tal-vitella; (anat.) pexxul; il-parti ta' wara l-qasba tas-sieq
calibre (US. **caliber**) n. kalibru
call vt. sejjaħ; għajjat; (name) semma; ta l-isem lil; (meeting) għajjat; sejjaħ (laqgħa); (awaken) qajjem; (tel.) ċempel lil // vi. (shout) għajjat; (visit: also: ~**in**, ~**round**) għadda għal xi ħadd // n. (shout) għajta; (tel.) ċempila; telefonata; **to be ~ed** ġie msejjaħ; **on** ~ kien għad-dispożizzjoni; ~ **back** vi. (return) irritorna; (tel.) ċempel lura; ~ **for** vt. (demand) talab; ~ **off** vt. (cancel) ħassar; ~ **on** vt. (visit) għadda għand; (turn to) irrikorra għand; ~ **out** vi. għajjat; ~ **up** vt. (mil.) sejjaħ; ~**box** n. (brit.) kabina tat-telefown; ~**er** n. min jgħajjat; min ikun qiegħed iċempel; ~ **girl** n. prostituta; qaħba; ~**ing** n. (vocation) sejħa; vokazzjoni; ~**ing card** n. biljett taż-żjara
callous adj. kiefer; brutali; li ma jħossx; qalbu iebsa; bla mogħdrija
calm n. kalma; hedu; kwiet; sabar; kalm (baħar) // vt. ikkalma // adj. (person) kalm/a; ~ **down** vi. ikkalma // vt. ikkalma
calorie n. kalorija; unità ta' sħana jew li biha jitqies il-valur tal-ikel
calumny n. kalunja; gidba
calvary n. kalvarju; (fig.) tbatija kbira
Cambodia n. il-Kambodja
came (pl. of **come**) pt. of come
camel n. ġemel
cameo n. kameo
camera n. kamera tar-ritratti; (cine., tv.) kamera tat-televixin, eċċ.; **in** ~ bil-bibien magħluqin; ~ **man** n. min jimmanuvra l-kamera
camomile n. gamumilla
camouflage n. kamuflaġġ; xorta ta' materjal jew kulur li jaħbi oġġetti (tal-gwerra, eċċ.) minn għajnejn l-għadu
camp n. kamp // vi. ikkampja
campaign n. kampanja; (mil.) kampanja (militari) vi. (mil.) għamel kampanja; (pol.) ħadem b'xi għan bħal tibdil ta' gvern, eċċ.
campbed n. (brit.) sodda tal-kamping
camper n. wieħed li jikkampja
camping n. **to go** ~ mar jikkampja

campsite n. kampeġġ; żona fejn jitwaqqfu l-kampijiet
campus n. kampus
can n. kanna tal-ilma; kitla; (for water) landa; bott // vt. poġġa f'bott, f'landa
can aux. v. (negative cannot, can't; conditional and pt. could)
1 (be able to, know how to) sata'; **I ~ see you tomorrow, if you like** nista' narak għada, jekk trid; **I ~ swim** jien nista' ngħum; **~ you...?** int tista'...?
2 (may) sata'; **could I have a word with you?** nista' ngħidlek xi ħaġa? / nista' nkellmek ftit?
Canada n. il-Kanada
Canadian adj. Kanadiż/a
canal n. kanal; passaġġ; mogħdija (mnejn jgħaddi l-ilma); **Suez C~** n. il-Kanal tas-Swejz
canary n. kanarin; kanal
cancel vt. ħassar; annulla; ikkanċella; (delete) ħassar; **~lation** n. annullament; tħassir; kanċellazzjoni
cancer n. Kanċer; (med., astrol.) kanċer; kankru
candid adj. onest; kandidu; safi; innoċenti
candidate n. kandidat
candle n. xemgħa; **~ light** n. dawl tax-xema'; **~ stick** n. (also **~ holder**) gandlier
candour (US. **candor**) n. sinċerità
candy n. zokkor-kandju; konfettura; ħelu
cane n. kannamiela; kannadindja; (stick) bastun; qasba ħatar // vt. sawwat
canine adj. klubi; ta' kelb
canister n. kaxxa tal-metall
cannabis n. kannabis
canned adj. fil-bottijiet; fil-laned
cannibal n. kannibalu
cannon (pl. ~ or **~s**) n. kanun/i
cannot see **can not**; ma setax
canny adj. makakk
canoe n. kenura; kanott; xorta ta' frejgatina dejqa għal wieħed jew tnejn min-nies
canon n. (clergyman) kanonku
canonize vt. ikkanonizza
can opener n. makkinarju li jiftaħ il-laned u l-bottijiet
canopy n. baldakkin; tużell; xorta ta' tinda
can't see **cannot**
cantankerous adj. argumentattiv/a
canteen n. kantin; post fejn in-nies tas-servizz, xogħol, eċċ. jistgħu jixtru
canter n. nofs galopp // vi. inklina; miel
canvas n. kanvas; luna; (for painting) tila
canvass vi. ipperswada; fittex; eżamina; għamel kampanja

canyon n. wied dejjaq u rdumi bi xmara fih
cap n. beritta; skufja; (of bottle) n. tapp; (of pen) n. tokka
capability n. kapaċità
capable adj. kapaċi
capacity kapaċità; (ability) kapaċità; ħila
cape n. kappa; mantell; (geog.) lsien ta' art; biċċa art ippuntata li toħroġ fuq il-baħar
caper n. (culin. gen. **~s**) kappar; **~-sauce** zalza tal-kappar; (acrobacy) gabirjola
capital n. (~ **city**) kapitali; (fin.) kapital; **~ism** n. kapitaliżmu; **~ ist** adj. kapitalist; **~ punishment** n. piena kapitali, piena tal-mewt
capitulate vi. ikkapitula; ċeda l-armi b'ċerti kundizzjonijiet
capricious adj. kapriċċuż/a
Capricorn n. Kaprikorn
capsize vt., vi. qaleb ta' taħt fuq; nqaleb ta' taħt fuq
capsule n. kapsula; fosdqa
captain n. kaptan; (mil.) mexxej; kmandant; kaptan
caption n. (heading) titolu; intetatura
captivate vt. jassar; għamel ilsir jew priġunier
captive n. priġunier
captivity n. kaptività
capture vt. qabad; ħa priġunier
car n. karozza
carafe n. karaffa; flixkun bil-maqbad u ż-żennuna tal-ilma jew tal-inbid għal fuq il-mejda
caramel n. karamella
carat n. karat; użin tal-ġojjelliera; miżura; kejl li bih jiżnu d-deheb
caravan n. (brit.) karavann; (in desert) karwana
carbohydrate n. karboidrat
carbon n. karbon; **~ paper** n. kartasaħħara
carburettor n. karburatur
carcass n. karkassa; ġisem ta' annimal mejjet
card n. karta; biljett; karta tal-logħob; **~ board** n. kartonċina; **~ game** n. logħba karti
cardiac adj. kardijaku/kardijaka; tal-qalb
cardigan n. kardigan; sidrija tas-suf maħduma malja
cardinal a **~ number** n. numru kardinali // n. (eccl.) kardinal
care n. (of teeth, car, etc.) kura; ħsieb; attenzjoni; **I don't ~** ma jimpurtanix; **to take ~** ħa ħsieb; **to take ~ of** ħa ħsieb ta'; **to take ~ to do sth.** qagħad attent li jagħmel xi ħaġa
career n. karriera; professjoni; progress fil-ħajja // vi. (also **~ along**) mexa bil-kbir (fil-karriera, eċċ.)
carefree adj. bla preokkupazzjonijiet

careful adj. attent; kawt; (**be**) ~**!** oqgħod attent!
careless adj. negliġenti; traskurat; bla kont; li ma jieħu ħsieb ta' xejn; ~**ness** n. traskuraġni; negliġenza
caress n. żegħil; fsied; tmellis; tħejjim // vt. ikkarezza; żiegħel bi; melles; fissed; wera ħlewwa ma'
caretaker n. kustodja
car-ferry n. xorta ta' vapur
cargo (pl. ~**es**) n. tagħbija; merkanzija
car hire n. kiri ta' karozzi
Carribean n. **the** ~ (**Sea**) il-Karibew
caricature n. karikatura
caring adj. (society, organisation) umanitarja; li tgħin; (person) benevolenti; li jħenn; li jħobb
carnage n. qtil; taqtigħa kbira
carnal adj. karnali; tal-ġisem; li għandu rabta mal-ġisem; mhux tar-ruħ; sesswali
carnation n. qronfla
carnival n. karnival; (US. fun fair) luna park
carnivorous adj. karnivoru; li jiekol il-laħam
carol n. (Christmas) ~ għanja tal-Milied; għanja ta' ferħ u tifħir
carp vt. gemgem; lmenta; ~ **at** sab xi jgħid f'kollox; fittex ix-xagħra fl-għaġina
car park n. post fejn jiġu pparkjati l-karozzi
carpenter n. mastrudaxxa; karpentier
carpentry n. is-sengħa tal-mastrudaxxa
carpet n. tapit // vt. għatta bit-tapit; ~ **sweeper** n. oġġett li bih jitnaddfu t-tapiti
carriage n. karozza; vagun; ġarr; vjaġġ; trasport; (of goods) ġarr; (bearing) tagħbija; ~ **return** n. (on typewriter) lieva tar-ritorn; ~**way** n. (brit. part of road) triq mnejn jgħaddu l-karozzi
carrier n. ġarrier; reffiegħ; (comm.) burdnar; kurrier; ~ **bag** n. (brit.) basket; ~**-pigeon** n. ħamiem biex iġorr il-messaġġi
carrot n. zunnarija; karrotta
carry vt., vi. ġarr; qandel; rafa'; ġieb; ħa; ittrasporta; (to get **carried** away, fig.) ntilef għalkollox; ~ **on** vi. (continue) kompla; ~ **out** vt. (orders) esegwixxa; (investigation) żvolġa; ~**cot** n. (brit.) benniena li tinġarr; ~**-on** n. (col. fuss) konfużjoni; kaos
cart n. karru; karrettun // vt. ġarr bil-karrettun; **to be in the** ~ kien fl-inkwiet jew f'qagħda imbarazzanti ħafna; **to put the** ~ **before the horse** għamel bil-maqlub; ~**-horse** n. żiemel tat-tagħbija; ~**er** n. karettunar
carton n. kartuna; (of milk) kartuna (ħalib)
cartoon n. (press.) kartun f'gazzetta; (cine.) kartun
cartridge n. skartoċċ; **blank** ~ n. skartoċċ bla balla; ~**-belt** ċinturin (tal-iskrataċ)
carve vt. (wood) naqqax; intalja; (stone) naqqax; (meat) fellel il-laħam fuq il-mejda; ~ **up** vt. qatta'
carving n. skultura; ~ **knife** n. sikkina tal-laħam
carwash n. ħasil tal-karozzi
cascade n. kaskata // vi. għarraq; fawwar
case n. (box) kaxxa; senduq; vetrina; (law matter) każ; **in** ~ fil-każ; **in any** ~ fi kwalunkwe każ
cash n. ħlas (fil-pront); flus kontanti // vt. illikwida; ~ **on delivery** (**COD**) pagament mal-kunsinja tal-oġġett; ~**-book** reġistru fejn jitniżżlu l-flus li jidħlu u l-flus li joħorġu; ~ **down** n. ħlas fil-pront; ~ **office** n. uffiċċju tal-ħlasijiet
cashier n. kaxxier
cashmere n. kaxmir
cash register n. reġistratur tal-flus (magna)
casing n. frejm; għata; forma; kaxxa
casino n. każinò; każin; sala għaż-żfin jew għal-logħob tal-flus
cask n. bittija; barmil
casket n. kaxxetta (għad-deheb, ħaġar prezzjuż, eċċ.); (US. coffin) tebut
casserole n. kazzola; reċipjent tal-kċina aktar fond minn taġen; pagna
cassette n. każett; ~**-player** n. makkinarju li jdoqq il-każett
cast (pt., pp. **cast**) vt. xeħet; tafa'; rema; issotta; dewweb ġo forma; (metal) fonda; dewweb; (theat. qiegħed; ta r-rwol; (vote) tefa' // n. (theat. kast; (also **plaster**~) forma; ~ **off** vi. (naut.) salpa
castaway n. nawfragu/nawfraga
caste n. rank; livell; pożizzjoni; ġerarkija
casting vote n. (brit.) vot deċiżiv
cast iron n. ħadid fondut
castle n. kastell; (chess) kastell
castor n. ~ **oil** n. żejt ir-rignu; ~ **sugar** n. (brit.) xorta ta' zokkor
castrate vt. ikkastra, sewwa
casual adj. (attitude) każwali; ta' bla ħsieb; aċċidentali; (dress) każwali; (work) irregolari; ~**ly** adv. każwalment; aċċidentalment
casualty n. każwalità; ferut/a; (dead) mejjet/mejta; vittma; (also ~ **department**) dipartiment tal-każwalitajiet
cat n. qattus/a
catalogue n. katalogu // vt. ikkataloga
catalyst n. aġent; fattur; medjatur; katalizzatur
cataract n. (med.) kataretta
catarrh n. katarru; infjammazzjoni fis-sider
catastrophe n. katastrofu; ġrajja ta' diżgrazzja; diżastru mhux mistenni; traġedja

catch v. (pt., pp. caught) vt. qabad; ħataf; ħafen; żamm; (arrest) qabad; (train) laħaq; (person: by surprise) ħa; (also ~ **up**) laħħaq // vi. (fire) qabad // n. (fish, etc.) qbid; qabda; (trick) ingann; (of lock) ganċ; **to ~ an illness** ħa marda; **to ~ (fire)** ħa n-nar; qabad; ~ **on** vi. (understand) qabad; fehem; (grow popular) sar popolari; ~ **up** vi. (fig.) laħaq; poġġa f'livell
catching adj. (med.) li jittieħed; li jiġbdek
catch phrase n. slogan; frażi
catchy adj. (tune) li jinqabad malajr; tal-widna; li jħajrek
catechism n. katekiżmu
categorical adj. kategoriku/kategorika
category n. kategorija
cater vi. ipprovda (l-ikel); forna; issupplixxa; ~ **for** vt. ħejja għal; (needs) ħaseb għall-(bżonnijiet); ~**er** n. min iħejji u jaħseb għat-trattament
caterpillar n. xagħat; dudu tal-ħaxix, eċċ.; ~ **track** n. xorta ta' katina
cathedral n. katidral
Catholic adj. (rel.) Kattolika; (tastes, etc.); **c**~ kattoliku/kattolika // n. Kattoliku
cattle n.pl. bhejjem (li jirgħu) bħal baqar, nagħaġ, mogħoż
catty adj. malinn; dispettuż
caucus n. (pol.) kumitat ta' diriġenti; (US. meeting) laqgħa tal-kumitat elettorali
caught (pt., pp. of **catch**) maqbud
cauliflower n. pastarda
cause n. kawża; (purpose) għan // vt. ikkawża
causeway n. kożwej; bankina; mogħdija x'aktarx biċ-ċagħak ħdejn post bl-ilma
caustic adj. aċiduż; li jniggeż; li jaqta'; li jisloħ; li jobrox
caution n. prudenza; (warning) avvertiment; twissija // vt. wissa
cautious adj. kawt; prudenti
cavalier adj. informali; (vain) arroganti; dittatorjali; mkabbar
cavalry n. kavallerija
cave n. għar fil-blat; grotta; ~ **in** vi. ikkrolla; waqa'; iġġarraf; ~**man** n. raġel tal-għerien
cavern n. kaverna; għar kbir
caviar n. kavjar
cavity n. ħofra
cavort vi. qabeż; tgerbeb
cease vt., vi. waqaf; ħalla; ċieda; spiċċa; temm; ~**fire** n. waqfien mill-isparar; ~**less** adj. kontinwu/kontinwa
cedar n. ċedru
cede vt. ċieda; reħa; wella; telaq; ta
ceiling n. saqaf; suffitt
celebrate vt., vi. iċċelebra; ~**d** adj. ċelebri
celebration n. ċelebrazzjoni
celebrity n. ċelebrità
celery n. karfusa
celestial adj. ċelestjali; tas-sema
celibacy n. ċelibat; il-ħajja ta' min ma jiżżewwiġx
cell n. ċella; (biol.) ċellula; (elec.) parti mill-batterija
cellar n. kantina
cello n. ċello
cellular adj. ċellulari
Celt n. Kelt; ~**ic** adj. Keltiku
cement n. siment // vt. għaqqad; waħħal bis-siment; rabat flimkien; ~ **mixer** n. magna li tagħmel u tħallat is-siment
cemetery n. ċimiterju
cenotaph n. musulew; monument
censor n. ċensur
censure vt. ċensura
census n. ċens; ċensiment
cent n. (US. coin) ċenteżmu; see also **per cent**
centenary n. ċentinarju
center n. (US. **centre**)
centi... pref. ~**grade** adj. ċentigrad; ~**metre** (US. ~**meter**) n. ċentimetru; ~**pede** n. ċentupied
central adj. ċentrali; **C**~ **America** n. l-Amerika Ċentrali; ~ **heating** n. sistema ta' ġenerazzjoni ta' sħana ċentrali; ~**ize** vt. iċċentralizza
centre n. ċentru // vt. iċċentra; ~ **of attraction** iċ-ċentru tal-attenzjoni
century n. ċentinarju
ceramic adj. ċeramiku/ċeramika; ~**s** n.pl. (at breakfast) ċeramika
cerebral adj. ċerebrali; (intellectual) li ġej jew li jiddependi mill-moħħ
ceremony n. ċerimonja; **to stand on** ~ għamel il-kumplimenti
certain adj. ċert; żgur; bla dubju; ċertu; xi ħadd; (particular) xi ħadd (partikulari); **for** ~ fiż-żgur b'mod ċert; ~**ly** adv. ċertament; ~**ty** n. ċertezza
certificate n. ċertifikat; (sch., etc.) ċertifikat (tal-iskola)
certified pp. iċċertifikat; a ~ **mail** n. posta ċertifikata; ~ **public accountant** n. kummerċjalista
certify vt. iċċertifika
cervical adj. (smear, cancer) ċervikali
cessation n. waqfien; qtigħ; rfigħ (mix-xogħol, eċċ.)
cesspit n. fossa ta' kanal; miżbla
ch. abbr. of **chapter**; see also **chapter**
chafe vt. irrita
chaffinch n. spunsun (għasfur)

chain n. katina; sensiela; serbut ta' ħwejjeġ imsenslin flimkien // vt. (also ~ **up**) poġġa fil-ktajjen; ~ **reaction** n. reazzjoni-katina; **~-smoke** vi. pejjep sigarett f'ieħor

chair n. siġġu; (**arm~**) pultruna; (univ.) katedra // vt. (meeting) ippresieda; **~man** n. president

chalet n. xalè

chalice n. kalċi

chalk n. ġibs

challenge n. sfida; stedina; sejħa għal ġlied, logħob, eċċ. // vt. sfida; stieden għal-logħob, għall-ġlied, eċċ.; (contest) ikkontesta

challenging adj. (tone) sfidanti; provokattiv

chamber n. kamra; sala; għorfa; ~ **of commerce** n. kamra tal-kummerċ; **~maid** n. seftura tal-kmamar tal-irqad; ~ **music** n. mużika li tindaqq ġo sala

chamois n. kamoxxa; ~ **leather** ġild tal-kamoxxa

champagne n. xampanja

champion n. (sport) kampjun; (of cause) kampjun; eroj; **~ship** n. kampjonat

chance n. ċans; każ; (possibility) possibbiltà; (opportunity) opportunità // vt. **to ~ it** irriskja; **by** ~ b'xorti, b'kumbinazzjoni; **to take a** ~ irriskja

chancellor n. kanċillier; titlu għoli ta' fizzjal pubbliku fis-servizz tal-gvern jew tal-Knisja

chandelier n. linfa

change vt. bidel; varja; partat; għamel differenti; (replace, comm. money) issostitwixxa; (exhange) biddel; partat; (transform) tittrasforma; biddel // vi. tbiddel; (~ **trains**) bidel il-ferrovija; (~ **clothes**) bidel il-ħwejjeġ; (be transformed): **to ~ into sth.** nbidel f'xi ħaġa // n. bidla; kambjament; tpartita; (money returned) bqija; **to ~ one's mind** bidel il-ħsieb; **for a ~** għall-bidla; bħala bidla; **~able** adj. (weather) li jbiddel; mhux kostanti; qalliebi; li mhux sod; **~ machine** n. distributur awtomatiku tal-muniti; **~over** n. kambjament; passaġġ

changing adj. li jinbidel; ~ **room** n. (brit.) post fejn wieħed ibiddel il-ħwejjeġ

channel n. (stream) kanal; passaġġ; fliegu; kanal; (tv.) stazzjon // vt. (efforts) wassal; ittrażmetta; bagħat

chant n. kant; għana aktarx imkarkar; tifħir bil-kant u bil-għana; (of football fans, etc.) kant // vt. għanna; kanta

chaos n. kaos

chap n. (col.) tip; tifel; ġuvnott; żagħżugħ // v. xaqqaq; qasam; fellel

chapel n. kappella

chaperon n. xaperon; mara anzjana li tindokra xbejba fil-ħruġ u fl-istedin soċjali

chaplain n. kappillan (ta' kunvent; kulleġġ; reġiment; bastiment, eċċ.)

chapped adj. (skin, lips) mfella

chapter n. kapitlu

char vt. (burn) ħaraq // n. (brit.) = **charlady**

character n. karattru; (in novel, film) karattru; persunaġġ; (**~istic of**) karatteristiku // n. karatteristika; **~ize** vt. ikkaratterizza

charade n. xarada; problema; ħaġa moħġaġa, ta' taħbil il-moħħ

charcoal n. faħam tal-kannol (tal-ħatab)

charge n. (cost) prezz; (law) akkuża; (explosive) karga; (attack) ħabta; salt; attakk // vt. (gun, battery) ikkarga; (price) talab; (law) waħħal fi; akkuża; (mil.) ħabat għal; attakka; **bank ~s** pl. ħlasijiet; **free of** ~ bla ħlas; b'xejn; **to reverse the ~s** (tel.) għamel telefonata għas-spejjeż tal-persuna li lilha ċempel; **to be in ~ of** kien responsabbli għal; **to ~ sth. (up) to sb.'s account** għabba xi ħlas fuq il-kont ta' ħaddieħor; ~ **card** n. karta tal-klijenti

charitable adj. karitattiv; li jagħmel karità; (lenient) benevolenti

charity n. karità; ħniena; (institution) istituzzjoni karitattiva; (attitude) ħniena; grazzja

charlatan n. ċarlatan; lablabi; wieħed li jlablab ħafna, x'aktarx kliem fieragħ

charm n. faxxinu; (spell) seħer // vt. saħħar; għamel magħmul; ħajjar; għaxxaq; **~ing** adj. affaxxinanti; li jpaxxi bi ġmielu jew bi kliemu

chart n. tabella; ċart; mappa użata mill-kaptani tal-bastimenti // vt. (course) ippjanta l-mappa ta' rotta partikolari

charter vt. kera // n. karta; dokument; **~ed accountant** n. awditur/kontrollur professjonista; ~ **flight** n. titjira mikrija jew ippjanata esklużivament

charwoman = charlady; seftura

chase vt. segwa // n. kaċċa; ġiri wara xi ħadd jew xi ħaġa

chasm n. qasma; abbiss; fetħa kbira; xpakkatura

chassis n. xażi; it-tilar tal-karozza, tal-ajruplan, eċċ.

chastity n. kastità; safa; onestà karnali; ndafa f'sens morali

chat vi. (also **have a** ~) qagħad jitkellem, ipaċpaċ, iparla // n. kliem; diskors; tpaċpiċ; ~ **show** n. (brit.) talk show

chatter vi. paċpaċ; qagħad jiċċaċċra; serser; parla fil-vojt; (teeth) ċekċek (snienu); **~box** n. wieħed li jitkellem ħafna

chatty adj. li jħobb jgħid; ipaċpaċ mal-ħbieb

chauffeur n. xufier

chauvinist n. (**male** ~) maskilista; (nationalist) xovinista

cheap adj. rħis; bi ftit flus; **~ly** adv. bl-irħis
cheat vt., vi. qarraq; inganna; għallat; imbrolja lil xi ħadd // n. qerq; ingann; imbrolja; daħk bi; fottitura; (person) n. bniedem qarrieqi; imbroljun
check vt. (examine) iċċekkja; eżamina; (make sure) ivverifika; (control) ikkontrolla; widdeb; (restrain) rażżan; (stop) waqqaf // n. (examination, restraint) kontroll; (bill) verifika; (pattern) kaxxi // adj. (pattern, cloth) inkaxxat/a; ~ **in** vi. (in hotel) irreġistra; (at airport) ippreżenta ruħu għall-verifika // vt. (luggage) iddepożita // vt. (luggage) irtira; **to ~ up** vi. **to ~ up** (on sth.) investiga; **to ~ up on sb.** informa ruħu fuq xi ħadd; **~-in** (desk) n. check-in; **~ing account** n. (US.) kont kurrenti; **~mate** n. ċekmejt; **~out** n. (in supermarket) bank fejn isir il-ħlas; **~point** n. post ta' imblokk; **~room** n. (US.) depożitu tal-bagalji; **~up** n. (med.) kontroll, eżami mediku
cheek n. ħadd; (impudence) tustaġni; nuqqas ta' prudenza; sfaċċataġni; **~bone** n. għadma tal-ħaddejn; **~y** adj. tost/a; wiċċu/wiċċha bla misthija
cheer vt. ċapċap; (gladden) ferraħ; allegra // n. (gen. pl.) applawsi; **~s!** is-saħħa!; **to ~ up** vi. ferraħ; għamel kuraġġ // vt. ferraħ; għamel kuraġġ; **~ful** adj. allegru; ferħan
cheerio excl. (brit.) ċaw!
cheese n. ġobon; **~board** n. platt għall-ġobon; **~let** n. ġbejna; **~cake** n. pastizz/qassata tal-irkotta
cheetah n. annimal salvaġġ bħal-leopard li jinsab l-Indja u l-Afrika
chef n. xeff; il-kok ewlieni
chemical adj. kimiku; tal-kimika // n. prodott kimiku
chemist n. (brit. pharmacist) spiżjar; (scientist) kimiku; **~ry** n. kimika; **~'s** (shop) n. (brit.) spiżerija
cheque n. (brit.) ċekk; **~book** n. ktieb taċ-ċekkijiet; ~ **card** n. karta taċ-ċekkijiet
chequered adj. (fig.) movimentat
cherish vt. żiegħel bi; ħannen; żamm b'għożża; irrispetta; apprezza; stima
cherry n. ċirasa
chess n. ċess; **~board** n. tavla taċ-ċess; **~man** n. pedina taċ-ċess
chest n. sider; il-qafas tas-sider; (box) kaxxa; senduq; ~ **of drawers** n. gradenza
chestnut n. qastna; (also ~ **tree**) siġra tal-qastan
chew vt. magħad; **~ing gum** n. chewing gum
chic adj. eleganti; xikk
chick n. fellus; wild it-tiġieġa; laħam tat-tiġieġa
chicken n. tiġieġa; **to ~ out** vi. (col.) beża'; **~pox** n. ġidri r-riħ
chicory n. ċikwejra
chief n. kap; prinċipal; rajjes // adj. prinċipali; ~ **executive** n. direttur ġenerali; **~ly** adv. fuq kollox
chilblain n. seqi, infjammazzjoni fl-idejn/saqajn (minħabba l-kesħa)
child (pl. **~ren**) n. tifel; tifla; bin; bint; **~birth** n. ħlas; **~hood** n. tfulija; **~ish** adj. pwerili; tat-tfal; **~like** adj. bħat-tfal; ~ **minder** n. (brit.) wieħed li jieħu ħsieb it-tfal
Chile n. iċ-Ċilì
chill n. ksieħ; sirda; reżħa; (med.) flissjoni; riħ; bruda // adj. kiesaħ; rieżaħ // vt. reżżaħ; kessaħ; berred
chilli n. bżaru (aħmar)
chilly adj. kiesaħ; rieżaħ; **to feel** ~ ħassu kiesaħ
chime n. tagħmira qniepen intunati flimkien // vi. daqq
chimney n. ċumnija; tubu tal-lampa; ~ **sweep** n. wieħed li jnaddaf iċ-ċmieni
chimpanzee n. ximpanżi; xadin li jixbah lill-bniedem
chin n. lħit; daqna
china n. kina; xorta ta' xaqquf fin u jleqq li minnu ssir ħafna fajjenza delikata għat-tiżjin tad-dar
China n. iċ-Ċina
chink n. (opening) xaqq żgħir dejjaq; (noise) ċekċik ta' tazzi, platti, eċċ., meta jaħbtu ma' xulxin
chip n. (gen. pl. culin.) biċċiet żgħar ta' patata moqlijin; (of wood, glass, stone) laqxa; (also **micro~**) ċippa // vt. (cup/plate) xellef; **to ~ in** vi. (col. contribute) ikkontribwixxa; ta sehmu; (interrupt) tellef; interrompa
chiropodist n. (brit.) kiropodista; wieħed li jdewwi, jikkura jew ineħħi l-kallijiet
chirp vi. tpespis jew tisfir tal-għasafar
chisel n. furmatur; skalpell
chit n. nota; biċċa karta
chitchat n. tpaċpiċ; tlablib; sersir
chivalrous adj. ġeneruż; benevolenti; galantom
chivalry n. kavallerija; kortesija; mġiba dinjituża
chives n.pl. xorta ta' ħaxix mill-ġens tal-basal
chock n. kunjard; riffieda; **~-a-block**, **~-full** adj. mimli sħiħ sa fuq; bħal bajda
chocolate n. (substance) ċikkulata; (drink) kokodina; (a sweet) ċikkulatina
choice n. għażla // adj. magħżul/a
choir n. kor; **~boy** n. tifel li jkanta mal-kor
choke vi. faga; xeraq fl-ikel, xorb, eċċ. // vt. faga; (block) ħanaq; sadd; ingombra // n. (aut.) valv tal-arja; ċowk

cholera n. kolera
cholesterol n. kolesterol
choose (pt. **chose**, pp. **chosen**) vt. għażel; **to ~ to do** għażel li jagħmel
choosy adj. selettiv
chop vt. (wood) laqqax; qatta' bċejjeċ; (culin. also ~ **up**) ikkapulja; fettet // n. daqqa ta' lexxuna; qatgħa; culin.) qatgħa laħam bħal kustilja tal-majjal, tal-muntun, eċċ.
chopper n. (helicopter) ħelikopter
chopsticks n.pl. lasti żgħar tal-injam Ċiniżi
choral adj. korali; tal-kor
chord n. (mus.) korda; (**spinal** ~) spina dorsali; sinsla; xewka tad-dahar
chore n. faċenda fid-dar; (**household ~s**) faċendi domestiċi li jridu jsiru ta' kuljum
choreographer n. koreografu
chorister n. korist; kantant li jieħu sehem f'kor
chortle vi. daħak daħka goffa
chorus n. kor; (repeated part of song) ritornell
chose (pt. of **choose**) magħżul
Christ n. Kristu
christen vt. għammed
Christian adj., n. Nisrani; **~ity** n. il-Kristjaneżmu; it-twemmin Nisrani; ~ **name** n. l-isem tal-magħmudija
Christmas n. il-Milied; **Merry** ~ il-Milied it-Tajjeb; ~ **card** n. kartolina tal-Milied; ~ **Day** n. Jum il-Milied; ~ **Eve** n. lejlet il-Milied; ~ **tree** n. siġra tal-Milied
chrome n. kromju; metall miksi bil-kimika, ileqq ħafna u sod
chromium see **chrome**
chronic adj. kroniku/kronika
chronicle n. kronaka; ġrajja taż-żminijiet preżenti; aħbarijiet kurrenti
chronological adj. kronoloġiku/kronoloġika
chrysanthemum n. križantemu
chubby adj. mbaċċaċ; smin; mimli
chuck vt. abbanduna; rema; warrab; **to ~ out** vt. tefa' 'l barra; **to ~ (up)** vt. (brit.) abbanduna
chuckle vi. daħak bil-goff
chum n. sieħeb, kumpann f'kamra waħda f'kulleġġ, eċċ.
chunk n. biċċa; (of bread) biċċa (ħobż)
church n. knisja; **~yard** n. zuntier; (cemetery) ċimiterju mal-knisja
churlish adj. żorr; li jinnervja malajr; goff fl-imġiba
churn n. (for butter) żinġla kbira tal-butir; lenbija fejn isir il-butir; mastella; **to ~ out** vt. sajjar
chute n. kaskata; rampa żurżieqa; (also **rubbish** ~) rampa, kanal għall-ħmieġ; (brit. children's slide) żurżieqa
CIA US. n. abbr. of **Central Intelligence Agency**; CIA
CID brit. n. abbr. of **Criminal Investigation Department**; pulizija ġudizzjarja
cider n. sidru; xorb li jsir mis-sugu tat-tuffieħ
cigar n. sigarru
cigarette n. sigarett; ~ **case** n. kaxxa għas-sigaretti; ~ **end** n. loqma tas-sigarett
Cinderella n. Sindirella
cinder n. ħatab jew faħam jinħaraq mingħajr fjammi; (pl.) rmied
cine: ~-camera n. (brit.) kamera; **~-film** n. (brit.) film
cinema n. ċinema
cinnamon n. xorta ta' siġra; il-qoxra taz-zokk tagħha
cipher n. ċifra; (fig. faceless employee, etc.) bniedem jew oġġett ta' mingħajr importanza jew valur partikolari
circle n. ċirku; (of friends, etc.) ċirku (ta' ħbieb); (in cinema) gallerija // vi. ġera f'ċirku // vt. (surround) dawwar; iċċirkonda; (move round) ġera madwar
circuit n. ċirkwit; periferija; (circumference) n. ċirkumferenza; **~ous** adj. indirett/a; djagonali
circular adj., n. ċirkulari
circulate vi. iċċirkola // vt. iċċirkola
circulation n. ċirkulazzjoni; (of newspaper) ċirkulazzjoni
circumcise vt. għamel iċ-ċirkonċiżjoni lil (xi ħadd)
circumference n. ċirkumferenza
circumspect vt. kawt; prudenti; li jaħsibhom; għaqli
circumstances n.pl. ċirkustanzi; (financial condition) kundizzjonijiet finanzjarji
circumvent vt. evita; evada; (thwart) ħawwad
circus n. ċirku
cistern n. ġiebja; ġibjun; (in toilet) kontenitur tal-ilma
citizen n. (pol.) ċittadin; (resident); **the ~s of this town** iċ-ċittadini ta' din il-belt; **~ship** n. ċittadinanza
citrus n. ċitru
city n. belt; **the C~** il-Belt
civic adj. ċiviku/ċivika; ~ **centre** n. (brit.) ċentru ċiviku
civil adj. ċivili; ~ **engineer** n. inġinier ċivili; **~ian** adj., n. pajżan
civilization n. ċiviltà
civilized adj. ċivilizzat; kolt; ta' manjieri tajbin
clad adj. ~ **(in)** mlibbes
claim vt. talab b'jedd; ried; esiġa; ippretenda // n. talba; (right) jedd; (insurance) ~ talba biex

jiġi rifondat dak li hu jew kien tal-persuna partikulari; **~ant** n. (admin., law) min jitlob xi ħaġa bħala jedd tiegħu
clairvoyant n. wieħed li għandu s-setgħa li jkun jaf il-ġejjieni; psikiku; spiritwalist
clam n. mollusk
clamber vi. ixxabbat
clammy adj. (weather) umdu; (hands) dellieka; li jwaħħlu bit-tidlik
clamour vi. **to ~ for** talab b'leħen għoli // n. għajjat imħawwad; storbju; frattarija
clamp n. għodda li tissikka; morsa // vt. issikka
clan n. klann
clandestine adj. klandestin; ta' bil-moħbi; li jsir baxx baxx, bis-serqa
clang n. ħoss metalliku
clap vi. ċapċap; **~ping** n. ċapċip; applawsi
claret n. nbid ta' Bourdeaux
clarify vt. iċċara; għamel ċar; saffa; dawwal
clarinet n. klarinett
clarity n. luċidità; purità
clash n. ħabta; tisbita; (fig.) nuqqas ta' ftehim jew qbil // vi. ħabat; laqat ma'; ma qabilx ma'; sabbat; ħabbat
clasp n. bokkla; ċappetta // vt. qafel b'bokkla; b'ċappetta; għafas; għannaq; ħafen bejn idejh
class n. klassi; diviżjoni; taqsima // vt. ikklassifika; qassam
classic adj. klassiku/klassika // n. klassiku; **~al** adj. klassiku/klassika
classified adj. (info.) iklassifikat/a; **~ advert**, **~ ad** n. avviż klassifikat
classify vt. ikklassifika
class: **~mate** n. sieħeb fil-klassi; **~-room** n. kamra; klassi fl-iskejjel
clatter n. taħbit; ċekċik (ta' platti, eċċ.); tlablib b'leħen għoli; frattarija ta' ħafna ħsejjes
clause n. klawsola; (ling.) propożizzjoni
claustrophobia n. klawstrofobija
claw n. difer; (of bird of prey) difer; sieq ta' għasfur tal-ħatfa // vt. (also **~ at**) giref
clay n. tafal
clean adj. nadif; pulit; (clear; smooth) safi; ċar // vt. naddaf; **to ~ out** vt. naddaf; **to ~ up** vi. naddaf // vt. saffa; naddaf; **~er** n. (person) wieħed jew waħda li tnaddaf; (product) trab jew likwidu li jnaddaf; **~ing** n. tindif; **~liness** n. ndafa
cleanse vt. naddaf; saffa; ippurifika; **~r** n. deterġent
clean-shaven adj. bil-leħja mqaxxra
cleansing department n. (brit.) dipartiment tat-tindif
clear adj. ċar; safi; (road, way) liberu/libera // vt. naddaf; battal; saffa; iċċara; (table) naddaf; (comm. goods) illikwida; (debt) illikwida; (law suspect) neħħa mill-ħtija; (obstacle) issupera // vi. (weather) bnazza; (fog) telaq // adj. **~ of** 'il bogħod minn; **to ~ up** vi. iċċara; tnaddaf // vt. naddaf; ippostja; poġġa fl-ordni; (mystery) solva; **~ance** (removal) tindif; tneħħija; (free space) n. spazju; **~-cut** adj. maqtugħ tajjeb; distint; **~ly** adv. b'mod ċar
cleaver n. mannara/sikkina kbira biex jinqata' l-laħam bl-għadam b'kollox
clef n. (mus.) kjavi
cleft n. (in rock) qasma; xaqq; xpakkatura; ferqa
clench vt. qabad; ħafen; għafas; strinġa; issikka; heżżeż (snien)
clergy n. il-kleru; **~man** n. ekkleżjastiku; reverendu; saċerdot
clerical adj. tax-xogħol ta' skrivan; (rel.) tal-kleru
clerk n. skrivan
clever adj. (mentally) bravu; jinqala'; (deft; skilful) jilħaqlu; kapaċi sewwa; (device, arrangment) inġenjuż
click vi. ħa; ikklikkja // vt. (heels, etc.) ħabbat
client n. klijent; parruċċan
cliff n. rdum
climate n. klima
climax n. klajmaks
climb vi. ixxabbat; (clamber) ixxeblek // vt. ixxabbat // n. tixbita; skalata; **~-down** n. mixja lura; **~er** n. xabbatur; **~ing** n. tixbit; xeblik; tlugħ ma'
clinch vt. (deal) ikkonkluda
cling (pt., pp. **clung**) vi. **to ~ to** weħel ma'; tħaddan ma'; tħaddan u tgħannaq b'saħħtu kollha ma'
clinic n. klinika
clink vi. ħoss ta' ċekċik
clip n. (for hair) furfiċetta; (also **paper ~**) **paperclip** // vt. (also **~ together: papers**) waħħal flimkien; hemeż flimkien; (hair, nails) qata'; (hedge) żabar; **~pers** n.pl. magna li taqta' x-xagħar; (also **nail ~pers**) għodda għall-qtigħ tad-difrejn; **~ping** n. (from newspaper) qatgħa; tqasqis; biċċa maqtugħa minn gazzetta
cloak n. mantell; kappa; mantar; kapott; għata // vt. geżwer; għatta; satar; leff (b'kapott); **~room** n. kamra għall-kapotti, kpiepel, eċċ.
clock n. arloġġ; **to ~ in** or **on** vi. ittimbra (fid-dħul); **to ~ off/out** vi. ittimbra (fil-ħruġ); **~wise** adv. li jdir bħal arloġġ (xellug għal-lemin); **~work** n. moviment jew mekkaniżmu bl-arloġġ

clog n. zukkletta (tal-injam); zokkla; xkiel; tfixkil // vt. fixkel; tellef; imbarazza; għalaq; intoppa; ostakola // vi. tfixkel; ngħalaq
cloister n. kunvent; monasteru
clone n. klown // vt. ikklownja; (hide) ħeba; difen
close adj., adv. ~ **(to)** qrib; ħdejn fil-qrib // adv. fil-qrib; viċin; ~ **to** prep. viċin; ~ **by**, ~ **at hand** adj., adv. fil-qrib ħafna; adj. ~ **friend** ħabib intimu, tal-qalb // vt. għalaq; tebaq; qafel // vi. (shop, etc.) ngħalaq; (lid, door) għalaq; tebaq; (end) għalaq; **to ~ down** vt. għalaq (għalkollox) // vi. waqaf, għalaq (għalkollox); **~d** adj. magħluq; **~-knit** adj. (family, community) magħquda ħafna; **~ly** adv. (examine, watch) mill-qrib; mill-viċin
closet n. (cup board) armarju; gabinett; kmajra
close-up n. (ritratt) mill-qrib, mill-faċċata
closure n. konklużjoni; għeluq; terminazzjoni
clot n. (also **blood** ~) demm magħqud u artab; (col, idiot) idjota; kretin // vi. għaqqad
clothe vt. libbes; **~s** n pl. ħwejjeġ; **~s brush** n. għodda li biha tfarfar il-ħwejjeġ; **~s line** n. ħabel tal-inxir; **~s peg**, (US. **~s pin**) n. labra tal-inxir
clothing n. = **clothes**
cloud n. sħaba; **~y** adj. msaħħab
clout vt. ta daqqa fuq // n. (control) influwenza; kontroll
clove n. musmar tal-qronfol; ~ **of garlic** sinna tewm
clover n. silla
clown n. buffu // vi. (also ~ **about,** ~ **around**) għamilha ta' buffu
club n. (society) klabb; ċirkolu; soċjetà; (weapon, golf) ħatar; mazza // vt. ta bil-bastun // vi. **to ~ together** ngħaqdu; ~ **car** n. (US. rail.) vagun-ristorant; ~ **house** n. il-bini ta' għaqda
clue n. ħjiel; indizzju; (in crosswords) definizzjoni; **I haven't a ~** m'għandix idea
clump n. adj. ~ **of trees** roqgħa; ċappa siġar
clumsy adj. (person) goff; bla grazzja; tqil; (object) magħmul ħażin
clung pt., pp. of **cling**
cluster n. għanqud; grupp; qatta; gozz; ġemgħa (nies) // vi. ngħaqdu (fi gruppi)
clutch n. (grip, grasp) qabda; ħtif; ħfin; (aut.) klaċċ // vt. ħafen; ħataf; qabad bil-herra; **to ~ at** qabad, iggranfa ma'
clutter vt. kaos; konfużjoni
CND n. abbr. of **Campaign for Nuclear Disarmament**
Co. abbr. of **county**; **company**
coach n. (bus) karozza (eż. tal-linja); (horse-drawn, of train) vagun (ta' ferrovija, eċċ.); (sport) kowċ // vt. ħarreġ; ~ **trip** n. vjaġġ f'karozza jew f'xarabank
coagulate vi. għaqad
coal n. faħam; **~-cellar** n. kantina fejn jinżamm il-faħam
coalition n. koalizzjoni
coal: ~man n. negozjant tal-faħam; **~mine** n. minjiera tal-faħam
coarse adj. (salt, sand, etc.) ħoxni; goff; (cloth, person) goff; komuni; aħrax; rozz
coast n. kosta; **~al** adj. kostali; **~guard** n. gwardjakosta; għassies; gwardjan tax-xtut; **~line** n. il-linja, it-tarf tal-kosta
coat n. kowt; (of animal) pil; (of paint) kisja // vt. kesa; ~ **of arms** n. arma ta' kunjom, pajjiż, eċċ.; ~ **hanger** n. oġġett li miegħu jiddendlu l-kowtijiet, ġlekkijiet, eċċ.; **~ing** n. kisja; rivestiment
coax vt. ikkonvinċa; dawwar lil xi ħadd bil-ħsied, tħellis, ecc.
cob n. see **corn**
cobbler n. skarpan; ċabattin
cobbles n.pl. ġebel użat għaċ-ċangar tat-toroq
cobweb n. għanqbuta
cocaine n. kokaina
cock n. (rooster) serduq; (m. bird) (tajra) raġel // vt. (gun) rama; **~erel** n. srejdek; kapuċċell; serduq żgħir; **~-eyed** (fig.) adj. stort
cockle n. arzella; gandoffla
cockney n. wieħed minn Londra (mill-"East End")
cockpit n. (in aircraft) kabina
cockroach n. kokroċ; wirdiena
cocktail n. cocktail
cocoa n. kawkaw
coconut n. ġewża tal-Indi
cocoon n. fosdqa
cod n. bakkaljaw; (fish) merluzz
code n. kodiċi
cod-liver oil n. żejt tal-ħut
coercion n. sfurzar; vjolenza; ġegħil
coffee n. kafè; ~ **bar** n. kafè; ~ **break** n. waqfa għall-kafè; ~ **pot** n. stanjata tal-kafè; ~ **table** tavolina
coffin n. tebut
cog n. ingranaġġ; sinna ta' rota
cogent adj. konvinċenti
cognac n. brandi Franċiż
coherent adj. koerenti
coil n. serje ta' ċrieki; (one loop) kurvatura; ark; spiral; (contraceptive) kontraċettiv // vt. geżwer; rambal
coin n. munita // vt. (word) ivvinta; introduċa; **~age** n. sistema monetarja; **~-box** n. telefown pubbliku li jaħdem bit-tfigħ ta' muniti

coincide vi. ikkoinċida; **~nce** n. koinċidenza
coke n. kokk; faħam tal-kokk, tal-ħaġra; (drug) isem mogħti lil xorta ta' droga
colander n. passatur
cold adj. kiesaħ; biered // n. kesħa; ksieħ; bard; (med.) flissjoni riħ; demm biered; **it's ~** qed jagħmel il-ksieħ; **to be ~** ħass il-bard; **to catch ~** ħa l-ksieħ; **to catch a ~** ħa riħ; **in ~ blood** mhux b'saħna; kiesaħ u biered
coleslaw n. tip ta' insalata
colic n. fetħa; ħalla fl-imsaren; uġigħ kbir ta' żaqq
collaborate vt. ikkollabora
collaboration n. kollaborazzjoni
collapse vi. ikkollassa; ikkrolla // n. kollass; waqgħa; (med.) kollass; telfa ta' saħħa bla mistenni
collapsible adj. li jingħalaq jew jiżżarma fiċ-ċokon
collar n. (of coat; shirt) kullar; għonq (ta' qmis); **~bone** n. l-għadma tal-għonq; **~-stud** n. buttuna tal-għonq ta' qmis
collateral n. kollaterali
colleague n. kollega
collect vt. (gen.) ġabar; ġama'; laqqa'; (as a hobby) ġemma' ikkollezzjona; (money owed, pension) ġabar; (donations, subscriptions) ġabar // vi. nġabar; nġama'; **to call ~** ċempel għas-spejjeż ta' min irċieva t-telefonata; **~ion** n. kollezzjoni; (for money) kolletta
collective adj. kollettiv/a
collector n. kollettur; kollezzjonista; (of taxes) n. kollettur (tat-taxxa)
college n. (brit., US., sch.) kulleġġ; (of technology, etc.) istitut superjuri; (body) kulleġġ
collide vi. **to ~** (with) ħabat; laqat ma'; għamel kolliżjoni
colliery n. (brit.) minjiera tal-faħam tal-ħaġra
collision n. kolliżjoni; ħabta; laqta ma' xulxin
colloquial adj. familjari; kollokwjali
colon n. (sign) żewġ tikek; (med.) parti kbira mill-intestina
colonel n. kurunell
colonial adj. kolonjali
colonize v. ikkolonizza
colony n. kolonja
colour n. kulur; lewn; żebgħa; kulur ta' reġiment // vt. ta l-kulur; lewwen; żebagħ; ħmar; staħa; (fig. affect) influwenza // vi. (blush: also **~ up**) ħmar; **~s** n.pl. (of party, club) emblemi; **~ bar** n. diskriminazzjoni razzjali (f'postijiet pubbliċi, eċċ.); **~-blind** adj. agħma fil-kuluri; **~ed** adj. ikkulurit; mlewwen // n. **~eds** nies ta' ġilda sewda; **~ film (for camera)** n. film tal-kulur; **~ful** adj. ikkulurit; mlewwen; mimli ilwien; (personality) ikkulurit/a; **~ing** n. kulur; lewn; **~ scheme** n. kombinazzjoni, skema, skala ta' kuluri; **~ television** n. televixin tal-kulur
colt n. moħor; felu; (fig.) wieħed bla esperjenza
column n. kolonna; pilastru; ringiela; **~ist** n. artikolista
coma n. koma
comb n. moxt; pettne; għallet serduk; xehda għasel // vt. (hair) maxat; ippettna
combat n. kumbatt; kumbattiment; ġlieda; battalja; taqbida // vt. ikkumbatta; iġġieled
combination n. kumbinazzjoni; għaqda; taqbila; ftehim
combine vt. **to ~** (with) ikkombina (ma'); (one quality with another) għaqqad // vi. ngħaqad; (chem.) ikkombina ruħu
combustion n. proċess ta' ħruq
come (pt. **came**, pp. **come**) vi. ġie; wasal; resaq; qorob; **to ~ to (decision, etc.)** wasal għal (deċiżjoni, eċċ.); **to ~ undone** nħall; **to ~ loose** nħall; **to ~ about** vi. ġara; sehħ; **to ~ across** vt. sab, iltaqa' ma' xi ħadd/xi ħaġa b'kumbinazzjoni; **to ~ along** vi. = **to come on; to ~ away** vi. nqala'; **to ~ back** vi. irritorna; ġie lura; **to ~ by** vt. (acquire) kiseb; **to ~ down** vi. niżel; (prices) niżel; (buildings) ġie mwaqqa'; **to ~ forward** vi. ippreżenta ruħu; mexa 'l quddiem; **to ~ from** vt. ġie minn; **to ~ in** vi. daħal; **to ~ in for** vt. (criticism, etc.) daħal għal; rċieva; **to ~ into** vt. (money) wiret; **to ~ off** vi. (button) nqala'; (stain) marret; (attempt) rnexxa; **to ~ on** vi. (pupil, work, project) għamel progress; **to ~ to** vi. wasal għal; **to ~ round** vi. (after operation) rkupra; **to ~ up with** ħareġ b'idea
comedian n. kummidjant
comedown n. waqgħa; nżul
comedy n. kummiedja
comet n. kometa
comfort n. kumdità; (solace) konsolazzjoni; faraġ // vt. farraġ; ikkonsla; **~s** kumditajiet; **~able** adj. komdu/komda; **~ably** adv. komodament; (live) tajjeb
comic adj. (also **~al**) komiku // n. komik; **~ strip** komik
coming n. wasla // adj. (next) li ġej; (future) futur; ġejjien
comma n. koma
command n. kmand; ordni; ħakma; (mil. authority) kmand; (mastery) n. ħakma // vt. ikkmanda; **to ~ sb. to do sth.** ordna lil xi ħadd biex jagħmel xi ħaġa; **~eer** vt. ħa; esproprja; ikkonfiska; **~er** n. kmandant; (mil.) kmandant

commandment n. kmandament
commando n. kommando
commemorate vt. ikkommemora
commence vt., vi. beda
commend vt. irrakkomanda
commensurate a ~ **with** proporzjonat
comment n. kumment // vi. **to** ~ (**on**) ikkummenta (fuq); ~**ary** n. kummentarju; (sport) kummentarju sportiv; ~**ator** n. kummentatur/ kummentatriċi
commerce n. kummerċ
commercial adj. kummerċjali // n. pubbliċità
commiserate vi. **to** ~ **with** għader; ħass għal; tħassar; issimpatizza ma'
commission n. kummissjoni // vt. (mil.) ikkummissjona; awtorizza; ta s-setgħa; (work of art) ikkummissjona; **out of** ~ f'diżarm; ~**aire** n. qaddej; kurrier; messaġġier; ~**er** n. kummissarju
commit vt. (act) ikkommetta; (to sb.'s care) fada; ħalla f'idejn xi ħadd; **to** ~ **suicide** ikkommetta suwiċidju; ~**ment** n. impenn; wegħda
committee n. kumitat
commodity n. kumdità
common adj. komuni; (pej.) vulgari; (usual) normali // n. art komuni, pubblika; **in** ~ in komuni; ~**er** n. ċittadin li mhux nobbli; ~ **law** n. dritt konswetudinarju; ~**ly** adv. komunament; **C~ Market** n. is-Suq Komuni; ~**place** adj. banali; ordinarju; ~**room** n. sala ta' riunjoni; ~ **sense** n. sens komun; **the C~wealth** n. il-Commonwealth
commotion n. kommozzjoni; għagħa; ħamba; storbju
communal adj. (life) komunali; (for common use) pubbliku/pubblika
commune n. (group) komun // vi. **to** ~ **with** ngħaqad ma'
communicate vt. ikkomunika // vi. **to** ~ **with** ikkomunika ma'
communication n. komunikazzjoni; ~ **cord** n. (brit.) sinjal ta' allarm
communion n. (also **Holy C~**) tqarbina; komunjoni
communism n. Komuniżmu
communist adj. Komunist/a // n. Komunist
community n. komunità; ~ **centre** n. ċentru tal-komunità; ~ **chest** n. (US.) fond ta' benefiċenza
commutation ticket n. biljett tal-abbonament
commute vi. ikkommuta; biddel; ivvjaġġa // vt. (law) ikkommuta; naqqas mill-ħruxija tal-piena; ~**r** n. passiġġier; vjaġġatur
compact adj. kumpatt/a; ~ **disk** n. diska kumpatta
companion n. kumpann; sieħeb; ~**ship** n. sħubija
company n. (also comm., mil., theat.) kumpanija; **to keep sb.** ~ żamm kumpanija lil xi ħadd; ~ **secretary** n. (brit.) segretarju/ segretarja ġenerali
comparable adj. komparabbli; li jista' jitqabbel
comparative adj. relattiv; flessibbli; (adjective, etc.) komparattiv; ~**ly** adv. relattivament
compare vt. **to** ~ **sth./sb. with/to** ikkompara, qabbel lil xi ħadd ma' // vi. **to** ~ (**with**) qabbel, ikkompara (ma')
comparison n. paragun; xebh; tqabbil ma'
compartment n. kumpartiment; taqsima; qatgħa; diviżjoni (rail.) gabina f'ferrovija
compass n. boxxla; ~**es** n.pl. kumpass
compassion n. kompassjoni; sens ta' ħniena; mogħdrija
compatible adj. kompatibbli
compel vt. ġagħal b'saħħa; obbliga bil-qawwa kollha; ~**ling** adj. (fig. argument) irreżistibbli
compendium n. profil; bijografija; direttorju
compensate vt. ikkumpensa // vi. **to** ~ **for** ikkumpensa għal
compensation n. kumpens; rikumpens; tpattija; ħlas xieraq
comperè n. preżentatur/preżentatriċi
compete vi. (take part) ikkompeta; ipparteċipa; **to** ~ (**with**) ikkompeta ma'
competence n. kompetenza; abbiltà
competent adj. kompetenti
competition n. kompetizzjoni; (econ.) konkorrenza; parteċipazzjoni
competitive adj. (econ.) kompetittiv/a; (sport) kompetittiv; (person) kompetittiv/a; ~ **exam** konkors
competitor n. kompetitur/kompetitriċi
compile v. għamel kumpilazzjoni; damm; ġabar tagħrif, eċċ., flimkien biex jagħmel ktieb
complacency n. kompjaċenza
complacent adj. kompjaċenti; tal-pjaċir; sodisfatt bih innifsu
complain vi. **to** ~ **about** ilmenta; gerger; (in shop, etc.) ilmenta; ~**t** n. ilment; (med.) marda
complement n. kumplament // vt. (enhance) qabel ma'; sostna; ikkomplementa; ~**ary** adj. kumplementarju
complete adj. komplet/a // vt. lesta; (a form) mela; ~**ly** adv. kompletament
completion n. għemil sal-aħħar; tmiem
complex adj. kumpless/a; ikkumplikat/a // n. (psych., buildings) kumpless
complexion n. (of face) il-lewn tal-ġilda; karnaġġon

complexity n. kumplessità
compliance n. għemil li jwieġeb għal kmand, talba, xewqa, eċċ. ta' xi ħadd; ubbidjenza; **in ~ with** (orders, wishes, etc.) f'konformità ma'
complicate vt. ikkomplika; **~d** adj. ikkumplikat
complication n. kumplikazzjoni
complicity n. kompliċità
compliment n. kumpliment // vt. ikkumplimenta; għamel kumpliment; feraħ lil; **~s** n.pl. kumplimenti; **to pay sb. a ~** għamel kumpliment lil xi ħadd; **~ary** adj. kumplimentarju/ kumplimentarja; **~ary ticket** n. biljett kumplimentarju
comply vi. **to ~ with** ikkonforma ma'
component n. komponent
compose vt. ikkompona; **~d** adj. kalm; **~r** n. (mus.) kompożitur
composite adj., imħallat, n. tiżwiqa
composition n. kompożizzjoni; komponiment
compost n. kompost
composure n. kalma; ġabra; sabar; kwiet; skiet
comprehend vt. fehem
comprehension n. komprensjoni; fehim it-test
comprehensive adj. komprensiv; **~ policy** n. (insurance) assikurazzjoni li tkopri r-riskji kollha; **~ school** n. (brit.) skola sekondarja miftuħa għal kulħadd
compress vt. ikkompressa
comprise vt. (also **~d of**) ikkomprenda; inkorpora; inkluda
compromise n. kompromess // vt. ikkomprometta; vi. wasal għal kompromess
compulsion n. ġegħil bilfors, b'saħħa
compulsive adj. (psych.) inkontrollabbli
compulsory adj. obbligatorju/obbligatorja
computer n. kompjuter; **~ize** vt. ikkompjuterizza; **~ programmer** n. programmatur/ programmatriċi tal-kompjuters; **~ programming** n. l-ipprogrammar tal-kompjuter; **~ science**
computing n. informatika
comrade n. kumpann; sieħeb
con vt. (col.) qarraq // n. qerq; il-kontra; il-maqlub ta'
concave adj. milwi 'l ġewwa
conceal vt. ħeba; satar; għatta
concede v. ikkonċieda; ippermetta; ammetta; ċieda
conceit n. vanità; frugħa; **~ed** adj. mimli bih innifsu; vanituż; fieragħ
conceive vt. ikkonċepixxa // vi. ikkonċepiet (tarbija)
concentrate vi. ikkonċentra ruħu // vt. ikkonċentra
concentration n. konċentrazzjoni; **~ camp** n. kamp tal-konċentrament
concept n. kunċett
conception n. tnissil; konċepiment; ħbiela
concern n. relazzjoni; qsim ma'; (comm.) affari; xogħol; negozju; (anxiety) tħassib; ansjetà; preokkupazzjoni // vt. ikkonċerna; irrigwarda; **to be ~ed** (about) kien ippreokkupat dwar; **~ing** prep. li jirrigwarda
concert n. kunċert; **~ed** adj. kunċertat; **~ hall** n. sala tal-kunċerti
concertina n. konċertina
concerto n. kunċert
concession n. konċessjoni
conciliation n. konċiljazzjoni
concise adj. konċiż/a
conclude vt. ikkonkluda
conclusion n. konklużjoni; għeluq; tmiem; deċiżjoni
conclusive adj. konklużiv/a
concoct vt. sajjar; ħawwar; ħallat flimkien; ivvinta; **~ion** n. tisjir; taħwir; ivvintar; tpaspir
concourse n. (hall) atriju
concrete n. konkrit // adj. konkret/a
concur vi. issinkronizza; ikkoordina; qabel ma'; ftiehem ma'
concurrently adv. simultanjament
concussion n. ċaqliqa; theżżiża; kommozzjoni ċerebrali (tal-moħħ)
condemn vt. ikkundanna; **~ation** n. kundanna
condensation n. kondensazzjoni; taqsira
condense vi. ikkondensa ruħu // vt. ikkondensa
condescending adj. arroganti; mkabbar; patronizzanti
condition n. kundizzjoni // vt. ikkundizzjona; **on ~ that** bil-kundizzjoni li; **~al** adj. kondizzjonali; **~er** n. (for hair) balzmu (għax-xagħar)
condolences n.pl. kondoljanzi
condom n. kondom; preservattiv
condominium n. (US.) kondominju
condone vt. ħafer; għalaq għajnejh għal; ħalla jgħaddi
conducive adj. li jwassal; **~ to** favorevoli għal
conduct n. kondotta; mġiba // vt. iggwida; mexxa; wassal; (manage) idderieġa; (mus.) idderieġa; **~ed tour** n. ġita akkumpanjata minn gwida; **~or** (of orchestra) direttur tal-orkestra; (on bus) kunduttur; (elec.) li minnu jgħaddi l-kurrent elettriku; **~ress** n. (on bus) kunduttriċi
conduit n. tubu; conduit
cone n. kon
confectioner n. kunfettier; dulċier; **~'s** (shop) n. ħanut tal-helu; tad-dulċier; **~y** n. dolċerija
confederation n. konfederazzjoni
confer vt. **to ~ sth. on** ta (unuri, favuri) lil xi ħadd
confess vt. ikkonfessa; stqarr; ammetta // n. **~ion** n. qrara; konfessjoni; stqarrija

confetti n. konfetti
confide vi. **to ~ in** fetaħ qalbu ma'
confidence n. kunfidenza; (trust) fiduċja; (also **self-~**) fiduċja tal-bniedem fih innifsu; **in ~** (speak, write) kunfidenzjalment
confident adj. kunfidenti; **~ial** adj. kunfidenzjali
confine vt. ikkonfina ma'; illimita; (shut up) għalaq ġo; **~s** n.pl. konfini; tarf; xifer; limiti; **~d** adj. (space) konfinat; **~ment** n. għeluq; jasar; (med.) żmien tal-mara fis-sodda wara l-ħlas
confirm vt. ikkonferma; tenna; **~ation** n. konferma; konfermazzjoni; wetqa; Griżma tal-Isqof; **~ed** adj. kkonfermat/a
confiscate vt. ikkonfiska
conflict n. kunflitt // vi. kien f'kunflitt; **~ing** adj. kuntrastanti
conform vi. **to ~** (**to**) ikkonforma ma'
confound vt. ikkonfonda; ħawwad; fixkel
confront vt. ikkonfronta; (enemy, danger) affronta; **~ation** n. konfrontazzjoni
confuse vt. ħawwad; fixkel; saram; (one thing with another) ħawwad ħaġa m'oħra; **~d** adj. konfuż; mħawwad; ikkonfondut; mfixkel; misrum; skunċertat
confusing adj. li jħawwad; li jfixkel
confusion n. konfużjoni
congeal vi. (blood) nixef; għaqad
congenial adj. (person) dħuli; ħlejju; (thing) tajjeb; sabiħ; li jogħġob
congenital adj. istintiv; innat; bażiku; naturali
congested adj. konġestjonat
congestion n. konġestjoni
conglomerate n. total; massa
congratulate vt. **to ~ sb.** (on) ikkongratula; feraħ lil; qasam il-ferħ ma' xi ħadd
congratulations n.pl. kongratulazzjonijiet
congregate vi. nġabar; ngħaqad // vt. ġabar; laqqa' flimkien
congregation n. kongregazzjoni
congress n. kungress; **~man** n. (US.) membru tal-Kungress
conical adj. koniku
conifer n. konifera
conjecture n. konġettura; stħajjila; basra; suppożizzjoni
conjugal adj. konjugali; matrimonjali
conjugate v. ikkonjuga
conjunction n. konġunzjoni; rabta; għaqda
conjunctivitis n. konġuntivite
conjure vi. għamel is-sħarijiet, bużullotti, eċċ.; **to ~ up** vt. (ghost, spirit) evoka; **~r** n. min jagħmel il-bużullotti; saħħar
conman n. wieħed qarrieqi
connect vt. ikkonnettja; rabat; għaqqad flimkien; sensel; (elec.) qabbad; ikkonnettja; **to be ~ed with** (associated) kien assoċjat ma'; (by birth, marriage) kien jiġi minn; **~ion** n. konnessjoni; (elec.) konnessjoni; (tel.) kollegament; **in ~ion with** f'konnessjoni ma'; b'riferiment għal
connive vi. ħalla jgħaddi, isir; għamel tabirruħu li ma kienx konxju milli kien qed iseħħ
connoisseur n. wieħed li jagħraf u jagħżel sewwa
conquer vt. ikkonkwista; (feelings) rebaħ
conquest n. konkwista
cons n.pl. see **convenience, pro**
conscience n. kuxjenza
conscientious adj. kuxjenzjuż/a
conscious adj. konxju/konxja
conscript n. koskritt
consecrate v. ikkonsagra
consecutive adj. konsekuttiv/a
consensus n. konsensus; qbil
consent n. kunsens; għotja ta' permess // vi. **to ~** (**to**) ikkonsenta għal
consequence n. konsegwenza
consequently adv. konsegwentament
conservation n. konservazzjoni
conservative adj. konservattiv/a; (cautious) kawt/a
conservatory n. konservatorju; (greenhouse) n. serra
conserve vt. ikkonserva // n. konserva
consider vt. ikkonsidra; (take into account) ta kas ta'; **to ~ doing sth.** ikkonsidra li jagħmel xi ħaġa
considerable adj. konsiderevoli
considerably adv. konsiderevolment
considerate adj. prudenti; tal-ħsieb; li jaħseb u jixtarr sewwa
consideration n. konsiderazzjoni; (reward) rimunerazzjoni
considering prep. fil-kunsiderazzjoni ta'
consign vt. ikkunsinna; ta lil; għadda xi ħaġa f'idejn ħaddieħor; (send: goods) bagħat; **~ment** n. kunsinna; twassil ta' merkanzija
consist vi. **to ~ of** ikkonsista fi
consistency n. konsistenza; (fig.) koerenza
consistent adj. konsistenti; koerenti; (constant) kostanti; **~ with** kompatibbli, konformi ma'
consolation n. konsolazzjoni; faraġ; sabar
console vt. ikkonsla; farraġ; sabbar
consonant n. konsonanti
consortium n. konsorzju
conspicuous adj. prominenti; magħruf; li jagħti fil-għajn; msemmi
consolidate v. ikkonsolida
conspiracy n. konfoffa; konġura

conspire vt. ikkonfoffa; ikkonġura
constable n. (brit.) kuntistabbli; pulizjott
constabulary n. forzi tal-ordni
constant adj. kostanti; kontinwu; **~ly** adv. kostantament; kontinwament
constellation n. kostellazzjoni
consternation n. kosternazzjoni; biża' kbir
constituency n. kostitwenza
constituent n. elettur/elettriċi; (part) element, komponent
constitute v. ikkostitwixxa; waqqaf; organizza; ifforma; sawwar; stabbilixxa
constitution n. kostituzzjoni; **~al** adj. kostituzzjonali
constraint n. ġegħil bilfors; obbligar; rass; kostrinġiment; sfurzar
construct vt. ikkostruwixxa; bena; għaqqad flimkien; **~ion** n. binja; kostruzzjoni; **~ive** adj. kostruttiv
construe vt. interpreta
consul n. konslu; **~ate** n. konsolat
consult vt. ikkonsulta; **~ant** n. (med.) konsulent mediku; (other specialist) konsulent; **~ing room** n. (brit.) ambulatorju
consume vt. ikkonsma; **~r** n. konsumatur/konsumatriċi; **~r goods** n.pl. oġġetti tal-konsum; **~r society** n. soċjetà tal-konsumi
consummate vt. ikkonsma
consumption n. konsum
cont. abbr. of **continued**; jitkompla
contact n. kuntatt; (person) konoxxenza // vt. ikkuntattja; **~ lenses** n.pl. contact lenses
contagious adj. kontaġġuż; li jittieħed
contain vt. kien fih; żamm ġo fih; inkluda; **~er** n. kontenitur; reċipjent; (for shipping, etc.) kontejner
contaminate vt. ikkontamina; niġġes
contamination n. tniġġis; kontaminazzjoni
cont'd see **cont.**
contemplate vt. ikkontempla; (consider) ikkunsidra; fela u eżamina tajjeb
contemporary adj. kontemporanju/ kontemporanja; (design) modern // n. kontemporanju/ kontemporanja
contempt n. disprezz; stmerrija; tmaqdir; żeblih; tkażbir; **~uous** adj. abbużiv; offensiv; bla rispett
contend vt. **to ~ that** ikkontenda, sostna li // vi. **to ~ with** iġġieled kontra; ħaqqaqha ma'; **~er** n. kontendent; konkorrent
content adj. kuntent/a // vt. ikkuntenta; issodisfa // n. kuntentizza; ferħ; hena; **~s** n.pl. kontenut; sustanza; (table of) **~s** indiċi; **~ed** adj. kuntent/a; sodisfatt/a
contention n. silta; ġlieda; tħaqqiqa; (assertion) allegazzjoni; dikjarazzjoni
contentment n. kuntentizza
contest n. silta; ġlieda; (competition) kompetizzjoni; konkors // vt. ikkontesta;(compete for) ikkompeta; **~ant** n. kontestant; konkorrent; (in fight) avversarju/avversarja
context n. kuntest
continent n. kontinent; **the C~** (brit.) il-Kontinent; **~al** adj. kontinentali // n. abitant tal-Ewropa Kontinentali
contingency n. kontinġenza; rappreżentanza; **~ plan** n. pjan t'emerġenza
contingent adj. kontinġent
continual adj. kontinwu; bla heda; li ma jaqta' xejn
continuation n. tkomplija; kontinwazzjoni; (after interruption) tkomplija (ta' dak li jkun qed isir); (of story) tkomplija
continue v. kompla; issokta; ikkontinwa; (start again) reġa' kompla
continuity n. kontinwità
continuous adj. kontinwu
contort vt. baram; lewa; għawweġ // n. **~ion** barma; liwja; tagħwiġa; **~ionist** akrobata
contour n. kontorn; profil
contraband n. kuntrabandu
contraception n. kontraċezzjoni
contraceptive adj. kontraċettiv
contract n. kuntratt // vi. nġibed; nxtorob; qsar; tkemmex; (comm.): **to ~ to do sth.** għamel kuntratt biex iwettaq xi ħaġa (proġett, bini, eċċ.); **~ion** n. kontrazzjoni; tiġbid; taqsir; tikmix; **~or** n. kuntrattur
contradict vt. ikkontradixxa; miera
contraption n. (pej.) apparat; strument; invenzjoni
contrary adj. kuntrarju/kuntrarja; (unfavourable) kuntrarju; (perverse) biżbetiku/biżbetika // n. kuntrarju; **on the ~** bil-kuntrarju
contrast n. kuntrast // vt. ikkuntrasta
contravene vt. għamel kontravenzjoni; mar kontra l-liġi; kiser xi patt
contribute vi. ikkontribwixxa // vt. **to ~ to** ikkontribwixxa għal
contribution n. kontribuzzjoni
contributor adj. kontributur/kontributriċi; (to newspaper) kollaboratur/kollaboratriċi
contrive vt. ivvinta; ra kif għamel; sab irkaptu (ta' xi ħaġa) // vi. **to ~ to do** ra kif għamel
control vt. ikkontrolla; iddomina; liġġem; irregola; (firm, operation, etc.) idderieġa; (check) iċċekkja // n. kontroll; **~s** n.pl. kontrolli; **under ~** taħt kontroll; **to be in ~** kellu awtorità fuq; kien responsabbli minn; **to go out of ~ (car)** tilef il-kontroll (tal-vettura); **~ room** n.

(naut., mil.) sala tal-kontrolli; (radio., tv.) kamra tar-reġija; ~ **tower** n. (aviat.) torri tal-kontroll
controversial adj. kontroversjali; polemikuż
controversy n. kontroversja; polemika
conurbation n. konurbazzjoni
convalescence n. konvalexxenza
convalescent n. wieħed konvalexxenti; li għadu kemm qam minn marda
convene vt. sejjaħ; laqqa'; ġabar flimkien; ħarrek u ressaq quddiem il-qorti
convenience n. konvenjenza; **at your** ~ għall-kumdità tiegħek; **all modern ~s** il-kumditajiet moderni kollha
convenient adj. konvenjenti; komdu/komda
convent n. kunvent; monasteru; abbatija
convention n. konvenzjoni; (meeting) konvenju; **~al** adj. konvenzjonali
converge v. ressaq; laqqa'; ġibed lejn in-nofs
conversant adj. familjari ma'; **to be ~ with** kien familjari ma'; kien konxju minn
conversation n. konverżazzjoni; taħdita; diskursata; **~al** adj. informali
convert vt. (rel., comm.) ikkonverta; (alter) bidel; ittrasforma // n. konvertit/a; **~ible** adj. (currency) konvertibbli; li tista' tinbidel // n. karozza bis-saqaf jinfetaħ u jingħalaq
convex adj. li hu mqabbeż 'il barra għat-tond
convey vt. ittrasporta; ħa; wassal; (thanks) ikkomunika; wassal; (idea) ta; **~or belt** n. ċintorin elettroniku li jintuża biex jittrasporta diversi oġġetti
convict vt. iddikjara ħati // n. kalzrat/a; ħabsi/ja; ħati/ħatja; ; **~ion** n. kundanna; (belief) konvinzjoni
convince vt. ikkonvinċa
convincing adj. konvinċenti
convoluted adj. (argument) involut/a
convoy n. konvoj
convulse vt. ħawwad; ikkonfonda
convulsion n. konvulżjoni; taqliba qawwija ħtija ta' sogħla, daħk, eċċ.
cook vt. sajjar // vi. issajjar; (person) sajjar // n. kok/a; **~book** n. (brit.) = **~book** ktieb tar-riċetti; **~ie** n. (US.) gallettina; **~ing** n. tisjir
cool adj. frisk/a; (not afraid) kalm/a; (unfriendly) indifferenti; kiesaħ/kiesħa; (impertinent) sfaċċat // vt. berred; fettel; kessaħ
coop n. kabina; stalla; gallinar // vt. **to ~ up** (fig.) ikkalzra; irrestrinġa; sakkar
cooperate vi. ikkoopera
cooperation n. kooperazzjoni
cooperative adj. kooperattiv; li jikkoopera // n. kooperattiva
coordinate vt. ikkoordina // n. (math.) koordinata; **~s** n.pl. (clothes) koordinati
coordination n. koordinazzjoni; tqassim ta' ħwejjeġ f'posthom u bl-ordni
cop n. (col.) kuntistabbli
cope vi. irnexxielu; laħħaq; ħabbatha ma' u kellu suċċess; **to ~ with** (problems) iffaċċja (l-problemi)
copious adj. abbundanti; li fih bosta
copper n. ram; nħas; nħasa; (col. policeman) kuntistabbli; **~s** n.pl. muniti żgħar
copulate vi. ngħaqdu sesswalment
copy n. kopja; (book) eżemplari // vt. ikkopja; **~right** n. drittijiet tal-awtur
coral n. qroll
cord n. kurdun; ħabel irqiq; rumnell; lenza; siegla
cordial n. kordjali // adj. sinċier
cordon n. kurdun; ħabel
corduroy n. korduroj
core n. (of fruit) il-qalba; il biċċa ta' ġewwa; (tech.) ċentru // vt. ħareġ il-qalba ta'
cork n. sufra; (of bottle) tapp tas-sufra; **~screw** n. trabuxù
corn n. qamħ; tgħam; (on foot) kallu tal-ġilda; **~-plaster** n. impjastru għall-kallijiet
cornea n. kornea
corned beef n. bulibif; laħam ippreservat fil-landi
corner n. kantuniera; liwja f'ħajt; rokna; (aut.) kisra // vt. sakkar; ġab dahru mal-ħajt; (comm. market) ikkapparra; **~stone** n. il-ġebla tax-xewka
cornet n. (mus.) trumbetta; (ice cream) lembut; kornett (tal-ġelat)
cornflakes n. cornflakes
cornflour n. (brit.) xorta ta' dqiq
Cornwall n. Cornwall
corny adj. (col.) sentimentali; (theatrical) artifiċjali; esaġerat; (stale) banali; tas-soltu; li jdejjaq
coronary n. ~ **thrombosis** trombosi koronarja
coronation n. inkurunazzjoni
coroner n. il-maġistrat li jagħmel l-aċċess jew l-inkjesta
coronet n. dijadema; kuruna żgħira li tindika nobbiltà jew inkella bħala ornament għar-ras
corporal adj. tal-ġisem; li mhux spiritwali // n. ~ **punishment** swat bħala kastig għal reat kriminali
corporate adj. kostitwit/a; komuni
corporation n. (of town) kunsill komunali; (comm.) korporazzjoni
corps (pl. **corps**) n. korp
corpse n. katavru

corral n. post magħluq bħala difiża
correct adj. (accurate) korrett/a; eżatt/a; (proper) korrett/a // vt. ikkoreġa; sewwa; ~**ion** n. korrezzjoni
correlation n. korrelazzjoni
correspond vi. ikkorrisponda; ~**ence** n. korrispondenza; ~**ence course** n. kors ta' korrispondenza; ~**ent** n. korrispondent
corridor n. kuritur
corrode vt. ittiekel, ikkorroda
corrugated adj. mkemmex; mmewweġ; mħatteb
corrupt adj. korrott/a // vt. ikkorrompa; ~**ion** n. korruzzjoni
corset n. kursett (ta' mara)
Corsica n. Korsika
cortège n. korteo; segwitu; grupp ta' nies li jimxu wara xi ras kbira
cosmetic n. kożmetiku
cosmic adj. kożmiku/kożmika
cosmonaut n. kożmonawta
cosmopolitan n. kożmopolitan
cosmos n. kożmos
cosset vt. fissed; għannaq
co-star n. attur/attriċi importanti daqs il-protagonista
cost-effective adj. konvenjenti
costly adj. għali; li jqum; li jiswa wisq
cost price n. (brit.) kemm jiswa l-oġġett
costume n. kostum; (lady's suit) libsa; moda tal-ilbies; qatgħa, għamla, eċċ.; (also **swimming** ~) malja tal-għawm
cosy adj. komdu; lqugħi; kenni; għall-irdoss
cot n. benniena; nieqa; branda
cottage n. dwejra; dar ċkejkna (fil-kampanja); għarix; ~ **industry** n. industrija artiġjanali bbażata fuq ix-xogħol fid-djar; ~ **pie** n. platt magħmul minn laħam u purè tal-patata
cotton n. qoton; tajjar; **to** ~ **on to** vt. (col.) ħafen; qabad sew f'idejh; ~ **wool** n. (brit.) maħluġ
couch n. sufan; kanapè // vt. esprima
cough vi. sogħol // n. sogħla; ~ **drop** n. ħelwa għal kontra s-sogħla
could (pt. of **can**) ~**n't** = **could not**
council n. kunsill; **city** or **town** ~ **kunsill komunali**; kunsill lokali; ~ **estate** n. kwartier ta' djar popolari; ~ **house** n. (brit.) dar popolari; ~**lor** n. kunsillier/a
counsel n. avukat; konsultazzjoni; parir; suġġeriment; rakkomandazzjoni; twiddiba; ~**lor** n. kunsillier/a
count vt., vi. għadd; ikkontja // n. kont; (nobleman) konti; **to** ~ **on** vt. rabat fuq (xi persuna); fada fi; ~**down** n. countdown
countenance n. wiċċ; bixra; għamla; espressjoni tal-wiċċ; fiżjonomija; aspett // vt. approva; wieżen; laqa' tajjeb
counter n. bank ta' ħanut // vt. oppona għal // adv. ~ **to** kontra; bil-maqlub; l-oppost; ~**act** vt. oppona; fixkel; għamel bil-maqlub, bil-kontra; għamel l-oppost; (poison, etc.) ħassar l-effetti ta'; ~**-espionage** n. kontrospjunaġġ
counterfeit n. ħaġa falza // vt. iffalsifika // adj. falz/a
counterfoil n. matriċi
countermand vt. annulla; ħassar
counterpart n. (of document, etc.) kopja; (of person) korrispondent
countersign vt. il-marka; il-firma
countess n. kontessa
countless adj. bla għadd
country n. pajjiż; (native land) patrija; (as opposed to town) kampanja; (region) reġjun; ~ **dancing** n. (brit.) żifna popolari; ~ **house** n. villa/dwejra fil-kampanja; ~**man** n. (national) kumpatrijott; (rural) pajżan; raħħal; ~ **side** n. kampanja
county n. kontea; qasam ta' art ta' xi konti
coup, ~**s** n. kolp; (also ~ **d'ètat**) kolp ta'stat
couple n. koppja // vt. igganċja; (tech.) għaqqad; żewweġ; (ideas, names) assoċja
coupon n. kupun; (comm.) kupun
courage n. kuraġġ; qlubija
courier n. kurrier; (for tourists) gwida
course n. kors; korsa; mixi; direzzjoni; (of ship) rotta; (for golf) korsa; (part of meal) platt; **first** ~ l-ewwel platt; **of** ~ dażgur; naturalment; ~ **of action** mod t'azzjoni; ~ **of lectures** kors ta' lezzjonijiet; adj. ~ **of treatment** (med.) kors ta' kura
court n. qorti; bitħa; (tennis) post fejn jintlagħab it-tennis // vt. (woman) innamra ma'; wera ġibda lejn xi ħadd għaż-żwieġ; **to take to** ~ tella' l-qorti
courteous adj. dħuli; ħelu; ġentili
cortesan n. prostituta ta' klassi għolja
courtesy n. kortesija; **by** ~ **of** bi pjaċir ta'; b'favur ta'
court-house n. palazz tal-ġustizzja
courtier n. korteġġjan/a
court-martial n. qorti marzjali
courtroom n. tribunal
courtyard n. bitħa pavimentata u mdawra bil-bini
cousin n. kuġin; **first** ~ kuġin prim
cove n. qala; daħla żgħira tal-baħar; kalanka
covenant n. ftehim; konvenju; patt

cover vt. għatta; kesa; kennen; satar; leff // n. (of pan) għatu; (over furniture) għata; (of book) qoxra; kopertina; (shelter) kenn; (comm., insurance) kopertura; **to take ~** ħa l-kenn; **under ~** għall-kenn; għall-irdoss; **under ~ of darkness** fis-satra tal-lejl; **~age** n. (press, tv., radio): **to give full ~age to sth.** ta servizz sħiħ (fuq xi ħadd, xi avveniment, eċċ.); **~ ing** n. għata; **~ing letter**, (US.) **~ letter** n. ittra t'akkumpanjament

covert adj. (hidden) mistur; mistoħbi

covet vt. ixxennaq għal; kien imlebleb għal; xtaq bil-bosta

cow n. baqra // vt. (person) intimida

coward n. beżżiegħ; viljakk; ġifa; **~ice** n. biża'; viljakkerija; **~ly** adj. beżżiegħ; viljakk

cowboy n. cowboy

cower vi. nġibed lura; baża'

coxswain n. koksin; tmunier

coy adj. mistħi; [illegible]; [illegible]/a

cozy see **cosy**

crab n. granċ; **~ apple** n. tuffieħa selvaġġa

crack n. xaqq; qasma; (noise) ċaqċiqa; tifqigħa; (joke) ċajta; (col. attempt) **to have a ~ at sth.** ħa ċ-ċans; ittenta jwettaq xi ħaġa // vt. qasam; xaqqaq; (whip) ċaqċaq; faqqa'; (nut) faqqa'; **to ~ down on** vt. waqqaf; rażżan; **to ~ up** vi. ikkrolla; **~er** n. xorta ta' biskuttina; murtal

crackle vi. faqqa'; ċaqċaq

cradle n. nieqa; benniena

craft n. sengħa; ħila; mestier; (cunning) qerq; ħażen; malizzja; (boat) bastiment żgħir; **~sman** n. ħaddiem tas-sengħa; mgħallem; **~smanship** n. abbiltà; ħila; sengħa; **~y** adj. astut; ħajjen; makakk; malizzjuż; ħażin; brikkun

crag n. blata

cram vt. (fill): **to ~ sth. with** mela xi ħaġa bi; (put): **to ~ sth. into** għaffeġ, rass xi ħaġa fi // vi. (for exams) ħejja ruħu (b'għaġla kbira) għall-eżami

cramp n. bugħawwieġ; **~ed** adj. ristrett

crampon n. (climbing) ponta tal-ħadid fiż-żraben tat-tixbit

cranberry n. xorta ta' frotta

crane n. krejn; (bird) għarnuq

cranny n. see **nook**

crash n. kraxx; faqgħa; rvina; għawġ; (of car) ħabta // vi. (of plane) ikkraxxja; (car) ħabtet; (two cars) ħabtu; (fig.) falla; waqa' fir-rovina; **to ~ into** ħabat ġo; **~ course** n. kors intensiv; **~ helmet** n. crash helmet

crate n. qartalla; kannizz

crater n. kratier; ħofra kbira fil-quċċata ta' vulkan; bokka; fomm

cravat(e) n. ingravata; maktur tal-għonq

crave vt., vi. **to ~ (for)** talab bil-ħrara għal; xtaq bil-qalb u b'ħerqa kbira; lebleb għal

crawl vi. kaxkar; karkar; (vehicle) mexa bil-mod (iħokk mal-art)

crayfish n. (freshwater) xorta ta' awwista; ċkala kbira

crayon n. krejon; lapes tal-kulur

craze n. manija; ġenn

crazy adj. miġnun; **~ paving** n. paviment imxiegħer, mxaqqaq

creak vi. żaqżaq; ċaqċaq; żaqżiqa; ċaqċiqa

cream n. krema; (fresh) panna // adj. (colour) lewn li jagħti fl-isfar; **~ cake** n. pasta tal-krema; **~ cheese** n. ġobon frisk; **~y** adj. bil-krema; **ice-~** n. ġelat

crease n. tinja; tikmixa; (deliberate) pjieg // vt. kemmex

create vt. ikkrea; ħoloq

creation n. kreazzjoni; ħolqien

creative adj. kreattiv

creator n. kreatur; ħallieq; inventur

creature n. kreatura; ħlejqa

crèche n. istitut tat-tfal

creche see **crèche**

credence n. twemmin; fidi

credentials n.pl. (papers) kredenzjali

credibility n. kredibbiltà

credible adj. kredibbli

credit n. kreditu; twemmin; fiduċja; unur // vt. (comm.) ikkredita; (believe: also: **give ~ to**) emmen fi; **~s** n.pl. (cine.) titli; **to ~ sb. with** (fig.) attribwixxa għal xi ħadd; **to be in ~** (person) kien fil-krittu; (bank account) kopert; **~ card** n. karta ta' kreditu; **~or** n. midjun; kreditur/kreditriċi

creed n. kredu; duttrina

creek n. qala; daħla tal-baħar; port ċkejken

creep (pt., pp. **crept**) vi. tkaxkar; tkarkar; (plant) ixxeblek; **~er** n. pjanta li tixxeblek; **~y** adj. (frightening) tal-biża'; li jġib it-tkexkix fil-ġisem

cremation n. kremazzjoni

crèpe n. **~ bandage** n. faxxa li tiġġebbed

crept (pt., pp. of **creep**) mkaxkar, mkarkar, mxebblek

crescent n. (shape) il-qamar fl-ewwel u fl-aħħar kwart; (street) triq ġejja nofs tond

cress n. diversi pjanti bil-weraq jittiekel

crest n. għalla ta' serduq; quċċata ta' muntanja; xifer ta' għolja; pjuma; ir-ragħwa ta' xifer il-mewġ; **~fallen** adj. mortifikat/a

Crete n. Kreta

crevice n. xaqq; qasma fil-blat
crew n. ekwipaġġ; **to have a ~-cut** qaxxar xagħru
crib n. maxtura; nieqa; benniena; għarix; (rel.) presepju
crick n. diffikultà; weġgħa; spażma
cricket n. (insect) grillu; werżieq; sersur; (game) cricket
crime n. delitt; għemil gravi li jikser il-liġi
criminal adj., n. kriminal
crimson adj. krimżi; aħmar dagħmi; kark; aħmar qawwi u jgħajjat
cringe vi. melles iżżejjed; sellem u baxxa rasu sal-art; (fig.) ġieħ esaġerat
crinkle vt. faqqa'; ċaqċaq
cripple n. zopp; magħtub // vt. zappap
crisis n. kriżi
crisp adj. mqarqaċ; mġiegħed; **~s** n.pl. (brit.) patata mqattgħa rqiqa u moqlija
criss-cross n. żewġt iħżuż, toroq, eċċ. imsallbin
criterion (pl. **criteria**) n. kriterju/kriterji
critic n. kritiku/kritika; **~al** adj. kritiku/a; **~ally** adv. (speak, etc.) kritikament; **~ally ill** marid serjament; **~ism** n. kritika; (study) kumment studjat ta' xi xogħol artistiku, eċċ.; **~ize** vt. ikkritika
croak n. leħen oħxon u maħnuq (eż. taż-żrinġ, ċawl, eċċ.)
crochet n. xorta ta' ħjata b'labra forma ta' ganċ
crockery n. xogħlijiet tal-fuħħar/fajjenza
crocodile n. kukkudrill
crocus n. pjanta żgħira bi fjuri sofor, bojod jew vjola
croft n. (brit.) biċċa raba' żgħira
crony n. (col.) ħabib/a intimu/intima
crook n. ħalliel; brikkun; ganċ; (of shepherd) għasluġ; (of bishop) baklu; **~ed** adj. mgħawweġ; milwi; qarrieqi; ħajjen; brikkun; (action) diżonestà
crop n. (produce) ħasda; ħsad; kultivazzjoni; (amount produced) ġabra; ħsad; (**riding ~**) frosta; **to ~ up** vi. nqala'; feġġ
croquette n. pulpetta tal-laħam, tal-ħut, eċċ.
cross n. salib // vt. (streets, etc.) qasam; (cheque) żgassa // adj. mdejjaq; bil-buri; b'burdata ħażina; **to ~ os.** għamel is-sinjal tas-salib; **to ~ out** vt. ħassar; ikkanċella; **to ~ over** vi. qasam; **~bar** n. traversa; **~country** (race) n. cross-country; **~-examine** vt. (law) interroga fil-kuntradittorju; **~-eyed** adj. werċ; (sea passage) traversata; **~ing guard** n. (US.) wieħed li jgħin lit-tfal sabiex jaqsmu t-triq; **~ purposes** n.pl. **to be at ~ purposes** ma kinux qed jitkellmu fuq l-istess ħaġa, fuq l-istess interessi; **~roads** n. salib it-toroq; **~section** n. (in population) settur rappreżentattiv; **~walk** n. (US.) strixxi li wieħed jaqsam it-triq minn fuqhom; **~wind** n. riħ kuntrarju; **~wise** adv. bil-kuntrarju; **~-breed** adj. bastard; bagħli
crotch n. (of garment) l-angolu ta' bejn il-friegħi/riġlejn
crotchet n. (mus.) semi-minima
crouch vi. qagħad kokka; libet; trekken; tgeddes f'rokna
crow n. (bird) ċawlun; (of cock) il-għajta tas-serduk // vi. (cock) idden; (fig.) feraħ, għajjat bil-ferħ tar-rebħa
crowbar n. ħadida milwija biex tiġbed jew tilleva oġġett tqil biha
crowd n. folla; kotra; ġemgħa kbira ta' nies // vt. iffolla; rass; **~ed** adj. iffullat; maħnuq; ippakkjat; **~ed with** iffullat bi; mimli bi
crown n. kuruna; (of hill) il-quċċata // vt. inkuruna; **~ jewels** n.pl. il-ġojjelli tal-Kuruna; **~ prince** n. il-prinċep ereditarju
crucial adj. kruċjali; deċiżiv
crucifix n. kurċifiss; **~ion** n. kruċifissjoni; tislib
crucible n. griġjol; reċipjent li jiflaħ għan-nar; (fig.) prova ħarxa, iebsa
crucify v. sallab
crude adj. (materials) nej; mhux raffinat; (fig. basic) primittiv; bażiku; (vulgar) rozz; bla galbu; bla grazzja
cruel adj. kiefer; kattiv; krudil; qalbu ħażina; **~ty** n. krudeltà; kefrija; ħruxija; qalb ħażina
cruet n. oljera (fliexken żgħar tal-ħġieġ għaż-żejt, ħall, eċċ. għal fuq il-mejda); kunjett
cruise n. kruż; kruċiera; vjaġġ għall-pjaċir fuq vapur tat-turisti // vi. (taxi) iċċirkola; **~r** n. krużer; bastiment tal-gwerra
crumb n. farka ħobż; bieba tal-ħobż; biċċa żgħira
crumble v. iddiżintegra; iddeterjora; tfarrak; iġġarraf; (building, fig.) ikkrolla; iġġarraf
crumbly adj. li jitfarrak; fraġli
crumple vt. għattan; għaffeġ; għawweġ; kemmex; qanfed; għafas; sforma; għarraq
crunch vt. qarmeċ; farrak; (underfoot) saħaq (b'idejh jew b'saqajh) // n. (fig.) punt jew mument kruċjali; **~y** adj. li jitfarrak; fraġli
crusade n. kruċjata
crush n. tagħfiġa; tagħtina; tifrika; rassa ta' nies // vt. għaffeġ; farrak; kisser; għattan; qered
crust n. qoxra; qoxra tal-ħobż; żliega
crutch n. krozza
crux n. kriżi; dilemma; emerġenza
cry vi. beka; (shout: also **~ out**) għajjat; xandar // n. għajta; bikja; twerżiqa; karba; tnehida ta' dwejjaq, ta' wġigħ; **to ~ off** vi. irtira

crypt n. kripta; kennierja
cryptic adj. ermetiku/ermetika
crystal n. kristall; **~-clear** adj. kristallin
cub n. ferħ; ġeru ta' annimal
Cuba n. Kuba
cubbyhole n. rokna għal xi ħażna żgħira
cube n. kubu
cubic adj. kubiku/kubika; (metre, foot) kubu
cubicle n. ċella; kamra żgħira f'kunvent, ħabs, eċċ.; post tal-irqad f'kulleġġ
cuckoo n. kukù; daqquqa; sultan il-gamiem; (fig.) miġnun; mberfel; **~ clock** n. arloġġ tal-kukù
cucumber n. ħjara
cuddle vt. għannaq; kennen miegħu // vi. tgeddes; trekken
cue n. (**snooker ~**) stikka; (theater, etc.) sinjal
cuff n. (brit. of shirt, coat, etc.) pulzier; **off the ~** adv. ta' dak il-ħin
cuisine n. kċina; ikel; tisjir
cul-de-sac n. sqaq
culinary adj. tal-kċina; tat-tisjir
cull vt. għażel; issepara
culminate vi. **to ~ in** tala'; laħaq il-quċċata, il-klajmaks
culmination n. il-qofol; il-final; il-konklużjoni
culpable adj. ħati; kolpevoli; li ħaqqu l-kastig
culprit n. il-ħati; il-kolpevoli; l-akkużat; id-delinkwent
cult n. kult
cultivate vt. (also fig.) ikkultiva; ħarreġ; rawwem
cultivation n. kultivazzjoni
cultural adj. kulturali
culture n. (also fig.) kultura; **~d** adj. kolt/a
cumbersome adj. fixkieli; taqqali; goff
cumulative adj. akkumulattiv; li joktor fl-għadd ma' kull żieda
cunning n. ħjiena; makakkerija; malizzja; astuzja // adj. malizzjuż; ħajjen; makakk; li jilħaqlu
cup n. kikkra; kus; (prize) tazza (mogħtija bħala premju)
cupboard n. armarju
Cupid n. alla tal-imħabba, Kupidu
cup-tie n. (brit.) partita għat-tazza
curate n. kappillan
curator n. kuratur; direttur (ta' mużew, arkivju, eċċ.)
curb n. rażna; żamma; lġiem; brilja; kurduna ta' bankina // vt. liġġem; rażżan; żamm; irregola; ikkontrolla
curdle vi. intensifika ruħu; ikkondensa; ħxien
cure vt. ikkura; fejjaq; dewwa; ħa ħsieb marid; dar b'marid; immedika // n. kura; fejqan; rimedju
curfew n. kerfju; il-ħin, imponut f'xi liġi marzjali jew fi żmien ta' gwerra, li fih irid jintefa kull dawl jew li ħadd ma jista' joħroġ fit-toroq
curiosity n. kurżità
curious adj. kurjuż/a
curl n. nokkla // vt. baram; kebbeb // vi. innokkla; **to ~ up** vi. tkebbeb spirall
currant n. passulina
currency n. munita; **to gain ~** (fig.) akkwista firxa wiesgħa
current adj., n. kurrenti; ġieri; taż-żmien preżenti; **~ account** n. (brit.) kont kurrenti; **~ affairs** n.pl. ġrajjiet kurrenti; **~ly** adv. attwalment
curriculum pl. **~s** or **curricula** n. kurrikulu/ kurrikuli; **~ vitae (CV)** n. curriculum vitae
curry n. kari // vt. **to ~ favour with** ipprova jidħol fil-grazzja jew fil-favuri ta' (xi ħadd)
curse vt. dagħa; ħalef; seħet; każbar; xtaq deni u ħsara // n. dagħwa; ħalfa; saħta
cursor n. (comput.) cursor
cursory adj. mgħaġġel; superfiċjali; ta' malajr u bla kont
curt adj. qasir; konċiż; li jaqta' fil-qasir; xott fil-kliem
curtail vt. (visit, etc.) qassar; (expenses, etc.) naqqas
curtain n. purtiera
curtsey n. inkin; riverenza // vi. inkina; għamel riverenza
curve n. kurva; tagħwiġa; liwja fit-tond (forma ta' qaws) // vi. tgħawweġ; ntlewa
cushion n. kuxin; mħadda
custard n. (for pouring) krema
custodian n. kustodju; għassies; gwardjan
custody n. (of child) kustodja; (for offenders) arrest
custom n. drawwa; kostum; użanza; għada; abitudni; (law) konswetudni; (comm.) klijentela; **~ary** adj. tas-soltu; abitwali; konswet
customer n. klijent; parruċċan; xerrej
custom-made adj. (clothes) magħmulin fuq il-qies; (other goods) magħmulin skont l-ordni
customs n.pl. dwana; **~-officer** n. uffiċjal tad-dwana
cut v. (pt., pp. **cut**) vt. qata'; qasam; nifed; (shape, make) qata'; (reduce) naqqas; irriduċa // vi qata' // n. qatgħa; qasma; farrett; ferita; tifsila; (in salary, etc.) qtugħ (ta' pagi, eċċ.); **to ~** adj. **tooth** għamel sinna; **to ~ down** vt. (tree, etc.) qata' // vt. (also **~ down on**) irriduċa; naqqas; **to ~ off** vt. qata'; (fig.) iżola; **to ~ out** vt. qata' barra; elimina; **to ~ up** vt. (paper, meat) qatta' biċċiet; **~back** n. tnaqqis

cute adj. grazzjuż; (clever) astut; li jilħaqlu; rasu tajba
cutlery n. pożati
cutlet n. kotoletta; qatgħa laħam; silta laħam jew tal-ħut moqlija
cutout n. (**cardboard** ~) biċċa maqtugħa fuq kartonċina; **~-price**, (US.) **~-rate** adj. prezz imnaqqas
cut-throat n. assassin; adj. qattiel; wieħed tas-sikkina;
cutting adj. qatgħa // n. (brit. from newspaper) biċċa maqtugħa minn xi gazzetta
CV n. abbr. of **Curriculum Vitae**
cycle n. ċiklu; (bicycle) rota // vi. saq ir-rota
cyclone n. ċiklun
cylinder n. ċilindru
cymbals n.pl. ċimblu
cynic n. ċiniku; **~al** adj. ċiniku/ċinika; **~ism** n. ċiniżmu
cypress n. ċipress
Cypriot adj, n. Ċiprijott/a
Cyprus n. Ċipru
cyst n. ċesta; nefħa; nuffata jew għoqda, li titrabba fil-ġilda
czar n. kżar
Czech adj. Ċek/a // n. Ċek; (ling.) iċ-Ċek
Czechoslovakia n. iċ-Ċekoslovakkja; **~n** adj. Ċekoslovakk/a

D d

d ir-raba' ittra tal-alfabett Ingliż
D n. (mus.): re
dab vt. (wound, paint) mess; laqat ħafif ħafif // n. (little bit) messa; (of paint) lessa, laqta ħafifa (biż-żebgħa)
dabble vi. **to ~ in sth.** okkupa ruħu b'xi biċċa xogħol (ta' dilettant)
dad (also **daddy**) n. pa; missier
daffodil n. ranċiż (pjanta/fjura)
daft adj. (col.) belhieni
dagger n. stallett
daily adj. kwotidjan; ta' kuljum // n. (press.) ġurnal kwotidjan // adv. kuljum
dainty adj. delikat; grazzjuż
dairy n. (brit. shop) fejn jinbiegħ u jinżamm il-ħalib; (on farm) fejn jinħalbu l-baqar u jinżamm il-ħalib
dais n. bradella; palk
daisy n. margerita; **~ wheel** n. (on printer) daisywheel
dale n. wied
dam n. ħajt; lqugħ għall-ilma // vt. bena ħajt bħala lqugħ
damage n. dannu; dammaġġ // vt. għamel il-ħsara; **~s** pl. (law) danni
damn vt. seħet; ikkundanna // n. (col.): **I don't give a ~** ma jimpurtanix! // adj. (col. also **~ed**) indannat/a; ikkundannat/a
damp adj. niedi; umdu // n. umdità; umdu; nida // vt. (also **~en**) nidda; (discourage) naqqas mill-kuraġġ
dance n. żifna; ballu; żfin // vi. żifen; **~ hall** n. sala taż-żfin; **~r** n. żeffien/a
dancing n. żfin; ballu
dandelion n. pjanta selvaġġa li tagħmel fjur isfar
dandruff n. brija
Dane n. Daniż
danger n. periklu; **~!** (sign) Periklu!; **to be in ~ of doing sth.** kien fil-periklu li jagħmel xi ħaġa; **~ous** adj. perikoluż/a, **~ously** adv. perikolożament
dangle vi. iddendel; tbandal // vt. xejjer; dendel; bandal
Danish adj. Daniż/a // n. id-Daniż
dapper adj. żgħir, fuq ruħu u ftit u xejn petitu
dare vt. **to ~ sb. to do sth.** sfida lil xi ħadd biex jagħmel xi ħaġa; vi. **to ~ (to) do sth.** azzarda jagħmel xi ħaġa; **I ~ say** nimmaġina (li); nasal sabiex ngħid li
daring adj. (audacious) awdaċi; qalbieni; ardit // n. almu; kuraġġ u ħila
dark adj. mudlam; skur; sewdieni; (fig.) moħbi // n. dlam; swied; oskurità; **to be left in the ~ about** tħalla fil-għama dwar; **after ~** wara li jidlam; **~en** vt., vi. oskura; **~ glasses** n.pl. nuċċali skur; **~ness** n. oskurità; dalma; **~room** n. kamra mudlama
darling n. il-fessud; il-qalb ta' qalb // adj. għażiż; maħbub
darn vt. sarsar; sewwa
dart n. (weapon) vleġġa // vi. **~ at** ġera; tar lejn; **~s** pl. (game) darts
dash n. sinjal (-); (mark) marka; (small amount) ftit // vt. (hopes) farrak // vi. ġera lejn; **~ away** or **off** vi. ħarab 'l hinn
dashboard n. dashboard
dashing adj. ardit
data n.pl. dettalji; tagħrif; informazzjoni; **~ base** n. bażi ta' tagħrif; **~ processing** n. l-ipproċessar u l-elaborazzjoni (elettronika) ta' tagħrif
date n. data; (for meeting, etc.) appuntament; (with person) appuntament; (fruit) tamra // vt. (letter, etc.) kiteb id-data (fuq l-ittra); **~ of birth** id-data tat-twelid; **to ~** adv. sal-lum; **out of ~** skadut/a; **up to ~** (report) aġġornat; (with news) aġġornat/a; infurmat/a; **~d** adj. li m'għadux moda; antikwat
daughter n. bint; **~-in-law** n. ħtint
daunt vt. intimida; **~less** adj. li ma jibża' minn xejn
dawdle vi. tgħażżen; tlajja; ħela l-ħin jitnikker
dawn n. sebħ; tbexbix; żerniq // vi. sebaħ; bexbex; żernaq; (fig.): **it ~ed on him that...** ġieh f'moħħu li

day n. ġurnata; jum; nhar; **the ~ before/after** il-jum ta' qabel; **the ~ after tomorrow** pitgħada; **the ~ before yesterday** ilbiraħtlula; **by ~** matul il-jum; **~break** n. żerniq; sebħ; **~dream** vi. ħolom waqt li kien imqajjem; **~light** n. binhar; **~ return** n. (brit.) biljett kwotidjan bir-ritorn; **~time** n. il-jum; **from ~ to ~** minn jum għall-ieħor

daze vt. storda; fixel; għammex // n. fixla; sturdament; **in a ~** stordut

dazzle vt. idda; lema; leqq

DC abbr. of **Direct Current**

D-day n. (hist.) D-day

deacon n. djaknu

dead adj. mejjet/mejta; (without feeling) li ma jħossx // adv. assolutament; (exactly) perfettament; **to shoot sb. ~** ntlaqat għall-mewt; **~ tired** għajjien mejjet; **to stop ~** waqaf mill-ewwel; **the ~** pl. il-mejtin; **~en** vt. (pain) mewwet; naqqas; (sound) mewwet; **~ end** n. triq li tagħlaq; **~ heat** n. tmiem (tat-tiġrija) indaqs; **~line** n. skadenza; **~ly** adj. mortali; fatali; **the D~ Sea** n. il-Baħar il-Mejjet

deaf adj. trux; **~en** vt. tarrax; **~ness** n. nuqqas ta' smigħ; **~-mute** n. trux u mutu

deal n. ftehim; akkordju // vt. (pt., pp. **dealt**) ta; (cards) qassam; adj. **great ~ of** ħafna; **~ in** vt. okkupa ruħu bi; **~ with** vt. (person) innegozja; kellu x'jaqsam ma'; (subject) ittratta; (problem) iffaċċja; **~er** n. (comm.) bejjiegħ; neguzjant; (cards) min iqassam il-karti tal-logħob; **~ings** n.pl. (fin.) relazzjonijiet; (relations) rapporti

dean n. (Catholic) dekan; (univ.) dekan

dear adj. għażiż; maħbub; (expensive) għali // n. **my ~!** għażiż/a tiegħi!; **D~ Sir** Għażiż/a Sinjur/a; **~ly** adv. (love) għażiż ferm; (pay) bil-għali

death n. mewt; mewta; **~ certificate** n. ċertifikat tal-mewt; **~ duties** n.pl. (brit.) taxxa tas-suċċessjoni; **~ly** adj. tal-mewt; **~ penalty** n. piena tal-mewt; piena kapitali; **~ rate** n. rata ta' mortalità

debar vt. **to ~ sb. from doing sth.** waqqaf lil xi ħadd milli jagħmel xi ħaġa

debase vt. avvilixxa; baxxa; ċekken; umilja

debatable adj. dibattibbli

debate n. dibattitu // vt. iddibatta

debauched adj. disklu; żieni; debuxxat

debilitating adj. eżawrjenti

debit n. debitu; dejn // vt. dejjen; niżżel fil-kont tad-dejn

debris n. tifrik

debt n. dejn; **to be in ~** kien imdejjen; **~or** n. debitur; min għandu jagħti

debunk vt. sploda; kixef

decade n. żmien ta' għaxar snin; deċennju

decaffeinated adj. dekaffinat

decanter n. flixkun tal-kristall għax-xorb

decay n. taħsir; (**tooth ~**) taħsir tas-snien // vi. mar lura; tħassar; (teeth, meat, etc.) tħassar; iddeterjora; (leaves, etc.) tħassru; nixfu; dbielu

deceased adj. defunt; mejjet

deceit n. ingann; qerq; **~ful** adj. qarrieqi

deceive vt. inganna; qarraq bi

December n. Diċembru

decency n. diċenza

decent adj. (respectable) diċenti

deception n. ingann; qerq

deceptive adj. qarrieqi

decibel n. deċibel

decide vt. ħa deċiżjoni // vi. iddeċieda; **to ~ on sth.** iddeċieda dwar xi ħaġa; **~d** adj. deċiż/a; reżolut/a; **~dly** adv. deċiżament

deciduous adj. desidwu

decimal adj. deċimali // n. deċimal; **~ point** n. punt deċimali

decimate vt. ġarraf; qatel; abolixxa

decipher vt. iddeċifra

decision n. deċiżjoni

decisive adj. deċiżiv/a

deck n. (naut.) gverta; (of cards) mazz (karti tal-logħob); **~chair** n. branda; pultruna bil-ġogi

declaration n. dikjarazzjoni; stqarrija; tnedija; proklama

declare vt. iddikjara; nieda; għarraf; (customs) iddikjara

decline n. (decay) mawrien lura; taħsir; (lessening) tnaqqis // vt. (invitation) irrifjuta // vi. (of strength) mar lura; naqas mis-saħħa; (say no) ċaħad

decode vt. iddeċifra

decompose vi. iddekompona; iddeġenera; iddeterjora

dècor n. dekorazzjoni

decorate vt. (room: paper) żejjen; sebbaħ; iddekora; (adorn) żejjen; (cake) iddekora; (honour) żejjen (bl-unuri)

decoration n. (of house) tiżjin; (medal) dekorazzjoni

decorator n. dekoratur

decorum n. dekor

decoy n. ħajra; lixka

decrease n. naqas; ċkien // v., vt. naqas; ċkien // vi. naqqas; ċekken

decree n. digriet; editt; proklama; ordni; **~ nisi** n. sentenza proviżorja ta' divorzju

decrepit adj. xiħ għakka; għaġuż

dedicate vt. iddedika; semma (ktieb, eċċ.) għal xi ħadd
dedication n. (devotion) dedikazzjoni; devozzjoni; (in book) dedika
deduce vt. iddeduċa
deduct vt. iddeduċa; naqqas; **~ion** n. (of money) deduzzjoni; tnaqqis; (conclusion) konklużjoni
deed n. għemil; att; azzjoni; (document) att
deem vt. ħaseb li; fiehem li; **do as you ~ fit** agħmel kif tifhem, kif jidhirlek int
deep adj. fond; għammieq // adj. **the spectators stood 20 ~** kien hemm għoxrin ringiela ta' spettaturi; **~en** vt. fannad; approfondixxa// vi. (darkness) dallam aktar; **~-freeze** n. friżer; **~-fry** vt. qela f'ħafna żejt; **~ly** adv. profondament; **~-sea diving** n. immersjoni f'baħar fond
deer n. ċerv; **~skin** n. ġilda taċ-ċerv
deface vt. ħassar id-dehra ta'; kerrah; għarraq
defamation n. malafama
default n. nuqqas; mankanza // vi. naqas; għamel mankanza // n. (comput.) default
defeat n. telfa; għalba; xebgħa // vt. għeleb; rebaħ **~ist** a, n. disfattista
defect n. difett; imperfezzjoni; mankament // vi. **to ~ to the enemy** għadda lill-għadu; **~ive** adj. difettuż
defence n. difiża; **~less** adj. mingħajr difiża
defend vt. iddefenda; **~ant** n. (law) imputat/a; il-konvenut; **~er** n. difensur
defense n. (US. **defence**) difiża
defensive adj. difensiv/a // n. **on the ~** fuq id-difensiva
defer vt. iddiferixxa; tawwal fiż-żmien
deference n. rispett; stima; devozzjoni
defiance n. sfida
defiant adj. ribelli; li jisfida
deficiency n. (lack) defiċjenza; (weakness) nuqqas; bżonn
deficient adj. defiċjenti; difettuż; nieqes
deficit n. defiċit; nuqqas ta' flus
defile vt. ikkontamina; niġġes; ħassar; tabba'; ikkorrompa; żverġna
define vt. iddefinixxa; (explain) fisser bir-reqqa
definite adj. (fixed) definit; preċiż; (clear) ċar; **~ly** adv. definittivament
definition n. definizzjoni; (phot.) preċiżjoni
deflate vt. neħħa l-arja minn
deflect vt. iddevja; evita
deform vt. iddeforma; sfigura; **~ity** n. deformità
defraud vt. qarraq; għamel frodi
defray vt. (costs) nefaq; ħallas spejjeż, eċċ.
defrost vt. (fridge) neħħa s-silġ
deft adj. żvelt; inġenjuż
defunct adj. defunt/a; mejjet/mejta
defy vt. (disobey) sfida; ma obdiex; (orders death) sfida; (challenge) sfida
degenerate vi. iddeġenera; iddeterjora // adj deġenerat; mħassar
degrading adj. degradanti
degree n. grad; pass; rank; (univ.) titlu mogħti mill-Università; **by ~s** gradatament; pass pass. **to some ~** sa ċertu grad
dehydrate vt. neħħa l-ilma minn
de-ice vt. neħħa s-silġ
deign vi. indenja ruħu
deity n. divinità
dejected adj. dipress; mdejjaq; magħkus; mikdud
delay vt. (hold back) ġebbed; tawwal; dewwem // vi. (linger) tnikker; iddawwar; tlajja // n. dewmien; tnikkir; (of train, etc,) dewmien; **to be ~ed** (train) sa ttardja; **without ~** bla dewmien
delectable adj. delizzjuż/a
delegate n. delegat/a // vt. iddelega
delete vt. ikkanċella; ħassar
deliberate adj. (intentional) intenzjonat; maħsub; (slow) magħmul bil-mod // vi. (consider) ikkunsidra; ħaseb u qies; irrifletta; (debate) iddibatta; **~ly** adv. deliberatament
delicacy n. delikatezza
delicate adj. (fine) delikat; fin; (fragile) fraġli; xipli; (situation) imbarazzanti
delicious adj. delizzjuż/a
delight n. għaxqa; pjaċir kbir // vt. għaxxaq; henna; għamel feliċi; ikkuntenta; **to take ~ in sth.** feraħ b'xi ħaġa; **~ed** adj. (at or with/to do) kuntentissimu; **~ful** adj. delizzjuż; inkantevoli
delinquency n. delinkwenza; għemil ħażin; kriminalità
delinquent n. delinkwent; // adj. delinkwent
delirious adj. dillirjuż; hewdieni;
deliver vt. (goods) qassam; ikkunsinna; (letter) qassam; iddistribwixxa; (speech) ta; għamel; (free) illibera; ħeles; **~y** n. distribuzzjoni; tqassim; kunsinja; (of letter) tqassim
delude vt. iddeluda; illuda
deluge n. dilluvju; għarqa
delusion n. delużjoni
de luxe adj. de luxe
delve vi. **to ~ into** għamel riċerki fi
demand vt. irrikjeda; talab // n. (request) rikjesta; talba; (comm.) domanda; **in ~** riċerkat; mfittex; **on ~** fuq ir-rikjesta; **~ing** adj. esiġenti; impenjattiv/a
demarcation n. demarkazzjoni
demean vt. **to ~ os.** umilja ruħu

demeanour (US. **demeanour**) n. komportament
demented adj. miġnun; iblah; barra minn moħħ
demise n. fatalità; mewt
demo n. abbr. (col. demonstration) manifestazzjoni
democracy n. demokrazija
democrat n. demokratiku; ~**ic** adj. demokratiku/demokratika
demolish vt. (lit.) waqqa'; ġarraf
demolition n. tiġrif; twaqqigħ
demon n. demonju; fergħun; xitan
demonstrate vt., vi. fisser; iddimostra
demonstration n. dimostrazzjoni; manifestazzjoni
demonstrator n. dimostranti, werrej; (pol.) dimostrant
demote vt. naqqas; iddegrada
demure adj. serju; moderat; mistħi; li joqgħod lura
den n. (of animal) bejta; bejta ta' xi annimal; għar
denatured alcohol n. (US.) alkoħol denaturat
denial n. rifjut; ċaħda; **official** ~ ċaħda uffiċjali
denim adj. denim; ~**s** n.pl. denims
Denmark n. id-Danimarka
denomination n. (eccl.) konfessjoni; (fin.) valur
denominator n. denominatur
denote vt. fisser; wera
denounce vt. iddenunċja; hedded; akkuża
dense adj. dens; mtappan; marsus; sfiq (stupid) moħħu ma tantx jarfa'; ~**ly** adv. densament
density n. densità
dent n. daqqa; għafsa // vt. (also **make a ~ in**) għamel għafsa
dental adj. dentali; ~ **surgeon** n. = dentist
dentist n. dentist; ~**ry** n. is-sengħa ta' dentist
dentures n.pl. dentaturi; snien foloz
deny vt. ċaħad; innega; (officially) ċaħad (uffiċjalment); (help) ċaħad
deodorant n. deodorant
depart vi. telaq; mar; siefer; **to ~ from** (fig. differ from) iddevja minn
department n. (comm.) diviżjoni; (univ.) fakultà; (pol.) dipartiment
departure n. (of person) tluq; mawrien; safra; mewt; (of train) tluq; (of plane) tluq; ~ **lounge** n. (at airport) is-sala tat-tluq
depend vi. **to ~ on** iddipenda minn/fuq; (rely on) fada fi; **it ~s** jiddependi; ~**ing on the result** jiddependi mir-riżultat; ~**able** adj. li wieħed jista' jorbot fuqu; affidabbli; ~**ant** n. dependenti; ~**ence** n. dipendenza; ~**ent** adj. dipendenti // n. = ~**ant**
depict vt. pinġa; pittur; iddiskriva (bil-kliem)
depleted adj. vojt; battal
deplorable adj. ta' min jibkih; deplorabbli
deplore vt. iddeplora
deploy vt. immanipula; immanuvra
depopulation n. spopolament
deport vt. eżilja; iddeporta; itturufna; bagħat barra mill-pajjiż; ~**ation** n. deportazzjoni
deportment n. diportament; mġiba
depose vt. neħħa; niżżel (minn kariga, post, eċċ.)
deposit n. (in bank) depożitu; (security) rafa' fiż-żgur (chem.) sediment // vt. (in bank) iddepożita; ~ **account** n. kont tad-depożitu
depot n. depow; maħżen; depożitu
depraved adj. abbandunat; deżolat; (evil) ħażin; infami
depreciate vi. naqqas il-valur jew il-prezz; raħħas; miegħer; ma apprezzax biżżejjed;
depreciation n. tbaxxija tal-valur; riduzzjoni; tnaqqis tal-prezz
depress vt. (press down) għafas; (in mood) iddipressa; ~**ed** adj. dipressat; mnikket; mikdud; ~**ing** adj. dipressanti; ~**ion** n. (mood) dipressjoni; (in trade) dipressjoni; nuqqas (fil-kummerċ); (hollow) vojt
deprivation n. ċaħda; (loss) telfa
deprive vt. **to ~ sb. of sth.** ċaħħad lil xi ħadd minn xi ħaġa; ~**d** adj. (child) mċaħħad
depth n. il-fond; l-għoli; il-profondità; **in the ~s of despair** fil-profondità tad-disperazzjoni
deputation n. deputazzjoni; grupp ta' deputati
deputize vi. iddeputizza
deputy adj. deputat // n. deputat
derail vt. **to be ~ed** ġie maħruġ 'il barra mil-linji; ~**ment** n. ħruġ 'il barra mil-linji
deranged adj. miġnun
derby n. kappell; (sport) derbi
derelict adj. mitluq; abbandunat
deride vt. iddieħak bi; waqqa' għaċ-ċajt;
derivative n. prodott; riżultat // adj. sekondarju; derivat
derive vt. (get) nissel; ġab; (deduce) iddeduċa; ikkonkluda
derogatory adj. derogatorju
derrick n. (for oil) derrick
descend vt., vi. niżel; iżżerżaq; tnissel minn; **to ~ from** tnissel minn; ~**ant** n. dixxendent
descent n. (coming down) niżla; żurżieqa; nisel; razza; ġidd; nżul; (origin) oriġini
describe vt. iddeskriva; fisser
description n. deskrizzjoni; (sort) ġeneru; speċi
descriptive adj. deskrittiv/a; (word) preċiż/a
desecrate vt. ipprofana
desert n. deżert // vt. abbanduna; telaq; ħalla; ħarab minn; warrab għalkollox // vi. (mil.) ħarab (mill-kumbattiment); ~**er** n. diżertur; ~**ion** n. (of

wife) abbandun; ~**s** pl. **to get one's just ~s** ħa dak li kien ħaqqu
deserve vt. immerita; ħaqqu
deserving adj. xieraq; denn; li ħaqqu; li jistħoqqlu
design n. (plan) disinn; ħażż; (planning) pjan; għan // vt. iddisinja; ippjanta
designate vt. innomina; ħatar // adj. magħżul; msemmi; innominat; maħtur
designer n. disinjatur; (tech.) disinjatur; (fashion) disinjatur
desirable n. ta' min jixtiequ
desire n. xewqa // vt. (lust) xtaq; ried; tħajjar; ixxennaq għal; (ask for) talab
desk n. skrivanija; desk; (for pupil) n. bank
desolate adj. deżolat/a; (sad) mnikket/mnikkta
desolation n. deżolazzjoni
despair n. disperazzjoni // vi. iddispra
despatch (also **dispatch**) v. xi ħadd mibgħut xi mkien fuq xogħol speċjali, spiċċa xi ħaġa malajr; qatel, ta' daqqa tal-mewt lil xi ħadd
desperate adj. iddisprat; ~**ly** adv. disperatament
desperation n. disperazzjoni
despicable adj. disprezzabbli; żebliħ; vili
despise vt. iddisprezza; miegħer; maqdar; każbar; żeblaħ
despite prep. nkejja; dispett; mibegħda; bi nkejja ta'; għalkemm
despondent adj. mikdud; qalbu maqtugħa; bla jies; beżgħan; qalbu sewda
dessert n. deżerta; ħelu; frott, eċċ. ta' wara l-ikel
destination n. (of person, goods, etc.) destinazzjoni
destine vt. (set apart) iddestina
destiny n. destin; xorti
destitute adj. fqir; batut; fil-bżonn; nieqes mill-ħwejjeġ meħtieġa
destroy vt. qered; iddistruġġa; ħarbat; għarraq; ġarraf; xejjen; ~**er** n. (naut.) distrojer; bastiment tal-gwerra; (person) stradikatur; min jeqred, jiddistruġġi, ixejjen
destruction n. distruzzjoni; qerda; rvina; ħerba
destructive adj. qerrieda; distruttiv
detach vt. iddistakka; fired minn; għażel minn; ~**able** adj. distakkabbli; ~**ed** adj. (attitude) indipendenti; indifferenti; (house) iżolata; maqtugħa għaliha waħedha; ~**ment** n. (mil.) distakkament
detail n. dettall; partikular // vt. (relate) iddettalja; qal u fisser; (appoint) ordna grupp ta' nies għal xi xogħol speċjali; **in ~** fid-dettall; ~**ed** adj. dettaljat/a
detain vt. żamm arrestat; dewwem; ħalla jistenna; (imprison) żamm fil-ħabs
detect vt. skopra; tkixxef; sab; kixef; ~**ion** n. skoperta; individwazzjoni; ~**ive** n. investigatur/investigatriċi; ~**ive story** n. storja li tittratta dwar l-investigazzjoni, kriminalità, eċċ.
detention n. detenzjoni; żamma; qbid; kalzri; (sch.) detenzjoni; kastig wara l-ħin tal-iskola
deter vt. ma ħalliex; żamm; warrab minn (bil-biża', theddid, eċċ.)
detergent n. deterġent
deteriorate vi. iddeterjora; **deterioration** n. deterjorazzjoni
determination n. determinazzjoni
determine vt. iddetermina; iddeċieda; irrisolva; ~**d** adj. determinat; riżolut; deċiż
deterrent n. deterrent
detest vt. bagħad; stmerr; stkerrah
detonate vt. sploda; spara
detour n. devjazzjoni; (US. aut. diversion) kisra; diverżjoni // vt. (US. traffic) iddevja
detract vi. naqqas minn; miegħer; ċekken il-valur jew is-siwi ta'
detriment n. **to the ~ of** għad-detriment ta'; ~**al** adj. ta' ħsara; li jġib id-deni; id-dannu jew xi telf
devaluation n. żvalutazzjoni
devalue vt. żvaluta; baxxa l-valur ta'
devastate vt. iddevasta; għamel ħerba; qered għalkollox; ġarrab; ġieb fix-xejn
devastating adj. devastanti
develop vt. żviluppa; (resources) żviluppa; ~**ing country** n. pajjiż li qed jiżviluppa; ~**ment** n. żvilupp
deviate vi. iddevja
deviation n. devjazzjoni
device n. proġett; pjan; ħaġa maħsuba; invenzjoni; apparat
devil n. xitan; dimonju; għafrit; ~**ish** adj. ta' ħażen kbir; tax-xitan; tal-infern
devious adj. (means) indirett; barra mit-triq it-tajba; mserrep; mgħawweġ; (person) diżonest
devise vt. ivvinta; ipproduċa; ikkonċepixxa
devoid adj. ~ **of** nieqes, mċaħħad minn; fieragħ; vojt; mnażża'; nieqes minn kollox
devolution n. (pol.) deċentrament
devote vt. iddedika; ħatar; ~**d** adj. devot/a; reliġjuż/a; dedikat/a; ~**e** n. devot/a
devotion n. (piety) devozzjoni; qima; (loyalty) fedeltà; rispett
devour vt. bala'; iddevora; kiel bil-għaġla
devout adj. devot/a
dew n. nida; rtuba
dexterity n. sengħa; ħeffa; ħabta; ħila għax-xogħol (fl-użu effiċjenti tal-idejn)
diabetes n. dijabete

diabetic adj. dijabetiku/dijabetika; (food) dijabetiku // n. dijabetiku/dijabetika
diabolical adj. (col. weather, behaviour) orribbli; tax-xitan
diagnosis (pl. **diagnoses**) n. dijanjosi; dikjarazzjoni tal-marda wara studju tas-sintomi
diagonal adj. djagonali
diagram n. dijagramma; disinn; ħażż; pjanta
dial n. (**sun~**) arloġġ tax-xemx; (of clock) kwadrant // vt. ċempel; ~ **code** n. (US. **dialling code**); prefiss (numru); ~ **tone** n. (US. **dialling tone**) n. sinjal li l-linja hi libera
dialect n. djalett
dialogue n. djalogu
diameter n. dijametru
diamond n. djamant; **~s** pl. (cards) djamanti
diaper n. (US.) ħarqa
diaphragm n. dijaframma
diarrhoea n. dijarea
diary n. djarju; (account) ġurnal li fih wieħed iniżżel il-ġrajja ta' kuljum
dice n. dadi
dichotomy n. dikotomija
dictate vt. iddetta; **~s** pl. dettati
dictation n. dettat
dictator n. dittatur
dictatorship n. dittatorjat
diction n. espressjoni; frażi; stil
dictionary n. dizzjunarju
did (pt. of **do**) għamel
didn't = **did not**; m'għamilx
die vi. miet; spiċċa; **to be dying for sth./to do sth.** kien mejjet għal xi ħaġa; ~ **away** vi. ntefa, spiċċa ftit ftit; ~ **down** vi. tbaxxa; naqas; ~ **out** vi. ġie estint
diehard n. reazzjonarju/reazzjonarja
diesel n. ~ **engine** n. magna li taħdem bid-diesel
diet n. dieta; ikel bil-qies; (slimming) dieta // vi. (also **be on a ~**) kien/kienet fuq id-dieta
differ vi. ma qabilx; kien differenti; ma xebbahx; (disagree) ma qabilx; **~ence** n. differenza; **~ent** adj. differenti; **~entiate** vt., vi. ħoloq differenza; **~ently** adv. b'mod differenti
difficult adj. diffiċli; diffikultuż; tqil; iebes; **~y** n. diffikultà
diffident adj. diffidenti
diffuse adj. bombastiku; wieħed li jparla ħafna; ħallat; xerred; wassal ma' kullimkien // vt. xandar; ħallat; xerred; wassal ma' kullimkien
dig v. ħaffer; għażaq; fittex u qalleb biex isib xi ħaġa // n. minjiera; barriera; (remark) insult; (arch.) skavazzjoni; ~ **into** vt. skava; ħaffer; ~ **up** vt. skava
digest vt. iddiġerixxa; ġerragħ; sajjar l-ikel fl-istonku // n. **~ion** n. diġestjoni; **~ive** adj. (juices, system) diġestiv/a
digit n. ċifra; numru; **~al** adj. diġitali
dignified adj. dinjituż; miżmum fl-għoli; li jġiblek rispett
dignity n. dinjità
digress vi. ħareġ barra mit-triq; qabeż; tbiegħed mis-suġġett
dilapidated adj. mġarraf; mħarbat; fi stat mhux tajjeb
dilate vt., vi. espanda; kabbar; amplifika
dilemma n. dilemma
diligent adj. diliġenti
dilute vt. rattab; ħallat
dim adj. mudlam; msaħħab; li ma jagħtix dawl ċar; (stupid) stupidu // vt. baxxa; **to ~ one's headlights** (esp. US.) baxxa d-dwal (tal-karozza)
dime n. (US.) = **10 cents**
dimension n. dimensjoni
diminish vt., vi. ċekken; iddiminwixxa; naqqas
diminutive adj. diminuttiv; minuskolu // n. diminuttiv
dimple n. ħofret il-ħadd
din n. ħsejjes kbar; kjass; frakass
dine vi. ippranza; kiel; **~r** n. ristorant; kafetterija
dinghy n. dingi
dingy adj. mudlam; mdellek; maħmuġ
dining car n. (brit.) vagun-ristorant
dining room n. sala tal-pranzu
dinner n. (lunch) pranzu; (evening) ċena; ikla ta' filgħaxija; (public) bankett; ~ **party** n. ċena; **~time** n. ħin il-pranzu; ħin l-ikel
dinosaur n. dinosawru
dint n. **by ~ of** bis-saħħa ta'
diocese n. djoċesi
dip n. (bathe) tagħdisa; għodsa; għawma ħafifa; qabża fil-baħar // vt. għaddas; bell; għodos; (brit. aut. lights) baxxa // vi. (slope) tbaxxa
diploma n. diploma
diplomacy n. diplomazija
diplomat n. diplomatiku; **~ic** adj. diplomatiku/diplomatika
dipstick n. indikatur tal-livell taż-żejt (fil-karozza)
dire adj. terribbli; estrem
direct adj. dirett // vt. mexxa; ikkontrolla; indirizza; (film) idderieġa; (aim) indirizza; (order) indirizza; **can you ~ me to?** tista' tidderiġini, tiggwidani lejn...?
direction n. direzzjoni; tmexxija; xejra; (cine.) direzzjoni; **~s** (for use) istruzzjonijiet; (orders) ordnijiet; **sense of ~** sens ta' direzzjoni

directly adv. direttament; (at once) minnufih
director n. direttur; (of film) direttur
directory n. (tel.) direttorju
dirt n. ħmieġ; dlik; tiġdim; għakar; ~**y** adj. maħmuġ; moqżież // vt. ħammeġ; inkalla; għakkar; ~**y trick** n. ċajta goffa
disability n. diżabilità
disabled adj. diżabbli
disadvantage n. żvantaġġ
disagree vi. ma qabilx; (quarrel) tlewwem; ~**able** adj. kuntrarju; li jdejqek; li ma tiftihemx miegħu; ~**ment** n. (between persons) diżakkordju; nuqqas ta' qbil; (between things) nuqqas ta' qbil
disallow vt. irrifjuta; irriġetta; ma ħalliex isir
disappear vi. sparixxa; għeb; għosfor; żvanixxa; ~**ance** n. għejbien
disappoint vt. iddiżappunta; ~**ed** adj. diżappuntat; ~**ing** adj. diżappuntanti; ~**ment** n. diżappunt
disapproval n. diżapprovazzjoni; ċaħda; espressjoni kuntrarja għal xi għemil
disapprove vi. iddiżapprova; ikkundanna; wera biċ-ċar li ma qabilx
disarm vt. żarma; nażża' l-armi; ~**ament** n. żarmar tal-armamenti
disarray n. (mil.) **to be in** ~ kienu f'kaos, f'diżordni; (clothes) diżordni; konfużjoni; diżorganizzazzjoni
disaster n. diżastru
disastrous adj. diżastruż/a
disband v. issepara; nfirex; iżżarma
disbelief n. nuqqas ta' twemmin; ta' fidi
disc n. disk; diska; (record) diska; (comput.) = **disk**
discard vt. skarta; warrab; rema xi ħaġa bla siwi
discern vt. għaraf; fehem sewwa; iddistingwa; iddixxerna; ~**ing** adj. perspikaċi; intelliġenti; beżgħan
discharge vt. (ship) ħatt ta' tagħbija minn bastiment; (duties) sensja mix-xogħol; (gun) sparatura; (law) liberazzjoni // n. (dismissal) liċenzjament; (med.) emissjoni
disciple n. dixxiplu
discipline n. dixxiplina // vt. (train) ħarreġ; (punish) ikkastiga
disc jockey n. disc jockey (DJ)
disclaim vt. irrinunzja; innega; irrofta; ċaħad
disclose vt. kixef; għaraf; fetaħ; xandar
disclosure n. kixfa; tikxifa; turija; ftuħ; tagħrif
disco n. abbr. **discotheque**
discoloured adj. mitfi; mħassar
discomfort n. diqa; xkiel; inkwiet; skonfort
disconcert vt. skunċerta; ħawwad; gerfex; wiegħer
disconnect vt. skonnettja; qata'; fired; neħħa r-rabta bejn
discontent n. skuntentizza; ~**ed** adj. skuntent; mgħolli; mdejjaq; mhux għal qalbu
discontinue vt. ma kompliex; ħalla; qata'; waqaf
discord n. nuqqas ta' qbil; kunflitt; (noise) dissonanza; nuqqas ta' armonija
discothèque n. diskoteka
discount n. skont; qtigħ minn kont; tnaqqis ta' dejn
discourage vt. skoraġġixxa; qata' qalb xi ħadd; neħħa l-almu, il-kuraġġ; il-ħerqa; l-entużjażmu lil
discouraging adj. skoraġġanti
discourteous adj. ta' ingiba goffa; li mhux ġentili; bla prudenza; żorr, żmarr; mqit
discover vt. skopra; sab; induna bi; kixef; ntebaħ; ~**y** n. skoperta; sejba; kixfa
discredit vt. skredita; poġġa fid-dubju
discreet adj. diskret; prudenti; bid-dehen; għaqli; moderat
discrepancy n. diskrepanza
discriminate vi. iddiskrimina; **to** ~ **against** iddiskrimina kontra
discriminating adj. diskriminatorju
discrimination n. diskriminazzjoni
discuss vt. iddiskuta; ~**ion** n. diskussjoni
disdain vt. iddisprezza, żeblaħ // n. żebliħ; stmerrija, disprezz, tmegħir
disease n. mard, marda
disembark vt. żbarka, niżel l-art
disenchanted adj. diżappuntat, diżilluż
disengage vt. ħall; qala' minn tabxa; ħeles minn rabta
disentangle vt. ħall; solva
disfigure vt. sfigura
disgrace n. diżunur; diżgrazzja; telf ta' ġieħ; vergonja // vt. iddiżonora, waqqa' fid-diżgrazzja; ~**ful** adj. skandaluż, illeċitu, mostruż
disgruntled adj. mhux kuntent
disguise vt. ittravesta; libes biex ma jingħarafx, biex jaħbi surtu; (feelings) ħeba billi wera ħaġa b'oħra // n. travestiment; **in** ~ adj. travestit/a
disgust n. ħass ta' stmerrija, ta' mibegħda; taqligħ tal-istonku; dardir; taqżiż // vt. iddiżgusta; tellef il-gost; dardar; qażżeż; ~**ing** adj. diżgustanti; li jqażżek jew jimbuttak
dish n. dixx; platt; **to do or wash the** ~**es** ħasel il-platti; ~ **up** vt. serva; ~ **cloth** n. paljazza
dishearten vt. neħħa l-kuraġġ; qata' l-qalb; bażża'
dishevelled adj. (hair) xagħru mħabbel; mqanfed; persuna mdellka; ħożoż

dishonest adj. diżonest; ~**y** n. diżonestà
dishonour n. diżunur; ~**able** adj. diżonorabbli
dish towel n. (US.: tea towel) paljazza tal-platti
dishwasher n. magna awtomatika li taħsel il-platti; dixxijiet, eċċ.
disillusion n. diżillużjoni
disincentive n. **to be a** ~ ma kellux sens ta' motivazzjoni
disinfect vt. iddiżinfetta; ~**ant** n. diżinfettant
disintegrate vi. iddiżintegra
disinterested adj. diżinteressat; li m'għandux interess; (col.) li ma jiġbidx lejh
disjointed adj. mhux ikkonnettjat
disk n. (comput.) disk; ~ **drive** n. post fejn jiddaħħal id-diskett; ~**ette** n. diskett
dislike n. antipatija; stmerrija; avverżjoni; mibegħda // vt. **he** ~**s it** ma togħġbux
dislocate vt. żloga; qala'; ħarrek minn post għall-ieħor
dislodge vt. qala'; tafa' 'l barra minn xi post jew pożizzjoni
disloyal adj. żleali; mhux fidil
dismal adj. li jġib swied il-qalb; mudlam; waħxi
dismantle vt. ħatt; nażża'; żarma; għarwen
dismay n. biża'; twerwira; nuqqas ta' kuraġġ // vt. mela bil-biża'; werwer; neħħa l-kuraġġ, il-ħila
dismiss vt. (employee) bagħat; keċċa 'l barra; illiċenzja; (idea) warrab; (send away) bagħat; (law) irriġetta; ~**al** n. sensja; tkeċċija; liċenzjament
dismount vi. niżel minn fuq żiemel; minn karozza, eċċ.
disobedience n. diżubbidjenza
disobedient adj. diżubbidjenti
disobey vt. ma obdiex; kiser ir-regoli
disorder n. (confusion) diżordni; konfużjoni; taqlib; (commotion) kommozzjoni; (med.) disturb
disorderly adj. (untidy) diżordnat
disorganized adj. diżorganizzat
disown vt. (son) ċaħad; irrofta; m'għarafx bħala tiegħu, bħala ibnu
disparaging adj. dispreġġjattiv; insolenti
disparity n. nuqqas ta' daqs; ta' xebh, ta' qbil; differenza
dispassionate adj. kalm; kiesaħ; imparzjali; biered
dispatch vt. (goods) bagħat // n. dispaċċ; messaġġ; (mil.) dispaċċ
dispel vt. keċċa; xeħet 'il barra; ġieb fix-xejn (biża', swied il-qalb, eċċ.)
dispensary n. berġa; spiżerija
dispense vt. iddistribwixxa; amministra; ~**r** n. (container) distributur
dispensing n. ~ **chemist** (brit.) spiżjar
disperse vt. xerred 'l hawn u 'l hinn; firex; qassam; fired; bagħat f'postijiet diversi // vi. nfirex; ixxerred
dispirited adj. skoraġġjat; mikdud
displace vt. warrab; neħħa oġġett minn postu
display n. (of goods) mostra; wirja; esibizzjoni; espożizzjoni; (of feeling) manifestazzjoni // vt. esibixxa; (goods) wera
displease vt. ta dispjaċir; m'għoġobx; għalla; waġġa' qalb xi ħadd
displeasure n. dispjaċir; niket; għoqla; korla
disposable adj. li jintuża u jista' jintrema; ~ **nappy** n. ħarqa (li tintuża u tintrema)
disposal n. (of property) dispożizzjoni; tqegħida bit-taqsim; ranġatura; (throwing away) evakwazzjoni; distruzzjoni; **to be at one's** ~ kien għad-dispożizzjoni ta'
dispose vt. ~ **of** vt. iddispona minn
disposed adj. dispost/a
disposition n. dispożizzjoni
disproportionate adj. sproporzjonat/a
disprove vt. ikkontradixxa; skredita; ma approvax
dispute n. disputa; tħaqqiqa bis-saħna fuq xi kwistjoni; (also **industrial** ~) kontroversja (industrijali) // vt. iddisputa; ikkontesta; iddiskuta
disqualify vt. skwalifika
disquiet n. inkwiet; ansjetà; dubju; irritazzjoni
disregard vt. ma tax kont jew kas ta'; kien indifferenti għal
disrepair n. **to fall into** ~ kien fi stat ħażin ħafna
disreputable adj. bla ġieħ; ta' fama ħażina
disrespectful adj. bla rispett; pastaż
disrupt vt. qasam; farrak; fired b'saħħa; poġġa f'diżordni; ~**ion** n. qsim; firda; ksur b'saħħa
dissatisfaction n. skuntentizza; nuqqas ta' sodisfazzjon
dissatisfied adj. mhux sodisfatt
dissect vt. fired f'sezzjonijiet; issepara
disseminate vt. firex; ferrex; xerred (aħbar, eċċ.)
dissent n. inkwiet; kunflitt; diviżjoni
dissertation n. esej; artiklu; diskors; manuskritt; (PhD) teżi
disservice n. **to do sb. a** ~ għamel il-ħsara, id-deni lil xi ħadd
dissident adj. li ma jaqbilx // n. ribell; eretiku; nonkonformista
dissimilar adj. li ma jixbahx lil; li mhux bħal; ta' għamla oħra, xort'oħra minn
dissipate vt. (waste) berbaq; ħela; tajjar (flus, żmien, saħħa, eċċ.)
dissociate vt. qata'; fired; ma ħalliex flimkien ma'

dissolute adj. dissolut; debuxxat; ta' drawwiet ħżiena
dissolution n. dissoluzzjoni; titruħ; ħalla; tidwib; firda
dissolve vt. ħall; teraħ; fired; dewweb // vi. iddewweb; nħall
dissuade vt. **to ~ sb. from doing sth.** iddiswada; ġiegħel lil ħaddieħor ibiddel il-fehma li kellu
distance n. distanza; **in the ~** 'il bogħod ħafna
distant adj. bgħid; mbiegħed minn; remot; distanti; (formal) riservat; formali; indifferenti
distaste n. nuqqas ta' ġibda lejn; ta' ħmil lejn; mqata; stmerrija lejn; bagħda; **~ful** adj. żgradevoli; mqit; li jimbuttak; li jġiegħlek tistmerru
distended adj. (stomach) minfuħ
distil vt. iddistilla; illampika; **~lery** n. distillerija
distinct adj. (separate) distint; iddivrenzjat; (clear) ċar; li jidher sewwa; **as ~ from bid** differenza ta'; **~ion** n. distinzjoni; divrenzja; **~ive** adj. distintiv, li jiddistingwi
distinguish vt. iddistingwa; **~ed** adj. (eminent) distint; **~ing** adj. distint; karatteristiku
distort vt. għawweġ; (misrepresent) wera ħaġa b'oħra; **~ion** n. tagħwiġ; wiri ta' ħaġa b'oħra
distract vt. aljena; sfratta għal xi ħin il-ħsieb ta'; fixkel il-konċentrazzjoni ta'; **~ing** adj. li jaljena; li jtellef il-konċentrazzjoni; **~ion** n. distrazzjoni; **~ed** adj. distratt
distraught adj. anzjuż; distratt; (insane) mentalment instabbli
distress n. hemm kbir; għali; niket; diqa; faqar; (suffering) tbatija; sofferenza // vt. nikket; dejjaq; għalla; faqqar; **~ing** adj. doloruż; li jġib is-sofferenza
distribute vt. iddistribwixxa; qassam
distribution n. distribuzzjoni
distributor n. distributur
district n. (of country) reġjun; (of town) distrett; taqsima; **~ attorney** n. (US.) deputat prokuratur tar-Repubblika; **~ nurse** n. (brit.) infermiera tal-kwartier
distrust n. diffidenza; sfiduċja // vt. ma fadax; ma kellux fiduċja f'xi persuna
disturb vt. iddisturba; kiser il-paċi; ħawwad; qanqal; (agitate) aġita; **~ance** n. disturb; sfrattu; inkwiet; taqlib; **~ed** adj. disturbat/a; **emotionally ~ed** adj. mqanqal/mqalleb emozzjonalment; **~ing** adj. disturbanti
disuse n. **to fall into ~** waqa' fl-abbandun
disused adj. abbandunat/a
ditch n. ħandaq; foss; gandott; kanal għall-ilma // vt. (person) telaq; abbanduna; (plan) abbanduna
ditto adv. l-istess
divan n. divan; sufan twil bla dahar jew ġenb
dive n. (into water) għadsa; għawma taħt l-ilma; (submarine) immersjoni // vi. għodos; qabeż għal rasu fil-baħar; **~r** n. bugħaddas
diverge vi. iddevja
diverse adj. divers; varju
diversion n. tagħwiġ; tidwir; diverżjoni; (brit. aut.) ħruġ barra mit-triq
diversity n. diversità
divert vt. xiegħel; derra; ta divertiment jew gost; (traffic) iddevja; dawwar band'oħra
divide vt. iddivida; qassam; (separate) issepara; fired minn ma' xulxin; għażel // vi. tqassam
dividend n. sehem li jmiss lill-azzjonisti mill-qligħ ta' kumpanija
divine adj. divin; li hu t'Alla
diving n. (**underwater ~**) immersjoni (fil-baħar)
divinity n. divinità; (subject) teoloġija
division n. divizjoni; separazzjoni; (mil.) skwadra; (part) sezzjoni; (in opinion) kunflitt; differenza
divorce n. divorzju; firda legali (bejn miżżewġin) // vt. iddivorzja; **~d** adj. divorzjat/a; **~e** n. divorzjat/a
divulge vt. xandar; nieda; xerred aħbar, eċċ.
DIY n. abbr. of **do-it-yourself**
dizzy adj. stordut; li għandu l-mejt; rasu ddur bih; **to feel ~** ħass rasu ddur bih; qabdu bħal mejt
DJ n. abbr. of **disc jockey**
do n. (col. party, etc.) għamel (fis-sensi kollha tal-kelma)
v. (pt. **did**, pp. **done**) aux. v.
1 (in negative constructions and questions): **I don't understand** m'iniex qed nifhem; **didn't you know?** ma kontx taf; **what ~ you think?** int x'taħseb?
2 (for emphasis, in polite expressions): **she does seem rather tired** tidher għajjiena; **~ sit down** poġġi bilqiegħda
3 (used to avoid repeating v.): **she swims better than I ~** hi tgħum aħjar minni; **she lives in Glasgow, so ~ I** hi tgħix fi Glasgow, anki jien
4 (in question tags): **you like him, don't you?** jogħġbok, hux veru?
vt.
1 (carry out, perform, etc.) għamel; **what are you ~ing tonight?** x'sa tagħmel illejla?; **I've got nothing to ~** m'għandi xejn x'nagħmel; **to ~ one's hair** għamel xagħru
2 (aut., etc.) **the car was ~ing 100km per hour** il-karozza kienet qed tagħmel 100 kilometru fis-siegħa

vi.
1 (act, behave): ~ **as I** ~ agħmel bħali; agħmel bħalma nagħmel jien
2 (get on, fare): **he's ~ing well/badly at school** qed imur tajjeb/ħażin fl-iskola; **how ~ you ~?** kif int?
3 (be suitable) jaqdi tajjeb; (be sufficient) li hu biżżejjed; tajjeb; **to make ~** (with) jinqeda; jirranġa tajjeb bi

do away with vt. (kill) qatel; (abolish: law, etc.) abolixxa

do up vt. (laces, dress, buttons) qafel; (renovate: room, house) għamel, irranġa mill-ġdid

do with vt. (need) kellu bżonn ta'; (be connected): **what has it got to do with you?** int x'għandek x'taqsam mal-affari?

do without vt., vi. għadda mingħajr

docile adj. doċli; kwiet; twajjeb; ubbidjenti; li joqgħod għal li jgħidulu; mans

dock n. dokk; baċir; (law) bank tal-imputati // vi. daħal fil-baċir; **~s** pl. baċiri; **~yard** n. dokjard; tarzna

doctor n. tabib; duttur; (univ.) lawrjat // vt. (fig.) immanipula; **D~ of Philosophy** (PhD) n. Duttur tal-Filosofija

doctrine n. duttrina

document n. dokument; **~ary** n. dokumentarju; (film) dokumentarju // adj. dokumentarju; **~ation** n. dokumentazzjoni

dodge n. żelqa; evażjoni // vt. skarta baxx baxx; tbiegħed minn; evita; warrab malajr; skansa daqqa

doe n. xorta ta' ċerva mara; (rabbit) fenka

does v. see **do**; **~n't = ~ not**

dog n. kelb; ~ **collar** n. kullar tal-kelb; **~eared** adj. (book) bil-widnejn

dogged adj. stinat; tenaċi; ta' rasu; rasu iebsa

doings n.pl. (activities) attività

do-it-yourself n. li tagħmel inti stess

doldrums n.pl. **to be in the** ~ (business) kien 'l isfel; (person) fi stat ħażin

dole n. (brit.) sehem; għoti ta' flus, ħwejjeġ, eċċ.; ta, qassam flus bħala karità; **to be on the** ~ jgħix bis-sussidju; ~ **out** vt. qassam; iddistribwixxa

doleful adj. qalbu sewda; addolorat; mnikket; mgħolli

doll n. pupa // vt. ~ **os. up** irranġa ruħu; għamel lilu nnifsu/għamlet lilha nnifisha attraenti

dollar n. dollaru

dolphin n. denfil

domain n. dominju; saltna

dome n. koppla

domestic adj. domestiku/domestika; (within country) nazzjonali; interni; (animal) domestiku; mans; **~ated** adj. (person) domestikat; (animal) immansat

dominant adj. dominanti

dominate vt. iddomina

domineering adj. despotiku/despotika; awtoritarju/awtoritarja

dominion n. (rule) dominju; sovranità; (land) dominju

domino n, (pl. **~es**) dominos

don n. (brit.) għalliem/a universitarju/universitarja jew f'kulleġġ

donate vt. (blood, little money) ta; (lot of money) qassam

donation n. donazzjoni

done (pp. of **do**) magħmul

donkey n. ħmar

donor n. donatur/donatriċi

don't = do not

doodle vi. taħżiż

doom n. kundanna; destin; ħaqq; (downfall) rovina // vt. **to be ~ed** kien predestinat (li jfalli); **~sday** n. Jum il-Ħaqq; Jum il-Ġudizzju

door n. bieb; **~bell** n. qanpiena tal-bieb; **~-handle** n. pum tal-bieb; **~keeper** n. purtinar; **~-post** n. koxxa tal-bieb; **~step** n. għatba; **~way** n. fetħa ta' bieb

dope n. (drug) droga // vt. (horse, etc.) ta d-droga; ta s-sustanza

dormant adj. inattiv; immobbli; rieqed

dormitory n. dormitorju

dormouse (pl. **dormice**) n. ġurdien

DOS n. abbr. of **disk operating system - DOS**

dose n. doża

doss house n. refuġju notturn

dot n. pont; tikka; nikta; ħaġa ċkejkna ħafna; **~ed with** mtektek; **on the** ~ fil-punt

dote: ~ **on** vt. blieh bix-xjuħija; infatwa ruħu minn

dotted line n. linja mtektka

double adj., adv. doppju/doppja // vt. irdoppja; **~s** n. (tennis) koppji; **~bass** n. kontrabaxx; ~ **bed** n. sodda matrimonjali; **~decker** n. karozza tal-linja b'żewġ saffi; ~ **glazing** n. (brit.) ħġieġ doppju; ~ **room** n. kamra għal tnejn; **~-faced** adj. faċċol; **~cross** vt. inganna; qarraq bi

doubly adv. doppjament

doubt n. dubju; tħassib; inċertezza // vt. iddubita; **~ful** adj. dubjuż; **~less** adv. indubbjament; bla dubju

dough n. għaġina; **~nut** n. sfinġa

douse vt. (drench) xarrab; (extinguish) tefa; qata'

dove n. ħamiema; **~tail** n. minċott fix-xogħol tal-injam, tal-mastrudaxxi

dowdy adj. liebes ħażin

down n. (fluff) materjal bħar-rix; (hill) minn fuq għal isfel; għall-art; mill-għoli għall-baxx // adv. (motion) 'l isfel // prep. **to go ~ the street** niżel 'l isfel mat-triq; **~cast** adj. mikdud; **~fall** n. waqgħa; rovina; **~hearted** adj. skoraġġjat; qalbu maqtugħa; **~hill** adv. 'l isfel; għan-niżla; **~pour** n. ħalba (xita); **~right** adj. frank/a; (refusal) assolut/a; **~stairs** adv. isfel; il-pjan t'isfel; **~stream** adv. 'l isfel mal-wied; **~-to-earth** adj. prattiku/prattika; **~town** adv. fil-belt; **~ward** adj. **~wards** adv. 'l isfel; għan-niżla

dowry n. dota

doze vi. raqad ħafif ħafif // n. nagħsa; raqda ċkejkna, ħafifa

dozen n. tużżana; **a ~ books** tużżana kotba

Dr abbr. of **doctor**

drab adj. lewn griż skur; (fig.) monotonu; li jdejjaq

draft n. abbozz; ħażż; (fin.) kambjala; (US. mil.) stakkament ta' suldati (missjoni speċjali) // vt. fassal

draftsman n. = **draughtsman**

drag vt. karkar; kaxkar; ġibed // vi. nġibed; tkarkar; tkaxkar // n. (bore) dwejjaq; **in ~** travestit; **~ on** vi. mexa'l quddiem bil-mod

dragon n. dragun; **~fly** n. debba tax-xitan

drain n. (lit.) katusa; kanal għall-ilma maħmuġ // vt. ippompja; nixxef; (exhaust) eżawrixxa // vi. (of water) evakwa; żvojta; **~age** n. drenaġġ; **~pipe** n. pajp tad-drenaġġ

drama n. dramm; rappreżentazzjoni f'teatru; **~tic** adj. drammatiku/drammatika; **~tist** n. drammaturgu; min jikteb id-drammi; **~tize** vt. (events) iddrammatizza; (adapt: for tv., cine.) addatta għat-televixin

drank (pt. of **drink**) xorob

draper n. (brit.) bejjiegħ id-drappijiet jew il-ħwejjeġ

drapery n. drapperija; pezez ta' drappijiet imħallta;

drastic adj. drastiku/drastika; qawwi; esaġerat; li jagħmel effett

draught n. (US.) draft n. ġbid; xarba; ħażż; kurrent; żiffa; **~s** n. (brit.) drafts; logħba biċ-ċess; **~board** n. (brit.) mejda tad-drafts

draughtsman n. disinjatur

draw (pt. **drew**, pp. **drawn**) vt. ġibed; karkar; ressaq lejn; ħareġ; ħa; qala'; silet; ħajjar; ħażżeż; iddisinja; (crowd) ġibed; (picture) ħa; ġibed (ritratt); (money) ġibed; (water) tella' // vi. (sport) ippareġġja l-punteġġ // n. (sport) pariġġ; dro; punteġġ indaqs; (lottery) tlugħ; estrazzjoni; **~ near** vi. avviċina; resaq qrib; **~ out** vi. (train) ħareġ; (lengthen) ittawwal; **~ up** vi. (stop) waqqaf; **~back** n. żvantaġġ; inkonvenjent; **~bridge** n. pont li jista' jintrafa' u jitniżżel

drawer n. kexxun

drawing n. disinn; **~ board** n. mejda mħejjija b'apparat apposta sabiex wieħed jiddisinja fuqha; **~ room** n. salott

drawn (pp. of **draw**) mpinġi

dread n. biża'; ħass ta' biża' // vt. beża' ħafna minn; **~ful** adj. tal-biża'; terribbli

dream n. ħolma // vt., (pt., pp. **dreamed** or **dreamt**) ħolom; **~er** n. ħalliem; **~y** adj. li joħlom

dreary adj. mudlam; tas-swied il-qalb; waħxi

dregs n.pl. il-fdal; ir-residwi

drench vt. xarrab; għarraq fl-ilma; xarba kbira

dress n. libsa; (garment) lbies // vt. libes; (med.) infaxxa; **to get ~ed** libes; **~ up** vi. libes gala; **~circle** n. (brit.) prima gallarija; **~er** n. (furniture) gradenza; **~ing** n. (med.) faxxatura; **~ing gown** n. (brit.) libsa ta' filgħaxija; **~ing room** n. (theat. kamra fejn ibiddlu l-atturi; żeffiena, eċċ.; **~ing table** n. twaletta; **~maker** n. ħajjata; waħda li tħit l-ilbiesi tan-nisa; **~ rehearsal** n. prova ġenerali; **~y** adj. eleganti

dribble vi. qattar; liegħeb; ferragħ qatra qatra // n. (ball) xorta ta' logħob bil-ballun

drew pt. of **draw**

dried adj. mnixxef; **~ milk** n. trab tal-ħalib

drier n. = **dryer**

drift n. direzzjoni; forza; xejra; xeħta; tendenza // vi. mexa mal-kurrent; karkar; ħa miegħu; mar mal-mewġ, mar-riħ

drill n. golja; żgorbja; għodda biex ittaqqab; (mil.) tip partikolari ta' taħriġ // vt. taqqab

drink n. xarba; (spirits) xorb // vt. (pt. **drank**, pp. **drunk**) xorob; **~er** n. wieħed li jixrob; xurban; **~ing water** n. ilma tajjeb għax-xorb

drip n. qattar; niżel qatra qatra // vi. qattar; **~-and-dry** adj. li ma jiġix mgħoddi; **~ping** n. taqtir; ix-xaħam li joħroġ mil-laħam

drive n. ħarġa; dawra b'karozza; (road) triq; (campaign) sforz, eċċezzjonali; kampanja; (energy) enerġija; (also **disk ~**) post fil-kompjuter fejn wieħed idaħħal id-diskett // v. (pt. **drove**, pp. **driven**) vt. (car) saq; (animals) rikeb; (power) ħaddem; għamel jiffunzjona; (force) ġiegħel; **to ~ sb. mad** tilef lil xi ħadd minn sensih; ġennu; **left-/right- hand ~** sewqan fuq in-naħa tax-xellug/lemin tal-karozza

drivel n. lgħab; kliem bla sens; tal-boloh // vt. liegħeb; tkellem bla sens

driver n. xufier; sewwieq; kuċċier; dak li jsuq il-karozza; **~'s license** n. liċenzja tas-sewqan
driving adj. (rain) xita qawwija; ~ **instructor** n. għalliem tas-sewqan; ~ **lesson** n. lezzjoni tas-sewqan; ~ **licence** n. (brit.) liċenzja tas-sewqan; ~ **mirror** n. mera li tintuża fis-sewqan (fil-karozza); ~ **school** n. skola tas-sewqan; ~ **test** n. test tas-sewqan
drizzle n. rxiex; xita rqiqa // v. raxxax; għamel l-irxiex, iċ-ċirċ
drone n. (sound) żanżin; (bee) naħla bagħlija; naħla raġel; wieħed għażżien; ma jaħdimx; żanżin // vt. żanżan; tgħażżen; tlajja
drool vi. qattar; ċarċar
droop vi. niżel; ntelaq bl-għeja; iddendel; dbiel; telqa; qtigħ il-qalb
drop n. (of liquid) qatra; (fall) waqgħa // vt. waqqa'; (lower) baxxa; qattar; (abandon) abbanduna; waqqa'; telaq // vi. (fall) ntelaq fl-art; **~s** pl. (med.) taqtir; ~ **off** vi. (sleep) raqad // vt. (passenger) niżel; ~ **out** vi. (withdraw) irtira; **~-out** n. min abbanduna l-istudji; **~pings** n.pl. ħmieġ tal-għasafar, eċċ.
drought n. nuqqas ta' xita; nixfa; għaks
drove (pt. of **drive**) saq
drown vt. għereq; għarraq; għaddas // vi. tgħarraq
drowsy adj. mniegħes; bi ngħas; bil-lanja
drudgery n. ħakkiek; ħajja ta' xogħol iebes, ta' jasar
drug n. (med.) droga; duwa; (narcotic) droga; narkotiku; trankwillizzant // vt. ittrankwillizza; ta d-droga; ikkalma; ~ **addict** n. addict; **~gist** n. (US. **~ier**); spiżjar; **~store** n. (US.) spiżerija
drum n. tanbur // vi. tanbar; **~s** pl. tnabar; **~mer** n. min idoqq it-tanbur
drunk (pp. of **drink**) // adj. fis-sakra; xurban // n. (also **~ard**) sakranazz; **~en** adj. fis-sakra
dry adj. niexef; xott; bla ilma; qasir fil-kliem, eċċ. // vt. nixxef // vi. tnixxef; ~ **up** vi. nixxef qoxqox; **~-cleaning** n. tindif mingħajr l-użu tal-ilma; **~er** n. drajer; li jnixxef; li jixxotta malajr; **~ness** n. nixfa; ariditā
dual adj. doppju; bi tnejn; ta' tnejn; ~ **carriageway** n. (brit.) triq bi sqaqien doppji; ~ **nationality** n. ta' nazzjonalità doppja; **~-purpose** adj. għal żewġ skopijiet differenti
dubbed adj. mlaqqam
dubious adj. dubjuż; mhux ċar; bejn iva u le
duchess n. dukessa
duck n. papra // vi. għodos; għaddas; baxxa rasu; malajr; **~ling** n. papra żgħira
duct n. pajp; kanal; tubu; ċilindru
dud n. fjask; falliment; diżastru
due adj. li jistħoqq; li jmiss; li hu dovut, mistenni; (fitting) it-tajjeb; adatt; approprjat // adv. (south, etc.) dritt lejn (eż: in-nofsinhar); **~s** pl. (for club, union) kwota; ~ **to** minħabba...; kawża ta'...
duel n. dwell
duet n. dwett
dug (pt., pp. of **dig**)
duke n. duka
dull adj. moħħu xieref; ma jarfax; (colour, weather) li jdejjaq; matt; skur; ikrah; qalbu sewda; (stupid) stupidu
dumb adj. (lit.) mutu; mbikkem; sieket; li ma jitkellimx; (col. stupid) stupidu/stupida; **~founded** adj. stupidu; mbikkem
dummy n. figurin; manikin; (brit. for baby) gażaża
dump n. imbarazz; rifjut; skart; (col. place) post fejn jintrema l-iskart // vt. warrab; battal; geddes l-imbarazz, skart, eċċ.; **~ing** n. (comm.) **~ing** (of rubbish) rimi ta' skart
dunce n. wieħed rasu qargħa; ħmar; stupidu
dune n. duna; borġ; munzell jew għolja ta' ramel
dung n. ħmieġ tal-bhejjem; demel; żibel; **~hill** n. miżbla
dungarees n.pl. tip ta' lbies
dungeon n. kalzri mudlam taħt l-art
dupe n. belhun; sempliċi; babbu; fidil għal darba; li jidħak bih kulħadd // vt. qarraq bi; għadda ż-żmien, iżżuffjetta b'xi ħadd
duplex n. (apartment) appartament fuq żewġ pjani
duplicate n. id-doppju // vt. rdoppja // adj. duplikat; mtenni
duplicity n. qerq; falzità; żewġ uċuħ
durable adj. dewmieni; li jdum; li jservi għal ħafna żmien; ta' kedda; ta' strapazz
duration n. dewmien; ġbid fit-tul fil-ħin jew fiż-żmien; dewma
duress n. **under** ~ ħruxija; tgħakkis; theddid; dnewwa; kalzri; ħabs; **to do sth. under** ~ għamel xi ħaġa bilfors, taħt it-theddid, għax kien kostrett
during prep. matul; filwaqt; fil-ħin; meta
dusk n. għabex; għib ix-xemx; sewdieni; dlam; tbexbix
dust n. trab; għabra // vt. farfar; **~er** n. biċċa tat-tfarfir; **~man** n. (brit.) wieħed li jiġbor iż-żibel; **~y** adj. mgħabbar; bit-trab
Dutch adj. Olandiż/a // n. (ling.) Olandiż; **the** ~ pl. l-Olandiżi; **~man/woman** n. Olandiż/a
dutiful adj. ubbidjenti; li jaqdi dmiru
duty n. dmir; dover; obbligu; servizz; (tax) dazju; sisa; **on** ~ fuq is-servizz; **~-free** adj. ma jħallasx dazju
dwarf n. (pl. **dwarves**) n. nanu; qerqni; bniedem żgħir ħafna // vt. għamel jidher żgħir

dwell (pt., pp. **dwelt**) vi. għammar; qagħad fid-dar; dam ikarkar, sejjer; ~**ing** n. dar; lok; post; residenza; fejn wieħed joqgħod; jgħammar
dwindle vi. naqas; ċkien ftit ftit
dye n. żebgħa; kulur; lewn // vt. ta l-kulur; ta l-lewn
dying adj. (person) li qed imut/tmut; moribond; (moments) agunija
dynamic adj. dinamiku/dinamika
dynamite n. dinamite; splużiv qawwi
dynamo n. dinamo; magna li tagħti enerġija elettrika; ġeneratur kbir
dynasty n. dinastija; razza; linja ta' slaten u werrieta mill-istess familja
dysentery n. diżenetrija; marda tal-imsaren

E e

e il-ħames ittra tal-alfabett Ingliż
E n. (mus.) Mi
each adj. kull // pron. kull wieħed/waħda; ~ **other** wieħed lill-ieħor; lil xulxin
eager adj. mħeġġeġ; xewqan ħafna; mlebleb għal; mixtieq wisq; bla paċenzja għal
eagle n. ajkla
ear n. widna; (of corn) sbula; ~**ache** n. uġigħ tal-widnejn; ~**drum** n. it-tanbur tal-widna
earl n. konti
early adj., adv. kmieni; bikri; ~ **retirement** n. rtirar; waqfien mix-xogħol qabel iż-żmien stipulat
earmark vt. iddestina xi ħaġa għal
earn vt. qala'; iggwadanja; immerita
earnest adj. serju; sod; kollu ħeġġa; **in** ~ adv., v. bis-serjetà
earnings n.pl. gwadanji; salarju; stipendju
earphones n.pl. earphones
earring n. misluta
earshot n. mnejn wieħed jista' jisma'
earth n. art; id-dinja; trab; (brit. elec.) earth // vt. radam; għatta bit-trab; ħeba taħt l-art; ~**enware** n. fuħħar; fajjenza, eċċ.; ~**quake** n. terremot
earthy adj. tal-art; (sensual) tad-dinja; senswali
earwig n. insett bħal ħanfusa
ease n. serħ; kwiet; kumdità (simplicity) sempliċità // vt. (pain) serraħ l-uġigħ; (burden) serraħ (it-toqol; it-tagħbija); **at** ~ kien kwiet; kalm; ħieles mix-xogħol, eċċ.; (mil.) waqt il-mistrieħ; ~ **off** or **up** vi. naqqas; taffa
easel n. kavalett
easily adv. faċilment; bil-kumdità
east n. Lvant // adj. tal-Lvant // adv. fil-Lvant
Easter n. l-Għid il-Kbir; ~ **egg** n. bajda tal-Għid
easterly adj. li ġej mil-Lvant; mill-Orjent
eastern adj. tal-Lvant; li qiegħed fil-Lvant
eastwards adv. lejn il-Lvant
easy adj. (task) faċli; (life) komda; ta' serħan; (manner) bla xkiel; bil-kalma // adv. **to take things** ~ ħa l-affarijiet bil-kalma; ~ **chair** n. pultruna; ~**-going** adj. bil-kumdità
eat (pt. **ate**, pp. **eaten**) vt. kiel; (animals) kiel; (destroy) ġarraf; ~ **into**, ~ **away** vt. gerrem
eau de Cologne n. xorta ta' fwieħa
eaves n.pl. it-truf ta' saqaf imżerżaq
eavesdrop vi. issamma' bil-moħbi; **to** ~ **on sb.** qagħad jissamma' lil xi ħadd bil-moħbi
ebb n. it-tifrigħ tal-baħar wara li jkun imtela // vi. (fig. also ~ **away**) naqqas
ebony n. ebanu
ebullient adj. jagħli; eżuberanti
eccentric adj. eċċentriku/eċċentrika; stramb/a; mħerwel/mħerwla
ecclesiastical adj. ekkleżjastiku
echo (pl. ~**es**) n. eku/ekujiet // vt. rbombja; dewa // vi. għamel l-eku
eclipse n. eklissi; kifs // vt. kifes
ecology n. ekoloġija
economic adj. ekonomiku/ekonomika; ~**al** adj. ekonomiku; (person) ekonomu; ~**s** n. ekonomija
economist n. ekonomista
economize vi. ekonomizza
economy n. (thrift) tfaddil; tifdil; (of country) ekonomija
ecstasy n. estasi
ecstatic adj. estatiku
ecumenical adj. ekumeniku
eczema n. ekżema
edge n. xifer; tarf; limitu; (of knife) xifer // vt. (sewing) keff; berfel; **on** ~ (fig.) = **edgy**; **to** ~ **away** tbiegħed minn; ~**ways** adv. **he couldn't get a word in** ~**ways** mill-ġenb
edgy adj. nervuż; irritabbli
edible adj. tajjeb għall-ikel
edict n. editt
edifice n. bini
edit vt. edita; ~**ion** n. edizzjoni; ~**or** n. (of newspaper) editur; (of book) editur; ~**orial** adj. editorjali // n. editorjal
educate vt. eduka; għallem
education n. (teaching) tagħlim; (system) edukazzjoni; (schooling) tagħlim; istruzzjoni; edukazzjoni; ~**al** adj. edukattiv; istruttiv

EEC n. abbr. of **European Economic Community**; Komunità Ekonomika Ewropea
eel n. sallura
eerie adj. li jġiblek sens ta' waħx u biża'
effect n. effett; konsegwenza // vt. effettwa; **~s** pl. (sound, visual) effetti; **in ~** effettivament; **to take ~** (law) daħal fis-seħħ; (drug) għamlet l-effett; **~ive** adj. effettiv/a, **~ly** adv. effettivament
effeminate adj. effemminat
effervescent adj. (lit., fig.) effervexxenti; li jfexfex
efficiency n. effiċjenza
efficient adj. effiċjenti
effigy n. xbieha; immaġini; sura
effort n. sforz; **~less** adj. bla ebda sforz
effrontery n. tustaġni kbira; ardir; sefq tal-wiċċ; nuqqas ta' prudenza
effusive adj. espansiv/a
eg abbr. of **exempli gratia**; pereżempju
egalitarian adj. egalitarju
egg n. bajda; **~ on** vt. inċita; inkoraġġixxa; **~cup** n. uviera; **~plant** n. (esp. US.) brunġiela; **~shell** n. qoxra tal-bajda
ego n. l-ego
egotism n. egotiżmu
egotist n. egotist
Egypt n. l-Eġittu; **~ian** adj. Eġizzjan/a // n. l-Eġizzjan/a
eiderdown n. kutra mimlija b'rix fin
eight num. tmienja; **~een** num. tmintax; **~h** adj. it-tmien // n. tmienja; **~y** num. tmenin
Eire n. l-Irlanda
either conj. **~ ... or** il-wieħed jew l-ieħor // pron. **~ of the two** il-wieħed jew l-ieħor mit-tnejn; **I don't want ~** ma rrid l-ebda wieħed // **on ~ side** fuq kull naħa // adv. **I don't ~** lanqas jien
eject vt. keċċa; qala'; ħareġ 'il barra; **~ion** n. xħit; tfigħ 'il barra
eke: ~out vt. żied; għamel idum iżjed
elaborate adj. elaborat; rfinut // vt. elabora; irfina // vi. ta d-dettalji; **~ly** adv. elaboratament
elapse vi. (żmien) għadda
elastic n. lasktu // adj. elastiku/elastika; **~ band** n. (brit.) lasktu
elated adj. minfuħ; mkabbar; mhenni
elation n. kburija
elbow n. minkeb
elder adj. ixjeħ // n. xorta ta' siġra; **~ly** adj. anzjan; xwejjaħ; mdaħħal fiż-żmien // n. **the ~ly** l-anzjani
eldest adj. l-akbar; l-ixjeħ wieħed fil-familja (fost l-ulied)
elect vt. ħatar; għażel; talla' bil-voti // adj. il-magħżul; l-appuntat; **~ion** n. elezzjoni; **~ioneering** n. propaganda elettorali; **~or** n. elettur; **~oral** adj. elettorali; **~orate** n. elettorat
electric adj. elettriku; **~al** adj. elettriku; **~ blanket** n. kutra elettrika; **~ chair** n. siġġu elettriku; **~ fire** n. nar elettriku
electrician n. elektrixin
electricity n. elettriċità; elettriku
electrify vt. elettrifika
electrocute vt. għamel bl-elettriku
electronic adj. elettroniku/elettronika; **~ mail** n. posta elettronika; **~s** n. elettronika
elegance n. eleganza
elegant adj. eleganti
element n. element; **~ary** adj. elementari; (primary) primarju/primarja
elephant n. iljunfant
elevate vt. eleva, għolla
elevation n. (height) elevazzjoni; (archit) għoli
elevator n. (US.) elevatur
eleven num. ħdax; **~th** adj. il-ħdax-il
elf (pl. **elves**) n. fatat; spirtu; għafrit; nanu
elicit vt. ħareġ; qala' barra xi ħaġa moħbija
eligible adj. eliġibbli; **to be ~ for pension** kien eliġibbli għall-pensjoni
eliminate vt. elimina
elimination n. eliminazzjoni
elite n. l-elit
elm n. ulmu (siġra); l-injam tal-istess siġra
elocution n. l-arti tat-taħdit pubbliku
elongated adj. mtawwal
elope vi. ħarbet ma' raġel/ħarab ma' mara; **~ment** n. ħarba ta' mara mid-dar ma' xi raġel
eloquence n. elokwenza
eloquent adj. elokwenti
else adv. barra minn; ieħor; ħaġa oħra; inkella; **somebody ~?** xi ħadd ieħor; **who ~?** min aktar?; **or ~** jew inkella; **~where** xi mkien ieħor
elucidate vt. fisser; spjega; iċċara; ftiehem aħjar
elude vt. ħarab minn; żgiċċa; skansa
elusive adj. li jaf kif jaħrab; jiżgiċċa; jiskansa xi periklu; (liġi, eċċ.); li jqarraq
emaciated adj. magħlub; niexef
emanate vi. ħareġ; ipproċieda; oriġina
emancipate vt. emanċipa; (slave) ħeles (mill-jasar)
emancipation n. emanċipazzjoni; ħelsien
embalm v. ibbalzma; mela bil-fwejjaħ
embankment n. (of road) moll; rampa; ħajt (biex tingħalaq xi xmara, eċċ.)
embargo (pl. **~es**) n. embargo; sospensjoni tal-kummerċ

embark vi. imbarka; tala' abbord; ~ **on** vt. imbarka fuq; ~**ation** n. imbarkazzjoni
embarrass vt. ġiegħel jistħi; imbarazza; bixkel; ħawwad; saram; ikkonfonda; ~**ed** adj. imbarazzat/a; ~**ing** adj. imbarazzanti; ~**ment** n. tfixkil; mistħija; taħwid
embassy n. ambaxxata
embed vt. ingasta
embellish vt. sebbaħ; żejjen; tejjeb
embers n.pl. ġamar; rmied bin-nar
embezzle vt. dawwar u żamm għalih b'qerq flus, eċċ., li jkunu ġew fdati f'idejh
embitter vt. qarras; intoska; għamel morr
embody vt. (ideas) inkorpora; (new features) inkluda
embossed adj. mqabbeż jew minqux
embrace vt. għannaq; ħadden; (include) inkluda // vi. tgħannaq // n. tgħanniqa; tħaddina
embroider vt. irrakkma; ~**y** n. rakkmu
emerald n. żmerald
emerge vi. ħareġ barra minn post magħluq; tala' f'wiċċ l-ilma; deher; (truth) ħarġet (il-verità)
emergence n. apparizzjoni
emergency n. emerġenza; ~ **cord** n. sinjal t'allarm, ta' twissija; ~ **exit** n. ħruġ t'emerġenza; ~ **landing** n. nżul t'emerġenza; **the** ~ **services** n.pl. servizzi ta' emerġenza (eż. tifi tan-nar, ambulanza, eċċ.)
emetic n. li jikkawża l-vomtu
emigrant n. emigrant
emigrate vi. emigra
emigration n. emigrazzjoni
eminence n. eminenza
eminent adj. eminenti
emission n. emissjoni
emit vt. tefa'
emotion n. emozzjoni; ~**al** adj. (person) emozzjonali; (scene) li jqanqal il-qalb
emotive adj. emottiv/a
emperor n. imperatur
emphasis (pl. **emphases**) n. (ling.) enfasi; qawwa tal-leħen; (fig.) importanza
emphasize vt. enfasizza
emphatic adj. b'saħħtu; vigoruż, ~**ally** adv. vigorożament
empire n. imperu
empirical adj. empiriku
employ vt. (hire) impjega; ħaddem; (use) uża; ~**ee** n. impjegat; ħaddiem; ~**er** n. min iħaddem; il-padrun; il-prinċipal; ~**ment** n. impjieg; xogħol; ~**ment agency** n. kumpanija li ssib l-impjiegi
empower vt. **to** ~ **sb. to do sth.** awtorizza; ta s-setgħa lil xi ħadd sabiex jagħmel xi ħaġa
empress n. imperatriċi
emptiness n. vojt
empty adj. vojt; battal // n. (bottle) vojt // vt. (contents) żvojta; ferragħ; (container) battal // vi. (water) tbattal; (river) żvojtat; (house) tbattlet (dar); ~**-handed** adj. b'idejh vojta; b'idu f'idu
emulate vt. imita; ikkopja
emulsion n. emulsjoni
enable vt. **to** ~ **sb. to do sth.** ta l-permess lil xi ħadd sabiex jagħmel xi ħaġa
enact vt. (law) ordna; għamel liġi; approva; illeġiżla; (play) lagħab (il-parti ta'); (role) esegwixxa
enamel n. enamel
encased: ~ **in** (enclosed) magħluq fi; (covered) miksi bi
enchant vt. saħħar; ~**ing** adj. li jsaħħar; li jgħaxxaq
encircle vt. dawwar; għalaq ġo ċirku
encl. abbr. of **enclosed**; magħluq
enclose vt. għalaq; (in letter) daħħal ma' ittra f'envilopp; ~**d** (in letter) magħluq flimkien mal-ittra
enclosure n. reċint; (of animals) stalla; gallinar; kaxxa magħluqa, eċċ.
encompass vt. (include) inkluda; inkorpora
encore n. bis; mill-ġdid; għal darb'oħra
encounter n. tlaqqigħ; laqgħa; (mil.) taqbida; ġlieda // vt. ltaqa'; (resistance) tqabad ma'
encourage vt. ħeġġeġ; inkoraġġixxa; ~**ment** n. inkoraġġiment
encouraging adj. inkoraġġanti
encroach vi. **to** ~ (**up**) **on** għamel jedd fuq (il-ħwejjeġ ta' ħaddieħor)
encrusted ~ **with** miksi bi
encumber vt. **to be** ~**ed with** (parcels) kien ingombrat bir-rigali; (debts) mbixkel; mxekkel (bid-djun)
encyclopaedia n. enċiklopedija
end n. tmiem; tarf; limiti; skop; għan; mira; (purpose); skop; għan; mira // vt. (also **bring to an** ~ / **put an** ~ **to**) temm; spiċċa; laħaq it-tmiem // vi. ntemm; miet; **in the** ~ fl-aħħar; fit-tmiem; **on** ~ (object) bilwieqfa; dritt; vertikali; **to stand on** ~ (hair) qam xewk xewk; **for hours on** ~ għal sigħat sħaħ; ~ **up in...** vi. spiċċa fi...
endanger vt. ipperikola
endeavour (US. **endeavor**) n. sforz; tħabrik; tentattiv // vi. sforza; ipprova; ħabrek; irsista
ending n. tmiem; konklużjoni
endless adj. bla tarf; bla tmiem; infinit

endorse vt. iffirma; (approve) approva; appoġġja; **~ment** n. (on licence) kontravenzjoni reġistrata fuq il-liċenzja; firma; awtorizzazzjoni
endow vt. ~ **sb. with sth.** iddota; forna lil xi ħadd b'xi ħaġa (flus); iddota
endurance n. sabar; paċenzja; reżistenza
endure v. issaporta; irreżista; sofra bil-kwiet; (last) ġerragħ; irreżista; żamm
enemy n. għadu // adj. għadu
energetic adj. enerġetiku/enerġetika; attiv/a
energy n. enerġija
enforce vt. wettaq; applika; ġagħal isir bilfors; saħħaħ l-argument
engage vt. (employ) impjega; (in conversation) daħal fil-(konverżazzjoni); (tech.) daħħal; għafas // vi. (tech.) ingrana; (clutch) ngħafas; **to ~ in** impenja ruħu fi; **~d** adj. okkupat; (brit. tel., toilet) okkupat; (buoy) impenjat; **to get ~d** tgħarras/tgħ[illegible]; **~d tone** n. (brit. tel.) sinjal li t-telefown hu okkupat; **~ment** n. (appointment) appuntament; impenn; (to marry) rabta; għerusija; (mil.) kumbattiment; taqbid; **~ment ring** n. ċurkett tal-għerusija
engaging adj. attraenti; affaxxinanti // n. ingaġġ; reklutaġġ
engender vt. ipproduċa; ikkawża; ikkaġuna
engine n. (aut.) magna; (rail.) lokomotiva; **~ driver** n. xufier
engineer n. inġinier; **~ing** n. inġinerija
England n. l-Ingilterra
English adj. Ingliż/a // n. (ling.) l-Ingliż; **the** ~ pl. l-Ingliżi; **~man/woman** n. Ingliż/a
engraving n. inċiżjoni; tinqixa
engrossed adj. assorbit fi
engulf vt. bala'
enhance vt. kabbar; żied; tejjeb
enigma n. enimma; **~tic** adj. enimmatiku/enimmatika
enjoy vt. gawda; tpaxxa; ħa pjaċir bi; tgħaxxaq bi; (privilege) gawda; **to ~ os.** iddeverta; gawda; **~able** adj. pjaċevoli; **~ment** n. pjaċir; divertiment
enlarge vt. kabbar; wassa'; tawwal; (phot.) kabbar; **~ment** n. tkabbir
enlighten vt. illumina; dawwal; għallem; fisser ċar; the **E~ment** n. (hist.) l-Illuminiżmu
enlist vt. nkiteb // vi. (mil.) ingaġġa; ntrabat mal-militar
enmity n. ostilità
enormity n. enormità; kobor
enormous adj. enormi
enough adv. biżżejjed; suffiċjenti; **he knows me** ~ jafni tajjeb biżżejjed
enquire vt., vi. = **inquire**
enrage vt. ġiegħel lil xi ħadd jirrabja
enrich vt. għana; għamel sinjur
enrol vt. nkiteb // vi. (register) niżżel isem xi ħadd f'lista; **~ment** n. (for course) dħul; applikazzjoni
ensign n. (naut.) bandiera; insinja; (mil.) standard (ta' reġiment, eċċ.)
enslave vt. jassar; għamel skjav, ilsir
ensue vi. ġara; irriżulta
ensure vt. assigura; żgura
entail vt. involva
entangle vt. ħabbel; ħawwad; saram; fixkel
enter vt. daħal; (club) nkiteb; (in book) niżżel (fi ktieb) // vi. daħal; ~ **for** vt. nkiteb; ~ **into** vt. (agreement) daħal fl-effett; ~ (**up**) **on** vt. beda
enteritis n. enterite
enterprise n. (in p[illegible]) [illegible]apriża; biċċa xogħol; ħila; kuraġġ; (comm.) intrapriża
enterprising adj. intraprendenti; ta' kuraġġ; qlubi
entertain vt. (guest) stieden; laqa'; (amuse) ta' pjaċir; iddiverta; **~er** n. buffu; **~ing** adj. divertenti; **~ment** n. divertiment; spettaklu
enthralled adj. affaxxinat
enthusiasm n. entużjażmu
enthusiast n. entużjasta; **~ic** adj. entużjast
entice vt. ħajjar; ġibed lejh
entire adj. sħiħ; intier; **~ly** adv. kompletament; totalment; **~ty** n. **in its ~ty** fit-totalità tiegħu/tagħha
entitle vt. (allow) intitola; ta d-dritt; (name) semma; intitola; **~d** adj. (book) li jismu; li jġib it-titlu ta'
entity n. entità
entourage n. il-madwar
entrails n.pl. l-interjuri
entrance n. ammissjoni; dħul; entrata; daħla // vt. għaxxaq; henna; talla' f'estasi; saħħar; ~ **examination** n. eżami tad-dħul; ~ **fee** n. ħlas għad-dħul; ~ **ramp** n. (US. aut.) rampa għad-dħul
entrant n. (for exam) parteċipant; konkorrent; (in race) parteċipant
entreat vt. talab bil-ħniena, bil-ħrara
entrepreneur n. intraprenditur
entrust vt. fada lil xi ħadd b'xi ħaġa
entry n. dħul; ingress; (theat. dħul; entrata; (in account) tniżżil f'reġistru; (in dictionary) kelma mniżżla; **'no ~'** dħul mhux permess; ~ **form** n. formola ta' dħul, ta' sħubija
enumerate vt. enumera
enunciate vt. ipproklama; ippronunzja
envelop vt. geżwer; qartas; sarr; kesa; għatta bil-karti, eċċ.

envelope n. envilopp
enviable adj. ta' min jgħir għalih/a
envious adj. invidjuż; għajjur
environment n. ambjent; (ecology) in-natura, l-ambjent naturali; **~al** adj. ekoloġiku; ambjentali
envisage vt. immaġina; ippreveda
envoy n. messaġġier; rappreżentant; mibgħut
envy n. għira; invidja; // vt. **to ~ sb. sth.** għer għal xi ħadd minħabba xi ħaġa
enzyme n. enżima
ephemeral adj. effimeru
epic n. epika // adj. epiku/epika
epidemic n. epidemija
epilepsy n. epilessija
epileptic adj. epilettiku/a // n. epilettiku
episode n. (incident) episodju; (story) storja; rakkont qasir
epistle n. epistola
epitaph n. epitaffju
epithet n. epitet
epitome n. taqsira
epitomize vt. ikkondensa
equable adj. uniformi; ekwilibrat
equal adj. ndaqs; ugwali; pariġġ // vt. ippariġġja; daqqas; qabbel; ~ **to the task** fil-quċċata, fil-livell ta'; **~ity** n. ugwaljanza; (equal rights) drittijiet indaqs; **~ize** vt. ippariġġja; daqqas // vi. (sport) ippariġġja; **~izer** n. (sport) (gowl) tal-pariġġ; **~ly** adv. ugwalment
equanimity n. serenità; armonija
equate vt. ikkunsidra (lil xi ħadd) ugwali għal
equation n. ekwazzjoni
equator n. ekwatur
equestrian adj. ekwestri
equilibrium n. ekwilibriju; bilanċ
equinox n. ekwinoks
equip vt. rama; ekwipaġġja; għammar; **~ment** n. tagħmira; attrezzatura; (tech.) għodda
equitable adj. ġust
equities n.pl. (brit. comm.) azzjonijiet ordinarji
equivalent adj. ekwivalenti // n. l-ekwivalenti
equivocal adj. ekwivoku
era n. era; epoka
eradicate vt. qered; qala' mill-għeruq
erase vt. ikkanċella; ħassar; ingassa; (tape) ħassar; **~r** n. gomma
erect adj. wieqaf; arbulat // vt. waqqaf; arbula; talla'; bena
erection n. twaqqif; erezzjoni
ermine n. ermellin
erode vt. kiel minn; għawwar
erotic adj. erotiku/a
erotism n. erotiżmu
err vi. żbalja; (rel.) dineb
errand n. qadja; faċenda; ~ **boy** n. qaddej; tifel għall-qadi; messaġġier
erratic adj. erratiku; imprevedibbli; inkostanti
erroneous adj. żbaljat; ħażin; mhux sewwa
error n. żball; għelt
erudite adj. erudit
erupt vi. xpakka; feġġ; żbroffa; **~ion** n. eruzzjoni; żbroff
escalate vi. intensifika ruħu; żdied
escalator n. eskalatur; taraġ awtomatiku
escape n. evażjoni; ħarba; skappata; (of gas) ħruġ // vt., vi. żgiċċa; ħeles minn; (prisoners) ħarab; skappa; skansa; (leak) ħareġ; illikja
escapism n. eskejpiżmu; ħarbien
escort n. (person accompanying) skorta; (guard) gwardja tal-persuna // vt. (lady) skorta; indokra; wennes; (mil.) skorta; akkumpanja
Eskimo n. Eskimo; wieħed mill-Alaska
especially adv. speċjalment; fuq kollox
espionage n. spjunaġġ
esplanade n. spjanata
espouse vt. iżżewweġ; tgħarras
Esquire n. (abbr. **Esq.**) **J. Greene** ~ għamla ta' indirizz fuq ittra; titlu aqwa minn "Mr"
essay n. komponiment; (liter.) saġġ; esej
essence n. (quality) essenza; kwalità; (extract) estratt
essential adj. (necessary); (basic) essenzjali; neċessarju; fundamentali // n. element essenzjali; **~ly** adv. essenzjalment
establish vt. (set up) stabbilixxa; waqqaf; (prove) ikkonferma; **~ed** adj. stabbilit/a; **~ment** n. (setting up) stabbiliment; **the E~ment** l-Istabbiliment
estate n. bini; propjetà; grad; kundizzjoni; (brit. **housing** ~) qasam tad-djar; ~ **agent** n. (brit.) aġent tad-djar, bini, eċċ.; sensal
esteem n. stima; rispett; qima; opinjoni // vt. kellu stima lejn; qiem; irrispetta
esthetic adj. (US.) estetiku
estimate n. stima; (of price) kalkolu ta' prezz // vt. għamel stima; kalkolu
estimation n. stima; opinjoni
estranged adj. separat/a indifferenti
estuary n. il-post jew il-fomm tax-xmara fejn tiltaqa' mal-baħar
etc. abbr. of **et cetera**, eċċetra (eċċ.)
etching n. akwaforti
eternal adj. etern
eternity n. eternità
ethical adj. etiku/etika
ethics n. etika // n.pl. morali

Ethiopia n. l-Etjopja
ethnic adj. etniku/etnika
etiquette n. etikett
EU ~ abbr. of **European Union**; Unjoni Ewropea; UE
euphemism n. ewfemiżmu
Eurocheque n. Eurocheque
Europe n. l-Ewropa; ~**an** adj. Ewropew // n. Ewropew
evacuate vt. (place) evakwa; battal; (people) evakwa; ġarr nies minn post għal ieħor
evacuation n. evakwazzjoni
evade vt. (escape) skarta; ħarab; (avoid) evada; (duty) skansa; skarta
evaluate vt. evalwa
evaporate vi. evapora; żvinta // vt. evapora; ~**d milk** n. ħalib ikkonċentrat
evasion n. evażjoni
evasive adj. evażiv
eve n. **on the ~ of** lejlet
even adj. saħansitra; avolja; (regular) regolari; lixx; (score, etc.) ndaqs; (number) biż-żewġ // adv. ~ **you** int ukoll; ~ **if** anke jekk; ukoll jekk; ~ **so** anki hekk; ~ **out** vi. ippareġġja
evening n. għaxija; lejla; **in the ~** filgħaxija; ~ **class** n. klassi ta' filgħaxija; ~ **dress** n. libsa ta' filgħaxija
event n. (happening) avveniment; ġrajja; każ; (sport) ġirja; tellieqa, eċċ.; **in the ~ of** fil-każ ta'; ~**ful** adj. mimli avvenimenti
eventual adj. (final) tal-aħħar; eventwali; finali; ~**ity** n. eventwalità; ~**ly** adv. (at last) eventwalment; (given time) finalment
ever adv. (always) dejjem; (at any time) dejjem; ~ **since** adv. sa minn meta // conj. minn meta; ~**green** n. dejjem aħdar; dejjem iħaddar/tħaddar; ~**lasting** adj. etern
every adj. kull; ~ **other day** kull jumejn; ~ **one of them** kull wieħed/waħda minnhom; **I have ~ confidence in him** għandi fiduċja fih; **we wish you ~ success** nixtiqulek kull suċċess; ~ **now and then** kultant; ~**body** pron. = ~**one** kulħadd; ~**day** adj. (daily) ta' kuljum; kwotidjan; ~**thing** pron. kollox; kull ħaġa; ~**where** adv. kullimkien; ~**where you go** kull fejn tmur
evict vt. keċċa; ~**ion** n. tkeċċija
evidence n. (sign) evidenza; (proof) xhieda; (testimony) testimonjanza; **to give ~** xehed, ta l-evidenza
evident adj. evidenti; ~**ly** adv. evidentement
evil adj. ħażin; malinn; dannuż; kattiv // n. ħażen
evoke vt. evoka; sejjaħ
evolution n. evoluzzjoni
evolve vt. elabora // vi. evolva; żviluppa
ewe n. nagħġa
ex- pref. ex-
exacerbate vt. iggrava
exact adj. eżatt; preċiż // vt. **to ~ sth.** esiġa mingħand xi ħadd; ~**ing** adj. esiġenti; ~**itude** n. eżattezza; preċiżjoni; ~**ly** eżattament
exaggerate vt., vi. esaġera
exaggeration n. esaġerazzjoni
exalted adj. (position, style) eżaltat; elevat
exam n. abbr. of **examination**; eżami
examination n. eżaminazzjoni; (sch.) eżami
examine vt. eżamina; (law) interroga; (consider) ikkunsidra; ~**r** n. eżaminatur/eżaminatriċi
example n. eżempju; **for ~** pereżempju
exasperate vt. ħarrax; eżaspera
exasperating adj. eżasperanti
exasperation n. eżasperazzjoni
excavate vt. skava; ħaffer
excavation n. tħaffir; skavar
exceed vt. skorra; issupera
excel vi. eċċella
excellence n. eċċellenza
excellency n. **His E~** l-Eċċellenza Tiegħu
excellent adj. eċċellenti
except prep. (also ~ **for**, ~**ing**) barra minn; ħlief // vt. eskluda; ~**ion** n. eċċezzjoni; ~**ional** adj. eċċezzjonali
excerpt n. silta
excess n. eċċess; ~ **baggage** n. bagalji żejda fuq il-limitu stabbilit; ~**ive** adj. eċċessiv/a
exchange n. skambju; bidla; tpartit; (also **telephone**) ċentru operatorju (tat-telefown) // vt. (goods) partat; (greetings) ta l-merħba/tislima; (money) sarraf; ~ **rate** n. rata tal-kambju
Exchequer n. **the** ~ (brit.) il-Ministru tal-Finanzi
excise n. dazju; taxxa; sisa
excite vt. eċċita; **to get ~d** kien eċċitat; ~**ment** n. eċċitament
exciting adj. eċċitanti
exclaim vi. esklama
exclamation n. esklamazzjoni; ~ **mark** n. punt ta' esklamazzjoni
exclude vt. eskluda
exclusion n. esklużjoni
exclusive adj. (select) esklużiv; ~ **of** li jeskludi; ~**ly** adv. esklużivament
excommunicate vt. skomunika
excrement n. (vulg.) ħara, ħmieġ tal-annimali, eċċ.
excruciating adj. atroċi; li jitturmenta
excursion n. eskursjoni; ġita

excusable adj. skużabbli
excuse n. skuża // vt. skuża; ~ **me!** skużani!
ex-directory adj. (brit.): **to be** ~ ma kienx imniżżel fid-direttorju
execute vt. (carry out) esegwixxa; temm; (kill) qatel (b'mandat mill-awtorità)
execution n. eżekuzzjoni; (killing) qtil b'sentenza; ~**er** n. bojja
executive n. (comm.) diriġent; (pol.) eżekuttiv // adj. eżekuttiv
executor n. eżekutur
exemplary adj. eżemplari
exemplify vt. eżemplifika
exempt adj. eżentat/a // vt. eżenta; ~**ion** n. eżenzjoni
exercise n. eżerċizzju // vt. (power) eżerċita; (muscle) ħaddem; (dog) dawwar il-kelb // vi. għamel moviment; ~ **book** n. pitazz
exert vt. (influence) eżerċita; sforza; ~**ion** n. sforz
exhale vt., vi. tefa' nifs 'il barra
exhaust n. (fumes) fwar użat li joħroġ mill-makkinarju, fabbriki, karozzi, eċċ. // vt. eżawrixxa; għejja; ~**ed** adj. eżawrit; ~**ion** n. eżawriment; ~**ive** adj. eżawrjenti
exhibit n. (art) oġġett esebit, espost // vt. esebixxa; wera; ~**ion** n. (art) esibizzjoni; wirja; mostra; ~**ionist** n. esibizzjonista
exhilarating adj. eżilaranti; stimulanti
exhort vt. widdeb; wissa
exile n. eżilju; (person) eżiljat/a // vt. eżilja
exist vi. eżista; ~**ence** n. eżistenza; ~**ing** adj. eżistenti
exit n. ħruġ; (theat. ħareġ; ~ **ramp** n. (US. aut.) rampa tal-ħruġ
exonerate vt. eżonera
exorbitant adj. eżorbitanti; (price) eċċessiv
exotic adj. eżotiku/eżotika
expand vt. espanda; estenda // vi. espanda ruħu; ġie estiż
expanse n. estensjoni
expansion n. espansjoni
expatriate n. eżilja
expect vt. ippreveda; (suppose) stenna; issopona; ittama; ~**ancy** n. antiċipazzjoni; ~**ant mother** n. mara tqila li qed tistenna t-twelid; ~**ation** n. stennija
expedience n. konvenjenza; utilità; rilevanza
expediency see **expedience**
expedient adj. xieraq; konvenjenti; vantaġġjuż
expedition n. spedizzjoni
expel vt. xeħet 'il barra; (student) keċċa
expend vt. (effort) nefaq; ~**iture** n. nefqa
expense n. nefqa; ~**s** pl. spejjeż; **at the** ~ **of** għas-spejjeż ta'; ~ **account** n. kont tal-infiq
expensive adj. għali; li jqum il-flus
experience n. (incident) esperjenza; ġrajja; tiġriba // vt. esperjenza; ġarrab; ~**d** adj. mġarrab; esperjenzat
experiment n. esperiment // vi. esperimenta; ~**al** adj. sperimentali
expert n. espert // adj. espert; ~**ise** n. kompetenza
expire vi. (end) skada; ntemm; (die) miet; (ticket) skada
expiry n. skadenza
explain vt. spjega
explanation n. spjegazzjoni
explanatory adj. magħmul biex jispjega
explicit adj. espliċitu
explode vi. sploda // vt. (bomb) splodiet
exploit n. għemil ta' ħila; impriża; bravura // vt. sfrutta; ~**ation** n. sfruttament; esplojtazzjoni
exploration n. esplorazzjoni
exploratory adj. esploratorju/esploratorja
explore vt. (travel) esplora; (search) fittex; stħarreġ; ~**r** n. esploratur/esploratriċi
explosion n. (lit.) splużjoni
explosive adj. splużiv // n. splużiv
exponent n. esponent
export vt. esporta // n. esportazzjoni // cpd. (trade) tal-esportazzjoni; ~**er** n. esportatur
expose vt. (to danger, etc.) espona; (imposter) kixef; wera
exposed adj. (position) espost/a; mikxuf/a
exposure n. (med.) espożizzjoni; (phot.) poża
expound vt. spjega; fisser
express adj. espress; ċar; (speedy) veloċi // n. (rail.) tren ħafif li ma jieqaf imkien // adv. (send) messaġġ mibgħut b'ħeffa // vt. esprima; fiehem; fisser; ~**ion** n. espressjoni; ~**ive** adj. espressiv/a; ~**ly** adv. espressivament; ~**way** n. (US. urban motorway) triq ewlenija li taqsam il-belt
expulsion n. tkeċċija; espulsjoni
expurgate vt. neħħa partijiet mhux mixtieqa (minn ktieb, eċċ.)
exquisite adj. skwiżit
extend vt. (visit, etc.) estenda; tawwal; (building) kabbar; (hand) tawwal // vi. (land) estenda
extension n. estensjoni; medda; firxa; (of building) tkabbir; (tel.) estensjoni
extensive adj. (knowledge) estensiv/a; (use) li jinfirex
extent n. daqs; kobor; **to a certain** ~ sa ċertu punt; **to such an** ~ **that**... sal-punt li; **to what** ~**?** sa liema punt?; sa liema livell?
extenuating adj. skużabbli
exterior adj. esterjuri; estern // n. l-esterjuri; l-estern

exterminate n. estermina
extermination n. esterminazzjoni
external adj. estern; esterjuri
extinct adj. estint/a; **~ion** n. estinzjoni
extinguish vt. tefa; neħħa; **~er** n. min jitfi; stuta
extort vt. ħa b'saħħa, b'forza (sth. from sb.); **~ion** n. estorsjoni; **~ionate** adj. eżorbitanti
extra pref. supplimentari
extract vt. ħareġ; qala'; silet; saffa; għażel // n. (from book, etc.) estratt; silta
extracurricular adj. extrakurrikulari
extradite vt. raġġa' lura; estradixxa
extramarital adj. extrakonjugali
extramural adj. (course) barra (mill-università)
extraordinary adj. straordinarju/straordinarja; (amazing) tal-għaġeb
extravagance n. stravaganza; ħala; tberbiq
extravagant adj. stravaganti; ħali; berbieq
extreme adj. (edge) estrem; tat-tarf nett // n. l-estrem; **~ly** adv. estremament; ferm
extremity n. (end) estremità; l-aħħar punt; xifer il-ħaġa tispiċċa
extricate vt. solva; qala' mill-għawġ
extrovert n. estrovert
exuberant adj. abbundanti; eżuberanti
exude vt. reħa (nida)
exult vi. feraħ ferm; tar bil-ferħ
eye n. għajn; (of needle) għajn il-labra // vt. osserva; **to keep an ~ on** għasses sewwa; **~ball** n. il-globu tal-għajn; **~brow** n. ħaġeb; **~brow pencil** n. lapes għall-ħuġbejn; **~drops** n.pl. qtar għall-għajnejn; **~lash** n. xagħar ta' xfar il-għajn; **~lid** n. tebqet il-għajn; **~-opener** n. **that was an ~-opener** kien rivelazzjoni; **~sight** n. vista; **~sore** n. oġġett ikrah; **~ witness** n. wieħed li ra b'għajnejh dak li ġara

F f

f is-sitt ittra tal-alfabett Ingliż
F n. (mus.) fa
F. abbr. of **Fahrenheit**
fable n. ħrafa
fabric n. nsiġ; drapp
fabrication n. fabbrikazzjoni; falsifikazzjoni
fabulous adj. favoluż
face n. bixra; dehra; (surface) wiċċ; (of clock) wiċċ // vt. (point towards) ħares lejn; (situation, difficulty) iffaċċja; laqa'; ~ **down** (person) wiċċu 'l isfel; (card) wiċċha 'l isfel; **to make or pull** ~ adj. kerrah wiċċu; **in the ~ of** quddiem; **on the ~ of** mal-ewwel daqqa t'għajn; ~ **to** ~ wiċċ imb wiċċ; **to ~ up to sth.** affronta; ~ **cloth** n. (brit.) xugaman żgħir għall-wiċċ; ~ **cream** n. ingwent; krema għall-wiċċ
facet n. faċċata; perspettiva
facetious adj. ċajtier; komiku
face value n. valur nominali; (fig.) **to take sth. at its** ~ iġġudika oġġett mill-apparenza tiegħu
facial adj. tal-wiċċ
facile adj. faċli; ħafif; (US. easy) li jista' jsir malajr
facilitate vt. iffaċilita
facilities n.pl. faċilitajiet
facing adj. faċċata; biswit; wiċċ // prep. quddiem il-...
facsimile n. kopja eżatta
fact n. fatt; **in** ~ infatti
faction n. partit (eż. politiku)
factor n. fattur
factory n. fabbrika; stabbiliment
factual adj. fattwali
faculty n. fakultà (univ.); (US. teaching staff) membri ta' professjoni
fad n. manija; kapriċċ; (fashion) moda
fade vi. (lose colour) tilef il-lewn; (grow dim) tefa; (wither) dbiel
fag n. (col. cigarette) loqma
faggot n. qatta ħatab
fail vt. (exam) falla; m'għaddiex; weħel; (memory) tilef (il-memorja) // vi. (supplies) naqas; (eyesight) naqas (fil-vista); (light) naqas; (crop) ma rrendiex; ma nebbitx; (remedy) falla; ~ **to do sth.** (neglect) naqas, falla milli jagħmel xi ħaġa; (be unable) ma rnexxilux iwettaq xi ħaġa; ~**ing** n. difett; falliment // prep. fin-nuqqas ta'; (act) falliment
faint adj. mitluq; debboli // vi. ħassu ħażin
fair adj. ġust/a; sabiħ/a; (hair) bjond/a; (skin) bajda; (just) ġust; (good enough) tajjeb biżżejjed // adv. (play) lealment // n. (comm.) fiera; (brit. **fun~**) luna park; ~**ly** adv. (honestly) ndaqs; ~**ness** n. sbuħija; ġmiel; sewwa
fairy n. saħħara; ~ **tale** n. ħrafa
faith n. fidi; twemmin; (trust) fiduċja; reliġjon; fidi; ~**ful** adj. leali; fidil, ~**fully** adv. lealment; fedelment; **yours ~fully** (brit.) dejjem tiegħek
fake n. (thing) imitazzjoni; (person) impostur // adj. falz // vt. iffalsifika
falcon n. falkun; bies; seqer
fall n. waqgħa; tiġrifa; (decrease) tnaqqis; (of snow) xebgħa silġ; (US. autumn) il-ħarifa // vi, (pt. **fell**, pp. **fallen**) (lit., fig.) waqa'; iġġarraf; ~**s** pl. (waterfall) kaskati; ~ **back** vi. waqa' lura; irtira; ~ **behind** vi. waqa' lura; ~ **down** vi. waqa'; (building) iġġarraf; (joke) bela'; ~ **for** vt. (trick) waqa' għal; ~ **in** vi. (roof) ikkrolla; ċeda; ~ **off** vi. waqa'; (diminish) naqas; tbaxxa; ~ **out** n. tlewwem (mil.) iġġieled; ~ **through** vi. (plan) falla
fallacy n. żball; fallaċja; qerq
fallen (pp. of **fall**) waqa'
fallible adj. fallibbli
fallout n. fall-out; ~ **shelter** n. refuġju antiatomiku
fallow adj. maħrut imma mhux miżrugħ
false adj. falz; qarrieqi; (artificial) artifiċjali; **under ~ pretences** bl-ingann; ~ **alarm** n. allarm falz; ~ **teeth** n.pl. snien foloz
falter vi. tfixkel; (in speech) laqlaq fil-kliem; temtem
fame n. fama; reputazzjoni
familiar adj. familjari; (intimate) intimu; **to be ~ with** kien familjari ma'; ~**ize** vt. iffamiljarizza
family n. familja; ~ **business** n. negozju tal-familja; ~ **doctor** n. tabib tal-familja

famine n. ġuħ
famished adj. bil-ġuħ; mġewwaħ
famous adj. famuż; ċelebri; **~ly** adv. (get on) tajjeb ħafna; meraviljożament
fan n. (folding) mrewħa; (elec.) fann; (admirer) ammiratur; fanatiku // vt. rewwaħ; ~ **out** vi. rewwaħ
fanatic n. fanatiku
fan belt n. ċinga tal-ventilatur
fanciful adj. (odd) tal-istħajjil; (imaginative) immaġinattiv
fancy n. (liking) ġibda għal; (imagination) immaġinazzjoni // adj. tal-fantasija // vt. (like) kellu aptit li; (imagine) immaġina; stħajjel; **he fancies her** jiffansjaha; miġbud lejha; ~ **dress** n. kostum; **~-dress ball** n. ballu bil-kostumi
fang n. nejba; (snake's) is-sinna velenuża (tas-serp)
fantastic adj. fantastiku
fantasy n. fantasija; stħajjil
far adj. mbiegħed // adv. 'il bogħod; (very much) ħafna aktar, **by** ~ bil-wisq; **so** ~ s'issa; **go as** ~ **as the farm** mur sar-razzett; **as** ~ **as I know** sa fejn naf jien; ~ **away** adj. mbiegħed; fil-bogħod
farce n. farsa
farcical adj. farsesk/a
fare n. tariffa; noll; (food) ikel
Far East n. **the** ~ il-Lvant Imbiegħed
farewell n. saħħa! addijo!
farm n. razzett; qasam raba' // vt. ikkultiva; **~er** n. bidwi; gabillott; **~hand** n. wieħed li jaħdem jew jagħti daqqa t'id fl-għelieqi; **~house** n. razzett; **~ing** n. agrikoltura; biedja; **~land** n. art. agrikola; **~yard** n. bitħa tar-razzett
fart n. (col.) bassa // vi. bass
farther adv. aktar 'il bogħod; ibgħad
farthest adj. l-ibgħad
fascinate vt. saħħar; ġibed; affaxxina
fascination n. seħer; faxxinu
fascist n. Faxxist // adj. Faxxist/a
fashion n. (of clothes) moda; (manner) stil; manjiera // vt. ifforma; għamel; **in** ~ fil-moda; **out of** ~ li m'għadux moda; ~ **show** n. sfilata tal-moda
fast adj. ħafif; veloċi; (firm) mehmuż; ferm // adv. veloċement // n. sawma // vi. sam; **to be** ~ (**clock**) mar 'il quddiem
fasten vt. (attach) sakkar; qafel; (seat belt) rabat; (with rope) għaqqad // vi. ntrabat; **~er** n. marbat
fastidious adj. esiġenti; metikoluż
fat adj. oħxon; mlaħħam // n. xaħam; grass
fatal adj. fatali; mortali; (disastrous) diżastruż; **~ity** n. (road death, etc.) fatalità; mejjet; vittma; **~ly** adv. fatalment
fate n. destin; **~ful** adj. (prophetic) profetiku; (important) importanti immens
father n. missier; (rel.) titlu mogħti lil patri jew qassis; **~-in-law** n. ħaten; **~ly** adj. patern
fathom n. qama // vt. skandalja; tkixxef; (fig.) ipprova jifhem sewwa
fatigue n. għeja; taħbit
fatten vt. ħaxxen; (animals) semmen // vi. issemmen; tħaxxen
fatty adj. oħxon; // n. (col.) bomblu; boċċu
fatuous adj. idjota
fault n. (defect) difett; (elec.) difett; (blame) ħtija; għelt; tort; (geog.) qasma; **it's your** ~ ħtija tiegħek; **at** ~ fil-ħtija // vt. **to find** ~ **with sth.** sab xi jmaqdar f'xi ħaġa; **~less** adj. perfett; bla difett; **~y** adj. difettuż/a
favour (**US favor**) n. (approval) favur; (kindness) kortesija; pjaċir; għajnuna // vt. (prefer) iffavorixxa; ipprefera; **in** ~ **of** favur; **~able** adj. favorevoli; **~ite** adj. favorit/a // n. (child) favorit; (sport) favorit; **~itism** n. (sch.) favoritiżmu
fawn n. (colour) lewn isfar ħamrani; (animal) ċerv żgħir ta' sena // vi. **to** ~ (**up**) **on** (fig.) nefaħ lil xi ħadd
fax n. (document) dokument bil-fax; (machine) fax // vt. iffaksja
FBI n. abbr. of US. **Federal Bureau of Investigation**; FBI
fear n. biża'; waħx // vt. beża'; twaħħax; beża' minn; **~ful** adj. (timid) beżżiegħ; mwerwer; (terrible) terribbli; tal-biża'; **~less** adj. bla biża'; qalbieni
feasible adj. fattibbli; prattikabbli
feast n. festa; btala; bankett; festin; (rel. also ~ **day**) festa (reliġjuża) // vi. iffesteġġja
feat n. impriża; bravura; għemil ta' ħila
feather n. rixa; pjuma
feature n. fattizzi; (important part) karatteristika; (cine., press) artiklu; ~ **film** n. film prinċipali
February n. Frar
fed (pt., pp. of **feed**) mitmugħ, magħluf
federal adj. federali
federation n. (society) federazzjoni; (of states) federazzjoni
fed-up adj. **to be** ~ **with sth.** xeba' minn xi ħaġa; **I'm** ~ xbajt
fee n. ħlas; miżata
feeble adj. (person) fjakk/a; debboli; dgħajjef/dgħajfa; (excuse) skuża dgħajfa
feed n. (for baby) ikel; (for animals) għalf // vt. (pt., pp. **fed**), għalef; tema'; żaqq; (support) għen; (data) ta; daħħal; **to** ~ **on** ibbaża d-dieta

tiegħu fuq...; ~**back** n. (information) rispons; informazzjoni; ~**ing bottle** n. (brit.) flixkun tal-ħalib għat-trabi

feel n. **it has a soft** ~ tinħass ratba; **to get the** ~ **of sth.** dara l-qagħda ta' xi ħaġa // v. (pt., pp. **felt**) vt. (sense) ħass; (touch) mess; (think) ħaseb // vi. (person) ħassu; (thing) nħass; **I** ~ **cold** qed inħoss il-kesħa; **I** ~ **like a cup of tea** għandi aptit kikkra te; ~ **about** or **around** vi. teftef madwar; ~**er** n. antenna; ~**ing** n. ħass; sensazzjoni; sentiment; (opinion) fehma; opinjoni

feign vt. qarraq; ivvinta

feline adj. tal-qtates; bħall-qtates

fell (pt. of **fall**) // vt. (tree) waqqa'

fellow n. (man) individwu; raġel; sieħeb; ~ **citizen** n. ċittadin; ~ **country-man** n. kumpatrijott; ~ **men** n.pl. sħab; ~**ship** n. (group) assoċjazzjoni; kumpanija; (friendliness) ħbiberija; (scholarship) borża ta' studju; ~ **student** n. student

felony n. reat; fellonija; infamja

felt pt., pp. of **feel** // n. feltru; ~**-tip pen** n. xorta ta' pinna

female n. (of animals) mara; il-mara // adj. femminili

feminine adj. (gramm.) femminil; (qualities) tal-mara; tan-nisa

feminist n. femminist/a

fence n. ċint; lqugħ // vt. (also ~ **in**) dawwar; ipproteġa // vi. laqa'; għatta

fencing n. is-sengħa, l-użu tax-xabla; dwell

fend vi. ~ **for os.** fenda għal rasu; ~ **off** vt. iddefenda ruħu minn

fender n. parafangu; bamper

fennel n. bużbież

ferment vi. (chem.) iffermenta; ħemer; tala' // n. (excitement) aġitazzjoni; ferment; eċitament

fern n. felċa

ferocious adj. feroċi

ferret n. nemes // vt. **to** ~ **out** fittex u kixef

ferry n. lanċa; dgħajsa; vapurett // vt. ġarr minn naħa għal oħra b'inġenju tal-baħar

fertile adj. fertili; għammieli; fekond

fertilize vt. (agr.) iffertilizza; (biol.) iffertilizza; ~**r** n. fertilizzant

fervent adj. (admirer) mħeġġeġ; kollu ħrara; (hope) mimli bit-tama

fervour n. fervur

fester vi. iddenna; għamel il-marċa

festival n. (rel., etc.) festa; (art., mus.) festival

festive adj. festiv; **the** ~ **season** (Christmas) l-istaġun festiv (tal-Milied)

festivity n. festeġġjament

festoon vt. **to** ~ **with** żejjen bi

fetch vt. ġab; mar iġib; (in sale) ġab (il-prezz ta'...)

fetching adj. attraenti

fète n. festa; btala

fetus n. (US. **foetus**); fetu

feud n. ġlied; ~**al** adj. fewdali

fever n. deni; ~**ish** adj. (med.) sħun; li għandu d-deni

few adj. ftit; naqra; daqsxejn; **a** ~ ftit, inqas; ~**est** l-inqas; l-inqas numru ta'; pron. uħud; ~**er**

fiancè n. għarus; ~**e** n. għarusa

fib n. gidba żgħira

fibre (US. **fiber**) n. fibra; ~**-glass** n. fibra tal-ħġieġ; fibreglass

fickle adj. inkostanti; kapriċċuż/a

fiction n. (novels) kreazzjoni; invenzjoni; narrattiva; (story) rakkont ta' ġrajja li mhix minnha; ~**al** adj. fittizju; mistħajjel; immaġinarju

fictitious adj. fittizju; mistħajjel; ivvintat

fiddle n. vjolin; (trick) qerq; ingann // vt. (brit. accounts) iffalsifika; ~ **with** vi. lagħab; bagħbas ma'

fidelity n. fedeltà; preċiżjoni

fidget vi. aġita ruħu

field n. għalqa; ~**work** n. (univ.) riċerka esterna

fiend n. xitan; demonju; ~**ish** adj. mxajtan; indemonjat

fierce adj. feroċi; qalil

fiery adj. (hot-tempered) rasu sħuna

fifteen num. ħmistax

fifth adj. il-ħames

fifty num. ħamsin; ~ ~ **chance** ċans ta' wieħed minn tnejn

fig n. tina

fight n. ġlieda; taqbida; kumbattiment; (brawl) ġlieda; (argument) tilwima // v. (pt., pp. **fought**) vt. iġġieled; tqabad; ikkumbatta // vi. iġġieled kontra; ~**er** n. ġellied; gwerrier; (plane) ajruplan tal-gwerra; ~**ing** n. ġlied; kumbattiment

figment n. ~ **of the imagination** ħaġa li teżisti biss fil-fantasija

figurative adj. figurattiv/a

figure n. (of person) figura; xbieha; sura; għamla; (number) figura; numru // vt. (US. imagine) immaġina; ~ **out** vt. rnexxielu jifhem; ~**head** n. (naut., fig.) pulena; ~ **of speech** n. figura tat-taħdit

filament n. filament; (elec.) filament

filch vt. (col.) seraq

file n. (tool) lima; (dossier) fajl; (folder) kontenitur għall-karti; (comput.) arkivju; (row) ringiela // vt. (claim) ippreżenta; għadda fl-atti // vi. **to ~ in/out** daħlu/ħarġu f'ringiela; **to ~ past** immarċja f'ringiela minn quddiem (xi ħadd)

filing n. arkivju; ~ **cabinet** n. kompartament fejn jinżammu dokumenti, eċċ.

fill vt. mela; (occupy) okkupa; (satisfy) xabba'; issodisfa // n. **to eat one's** ~ kiel sa ma xaba'; ~ **in** vt. (hole) mela; (form) mela; ~ **up** vt. (container) mela // vi. (aut.) mela t-tank tal-petrol

filling n. (culin.) mili; li jimla; li jxabba'; (for tooth) mili (tas-snien)

film n. film // vt. (scene) iffilmja; ~ **star** n. stilla taċ-ċinema; **~strip** n. film strip

filter n. filtru // vt. iffiltra; saffa; **~-tipped** adj. bil-filtru fit-tarf (sigaretti, sigarri, eċċ.)

filth n. ħmieġ; qżież; għakar; oxxenità; **~y** adj. moqżież; maħmuġ; oxxen; [illegible] (weather) temp ikraħ

fin n. ġewnaħ ta' ħuta

final adj. finali; (conclusive) konkluživ // n. (football, etc.) il-final; **~s** pl. (univ.) l-eżamijiet finali; (sport) il-finali; **~e** n. (mus.) finale; **~ist** n. (sport) il-finalist/i; **~ize** vt. iffinalizza; **~ly** adv. (lastly) finalment; (eventually) eventwalment (finalment); (irrevocably) irrevokabilment

finance n. finanzi; flus; **~s** pl. finanzi // vt. iffinanzja

financial adj. finanzjarju/finanzjarja

find (pt., pp. **found**) vt. sab; kixef // n. sejba; skoperta; **to ~ sb. guilty** sab lil xi ħadd ħati; ~ **out** vt. tkixxef dwar; **~ings** n.pl. (law) sentenza; konklużjonijiet; (of report) konklużjonijiet

fine adj. rfinut; pulit; (good) fin; ta' kwalità; (weather) (temp) sabiħ // adv. (well) tajjeb ħafna; (small) fin // n. (law) multa // vt. (law) immulta; ~ **arts** n.pl. arti ta' kalibru

finery n. lbies eleganti; tlellix

finger n. saba' // vt. mess; **~nail** n. difer; **~print** n. marka tas-swaba'; **~tip** n. il-ponta tas-suba'

finicky adj. esiġenti; pinjol

finish n. tmiem; tlestija; (sport) tmiem; l-għeluq; (of paint) lagħqa; passata // vt. temm; spiċċa; lesta; (book) temm // vi. spiċċa; (sport) ntemm; **to be ~ed with sth.** lesta xi ħaġa; **~ing line** n. il-linja tat-tmiem; **~ing school** n. skola privata ta' perfezzjonament (għan-nisa)

finite adj. limitat

Finland n. il-Finlandja

Finn n. Finlandiż; **~ish** adj. Finlandiż/a // n. (ling.) il-Finlandiż/a

fir n. żnuber

fire n. nar; ħruq; inċendju; (in house, etc.) ħruq; inċendju // vt. (gun) spara; (imagination) kebbes; (dismiss) issensja // vi. (aut.) tqabbad; **to be on** ~ kien qed jaqbad; ~ **alarm** n. allarm ta' ħruq; **~arm** n. arma tan-nar; ~ **brigade** (brit.) brigata tat-tifi tan-nar, ~ **department** (US.) n. korp tal-pumpiera; ~ **engine** n. pompa tat-tifi tan-nar; ~ **escape** n. ħruġ ta' emerġenza; ~ **extinguisher** n. ċilindru għat-tifi tan-nar (f'emerġenza); **~man** n. pumpier; **~place** n. fuklar; **~side** n. rokna tal-fuklar; **~station** n. kwartieri tal-pumpiera; **~works** n.pl. logħob tan-nar; ġiġġifogu

firing n. sparar; ~ **squad** n. skwadra tal-eżekuzzjoni

firm adj. ferm; sħiħ; utiq // n. ditta; azjenda

firmament n. il-firmament

first adj. ewlieni; l-ewwel // adv. tal-ewwel; (arrive) l-ewwel; (happen) l-ewwel (ma ġara) // n. (person: in race) (daħal) l-ewwel; (univ.) lawrja bl-unuri; (aut.) l-ewwel; **at ~** għall-ewwel; ~ **of all** l-ewwel nett; ~ **aid** n. l-ewwel għajnuna; **~-aid kit** n. apparat għall-ewwel għajnuna; **~-class** adj. tal-prima klassi; (travel) prima klassi (biljett, eċċ.); **~-hand** adj. l-ewwel id; l-ewwel esperjenza; **~ly** adv. l-ewwel nett; ~ **name** n. l-ewwel isem; **~-rate** adj. tal-aqwa kwalità

fiscal adj. fiskali

fish n. (pl. inv.) ħuta, ħut // vi. stad; **to go ~ing** mar jistad; (in sea) mar jistad (fil-baħar); **~erman** n. sajjied; **~farm** n. post għat-trobbija tal-ħut (f'ammonti kummerċjali); **~ing line** n. xlief; lenza; **~ing rod** n. qasba tas-sajd; **~monger's** (shop) n. bejjiegħ il-ħut **~y** adj. (col. suspicious) suspettuż/a; dubjuż/a

fission n. fissjoni

fissure n. qasma; fetħa; xaqq

fist n. ponn

fit adj. (med.) b'saħħtu; (sport) fil-forma; (suitable) xieraq // vt. (insert, attach) poġġa; daħħal; installa // vi. (correspond) qabel; iffittja; (in space, gap) daħal; qagħad // n. (of clothes) tqabbila ta' ħwejjeġ; (med., of anger) attakk; (of laughter) attakk (ta' daħk); **by ~s and starts** (move) bl-iskossi; ~ **in** vi. qabel; (fig. person) addatta ruħu; ~ **out** vt. (also ~ **up**) ekwipaġġja ruħu; **~ful** adj. (sleep) irregolari; **~ment** n. komponibbli; li jista' jiġi mmuntat; **~ness** n. (suitability) forma fiżika tajba; (med.) saħħa; (sport) forma tajba; **~ted carpet** n. tapit li joqgħod preċiż fil-kamra; **~ted kitchen** n. kċina immuntata; **~ter** n. (tech.) wieħed tas-sengħa fl-immuntar ta' xogħol tal-metall; **~ting** adj. addattat; approprjat //

n. (of dress) prova; (piece of equipment) muntaġġ; **~tings** n.pl. impjanti

five num. ħamsa; **~r** n. (col., brit.) karta ta' ħames liri; (US.) karta ta' ħames dollari

fix vt. iffissa; (settle) għamel fl-ordni; (repair) sammar; waħħal sewwa // n. **in a ~** kien fl-inkwiet; fl-għawġ; **~ up** vt. (meeting) iffissa; **to ~ sb. up with sth.** ġab xi ħaġa għal xi ħadd; **~ation** n. fissazzjoni; **~ed** adj. fiss; **~ture** n. impjant; ħaġa mwaħħla f'post bis-sħiħ; (sport) data mill-kalendarju sportiv

fizz vi. fexfex; textex

fizzle vi. **to ~ out** spiċċa fix-xejn

fizzy adj. li jfexfex; li jtextex

flabbergasted adj. (col.) mistagħġeb; konfuż; skantat

flabby adj. mdendel; mitluq; dgħajjef

flag n. bandiera; standard // vi. (strength) għeja; (spirit) batta; **~ down** vt. għamel sinjal (ta' waqfien) lil

flagpole n. arblu

flagrant adj. awdaċi

flair n. stil; talent

flak n. nar tal-artillerija; (col.) kritika

flake n. (ex. of rust) kull biċċa żgħira u rqiqa maqlugħa minn xi ħaġa // vi. (also **~ off**) tfarfar; tqaxxar

flamboyant adj. floridu; li jlellex u jgħajjat

flame n. fjamma

flamingo n. flamingu

flammable adj. infjammabbli

flan n. (brit.) tip ta' torta

flank n. falda // vt. kien mal-ġenb ta'

flannel n. flanella; (brit. also **face ~**) xugaman żgħir għall-wiċċ; **~s** pl. qalziet tal-flanella

flap n. perpura; tperpira; dejl; (col. crisis) kien aġitat // vt. (wings) xejjer; taptap // vi. ixxejjer; perper

flare n. (signal) leħħa; teptip ta' dawl; vampa; (in skirt, etc.) twessigħ gradwali; **~ up** vi. ħeġġeġ; ivvampja; (fig.) xogħol; (revolt) faqqa'

flash n. leħħa; berqa f'daqqa; (also **news ~**) l-aħħar aħbar // vt. xegħel u ntefa; leħħ; berraq; **in a ~** f'mument; **~ by** or **past** vi. għadda bħal berqa; **~back** n. tifkira fl-esperjenzi tal-imgħoddi; **~ cube** n. flash; **~light** n. torċa elettrika

flashy adj. (pej.) li jleqq; li jlellex; li jgħajjat

flask n. (chem.) flixkun; kunjett; (also **vacuum ~**) termos

flat adj. pjan; ċatt; wati; (mus.) bimoll; (tyre) mniżżel // n. (brit. rooms) appartament; flett; **to work ~ out** ħadem b'ħiltu kollha; **~ly** adv. kategorikament; **~ten** vt. (also **~ten out**) iċċattja

flatter vt. faħħar iżżejjed; ikkumplimenta u nefaħ (lil xi ħadd); **~ing** adj. ta' nfiħ; ta' tifħir; **~y** n. tifħir żejjed; tmellis; żegħil; impostura ġni

flatulence n. gass fl-istonku; tifwiqa tat-trabi

flaunt vt. iddandan; ftaħar; ntefaħ bih innifsu

flavour (US. **flavor**) n. togħma // vt. xamm u tiegħem; **strawberry-~ed** adj. bit-togħma tal-frawli; **~ing** n. essenza (artifiċjali)

flaw n. xegħira; tixlifa; **~less** adj. perfett; bla difetti

flax n. tip ta' pjanta (użata għad-drapp); **~en** adj. bjond/a

flea n. bergħud

fleck n. (mark) tebgħa; nemxa; (pattern) disinn

flee (pt., pp. **fled**) vi. ħarab; skappa // vt. ħarab minn; għosfor; bewweġ

fleece n. suf tan-nagħġa; ġeżża; suf // vt. (col.) ġeżż; qaxxar

fleet n. flotta

fleeting adj. għaddej

Flemish adj. Fjaming

flesh n. laħam; il-ġisem; **~ wound** n. ferita superfiċjali

flew (pt. of **fly**) tar

flex vt. stira // vi. ntlewa; **~ibility** n. flessibbiltà; **~ible** adj. flessibbli

flick n. daqqa żgħira; film // vt. waddab

flicker n. teptipa; tnemnima // vi. teptep; nemnem

flier n. avjatur

flight n. titjira; tajra; ħarba; (also **~ of steps**) indana taraġ; **~ attendant** n. (US.) steward; **~ deck** n. kabina tal-kontrolli

flimsy adj. (thin) bla saħħa; rqajjaq; (excuse) (skuża) dgħajfa

flinch vi. rtira; ċieda; nġibed lura

fling (pt., pp. **flung**) vt. waddab; xeħet b'salt; venven

flint n. żnied

flip vt. daqqa żgħira

flippant adj. bla rispett; irriverenti

flipper n. pinna; ġewnaħ għall-għawm

flirt vi. innamra għall-mogħdija taż-żmien // n. **he/she is a ~** jithanxel/tithanxel ma' (irġiel/nisa)

flit vi. telaq 'l hinn; biddel ir-residenza

float n. (fishing) żubrun; sufrun; (esp. in procession) karru // vi. żamm f'wiċċ l-ilma; (in air) twieżen fl-ajru // vt. (comm.) illanċja; **flock** n. (of sheep, rel.) merħla; (of birds) qatgħa; (of people) ċorma; folla

flog vt. sawwat; iffrosta; ifflaġella

flood n. xita qawwija; dulluvju // vt. għarraq; **~ing** n. għarqa; **~light** n. riflettur qawwi ħafna

floor n. qiegħa; paviment; art; pjan; (storey) sular; **the** ~ n. il-pubbliku; **ground** ~ (brit.), **first** ~ (US.) n. il-pjan; **first** ~ (brit.) l-ewwel sular; ~**board** n. tavla tal-injam; ~ **show** n. spettaklu ta' varjetà

flop n. fjask; (failure) falliment

floppy adj. mhux sod; li jitgħawweġ, eċċ.; ~ (**disk**) n. (comput.) diskett

flora n. flora; ~**l** adj. florali

florid adj. (style) floridu

florist n. fjorista; ~**'s** (shop) n. bejjiegħ il-fjuri

flounce n. qabża; ċaqliqa

flounder vi. (fig.) tkagħbar, għodos ġot-tajn // n. (zool.) ħuta żgħira u ċatta

flour n. dqiq

flourish vi. rnexxa; stagħna; iffjorixxa // n. (waving) tixjir (ta' xabla, eċċ.); (of trumpets) fanfarra; ~**ing** adj. li qed jiffjorixxi

flout vt. sfida; ikkonfronta

flow n. ċirkulazzjoni; (of sea) ilma ġieri // vi. gera; għadda; iċċirkola; ~ **chart** n. skema taċ-ċaqliq/ċirkulazzjoni

flower n. fjura; warda // vi. iffjorixxa; warrad; ~ **bed** n. roqgħa ta' fjuri; ~**pot** n. qasrija; ~**y** adj. (style) iffjurit

flown (pp. of **fly**) tar

flu n. influwenza

fluctuate vi. varja; talla' u niżżel; kien bejn ħaltejn

fluctuation n. tlugħ u nżul; tbandil

flue n. ċumnija; katusa

fluent adj. fluwenti; adv. ~**ly** ġieri; stil ta' taħdit ħelu u bla tlaqliq

fluff n. materjal artab (bħal rix); ~**y** adj. li hu artab, mimli jew miksi bil-pil, rix, eċċ.

fluid n. fluwidu; likwidu // adj. (lit.) fluwidu

fluke n. (col.) kolp ta' fortuna

flung (pt., pp. of **fling**) mitfugħ

flurry n. (of activity) taħwida; aġitazzjoni; dagħdigħa nervuża; (of snow) buffura riħ; silġ; xita qawwija

flush n. ħmura fil-wiċċ; tbergħin // vt. tafa' salt ilma f'daqqa // vi. ħammar (wiċċ xi ħadd); ~ **out** vt. gerrex (l-għasafar); ~**ed** adj. kollu aħmar

flustered adj. mifxul; mħawwad; konfuż

flute n. flawt

flutter n. aġitazzjoni; titjir; taħbit tal-ġwienaħ // v. fixkel; ħawwad; ħabbat il-ġwienaħ

flux n. **in a state of** ~ f'tibdil kontinwu

fly n. (insect) dubbiena // v. (pt. **flew**, pp. **flown**) vt. tar // vi. (flee) ħarab; għosfor; (flag) tperper; ~ **away** or **off** vi. (bird, insect) tar (lil hinn); ~**ing** n. avjazzjoni; titjir // adj. **with** ~**ing colours** b'riżultati brillanti; ~**ing start** ħruġ bidu ta' ħeffa kbira; ~**ing visit** żjara ta' malajr bil-ħarba; ~**over** n. (brit.) triq-pont minn fejn jgħaddu l-karozzi; ~**sheet** n. (for tent) inċirata għal fuq it-tinda

foal n. ferħ; felu; moħor

foam n. ragħwa; xkuma // vi. għamel ir-ragħwa

fob vt. **to** ~ **off** iddeluda 'l xi ħadd b'qerq

focal adj. fokali

focus n. (pl. ~**es**) ċentru/ċentri // vt. (attention) iċċentra l-attenzjoni; (camera) iffoka // vi. iċċentra; **in** ~ fiċ-ċentru; **out of** ~ sfukat

fodder n. għalf; silla; furrajna

foe n. għadu

foetus n. fetu

fog n. ċpar; ~ **lamp** n. (aut.) fanal għal waqt iċ-ċpar; ~**gy** adj. imċajpar

foil vt. gerrex; ikkonfonda; iffrustra // n. (metal, also fig.) fojl

fold n. (bend, crease) tinja; pjiega; tikmixa; (agr.) maqjel; merħla // vt. tena; ippjiega; tewa; ~ **up** vt. (map, etc.) tewa; kebbeb // vi. (business) ikkrolla; ~**er** n. kontenitur għall-karti; ~**ing** adj. (chair, etc.) li jista' jintewa jingħalaq

foliage n. il-weraq tas-siġar

folk n.pl. nies; poplu // adj. popolari; ~**s** pl. familja; ~**lore** n. (study) l-istudju tal-folklor; (tradition) folklor; ~ **song** n. kant popolari

follow vt. segwa; imita; (fashion) segwa (l-moda) // vi. segwa; ~ **up** vt. sfrutta; ~**er** n. segwaċi;dixxiplu; ~**ing** adj. segwenti; suċċessur // n. (people) dixxipli; segwaċi

folly n. bluha; ġenn

fond adj. **to be** ~ **of** kien miġbud lejn; kellu mħabba għal; kien mitluf għal

fondle vt. żiegħel; fissed; melles; ħajjem; ħannen

font n. fonti; għajn/nixxiegħa ta' ilma; (comput.) font

food n. ikel; (for animals) għalf; ~ **mixer** n. magna li tħawwad jew tħallat l-ikel; ~ **poisoning** n. intossikazzjoni; ~ **processor** n. magna li tipproċessa l-ikel; ~**stuffs** n.pl. ġeneri ta' ikel; alimentari

fool n. iblah; bla ras; miġnun // vt. (deceive) inganna // vi. (also ~ **around**) għamilha tal-iblah; ~**hardy** adj. li jagħmel ħaġa bla ma jaħsibha; ~**ish** adj. stupidu; imprudenti; ~**proof** adj. ma jistax jiġi sabotaġġjat jew ingannat

foot n. (pl. **feet**) sieq/saqajn // vt. (bill) ħallas; **on** ~ bilwieqfa; ~**age** n. (cine.) tul (ta' metri); ~**ball** n. ballun; (game: brit.) futbol; ~**ball player** n. plejer (tal-futbol); ~**brake** n. brejk bil-pedala; **~hold** n. punt fejn wieħed iqabbad saqajh; **~ing** n. (lit.) rfis; bidu; (fig.) pożizzjoni; **~lights** n.pl. dwal fuq quddiem tal-palk; **~note** n. nota (isfel tal-paġna); **~path** n. bankina; mogħdija jew passaġġ; **~print** n. rifsa; marka tas-saqajn; **~sore** adj. selha fis-sieq; **~step** n. pass; **~wear** n. żraben

for *prep

1 għal; **is this ~ me?** din għalija?; **the train ~ London** il-ferrovija għal Londra; **he went ~ the paper** mar għall-karta; **give it to me - what ~?** agħtiha lili - għal xiex?

2 (because of) minħabba fi; **~ this reason** għal din ir-raġuni

3 (referring to distance): **there are roadworks ~ 5 km** hemm tiswijiet fit-toroq għal ħames kilometri; **we walked ~ miles** mxejna għal mili sħaħ

4 (referring to time) għal; **he went away ~ 2 years** telaq għal sentejn

5 (with infinitive clauses): **it is not ~ me to decide** mhux għalija, mhux kompitu tiegħi li niddeċiedi; **~ this to be possible** biex dan ikun possibbli

6 (in spite of) minkejja li; **~ all his complaints** minkejja l-ilmenti kollha tiegħu

forage n. għalf; foraġġ

foray n. inkursjoni; dħul f'art ħaddieħor għal serq

forbid (pt. **forbade**, pp. **forbidden**) vt. ipprojbixxa; ma ħalliex iseħħ; **~ding** adj. li jimbuttak; li jġiegħlek tistkerrhu

force n. forza; saħħa; qawwa; dnewwa // vt. sforza; obbliga; ġiegħel b'saħħa; (lock) sforza; żgassa; (group) f'numru kbir; **the F~s** pl. (brit.) il-Forzi Armati; **~d** adj. (smile) sfurzata; (landing) nżul t'emerġenza, sfurzat; **~-feed** vt. iġiegħel lil min jiekol xi ħaġa bilfors; **~ful** adj. (speech) b'saħħtu; vigoruż; (personality) b'saħħtu

forceps n.pl. pinzetta li tintuża f'operazzjoni

forcibly adv. bil-forza; vigorożament

ford n. żona baxxa tax-xmara // vt. qasam ix-xmara billi mexa ġo fiha

fore n. **to the ~** fuq quddiem

forearm n. id-driegħ mill-minkeb 'l isfel

foreboding n. antiċipazzjoni ta' ħażen

forecast n. previżjoni; tbassir // vt. (irreg. like cast) ippreveda; bassar

forecourt n. (of garage) bitħa esterna; parapett

forefathers n.pl. missirijietna; l-antenati

forefinger n. is-saba' l-werrej

forefront n. **in the ~ of** fil-vangwardja ta'

forego (irreg. like go) vt. = **forgo**

foreground n. l-ewwel pjan; dik il-biċċa minn xena f'pittura li hi l-eqreb lejn l-għajn

forehead n. ġbin

foreign adj. stranġier; barrani; (accent) barrani; (trade) barrani; (body) korp stranġier; **~er** n. stranġier; barrani; **F~ Minister** n. (brit.) Ministru għall-Affarijiet Barranin; **F~ Office** n. Ministeru tal-Affarijiet Barranin

foreleg n. is-sieq ta' quddiem

foreman n. mgħallem fuq il-ħaddiema; Prim Ġurat

foremost adj. ta' quddiem; prinċipali // adv. **first and ~** l-ewwel nett; qabelxejn

forensic adj. forensiku/forensika; **~ medicine** n. mediċina legali

forerunner n. prekursur

foresee (irreg. like **see**) vt. ra; ippreveda; **~able** adj. prevedibbli

foreshadow vt. ippreveda; ipprofetizza; antiċipa

foresight n. previżjoni

forest n. foresta

forestall vt. elimina; żamm 'il bogħod

forestry n. il-kultivazzjoni; l-immaniġġjar tal-foresti

foretaste n. dewqien minn qabel

foretell (irreg. like **tell**) vt. ipprofetizza

forever adv. għal dejjem

foreword n. prefazzjoni; kelmtejn qabel

forfeit n. multa // vt. tilef il-jedd għal xi ħaġa; irrinunċja għal; issagrifika

forgave (pt. of **forgive**) ħafer

forge n. forġa // vt. iffalsifika; ifforma billi saħħan fil-forġa; **~ ahead** vi. spara 'l quddiem; **~r** n. falsifikatur; **~ry** n. falsifikazzjoni

forget (pt. **forgot**, pp. **forgotten**) vt.,vi. nesa; **~ful** adj. li jinsa; niesi; **don't ~** tinsiex

forgive (pt. **forgave**, pp. **forgiven**) v. ħafer

forgiveness n. maħfra

forgo see **forego**

forgot (pt. of **forget**) nesa

forgotten (pp. of **forget**) minsi

fork n. furketta; midra; (in road) diverżjoni; **~ out** vt. (col. pay) ħallas; żborża; **~-lift truck** n. trakk elevatur

forlorn adj. (person) minsi; mitluq; abbandunat; (hope) bla tama

form n. forma; sura; għamla; (type) tip; (figure) figura; sura; (sch.) klassi; (document) skeda; formola // vt. sawwar; ifforma; (be part of) ifforma parti minn

formal adj. formali; regolari; ta' għamla stabbilita; (occasion) formali; **~ity** n. formalità; **~ities** pl. formalitajiet; **~ly** adv. (ceremoniously) formalment; (officially) uffiċjalment

format n. format // vt. (comput.) ifformattja
formation n. formazzjoni
formative adj. (years) snin formattivi
former adj. ta' dari; tal-imgħoddi; (opposite of latter) ta' qabel; ta' quddiem; tal-ewwel; **~ly** adv. qabel; fil-passat
formidable adj. formidabbli
formula n. formola; **~te** vt. ifformula
forsake (pt. **forsook**, pp. **forsaken**) vt. abbanduna
fort n. forti; fortizza
forth adv. **and so** ~ 'il quddiem; u hekk ukoll; u hekk il-bqija; **~coming** adj. li ġej; li riesaq; (character) apert; komunikattiv; **~right** adj. frank; li jaqta' dritt; li jitkellem bla tlaqliq; **~with** adv. immedjatament; dlonk; malajr; bla telf ta' żmien
fortification n. fortifikazzjoni
fortify vt. iffortifika; saħħaħ; (protect) dawwar bis-swar, ecc.; ipproteġa
fortitude fortitudni; saħħa
fortnight n. ħmistax il-ġurnata, ġimagħtejn; **~ly** adj. kull ħmistax
fortress n. fortizza; post iffortifikat
fortuitous adj. aċċidentali; li ġara b'kumbinazzjoni
fortunate adj. fortunat; ixxurtjat; **~ly** adv. fortunatament
fortune n. fortuna; risq; xorti; (money) ġid; **~-teller** n. wieħed li jbassar ix-xorti
forty num. erbgħin
forum n. forum
forward adj. 'il quddiem; (movement) 'il quddiem; (person) apert; sfaċċat; tost; li ma jistħix; (planning) għall-quddiem; għall-futur // n. (sport) fuq quddiem, fl-attakk // vt. (send) bagħat; (help) appoġġja; ippromwova; **~(s)** adv. 'il quddiem
forwent pt. of **forgo**
fossil n. fossila
foster vt. (talent) inkoraġġixxa; ~ **child** n. tifel imrobbi f'affidament; (inf.) addottat; ~ **mother** n. omm li trabbi wild ta' ħaddieħor
fought (pt., pp. of **fight**) miġġieled
foul adj. mniġġes; jinten; maħmuġ; li jwaġġa'; faħxi; (language) oxxen; baxx; vulgari; (weather) (temp) ikrah; maltemp // n. (sport) fawl // vt. (mechanism) ħammeġ; nitten; każbar; (sport) iffawlja; ~ **play** n. (sport) logħob skorrett; (law) mġiba/attività illegali
found (pt., pp. of **find**) mwaqqaf // vt. stabbilixxa; waqqaf; bena; sejjes; **~ation** n. (act) fondazzjoni; twaqqif; (also **~ation cream**) trab/krema għall-wiċċ; **~ations** pl. fundamenti; pedamenti; sisien
founder n. fundatur/fundatriċi // vi. tgħarraq
foundry n. funderija
fountain n. funtana; għajn; **~pen** n. xorta ta' pinna
four num. erbgħa; on all **~s** fuq l-erba' saqajn; **~-poster** n. sodda b'erba' kolonni; **~some** n. erbgħa min-nies; **~teen** num. erbatax; **~teenth** adj. l-erbatax; **~th** adj. ir-raba'
fowl n. tjur (tiġieġ, eċċ.)
fox n. volpi // vt. ħawwad; **~trot** n. żifna tal-ballu
foyer n. atriju
fraction n. (math) frazzjoni; (part) parti; biċċa minn
fracture n. (med.) ksur; ksir // vt. kiser
fragile adj. fraġli
fragment n. framment; (small part) biċċa; fdal
fragrance n. fwieħa; riħa tfuħ
fragrant adj. fragranti; ipprofumat; ifuħ; ta' riħa tfuħ
frail adj. fraġli; debboli; delikat
frame n. gwarniċ; tilar; (of spectacles: also **~s**) frejm // vt. (col. incriminate): **to ~ sb.** inkrimina, akkuża lil xi ħadd; ~ **of mind** n. stat tar-ruħ; **~work** n. struttura; (of society) binja; struttura
France n. Franza
franchise n. (pol.) dritt tal-vot; libertà; privileġġ ta' elettur
frank adj. frank; liberu; ħieles; sinċier; miftuħ; apert // vt. (letter) immarka ittra ; **~ly** adv. frankament; **~ness** n. sinċerità; libertà
frantic adj. frenetiku; mitluf bir-rabja, inkwiet, eċċ.
fraternal adj. tal-aħwa; fratern
fraternity n. (club) assoċjazzjoni; (spirit) fratellanza; (US. sch.) fraternità
fraud n. (trickery) frodi; qerq; ingann; (person) impostur
fraudulent adj. li fih il-frodi; ħażin; korrott
fraught adj. mimli; mgħobbi bi (with gen.)
fray n. ġlieda; taqbida; kompetizzjoni // vt., vi. dgħajjef bl-użu;
freak n. stramberija; fenomenu; mostru
freckle n. nemxa
free adj. liberu; hieles; battal; b'xejn; (liberal) liberali; ġeneruż // vt. (set free) illibera; ħeles; (unblock) illibera; ~ (of charge) b'xejn; bla ħlas, **for** ~ adv. b'xejn; **~dom** n. ħelsien; libertà; **~-for-all** n. (fight) kommozzjoni kbira; ġlied, eċċ.; ~ **gift** n. rigal; omaġġ; **~hold property** n. propjetà libera u franka; ~ **kick** n. (futbol) free kick; **~lance** adj. indipendenti; **~ly** adv. liberament; (admit) liberatament; **~post** n. posta franka; ~ **trade** n. kummerċ ħieles; **~way** n. (US.) triq kbira u wiesgħa; **~wheel** vi. sewqan fuq roti mhux ingranati; **~ will** n. **of one's own ~ will** għażla libera

freeze v. (pt. **froze**, pp. **frozen**) vi. reżah; inġazza; għaqqad bil-ksieħ; (feel cold) kesaħ // vt. (lit., fig.) iffriża // n. (fig., fin.) iffriżar; **~r** n. friżer
freezing adj. **I'm ~** qed ninġazza; qed niffriża; **~ point** n. punt fejn l-ikel, ilma, eċċ. jgħaqqad u jiffriża
freight n. merkanzija; tagħbija; noll; **~ train** n. ferrovija tat-tagħbija, tal-merkanzija
French adj. Franċiż/a // n. (ling.) Franċiż; **the ~** pl. il-Franċiżi; **~ fries** (potatoes) (brit.), **~ fries** (US.) n.pl. ċips; patata mqattgħa u moqlija; **~man/woman** n. Franċiż/a
frenzy n. ġenn; therwil; telf tar-raġuni (temporanjament)
frequency n. frekwenza; (phys.) frekwenza
frequent adj. frekwenti // vt. iffrekwenta
fresco n. affresk
fresh adj. frisk/a; **~en** vi. (also **~en up**) iffriska; (person) ġedded (eż. il-memorja); **~er** n. (brit., univ., col.) student ġdid; **~ly** adv. riċentement; **~man** n. (US.) = **~er; ~ness** n. friskezza; **~water** adj. (fish) tal-ilma ħelu
fret vi. aġita ruħu; ħanfes; sibel; nkedd; saħan; tħabat
friar n. fra; patri
friction n. (lit., fig.) frizzjoni; għerik; ħakk; (fig.) nuqqas ta' qbil f'opinjonijiet u l-konsegwenzi tiegħu
Friday n. il-Ġimgħa
fridge n. (brit.) friġġ
fried adj. moqli/ja
friend n. ħabib; **~liness** n. ħbiberija; **~ly** adj. ħabib; dħuli; (relations) ta' ħbiberija; **~ship** n. ħbiberija
frieze n. tip ta' drapp tas-suf aħrax
frigate n. frejgata
fright n. qatgħa; dehxa; nafra; **to take ~** beża'; **~en** vt. bażża'; **to be ~ened** kien qed jibża'; **~ening** adj. li jbażża'; **~ful** adj. orribbli, **~fully** adv. (col.) orribbilment
frigid adj. (woman) friġida; rieżaħ/rieżħa; biered/bierda; bla demm; bla ħeġġa
frill n. frill
fringe n. it-tarf; (brit. of hair) frenża; (fig.) fixxifer; **~ benefits** n.pl. vantaġġi
frisk vt. ipperkwiżixxa; esplora; fittex
frisky adj. vivaċi; fuq ruħu; ferrieħi
fritter vt. **to ~ away** ħela; berbaq
frivolous adj. frivolu/frivola; fieragħ/fiergħa
fro see **to**
frock n. libsa; ċoqqa ta' patri
frog n. żrinġ
frolic vi. daħk; ċajt; żuffjett
from prep.
1 (indicating starting place) minn; (indicating origin, etc.) minn; adj. **phone call ~ my sister** telefonata mingħand oħti; **where do you come ~?** minn fejn int?; **to drink ~ the bottle** xorob mill-flixkun
2 (indicating time) minn; **~ one o'clock to** or **until** or **till two** mis-siegħa sas-sagħtejn; **~ January** (on) minn Jannar ('l hinn)
3 (indicating distance) minn
4 (indicating price, number, etc.) minn; **there were ~ 20 to 30 people there** kien hemm minn 20 sa 30 ruħ
5 (indicating difference): **he can't tell red ~ green** ma jagħrafx l-aħmar mill-aħdar; **to be different ~ sb./sth.** kien differenti minn xi ħadd/xi ħaġa
6 (because of, on the basis of): **~ what he says** minn dak li jgħid; **weak ~ hunger** debboli minħabba l-ġuħ
front n. quddiem; ġbin; wiċċ; ta' quddiem; (of house) il-faċċata; (promenade: also **sea ~**) quddiem il-baħar; eżatt mal-baħar; (mil., pol.) il-front // adj. (forward) ta' quddiem; **in ~** adv. fuq quddiem; **in ~ of** quddiem; **~age** n. il-wisa' tal-faċċata; **~al** adj. ventartal; **~ier** n. fruntiera; **~ door** n. il-bieb ta' barra; **~ page** n. l-ewwel faċċata; **~ room** n. (brit.) salott; **~-wheel drive** n. ingranar fuq ir-roti ta' quddiem
frost n. ġlata; **~bite** n. infjammazzjoni kawża tal-ġlata; **~ed** adj. (glass) inġazzat; **~y** adj. tal-kesħa; tal-ġlata
froth n. ragħwa; xkuma; lgħab; frugħa
frown n. ħarsa kerha; biċ-ċiera; qrusa tal-wiċċ // vi. tkerrah; ħares biċ-ċiera
froze pt. of **freeze**
frozen pp. of **freeze**
frugal adj. meqjus; moderat
fruit n.pl. inv. (as collective) frott; (particular) frotta; **~erer** n. bejjiegħ il-frott; **~ful** adj. għammiel; fejjiedi; utli; **~ion** n. **to come to ~ion** ġie rrealizzat; **~ juice** n. meraq tal-frott; **~ salad** n. insalata tal-frott
frustrate vt. iffrustra; **~d** adj. iffrustrat
fry (pt., pp. **fried**) vt. qela; **small ~** tingħad għal nies li mhumiex importanti; **~ing pan** n. taġen
ft. abbr. of **foot, feet**
fudge n. xorta ta' karamella bil-ħalib, zokkor, eċċ.
fuel n. ħatab; faħam; fuel; (for heating) materjal li jżomm is-sħana meta mqabbad; (for lighter) gass; **~ oil** n. (diesel fuel) żejt; **~ tank** n. tank (tal-petrol, eċċ.)
fugitive n. maħrub; diżertur; min jaħrab

fulfil vt. (duty) temm; lesta; (promise) wettaq; **~ment** n. twettiq; tlestija

full adj. (box, bottle, price) mimli; sħiħ; (person: satisfied) sodisfatt; mimli; (member, power, employment, moon) sħiħ; (complete) komplet; (speed) b'veloċità massima; (skirt) twil // adv. ~ **well** tajjeb ħafna; **in** ~ sħiħ; kollu kemm hu; **~-length** adj. (portrait) ta' tul sħiħ; ~ **moon** n. kwinta; **~-scale** adj. (attack) fuq skala massima; (drawing) tad-daqs propju; ~ **stop** n. punt; fulstop; **~-time** adj. (job) xogħol regolari (prinċipali) // n. (sport) tmiem il-partita; **~y** adv. kompletament

fulsome adj. li jqażżeż; esaġerat

fumble vi. bagħbas; teftef; mess b'idejh; fittex u gerfex biex isib

fume vi. ħa tbaqbiqa; daħħan; fewwaħ; (fig.) korla; saħna; **~s** pl. fwar; duħħan; daħna; riħa

fumigate vt. iddiżinfetta billi daħħan, baħħar jew ta l-purfum

fun n. ċajt; żuffjett; daħk; logħob; mogħdija taż-żmien; **to make ~ of** għadda ż-żmien bi; iżżuffjetta bi

function n. funzjoni; festa; ċerimonja; għemil; xogħol; (occasion) okkażjoni // vi. iffunzjona; **~al** adj. funzjonali; prattiku

fund n. (money) fond; kapital; (store) riserva; **~s** pl. fondi

fundamental adj. fundamentali

funeral n. funeral; ~ **service** n. servizz funebri

funfair n. (brit.) luna park

fungus (pl. **fungi**) n. faqqiegħ; fungi

funnel n. lembut; deffus; (naut.) ċumnija tal-vapur

funny adj. divertenti; komiku; tad-daħk

fur n. fer; ġilda bil-pil; ~ **coat** n. kowt tal-fer

furious adj. infurjat; vjolenti; irrabjat; aħrax; (attempt) akkanit; qawwi

furlong n. = **220 yards**

furlough n. (US. mil.) permess

furnace n. forn

furnish vt. għammar bi; (supply) forna; **~ings** n.pl. tagħmir

furniture n. għamara; **piece of** ~ biċċa għamara

furrow n. radda ta' moħriet/bastiment; xaqq; tikmix fil-wiċċ

furry adj. (animal) piluż

further adj. aktar 'il quddiem // adv. aktar 'il bogħod; aktar lil hinn // vt. iffavorixxa; ippromwova; ~ **education** n. edukazzjoni aktar profonda u professjonali; **~more** adv. barra minn dan

furthest superl. of **far**

furtive adj. magħmul bis-serqa jew bil-moħbi

fury n. furja; furur; korla kbira

fuse n. (elec.) fjus; (of bomb) miċċa // vt. qabbad; ~ **box** n. kaxxa tal-fjus

fuselage n. struttura tal-ajruplan

fusion n. fużjoni; għaqda

fuss n. għaġeb; storbju; kjass; **~y** adj. għaġġiebi; wieħed li jagħmel għaġeb fuq xejn

futile adj. futili; fieragħ; bla siwi

futility n. futilità

future adj. tal-futur; tal-ġejjieni // n. futur; ġejjieni; **in (the)** ~ fil-futur; fil-ġejjieni

fuze (US. **fuse**)

fuzzy adj. (indistinct) indistint; ambigwu; mhux ċar

G g

g is-seba' ittra tal-alfabett Ingliż
G n. (mus.) G nota mużikali;
gab n. tlablib; tpaċpiċ; sersir; ċarċir
gabble vi. lablab; paċpaċ; qal; tkellem mgħaġġel
gadget n. mekkaniżmu
Gaelic adj. Galliku/Gallika // n. (ling.) Galliku
gad vt. iġġerra; tlajja 'l hawn u 'l hinn
gag n. dik il-ħaġa li ssikket billi titqiegħed fil-ħalq // vt. sikket; sadd ħalq xi ħadd
gaiety n. ferħ; hena; pjaċir; tlellix
gaily adv. allegrament
gain vt. (obtain) qala'; kiseb; (win) rebaħ // vi. (improve) tejjeb; għamel progress; (clock) mexa 'l quddiem // n. gwadann; qligħ; profitt; **to ~ on sb.** qorob aktar lejn xi ħadd (eż. f'tellieqa)
gait n. mixja; pass; il-mod kif wieħed jimxi
gal. abbr. of **gallon** (gallun)
gala n. gala
galaxy n. galassja
gale n. riħ qawwi; burraxka
gallant adj. qalbieni; kuraġġuż; galanti; (towards ladies) kumplimentuż
gallbladder n. xorta ta' borża li tinsab taħt il-fwied
gallery n. (also **art ~**) gallerija; gallerija tal-arti
galley n. (ship's kitchen) kċina fuq bastiment; (ship) xini; ġifen
gallon n. gallun
gallop n. galopp // vi. iggaloppja
gallows n. forka
galore adv. bil-ħafna; bl-abbundanza
galvanize vt. (metal) iggalvanizza
gamble vi. lagħab għall-flus // vt. (risk) irriskja; issogra // n. azzard; riskju; **~r** n. wieħed li jilgħab il-logħob tal-azzard
gambling n. logħob tal-azzard
game n. logħba; partita; (hunting) priża // adj. lest; misjur; kuraġġuż; **~keeper** n. l-għassies tal-qabda
gammon n. koxxa tal-majjal immellħa
gamut n. serje sħiħa ta' noti mużikali
gang n. (of criminals, youths) tajfa; ċorma; (of workmen) ġemgħa (ħaddiema) // vi. **to ~ up on sb.** ikkumbatta lil xi ħadd
gangrene n. kankru; kankrena
gangster n. vagabond; brikkun; ta' qattagħni
gangway n. (naut.) skala ta' bastiment; (aisle) korsija maqtugħa mill-art (fil-moda, eċċ.)
gaol = jail
gap n. fetħa; qasma; xaqq; vojt
gape vi. baqa' mistagħġeb; ħares skantat
gaping adj. spazjuż/a; vast
garage n. garaxx; remissa; (for repair) garaxx
garbage n. skart; rifjut; **~ can** n. tank taż-żibel
garbled adj. (story) vag/a; oskur; ambigwu
garden n. ġnien; ġardin; **~er** n. ġennien; ġardinar; **~ing** n. il-kura tal-ġnien
gargle vi. gargariżmu; tlaħliħ tal-griżmejn
gargoyle n. gargojl
garish adj. stravaganti; ilellex; profuż
garland n. girlanda; kuruna tar-rand; dafra
garlic n. tewm
garment n. libsa; biċċa ħwejjeġ
garnish vt. (food) żejjen (l-ikel)
garret n. kamra ta' fuq il-bejt
garrison n. gwarniġjun
garrulous adj. li jredden; lablabi
garter n. takkalja
gas n. gass; **~mask** n. maskra tal-gass; **~ meter** n. miter tal-gass // vt. iggassja; **~ cooker** n. kuker tal-gass; **~ cylinder** n. ċilindru tal-gass; **~sy** adj. (drink) xarba bil-gass; **~ tap** n. vit tal-gass
gash n. qasma; farrett; sfreġju // vt. qasam; sfreġja
gasket n. gaskit
gasoline n. petrol
gasp vi. leheġ; (in astonishment) baqa' bla nifs // n. lehġa
gastric adj. gastriku/gastrika
gate n. xatba; rixtellu; kanċell; **~crash** vt. ħa sehem mingħajr ma kien mistieden; **~way** n. bieb; ħruġ
gather vt. (people) ġabar; (things) ġama'; damm; // vi. (understand) fehem; (deduce) iddeduċa; (assemble) ġabra; **to ~ speed** ħa r-rankatura

gauche adj. goff; tqil
gaudy adj. ilellex; jgħajjat
gauge n. (instrument) strument; arloġġ (measure) kejl; indikatur // vt. (lit.) kejjel; (fig.) ikkalkula (eż. il-periklu)
gaunt adj. magħlub; niexef għuda
gauntlet n. (knight's) ingwanta tal-ħadid
gauze n. garża
gave (pt. of **give**) ta
gay adj. (homosexual) omosesswali; (lively) ferrieħi; allegru
gaze n. ħarsa ċassa, fissa // vi. iċċassa lejn; iffissa
gazelle n. għażżiela
gazetteer n. dizzjunarju ġeografiku
GCE n. abbr. of **General Certificate of Education** GCE
GCSE (brit.) n. abbr. of **General Certificate of Secondary Education** GCSE
gear n. ingranaġġ; attrezzament, (equipment) apparat; (aut.) ingranaġġ; // vt. (fig adapt): **to be ~ed** addatta ruħu; **in ~** ingranat/a; **~ box** n. gearbox; **~ lever**, **~ shift** n. manku li bih jinbidel il-ger
geese n. (pl. of **goose**) wiżż
gel n. gel
gelatine n. ġelatina
gelignite n. nitrogliċerina
gem n. ġemma; ħaġra prezzjuża
Gemini n. Ġemelli, it-Tewmin
gender n. (gramm.) ġens; ġeneru
gene n. fattur ereditarju; determinant
general n. ġeneral // adj. ġenerali; universali; **~ election** n. elezzjonijiet ġenerali; **~ization** n. ġeneralizzazzjoni; **~ize** vi. iġġeneralizza; **~ly** adv. ġeneralment; **~ practitioner** (GP) n. tabib
generate vt. iġġenera
generation n. ġenerazzjoni; (act) tnissil
generator n. ġeneratur
generosity n. ġenerożità
generous adj. ġeneruż
genetics n. ġenetika
Geneva n. Ġinevra
genial adj. ġenjali
genitals n.pl. ġenitali
genius n. ġenju
genocide n. ġenoċidju
gent n. abbr. of **gentleman**; raġel
genteel adj. (polite) ġentili; pulit; raffinat
gentle adj. ġentili
gentleman n. ġentlom; (polite) raġel raffinat
gentleness n. ġentilezza
gently adv. ġentilment
gentry n. nobbiltà minuri
gents n. **G~** (lavatory) tal-irġiel
genuine adj. ġenwin; awtentiku
geographic(al) adj. ġeografiku
geography n. ġeografija
geological adj. ġeoloġiku
geometry n. ġeometrija
geranium n. ġeranju
geriatric adj. ġerjatriku/ġerjatrika // n. ġerjatrika
germ n. dudu; mikrobu; (med.) mikrobu
German adj. Ġermaniż/a // n. Ġermaniż/a; (ling.) il-Ġermaniż/a; **~ measles** n. ħosba
Germany n. il-Ġermanja
germination n. ġerminazzjoni
gesticulate vi. tkellem filwaqt li għamel ħafna ġesti tal-ġisem
gesture n. ġest; ċaqliqa
get pt., pp. got pp. gotten (US.) *vi.
1 (become, be) sar; **to ~ old/tired** xjieħ (sar xiħ)
2 (go) mar
3 (begin): **to ~ to know sb.** sar jaf lil xi ħadd
4 (modal aux.) v. **you've got to do it** trid tagħmilha; għandek tagħmilha
*vt.
1: **to ~ sth. done** (do) għamel xi ħaġa; (have done) ġiegħel li xi ħaġa ssir; **to ~ sth. going or to go** beda xi ħaġa jew mar...; **to ~ sb. to do sth.** ġiegħel lil xi ħadd jagħmel xi ħaġa
2 (obtain: money, permission, results) ġab; kiseb; (find: job, flat) sab xogħol / flett; (fetch: person, doctor, object) ġab lil xi ħadd; **to ~ sth. for sb.** ġab xi ħaġa għal xi ħadd; **~ me Mr Jones, please** (tel.) qabbadni mas-Sur Jones, jekk jogħġbok
3 (receive: present, letter) rċieva; qala'
4 (catch) qabad; **~ him!** (to dog) aqbduh!
5 (take, move) ħa; **to ~ sth. to sb.** ħa xi ħaġa lil xi ħadd
6 (understand) fehem; ħa; (hear) sema'; **I've got it!** ġibtha! fhimtha!
7 (have, possess): **to have got** kellu **get about** vi. iċċaqlaq; (news) mexa; xtered
get along vi. (people) mar tajjeb ma'; (depart) telaq
get at vt. (facts) wasal għal; **to ~ sb.** (to nag away at sb.) ħadha ma'; dejjaq
get away vi. (leave) telaq; (escape) ħarab; **to ~ away with sth.** għaddieha lixxa; ħelisha
get back vt., vi. (return) irritorna; reġa' lura
get by vi. (pass) għadda; (manage) għamilha
get down vi. niżel // vt. (depress) waqa' fid-dwejjaq; **to ~ to** ntasab jagħmel xi ħaġa; (find time to do) sab il-ħin biex jagħmel xi ħaġa
get in vi. (train) daħal; rikeb; (arrive) wasal

get into vt. (enter) daħal fi; (car train, etc.) daħal fil-; (clothes) libes

get off vi. (from train, etc.) niżel; (from horse) niżel // vt. neħħa

get on vi. (progress) mexa; (be friends) mar tajjeb ma'; (age) daħal fiż-żmien; (onto train, etc.) rikeb; (onto horse) rikeb

get out vi. (of house) ħareġ; (of vehicle) niżel // vt. (take out) ġibed 'il barra; ħareġ

get out of vt. (duty, etc.) ħareġ minn; evita

get over vt. (illness) irkupra; qaleb għall-aħjar

get round vt. dar (ma')

get through to vt. (tel.) ikkonnettja; qabad il-linja

get together vi. ngħaqad

get up vi. qam // vt. qam għal; (go up) tela' fuq għal; (organize) organizza

getaway n. ħarba

geyser n. giżer

ghastly adj. (horrible) orribbli; faħxi

gherkin n. ħjara żgħira

ghetto n. getto

ghost n. ruħ; spirtu; ħares; fatat; spettru; fantażma; **~ly** adj. tal-iħirsa; tal-erwieħ

giant n. ġgant; ġolf // adj. enormi

gibberish n. kliem bla sens

gibe n. xita ta' vleġeġ

giddiness n. mejt; stordament

giddy adj. bil-mejt; stordut

gift n. rigal; għotja; premju; (ability) don; talent; **~ed** adj. li għandu t-talent; ~ **token** or **voucher** n. kupun li jissarraf f'oġġett ieħor

gigantic adj. ġgantesk

giggle vi. daħak fil-vojt // n. daħka fil-vojt u għalxejn

gild vt. indura; dieheb

gill n. kwart ta' pinta // n. (of fish) garġa

gilt n. induratura // adj. indurat; **~-edged** ta' sigurtà kbira

gimlet n. berrina

gimmick n. ċajta; ħlieqa; qerq

gin n. gin

gingerly adv. b'kawtela

gipsy n. żingaru/żingara

giraffe n. ġiraffa

girder n. pastaż; riffieda; travu tal-ħadid

girdle n. ħżiem li jdur mal-qadd

girl n. tfajla; tifla; **~friend** n. it-tfajla (ta' xi ħadd); **~ish** adj. ta' tifla

girth n. (measure) ċirkumferenza; (strap) ċinga

gist n. il-punt ewlieni; is-sustanza ta'

give (pt. **gave**, pp. **given**) vt. ta // vi. (break) ċeda; kiser; ~ **away** vt. (give free) ta b'xejn; qassam; (betray) kixef; ~ **back** vt. irritorna; radd; ~ **in** vi. telaq; ċeda // vt. (hand in) ikkunsinna; ~ **off** vt. ta; iġġenera; ~ **out** vt. qassam; (announce) annunzja; ħabbar; ~ **up** vt., vi. irrinunzja; **to ~ os. up** ċeda; (after siege) ċeda l-armi; ~ **way** vi. ċeda; ta preċedenza

glacier n. turrun ta' silġ magħqud li jiżżerżaq mal-ġenb tal-muntanja

glad adj. kuntent; ferħan; hieni

gladioli n.pl. gladjoli

gladly adv. bil-qalb kollha

glamorous adj. glamoruż; affaxxinanti

glamour n. faxxinu

glance n. lemħa; ħarsa; daqqa t'għajn // vi. ta daqqa t'għajn lil; ~ **off** vi. (fly off) ħabat ma' (xi ħaġa) u qabeż lura

gland n. glandola

glare n. (light) dawl għammiexi; (stare) ħarsa qalila // vi. għammex; (angrily) ħares b'rabja

glaring adj. li jħares b'qilla; awdaċi

glass n. ħġieġ; (mirror: also **looking ~**) mera; **~es** pl. nuċċali; **~house** n. serra; **~ware** n. oġġetti tal-ħġieġ; **~y** adj. li jixbaħ lill-ħġieġ

glaze vt. naddaf; għorok // n. xaqq; dija; raġġ; kisja partikolari

glazier n. vetrar

gleam n. raġġ; dawl // vi. leqq; **~ing** adj. leqqien

glean vt. (fig.) ġabar

glee n. ferħ; hena; allegrija

glen n. wied dejjaq

glib adj. espressiv; plawsibbli

glide vi. iżżerżaq, niżel ħelu ħelu; **~r** n. (aviat.) inġenju li jittajjar permezz ta' ġwienaħ

gliding n. titjir permezz ta' ġewnaħ artifiċjali

glimmer n. tnemnim; xaqq dawl

glimpse n. lemħa; daqqa t'għajn // vt. ta daqqa t'għajn

glint n. tlellix // vi. lellex; leqq

glisten vi. lema; għanċeċ

glitter vi. laqq; laħħ; idda; lema // n. tlellixa

gloat vi. **to ~ over** għaxxaq għajnejh; tpaxxa

global adj. globali

globe n. globu; (sphere) sfera

gloom n. (darkness) dalma; dlam; (depression) swied il-qalb; dwejjaq; **~y** adj. mudlam; skur; mdejjaq

glorify vt. igglorifika

glorious adj. glorjuż/a

glory n. glorja

gloss n. (shine) lostru; vt. ~ **over** żelaq fuq

glossary n. glossarju

glossy adj. (surface) ileqq (bil-lostru)

glove n. ingwanta; ~ **compartment** n. (aut.) spazju fejn wieħed iqiegħed xi oġġetti

glow vi. kebbes // n. ħmura ta' dawl; sħana kbira; ħrara
glower vi. **to ~ at** ħares ċass u biċ-ċiera
glucose n. glukosju
glue n. kolla // vt. inkolla
glum adj. bil-buri
glut n. ikla għax-xaba'; ikla kbira
glutton n. żaqqieq; wikkiel; adj. **~ for work** wieħed li jaħdem bla heda
glycerin(e) n. gliċerina
gnarled adj. kollu għoqod, ingroppi
gnat n. nemusa
gnaw vt. gerrem; kiel; giddem
gnome n. spirtu tal-art li jgħix fis-sotterran
go (pt. **went**, pp. **gone**) vi. mar; telaq; (travel) mexa; (depart: train) telaq; (be sold) nbiegħ; (work) telaq (għax-xogħol); (fit, suit) tmur/ imur (libsa); (become) [illegible]; (break, etc.) ċeda // n. (pl. ~**es**) (attempt) attentat, **he's going to do it** sa jagħmilha; **to ~ for** adj. (walk) mar jimxi; **to ~ dancing** mar jiżfen; **to have** adj. **~ at sth.** ittenta jagħmel xi ħaġa; **to be on the ~** il-ħin kollu għaddej; **whose ~ is it?** min imiss; **~ about** vi. (rumour) daret; nxterdet // vt. **~ ahead** vi. (proceed) mexa 'l quddiem; ipproċieda; **~ along** vi. mexa; avvanza // vt. kompla miexi; **to ~ along with** (agree to support) kompla ma'; appoġġja; **~ away** vi. (depart) telaq; **~ back on** vt. (promise) reġa' lura minn; **~ by** vi. (years, time) għaddew // vt. esegwixxa; **~ down** vi. (sun) niżlet // vt. niżel; **~ for** vt. (fetch) mar għal; **~ in for** vt. (competition) nkiteb għal; daħal għal; **~ into** vt. (enter) daħal (fi); (study) indaga; studja; **~ off** vi. (depart) telaq; mar 'l hemm; (lights) ntfew; (explode) sploda; skatta // vt. (dislike) ma jogħġbux aktar; **~ on** vi. (continue) kompla; (lights) xegħlu; **to ~ on with sth.** kompla b'xi ħaġa; **~ out** vi. (fire, light) ntefa; mar; (of house) ħareġ 'il barra; telaq; **~ over** vi. (ship) qabeż // vt. (examine, check) iċċekkja; eżamina; irreveda; **~ through** vt. (town, etc.) għadda minn; **~ up** vi. (price) tela'; għola; **~ without** vt. għadda mingħajr (eż. ikel)
goad vt. niggeż; xpruna
go-ahead adj. intraprendenti; (progressive) progressiv // n. permess; kunsens; approvazzjoni
goal n. skop; għan; (sport) gowl; **~keeper** n. gowler; **~-post** n. lasta
goat n. mogħża
gobble vt. (also **~ down**, **~ up**) bala'
go-between n. medjatur/medjatriċi
goblet n. kalċi
god n. alla; **G~** n. Alla; **~child** n. filjozz; **~daughter** n. filjozza; **~dess** n. alla (femminili); **~father** n. parrinu; xbin; **~-forsaken** adj. deżolat; **~mother** n. parrina; xbint; **~send** n. providenza; **~son** n. filjozz
goggles n.pl. maskra tal-baħar
going n. (horse-racing) qagħda; sitwazzjoni // adj. (rate) rata
gold n. deheb // adj. mdieheb; **~en** adj. tad-deheb; **~fish** n. ħuta tal-ilma ħelu; **~mine** n. minjiera tad-deheb; **~-plated** adj. miksi bid-deheb; **~smith** n. wieħed li jaħdem id-deheb
golf n. golf; **~ball** n. ballun tal-golf; **~ club** n. (society) klabb tal-golf; (stick) mazza; paletta; **~ course** n. korsa tal-golf; **~er** n. wieħed li jilgħab il-golf
gondola n. gondola
gone (pp. of **go**) telaq
gong n. gong
good n. (benefit) tajjeb; (moral excellence) tjubija // adj. tajjeb; xieraq; **~s** pl. merkanzija; tagħbija; adj. **~ deal of** ħafna; adj. **~ many** ħafna; **~bye!** saħħa!; **G~ Friday** n. il-Ġimgħa l-Kbira; **~ looking** adj. sabiħ; attraenti; **~ morning!** bonġu! l-għodwa t-tajba!; **~-natured** adj. affabbli; **~ joke** ċajta tajba, kordjali; **~ness** n. tjubija; (virtue) virtù; tjubija; **~s train** n. (brit.) ferrovija tal-merkanzija; **~will** n. (favour) benevolenza
goose (pl. **geese**) n. wiżża (pl. wiżż)
gooseberry n. frotta li tixbah liċ-ċawsli
gooseflesh (also **goose pimples**) n.pl. tixwik tal-ġilda (ġen. effett ta' emozzjoni)
gore vt. ta bil-qrun // n. demm magħqud minn xi qatgħa jew ferita
gorge n. wied dejjaq bejn l-għoljiet
gorgeous adj. attraenti; ta' ġmiel kbir
gorilla n. gurilla
go-slow n. (brit.) tnaqqis fix-xogħlijiet
gospel n. vanġelu
gossip n. seksik; tlablib; (person) seksiek/a // vi. iċċajta (malizzjożament)
got (pt., pp. of **get**) **~ten** (US.) pp. of **get**
gout n. gotta; pullagra
govern vt. iggverna; ħakem
governess n. governatriċi
government n. gvern; amministrazzjoni
governor n. gvernatur
gown n. libsa ta' mara; (univ.) toga
GP n. abbr. of **general practitioner**
grab vt. ħataf; qabad bis-salt
grace n. ħlewwa; grazzja; ġmiel; (blessing) barka; (prayer) grazzja // vt. (adorn) żejjen; (honour) onora; **~ful** adj. grazzjuż

gracious adj. ħlejju; (kind) ħanin
grade n. kwalità; grad; klassi; (slope) grad ta' inklinazzjoni // vt. (classify) ikklassifika; ~ **school** n. skola elementari
gradient n. inklinazzjoni
gradual adj. gradwali
graduate n. adj. **to be ~d** gradwat; illawrjat // vi. iggradwa; illawrja
graduation n. gradwazzjoni
graffiti n.pl. graffiti
graft n. (med.) trapjant
grain n. qamħa; farka; (in wood) farka
gram n. gramma
grammar n. grammatika; ~ **school** n. liċeo
gramme = gram
granary n. fossa tal-qamħ; matmura
grand adj. kbir; grandjuż; ewlieni; **~children** n.pl. neputijiet; **~dad** n. nannu; **~daughter** n. neputija; **~eur** n. kobor; qawwa; **~father** n. nannu; **~iose** adj. (imposing) grandjuż/a; (pompous) pompuż/a; **~ma** n. nanna; **~mother** n. nanna; **~pa** n. = **~dad**; **~parents** n.pl. nanniet; ~ **piano** n. pjanu; **~son** n. neputi; **~stand** n. tribuna
granite n. granit
granny n. nanna
grant vt. ta permess; ħalla; ikkonċeda // n. (univ.) borża ta' studju; **to take sth. for ~ed** ħa xi ħaġa bħala ovvja jew garantita
granulated sugar n. zokkor kristallizzat
granule n. kristall (taz-zokkor)
grape n. għenba
grapefruit n. frotta li għandha mil-larinġ u mil-lumi
graph n. graff; **~ic** adj. (descriptive) grafiku; **~ics** n.pl. grafika
grapple vi. **to ~ with** beda jiġġieled ma'
grasp vt. qabad; ħafen; ħataf; (understand) fehem // n. qbid; ħfin; ftehim; (of subject) ftehim; **~ing** adj. rgħib
grass n. ħaxix; **~hopper** n. ġurat; **~land** n. tip ta' ekosistema; **~-roots** adj. mill-qiegħ; ~ **snake** n. xorta ta' serp
grate n. grada // vi. (sound) għażżeż (snienu) // vt. (cheese) ħakk
grateful adj. grat; rikonoxxenti
grater n. mħakka
gratify vt. iggratifika; ikkuntenta
gratifying adj. gratifikanti
grating n. (iron bars) grada // adj. (noise) li jobrox
gratitude n. gratitudni
gratuity n. għoti; rigal ta' flus għal servizz
grave n. qabar // adj. (serious) gravi; serju
gravel n. naqal (ramel)
grave: ~stone n. rħama (fuq qabar); **~yard** n. ċimiterju
gravity n. gravità; (seriousness) serjetà kbira
gravy n. grejvi; zalza; sugu
gray adj. = **grey**
graze vi. ragħa; għalef // vt. (touch) mess kemm kemm
grease n. (fat) grass; xaħam; sonża; (lubricant) lubrifikant // vt. dilek bix-xaħam
greasy adj. żejtni; jiżloq
great adj. kbir; (col. good) tajjeb; meraviljuż; **~grandfather/mother** n. bużnannu/bużnanna; **~ly** adv. ħafna; bil-bosta; **~ness** n. kobor
Greece n. il-Greċja
greed n. (also **~iness**) regħba; xeħħa; kilba; **~y** adj. żaqqieq
Greek adj. Grieg/a
green adj. aħdar // n. ~ **belt** n. faxxa ta' ħdura (siġar, eċċ.); ~ **card** n. (aut.) karta ħadra; **~ery** n. ħdura; **~grocer** n. bejjiegħ il-ħaxix; **~house** n. serra; **~ish** adj. ħadrani; **~ness** n. ħdura
greet vt. sellem; laqa' bil-ferħ; **~ing** n. tislima; **~ing(s) card** n. kartolina ta' awgurju
gregarious adj. li jgħix fi qtajja'; soċjevoli
grenade n. bomba splużiva li tintafa' bl-idejn
grew pt. of **grow**
grey adj. griż; **~-haired** adj. ixheb; **~hound** n. kelb tal-fenek, tal-liebru; **~ish** adj. jagħti fil-griż
grid n. grid
grief n. dulur; niket; dispjaċir; għali
grievance n. għali; deni
grieve vi. tnikket // vt. nikket; għalla
grievous adj. ~ **bodily harm** (law) aggressjoni vjolenti ħafna
grill n. gradilja // vt. xewa (fuq gradilja)
grille n. (on car, etc.) grada
grim adj. żorr; mqarras
grimace n. tqarris tal-wiċċ // vi. qarras wiċċu
grime n. nugrufun; ġmied
grimy adj. mġemmed
grin n. tbissima // vi. tbissem
grind vt. (pt., pp. **ground**) taħan; farrak; (sharpen) senn; xeffer; (teeth) qarmeċ // n. (bore) ħaffer
grip n. ħafna; qabda; (suitcase) basket tal-ivvjaġġar // vt. ħafen; għafas; qabad; **~ping** adj. (exciting) eċċitanti
grisly adj. makabru; li jbażża'; li jwerwer
gristle n. qarquċa
grit n. naqal; ramel; ċagħaq irqiq; (courage) kuraġġ; ħila // vt. (teeth) għeżżeż; (road) għatta; kesa bir-ramel
groan n. karba // vi. karab; newwaħ

grocer n. groser; tal-merċa; **~ies** pl. prodotti mibjugħa għand tal-merċa; **~'s** (shop) n. ħanut tal-merċa; groser
groggy adj. mhux sod; jixxengel
groom n. (also **bride~**) għarus; (for horses) seftur li jieħu ħsieb iż-żwiemel // vt. (horse) ħa ħsieb iż-żiemel
groove n. kanal, xaqq
grope vi. teftef; **~for** vt. fittex billi teftef idejh
gross adj. (coarse) oħxon; goff; (bad) vulgari; (comm.) grossa; it-total; **~ly** adv. bil-kbir
grotesque adj. grottesk
grotto n. grotta
ground (pt., pp. of **grind**) // n. art; qiegħa; sies; bażi; (land) terran; art; (reason) motiv; **~s** pl. bażi; (around house) ġonna // vi. (run ashore) niżel l-art; **on the ~** fl-art; **to the ~** sal-art; **to lose ~** iddisţakka ruħu (lura); **~less** adj. infondati; **~sheet** n. (Brit.) biċċa drapp (bħala qiegħ eż. ta' tinda); **~staff** n. staff tal-art (f'ajruport); **~ swell** n. (of sea) maremot; (fig.) ċaqliq fl-opinjoni; **~work** tħejjija; preparazzjonijiet
group n. grupp; ġemgħa // vt., vi. (also **~ together**) ngħaqdu fi grupp
grouse n.pl. inv. (bird) ganga
grove n. buskett; masġar
grovel vi. (fig.) tkaxkar; niżel sal-art
grow (pt. **grew**, pp. **grown**) vi. kiber; kotor; (become) sar // vt. (raise) kabbar; ikkultiva; **~ up** vi. kiber; **~er** n. kultivatur/kultivatriċi; **~ing** adj. li qed jikber
growl vi. gerger; gemgem
grown (pp. of **grow**) **~-up** n. adult; kbir
growth n. kobor; (increase) tkabbir; (cultivation) tkabbir; kultivazzjoni
grub n. larva; (col. food) n. ikel; **~by** adj. maħmuġ
grudge n. malizzja; mibegħda
gruelling adj. (climb, race) eżawrjenti
gruesome adj. orribbli; li jwaħħax
gruff adj. żorr; goff; leħnu oħxon
grumble vi. gerger
grumpy adj. bil-buli, bin-nervi
grunt vi. għajjat (bħal qażquż) // n. għajta ta' qażquż
guarantee n. garanzija; pleġġ // vt. għamel tajjeb għal
guard n. (sentry) għassies; gwardjan; sentinella // vt. ħares; indokra; għasses; **~ed** adj. mgħasses; **~ian** n. gwardjan
guerrilla n. gwerrilla; **~ warfare** n. ġlied minn gruppi armati li mhumiex suldati
guess vt., vi. qata'; basar // n. qatgħa; basra; **~work** n. qtigħ; tbassir
guest n. mistieden; **~-house** n. lukanda żgħira; **~ room** kamra tal-mistednin
guffaw vi. nfaqa' f'daħka kbira
guidance n. (control) gwida; kontroll; (advice) gwida; parir
guide n. gwida // vt. iggwida; **~book** n. gwida; **~ dog** n. kelb mgħallem biex jiggwida (lil għomja, eċċ.); **~lines** n.pl. direttivi
guild n. (hist.) xirka; korporazzjoni
guile n. qerq; ħażen
guillotine n. giljottina
guilt n. ħtija; **~y** adj. ħati
guinea pig n. fenek tal-Indi
guise n. maskra
guitar n. kitarra
gulf n. golf; (fig.) abbiss
gull n. gawwija
gullet n. il-gerżuma
gullible adj. li jemmen jew jibla' kollox
gully n. kanal; gerżuma
gulp vt. (also **~ down**) legleg; bala'
gum n. (around teeth) ħanek; gomma; (glue) kolla
gumption n. (col.) kapaċità; sens
gun n. xkubetta; azzarin; senter; kanun; **~boat** n. dgħajsa armata bil-kanuni; **~fire** n. sparar; **~man** n. wieħed armat; **~ner** n. kanunier; artillier; **~point** n. at **~point** bit-theddida tal-pistola; **~powder** n. porvli: **~shot** n. sparatura; tir; **~smith** n. wieħed li jagħmel l-armi
gurgle vi. gelgul; tgelgil; tbaqbiq
guru n. guru
gush vi. (rush out) ħruġ b'salt (ta' ilma); (fig.) gelgul ta' kliem
gust n. buffura riħ qawwija
gusto n. gost; pjaċir
gut n. (anat.) musrana; (string) msaren imnixxfin għall-kordi; **~s** pl. (fig.) gelgul ta' kliem
gutter n. miżieb; (in street) kanal fl-art
guttural adj. gutturali
guy n. (also **~rope**) korda; ħabel biex jissikka xi ħaġa; raġel
guzzle vt., vi. (drink) xorob bl-għaġla; (eat) kiel bl-għaġla
gym n. (also **gymnasium**) gym; post fejn issir il-ġinnastika; (also **gymnastics**) ġinnastika; **~nast** n. ġinnasta; **~ shoes** n.pl. papoċċ tal-ġinnastika
gynaecologist n. ġinekoloġista (ġinekologu)
gynaecology n. ġinekoloġija
gypsy n. **gipsy**
gyrate vi. ġera f'dawra; dar

H h

h it-tmien ittra tal-alfabett Ingliż
haberdashery n. (brit.) ħanut li jbigħ oġġetti konnessi mal-ħjata
habit n. drawwa; abitudni; (monk's) libsa; tonka
habitable adj. abitabbli
habitat n. abitat; post ta' abitazzjoni
habitual adj. abitwali; **~ly** adv. abitwalment
hack vt. laqqax; xellef; ħanxar // n. baqqun; fies; (writer) kittieb komuni
hackneyed adj. komuni; qadim; użat sikwit
had pt., pp. of **have**
hadn't = had not
haemorrhage n. emoraġija; ħruġ ta' demm
haggard adj. sfajjar u magħlub (wara marda, xogħol iebes, eċċ.)
haggle vi. iġġebbed (fuq prezzijiet)
Hague n. **The** ~ The Hague
hail n. silġ li jinżel bħax-xita; (greet) tislima // vt. sellem; sejjaħ; feraħ bi // vi. niżel bħas-silġ
hair n. xagħar; xuxa; pil; (**one** ~) xagħra; **~brush** n. xkupilja tax-xagħar; **~cut** n. qatgħa xagħar; **to get a ~cut** qata' xagħru; **~do** n. għamla tax-xagħar; pettinatura; **~dresser** n. parrukkier; **~dresser's** n. ħanut tal-parrukkier; **~dryer** n. magna li tnixxef ix-xagħar; **~grip** n. furfiċetta; **~net** n. xibka tax-xagħar; **~pin** n. furfiċetta; ~ **remover** n. ingwent, krema li tneħħi l-pil; ~ **spray** n. sprej tax-xagħar; **~style** n. stil ta' xagħar; **~y** adj. sufi; bil-pil
hake n. xorta ta' ħuta
half (pl. **halves**) n. nofs // adj. nofsani // adv. fin-nofs; min-nofs; **~-an-hour** nofs siegħa; **two and a ~ tnejn u nofs; to cut sth. in ~** qata' xi ħaġa min-nofs; **~-back** n. (sport) fin-nofs; **~-breed, ~-caste** adj. imnissel minn żewġ razez; **~-hour** n. nofs siegħa; **~penny** n. nofs ħabba; (**at**) ~ **price** b'nofs prezz; ~ **term** n. vaganzi ta' nofs is-semestru; **~-time** n. intervall; **~way** adv. nofs triq
hall n. sala; (**entrance** ~) intrata; (building) sala; ~ **of residence** n. dar tal-istudenti
hallmark n. marka tal-garanzija; (fig.) karatteristika
hallo see **hello**
Halloween n. lejlet il-Qaddisin Kollha
hallucination n. alluċinazzjoni
hallway n. kuritur
halo n. dijadema; raġġiera
halt n. waqfa; żamma // vt., vi. waqqaf; żamm
halter n. kappestru; ħabel tat-tgħalliq
halve vt. qasam min-nofs, f'żewġ bċejjeċ indaqs
ham n. perżuta; perżut
hamburger n. ħamberger
hamlet n. rħajjel; villaġġ żgħir
hammer n. martell; mazza (tal-irkantatur) // vt. sammar
hammock n. branda; sodda; nieqa
hamper vt. fixkel; ħawwad // n. ġewlaq; bixkilla; qoffa; qartalla
hamster n. ħemster; tip ta' ġurdien domestiku
hand n. id; (of clock) minutiera; (worker) ħaddiem tal-id // vt. (pass) għadda; ta; **to give sb. a** ~ ta daqqa t'id lil xi ħadd; **at** ~ viċin; fil-qrib; **to** ~ viċin; qrib; **in** ~ għad-dispożizzjoni; (under control) ikkontrollat/a; **on** ~ disponibbli; **on the one** ~ min-naħa, **on the other** ~ min-naħa l-oħra; ~ **in** vt. daħħal; ta; (forms) daħħal; ~ **out** iddistribwixxa; qassam; (surrender) ċeda; **~bag** n. borża tal-idejn; **~book** n. ktejjeb; **~brake** n. brejk tal-id; **~cuffs** n.pl. manetti; **~ful** n. qabda; mimli id
handicap n. diżabbiltà // vt. iddiżabilita; **mentally/physically ~ped** mentalment/fiżikament ħandikappat/a
handicraft n. sengħa; xogħol tal-idejn
handiwork n. opra tal-idejn
handkerchief n. maktur
handle n. (of door, etc.) pum; (of cup, etc.) widna; maqbad; (for winding) manku // vt. (touch) mess; qabad; (deal with: things) immaniġġja; (people) immaniġġja; **~bar** n. maqbad
hand: ~ **luggage** n. bagalji; **~made** adj. magħmul bl-idejn; **~out** n. (distribution) tqassim; distribuzzjoni; (charity) offerta; (leaflet) fuljett; ~ **rail** n. puġġaman; (on ship) puġġaman (fuq vapur)

handsome adj. sabiħ; għani
handwriting n. kitba bl-idejn; kaligrafija
handy adj. fil-qabda; tajjeb għall-idejn; li jinqala'; (shop) konvenjenti; komdu
handyman n. wieħed li jmidd idejh għal kollox
hang v. (pt., pp. **hung**) vt. dendel; naxar; waħħal; (criminal: pt, pp. **hanged**) għallaq // vi. tgħallaq; iddendel // n. **to get the ~ of sth.** (col.) fehem kif jiffunzjona l-oġġett; **~ about** vi. tlajja; tnikker; **~ on** vi. (wait) stenna; **~ up** vi. (tel.) qata' l-linja
hanger n. spalliera
hanger-on n. parassita
hangover n. effetti (wara sokor, qatgħa, eċċ.)
hang-up n. inibizzjoni; ripressjoni
hanker vi. kien imlebleb għal; xtaq ħafna
hankie n. abbr. of **handkerchief**
hanky see **hankie**
haphazard adj. bla ma joqgħod jaħseb; bl-addoċċ
happen vi. ġara; ħabat; sar; inzerta; **as it ~s I'm going there today** inzerta li llum sejjer hemmhekk; **~ing** n. ġrajja; **what has ~ed?** x'ġara?
happily adv. feliċement; (fortunately) fortunatament
happiness n. ferħ; hena; pjaċir; kuntentizza; feliċità
happy adj. hieni; kuntent; ferħan; **~ birthday!** għeluq sninek it-tajjeb!; **~-go-lucky** adj. bla ħsieb jew inkwiet ta' xejn
harass vt. dejjaq; immolesta; **~ment** n. molestja
harbour n. port; kenn; daħla // v. (hope, etc.) ta rifuġju lil
hard adj. (firm) iebes; xieref; sod; (difficult) diffiċli; (harsh) aħrax // adv. (work) iebes; tqil; (try) sforz kbir; (push, hit) bis-saħħa; **no ~ feelings!** mingħajr fastidju jew mibegħda; **~ of hearing** nieqes mis-smigħ; **to be ~ done by** ġie ttrattat inġustament; **~-back** n. ktieb b'qoxra iebsa; **~ cash** n. flus f'fidda jew f'karti ta' flus; **~ disk** n. (comput.) hard disk; **~en** vt. webbes // vi. twebbes; **~-headed** adj. prattiku/prattika; **~ labour** n. xogħol iebes u bil-forza; **~ness** n. ebusija; (difficulty) diffikultà; **~ship** n. tbatija; ħruxija; **~-up** adj. bla flus; **~ware** n. affarijiet tal-metall tal-kċina; (comput.) apparat estern tal-kompjuter; **~ware shop** n. ħanut li jbigħ oġġetti tal-metall, eċċ.; **~-wearing** adj. reżistenti; **~-working** adj. li jistinka ħafna
hardly adv. bilkemm; bit-tbatija
hardy adj. msaħħaħ; qawwi; qalbieni
hare n. liebru; fenek selvaġġ; **~-brained** adj. selvaġġ; bla moħħ
hark vt. sama'; ta widen
harm n. ħsara; dannu; deni // vt. għamel ħsara; deni lil; **out of ~'s way** fiż-żgur; bogħod mill-periklu; **~ful** adj. li jagħmel il-ħsara; **~less** adj. li ma jagħmilx ħsara
harmonica n. armonika; orgni tal-ħalq
harmonious adj. armonjuż/a
harmonize vt. armonizza
harmony n. armonija
harness n. arness; xedd ta' bhima // vt. (horse) rama; xedd
harp n. arpa // vi. **to ~ on about sth.** qal u reġa' qal; tektek dejjem fuq ħaġa waħda
harpoon n. ħarpun; foxxna
harrowing adj. li jifni
harry vt. ħarbat; għarraq; qered
harsh adj. (rough) aħrax; (severe) iebes; kiefer; **~ness** n. ħruxija; kefrija
hart n. [illegible]
harvest n. ħsad; (of grapes) vendemmja // vt., vi. ħasad
harvester n. ħassad
has v. see **have**
hash n. (mess) kawlata; tgħassida; (meat) laħam imdekdek; tisjir bl-ikkapuljat
hashish n. ħaxixa
hasn't = has not
hassle n. (col.) xebgħa problemi
haste n. għaġla; ħeffa; **~n** vt. għaġġel; ħaffef // vi. tħaffef
hasty adj. bla sabar; bil-għaġla; (rash) mgħaġġel; għaġġieli
hat n. kappell
hatch n. tifqisa flieles; (naut. also **~-way**) bokkaport; (in house) bokkaport // vi. (young) tfaqqis // vt. (brood) faqqas; qagħad fuq u faqqas il-bajd
hatchback n. (aut.) b'ħames bibien
hatchet n. mannara
hate vt. bagħad // n. mibegħda; odju; **~ful** adj. li jġiegħlek tobogħdu
hatred n. mibegħda; stmerrija; odju
haughty adj. kburi; supperv; mkabbar
haul vt. ġibed b'saħħa; karkar // n. (catch) qabda; ġbid; **~age** n. trasport; **~ier** n. trasportatur
haunt vt. (ghost) għammar (ħares); (pub) iffrekwenta // n. post mgħammar mill-fatati; **the castle is ~ed** il-kastell hu mgħammar mill-fatati
have (pt., pp. **had**) *aux. v.
1 (esp. with v.'s of motion) għandu (pt. kellu); kien; **to ~ arrived/slept** kien wasal/raqad; **to ~ been** kien; **having eaten or when he had eaten, he left** meta kiel, telaq

2 (in tag questions): **had he done it?** kien għamilha?
3 (in short answers and questions): **you've made** adj. **mistake - no I ~n't/so I ~** int għamilt żball - le, jien m'għamiltx; **we ~n't paid - yes we ~!** għadna ma ħallasniex - le, ħallasna!; **I've been there before, ~ you?** jien kont hemm qabel - int ġieli kont? // *modal aux. v. (be obliged): **to ~** (got) **to do sth.** kellu jagħmel xi ħaġa; **you ~n't got to tell her** m'għandekx tgħidilha
// *vt.
1 (possess) kellu (għandu); **he has** (got) **blue eyes** għandu għajnejh żoroq; **I ~** (got) **an idea** għandi idea
2 (referring to meals, etc.): **to ~ breakfast/a cigarette** ħa l-fatra/ ħa sigarett
3 (receive, obtain, etc.) ħa; rċieva; **may I ~ your address?** tista' tagħtini l-indirizz tiegħek?; **to ~ a baby** kellu tarbija
4 (maintain, allow): **he will ~ it that he is right** hu sa jieħu r-raġun tiegħu; **I won't ~ it** m'iniex sa neħodha
5: **to ~ sth. done** għamel; lesta xi ħaġa; **to ~ sb. do sth.** ġiegħel lil xi ħadd jagħmel xi ħaġa; **he soon had them all laughing** malajr qasamhom bid-daħk
6 (experience, suffer): **she had her bag stolen** nsterqilha l-basket; **he had his arm broken** kiser idu
7 (+ noun: take, hold, etc.) **to ~ a walk / rest** mar jippassiġġa / jistrieħ; **to ~ a meeting /party** kellu laqgħa/riċeviment // **have out** vt. **to ~ it out with sb.** (settle a problem, etc.) iċċara l-affarijiet ma' xi ħadd
haven n. port; rifuġju; menqgħa
haven't = have not
haversack n. barżakka
havoc n. straġi; kaos
Hawaii n. il-Ħawaj
hawk n. seqer
hawser n. gerlin; gumna
hay n. tiben; ħuxlief; **~ fever** n. mard bl-imnieħer dejjem inixxi; **~stack** n. balla tiben; **~-fork** n. midra
haywire adj. (col.) tilef rasu; iġġennen
hazard n. azzard; periklu; riskju; sogru // vt. azzarda; irriskja; **~ous** adj. riskjuż; perikoluż; **~** (warning) **lights** n.pl. (aut.) dwal tal-emerġenza
haze n. ċpar; dalma
hazelnut n. ġellewża
hazy adj. (misty) mċajpar; (vague) mudlam; mdallam
he pron. pers. (sg.) hu/huwa
head n. ras; (leader) kap; rajjes; prinċipal // vt. ikkmanda; kien fuq quddiem; (ball) ta daqqa ta' ras; **~s** (**or tails**) wiċċ jew ġejjen; **~ first** għal rasu/rasha; **~ over heels in love** iħobb bi mħabba tal-ġenn; **~ for** vt. mexa lejn, fid-direzzjoni ta'; **~ache** n. uġigħ ta' ras; **~dress** n. ħwejjeġ għar-rangar tar-ras; **~ing** n. titlu; **~lamp** n. bozza; **~land** n. promontorju; **~light** n. = **~lamp**; **~line** n. titlu; **~long** adv. għal rasu; **~master** n. (of primary school) surmast; (of secondary school) surmast; **~mistress** n. madam; sinjora; **~ office** n. uffiċċju prinċipali; **~-on** adj. minn quddiem; **~quarters** n.pl. kwartieri ġenerali; (mil.) kwartieri ġenerali; **~rest** n. post fejn tistrieħ ir-ras; **~room** n. (of cars, etc.) l-għoli fil-kabina; **~ scarf** n. marbat; maktur tar-ras; **~strong** adj. rasu iebsa; stinat; **~ waiter** n. il-wejter ewlieni; **~way** n. avvanz; progress; **~y** adj. impetuż
heal vt. fejjaq; saħħaħ // vi. tfejjaq; issaħħaħ
health n. saħħa; **your ~!** bis-saħħa tiegħek; **~ food** n. ikel tajjeb għas-saħħa; **~y** adj. f'saħħtu
heap n. borġ; gozz; munzell // vt. għamel gozz
hear v. (pt., pp. heard) vt. sama'; (listen to) ta widen // vi. sama'; **~ing** n. smigħ; (law) smigħ tal-kawża; **~ing aid** n. mekkaniżmu li jgħin lil persuna f'kundizzjoni ta' nuqqas ta' smigħ; **~say** n. għajdut; xnigħat
hearse n. karozza tal-mejtin; karru funebri
heart n. qalb; **~s** pl. (cards) qlub; **by ~** bl-amment; **~ attack** n. attakk ta' qalb; **~beat** n. palpitazzjoni; taħbit il-qalb; **~breaking** adj. ta' qsim il-qalb; **~broken** adj. qalbu maqsuma; **~burn** n. ħruq fl-istonku; **~felt** adj. mill-qalb; sinċier
hearth n. kenur; fuklar
heartily adv. mill-qalb; bil-qalb; (eat) bl-aptit
heartless adj. bla qalb; brutali
hearty adj. robust; b'saħħtu; (friendly) dħuli
heat n. sħana; għomma; (of food, water, etc.) sħana; (sport also **qualifying ~**) ġirja ta' prova // vt. (house) saħħan; (substance) saħħan; **~ up** vi. issaħħan; **~ed** adj. msaħħan; **~er** n. apparat li jintuża fix-xitwa biex isaħħan id-dar
heath n. art moxa; xagħra
heathen n. pagan // adj. pagan
heather n. pjanta bi fjuri ta' lewn aħmar/vjola
heating n. sħana
heatwave n. mewġa kbira ta' sħana
heave vt. rafa'; ġibed; qandel; (sigh) leheġ; tnieħed // vi. (breast) ntrafa' // n. rfigħ; tlugħ; qawmien, lehġa

heaven n. il-ġenna; is-sema; **~ly** tal-ġenna; smewwi; ċelestjali
heavily adv. ħafna; b'toqol kbir
heavy adj. tqil; iebes; diffiċli; ~ **goods vehicle** n. vettura li tgħabbi oġġetti tqal/kbar; **~weight** n. (sport) toqol massimu
Hebrew adj. Lhudi/ja // n. (ling.) Lhudi
heckle vt. interpella; dejjaq
hectic adj. movimentat/a; kaotiku/kaotika
he'd = he had; he would
hedge n. ħajt ta' għalqa; arbuxxell // vt. evada; evita // vi. **to ~ one's bets** ipproteġa ruħu mir-riskji
hedgehog n. qanfud
heed vt. (also **take ~ of**) ħa ħsieb; ta kas; qagħad attent għal // n. attenzjoni; perċezzjoni; **~less** adj. bla kont; traskurat
heel n. għarqub; (of shoe) takkuna // vt. (shoes) għamel it-takkuna
hefty adj. (person) qawwi, sollu; estensiv; (portion) kbir
heifer n. għoġla; erħa
height n. (of person) tul; (of object) għoli; **~en** vt. tawwal; għolla
heir n. werriet; eredi; **~ess** n. werrieta; **~loom** n. relikwa; oġġett tal-familja
helicopter n. ħelikopter
heliport n. ħeliport
hell n. infern
he'll = he will, he shall
hellish adj. infernali
hello bonġu! kif int!
helm n. tmun
helmet n. elmu
helmsman n. tmunier
help n. għajnuna; assistenza; ajjut // vt. għen; assista; **I can't ~ it** ma nistax nagħmel mod ieħor!; ~ **yourself** ħu kemm jogħġbok; **~er** n. ajjutant; assistent; **~ful** adj. ta' għajnuna kbira; **~ing** n. porzjon; biċċa; **~less** adj. impotenti; debboli; ma jiflaħx
hem n. keffa; tberfila; xifer // vt. berfel; (restrain) irrestrinġa; ikkontrolla
hemisphere n. emisfera
hemorrhage see **haemorrhage**
hemp n. qanneb; siġra tal-qanneb
hen n. tiġieġa
hence adv. għal li ġej; (therefore) għal li ġej; **~forth** adv. mil-lum 'il quddiem; (from then on) minn dakinhar 'il quddiem
henchman n. qaddej; seftur
henpecked adj. **to be ~** iddominat mill-mara; ~ **husband** n. raġel li martu tagħmel li trid bih
her pron. hi; hija; lilha // poss. tagħha; see also **me, my**
herald n. ħabbar; neddej; messaġġier // vt. ħabbar; annunzja
heraldry n. araldika
herb n. ħaxixa
herd n. merħla; qatgħa bhejjem; kotra ta' nies
here adv. hawn; hawnhekk; (to this place) f'dan il-post; **~after** adv. minn issa; mil-lum 'il quddiem; għal li ġej // n. dan il-post; **~by** adv. bil-preżenti
hereditary adj. ereditarju/ereditarja; li jintiret
heredity n. eredità; wirt
heresy n. ereżija
heretic n. eretiku/eretika
heritage n. wirt; patrimonju
hermetically adv. ~ ermetikament
hermit n. eremita
hernia n. fetqa; ernja; bażwa
hero (pl. **~es**) n. eroj; **~ic** adj. erojku/erojka
heroin n. erojina; xorta ta' sustanza (droga)
heroine n. erojina; mara ta' ħila u qlubija kbira
heroism n. erojiżmu
heron n. russett
herring n. aringa
hers pron. tagħha; see also **mine**
herself pron. hi; (emphatic) hi nfisha; see also **oneself**
he's = he is, he has
hesitant adj. eżitanti; bejn ħaltejn
hesitate vi. tħasseb; kien bejn ħaltejn
hesitation n. eżitazzjoni; dubju
hew (pt. **hewed**, pp. **hewn**) vt. qata'; ħasad; naġar
heterosexual n. eterosesswali
hexagon n. ħeksagon; **~al** adj. ħeksagonali
heyday n. il-jiem sbieħ; iż-żmien tad-deheb
hi haw'!
hiatus n. (gap) vojt
hibernation n. ibernazzjoni
hiccough vi. sulluzzu; **~s** pl. sulluzzu
hiccup see **hiccough**
hide n. (skin) ġilda // v. (pt. **hid**, pp. **hidden**) vt. ħeba; satar // vi. nħeba; nsatar; **~-and-seek** n. noli; **~away** n. moħba
hideous adj. ikreh; waħxi
hiding n. (beating) xebgħa; swat; **to be in ~** (concealed) kien fil-moħbi; mistur; ~ **place** n. moħba
hi-fi n. sterjo // adj. hi-fi
high adj. għoli; (wind) qawwi // **~brow** adj. persuna ta' pretensjoni għolja fit-tagħlim u l-kultura; **~er education** n. studji ogħla; **~-handed** adj. prepotenti; **~-heeled** adj. bit-takkuna għolja;

~**jack** vt. ħtif ta' ajruplan jew xi vettura oħra waqt vjaġġ; ~**jump** n. il-qbiż fl-għoli; **the H~lands** n.pl. l-Għoljiet; ~**light** n. (fig.) il-mument tal-quċċata // vt. enfasizza; għamel evidenti; ~**ly** adv. ħafna; ~**ly strung** adj. eċitabbli ħafna; ~**ness** n. għoli; altezza; **H~ness** n. l-Altezza; ~**-pitched** adj. akut; ~**-rise block** n. edifiċċju, bini għoli ħafna; ~ **school** n. skola sekondarja; ~ **season** n. l-istaġun ewlieni; ~ **street** n. triq prinċipali

highway n. triq ewlenija; **H~ Code** n. il-Kodiċi tas-Sewqan

hijack vt. ħtif ta' ajruplan jew xi vettura oħra waqt vjaġġ; ~**er** n. hijacker/pirata tal-ajru jew tal-baħar

hike vi. għamel mixja // n. ħajk; ~**r** n. ħajker; vjaġġatur; eskursjonista

hilarious adj. ferrieħi; hieni; kuntent

hill n. għolja; borġ; ~**side** n. il-ġenb tal-għolja; ~**y** adj. art li fiha ħafna għoljiet

hilt n. manku ta' stallett; maqbad ta' sejf; **up to the** ~ għalkollox; għall-aħħar

him pron. hu; huwa; lilu; see also **me**

himself pron. huwa nnifsu; (emphatic) hu stess; see also **oneself**

hind adj. posterjuri // n. ċerva

hinder vt. (stop) fixkel; żamm lura; (delay) xekkel; ma ħalliex isir

hindrance n. (delay) tfixkil; (obstacle) xkiel

Hindu n. Ħindu

hinge n. ċappetta; (on door) ċappetta // vi. (fig.) **to** ~ **on** jiddependi fuq

hint n. ħjiel; indikazzjoni; (trace) tagħrifa; traċċa // vt. **to** ~ **that** issuġġerixxa, implika li

hip n. l-għadma tal-ġenb; ġenba

hippopotamus (pl. ~**es**) n. ippopotamu

hire vt. (worker) kera; impjega // n. kiri; kirja; **for** ~ (taxi) għall-kiri; ~ **purchase** n. akkwist bin-nifs

his poss adj. tiegħu // poss pron. tiegħu; see also **my, mine**

hiss vi. zekzek; saffar; pespes; venven // n. zekzik (serp); tisfir; tpespis; tvenvin (eż. tar-riħ)

historian n. storiku

historic adj. storiku; msemmi fl-istorja

historical adj. storiku; tal-istorja

history n. storja

hit vt. (pt., pp. **hit**) laqat; ħabat; ta daqqa; (injure) fera; laqat // n. (blow) daqqa; ħabta; (success) suċċess; (mus.) popolarità; **to** ~ **it off with sb.** mar tajjeb ħafna ma' xi ħadd; ~**-and-run driver** n. ħalliel tat-toroq

hitch vt. waħħal; (also ~ **up**) waqqaf // n. (difficulty) tfixkil; xkiel; diffikultà; **to** ~ **a lift** iddobba lift

hitch-hike vi. vjaġġa bil-liftijiet, ~**r** n. vjaġġatur (bil-liftijiet)

hitherto adv. s'issa; sa hawn; sal-lum

hive n. doqqajs; qolla; ġarra tan-naħal // vt. **to** ~ **off** issepara

hoar adj. & n. abjad bħas-silġ; biż-żmien, bix-xjuħija

hoard n. ħażna; gozz // vt. għarram; gezzez; ħażen

hoarfrost n. nida inġazzata

hoarse adj. maħnuq

hoax n. daħka; ċajta

hobble vi. zappap; xekkel; foroq

hobby n. namra; ġibda; passatemp; ~**-horse** n. (fig.) żiemel tal-għuda li jitbandal (ġugarell)

hobo n. vagabond

hock n. (wine) nbid abjad Ġermaniż

hockey n. hockey

hoe n. mgħażqa żgħira; lexxuna // vt. għażaq

hog n. qażquż; ħanżir imsemmen // vt. kiel bil-goff; **to go the whole** ~ sal-inqas naqra

hoist vt. rafa'; waqqaf; eleva; arbula

hold v. (pt., pp. **held**) vt. qabad; ħafen; żamm; (contain) wasa'; żamm; (be able to contain) ħafen; wasa'; (breath) żamm; (meeting) laqqa' // vi. (withstand pressure) żamm; irreżista // n. (grasp) qabda; (naut.) stiva; ~ **the line!** (tel.) żomm il-linja!; **to** ~ **one's own** iddefenda ruħu sew; ~ **back** vt. ittratiena; ~ **down** vt. żamm fl-art; (job) żamm; ~ **off** vt. (enemy) żamm 'il bogħod; ~ **on** vi. żamm iebes; (resist) irreżista; (wait) stenna; ~ **on to** vt. żamm sew ma'; (keep) ikkonserva; ~ **out** vt. offra ~ **up** għolla; waqqaf // vt. irritardja; ~**er** n. possessur; ~**ing** n. (share) sehem; ~**up** n. serqa armata; (robbery) serqa

hole n. toqba; ħofra // vt. taqqab; ħaffer

holiday n. (day) festa; btala; (vacation) vaganza; ~ **camp** n. villeġġjatura; ~ **resort** n. post tal-villeġġjatura

holiness n. qdusija

Holland n. l-Olanda

hollow adj. vojt; mbewwaq; (fig.) qarrieqi // n. toqba; vojt; ~ **out** vt. ħaffer

holly n. siġra b'weraq aħdar u frott ċkejken aħmar

holocaust n. olokawstu

holster n. borża fejn tinżamm il-pistola

holy adj. mqaddes; qaddis; sagru; **the H~ Ghost** n. l-Ispirtu s-Santu, Ruħ il-Qodos

homage n. omaġġ; qima; wirja ta' rispett; **to pay** ~ **to** ta rispett, unur lil

home n. dar; (institution) istituzzjoni // adj. familjari; (pol.) nazzjonali; intern // adv. fin-nazzjon; id-dar; **at** ~ id-dar; ~ **address** n. indirizz tad-dar; ~**coming** n. il-miġja lura d-dar; ~ **computer** n. kompjuter, tad-dar; ~**land** n. il-patrija; art twelidna; ~**less** adj. bla dar; ~**ly** adj. tad-dar; ~**-made** adj. tad-dar; magħmul fid-dar; ~**sick** adj. **to be ~sick** ħass in-nostalġija, il-bżonn tar-ritorn lejn id-dar; ~**work** n. xogħol għad-dar

homicide n. omiċidju

homogeneous adj. omoġenu

homosexual adj. omosesswali // n. omosesswali

honest adj. onest; sinċier; ~**ly** adv. onestament; sinċerament; ~**y** onestà; sinċerità

honey n. għasel; ~**comb** n. xehda; ~**moon** n. qamar il-għasel; l-ewwel jiem taż-żwieġ; ~**suckle** n. tip ta' pjanta li tixxeblek

honk vi. daqq il-ħorn

honorary adj. onorarju/onorarja

honour vt. onora; weġġaħ; qicm // n. unur; gieħ; qima; ~**able** adj. onorevoli; (intention) onorabbli, ~**s degree** n. (sch.) lawrja ta' speċjalizzazzjoni

hood n. barnuża; kappa; skufja

hoodlum n. buli; (member of gang) wieħed minn tal-klikka

hoodwink vt. għammad; qarraq; daħak bi

hoof (pl. **hooves**) n. difer (ta' bhima)

hook n. ganċ; grampun; sunnara; rampil // vt. qabbad; iggancja

hooligan n. wieħed frattarjuż u li jħobb jiġġieled fit-toroq

hoop n. ċirku; ħolqa

hoot vi. (aut.) daqq il-ħorn; ~**er** n. (naut.) sirena

hoover n. makkinarju li jassorbi t-trabijiet

hop vi. qabeż fuq sieq waħda // n. (jump) qabża fuq sieq waħda

hope vt., vi. ittama // n. tama; speranza; **I hope so** nispera/nittama li hekk; ~**ful** adj. mimli bit-tama; ~**fully he will recover** nittamaw li jfiq; ~**less** bla tama; iddisprat

hops n.pl. ħaxix li jħalltu biex issir il-birra

horizon n. orizzont; xefaq; ~**tal** adj. orizzontali; mimdud

hormone n. ormon

horn n. qarn; kornu; (aut.) ħorn

hornet n. żunżan bagħal

horoscope n. oroskopju

horrible adj. orribbli; waħxi; tremend

horrid adj. tal-biża'; li jwerwer

horrify vt. skandalizza; beżża'; kexkex

horror n. orrur; biża'; waħx; ~ **film** n. film tal-biża'

hors d'oeuvre n. platt servut qabel il-pranzu ewlieni

horse n. żiemel; ~ **chestnut** n. qastna; ~**man/woman** n. rikkieb/a taż-żiemel; kavallier; ~**power** (h.p.) n. kejl tal-qawwa ta' magna; ~**-racing** n. tiġrijiet taż-żwiemel; ~**radish** n. pjanta bl-għeruq iniggżu; ~**shoe** n. nagħla taż-żiemel

horticulture n. ortikultura

hose(pipe) n. tubu; manka tal-ilma

hospitable adj. ospitabbli; qalbu tajba

hospital n. sptar

hospitality n. ospitalità

host n. min jistieden; (innkeeper) lukandier; (large number) ġemgħa kbira (ta' nies, anġli, eċċ.) // (eccl.) l-Ostja Mqaddsa

hostage n. ostaġġ

hostel n. bħal lukanda; **youth** ~ n. residenza għal studenti żgħażagħ

hostess n. il-persuna li tilqa' n-nies

hostile adj. ostili

hostility (pl. **hostilities**) n. ostilità

hot adj. (drink, food, water) sħun; jaħraq; (spiced) jaħraq; **I'm** ~ qed inħoss is-sħana; ~ **dog** n. xorta ta' bezzun imħawwar; ~**headed** adj. rasu sħuna; jisbel malajr; ~**house** n. serra; ~ **line** n. (pol.) linja tat-telefown apposta għal xi kawża; ~**ly** adv. (argue) vjolentament; ~**-water bottle** n. flixkun artab li jimtela bl-ilma sħun

hotel n. lukanda; ~**ier** n. lukandier

hound vt. fittex; (nag) dejjaq

hour n. (time of day) siegħa; ~**ly** adv. bis-siegħa; kull siegħa

house n. dar // vt. ospita; laqa'; **on the** ~ offrut b'xejn; ~**breaking** n. serqa bi żgass; ~**-coat** n. libsa tad-dar; ~**hold** n. in-nies tad-dar; il-familja; ~**keeper** n. seftur/a; ~**wife** n. mara tad-dar; ~**work** n. ix-xogħol tad-dar

housing n. (act) alloġġ ~ **development,** ~ **estate** n. żona residenzjali mimlija djar tal-gvern jew privati

hovel n. għarix; gorboġ

hover vi. (bird) ittajjar; (person) iġġerra; tlajja; ~**craft** n. ħoverkraft

how adv. kif; kemm; ~ **are you?** kif int?; ~ **much milk?** kemm trid ħalib?; **how many people?** kemm hemm nies?

however adv. (but) iżda; madankollu; ~ **you phrase it** tpoġġiha kif tpoġġiha

howl n. għajta; tinwiħa; karba // vi. għajjat; newwaħ; karab

hp, HP abbr. of **hire purchase**; **horse power**

hub n. fus; buttun (ta' rota)

hubbub n. għagħa; ħamba; frattarija; ġilba

hubcap n. għatu tal-buttun

huddle vi. **to ~ together** ntrassu flimkien; tgeddsu flimkien

hue n. lewn; kulur; żebgħa; ~ **and cry** n. għajta għall-qbid ta' xi kriminal

huff n. **to get into a ~** ħa saħna; sibel
hug vt. għannaq // n. tgħanniqa
huge adj. kbir; enormi
hulk n. (ship) bastiment qadim u żarmat
hull n. qafas; buk ta' bastiment
hullo see **hello**
hum vt., vi. żanżan; werden
human adj. uman // n. (also **~being**) esseri uman
humane adj. ħanin; uman
humanity n. umanità
humble adj. umli; (modest) modest // vt. umilja; ċekken; baxxa
humbug n. qerq; ingann
humdrum adj. monotonu/monotona; ordinarju/ordinarja
humid adj. umdu; **~ity** n. umdità
humiliate vt. umilja
humiliation n. umiljazzjoni
humility n. umiltà
humorous adj. umoristiku; tad-daħk
humour n. (fun) burdata tajba; ferħ; (mood) buri; xejra tal-moħħ // vt. ikkuntenta; fissed
hump n. ħotba
hunch n. ħotba; **~back** n. ħotbi; **~ed** adj. mgħawweġ; milwi
hundred num. mija; **~weight** n. 100lb
hung pt., pp. of **hang**
Hungarian adj. Ungeriż/a // n. Ungeriż; (ling.) l-Ungeriż
Hungary n. l-Ungerija
hunger n. ġuħ // vi. xtaq ħafna; **~ strike** n. strajk tal-ġuħ
hungry adj. mġewwaħ; **to be ~** kien bil-ġuħ
hunk n. (of bread) biċċa kbira
hunt vt. ikkaċċja; (search) fittex bir-reqqa // n. sessjoni ta' kaċċa; **~er** n. kaċċatur; **~ing** n. kaċċa
hurdle n. (lit., fig.) xorta ta' xatba li tinqabeż f'tiġrijiet apposta
hurl vt. waddab; xeħet
hurrah, hurray n. għajta ta' ferħ, ta' merħba
hurricane n. urugan
hurried adj. mgħaġġel; (hasty) għaġġieli; **~ly** adv. bil-għaġla
hurry n. għaġla; ħeffa // vt. għaġġel; **to be in a ~** kien mgħaġġel; **~ up** għaġġel! // vt. (person) għaġġel; ħaffef; (work) ħadem bil-ħeffa
hurt (pt., pp. **hurt**) vt. weġġa'; darab; (injure, fig.) għamel deni lil; **~ful** adj. li jweġġa'; (remark) li tferi; li tweġġa'
hurtle vi. iċċaqlaq b'mod vjolenti
husband n. ir-raġel miżżewweġ
hush n. skiet; ħemda; silenzju // vt. siket; ikkalma // iskot!
husk n. qoxra; fosdqa
husky adj. (voice) maħnuq; aktarx goff; (figure) kollu qoxra; kollu ħliefa // n. kelb tipiku tas-silġ
hustle vt. (push) xeħet; imbotta; (hurry) n. għaġla
hut n. barrakka; għarix
hutch n. kaxxa għall-fniek
hyacinth n. ġjaċintu; ħaġra prezzjuża
hybrid n. ibridu/ibrida
hydrant n. (also **fire ~**) idrant
hydraulic adj. idrawliku/idrawlika
hydrofoil n. hydrofoil
hydrogen n. idroġenu
hyena n. jena
hygiene n. iġjene
hygienic adj. iġjeniku/iġjenika
hymn n. innu; kant reliġjuż
hype n. (col.) kampanja pubbliċitarja
hypermarket n. stabbiliment; suq enormi
hyphen n. ħajfin; sing
hypnosis n. ipnosi
hypnotic adj. ipnotiku/ipnotika
hypnotize vt. ipnotizza
hypocrisy n. ipokrisija
hypocrite adj. ipokrita
hypocritical adj. ipokritiku/ipokritika
hypothermia n. ipotermja
hypothetic(al) adj. ipotetiku/ipotetika
hysterical adj. isteriku/isterika
hysterics n.pl. attakk ta' isterija; attakk ta' daħk (isteriku)

I i

i id-disa' ittra tal-alfabett Ingliż

I pron. pers. (sg.) jien; jiena

ice n. silġ // vt. (culin.) kessaħ (bis-silġ) // vi. (also ~**up**) kessaħ; ~ **axe** n. mannara li biha jiġi mqatta' s-silġ; ~**berg** n. muntanja tas-silġ; ~ **cream** n. ġelat; ~ **cube** n. silġa; ~ **hockey** n. ice-hockey; ~ **lolly** n. lolipopp silġa; ~ **rink** n. spazju ta' art tas-silġ fejn isir żfin, akrobaziji, eċċ.; ~ **skating** n. skejzjar fuq is-silġ

Iceland n. l-Iżlanda

icicle n. biċċa silġ imdendla

icing n. (on cake) ġelu; (on window) silġ; ~ **sugar** n. zokkor tal-ġelu

icon n. ikona

icy adj. (slippery) jiżloq; (cold) kiesaħ

I'd = I would; I had

idea n. idea; ħsieb

ideal n. ideal // adj. ideali; tal-ħsieb; ~**ist** n. idealist

identical adj. identiku; talekwali; (twins) identiċi

identification n. identifikazzjoni; **means of** ~ mezz ta' identifikazzjoni

identify vt. għaraf; identifika; (regard as the same) ħass ruħu l-istess bħal; xebbah

identikit n. identikit

identity n. identità; ~ **card** n. karta tal-identità

ideology n. ideoloġija

idiom n. (expression) idjoma; (dialect) djalett; ~**atic** adj. idjomatiku/idjomatika

idiosyncrasy n. idjosinkrasija; tempra; manjeriżmu

idiot n. idjota; ~**ic** adj. idjota

idle adj. (doing nothing) għażżien; ma jħobb jagħmel xejn; (lazy) għażżien; (useless) inutli; (machine) diżokkupa // vt. **to** ~ **away the time** ħela l-ħin; ~**ness** n. għażż; nuqqas ta' motivazzjoni

idol n. idolu; alla falz; ~**ize** vt. adura; idolizza

i.e. abbr. of **that is**; jiġifieri

if conj. jekk; (in case also) jekk kemm-il darba; ~ **I were you** li kieku jien kont minflokok; (although): (**even**) ~ anki jekk; (whether) jekk hux; ~ **so/not** jekk inhu hekk jew le; ~ **only** li kieku biss; ~ **only I could** li kieku kont nista'; see also **as**

ignite vt. xegħel; kebbes; ta n-nar // vi. nxtegħel; tkebbes

ignition n. ignixin; **to switch on/off the** ~ xegħel; tefa l-ignixin; ~ **key** n. (aut.) iċ-ċavetta tal-ignixin

ignoble adj. bla ġieħ; baxx

ignominy n. diżunur, għajb, għarukaża

ignorance n. injoranza

ignorant adj. injorant/a; **to be** ~ **of** ma kienx jaf b'li...

ignore vt. injora; ma tax widen ta'

I'll = I will, I shall

ill adj. marid // n. ħażin; ħsara; deni; **to take or be taken** ~ marad; ~-**advised** adj. imprudenti; inġust f'deċiżjoni; ~-**at-ease** adj. f'sitwazzjoni skomda u imbarazzanti; ~-**bred** adj. mrobbi ħażin; ~-**disposed** adj. malinn; ~-**tempered** adj. jisbel mix-xejn; ~-**fated** adj. ta' awgurju ħażin; ~ **feeling** n. mibegħda qarsa

illegal adj. illegali

illegible adj. illeġibbli

illegitimate adj. illeġittimu

illicit adj. illeċitu; li mhux xieraq

illiterate adj. illitterat; analfabeta

ill-mannered adj. ta' manjieri ħżiena; pastaż

illness n. mard; marda; għilla; **after a long** ~ wara marda twila

illogical adj. illoġiku; kontra r-raġuni

ill-treat vt. ittratta ħażin

illuminate vt. dawwal; illumina; (fig.) fetaħ moħħ xi ħadd

illumination n. illuminazzjoni; mixegħla; ~**s** pl. illuminazzjonijiet

illusion n. illużjoni; **to be under the** ~ **that**... kellu l-impressjoni (ġen. skorretta) li...

illusory adj. illużorju; li jinganna

illustrate vt. wera; iċċara sewwa; (book) illustra; (explain) spjega, fisser bl-eżempji, eċċ.

illustration n. illustrazzjoni; (explanation) spjegazzjoni ċara bl-istampi

illustrious adj. famuż; ċelebri
ill will n. intenzjoni ħażina
I'm = I am
image n. immaġini; xbieha; figura; sura; (**public** ~) figura pubblika; ~**ry** n. immaġini; xbihat
imaginary adj. immaġinarju/immaġinarja
imagination n. immaġinazzjoni; (creative) is-setgħa kreattiva tal-moħħ uman
imaginative adj. immaġinattiv
imagine vt. immaġina
imbalance n. żbilanċ; nuqqas ta' ekwilibriju
imbecile n. imbeċilli
imitate vt. imita; ikkopja
imitation n. imitazzjoni; kopja
immaculate adj. immakulat/a; safi/safja; (dress) perfetta; bla difett; (eccl.) bla tebgħa, bla dnub; safi/safja
immaterial adj. immaterjali; **it is ~ whether** mhux importanti; mhux ta' siwi jew ħtieġa
immature adj. immatur; (fruit) mhux misjur; għadu nej; (fig.) żagħżugħ li għadu żgħir u ma jafx biżżejjed
immediate adj. (instant) immedjat; (near) li jiġi dritt wara l-ieħor; l-eqreb lejn; (relatives) qraba diretti; (needs) immedjati; ~**ly** adv. immedjatament; ~**ly next to** eżatt ħdejn; biswit
immense adj. immens
immerse vt. għaddas; għarraq (fl-ilma); **to be ~d in** (fig.) kien mgħarraq jew mitluf f'xi ħaġa (eż. ħsibijiet)
immigrant n. immigrant
immigrate vi. immigra
immigration n. immigrazzjoni
imminent adj. imminenti
immobile adj. immobbli; ma jiċċaqlaqx
immobilize vt. immobilizza
immoral adj. immorali; oxxen; ~**ity** n. immoralità
immortal adj. immortali; li hu għal dejjem; ~**ize** vt. immortalizza
immune adj. (secure) protett; immuni; eżenti minn; (med.) immuni
immunity n. (med., law) immunità
immunize vt. għamel immuni għal
imp n. għafrit; fergħun
impact n. (lit.) impatt
impair vt. għarraq; ħassar; ħażżen
impart vt. ikkomunika lil; (knowledge) għarraf b'xi ġrajja lil
impartial adj. imparzjali; newtrali
impassable adj. impassabbli
impasse adj. impass; triq li ma tinfidx
impassive adj. impassibbli; li ma jħossx
impatience n. nuqqas ta' sabar, ta' paċenzja
impatient adj. bla sabar; bla paċenzja
impeccable adj. impekkabbli; perfett
impede vt. impedixxa; ostakola; xekkel
impediment n. impediment; projbizzjoni; xkiel; (in speech) temtima fit-taħdit
impending adj. imminenti; li dalwaqt iseħħ
impenetrable adj. (lit., fig.) impenetrabbli
imperative adj. (necessary) imperattiv; urġenti; neċessarju // n. (gramm.) imperattiv
imperceptible adj. imperċepibbli; ma jingħarafx
imperfect adj. (faulty) imperfett; nieqes; difettuż; ~**ion** n. imperfezzjoni; (fault) nuqqas
imperial adj. imperjali; ~**ism** n. imperjaliżmu
impersonal adj. impersonali
impersonate vt. ippersonifika; (for amusement) għamel il-parti ta'...
impertinent adj. impertinenti; insolenti; tost
impervious adj. (fig.) impermeabbli; ~ **to** insensibbli għal
impetuous adj. sfiċċuż; bil-herra
impetus n. impetu; impuls
impinge: ~on vt. xejjer daqqa fuq
implacable adj. implakabbli; qalil; li ma jaħfirx
implant vt. ħawwel; waħħal; daħħal fi; nissel
implement n. biċċa għodda; impliment // vt. implimenta; nieda
implicate vt. implika; involva; daħħal
implication n. (effect) taħbila; tbexkila; komplikazzjoni; (in crime) involviment
implicit adj. impliċitu; li ma fihx dubju; (complete) komplet
implore vt. talab bil-qalb
imply vt. (hint) insinwa; issuġġerixxa; ta x'jifhem li
impolite adj. pastaż; ta' mġiba goffa
import vt. importa // n. importazzjoni; merkanzija
importance n. importanza; siwi
important adj. importanti; siewi; **it's not** ~ mhix/mhux importanti
importer n. importatur/importatriċi
impose vt., vi. impona; ordna; (penalty, sanctions) sforza; ġiegħel; ordna; **to ~ sth. on sb.** impona xi ħaġa fuq xi ħadd
imposing adj. imponenti; li jqanqal għoġba
imposition n. (of burden, fine) impożizzjoni; tagħbija; **to be an** ~ (on person) abbuża mill-ġentilezza ta' xi ħadd
impossible adj. impossibbli; li ma jistax iseħħ; (person) adj. diffiċli biex tingwalaha miegħu/magħha
impostor n. impostur; qarrieq
impotence n. impotenza
impotent adj. impotenti; (sexually) impotenti

impound vt. ikkonfiska
impoverished adj. mfaqqar
impracticable adj. imprattikabbli
impractical adj. mhux prattiku
imprecise adj. impreċiż
impregnable adj. (castle) li ħadd ma jista' għalih
impress vt. (influence) impressjona; influwenza; (imprint) ittimbra; immarka; **to ~ sth. on sb.** ġiegħel lil xi ħadd jifhem xi ħaġa
impression n. impressjoni; (on wax, footprint) marka; impressjoni; **I was under the ~ that...** kelli l-impressjoni li...; **~able** adj. impressjonabbli; **~ist** n. impressjonista
impressive adj. impressjonanti
imprint n. sigla editorjali
imprison vt. ikkalzra; żamm bħala priġunier; **~ment** n. tfigħ fil-ħabs
improbable adj. improbabbli; inverosimili
impromptu adj., adv. improvizat; bla tħejjija
improper adj. (indecent) mhux xieraq; indiċenti; (unsuitable) mhux addattat
improve vt. tejjeb; ġab 'il quddiem // vi. ittejjeb; **~ment** n. titjib; progress
improvise vt., vi. improvizza
imprudent adj. imprudenti; bla għaqal
impudent adj. tost; sfiq; bla mistħija
impulse n. impuls; spinta; ħsieb (ta' mument); **to act on ~** aġixxa impulsivament
impulsive adj. impulsiv/a; sfiċċuż/a
impunity n. ħelsien; eżenzjoni mill-kastig
impure adj. (dirty) mhux safi; mtabba'; mniġġes; (bad) żieni; diżonest; maħmuġ
impurity n. impurità; nuqqas ta' safa; żina, eċċ.
in *prep
1 (indicating place, position) fi; fil-; (with motion) fi; fil-; **~ here/there** hawnhekk/hemmhekk; **~ London** f'Londra
2 (indicating time: during) **~ summer** fis-sajf; **~ 1999** fl-1999
3 (indicating time: **~ the space of**) fl-ispazju ta'; **I'll see you ~ 2 weeks or ~ 2 weeks' time** narak f'ġimagħtejn jew fi żmien ġimagħtejn
4 (indicating manner, circumstances, state, etc.) **~ the sun/rain** fix-xita/xemx; **~ English** bl-Ingliż; **~ a loud/soft voice** b'leħen għoli/baxx
5 (with ratios, numbers): **1 ~ 10** wieħed f'għaxra; **they lined up ~ twos** inġabru tnejn tnejn
6 (referring to people, works): **the disease is common ~ children** il-marda komuni fit-tfal; **~ Dickens** f'Dickens
7 (indicating profession, etc.): **to be ~ the army** kien fl-armata; **to be ~ publishing** qiegħed għall-pubblikazzjoni
8 (with present participle): **~ saying this, I...** b'li qiegħed ngħid, jien... // adv. **to be ~** (person: at home, work) kien hemm; kien preżenti; (train, ship, plane) daħal; illandja; sorġa; (in fashion) fil-moda; **to ask sb. ~** stieden lil xi ħadd biex jidħol // n. **the ~s and outs** il-partikulari kollha
in., ins abbr. of **inch(es)**
inability n. inabbiltà; inkapaċità
inaccessible adj. inaċċessibbli; li ma jistax jintlaħaq
inaccurate adj. mhux eżatt; impreċiż; (wrong) skorrett
inactivity n. nuqqas t'attività
inadequate adj. inadekwat
inadvertently adv. bla ma ttenda; bla ma ntebaħ
inadvisable adj. mhux rakkomandabbli
inane adj. fieragħ; vojt; bla sens
inanimate adj. inanimat; bla ħajja
inappropriate adj. (clothing) li ma jmurx; li mhux addattat; (remark) li mhux xierqa; mhux f'waqtha
inasmuch as adv. inkwantu li
inaudible adj. li ma jistax jinstema'
inaugural adj. inawgurali
inaugurate vt. (open) inawgura; (admit to office) ħatar
inauguration n. inawgurazzjoni
in-between adj. bejn (ħaġa u oħra)
inborn adj. (defect) konġenitali
inbred adj. fid-demm; mnissel fih
Inc. abbr. of **incorporated**
incalculable adj. (consequences) inkalkulabbli
incapable adj. inkapaċi (of doing sth.) li m'għandux il-ħila meħtieġa biex jagħmel xi ħaġa
incapacitate vt. neħħa l-ħila ta' bniedem li jagħmel xi ħaġa (jaħdem, jimxi, eċċ.)
incapacity n. inkapaċità
incarcerate vt. ikkalzra; tafa' priġunier
incarnation n. (eccl.) inkarnazzjoni; (fig.) tifsir ta' ħsieb f'sura konkreta
incendiary adj. inċendjarju; li jikkawża ħruq
incense n. inċens; (fig.) foħrija; tifħir żejjed // vt. inċensa; fewwaħ
incentive n. inċentiv
inception n. bidu
incessant adj. inċessanti; dejjem sejjer; ma jaqta' xejn, **~ly** adv. bla waqfien
incest n. inċest
inch n. pulzier; **to be within an ~ of** kien kważi jmiss ma'; **he didn't give an ~** ma ċediex pulzier; **to ~ forward** avvanza bil-mod il-mod
incidence n. inċidenza

incident n. inċident; (disturbance) tfixkil
incidental adj. inċidentali; bla mistenni; (unimportant) mhux neċessarju jew essenzjali; (remark) bla ħsieb; **~ly** adv. inċidentalment
incinerator n. inċineratur (xorta ta' forn)
incipient adj. tal-bidu; inizjali; embrijonali
incision n. inċiżjoni; qatgħa; tfellila
incisive adj. inċiżiv; li jaqta'; li jippenetra
incite vt. xewwex; sewwes; tajjar; qanqal għal
inclement adj. qieraħ; qalil; aħrax; ~ **weather** temp ikraħ, qalil, eċċ.
inclination n. inklinazzjoni; xeħta; ġibda; tendenza; tmejjil fuq ġenb
incline n. niżla; żurżieqa // vt. miel; inklina; iġġenneb; **to be ~d to do sth.** kien inklinat (bil-ħajra) li jagħmel xi ħaġa
include vt. inkluda; (on list, in group) daħħal ma'; żied; **~d** adj. inkluż; kompriż
including prep. inkluż/a; kompriż/a
inclusion n. inklużjoni; għadd
inclusive adj. inklużiv; ~ **of tax** taxxa inkluża/kompriża
incoherent adj. inkoerenti
income n. renta; dħul; (from business) profitti; **~tax** n. taxxa fuq id-dħul
incoming adj. ~ **flight** it-titjira li dieħla
incomparable adj. inkomparabbli
incompatible adj. inkompatibbli; (people) ta' karattru diffiċli; li ma tistax taqbel miegħu/magħha
incompetence n. inkompetenza; nuqqas ta' ħila
incompetent adj. inkompetenti
incomplete adj. mhux komplut
incomprehensible adj. inkomprensibbli; li ma jinftihemx
inconceivable adj. inkonċepibbli
incongruous adj. inkongruwenti; li joqgħod ħażin
inconsiderate adj. li ma jaħsibhomx
inconsistency n. inkonsistenza; (state) stat ta' kontradizzjoni, ta' nuqqas ta' konsistenza
inconsistent adj. (action, speech) inkonsistenti; (person, work) irregolari; ~ **with** inkonsistenti ma'
inconspicuous adj. li ma jidhirx malajr
inconvenience n. inkonvenjenza; skumdità; (trouble to others) tfixkil
inconvenient adj. inkonvenjenti; skomdu; (journey) skomdu
incorporate vt. (include) inkorpora; (contain) inkluda
incorrect adj. skorrett; mhux preċiż
incorrigible adj. inkorreġġibbli
incorruptible adj. (person) mhux vulnerabbli għall-korruzzjoni
increase n. kotra fl-għadd; żjieda; (**pay** ~) żjieda (fil-paga); (in size) tkabbir // vt. żied; kattar; (wealth, rage) kattar; (business) kabbar // vi. tkattar; tkabbar; (in size) kiber; (in number) kotor; żdied
increasing adj. (number) li qed jiżdied; li qiegħed jikber
increasingly adv. dejjem aktar
incredible adj. inkredibbli; li ma jitwemminx
incredulous adj. inkredulu; li ma jemminx
increment n. inkrement; żjieda meqjusa fil-paga
incriminate vt. inkrimina; akkuża; xela
incubation n. inkubazzjoni
incubator n. inkubatur
incumbent adj. **it is ~ on him to** tiġi minnu li; hi responsabbiltà tiegħu li
incur vt. għamel spejjeż; daħal għal; waqa' fi
incurable adj. inkurabbli; li ma jitfejjaqx
incursion n. inkursjoni; dħul fi
indebted adj. (obliged) mdejjen; obbligat lejn
indecent adj. indeċenti; li mhux xieraq; ~ **assault** n. aggressjoni (sesswali); ~ **exposure** n. atti oxxeni (fil-pubbliku)
indecisive adj. (battle) indeċiżiv/a; (person) indeċiż/a; bejn ħaltejn
indeed adv. tassew; tabilħaqq; minnu; **yes ~!** ċertament!; dażgur!
indefinite adj. indefinit; vag; **~ly** adv. indefinittivament
indelible adj. li ma jitħassarx; li ma jmur b'xejn
indemnity n. (insurance) assigurazzjoni; (compensation) kumpens
independence n. indipendenza
independent adj. indipendenti
indestructible adj. indistruttibbli; li ma jiġġarrafx
indeterminate adj. indeterminat
index n. werrej; indiċi; ~ **card** skeda; ~ **finger** n. is-saba' l-werrej
India n. l-Indja; **~n** adj. Indjan/a // n. Indjan; **the ~n** Oċean n. l-Oċean Indjan
indicate vt. indika; wera; (hint) ta ħjiel
indication n. indikazzjoni; (information) turija; tagħrif
indicative adj. ~ **of** indikattiv ta' // n. (gramm.) indikattiv
indicator n. (sign) indikatur; werrej; (aut.) indikatur
indices pl. of **index**
indict vt. xela; għamel akkuża; **~ment** n. akkuża formali fil-qorti
indifference n. indifferenza; bruda; apatija
indifferent adj. indifferenti; biered
indigenous adj. indiġenu

indigestion n. indiġestjoni
indignant adj. **to be ~ about sth.** kien mgħaddab, inkurlat għal xi ħaġa
indignation n. għadab; korla
indignity n. indinjità
indirect adj. indirett; **~ly** adv. indirettament
indiscreet adj. (insensitive) imprudenti; (telling secrets) indiskret
indiscretion n. indiskrezzjoni; nuqqas ta' għaqal
indiscriminate adj. li ma jiddistingwix bejn ħaġa u oħra; konfuż; mħallat
indispensable adj. indispensabbli
indisposed adj. indispost
indisputable adj. indisputabbli; (evidence) li ma jħalli ebda dubju
indistinct adj. indistint; li ma jingħarafx malajr
individual n. individwu // adj. individwali; (case) partikolari, individwali; (of, for one person) individwali; (characteristic) speċifiku; karatteristiku; **~ly** adv. individwalment
indivisible adj. indiviżibbli
indoctrinate vt. indottrina
Indonesia n. l-Indoneżja
indoor adj. ta' ġewwa d-dar; (sport) ta' ġewwa; **~s** adv. ġewwa
induce vt. ġiegħel; ħajjar; (reaction) ipprovoka; **~ment** n. provokazzjoni; ġegħil; tħajjir; (incentive) inċentiv; tħajjir
induction n. debutt; bidu; inawgurazzjoni
indulge vt. (give way) ħajjem; fissed iżżejjed; (gratify) issodisfa; **~nce** n. indulġenza; (enjoyment) lussu; **~nt** adj. indulġenti
industrial adj. industrijali; (dispute, injury) fuq ix-xogħol; **~ action** n. azzjoni industrijali; **~ estate** n. żona/qasam industrijali; **~ist** n. industrijalist; **~ize** vt. industrijalizza
industrious adj. ħabrieki; industrijuż; bieżel; ħawtiel
industry n. industrija
inebriated adj. sakran; fis-sakra
inedible adj. inedibbli; li ma jistax jittiekel
ineffective adj. ineffikaċi; ineffettiv; (person) inkompetenti
ineffectual see **ineffective**
inefficiency n. ineffiċjenza
inefficient adj. ineffiċjenti; (ineffective) mhux tajjeb biżżejjed
ineligible adj. ineliġibbli
inept adj. (remark) li mhix f'waqtha; (person) iblah; bla għaqal; bla dehen
inequality n. inugwaljanza
inert adj. mitluq; (motionless) immobbli
inertia n. impotenza; (lethargy) apatija; (langour) dipressjoni
inescapable adj. inevitabbli
inevitable adj. inevitabbli; (final) deċiżiv
inexcusable adj. li mhux skużabbli
inexhaustible adj. ineżawribbli; dejjem ġej
inexorable adj. inevitabbli; (stubborn) li ma jiqafx; determinat
inexpensive adj. rħis
inexperience n. nuqqas ta' esperjenza; **~d** adj. inesperjenzat; mhux imħarreġ; mhux imġarrab
inexplicable adj. inspjegabbli; li ma jistax jitfisser
inexplicit adj. mhux ċar; inespliċitu
infallible adj. infallibbli
infamous adj. (place) infami; (deed) vili; krudil/a; (person) bla ġieħ; ta' fama ħażina
infamy n. infamja; nuqqas ta' ġieħ
infancy n. tfulija
infant n. tarbija; tfajjel; **~ile** adj. infantili; **~ school** n. skola elementari
infantry n. fanterija
infatuated adj. infatwat; msaħħar għal; **to become ~ with** kien infatwat minn
infatuation n. infatwazzjoni
infect vt. infetta; niġġes; **~ed with** infettat bi; **~ion** n. infezzjoni; tinġisa; **~ious** li jinfetta; li jittieħed
infer vt. ikkonkluda; iddeduċa; **~ence** n. konklużjoni; (theory) ipotesi
inferior adj. (rank) inferjuri; baxx; (quality) inferjuri; **~ity** n. inferjorità; (in rank) inferjorità; **~ity complex** n. kumpless ta' inferjorità
infernal adj. infernali
infertile adj. infertili; sterili
infested adj. **to be ~ with** kien infestat bi
infidelity n. infedeltà
infiltrate vt. iffiltra; (spies) daħal // (mil., liquid) ippenetra qajl qajl
infinite adj. infinit
infinitive n. infinit
infinity n. infinità
infirm adj. marid; mhux f'saħħtu
infirmary n. infermerija; sptar
infirmity n. infermità
inflamed adj. mħeġġeġ; mqabbad; iffjammat
inflammable adj. infjammabbli; li jaqbad
inflammation n. infjammazzjoni
inflatable adj. li jintefaħ
inflate vt. nefaħ; mela bl-arja; (tyre) nefaħ; (prices) għola
inflation n. inflazzjoni
inflexible adj. (person) inflessibbli; ta' rasu/rasha; (opinion) inflessibbli

inflict vt. ta kastig; (wound) fera; għamel ġerħa
influence n. influwenza // vt. influwenza
influential adj. influwenti
influenza n. influwenza
influx n. (of people) influss; (of ideas) influss
inform vt. għarraf; informa; **to keep sb. ~ed** żamm lil xi ħadd mgħarraf, infurmat // vi. **to ~ on sb.** informa dwar xi ħadd
informal adj. informali; **~ity** n. informalità
informant n. informatur
information n. informazzjoni; tagħrif; **a piece of ~** biċċa informazzjoni; **~ office** n. uffiċċju tal-informazzjoni
informative adj. informattiv/a; (person) istruttiv/a
informer n. informatur/informatriċi
infra-red adj. infrared
infrequent adj. mhux spiss; mhux frekwenti
infringe vt. (law) kiser; **~ upon** vt. ikkalpesta; **~ment** n. ksur ta' liġi jew ta' jedd fid-drittijiet ta' ħaddieħor
infuriating adj. irritanti għall-aħħar
infuse vt. għaddas; ferra' ġewwa; xappap
ingenious adj. inġenjuż; ħawtiel; dehni
ingenuity n. inġenwità
ingenuous adj. inġenwu; bla ħjiena
ingot n. arblu; qasba; zokk
ingrained adj. intrinsiku; fundamentali; (instinctive) istintiv
ingratiate vt. tħabbeb ma'; daħal fil-grazzja ta'
ingratitude n. ingratitudni; nuqqas ta' rispett
ingredient n. ingredjent; kontenut; (culin.) ingredjent
ingress n. dħul
inhabit vt. għammar ġo; okkupa; għex; abita; **~ant** n. abitanti; (of island, town) min jabita f'post (belt, dar, eċċ.)
inhale vt. ħa; ġibed 'il ġewwa man-nifs
inherent adj. possibbli; realizzabbli
inherit vt. wiret; **~ance** n. wirt
inhibit vt. ostakola; xekkel; **to ~ sb. from doing sth.** ostakola lil xi ħadd milli jagħmel xi ħaġa; **~ion** n. inibizzjoni
inhospitable adj. (person) inospitabbli; (country) li ma fiha ebda kenn
inhuman adj. inuman
inimitable adj. inimitabbli; uniku
iniquity n. offiża; reat; diżunur
initial adj. tal-bidu; inizjali, iffirma billi ħażżeż l-inizjali tiegħu; **~s** pl. inizjali; **~ly** adv. inizjalment
initiate vt. beda; stabbilixxa; ta bidu; (negotiations) beda; **to ~ sb. into a secret** għarraf lil xi ħadd b'xi sigriet
initiation n. inizjazzjoni
initiative n. inizjattiva
inject vt. injetta; niggeż; **~ion** n. injezzjoni
injunction n. kmand; digriet
injure vt. inġurja; offenda; każbar; waġġa'; **~d** adj. (person, arm) ferut/a; miġrugħ/a
injury n. ferita; inġurja; ħsara
injustice n. inġustizzja
ink n. linka
inkling n. ħjiel; riħa; xamma
inlaid adj. interzjat
inland adj. intern; (domestic) ta' ġewwa // adv. fl-intern
in-laws n.pl. (parents-in-law) familja tal-mara jew tar-raġel (miżżewġin)
inlay vt. ingasta; iffittja; interzja
inlet n. daħla; kalanka; (bay) bajja
inmate n. min joqgħod taħt saqaf wieħed ma' nies oħra
inn n. xorta ta' lukanda
innate adj. istintiv; intrinsiku
inner adj. ta' ġewwa; l-intern; **~ city** n. iċ-ċentru ta' żona urbana; **~ tube** n. (of tyre) it-tubu ta' ġewwa
innocence n. innoċenza
innocent adj. innoċenti
innocuous adj. innokwu
innovation n. innovazzjoni; tiġdida
innuendo n. insinwazzjoni
innumerable adj. innumerabbli
inoculation n. tilqim; tilqima
inopportune adj. (remark) inopportun/a; mhux f'waqtu/f'waqtha; (visit) inopportun/a
inordinately adv. mhux b'mod moderat
in-patient n. pazjent rikoverat
input n. (comput.) informazzjoni mgħoddija (fil-kompjuter); (of energy, work) enerġija; alimentazzjoni
inquest n. inkjesta; stħarriġ
inquire vi. informa ruħu // vt. staqsa; indaga; investiga; eżamina; **~ into** vt. għamel indaġni fuq
inquiry n. (question) inkjesta; tkixxifa; (investigation) investigazzjoni; stħarriġ; **~ office** n. uffiċċju tal-informazzjoni
inquisitive adj. kurjuż; inkwiżittiv
inroad (mil.) inkursjoni
insane adj. mhux f'sensih; miġnun; mherwel
insanity n. aljenazzjoni mentali; ġenn
insatiable adj. diffiċli biex tissodisfah
inscribe vt. kiteb; immarka; (book, etc.): **to ~** kiteb; immarka
inscription n. (on stone) iskrizzjoni; (in book) dedika mħażża (fi ktieb)

inscrutable adj. misterjuż; enimmatiku; inesplikabbli
insect n. insett; **~icide** n. insetticida
insecure adj. (person) anzjuż; persuna mingħajr sens ta' sigurtà fiha nfisha
insecurity n. insigurtà
insemination n. **artificial** ~ inseminazzjoni artifiċjali
insensible adj. (unconscious) insensibbli; nieqes mis-sensi
insensitive adj. (to pain) insensittiv; (without feelings) li ma jħossx
inseparable adj. (people) inseparabbli
insert vt. daħħal; (coin) tefa'; (stick into) waħħal fi; (advert) għamel, daħħal // n. (in book) inserzjoni; **~ion** n. dħul
in-service adj. (training) matul il-ħin tax-xogħol
inshore adj. tal-kosta
inside n. l-intern; ġewwa // adj. interjuri // adv. (place) ġewwa; fl-intern ta'; (direction) 'il ġewwa // prep. (place) ġewwa; **~s** pl. (col.) ġewwa; ~ **lane** n. (aut.) il-parti jew sqaq ta' ġewwa tat-triq; ~ **out** adv. kollu kemm hu
insidious adj. insidjuż; ħajjen; qarrieqi
insight n. dehen; nebħ; għarfien
insignificant adj. insinifikanti; li ma jfisser xejn
insincere adj. falz; mhux sinċier; qarrieqi
insinuate vt. (hint) insinwa; ta ħjiel; berren
insipid adj. insipidu; indiġest; bla gost
insist vi. insista; **~ence** n. insistenza; **~ent** adj. insistenti
insole n. suletta
insolence n. insolenza; arroganza
insolent adj. insolenti
insoluble adj. li ma jistax idub jew isir likwidu; (chem.) insolubbli; diffiċli
insolvent adj. fallut; severament; midjun
insomnia adj. insomnja; nuqqas ta' rqad
inspect vt. spezzjona; osserva; (officially) spezzjona; stħarreġ; fela; **~ion** n. spezzjoni; **~or** n. (official) spettur; (police) spettur
inspiration n. ispirazzjoni; nebħ
inspire vt. (respect) ispira; (hope) mela; ħeġġeġ; nebbaħ
instability n. instabbiltà; taqlib
install vt. (put in) installa; qiegħed fil-post; (telephone) installa; (establish) stabbilixxa; **~ation** n. (of person) tqegħid; ħatra; (of machinery) installazzjoni
instalment n. somma ta' flus bħala ħlas bin-nifs; (of story) pubblikazzjoni f'faxxikli; **to pay in ~s** ħallas bin-nifs
instance n. każ; ġrajja; (example) eżempju; **for** ~ pereżempju; **in the first** ~ fl-ewwel każ; fl-ewwel eżempju
instant n. waqt; ħin; mument // adj. urġenti; immedjat; **I shall be with you in an** ~ dalwaqt inkun miegħek
instantaneous adj. istantanju; immedjat
instantly adv. immedjatament
instead adv. flok; minflok; ~ **of** prep. minflok
instep n. wiċċ is-sieq; mis-swaba' sal-għaksa
instigation n. provokazzjoni; stimulazzjoni
instil vt. (fig.) poġġa; daħħal
instinct n. stint; **~ive** adj. istintiv
institute n. stitut // vt. waqqaf; stabilixxa; fetaħ
institution n. istituzzjoni; liġijiet; drawwiet li fuqhom hu ffundat pajjiż
instruct vt. istruwixxa; għallem; **~ion** n. istruzzjoni; tagħlim; edukazzjoni; **~ions** pl. struzzjonijiet; **~ive** adj. istruttiv/a; **~or** n. mgħallem; surmast
instrument n. strument; **~al** adj. (mus.) strumentali; (helpful) strumentali; essenzjali
insubordinate n. insubordinat; ribelluż
insubordination n. insubordinazzjoni; ribelljoni
insufferable adj. insofferibbli
insufficient adj. insuffiċjenti; li mhux biżżejjed
insular adj. insulari
insulate vt. (elec.) iżola b'materjali li ma jikkonduċux kurrent elettriku; (fig.) iżola
insulating tape n. tejp li minnu ma jgħaddix il-kurrent elettriku
insulation n. insulazzjoni
insulin n. insulina
insult n. insult; tagħjira; offiża // vt. insulta; offenda; żeblaħ; **~ing** adj. insolenti; inġurjuż
insuperable adj. insuperabbli
insurance n. assigurazzjoni; **fire/life** ~ assigurazzjoni (fuq nirien, ħajja, eċċ.); ~ **agent** n. aġent tal-assigurazzjoni; ~ **policy** n. kuntratt tal-assigurazzjoni
insure vt. inxurja
insurrection n. insurrezzjoni; rvell; qawmien
intact adj. intatt; sħiħ
intake n. (place) konsum; **an ~ of 200 a year** konsum ta' mitejn fis-sena
intangible adj. intanġibbli
integral adj. (essential) integrali; (complete) sħiħ; komplet
integrate vt. integra // vi. integra ruħu
integrity n. (honesty) integrità
intellect n. intellett; **~ual** adj. intellettwali
intelligence n. (understanding) intelliġenza; (news) informazzjoni; (mil.) spjunaġġ; informazzjoni

intelligent adj. intelliġenti; **~ly** adv. intelliġentement
intelligentsia n. intelliġenza
intelligible adj. intelliġibbli
intend vt. kellu l-intenzjoni; **that was ~ed for you** dak kien intenzjonat għalik
intense adj. intens/a; (person) ta' sentimenti qawwija; **~ly** adv. intensament; (study) studju intensiv
intensify vt. intensifika
intensity n. intensità
intensive adj. intensiv/a; **~ care unit** n. taqsima tal-kura intensiva
intent n. intent; skop; għan; **to all ~s and purposes** għall-fehmiet u l-għanijiet kollha; **to be ~ on doing sth.** kien deċiż li jagħmel xi ħaġa
intention n. intenzjoni; għan; ħsieb
intentional adj. intenzjonali **~ly** adv. intenzjonalment; deliberatament; ta' intenzjoni; intenzjonat
intently adv. attentament
inter vt. difen fl-art
interact vi. aġixxa reċiprokament; **~ion** n. interazzjoni
intercede vi. interċieda
intercept vt. interċetta
interchange n. (exchange) skambju; (on roads) punt li jinfetaħ f'ħafna direzzjonijiet // vt. bidel; issostitwixxa l-wieħed mal-ieħor; **~able** adj. li jista' jinbidel
intercom n. interkom
intercourse n. (exchange) relazzjoni; rapport bejn persuni differenti; (sexual) relazzjoni sesswali
interest n. interess; attenzjoni; impenn; (fin.) interessi; mgħax; (comm. share) sehem // vt. interessa; **~ed** adj. (having claims) interessat; (attentive) interessat; attent; **to be ~ed in** kien interessat fi; **~ing** adj. interessanti; **~ rate** n. rata tal-interessi
interface n. (comput.) interface
interfere vi. (meddle) interrompa; (disrupt) fixkel u ma ħalliex ikompli; ħassar
interference n. telf ta' kontinwità; tfixkil; (tv.) interferenza
interim n. **in the ~** sadanittant
interior n. l-intern // adj. interjuri; ġewwieni; privat; **~ designer** n. arredatur
interjection n. introduzzjoni
interlock vi. ingrana
interloper n. melħa; li jindaħal fejn ma jesgħux
interlude n. intervall; intermezz
intermarry vi. iżżewweġ/iżżewġet ma' membru tal-istess familja
intermediary n. bejjieni; intermedjarju
intermediate adj. intermedju; ta' bejn
interminable adj. interminabbli; bla tmiem
intermingle vt. ħallat ma' xulxin; tħallat ma'
intermission n. waqfa; pawsa; intervall qasir
intermittent adj. intermittenti
intern vt. interna // n. edukatur; akkademiku; (beginner) n. novizz
internal adj. (inside) intern; privat; li qiegħed ġewwa; (domestic) intern; domestiku; **~ly** adv. internament; (med.) ġewwieni; l-intern; **'not to be taken ~ly'** għall-użu estern (ingwenti, eċċ.)
international adj. internazzjonali // n. (sport) internazzjonali; (also **~match**) logħba internazzjonali
interplay n. azzjoni u reazzjoni
interpret vt. (explain) interpreta; fiehem; spjega; (translate) ittraduċa; **~ation** n. interpretazzjoni; **~er** n. interpretu
interrelated adj. interrelatat
interrogate vt. interroga; staqsa
interrogation n. interrogazzjoni; mistoqsija
interrogative adj. interrogattiv
interrupt vt. interrompa; waqqaf; fixkel; **~ion** n. interruzzjoni
intersect vt. nifed; qasam; **~ion** n. (of roads) intersezzjoni; (of lines) tislib ta' linji ma' xulxin
intersperse vt. nfirex; tħallat
interval n. intervall; (sch., theat., sport) intervall; pawsa; waqfien għal ftit; **at ~s** f'intervalli
intervene vi. intervjena
intervention n. intervent
interview n. (press, etc.) intervista; (for job) taħdita bid-domandi ta' eżaminatur // vt. intervista; **~er** n. intervistatur
intestine n. **large/small ~** musrana; intestina
intimacy n. intimità
intimate adj. (inmost) intimu; ta' ġewwa; (knowledge) intimu; (familiar) li hu midħla sew tal-familja; (friend) ħabib intimu // vt. ħalla jifhem
intimidate vt. intimida; bażża'
intimidation n. intimidazzjoni
into prep. (motion) 'il ġewwa; ġo; għal ġo; fi; **throw those books ~ the fire**; itfa' dawk il-kotba fin-nar
intolerable adj. intollerabbli
intolerant adj. **~ of** intolleranti għal
intoxicate vt. sakkar; **~d** adj. xurban; fis-sakra
intoxication n. intossikazzjoni; xorb żejjed; sokor
intractable adj. stinat; inkontrollabbli; selvaġġ
intransigent adj. intransiġenti; iebes f'fehmietu
in-tray n. kontenitur għall-korrispondenza li tkun għadha kif waslet

intrepid adj. qalbieni; ma jibża' minn xejn
intricate adj. intriċċat; mħabbel; ikkomplikat; mbixkel
intrigue n. intrigu; konfoffa; kumplott; tnassis //vt affaxxina // vi. nassas; ikkomplotta; ikkonfoffa
intriguing adj. affaxxinanti
intrinsic adj. intrinsiku; (difference) differenza intrinsika
introduce vt. (person) introduċa; (sth. new) daħħal; ressaq; ippreżenta; (subject) introduċa; **to ~ sb. to sth.** introduċa lil xi ħadd għal xi ħaġa
introduction n. introduzzjoni; (to book) introduzzjoni għal ktieb
introductory adj. introduttorju
introspective adj. introspettiv
introvert adj. introvert
intrude vi. ndaħal fejn ma jesgħux; iddeffes
intrusion n. ndħil fejn wieħed ma jesgħux
intrusive adj. impertinenti
intuition n. intuwizzjoni; bsir
inundate vt. (lit., fig.) għaddas; mela; għarraq
invade vt. invada; **~r** n. invażur
invalid n. (disabled) invalidu/invalida; diżabilitat/a // adj. (ill) invalidu/invalida; diżabilitat/a
invaluable adj. prezzjuż; rari
invariable adj. invarjabbli; li ma jitbiddilx
invasion n. invażjoni
invent vt. ivvinta; **~ion** n. invenzjoni; **~ive** adj. inventiv/a; **~or** n. inventur
inventory n. inventarju
inverse n. il-maqlub // adj. maqlub fl-ordni
invert vt. qaleb ta' taħt fuq
invertebrate n. invertebru
invest vt. libbes; ta pussess f'xi dinjità; investa; ħaddem il-flus f'xi negozju
investigate vt. investiga
investigation n. investigazzjoni
investigator n. investigatur
investiture n. investitura
investment n. investiment
investor n. investitur
inveterate adj. stabbilit; intrinsiku
invidious adj. invidjuż; għajjur
invigilate vt., vi. (in exam) għasses (lil studenti waqt eżami)
invigorating adj. stimulanti; li jagħti s-saħħa
invincible adj. invinċibbli; li ma jingħelibx
inviolate adj. pur; intatt; sagrosant
invisible adj. inviżibbli; ~ **ink** n. linka inviżibbli
invitation n. invit; stedina
invite vt. stieden
inviting adj. invitanti; attraenti; li jħajjar, li jattira
invoice n. fattura; polza; kont
invoke vt. sejjaħ; talab l-għajnuna mingħand min hu aqwa minnu
involuntary adj. involontarju
involve vt. (entangle) involva; (entail) irrikjeda; **~d** adj. involut/a; **~ment** n. involviment
inward adj. ġewwieni; (curve) 'il ġewwa; **~(s)** adv. lejn in-naħa ta' ġewwa; **~ly** adv. 'il ġewwa; bil-mod
I/O abbr. of **input/output** I/O
iodin n. jodju
iota n. (fig.) jota
IQ n. abbr. of **intelligence quotient** persentaġġ/proporzjon ta' intelliġenza
IRA n. abbr. of **Irish Republican Army**; Armata Repubblikana Irlandiża
Iran n. l-Iran; **~ian** adj. Iranjan/a // n. Iranjan; (ling.) Iranjan
Iraq n. l-Iraq; **~i** adj. Iraqin/a // n. Iraqi; (ling.) Iraqi
irascible adj. li jitfantas; li jitlagħlu malajr
irate adj. inkurlat; mgħaddab
Ireland n. l-Irlanda
irksome adj. li jdejjaq; li jxabba'
iron n. ħadid; (for ironing) ħadida tal-mogħdija // adj. tal-ħadid // vt. għadda (l-ħwejjeġ); ~ **out** vt. (lit., fig.) illixxa; **I~ Curtain** n. il-Purtiera tal-Ħadid
ironic(al) adj. ironiku/ironika
ironing n. mogħdija; (laundry) ħwejjeġ għall-mogħdija; ~ **board** n. tavla għall-mogħdija
ironmonger n. negozjant fil-ħadid, żebgħa, eċċ.; **~'s (shop)** n. ħanut taż-żebgħa, għodod, eċċ.
irony n. ironija
irrational adj. irrazzjonali; bla raġuni
irreconcilable adj. irrikonċiljabbli
irrefutable adj. li ħadd ma jista' jmerih jew jiċħdu
irregular adj. irregolari; (shape) mhux lixx; mħatteb; (behaviour) irregolari; skorretta; **~ity** n. irregolarità
irrelevant adj. irrelevanti
irreparable adj. irreparabbli; li ma jissewwiex
irreplaceable adj. insostitwibbli
irrepressible adj. irripressibbli; li ma jistax jiġi miżmum
irresistible adj. irreżistibbli
irresolute adj. irreżolut; dejjem bejn ħaltejn; indeċiż
irrespective adv. irrispettivament ~ **of** prep. irrispettivament minn
irresponsible adj. irresponsabbli
irreverent adj. irreverenti
irrevocable adj. irrevokabbli

irrigate vt. saqqa; ta l-ilma
irrigation n. irrigazzjoni; tisqija
irritable adj. irritabbli; jiddejjaq u jinnervja malajr
irritate vt. irrita; nibex; dejjaq
irritation n. (anger) irritazzjoni; tqanqila nervi; (med.) ħmura li tqabbad il-ħakk
is v. see **be**
Islam n. l-Iżlam; ir-reliġjon Iżlamika
island n. gżira; **~er** n. wieħed li jgħix fuq gżira
isle n. gżira
isn't = is not
isolate vt. iżola; warrab; issepara; **~ed** adj. iżolat; (case) iżolat
isolation n. iżolament
Israel n. l-Iżrael; **~i** adj. Iżraelit/a // n. Iżraelit
issue n. (matter) kwistjoni; (outcome) ħruġ; (of newspaper, shares) ħruġ; (offspring) nisel; tfal; ulied // vt. ħareġ; nixxa; ħeles; (documents) ippubblika; (orders) ħareġ; (books) ippubblika; (verdict) qata'; **to take ~ with sb.** ha pożizzjoni kontra xi ħadd
isthmus n. istmu
it pron. (specific: subject) hu; huwa; hi; hija; **did you see my book? - there it is** rajtu l-ktieb tiegħi? - hemm qiegħed; **did you see his pen? - there it is** rajtha l-pinna tiegħu? - hemm hi; **who is it?** - min hemm?, min ġie?
Italian adj. Taljan/a // n. Taljan; (ling.) it-Taljan
italic adj. korsiv; **~s** n.pl. korsivi
Italy n. l-Italja
itch n. ħakk; (fig.) kilba għal xi għemil // vi. kien xewqan; **to be ~ing to do sth.** kien imlebleb biex jagħmel xi ħaġa; **~y** li jħokk; li jqabbad il-ħakk
it'd = it would; it had
item n. (on list) ħaġa; oġġett; (in agenda) punt; argument; (in newspaper) artiklu; **~ize** vt. speċifika; iddettalja
itinerant adj. (person) ambulanti; nomadiku/ nomadika
itinerary n. itinerarju; skeda; programm
it'll = it will, it shall
its poss. adj. (masculine, neuter) tiegħu; (feminine) tagħha
it's = it is; it has
itself pron. innifsu/infisha
I've = I have
ivory n. avorju; ~ **tower** n. torri tal-avorju
ivy n. liedna; xitla li tixxeblek

J j

j l-għaxar ittra tal-alfabett Ingliż

jab vt., vi. ta daqqa b'oġġett iebes u bil-ponta // n. daqqa mhix mistennija bil-ponn jew b'xi strument mislut

jabber vi. lablab; gerger; tkellem bil-ħatfa // n. tlablib; tpaċpiċ

jack n. (aut.) ġakk; (cards) kavall; ~ **up** vt. rafa' permezz ta' ġakk; **~-in-the-box** n. ġugarell tat-tfal, ~ **of all trades** adj. wieħed li jagħmel kollox

jackal n. (zool.) xakall

jackass n. ħmar; stupidu; ras qargħa

jackdaw n. ċawla żgħira

jacket n. ġlekk; ġakketta; (of book) il-qoxra

jack-knife vi. mus (tal-baħrin); **the lorry ~ed** it-trakk dar fuqu nnifsu

jack plug n. (elec.) ġakk

jack-o-lantern n. dawl li jidher jiġri u jgħib malajr

jack-plane n. varloppa; ċana

jackpot n. ġakpot; l-ewwel premju (fi flus)

jade n. (stone) ħaġra prezzjuża ta' lewn ħadrani

jaded adj. magħdur; għajjien; eżawrit

jagged adj. mislut u ppuntat ħafna (bħall-blat li jniggeż); bix-xfar; bil-ponot

jaguar adj. ġagwar; annimal mill-ġens tal-qtates

jail n. ħabs; kalzri // vt. tefa' l-ħabs; ikkalzra; **~er** gwardjan; kalzrier

jam n. ġamm; marmellata; (also **traffic** ~) traffiku miġmugħ u wieqaf; (col. trouble) għawġ // vt. (cram) għaffeġ; (obstruct) waqqaf; xekkel; **to ~ sth. into sth.** għaffeġ, sforza xi ħaġa 'l ġewwa

Jamaica n. il-Ġamajka

jamb n. koxxa ta' bieb, tieqa jew ċumnija

jamboree n. laqgħa tal-iskawts; laqgħa ta' nies tax-xalar

jangle vt., vi. ċempil ta' qanpiena mġenġla; ċekċik (ta' brazzuletta)

janitor n. purtinar; għassies

January n. Jannar

Japan n. il-Ġappun; **~ese** adj. Ġappuniż/a // n.pl. inv. Ġappuniż/i; (ling.) il-Ġappuniż

jar n. vażett; ġarra żgħira // vi. (sound) werżaq; (colours, etc.) stunar

jargon n. taħdit imgerfex; lingwaġġ tekniku li jintuża f'qasam partikolari

jaundice n. suffejra; **~d** adj. (fig.) għajjur

jaunt n. ġita; dawra; ġirja; **~y** adj. (lively) fuq ruħu; vivaċi; ferrieħ

javelin n. (sport) lanza ħafifa li tintefa' bl-idejn

jaw n. xedaq; **the upper and the lower** ~ ix-xedaq ta' fuq u ta' isfel

jay n. (zool.) xorta ta' għasfur

jaywalker n. wieħed li jimxi fit-triq b'mod indixxiplinat

jazz n. ġazz; ~ **up** vt. (mus.) ta r-ruħ; qajjem (enliven); **~y** n. ta' lewn biżarr

jealous adj. (envious) ġeluż; għajjur; invidjuż; (husband) għajjur; **~y** n. għira

jeans n.pl. ġins; xorta ta' drapp

jeep n. ġip

jeer vi. iddieħek bi; ikkuljuna; **to ~ at** saffar; iżżuffjetta bi

jelly n. ġelatina; (dessert) ġeli; **~fish** n. brama

jeopardize vt. poġġa fil-periklu

jeopardy n. **to be in ~** kien fil-periklu

jerk n. ġibda; salt // vt. ta ġibda; ta salt // vi. skossja

jerkin n. ġakketta tal-ġild qasira u inkaxxata

jerky adj. (movement) iqabbeż; jiskossja

jersey n. ġerżi; flokk tas-suf

jest n. ħlieqa; ċajta; żuffjett; buffunata // vi. iċċajta; iddieħek b'xi ħadd; **~er** n. buffu

Jesus n. Ġesù

jet n. (stream: of water, etc.) merżuq ta' ilma; gass, eċċ.; (spout) żennuna; (aviat.) ġett; **~-black** adj. iswed skur ħafna; ~ **engine** n. magna li taħdem bil-ġett

jettison vt. xeħet, tafa' fil-baħar

jetty n. moll bħal pont

Jew n. Lhudi; **~ess** n. Lhudija

jewel n. (lit., fig.) ġojjell; **~(l)er** n. ġojjellier; **~(l)er's shop** n. ħanut tal-ġojjelli u ħaġar prezzjuż; **~(le)ry** n. ġojjelli

Jewish adj. Lhudi

jib n. id-driegħ tal-krejn

jibe n. daħk; tgħajjib
jiffy n. (col.): **in a** ~ f'nifs; f'mument
jigsaw (puzzle) n. taħbila
jilt vt. daħak b'xi mod fl-imħabba
jingle n. (advertisement) sigla pubbliċitarja // vt., vi. ċenċel; ċekċek; (bells) ċempil
jitters n.pl. (col.): **to get the** ~ kellu ħass ta' eċċitament u ta' biża' fl-istess ħin
job n. (piece of work) biċċa xogħol; faċenda; (position) impjieg; (duty) xogħol; dmir; **it's a good** ~ ħaġa tajba li; ~ **centre** n. ċentru lejn fejn wieħed jirrikorri sabiex isib impjieg; ~**less** adj. qiegħed; bla xogħol
jockey n. ġerrej // vi. **to** ~ **for position** immanuvra sabiex jikseb qagħda vantaġġjuża
jocular adj. ċajtier; daħħak; żuffjettuż
jog vt. imbotta; mess bil-minkeb // vi. (run) iġġoggja; **to** ~ **along** bit-trott; ~**ging** n. ġoging
join vt. (put together) għaqqad; waħħal; rabat; ġonġa; (club) issieħeb; ngħaqad ma'// vi. (unite) unifika // n. għaqda; fejn jissieħbu żewġ ħwejjeġ (eż. xmajjar); ~**in** vt., vi. ipparteċipa; ~ **up** vi. (mil.) ingaġġa
joiner n. mastrudaxxa; ~**y** n. xogħol ta' mastrudaxxa
joint n. (tech.) għaksa; twaħħil; (of bones) ġog; (of meat) qatgħa laħam; robbu; (col. place) lokal; ~ **account** n. (with bank, etc.) kont komuni; ~**ly** adv. flimkien; bi sħab
joist n. travu
joke n. ċajta; ħlieqa // vi. iċċajta; **to play a** ~ **on sb.** għamel ċajta fuq xi ħadd; ~**r** n. ċajtier; (cards) ġowker
jolly adj. ferħan; allegru; hieni // adv. (col.) verament; propju
jolly-boat n. frejgatina fuq bastiment għal xi qadi żgħir
jolt n. (shock) ħasda; qabża; (jerk) ċaqliqa għal għarrieda // vt. (push) ċaqlaq; imbotta; (shake) heżżeż
Jordan n. il-Ġordan; (river) ix-Xmara Ġordan
joss n. idolu taċ-Ċiniżi
jostle vt. issara; iffolla; imbotta ġo folla
jot n. **not one** ~ lanqas ftit; lanqas nitfa; ~ **down** vt. ħa nota (fil-qosor); ~**ter** n. ktejjeb għan-noti
journal n. (diary) rekord ta' kuljum; (magazine) ġurnal; ~**ese** n. kliem speċifiku tal-ġurnalisti; ~**ism** n. ġurnaliżmu; ~**ist** n. ġurnalist
journey n. vjaġġ; safra
jovial adj. ferrieħi; dħuli; minn tagħna
joy n. ferħ; hena; pjaċir; għaxqa; ~**ful,** ~**ous** adj. kuntent; hieni; allegru; ~ **ride** n. ġirja bil-karozza; ~**stick** n. (comput.) ġojstik
Jr abbr. of **junior**
jubilant adj. ġubilanti; trijonfanti
jubilee n. ġublew; **silver** ~ n. ġublew tal-fidda
judge n. mħallef // vt. (law. person) iġġudika; għamel ħaqq; (assess) iġġudika; ~**ment** n. (law) ġudizzju; ħaqq; (eccl.) il-Ġudizzju
judicial adj. ġudizzjarju/ġudizzjarja; tal-Qorti
judiciary n. il-Qorti; (judges) il-Korp tal-Imħallfin; il-Maġistratura
judicious adj. għaqli; dehni
judo n. ġudo
jug n. buqar
juggernaut n. (brit.) trakk enormi
juggle vt., vi. lagħab logħob ta' ħeffa b'idejh; ~**r** n. wieħed li jibbużullottja
Jugoslav (also **Yugoslav**) n. Jugożlav
jugular adj. tal-għonq jew tal-grieżem
juice n. sugu; meraq tal-frott
juicy adj. (lit., fig.) mmerraq
jukebox n. ġukboks
July n. Lulju
jumble n. taħwida; taħlita // vt. (also ~ **up**) ħawwad; ħallat; ~ **sale** n. bejgħ ta' oġġetti (għall-karità)
jumbo (jet) n. ġambo-ġett
jump vi. qabeż; ta salt // vt. qabeż // n. qabża; salt; **to** ~ **the queue** qabeż il-kju; **to** ~ **for joy** qabeż bil-ferħ
jumper n. flokk tas-suf; ~**cables** n.pl. (US. **jump leads**)
jumpy adj. nervuż/a; aġitat/a
junction n. (of roads) fejn triq tingħaqad ma' oħra; għaqda; (rail.) post fejn jingħaqdu l-binarji tal-ferrovija
juncture n. **at this** ~ f'din il-konġuntura; fil-post fejn żewġ affarijiet jingħaqdu
June n. Ġunju
jungle n. ġungla
junior adj. (younger) iżgħar minn; (after name) iż-żgħir; (sport) il-kategorija taż-żgħażagħ; (lower position) ta' grad aktar baxx // n. ~ **school** n. skola elementari
junk n. (rubbish) skart; imbarazz; (ship) bastiment tal-qlugħ Ċiniż; ~**food** n. ikel li mhux rakkomandabbli; ~**shop** n. regatterija
junket n. ħalib imbaqqat u mħawwar għat-togħma // vi. ixxala; iffesteġġja
Juno n. Ġunone (alla Ruman)
Jupiter n. Ġove (alla Ruman); (planet) Ġove
jurisdiction n. ġurisdizzjoni; (range of authority) amministrazzjoni tal-ħaqq
juror n. ġurat/a; (in competition) ġurat/a
jury n. (court) ġurija; (in competition) ġurija

just adj. sewwa; ġust; xieraq // adv. (recently, now) sewwasew; issa; (barely) bilkemm; (exactly) preċiżament; (only) biss; (a small distance) ftit; biċċa qasira; (absolutely) propju hekk; assolutament; ~ **as I arrived** eżatt kif wasalt; ~ **as nice** daqstant ieħor twajjeb, sabiħ; ~ **now** issa eżatt; ~ **try** ipprova biss!
justice n. (fairness) ġustizzja; ħaqq; ~ **of the peace** n. mħallef konċiljatur, tal-għaqda
justifiable adj. ġustifikabbli; skużabbli
justification n. ġustifikazzjoni
justify vt. iġġustifika; skuża
justly adv. (say) ġustament
jut vi. (also ~ **out**) sponta ruħu; ħareġ 'il barra
juvenile adj. (young) żagħżugħ/a; (for the young) għaż-żgħażagħ; ġovanili // n. żagħżugħ/a

K k

k il-ħdax-il ittra tal-alfabett Ingliż
K abbr. of **one thousand**: elf; abbr. of **Kilobyte**: K
kaleidoscope n. kalejdoskopju
kangaroo n. kangarù
karate n. karat; arti marzjali
kebab n. kebab
keel n. karina; prim ta' dgħajsa; **on an even ~** (fig.) fi stat normali
keen adj. misnun; jaqta'; mislut; (intelligence) moħħu jarfa'; kollu ħeġġa; (sight, hearing) preċiż; **to be ~ to do or on doing sth.** kien appassjonat minn jew li jagħmel xi ħaġa
keep (pt., pp. **kept**) vt. (retain) żamm; (have) ħa; żamm; (animals, one's word) rabba; żamm; (maintain in state) żamm tajjeb; (preserve) ippreserva; żamm; (restrain) irrestrinġa; żamm // vi. (continue in direction) kompla; żamm fid-direzzjoni; (remain: quiet, etc.) baqa'; żamm // n. (tower) torri ċentrali tal-kastell; (col.): **for ~s** għal dejjem; **it ~s happening** tibqa' sseħħ; tkompli tiġri; **~ back** vt. żamm lura; (secret) żamm (sigriet); **~ out** vt. baqa' 'l barra; **~ up** vi. kompla // vt. (continue) kompla; **to ~ up with** żamm il-pass ma'; **~er** n. gwardjan; **~-fit** n. ġinnastika; **~ing** n. (care) kustodja
keg n. barlotta; kastell żgħir
kennel n. post ta' kenn u rqad għall-kelb
Kenya n. il-Kenja; **~n** adj. Kenjan/a // n. Kenjan
kept (pt., pp. of **keep**) miżmum
kerb n. kurduna tal-ġebel li ttarraf il-bankina
kerchief n. maktur
kernel n. il-qalba jew il-biċċa ta' ġewwa ta' ġewża; għadma ta' frotta, eċċ.
kerosene n. kerosin; pitrolju
ketchup n. sugu meħud mit-tadam
kettle n. kitla; **~drum** n. (mus.) timpani
key n. ċavetta; muftieħ; (of piano, typewriter) ċavetta; buttuna; (mus.) kjavi; **~board** n. tastiera; **~ed up** adj. (person) aġitat/a; **~hole** n. toqba tas-serratura; **~ ring** n. għamla ta' ċurkett li miegħu ddendel iċ-ċwievet
khaki n. kaki // adj. kaki
kibbutz n. kibbuzz
kick vt. ta bis-sieq jew biż-żewġ // vi. (baby) ta bis-sieq; (horse) ta biż-żewġ // n. daqqa ta' sieq jew ta' żewġ; **he does it for ~s** għamilha għall-gost, biex jieħu pjaċir; **~off** vi. (sport) il-bidu tal-logħba
kid n. (col. child) tfajjel; (goat) gidi; (leather) ġild tal-gidi // vi. (col.) waqqa' għaż-żuffjett
kidnap vt. issekwestra; seraq bniedem b'saħħa u bil-vjolenza; **~per** n. min jisraq persuni b'saħħa u bi vjolenza; **~ping** n. is-sekwestru, is-serq ta' persuna umana
kidney n. (anat.) kilwa; **~bean** n. fażola kidnija
kill vt. qatel; ikkawża l-mewt ta'; qered // n. qatla; (hunting) priża; **~er** n. assassin; qattiel; **~ing** n. assassinju; delitt; qtil; **~joy** n. min iħassar il-festi
kiln n. forn
kilo n. kilo (elf); **~byte** n. (comput.) unità ta' kejl ta' kapaċità ta' kompjuter; **~gram** n. kilogramma; **~metre** kilometru; **~watt** n. kilowott
kilt n. geżwira; dublett tal-Iskoċċiżi
kin n. qraba; familja; **next of ~** qraba; tal-eqreb demm
kind adj. ħanin; ġentili; twajjeb // n. speċi; xorta; ġens; razza; sura; **a ~ of** tip ta'; xorta ta'; (in goods) xorta; tip
kindergarten n. kindergartin; skola infantili li tinkludi tagħlim divertenti u ħafna logħob
kind-hearted adj. qalbu/qalbha tajba; ta' natural twajjeb
kindle vt. (set on fire) xegħel; kebbes; qabbad; ta n-nar; (rouse) ħeġġeġ; qanqal; qajjem; xegħel
kindly adj. benevolenti // adv. ġentilment; **would you ~** tista' ġentilment... jekk jogħġbok?
kindness n. ġentilezza; qalb tajba
kindred n. qarib // **a ~ spirit** n. spirtu ta' affinità
king n. re; sultan; **~dom** n. saltna; renju; **~fisher** n. għasfur ta' San Martin; **~-size** adj. kbir; ġgantesk

kinky adj. (col.) (person, ideas) eċċentriku/eċċentrika; ta' gosti partikolari; (sexual) sesswali
kiosk n. kjosk; kabina (tat-telefown)
kipper n. gringa mmellħa u mqadda
kirk n. kelma li tfisser "knisja" u li tintuża fl-Iskozja
kismet n. destin
kiss n. bewsa // vt. bies; mess bix-xofftejn // vi. **they ~ed** tbewsu; **~ing** n. bews
kit n. tagħmir; barżakka ta' suldat u l-kontenut tagħha; (tools) l-għodda ta' ħaddiem
kitchen n. kċina; **~ sink** n. sink tal-kċina
kite n. tajra (tal-karti); (zool.) għasfur mill-ġens tas-seqer; astun; astun iswed
kith n. **~ and kin** ħbieb u qraba
kitten n. ferħ ta' qattus; pejxu
kitty n. (money) fond komuni
km abbr. of **kilometre**; kilometru
knack n. ħabta; ħila; sengħa
knapsack n. barżakka tas-suldati jew tal-vjaġġaturi tal-muntanji, eċċ.
knave n. raġel brikkun; viljakk
knead vt. għaġen
knee n. irkoppa; **~cap** n. il-patella jew il-galletta tal-irkoppa; **to go on one's ~s** niżel għarkopptejh
kneel (pt., pp. of **knelt**) vi. qagħad għarkopptejh
knelt pt., pp. of **kneel**
knew pt., of **know**
knickers n.pl. qalziet qasir
knife (pl. **knives**) n. sikkina // vt. qata'; darab; qatel b'sikkina; **table ~** sikkina tal-mejda, tal-ikel; **pocket~** temprin; **clasp-~** mus aktarx tal-molla
knight n. kavallier; (chess) kavall; **~hood** n. (title): **to get a ~hood** ngħata t-titlu ta' kavallier
knit vt., vi. ħadem bil-labra tal-malja; **~ting** n. (occupation) xogħol tal-malja; (work) xogħol tas-suf; **~ting machine** n. magna użata għall-ħdim tas-suf; **~wear** n. maljerija
knob n. pum; ingropp f'għuda
knock vt. ħabbat; ħabat; laqat; ta daqqa; (criticize) waqqa' // n. daqqa; ħabta; (on door) taħbita; **to ~ at or on the door** ħabbat fuq il-bieb; **~ down** vt. waqqa'; (with car) tajjar; laqat; **~ off** vt. (do quickly) spiċċa; lesta minnufih; **~ out** vt. waqqa'; **~ over** vt. (person, object) għaffeġ; **~er** n. (on door) ħabbata
knot n. għoqda; rabta; ingropp // vt. rabat; għaqqad; għamel għoqda
knotty adj. (lit., fig.) kollu għoqod; mħabbel
know (pt. **knew** pp. **known**) vt. kien jaf; għaraf; (to be able to) kien jaf jagħmel; (be acquainted with) jafu/jafha sew; (recognize) għaraf; **to ~ how to do sth.** kien jaf jagħmel xi ħaġa; **~-all** adj. wieħed li jaf kollox; **~-how** n. teknika; esperjenza prattika; **~ing** adj. (look, smile) li jaf; jilħaqlu; **~ingly** adv. konsapevolment; (intentionally) kien jaf; intenzjonalment
knowledge n. għerf; **~able** adj. li jaf; mgħarraf; infurmat tajjeb
known pp. of **know**
knuckle n. għaksa ta' saba'
Koran n. il-Koran; il-Quran
KO n. abbr. of **knockout**
Korea n. il-Korea
kosher adj. koxer
Kremlin n. il-Kremlin
kursaal n. kursal; każinò

L l

l it-tnax-il ittra tal-alfabett Ingliż
l. abbr. of **litre**
lab n. (col.) laboratorju
label n. tikketta; (fame) n. fama
laboratory n. laboratorju
laborious adj. ta' tbatija; (task) xogħol iebes
labour n. xogħol; ħidma; (workmen) ħaddiema // **to ~** (**at**) ħadem fuq xi ħaġa // **the ~ Party** il-Partit tal-Ħaddiema; **hard ~** xogħol iebes
labyrinth n. labirint; (fig.) taħwid
lace n. (fabric) bizzilla; lazz // v. rabat; għaqqad
lacerate vt. ċarrat; qatta'; fera; (fig.) waġġa' l-qalb
laceration n. tiċrit; tqattigħ; feriment
lachrymal adj. tad-dmugħ; li jġib id-dmugħ
lachrymose adj. bid-dmugħ; tal-biki
lack n. bżonn; nuqqas // vt. nieqes; fil-bżonn; **to be ~ing** ħtieġ; kellu bżonn
lackadaisical adj. għażżien; negliġenti; diżinteressat
lackey n. seftur; qaddej; wieħed li jsefter u jagħmel kulma jgħidulu
laconic adj. konċiż; ċar f'diskorsu
lacquer n. laker; verniċ iebes u jleqq
lad n. ġuvnott; żagħżugħ
ladder n. sellum; (of sewing) pont imwaqqa' f'kalzetta; **the ~ of fame** (fig.) mezzi għall-kisba tas-suċċess; **step-~** skalapiża
laden adj. mgħobbi
lading n. tagħbija
ladle n. kuċċarun
lady n. sinjura; mara; **~ship** n. sinjurija; **~bird** n. nannakola; **~like** adj. femminili
lag vi. (also **~ behind**) ittardja; tnikker; tlajja // n. intervall; pawsa
lager n. birra
lagging n. tnikkir
laid (pt., pp. of **lay**) **~ back** adj. (col.) kalm; bla sforz ta' xejn
lain pp. of **lie**
lair n. bejta; moħba
laity n. sekulari; devoti; lajċi
lake n. għadira; laguna
lama n. lama; (of religion) **the Dalai L~** n. il-Lama ewlieni tat-Tibet
lamb n. ħaruf; **the L~ of God** n. il-Ħaruf t'Alla
lame adj. zopp; mifluġ; difettuż
lament n. karba; kant funebri; għajta ta' dulur // vt. beka; newwaħ
laminated adj. mgħotti; miksi
lamp n. lampa; fanal; bozza; **~post** n. fanal tat-triq
lampoon vt. satira; karikatura; parodija
lance n. lanza; **~ corporal** n. kapural
land n. art; pajjiż // vi. (from ship) żbarka // (obtain) akkwista; rebaħ; (passengers) niżżel; **~ing** n. moll; żbark; nżul l-art; **~lady** proprjetarja; sidt l-art, **~lord** propjetarju/propjetarja; sid; **~owner** propjetarju; sid
landscape n. pajsaġġ; veduta; xenarju
landslide n. (geog.) bċejjeċ kbar ta' art u blat li jiżżerżqu mal-ġenb tal-muntanja
lane n. (in town) trejqa; sqaq; (in country) mogħdija; (of motorway) faxxa tat-triq
language n. lingwa; lsien
languid adj. mgħaxxex; midbiel; merħi
languish vi. tgħaxxex; ntelaq; tmewwet
lank adj. dejjaq; rqajjaq; magħlub
lanky adj. magħlub; twil u niexef
lanter n. lanterna; fanal; **~-jawed** li għandu wiċċu magħlub u geddumu twil u rqiq
lap n. ħoġor; dejl; (sport) dawra // vt. (also **~ up**) lagħaq
lapel n. pavru tal-ġlekk
lapse n. (moral) waqgħa (fi dnub, eċċ.) // vi. (expire) skada; għadda; **to ~ into bad habits** waqa' fi drawwiet ħżiena
larceny n. serq
lard n. lardu; xaħam
larder n. dispensa; post fejn jinħażen il-laħam, eċċ.
large adj. kbir (fid-daqs); **at ~** liberu; ħieles; **~-scale** estensiv
largesse n. ġenerożità
lark n. (bird) alwetta; (joke) ċajta; logħba; **~ about** vi. (col.) tlajja

laryngitis n. larinġite; infjammazzjoni tal-larinġi
larynx n. larinġi; il-kordi vokali
lascivious adj. erotiku; provokattiv; jaħraq; oxxen
laser n. lejżer
lash n. daqqa ta' frosta; sawt ; (**eye~**) suf tal-għajn // vt. (whip) iffrosta; sawwat; flaġella; (bind) rabat; ~ **out** vi. (with fists) sawwat; (spend money) berbaq bl-addoċċ
lass n. xbejba; tfajla
lasso ħabel b'ingassa (għall-qbid tal-bhejjem)
last adj. tal-aħħar; l-aħħar // adv. (last time) l-aħħar darba // vi. (continue) ippersevera; żamm sal-aħħar; **at** ~ fl-aħħar; ~ **night** il-lejl li għadda; ~**-minute** adj. tal-aħħar minuta
latch n. marbat; bokkla // vt. għalaq; rabat; sakkar
late adj. tard; wara l-ħin; (dead) ir-riċenti; li miet dan l-aħħar; (agr.) mwaħħar // adv. (after proper time) wara l-ħin; **to be** ~ wasal tard; **in** ~ **June** għall-aħħar ta' Ġunju; ~**comer** n. wieħed li ġie tard // n. ir-riċenti; ~**ly** adv. riċentement; dan l-aħħar
lateness n. (of person) dewmien
later adj. (date, etc.) aktar tard; (version, etc.) aktar riċenti // adv. aktar riċenti
lateral adj. laterali; tal-ġenb
latest adj. (fashion) l-aħħar // n. (news) tal-aħħar; l-aktar riċenti; **at the** ~ l-aktar tard
lathe n. torn
lather n. ragħwa tas-sapun; vt. issawwat // vi. ifflaġella
Latin n. Latin // adj. Latin; ~ **America** n. l-Amerka Latina; ~**-American** adj. Latin-Amerikan
latitude n. (geog.) latitudni; wisa'; medda
latter adj. (second of two) it-tieni; tal-aħħar; (coming at end) tal-aħħar // n. **the** ~ tal-aħħar
lattice n. grada; kannizzata; strixxi msallbin
laudable adj. jimmerita l-foħrija; jisthoqqlu l-ġieħ
laugh n. daħka // vi. daħak; ~ **at** vt. daħak b'xi ħadd/b'xi ħaġa; ~**able** adj. komiku; tad-daħk; ~**ter** n. daħk
launch n. (of ship) varar; (of rocket) varar; (boat) varar; (of product) introduzzjoni // vt. (set afloat) vara; ~**ing** n. varar
launder vt. naddaf; ħasel
launderette n. magna (awtomatika) tal-ħasil
laundry n. (place) lok; kamra fejn jinħaslu l-ħwejjeġ; (clothes) ħwejjeġ għall-ħasil; **to do the** ~ ħasel il-ħwejjeġ
laureate adj. lawrjat
laurel n. rand
lavatory n. lavatorju; latrina; fejn taħsel idejk
lavender n. spika; pjanta tal-fwieħa
lavish n. (extravagant) berbieqi; ħali; (generous) idu miftuħa; galantom // v. (money) qassam ta; (attentions, gifts) ta; qassam
law n. liġi; (system) statut; ordni; (as studies) liġi; ~**-abiding** adj. skont il-liġi; ~**court** n qorti; ~**ful** adj. leġittimu; ~**less** adj. illegali; ipprojbit; kriminali
lawn n. ħaxix (baxx); ~**mower** n. magna li taqta' l-ħaxix u żżommu baxx u livell; ~ **tennis** n. tenis
law school n. fakultà tal-liġi; fejn tiġi studjata l-liġi
lawsuit n. kawża; prosekuzzjoni
lawyer n. avukat
laxative n. mediċina sabiex wieħed jipporga; porga
laxity n. negliġenza
lay (pt. of **lie**) adj. mhux professjonali; dilettant // vt. (pt., pp. **laid**) (table) ħejja; firex; (trap) firex; nasab; ħejja; (bed) firex; ~ **aside** vt. poġġa fil-ġenb; ~ **by** vt. (set aside) warrab fil-ġenb; ~ **down** vt. (rules) iddetta l-ordni, il-liġi; (arms) ceda (l-armi); **to** ~ **down the law** iddetta l-liġi; ~ **off** vt. (workers) tkeċċa mix-xogħol; ~ **on** vt. (water, gas) poġġa; ~ **out** vt. (design) ippjana; (display) ippreżenta; ~ **up** vt. (subj. illness) intasab fis-sodda; (supplies) akkumula; ~ **about** n. tlajja
layer n. saff; strat
layman n. lajk; sekular; li mhux fil-kleru
layout n. impaġinazzjoni; tqassim
laze vi. tgħażżen; ħela ż-żmien fl-għażż
laziness n. għażż
lazy adj. għażżien
lead adv. (front position) fuq quddiem; (distance, time ahead) vantaġġ; (example) eżempju; (clue) ħjiel; (dog's) ċinga; (chemical) ċomb; (of pencil) ponta // v. (pt., pp. **led**) (guide) idderieġa; iggwida; mexxa (group, etc.) // vi. **in the** ~ (sport, etc.) fuq quddiem; fl-ewwel pożizzjoni; ~ **astray** vt. iddevja; ~ **away** (prisoner) vt. ħa 'l hemm; ~ **back** vi. reġġa' lura; ~ **on** wassal għal; ~ **to** vt. (street) tagħti għal; (result in) twassal għal; tirriżulta fi; ~ **up to** vt. (drive) wassal għal, għal quddiem...
leaden adj. (sky, sea) minn lewn iċ-ċomb; (heavy footstep) tqil
leader n. mexxej; rajjes; (of party) kap (tal-partit); ~**ship** n. (office) il-post tal-kap, ta' min imexxi
leading adj. tmexxija; kmand; direzzjoni; ~ **lady** n. (theat.) l-attriċi prinċipali
leaf (pl. **leaves**) n. werqa; folja ta' ktieb; **to turn over a new** ~ beda ħajja ġdida; biddel ħajtu

leaflet n. (advertisement) fuljett tar-reklami; (pamphlet) fuljett; folju
league n. (union) għaqda; xirka; lega; (sport) kampjonat; **to be in ~ with** kien imxierek ma' xi ħadd/xi ħaġa
leak n. xaqq (li jnixxi) // vt. (liquid, etc.) nexxa; qattar // vi. (pipe, etc.) għamel l-ilma; **the information was ~ed to the enemy** l-informazzjoni ġiet mgħoddija lill-għadu; **~ed out** qattar; ħareġ
leaky adj. li jnixxi
lean adj. mixrub; rqiq; xipli; xott; batut // v. (pt., pp. **leaned**) vt. miel; straħ ma'; **to ~ against the wall** straħ mal-ħajt; **~ back** vi. miel lura; **~ forward** vi. miel 'il quddiem; **~ on** vi. straħ fuq; **~ out** vi. miel 'il barra; **~ over** vi. inklina ruħu; **~ing** n. immejjel; inklinat
leap n. qabża // vi. (pt., pp. **leaped** or **leapt**) qabeż; ta salt; **~frog** n. logħob tat-tfal meta wieħed jaqbeż minn fuq dahar l-ieħor; **~year** n. sena biżestili
learn (pt., pp. **learned** or **learnt**) vt., vi. tgħallem; għaraf; (find out) sama'; skopra; **to ~ how to** tgħallem kif; **to ~ by heart** tgħallem bl-amment
lease n. (of property) kera; ċens; kuntratt tal-kera // vt. kera
leash n. qafla; ċinga tal-kelb
least adj. l-iżgħar; l-iċken; l-inqas importanti // adv. l-inqas; **the ~ possible effort** l-inqas sforz possibbli
leather n. ġild
leave (pt., pp, **left**) vt. ħalla; reħa; warrab; **~ behind** ħalla warajh; (forget) nesa (allow to remain) ħalla; (after death) ħalla; (entrust) fada; (for journey) telaq; (bus, train) niżel minn; ħalla; **on ~** bil-frank
Lebanon n. il-Libanu
lecherous adj. immorali; sesswali; indiskriminatorju
lecture n. konferenza; lezzjoni // vi. ta lezzjoni; għamel konferenza; **~r** l-għalliem; il-professur
led pt., pp. of **lead**
ledge n. xifer; xkaffa; (**window ~**) il-ħoġor tat-tieqa
ledger n. reġistru prinċipali tan-negozju
lee n. kenn; rdoss; (naut.) protezzjoni mir-riħ
leech n. sangisug
leek n. kurrata
leer vi. ħares minn taħt biċ-ċiera
leeway n. (fig.): **to have some ~** kellu ċerta libertà f'għemilu
left (pt., pp. of **leave**) adj. tax-xellug // n. ix-xellug // adv. tan-naħa tax-xellug; **on the ~** fuq ix-xellug; **~-handed** adj. xellugi/ja; **~-overs** il-fdal; **~-wing** adj. (pol.) tax-xellug
leg n. riġel; sieq; qalza; (furniture) sieq; **to pull one's ~** nibex jew iddieħek b'xi ħadd
legacy n. legat; oġġetti, flus, eċċ., mħollija b'testment
legal adj. legali; skont il-liġi; **~ holiday** n. festa nazzjonali; **~ize** vt. (i)llegalizza; **~ly** adv. legalment
legend n. leġġenda; rakkont popolari; **~ary** adj. leġġendarju/leġġendarja
legible adj. leġibbli; li jista' jinqara mingħajr diffikultà
legislation n. leġiżlazzjoni
legislative adj. leġiżlattiv
legislature n. leġiżlatura; il-korp leġiżlattiv
legitimate adj. leġittimu; (child) leġittimu; mwieled minn żwieġ regolari
legroom n. spazju fejn joqogħdu r-riġlejn
leisure n. kumdità; ħin ħieles; **to be at ~** kellu l-ħin liberu; **~ly** trankwill
lemon n. lumija; (colour) minn lewn il-lumija; **~ade** n. luminata
lend (pt., pp. **lent**) vt. silef; **to ~ something** silef xi ħaġa; **~ing library** n. librerija mnejn wieħed jissellef il-kotba
length n. tul; medda; **at ~** finalment; fl-aħħar; **~en** vt. tawwal; estenda // vi. ittawwal; estenda ruħu; **~y** adj. twil ħafna
lenient adj. ħanin; indulġenti
lens n. lenti; (phot.) lenti
lent (pt., pp. of **lend**) misluf
Lent n. ir-Randan; **~en** tar-Randan
lentil n. għads; siġra tal-għads
Leo n. Leo, Dorbies
leotard n. xorta ta' libsa (ġeneralment għall-ġinnastika, eċċ.)
leper n. lebbruż; mġiddem
leprosy n. ġdiem
lesbian adj. lesbjana/liżbjana
less adv., pron. anqas; iżgħar; iċken; **~ than half** inqas min-nofs; **the ~ he works** inqas ma jaħdem; **home~** bla dar
lessen vt. naqqas; ċekken; għamel iżgħar // vi. tnaqqas; iċċekken
lesser adj. iżgħar (minn); **to a ~ extent** fuq skala iżgħar
lesson n. (sch.) lezzjoni; (unit of study) topik; lezzjoni; **a maths ~** lezzjoni tal-matematika
lest conj. **~ it happen** li ma; li qatt ma; għall-biża' li
let vt. (pt. pp. **let**) ħalla; ippermetta; **to ~...** għall-kiri; **~'s go!** ejja mmorru!; **~ down** vt. naqas lil xi ħadd; **~ in** vt. ħalla jidħol; **~ off** vt. (gun) spara; (forgive) ħafer; ħalla jmur; **~ out** vt. ħalla joħroġ; (scream) werżaq

lethal adj. letali; fatali
letter n. (of alphabet) ittra; (message) messaġġ; ittra; ~ **bomb** n. ittra bomba; ~**box** n. kaxxa tal-ittri; ~ **of credit** n. ittra ta' kreditu
lettuce n. ħassa
leukaemia n. lewkemija
level adj. (ground) wita; ċatt; pjan; (equal) ugwali; ndaqs; n. (instrument) invell; (amount, degree) grad; //vt (ground) invella; witta; **'A' ~s** n.pl. (eżamijiet) fil-livell avvanzat; **'O' ~s** n.pl. (eżamijiet) fil-livell ordinarju; ~**-headed** adj. ekwilibrat
lever n. lieva; qalliegħa // vt. illieva; qala'; ~**age** n. il-qawwa u l-vantaġġ tal-lieva
levity n. ferħ; hena; allegrija
levy n. (tax) ħruġ u ġbir ta' sisa, taxxi, eċċ.; (mil.) lieva
lewd adj. ħorman; żieni; bla ebda mistħija
liability n. (burden) responsabbiltà; (duty) dmir; (debt) dejn; (proneness) vulnerabbiltà; (responsibility) responsabbiltà
liable adj. (responsible) responsabbli; **to be ~ for** kien vulnerabbli għal; **it's ~ to happen** hemm probabbiltà li sseħħ
liaison n. relazzjoni
liar n. giddieb
libel n. libell // vt. illibella
liberal adj. (generous) idu miftuħa; qalbu tajba; (open-minded) liberali; moħħu miftuħ; (pol.) liberali
liberate vt. ħeles
liberation n. liberazzjoni; ħelsien
liberty n. libertà; ħelsien; **to be at ~ to do sth.** kien fil-libertà li jagħmel xi ħaġa; **to take the ~ of doing sth.** ħa l-libertà li jagħmel xi ħaġa
Libra n. Libra, il-Miżien
librarian n. librar; bibljotekarju
library n. librerija; bibljoteka
Libya n. il-Libja; ~**n** adj. Libjan
licence n. (permit) liċenzja; permess; **driving ~** liċenzja tas-sewqan; ~ **number** n. numru tal-liċenzja; ~ **plate** pjanċa, targa (tal-liċenzja)
licentious adj. libertin; bla rażna; żieni
lichen n. likena
lick vt. lagħaq // n. lagħqa; adj. ~ **of paint** lagħqa żebgħa
licorice n. = **liquorice**
lid n. għata; **(eye~)** kappell tal-għajn
lido n. lido
lie n. gidba; qlajja // vi. (pt. **lay**, pp. **lain**) (rest, be situated) mtedd; qagħad; poġġa; ~ **about** vi. (things) mitluq 'l hawn u 'l hinn; ~**-down** n. **to have a ~-down** straħ; ħa nagħsa; ~ **in** n. **to have a ~-in** baqa' fis-sodda
lieutenant n. tenent; logutenent
life (pl. **lives**) n. ħajja; għomor; ħeġġa ~ **assurance** assigurazzjoni tal-ħajja; ~ **like** adj. joqrob lejn ir-realtà; ~**long** adj. għall-ħajja kollha; ~ **sentence** n. sentenza għal għomor ~**style** n. stil ta' ħajja; ~**time** n. **in his ~** matul ħajtu
lift vt. rafa'; qajjem; tella' // n. lift; axxensur
ligament n. ligament
light n. dawl; dija; **have you got a ~?** għandek dawl? // vt. (pt., pp. **lighted/lit**) (lamp) lampa; ~ **bulb** n. bozza; ~**er** n. lajter; ~**-hearted** adj hieni; ferrieħ; ~**ly** adv. leġġerment; **to get off ~ly** ħelisha ħafif; għaddieha lixxa; ~**ness** n. (of weight) ħeffa; ~**pen** n. pinna elettronika; ~**weight** adj. ħafif; ~ **year** n. sena tad-dawl
lightning n. berqa; sajjetta; **like a ~** bħal leħħa ta' berqa
like vt. ħa pjaċir bi; iggosta; ħabb; [illegible] // prep. bħal; kif, xbiha ta'; xorta; b'liema mod // adv. (similar) bħalu/bħalha // n. **the ~** wieħed bħalu/bħalha; **I would ~, I'd ~** nieħu pjaċir; **do it ~ this** agħmilha hekk; ~**able** adj. simpatiku/simpatika
likelihood n. probabbiltà
likely adj. probabbli; plawsibbli; aktarx li; għandu mnejn; **he's ~ to leave** aktarx li jitlaq; **not ~!** mhux probabbli!
likeness n. xebħ; xbieha; lemħa
likewise adv. bħal; xorta waħda; bħalma; bl-istess mod; ukoll
liking n. mħabba; namra għal; gost għal; (taste for) gost
lilac n. lelà // adj. (colour) lelà
lily n. ġilju
limb n. biċċa tal-ġisem (riġel; driegħ, eċċ.)
limber: ~ up vi. tħarreġ; ħejja l-muskoli
limbo n. limbu; **to be in ~** ġie minsi jew imħolli f'negliġenza
lime n. (tree) siġra tal-lumiċell; (fruit) lumiċell
limelight n. **to be in the ~** kien fid-dieher
limestone n. ħaġra; ġebla tal-ġir; żonqor
limit n. limitu; tarf; xifer // vt. illimita; irristrinġa; ~**ation** n. limitazzjoni; restrizzjoni; ~**ed** adj. limitat; ristrett
limp n. mixja difettuża // vi. zappap; mexa zopp // adj. mhux sod; artab
limpet n. mħara
limpid adj. ċar; safi
line n. sing; linja; vers; (rope) ħabel; korda; (row) ringiela; serbut; filliera; (company) linja // vt. (coat) kesa; inforra; (border) dawwar; **in ~ with** f'konformità ma'; ~ **up**

vi. nġama' f'ringiela; **draw a ~** ħażż sing jew linja
linear adj. lineari
lined adj. (paper) irrigata
linen n. bjankerija; xoqqa tal-għażel; **~-draper** n. bejjiegħ ix-xoqoq, l-għażel, eċċ.
liner n. bastiment tal-passiġġieri
linesman n. (sport) linesman; wieħed li josserva l-ġnub tal-grawnd waqt logħba
line-up n. formazzjoni; allineament
linger vi. (remain long) tnikker; tlajja; dam
lingerie n. lbies ta' taħt tal-mara (ġeneralment tal-ħarir)
lingering adj. (doubt) dam; xtarr
lingo pl. **~es** n. (col.) lingwa mitkellma (tapplika speċjalment għad-djaletti)
linguist n. lingwista
linguistic adj. lingwistiku; tal-lingwa; **~s** n. lingwistika
lining n. (of clothes) inforra; kisi; tberfila
link n. rabta; ħolqa (ta' katina); (connection) rabta; konnessjoni; **~ up** vt. għaqqad; rabat
lino n. linoleum n. inċirata tal-art
linseed oil n. żejt tal-kittien
lion n. iljun; **~ess** n. iljunessa
lip n. xoffa; **to pay ~ service** ta ġieħ, qima bil-fomm, mhux bil-qalb; **~stick** n. lipstikk; **the lower ~** ix-xoffa ta' taħt; **the upper ~** ix-xoffa ta' fuq
liquify vt. dewwed; ħall
liqueur n. likuri
liquid n. likwidu // adj. likwidu; maħlul bħall-ilma
liquidate vt. illikwida
liquidation n. likwidazzjoni
liquidize vt. (culin.) għadda mil-likwidatur
liquidizer n. likwidatur
liquor n. liker/likur; alkoħol
liquorice n. likworizja
liquor store n. ħanut li jinnegozja l-likuri
Lisbon n. Liżbona
lisp n. tlissin ta' kliem mhux ċar; difett fil-pronunzja
list n. lista; nota // vt. (write down) għamel lista ta'; elenka // vi. (ship) tmejjil ta' bastiment fuq ġenb
listen vi. issamma'; sema'; **~ to** vt. ta widen lil; **~er** n. semmiegħ
listless adj. apatiku, indifferenti
lit (pt., pp. of **light**) mixgħul
literacy n. il-ħila, il-kwalità ta' min jaf jaqra u jikteb
literal adj. letterali; **~ly** adv. letteralment
literary adj. letterarju/letterarja
literate adj. li jaf jaqra u jikteb
literature n. letteratura
lithe adj. aġli; ħafif
litigation n. kawża fil-qorti
litre n. litru
litter n. (rubbish) katalett; ħmieġ; żibel; rifjut; (of animals) mifrex ta' tiben // vt. ħammeġ; **to be ~ed with** ġie mħammeġ; **~bin** n. tank taż-żibel; adj. **~ of puppies** boton ġriewi
little adj. żgħir; ċkejken // adv. ftit; daqsxejn; **a ~** naqra; nitfa
liturgy n. liturġija
live vi. għex; kien fid-dinja; (dwell) qagħad; għammar // adj. (elec.) lajf (wajer fi plakka); (broadcast) lajf; dirett; **~ down** vt. **I'll never ~ it down** qatt ma jien sa ninsieha; **~ on** vi. għex fuq...; **~ up to** vt. (standards) għex skont il-... (eż. fidi, eċċ.)
livelihood n. ħajja; mezzi ta' għajxien; **to earn one's ~** qala' x'jiekol
lively adj. vivaċi; ħaj; fuq ruħu; lvent
liven up vt. anima; ta l-ħajja
liver n. (anat.) fwied
livery n. livrija; uniformi, eċċ.
livestock n. bhejjem miżmuma għal xi użu jew qligħ
livid adj. (lit.) kulur iċ-ċomb jew it-tbenġil; (furious) irrabjat; infurjat
living n. għajxien // adj. ħaj; jgħix; **to earn or make a ~** għamel għajxien; **~ conditions** n.pl. kundizzjonijiet tal-għajxien; **~ room** n. soġġorn; salott
lizard n. gremxula
load n. (burden) tagħbija; refgħa; karga; **a ~ of, ~s of** (fig.) ħafna; ammont kbir ta'; **~ed** adj. mgħobbi/ja; **~ing bay** n. post tat-tagħbija; **to ~ a gun** ikkarga xkubetta
loaf n. ħobża // vi. (also **~ about**, **~ around**) tgħażżen; tlajja
loan n. self // vt. silef; **to give a ~** ta b'self
loath adj. **to be ~ to do sth.** għamel xi ħaġa kontra qalbu
loathe vt. bagħad; stkerrah
loathing n. mibegħda; stmerrija
lobby n. atriju; intrata wiesgħa; (pol.) grupp li jagħmel pressjoni (fuq l-awtoritajiet)
lobe n. lobu
lobster n. awwista; għaġuża
local adj. lokali; tal-post // n. (pub) bar; **the ~s** pl. in-nies tal-lokal; **~ authority** n. l-awtorità tal-post, lokali; **~ call** n. (tel.) telefonata lokali, urbana; **~ government** n. il-gvern, l-amministrazzjoni lokali; **~ity** n. lokalità; post; **~ly** adv. lokalment

locate vt. (find) sab; (situate) qiegħed; stabbilixxa f'post
location n. pożizzjoni
lock n. qofol; sokra; serratura; (of hair) troffa xagħar // vt. (fasten) għalaq; qafel; sakkar // vi. nqafel
locker n. loker
locket n. lokit; xorta ta' medaljun
lockout n. għeluq ta' ħaddiema barra mill-fabbrika mis-sid stess fuq xi kwistjoni tax-xogħol
locksmith n. ħaddied li jsewwi serraturi, lukketti, eċċ.
locum n. (med.) tabib (jew qassis) sostitut
locust n. ġrad
lodge n. alloġġ; dar; kerrejja // vi. alloġġja; raqqad f'daru; (get stuck) weħel; **~r** n. affitwarju
lodgings n. kerrejja; alloġġ
loft n. [illegible]
lofty adj. għoli; magħruf; distint; (haughty) kburi
log n. ħatba; zokk ta' siġra
logbook n. djarju; reġistru
loggerheads n.pl. **to be at ~** ma qabilx; ma ftehimx; kellu xi jgħid ma'
logic n. loġika; ix-xjenza tar-raġuni; **~al** loġiku; tal-loġika
logistics n.pl. loġistika
logo n. emblema
loiter vi. tnikker; tlajja
loll vi. ntelaq f'burdata ta' għażż; (tongue) iddendel 'il barra
lollipop n. lolipopp
London n. Londra; **~er** n. wieħed li jgħix f'Londra, Londiniż
lone adj. waħdu; solitarju
loneliness n. solitudni; iżolament
lonely adj. waħdu; solitarju; iżolat
loner n. ta' waħdu
long adj. twil // adv. li jdum // vi. xtaq ferm; ixxennaq għal; **before ~** malajr; fi ftit ħin; **as ~ as** sakemm; **how ~ is the lesson?** kemm hi twila l-lezzjoni?; **~ before** ħafna qabel; **~-haired** adj. xagħru twil; **~hand** n. kitba; kalligrafija normali; **~ing** xewqa; lublieba; **~jump** n. qabża għat-tul; **~-lost** adj. nieqes għal żmien twil; **~-term** adj. fuq perjodu twil ta' żmien; **~ wave** n. mewġa twila
longevity n. eżistenza jew ħajja twila
longitude adj. lonġitudni
loo n. tojlit
look vi. ħares; ra; deher; ta daqqa t'għajn // n. ħarsa; dehra; bixra; **~s** dehriet; sbuħija; **~ after** vt. (care for) ħa ħsieb; indokra; **~ back** vi. ħares lura **~ forward to** vt. kien fuq ix-xwiek għal (in letters) **we ~ forward to hearing from you** nistennew li nisimgħu mingħandek; **~ into** vt. eżamina; osserva; **~ on** vi. ħares; osserva **~ out** vi. għasses; **~ round** vi. dar iħares lura **~ to** vt. (take care of) qagħad attent għal; **~ up to** vt. kellu rispett għal; **~-out** n. (watch) post tal-għassa; (person) għassies
looking-glass n. mera
loom n. newl // vi. deher ftit ftit
loony n. (col.) iblah; miġnun/a
loop n. ingassa; ħolqa; aċċetta; **~hole** n. mezz ta' ħarbien
loose adj. maħlul; merħi; laxk; mdendel; (free ħieles; **~ change** n. fidda; **~ end** n. **to be at a ~ end** ma kienx jaf x'sa jagħmel; **~n** vt. reħa; ħalla
loot n. sakkeġġ // vt. ħataf; seraq
lop: ~ off vt. żabbar; qaċċat
lop-sided adj. [illegible]; mhux ekwilibrat
lord n. (ruler) lord; milord; sid; **the L~** il-Mulej is-Sinjur; **~ship** n. **your L~ship** l-Eċċellenza Tiegħu; is-Sinjorija Tiegħu
lore n. tradizzjonijiet
lorry n. trakk tal-ġarr; **~ driver** n. sewwieq, xufier ta' trakk
lose (pt., pp. **lost**) vt. tilef // vi. ntilef; **to ~ time** tilef il-ħin; **~r** n. tellief; **to ~ one's head** tilef rasu
loss n. telfa; telf; adj. ikkonfonda; ma kienx jaf x'sa jaqbad jagħmel
lost (pt., pp. of **lose**) adj. mitluf; **~ property** propjetà mitlufa
lot n. (quantity) lott; sehem; qabda sewwa; **the ~** il-qabda; (people) ħafna nies; adj. **~ of** sg. ħafna // pl. ħafna; **~s of** għadd kbir; **I read a ~** jien naqra ħafna
lotion n. likwidu għall-ħasil tal-ġisem, biex jinżamm nadif; fwieħa
lottery n. lotterija
loud adj. għoli; **~ly** adv. b'leħen għoli; b'vuċi għolja; **~speaker** n. amplifikatur tal-leħen
lounge n. (in hotel) salott; soġġorn; (in house) salott // vi. tlajja; tnikker
louse (pl. **lice**) n. qamla; duda tar-ras; (fig.) bniedem bla ġieħ
lousy adj. (fig.) mimli bid-dud, ħmieġ, eċċ.
lout n. wieħed goff u oħxon; ċakkar
louvre adj. (door, window) tieqa b'xorta ta' apertura partikulari
lovable adj. simpatiku
love n. mħabba; ġibda lejn; (person) il-maħbub/a // vt. (person) ħabb/et; **to ~ to do sth.** ħa pjaċir jagħmel xi ħaġa; **to be in ~ with sb.** kien iħobb

lil xi ħadd; ~ **affair** n. relazzjoni ta' mħabba; ~ **letter** n. ittra ta' mħabba; ~ **life** il-ħajja sentimentali

ɔvely adj. sabiħ/a; li jiġbdek

ɔver n. min iħobb; namrat/a; maħbub

ɔving adj. iħobb

ɔw adj. baxx; mhux għoli; (rank) umli; vulgari; (intelligence, density) umli; ordinarju; (vulgar) vulgari; vili; (not loud) baxx (leħen) // adv. (not high) fil-baxx; (not loudly) b'leħen baxx // n. (low point) ~**lands** (geog.) pjanura; **to feel** ~ ħassu mdejjaq; negattiv; **turn** (**down**) ~ vt. baxxa; ~**-cut** adj. (dress) skullata

ɔwer vt. baxxa; niżżel; (eyes, gun) baxxa; (reduce) naqqas // adj. aktar baxx

ɔw: ~**-fat** adj. mingħajr jew bi ftit xaħmijiet; ~**lands** n.pl. (geog.) pjanura; ~**ly** adj. umli; modest; ~**-lying** adj. f'livell baxx

ɔyal adj. fidil; leali; ~**ty** n. fedeltà; lealtà

ɔzenge n. mustardina

LP n. abbr. of **long-playing record**

L-plates n.pl. tabelli fuq il-vetturi ta' sewwieqa prinċipjanti

Ltd abbr. of **limited company**

lubricant n. lubrikant

lubricate vt. żellaq; ta ż-żejt; illubrika

lucid adj. luċidu; ċar; ileqq; (sane) moħħu f'postu, ċar

luck n. xorti; fortuna; risq; **bad** ~ n. xorti ħażina; sfortuna; **good** ~! ir-risq!; ~**ily** adv. fortunatament

lucrative adj. li jrodd ħafna; li jħalli l-profitt

ludicrous adj. ridikolu; stramb; assurd; tad-daħk

lug vt. kaxkar bi sforz kbir

luggage n. bagalji; valiġġa; kaxex; ~ **rack** n. portabagalji

lugabrious adj. kiebi; mnikket; addolorat

lukewarm adj. fietel; biered; ftit sħun

lull n. skiet; ħemda // vt. sikket; ħannen; raqqad;

lullaby n. taħnina; għanja għall-irqad tat-trabi

lumber n. injam isserrat; (wood) twavel; imbarazz; oġġetti skartati ~**jack** n. wieħed li jisserra l-injam

luminous adj. dawwali; mdawwal; li jiddi

lump n. għoqda; ċappa; (med.) nefħa; gundalla; (in breast) balla; boċċa; (of sugar) zokkra // vt. (also ~ **together**) għaqqad; poġġa flimkien; ~**y** adj. mimli għoqiedi; mqabbeż

lunacy n. ġenn

lunar adj. tal-qamar, lunari

lunatic n. miġnun; ~ **asylum** n. dar, kenn għall-imġienen

lunch n. (also ~**eon**) pranzu; kolazzjon; l-ikla ta' nofsinhar; ~**time** n. ħin l-ikel; ħin il-pranzu; ~**eon meat** n. tip ta' laħam li ġen. jittiekel kiesaħ

lung n. pulmun

lunge vi. (also ~ **forward**) għamel qabża 'l quddiem; **to** ~ **at** qabeż fuq

lurch vi. ixxengel; (naut.) miel // n. xengila; (naut.) roljar ta' bastiment; **to leave sb. in the** ~ ħalla jew telaq lil xi ħabib fil-għawġ

lure n. ħajra; ġibda // vt. ħajjar; attira; ġibed

lurid adj. mċajpar; mudlam; li jnikket il-qalb; (colour) ta' lewn ikrah

lurk vi. staħba; nħeba; nsatar // n. moħba; mistoħbija

luscious adj. delizzjuż; ħelu u jpaxxi

lush adj. (vegetation) umdu u ħadrani

lust n. (sensation) xewqa żienja; (greed) tleblib għall-pjaċiri materjali // vi. xtaq; tlebleb għal

lustre n. leqqa; dija; dawl ċar; lustru

lusty adj. robust

Luxembourg n. il-Lussemburgu

luxuriant adj. prolifiku; abbundanti, lussuż

luxurious adj. lussuż; iħobb il-lussu

luxury n. lussu; tpaxxija; ħajja tajba

lyceum n. liċeo

lying n. gideb // adj. giddieb; tal-gideb // adj. mimdud u mistrieħ

lynch v. illinċja

lyre n. (mus.) lira; strument jixbah lill-arpa

lynx n. annimal mir-razza tal-qtates

lyric n. lirika; (pl. words for song) kliem għall-melodija; ~**al** adj. liriku/lirika

M m

m it-tlettax-il ittra tal-alfabett Ingliż
m. abbr. of **metre**; **mile**; **million**
MA abbr. of **Master of Arts**
mac (brit.) n. inċirata
macaroni n. mqarrun
macaroon n. kejk tal-passolina
mace n. mazza; (spice) tip ta' ħwawar
machine n. magna // vt. (dress, etc.) ħiet; (tech.) ħadem; ~ **gun** n. mitraljatriċi; ~ **language** n. (comput.) lingwa tal-kompjuter; ~**ry** n. makkinarju, magni; (fig.) apparat
macho adj. buli
mackerel n. inv. kavalli
mackintosh (brit.) n. inċirata
mad adj. miġnun/a; (idea) tal-ġenn; (angry) irrabjat/a; (keen): **to be ~ about sth.** kien miġnun fuq xi ħaġa
madam n. madama, sinjura
madden vt. ġennen; għamel miġnun lil, tilef ras
made pt., pp. of **make**
Madeira n. (geog.) Madejra; (wine) nbid ta' Madejra
made-to-measure (brit.) adj. magħmul għall-qies
madly adv. b'mod miġnun
madman (irreg.) n. miġnun
madness n. ġenn
Madrid n. Madrid
magazine n. perjodiku, magazzin; (appliance for gun) skartoċċ; (storehouse) maħżen
maggot n. dudu ċkejken
magic n. maġija // adj. maġiku/maġika; ~**ian** n. saħħar; (conjurer) illużjonista
magistrate n. maġistrat
magnanimous adj. nobbli, ġeneruż/a
magnate n. persuna influwenti
magnesium n. magneżju
magnet n. kalamita; ~**ic** adj. ta' kalamita; (personality) li jiġbed/tiġbed
magnification n. tkabbir
magnificence n. sbuħija, żina
magnificent adj. mill-isbaħ
magnify vt. (object) kabbar; (sound) żied; ~**ing glass** n. lenti ta' tkabbir
magnitude n. kobor, kburija
magnolia n. magnolja
magpie n. ċawlun
mahogany n. kewba
maid n. (servant) seftura, qaddejja; (poet; young girl) xbejba, tfajla; **old** ~ (pej.) xebba
maiden n. tfajla, xbejba // adj. (aunt, etc.) mhux miżżewġa; (speech, voyage) inawgurali ~ **name** n. kunjom xbubitha
mail n. posta; (letters) l-ittri // vt. imposta ~**box** (US.) n. kaxxa tal-ittra; ~**ing list** n. lista t'indirizzi; ~**-order** n. ordni tal-posta
maim vt. immanka, għattab, iċċonga
main adj. prinċipali // n. (pipe) mejn, l-ewlieni; (US.) ix-xibka elettrika; **the ~s** n.pl. (brit elec.) il-mejns; **in the** ~ b'kollox; ~**frame** n. (comput.) kompjuter ewlieni; ~**land** n terraferma; ~**ly** adv. l-aktar, l-iżjed; ~ **road** n. it-triq prinċipali; ~**stay** n. (fig.) appoġġ prinċipali; ~**stream** n. il-kurrent prinċipali
maintain vt. mantna; żamm
maintenance n. manutenzjoni; (law) manteniment
maisonette n. maisonette
maize (brit.) n. qamħirrun
majestic adj. maestuż/a
majesty n. kburija, ġmiel, nobbiltà; (title): **Your M~** il-Maestà Tiegħek
major n. (mil.) maġġur // adj. l-ikbar; (mus.) maġġuri
Majorca n. Majorka
majority n. maġġuranza
make (pt., pp. **made**) vt. għamel; (manufacture) ipproduċa, sawwar; (mistake) għamel żball; (speech) għamel; (cause to be): **to ~ sb. sad** qabbad id-dwejjaq lil xi ħadd; (force): **to ~ sb. do sth.** ġiegħel lil xi ħadd jagħmel xi ħaġa (ta' bilfors); (earn) qala'; (equal): **2 and 2 ~ 4** 2 u 2 jagħmlu 4 // n. marka; **to ~ the bed** firex is-sodda; **to ~ a fool of sb.** waqqa' lilu nnifsu għaċ-ċajt/għaż-żuffjett (fam.) waqqa' lilu nnifsu għan-nejk; **to ~ a profit/loss** għamel il-qligħ/it-telf; **to ~ it** (arrive) wasal; (achieve

sth.) rnexxielu; **what time do you ~ it?** fi x'ħin tista'?; **to ~ do with** irranġa d-differenzi ma'; **~ for** vt. fus. (place) kien sejjer lejn; **~ out** vt. (decipher) iddeċifra; (understand) irnexxielu jifhem; (see) irnexxielu jagħraf; (cheque) għamel, ħażżeż; **~ up** vt. (invent) ivvinta; (prepare) ipprepara, għamel; (constitute) ifforma // vi. irranġa d-differenzi ma'; (with cosmetics) għamel il-mejkapp; **~ up for** vt. fus. (lost time) ġieb lura; (trouble caused, mistakes) għamel biex ipatti għall-iżbalji/ inkwiet li ħoloq; **~-believe** n. id-dinja tal-ħolm; **~r** n. fabrikant; (of film, programme) awtur; **~shift** adj. improvizat/a; **~-up remover** n. li jneħħi l-mejkapp

making n. (fig.): **in the ~** għadu/għadha ma spiċċax/spiċċatx; **to have the ~s of** (person) għandu x-xeħta ta'

maladjusted adj. (psych.) ma jistax/tistax jilqa'/tilqa' għall-bżonnijiet tas-soċjetà

malaise n. malaise

malaria n. malarja

Malay adj. Malajan/a // n. (person, language) Malajan

Malaysia n. Malażja

male n. (biol.) raġel // adj. (sex, attitude) maskili

malevolence n. malinjità, xewqa ta' deni

malevolent adj. malinn/a, ħażin/a

malfunction n. malfunzjoni

malice n. malizzja, ħażen

malicious adj.malizzjuż

malign vt. ikkalunja

malignant adj. (person) malinna (med.) reżistenti għat-terapija

malingerer n. skartatur, jagħmilha ta' marid biex jiskarta

mall (US.) n. (also **shopping ~**) shopping mall

malleable adj. li jissawwab f'forma

mallet n. mazzola (tal-injam)

malnutrition n. malnutrizzjoni

malpractice n. immorali, ta' kondotta illegali

malt n. xgħir (li minnu ssir il-birra); (whisky) n. xgħir tal-iskoċċ

Malta n. Malta

Maltese adj., n. inv. Malti/ja

maltreat vt. ħaqar; immaltratta, kagħbar, żeblaħ

mammal n. mammalu, annimal li jradda'

mammoth n. mammut // adj. kbir ħafna, kolossali

man (pl. **men**) n. raġel; (**~ kind**) ir-razza umana // vt. (naut.) għammar bl-ekwipaġġ; (mil.) għammar bis-suldati; (operate: machine) immaneġġja; **an old ~** raġel xiħ; **~ and wife** ir-raġel u l-mara; **~handle** vt. ġarr bl-idejn; **~hole** n. passaġġ, fetħa; **~hood** n. età tal-irġulija, età virili; (state) rġulija, virilità; **~-hour** n. siegħa tax-xogħol; **~ hunt** n. (police) tfittxija għar-raġel; **~kind** n. ġens il-bniedem, l-umanità; **~ly** adj. rġuli; **~-made** adj. artifiċjali

manage vi. immaniġġa, amministra // vt. (be in charge of) ħa ħsieb; (control: person) għaqqal; (ship) immanuvra; **~able** adj. maniġġibbli; **~ment** n. maniġment; **~r** n. maniġer; (of pop star) amministratur, maniġer; (sport) maniġer; **~ress** n. maniġer; **~rial** adj. maniġerjali

managing director n. direttur maniġerjali

mandarin n. (also **~ orange**) mandolina; (person) mandarin

mandate n. mandat

mandatory adj. dak/dik li għandu/għandha l-mandat

mandolin(e) n. (mus.) mandolina

mane n. (of horse) xagħar; (of lion) xagħar

manfully adv. kuraġġuż/a

manganese n. manganiż

mangle vt. illixxa, witta, għadda

mango n. mango

mangrove n. siġra tropikali

mania n. manija; **~c** n. manijaku/manijaka; (fig.) iffissat/a

manic adj. għandu/għandha manija; **~-depressive** n. manija dipressiva

manicure n. manicure

manifest vt. immanifesta, berraħ, ħareġ fid-dieher // adj. ċar/a, evidenti

manifesto n. manifest; (law) proklama

manipulate vt. immanipula; (craft) ħadem bis-sengħa

manner n. manjiera, għamla, sura; (behaviour) mġiba; (type): **all ~ of things** kull tip t'affarijiet; **~s** n.pl. (behaviour) manjieri; **bad ~s** manjieri ħżiena; **~ism** n. manneriżmu

manoeuvre (US. **maneuver**) vt., vi. immanuvra, iddiriega l-armata // n. manuvra, xogħol ta' taħriġ (ta' bastimenti, eċċ.)

manor n. (also **~ house**) dar tal-fiegu

manpower n. is-saħħa tal-isforz uman; (mil.) numru ta' ħaddiema

manservant (pl. **menservants**) n. qaddej

mansion n. dar kbira

manslaughter n. qtil/omiċidju kiesaħ u biered

mantelpiece n. xkaffa taċ-ċumnija

mantle n. mant, kappa; (fig.) kutra

manual adj. manwali, tal-idejn // n. manwal

manufacture vt. ħadem, ipproduċa // n. manifattura; **~r** n. manifattur

manure n. demel

manuscript n. manuskritt
many adj., pron. ħafna; **a great** ~ numru kbir ħafna/konsiderevoli; ~ **a time** kemm-il darba
map n. mappa; **to** ~ **out** vt. qara
maple n. aċer
mar vt. ħassar, ħarbat
marathon n. maratona
marauder n. ħalliel/a ġerrej/ja
marble n. rħam; (toy) boċċa
March n. Marzu
march vi. (mil.) immarċja; (demonstrator) mexa, immarċja // n. marċ; (demonstration) dimostrazzjoni; **~-past** n. sfilata
mare n. debba
margarine n. marġerina
margin n. xifer; (comm. **profit** ~) profitt marġinali; (sch.) marġin, linja; **~al** adj. marġinali; **~al seat** n. (pol.) maġġoranza żgħira
marigold n. ġens ta' ward safrani
marijuana n. marjuana; (inf.) ħaxixa
marina n. marina
marine adj. tal-baħar // n. suldat tal-baħar; (US.) morin
marital adj. taż-żwieġ; ~ **status** stat ċivili
maritime adj. marittimu/marittima
marjoram n. maġġurana
mark n. marka, għelm; (in snow, mud, etc.) marka; (stain) tebgħa; (brit. sch.) marka; (currency) mark // vt. immarka; (damage: furniture) laqat; (indicate: place, etc.) immarka; (brit. sch. give marks) tal-marki; (tick errors) immarka; **~ed** adj. (obvious) ovvju; **~er** n. (sign) marker; (bookmark) bookmark
market n. suq // vt. (comm.) is-suq; ~ **garden** (brit.) n. ġnien bil-frott; **~ing** n. marketing, reklamar; **~place** n. is-suq; ~ **research** n. analiżi tas-suq
marksman n. mgħallem/mgħallma tal-mira; **~ship** n. is-sengħa tal-mira
marmalade n. marmalejd
maroon vt. **to be ~ed** safa' waħdu; (fig.) safa' abbandunat // n. aħmar dagħmi, qastani
marquee n. tinda
marquess n. markiża, markiż
marquis see **marquess**
marriage n. (relationship, institution) iż-żwieġ; (wedding) tieġ; (act) żwieġ; ~ **bureau** n. uffiċċju taż-żwiġijiet; ~ **certificate** n. ċertifikat taż-żwieġ
married adj. miżżewweġ/miżżewġa; (life, love) konjugali
marrow n. mudullun; (vegetable) qargħa
marry vt. iżżewweġ; (make wedding) tejjeġ; (subj. father, priest, etc.) żewweġ // vi. (also **get married**) iżżewweġ
Mars n. Mars
marsh n. art moxa; (**salt** ~) salina
marshal n. (mil.) marixxall; (at sports meeting, etc.) uffiċjal; (US. of police, fire department) l-kap // vt. (thoughts, etc.) ta ordni (lil ħsibijietu); (soldiers) skjera, ġabar, irraduna
marshy adj. mgħaddar/mgħaddra
martial law n. liġi marzjali
Martian n. Marzjan/a
martyr n. martri; **~dom** n. martirju
marvel n. meravilja, ħaġa tal-għaġeb; **~lous** (US. **~ous**) adj. meraviljuż/a
Marxism n. Marxiżmu
Marxist adj., n. Marxist/a
marzipan n. marżipan
mascara n. maskara
mascot n. maskott, pupu
masculine adj. maskili
masculinity n. maskulinità
mash vt. għaffeġ, għasad; **~ed potatoes** n.pl. patata maxx
mask n. maskra // vt. (cover): **to** ~ **one's face** għatta; (hide: feelings) ħeba
masochist n. mażokist/a
mason n. (also **stone~**) bennej; (also **free~**) mażun; **~ry** n. (in building) xogħol tal-bini
masquerade vi. **to** ~ **as** għadda ta'
mass n. (people) ċorma; (of air, liquid, etc.) toqol; (of detail, hair, etc.) ħafna, kwantità kbira; (rel.) quddies // cpd. tal-massa // vi. ngħaqad ma', nġema' ma'; **the ~es** n.pl. il-massa; **~es of** (inf.) xebgħa, koċċ, balla
massacre n. massakru
massage n. massaġġ // vt. immassaġġja
masseur n. massaġġjatur
masseuse n. massaġġjatriċi
massive adj. enormi; (support) kbir; (changes) radikali
mass media n.pl. il-mezzi tal-komunikazzjoni, mass media
mass production n. produzzjoni bil-massa, mass production
mast n. (naut.) arblu ta' bastiment; (radio, etc.) arblu
master n. (of servant) sid; (of situation) mexxej; (in primary, secondary school) għalliem/a; (in tertiary school) lekċerer; (title for boys): **M~ X** Master X // vt. tgħallem sewwa; **M~ of Arts/ Sciences** n. mgħallem tal-Arti/Xjenza, għandu l-Masters fl-Arti/fix-Xjenza; **~ly** adj. magħmul

b'sengħa kbira; ~**mind** n. (of crime) il-moħħ; (superior mind) ġenju // vt. ikkontrolla; ~**piece** n. kapulavur; ~**y** n. padrunanza
masturbate vi. immasturba; (vulg.) ġerrieh;
masturbation n. masturbazzjoni
mat n. tapit; (also **door**~) tapit; (also **table** ~) dvalja // adj. = **matt**
match n. sulfarina; (game) logħba, partita; (equal) ugwali // vt. (go well with) mar tajjeb ma', qabel ma'; (equal) ugwalja, ġie bħal; (correspond to) ikkorrisponda ma'; (pair: also: ~**up**) qabbel // vi. qabel ma'; **to be a good** ~ intona ma'; ~**box** n. kaxxa tas-sulfarini; ~**ing** adj. li jaqta'/taqta'
mate n. (**work**~) sieħeb tax-xogħol; (inf. friend) sieħeb; (animal) sieħeb/sieħba; (in merchant navy) it-tieni fit-tmexxija // vi. issieħeb // vt. sieħeb
material n. (substance) materjal; (information) informazzjoni, tagħrif; (cloth) drapp // adj. materjali; (important) importanti; ~**s** n.pl. materji
maternal adj. matern
maternity n. maternità; ~ **dress** n. libsa tat-tqala
matey adj. (col.) fabbli
math n. (US. **mathematics**)
mathematical adj. matematiku/matematika
mathematician n. matematiku/matematika
mathematics n. matematika; is-somom
maths n. (brit. **mathematics**)
matinee n. matinè
mating n. akkoppjament; ~ **call** n. l-istint tal-akkoppjament; ~ **season** n. l-istaġun tal-akkoppjament
matriarchal adj. matrijarkali
matriculation n. matrikola
matrimonial adj. matrimonjali, taż-żwieġ
matrimony n. żwieġ
matrix (pl. **matrices**) n. matriċi
matron n. il-kap tal-infermieri; (in school) sinjora, madam
mat(t) adj. matt/a
matted adj. mħabbel
matter n. ħaġa; (phys.) materja; (**reading** ~) xi ħaġa x'taqra; (med. pus) materja // vi. importa; ~**s** n.pl. (affairs) affari; **it doesn't** ~ ma jimpurtax; **what's the** ~**?** xi ġralek?; **no** ~ **what** jiġri x'jiġri; **as a** ~ **of course** tar-rutina; **as a** ~ **of fact** fil-fatt; ~**-of-fact** adj. prattiku/prattika
mattress n. saqqu, mitraħ
mature adj. matur/a // vi. immatura
maturity n. maturità
maudlin adj. bikkej/ja
maul vt. benġel, għamel għal
Mauritius n. Mauritius
mausoleum n. musulew
mauve adj. vjola; lelà
mawkish adj. tal-biki
max. abbr. of **maximum**
maxim n. qawl, proverbju
maximum (pl. **maxima**) adj. l-ogħla/l-aqwa // n. il-massimu, il-quċċata
May n. Mejju
may (conditional: might) vi. (indicating possibility): **he** ~ **come** abbli jiġi; (be allowed to): ~ **I smoke?** nista' npejjep?; (wishes): ~ **God bless you!** Jalla jżomm idejH fuqek!; **you** ~ **as well go** tista' tmur jekk trid
maybe adv. abbli
mayday n. ajjut
May Day n. l-ewwel ta' Mejju
mayhem n. konfużjoni; (destruction) qirda, ħerba
mayonnaise n. majoneż
mayor n. sindku; ~**ess** n. sindku
maypole n. l-arblu ta' Mejju
maze n. labirint
MD abbr. of **Doctor of Medicine**
me pron. (direct) lili; (stressed after pron.) **-ni**; **can you hear** ~**?** qed tismagħni?; **he heard me!** semagħni!; **it's** ~ jien; **give them to** ~ agħtihomli; **with/without** ~ miegħi/mingħajri
meadow n. marġ
meagre (US. **meager**) adj. magħlub, niexef; (insufficient) mhux biżżejjed
meal n. ikla; (flour) dqiq; ~**time** n. ħin l-ikel
mean (pt., pp. **meant**) adj. (with money) xħiħ (inf.) qammiel; (unkind) kattiv; (shabby) żmattat; (average) medju // vt. (signify) ried ifisser; (refer to) irrefera għal; (intend): **to** ~ **to do sth.** kellu f'rasu // n. il-medju; ~**s** n.pl. (way) il-mod ta' kif; (money) riżorsi; **by** ~**s of** bis-saħħa ta'; **by all** ~**s!** dażgur!; **do you** ~ **it?** veru li qed tgħid? Tassew?; **what do you** ~**?** x'jiġifieri, xi trid tgħid?; **to be meant for sb./ sth.** kien donnu mfassal għal
meander vi. (river) isserrep
meaning n. tifsira; (purpose) l-għan; ~**ful** adj. ta' importanza, importanti; ~**less** adj. mhux importanti
meanness n. (with money) xeħħa; (unkindness) kattiverja; (shabbiness) xeħta żmattata
meant pt., pp. of **mean**
meantime adv. (also **in the** ~) sadanittant, frattant, safrattant
meanwhile see **meantime**
measles n. ħosba
measly adj. (col.) fqir, ta' ftit valur

measurable adj. li jitkejjel/titkejjel, li jitqies/ titqies

measure vt. kejjel, qies // vi. tkejjel, tqies // n. kejl, qies, daqs; (ruler) riga; **~ments** n.pl. qisien, kejl

meat n. laħam; **cold ~** laħam kiesaħ; **~ball** n. blalen tal-laħam, meatballs; **~ pie** n. torta tal-laħam

Mecca n. Mekka

mechanic n. mekkanik; **~s** n. mekkanika // n.pl. mekkaniżmu; **~al** adj. mekkaniku/mekkanika

mechanism n. mekkaniżmu

mechanisation n. mekkanizzazzjoni

medal n. midalja, domna; **~lion** n. medaljun; **~list** (US. **~ist**) n. (sport) dak/dik li ħa/ħadet midalja, medalist

meddle vi. **to ~ in** ndaħal; **to ~ with sth.** indiehes ma'

media n.pl. mezzi tal-komunikazzjoni // n.pl. **of medium**

mediaeval see **medieval**

mediate vi. bejjen

mediator n. medjatur/medjatriċi

Medicaid ® (US.) n. programm ta' għajnuna medika għall-fqar

medical adj. mediku/medika, li jdewwi/ddewwi

Medicare ® (US.) programm ta' għajnuna medika għall-anzjani u x-xjuħ

medicated adj. immedikat/a, mdewwi/ja

medication n. medikazzjoni

medicinal adj. mediċinali

medicine n. mediċina, duwa; (drug) mediċina;

medieval adj. medjevali, tal-Medjuevu, taż-Żminijiet tan-Nofs

mediocre adj. medjokri (inf.) tan-nejk

mediocrity n. medjokrità

meditate vi. immedita, irrifletta, ikkontempla, fassal bil-qies u ħsieb

Mediterranean adj. Mediterranju/Mediterranja; **the ~ (Sea)** il-Mediterran

medium (pl. **media**) adj. mezzani/ja // n. (means) il-mezz; (pl. mediums: person) midjums; **~ wave** n. mewġa medja

medley n. taħlita, medley

meek adj. mans/a, kwiet/a

meet (pt., pp. **met**) vt. ltaqa' ma'; (accidentally) ħabat ma'; (by arrangement) ftiehem ma'; (for the first time) ltaqa' ma'; (go and fetch) mar u ġab; (opponent) affronta lil; (obligations) laqa'; (encounter: problem) ltaqa' ma'; (need) issodisfa // vi. ltaqa'; (in session) ngħaqad ma'; (join: objects) ngħaqad ma'; (for the first time) ltaqa' ma'; **~ with** vt. fus. (difficulty) ħabbat wiċċu ma'; **to ~ with success** sab is-suċċess; **~ing** n. laqgħa; (arranged) laqgħa; (**business ~ing**) laqgħa; (pol.) miting

megabyte n. (comput.) megabyte

megaphone n. megafonu

melancholy n. malinkonija, diqa (ta' qalb) // adj. mnikket/mnikkta

mellow adj. (wine) matur, tajjeb; (sound, colour) mhux qawwi // vi. (person) mrattab biż-żmien

melodious adj. melodjuż/a

melodrama n. melodramm

melody n. melodija

melon n. bettieħa

melt vi. (metal) iddewweb; (snow) nħall // vt. dewweb, ħall; **~down** n. (in nuclear reactor) tidwib; **~ing pot** n. (fig.) prova ħarxa, iebsa; **~-point** il-punt ta' tidwib

member n. (gen. anat.) membru; (of club) soċju, msieħeb/msieħba, membru; **M~ of Parliament** (brit.) Deputat, Membru Parlamentari; **M~ of the European Parliament** (brit.) Deputat tal-Parlament Ewropew, Membru tal-Parlament Ewropew; **~ship** n. (members) numru ta' membri; (state) affiljazzjoni, tisħib; **~ship card** n. kard tas-sħubija

memento n. tifkira

memo n. memo, fakra

memoir n. tifkira, memoir; **~s** n.pl. memoirs, memorji

memorable adj. memorabbli, li ma jistax/tistax jintesa/tintesa

memorandum (pl. **memoranda**) n. memorandum, fakra; (official note) nota uffiċjali

memorial n. monument, memorjal // adj. kommemorattiv/a

memorise (US. **memorize**) vt. tgħallem bl-amment, żamm f'moħħu

memory n. (also comput.) memorja; (instance) tifkira; (of dead person): **in ~ of** b'tifkira ta'

menace n. theddida, minaċċja // vt. hedded, imminaċċja

menacing adj. minaċċjuż/a

menagerie n. ġabra t'annimali slavaġ

mend vt. sewwa, ġannat; (darn) sarsar // vi. issewwa, traqqa', iġġannat // n. tiswija // n. **to be on the ~** qed jissewwa; **to ~ one's ways** irranġa mġibtu; **~ing** n. tiswija; (clothes) traqqigħ, ġniet

menial adj. ta' seftur/a, ta' qaddej/ja

meningitis n. meninġite

menopause n. menopawża

menstruate vi. kellha l-menstruwazzjoni; (inf.) qiegħda bih, għandha/qiegħda bil-pirjid;

menstruation n. menstruwazzjoni; (inf.) il-pirjid

mental adj. mentali, tal-ħsieb; **~ity** n. mentalità
mention n. titrif // vt. tarraf; (speak of) semma; **don't ~ it!** issemmihiex!
menu n. (**set ~**) set menu; (comput.) menù
MEP n. abbr. of **Member of the European Parliament**; Membru Parlamentari
mercantile adj. tas-suq, li għandu x'jaqsam mal-kummerċ; (law) kummerċjali
mercenary adj. li jinxtara/tinxtara bil-flus // n. merċenarju/merċenarja
merchandise n. merkanzija
merchant n. neguzjant, bejjiegħ; **~ bank** (brit.) n. bank kummerċjali; **~ navy** (US. **~ marine**) n. flotta merkantili
merciful adj. ħanin/a, li jħenn/tħenn
merciless adj. bla ħniena, bla mogħdrija
mercurial adj. tal-merkurju; (lively) lvent/a, fuq tiegħu/tagħha
mercury n. merkurju
mercy n. ħniena, mogħdrija; (rel.) maħfra; **~-killing** n. ewtanasja; **at the ~ of** għall-ħniena ta'
mere adj. xejn iktar minn hekk; **~ly** adv. biss; daqshekk u mhux iżjed
merge vt. (join) waħħal, waħħad // vi. twaħħal, twaħħad; (comm.) għaqqad; (colours, etc.) ħallat; **~r** n. (comm.) għaqda/twaħħid (ta' eż. kumpanija m'oħra)
meridian n. meridjan
meringue n. xkuma
merit n. mertu, ġieħ // vt. immerita, stħaqq mertu
mermaid n. sirena
merrily adv. hieni, ferħan, kuntent
merriment n. ferħ, divertiment, xalar
merry adj. ferħan/a, ferrieħi/ferriħija; **M~ Christmas!** Il-Milied it-Tajjeb; **~-go-round** dawra durella
mesh n. (network, net, etc.) xibka
mesmerize vt. immesmerizza
mess n. (muddle: of situation) għawġ; (of room) ta' taħt fuq; (dirt) ħmieġ; (mil.) ikla tas-suldati; **~ about** or **around** (inf.) vi. daħak bi; (pass the time) ħela l-ħin; **~ about/around with** (inf.) vt. fus. ħa pjaċir bi; **~ up** vt. (spoil) vt. fus. ħela (inf.) fotta; (dirty) ħammeġ
message n. messaġġ, bxara
messenger n. messaġġier, baxxar
Messrs abbr. (on letters: = **Messieurs**) Sinjuri
messy adj. (dirty) maħmuġ; (untidy) diżordinat
met pt., pp. of **meet**
metabolism n. metaboliżmu
metal n. metall; **~lic** adj. metalliku/metallika; **~lurgy** n. metallurġija
metamorphosis (pl. **metamorphoses**) n. metamorfosi
metaphor n. metafora
metaphysics n. metafiżika
mete: **to ~ out** vt. fus. qies, kejjel, ta
meteor n. kewkba feġġa; **~ite** n. metjoriti, kewkba feġġa li waqgħet
meteorology n. meteoroloġija
meteorological adj. meteoroloġiku/meteoroloġika
meter n. (instrument) miter, kejl; (US. **unit**) = **metre** // vt. (US. post) waħħal il-bolla
method n. metodu
Methodist adj., n. Metodist/a
meticulous adj. metikoluż/a, skrupluż/a, fitt/a
metre (US. **meter**) n. metru, kejl (ta' ftit iktar minn 39 pulzier)
metric adj. metriku/metrika
metronome n. metronomu
metropolis n. metropoli
metropolitan adj. metropolitan/a; **the M~ Police** (brit.) il-pulizija tal-metropoli
mettle n. **to be on one's ~** kien lest li jagħti l-aqwa tiegħu
mew vi. (cat) newwaħ // n. (fish) tajra tal-ilma; (of cat) newħa
mews n. **~ flat** (brit.) dar irranġata li qabel kienet remissa
Mexican adj., n. Messikan/a
Mexico n. il-Messiku; **~ City** n. il-Belt tal-Messiku
mezzanine n. mezzanin
miaow vi. newwaħ
micro- pref. mikro-; **~chip** n. mikroċip; **~(computer)** n. mikrokompjuter; **~film** n. mikrofilm; **~phone** n. mikrofonu; **~processor** n. mikroproċessur; **~scope** n. mikroskopju; **~wave** n. (also **~wave oven**) microwave
microbe n. mikrobu
mid adj. **in ~ May** f'nofs Mejju; **in ~ day** f'nofsinhar // n. nofs; **~way** nofs triq; **~summer** nofs is-sajf, (f')Santa Marija; **~winter** nofs ix-xitwa
middle n. nofs; (half-way point) nofsani; (waist) qadd // adj. tan-nofs; (course, way) fin-nofs; **in the ~ of the field** f'nofs l-għalqa; **~-aged** adj. ta' mezz'età; **the M~ Ages** n.pl. iż-Żminijiet tan-Nofs; **~-class** adj. tal-klassi tan-nofs; **the ~ class(es)** n. (pl) il-klassi(jiet) tan-nofs; **M~ East** n. il-Lvant Nofsani; **~man** n. sensal, bejjiegħ; **~ name** n. it-tieni isem; **~-of-the-road** adj. moderat/a; **~weight** n. (boxing) middle-weight
middling adj. medjan/a
midge n. xorta t'insett

midget n. nanu/nana
Midlands n.pl. **the** ~ il-Midlands
midnight n. nofsillejl
midriff n. (diaphragm) dijaframma; (stomach) stonku
midst n. **in the** ~ **of** (crowd) f'nofs il-miġemgħa; (situation, action) f'nofs
midsummer n. **in** ~ fis-sajf
midway adj., adv. ~ **between** fin-nofs (bejn); ~ **through** f'nofs triq
midweek adv. f'nofs il-ġimgħa
midwife (pl. **midwives**) n. qabla, wellieda, majjistra
might vb. see **may** // n. qawwa, setgħa; ~**y** adj. qawwi, b'saħħtu
migraine n. emikranja
migrant n. adj. (bird) tal-passa; (worker) li jemigra/temigra
migrate vi. emigra, ħalla pajjiżu
mike n. abbr. of **microphone**; mikrofonu
mild adj. (person) kwiet, mans; (climate) diefja/fietla; (slight) mhux qawwi; (taste) ħlejju; (illness) mhux serja: ~**ly** adv. b'mod diefi; **to put it** ~**ly** biex ma ngħidu xejn
mildew n. moffa
mile n. mil; ~**age** n. numru ta' mili; ~**ometer** n. odometru; ~**stone** plier, pilastru tal-mili
milieu n. ambjent soċjali
militant adj., n. militanti/militanta
military adj. militari, tal-militar
militate vi. **to** ~ **against** fixkel, għamel il-bsaten fir-roti lil
militia n. milizja, armata taċ-ċittadini, dejma
milk n. ħalib // vt. (cow) ħaleb; (fig. person) ħa l-flus lil; (situation) sfrutta lil; ~ **chocolate** n. ċikkulata tal-ħalib; ~**man** (ir-raġel) tal-ħalib; ~ **shake** n. milkshake; ~**-tooth** sinna li titbiddel; ~**y** adj. tal-ħalib; **M**~**y Way** n. it-Triq ta' Sant'Anna
mill n. (windmill, etc.) mitħna; (**coffee** ~) magna tat-tithin; (factory) fabbrika tat-titħin // vt. taħan // vi. (also ~ **about**) tferrex, iċċaqlaq 'l hemm u 'l hawn
millennium (pl. ~**s** or **millennia**) n. millennju(i)
miller n. taħħan
millet n. mellieġ/a, dekkuk/a
milli - pref.: ~**gram**(**me**) n. milligramm; ~**metre** (US. ~**meter**) n. millimetru
milliner n. modista; ~**y** n. il-prodott tal-modista
million n. miljun; **a** ~ **times** miljun darba, ma nafx kemm-il darba; ~**aire** n. miljunarju
millstone n. mola, ġebla tat-tħin
millwheel n. rota tat-tħin
milometer (brit.) n. = **mileometer**
mime n. mima; (actor) attur tal-mima // vt., vi. immima lil
mimic n. imitatur/imitatriċi // adj. wieħed/waħda li jimita/timita sew // vt. imita
min. abbr. of **minium, minute**(s)
minaret n. minarett, kampnar Mawmettan
mince vt. ikkapulja // n. (brit. culin.) ~**meat** n. ikkapuljat; (US. meat) laħam ikkapuljat; ~**pie** n. torta tal-ikkapuljat; ~**r** n. magna tal-ikkapuljat; **not to** ~ **one's words** qalhielu ċar u tond; ~ **meat** taħlita tal-qassatat
mincing adj. affetwat/a
mind n. moħħ; (intellect) moħħ, intellett; (contrasted with matter) spirtu // vt. (attend to, look after) ta kas lil, qagħad ma'; (be careful of) ittenda, qagħad attent (għal); (object to): **I don't** ~ **the noise** il-ħoss ma jdejjaqnix; **it is on my** ~ qiegħda f'moħħi; **to bear sth. in** ~ daħħal xi ħaġa f'rasu; **to make up one's** ~ iddeċieda; **I don't** ~ għalija ma jimpurtax, ~ **you, -** u ħa ngħidlek -; **never** ~**!** ma ġara xejn!; (don't worry) tinkwetax; **" ~ the step"** "ittendi t-tarġa"; ~**er** n. bodyguard; (**child** ~**er**) qaddej/ja mat-trabi; ~**ful** adj. ~**ful of** konxju ta'; ~**less** adj. (crime, violence) stupidu/stupida; (work) li ma jirrikjedix intelliġenza
mine pron. tiegħi; **a friend of** ~ ħabib tiegħi // adj. **this book is** ~ dan il-ktieb huwa tiegħi
mine n. mina; (coal) minjiera // vt. (coal) ħaffer, ħadem fil-minjiera; (bomb: beach, etc.) tefa' l-bombi; ~**field** n. kamp tal-mini; **miner** n. ħaddiem fil-minjieri; ~**sweeper** n. vapur li jneħħi l-mini
mineral adj. minerali // n. minerali; ~**s** n.pl. (brit. soft drinks) minerali; ~ **water** n. ilma minerali
mingle vi. **to** ~ **with** tħallat ma'
mingy adj. (col.) qammiel/a
miniature adj. ċkejken/ċkejkna, magħmul/a żgħir/a // n. minjatura, verżjoni ċkejkna
minibus n. minibus
minicab n. kabina żgħira
minim n. (mus.) minima
minimal adj. minimu/minima
minimise (US. **minimize**) vt. ċekken, irriduċa; (play down) stima l-inqas prezz
mining n. estrazzjoni (mill-minjieri)
minion n. preferut/a; (pej.) servili
miniskirt n. miniskirt
minister n. (brit. pol.) minister // vi. **to** ~ **to** attenda
ministry n. (brit. pol.) ministru
mink n. mink
minnow n. xorta ta' ħut żgħir tal-ilma

minor adj. (repair, injuries) żgħar; (poet, planet) minuri; (mus.) minuri // n. (law) minorenni
Minorca n. Minorka
minority n. minorità
minster n. katidral
minstrel n. ministrell
mint n. (plant) nagħniegħ; (sweet) ħelwa tal-mint // n. zekka // vt. (coins) zekkek; **the (Royal) M~, the** (US.) **M~, the M~** (other nations) iz-zekka; **in ~ condition** fi stat perfett, donnu ġdid fjamant
minuet n. minwett
minus n. (also ~ **sign**) majnas // prep. tnaqqas; **12 ~ 6 equals 6** minn tnax tnaqqas sitta jiġu sitta; ~ **24°C** taħt l-24°C
minute n. minuta; (fig.) minuta, mument; **~s** n.pl. (of meeting) minuti; **at the last ~** fl-aħħar minuta, fl-aħħar
minute adj. minuskolu/minuskola, ċkejken/ċkejkna ferm; (search) preċiż/a, b'reqqa
miracle n. miraklu
miraculous adj. mirakoluż/a
mirage n. miraġġ
mirror n. mera; (in car: rear) mera tal-ġenb; (front) ta' quddiem, ta' wara
mirth n. ferħ, hena
misadventure n. żventura, ġrajja ta' sfortuna
misanthropist n. miżantropu
misapprehension n. nuqqas ta' ftehim
misappropriate vt. miżapproprjat
misbehave vi. ġab ruħu ħażin
miscalculate vt. ikkalkula ħażin
miscarriage n. (med.) korriment; ~ **of justice** żball tal-qorti
miscellaneous adj. (objects) varji, differenti; (collection) ta' sura mħallta; ~ **expenses** nfiq varju
mischance n. **by some ~** bi sfortuna
mischief n. ħsara, deni; (maliciousness) ħażen, malizzja
mischievous adj. ħajjen/ħajna, malizzjuża
misconception n. (idea) idea ħażina; (misunderstanding) nuqqas ta' ftehim
misconduct n. kondotta ħażina; **professional ~** nuqqas ta' kondotta professjonali
misconstrue vt. interpreta ħażin
misdemeanor (US. **misdemeanor**) n. mġiba ħażina, kontravenzjoni
misdirect vt. (person) bagħtu f'post ħażin; (letter) bagħat (ittra) f'post ħażin
miser n. xħiħ/a, qanqieċ/a
miserable adj. (unhappy) mdejjaq/mdejqa, mnikket/mnikkta; (life, etc.) miżerabbli
miserly adj. xħiħ/a
misery n. turment, niket; (wretchedness) miżerja
misfire vi. (plan, joke, gun, etc.) ma ħadimx; (engine) bdiet titlef
misfit n. mhux adattat
misfortune n. xorti ħażina, sfortuna, żventura
misgiving n. (apprehension) dubji; **to have ~s about sth.** kien xettiku/dubjuż dwar xi ħaġa
misguided adj. iblah/belha
mishandle vt. (mismanage) amministra ħażin
mishap n. diżgrazzja
mishear vt. irreg. fehem ħażin
misinform vt. informa ħażin
misinterpret vt. interpreta ħażin, immiżinterpreta; **~ation** n. miżinterpretazzjoni
misjudge vt. iġġudika ħażin
mislay (irreg.) vt. tilef, ma sabx iktar
mislead (irreg.) vt. inganna, daħak (bi), qarraq (bi); **~ing** adj. li jista' jingannak/ifixklek
mismanage vt. amministra ħażin; **~ment** n. tmexxija ħażina
misnomer n. **to call her a cook is a ~** żgur li ma tistax issejħilha koka
misogynist n. miżoġinista
misplace vt. ma sabx iktar, tilef
misprint n. misprint, żball tat-tajping
mispronounce vt. ippronunzja ħażin
misread vt. irreg. qara ħażin; (misinterpret) interpreta ħażin
misrepresent vt. (facts) biddel it-tifsira; (person) tefa' f'dawl ikrah
Miss n. sinjorina, miss
miss vt. (train, etc.) tilef; (fail to hit: target) falla (l-mira); (regret the absence of) ħass (in-nuqqas ta'); **I ~ him** qed nimmisjah; (fail to see): **you can't ~ it** taraha żgur // vi. tilef // n. (shot) xutt barra; ~ **out** (brit.) vt. tilef
missal n. missall
missile n. (aviat.) missila; (object thrown) oġġett imwaddab
missing adj. (pupil) assenti; (thing) mitlufa; (mil.): ~ **in action** mitluf fil-kumbattiment
mission n. missjoni; (official representation) delegazzjoni; **~ary** n. missjonarju
missive n. ittra
misspent adj. **his ~ youth** ħela żgħożitu
mist n. (light) ċpar; (heavy) dalma; (at sea) ċpar // vi. (eyes: also: ~ **over, ~up**) mtela bid-dmugħ; (brit. windows: also ~ **over, ~ up**) dallam, ċajpar
mistake (vt. irreg.) n. żball // vt. żbalja; **by ~** bi żball; **to make a ~** ħa żball; **to ~ A for B** ħawwad A ma' B; **~n** pp. of ~ // adj. żbaljat/a; **to be ~n** kien żbaljat

mister (inf.) n. sur; see **Mr**
mistletoe n. ħaxixa taz-zkuk
mistook pt. of **mistake**
mistranslation n. żball ta' traduzzjoni
mistreat vt. immaltratta
mistress n. (lover) sieħba; (of house) sidt; (brit. in primary, secondary school) sinjora; (of situation) mexxejja
mistrust vt. iddubita, ma kellux fidi fi
misty adj. (day) mċajpar; (glasses, etc.) skuri
misunderstand (irreg.) vt., vi. fehem ħażin; **~ing** n. nuqqas ta' ftehim
misuse n. użu ħażin; (of power, funds) abbuż; // vt. abbuża minn
mitigate vt. taffa, naqqas, rażżan, liġġem
mitre (US. **miter**) n. (rel.) kappa (tal-isqof); (carpentry) mitra
mitt(en) n. nofs ingwanti
mix vt. ħallat; (combine) għaqqad // vi. tħallat; (people) tħallat ma' // n. taħlita; ~ **up** vt. ipprepara; (confuse) ħawwad; **~ed** adj. mħallat/mħallta (feelings, etc.) (ħsus) mħawda/mħawdin; **~ed-up** adj. (confused) imħawwad/mħawda; **~er** n. (for food) mikser; (for drinks) mikser; (person): **he's a good ~er** soċjevoli ħafna; **~ture** n. taħlita; (also **cough ~ture**) mistura kontra s-sogħla; **~-up** n. konfużjoni
mm abbr. of **millimetre**; millimetru
moan n. karba, tnehida // vi. karab; (inf. complain): **to ~ (about)** gerger dwar
moat n. ħandaq madwar il-kastell
mob n. miġemgħa mħarbta // vt. irvella
mobile adj. li jista' jiċċaqlaq // n. struttura li tiċċaqlaq bir-riħ; ~ **home** n. li tista' tinġarr; ~ **phone** n. mowbajl
mobility n. ċaqliq
moccasin n. żarbuna Indjana
mock vt. (ridicule) irridikola (inf.) waqqa' għan-nejk lil; (laugh at) daħak bi // adj. taparsi; ~ **exam** taparsi eżami, mokk; **~ery** n. tmaħsir, daħk bi; **~-up** n. mudell; (inf.) **put the ~ers on** tilef kull ċans ta' suċċess
mod adj. see **convenience**
mode n. mod, għamla, manjiera; (of transport) mezz // (fashion) moda
model n. mudell; (**fashion ~**, **artist's ~**) mudell/a // adj. mudell/a // vt. (with clay, etc.) immudella (copy) **to ~ os. on** mxejna fuq il-passi ta' // vi. immudella; **to ~ clothes** immudella l-ħwejjeġ; ~ **train** n. mudell ta' ferrovija
modem n. modem
moderate adj. moderat/a, meqjus/a // vi. immodera, naqas, ittaffa (xi ftit) // vt. immodera, naqqas, taffa (xi ftit)
moderation n. moderazzjoni; **in ~** fi kwantità moderata
modern adj. modern/a; **~ize** vt. immodernizza
modest adj. umli/ja, mhux kburi/ja; (small) mhux eċċessiv/a, ta' daqs moderat; **~y** n. umiltà
modicum n. **a ~ of** ftit
modification n. tibdila, modifikazzjoni
modify vt. immodifika, irranġa (xi ftit), biddel
modulation n. tibdila
module n. unit, modjul
mogul n. (fig.) ras kbira
mohair n. xagħar tal-bodbod
moist adj. niedi/niedja; **~en** vt. għamel umdu; **~ure** n. umdità; **~urizer** n. krema idratanti
molar n. tad-dras
molasses n. [illegible] ta' għasel iswed
mold (US.) see **mould**
mole n. (animal) talpa; (spy) spija; (spot) tebgħa
molecule n. molekula
molehill n. gods tat-trab
molest vt. dejjaq, iffitta; (assault sexually)immolesta
mollusc n. mollusk
mollycoddle vt. fissed iżżejjed
molt (US.) see **moult**
molten adj. mdewweb/mdewba; (lava) maħlula
mom (US.) see **mum**
moment n. mument, waqt; **at the ~** f'dan il-waqt, bħalissa; **~ary** adj. momentarju/momentarja; **~ous** adj. ta' importanza kbira
momentum n. momentum; (fig.) veloċità; **to gather ~** ġabar il-momentum; (fig.) ġabar il-veloċità
mommy (US.) see **mummy**
Monaco n. Monako
monarch n. monarka; **~y** n. monarkija
monastery n. monasteru
monastic adj. monastiku/monastika
Monday n. it-Tnejn
monetary adj. monetarju/monetarja
money n. flus; (currency) munita; **to make ~** għamel il-flus; ~ **order** n. ordni ta' flus; **~-spinner** (inf.) n. **to be a ~-spinner** ġab ħafna flus
mongol adj., n. (med.) mongolojdi
mongroose n. qattiel is-sriep
mongrel n. (dog) kelb bagħal, bastard
monitor n. (sch.) widdieb; (also **television ~**) moniter; (of computer) skrin // vt. ikkontrolla
monk n. patri, raħeb
monkey n. xadin, gidmejmun; ~ **nut** (brit.) n. karawetta; ~ **wrench** n. spanner

mono... pref.: **~chrome** adj. monokromatiku/monokromatika
monocle n. monokulu, lunetta
monogram n. monogramm
monologue n. monologu
monopoly n. monopolu
monopolize vt. immonopolizza
monorail n. fuq binarju wieħed
monosyllabic adj. monosillabiku/monosillabika
monotone n. monoton
monotonous adj. monotonu/monotona
monotony n. monotonija
monsoon n. monsun
monster n. mostru
monstrosity n. ħlejqa mostruża
monstrous adj. (huge) enormi; (atrocious, ugly) mostruż/a
montage n. muntaġġ
month n. xahar; **~ly** adj. ta' kull xahar // adv. kull xahar
monument n. monument
moo vi. għamel mu
mood n. burdata, dispożizzjoni tal-moħħ; (of crowd, group) klima; **to be in a good/bad ~** kien f'burdata tajba/ħażina; **~y** adj. (changeable) bil-burdati; (sullen) bil-buli, b'burdata ħażina
moon n. qamar; **~light** n. dawl tal-qamar; **~lit** adj. **a ~lit night** lejl imdawwal mill-qamar
Moor n. Tork iswed
moor n. medda xagħri // vt. (ship) rabat // vi. ittrakka
moorings n.pl. (chains) irmiġġ; (something providing stability) xi ħaġa li toffri stabbilità
Moorish adj. Tork iswed; (architecture) Moreska
moorland n. art moxa, xagħra
moose n. inv. ċerv/a (tan-Nord Amerika)
moot vt. ressaq għad-diskussjoni // adj. **~ point** punt ta' diskussjoni
mop n. mopp; (of hair) mopp // vt. mesaħ b'mopp; **~ up** vt. ixxotta b'mopp; (mil.) elimina
mope vi. ntelaq
moped n. rota bil-mutur
moquette n. tapezzerija
moral adj. morali // n. morali; **~s** n.pl. morali
morale n. qagħda morali, il-moral
morality n. moralità
morally adv. moralment
morass n. art moxa
morbid adj. marradi/ja
more adj.
1 (greater in number, etc.) iktar; **~ people/work than before** iktar nies/xogħol minn qabel
2 (additional) iktar; **do you want (some) ~ tea?** trid iktar te?; **is there any ~ wine?** hemm iktar inbid?; **it'll take a few ~ weeks** tieħu xi ftit ta' ġimgħat iktar; **it's 2 kms ~ to the house** fadal żewġ kilometri oħra għad-dar; **~ time/letters than we expected** iktar ħin/ittri milli stennejna
pron.
1 (greater amount, additional amount) iktar, ieħor; **a little bit ~** ftit ieħor; **~ than 10** iktar minn 10; **it cost ~ than the other one/than we expected** tqum iktar mill-oħra/milli stennejna; **is there any ~?** fadal iktar?; **many/much ~** ħafna iktar
adv.
1 iktar; **~ dangerous/easily (than)** iktar perikoluż/ħafif minn; **~ and ~ expensive** iktar u iktar għali; **~ or less** (xi) ftit jew wisq; **~ than ever** iktar minn qatt qabel
moreover adv. barra minn hekk/minn dan
morgue n. kamra tal-mejtin
moribund adj. moribond/a
morning n. l-għodwa; **(early ~)** is-sebħ, sbiħ il-jum // cpd. matutin/a; **in the ~** filgħodu; **7 o'clock in the ~** is-7 ta' filgħodu; **~ sickness** n. nawżea matutina
Moroccan n., adj. Marokkin/a
Morocco n. il-Marokk
moron (inf.) ċuċ, baħnan/a; **~ic** adj. ta' ċuċ, ta' baħnan/a
morose adj. dgħumi/ja, mħasseb/mħassba
morphine n. morfina
Morse n. (also **~ code**) kodiċi Morse, Morse kowd
morsel n. (of food) gidma, bukkun
mortal adj., n. mortali; **~ity** n. mortalità; l-għadd ta' nies li mietu f'ċertu żmien
mortar n. (cannon) murtal; (cement) tajn tat-tikħil; (agr.) mehrież
mortgage n. ipoteka, rahan // vt. rahan; **~ company** (US.) kumpanija tal-ipoteki/tar-rahan
mortified adj. mortifikat/a, mgħakkes/mgħakksa
mortuary n. kamra tal-mejtin
mosaic n. mużajk
Moscow n. Moska
Moslem see **Muslim**
mosque n. moskea
mosquito (pl. **~es**) n. nemusa; **~ net** n. xibka tan-nemus
moss n. ħażiż
most adj. l-aktar, l-iżjed // pron. il-maġġorparti // adv. l-iktar; (very) ħafna; **the ~** (also **+** adj) l-iktar; **~ of them** ħafna minnhom; **I saw the ~** rajt l-iktar; **at the (very) ~** l-iktar l-iktar; **to make the ~ of** approfitta; **a ~ interesting book** ktieb interessantissimu; **~ly** adv. il-biċċa l-kbira

MOT n. abbr. of **Ministry of Transport**: **the ~ (test)** it-test tal-Ministeru tat-Trasport
motel n. motel
moth n. kamla; (**clothes ~**) kamla tal-ħwejjeġ; **~ball** n. blalen tal-kamla; **~-eaten** mikul bil-kamla
mother n. omm // adj. matern/a // vt. (care for) ħadet ħsieb daqs omm; **~hood** n. maternità; **~-in-law** n. ħmiet; **~ly** adj. matern/a; **~-of-pearl** n. madriperla; **~-to-be** n. mara li daqt issir omm; **~ tongue** n. l-ilsien matern
mothproof adj. ta' kontra l-kamla
motif n. leitmotif, tema dominanti
motion n. ċaqliq; (gesture) moviment; (at meeting) mozzjoni // vt., vi. **to ~ (to) sb. to do sth.** għamel sinjal lil xi ħadd biex jagħmel xi ħaġa; **~less** adj. ma jiċċaqlaqx/tiċċaqlaqx; **~ picture** n. film
motivated adj. motivat/a
motivation n. motivazzjoni
motive n. mottiv, kaġun, il-kawża, il-kaġun
motley adj. varjat/a, mhawwar/mhawra
motor n. mutur, magna; (brit. inf. vehicle) mutur // adj. tal-mutur; **~bike** n. mutur; **~boat** n. dgħajsa bil-mutur; **~car** (brit.) n. karozza (bil-mutur); **~cycle** n. mutur; **~cycle racing** n. tiġrijiet tal-muturi; **~cyclist** n. motoċiklist; **~ing** (brit.) n. awtomobiliżmu; **~ist** n. awtomobilist, xufier tal-karozzi jew muturi tat-tlielaq; **~ racing** (brit.) n. tlielaq tal-karozzi jew muturi; **~ vehicle** n. vejikolu; **~way** (brit.) n. triq għall-karozzi
mottled adj. kollu/kollha kuluri
motto (pl. **~es**) n. motto(ws); (watchword)proverbju
mould (US. **mold**) n. tinwir; (mildew) moffa // vt. immudella; (fig.) ifforma; **~y** adj. immuffat/a, mnawwar/mnawra
moult (US. **molt**) vi. neħħa r-rix
mound n. borġ
mount n. għaqba, tomba // vt. tala'; (jewel, picture) immonta; (exhibition, etc.) tella' // vi. (increase) kattar; **~ up** vi. kattar
mountain n. muntanja // cpd. tal-muntanja; **~ bike** n. rota tal-muntanja, mountain bike; **~eer** n. xabbat il-muntanji; **~eering** n. xbit mal-muntanji; **~ous** adj. muntanjuż/a; **~ rescue team** n. tim tas-salvataġġ tal-muntanji; **~side** n. in-naħa tal-muntanja
mourn vt. wera ħasra u għali // vi. **to ~ for** beka għal; **~er** n. bil-vistu; **~ing** n. vistu, niket, għali; **in ~ing** bil-vistu
mouse (pl. **mice**) n. (zool. small) ġurdien; (big) far; (comput.) maws; **~trap** n. nassa tal-ġrieden
mousse n. (culin.) krema; (for hair) muss
moustache (US. **mustache**) n. mustaċċi
mousy adj. (hair) la ċar u lanqas skur
mouth n. ħalq, fomm; (of river) bokka; **~ful** n. mimli ħalq, gidma; **~ organ** n. orgni tal-ħalq; **~piece** n. (of musical instrument) bukkin; (spokesman) kelliem; **~wash** n. mouthwash; **~-watering** adj. li jxennaq/xxennaq
movable adj. li jista'/tista' jiċċaqlaq/tiċċaqlaq
move n. (movement) ċaqliqa; (in game) tibdila, ċaqliqa; (turn to play) imiss lil; (change: of house) biddel; (of job) biddel // vt. ċaqlaq, tħarrek; (emotionally) ikkommova; (pol. resolution, etc.) ippropona // vi. iċċaqlaq; (traffic) iċċirkola; (also **~ house**) biddel id-dar, mar joqgħod xi mkien ieħor; **to ~ sb. to do sth.** ċaqlaq lil xi ħadd biex jagħmel xi ħaġa; **to get a ~ on** iċċaqlaq; **~ about** or **around** vi. iċċaqlaq, dar; (travel) ivvjaġġa, siefer; **~ along** vi. avvanza, mexa 'l quddiem; **~ away** vi. tbiegħed; **~ back** vi. dar lura, irretroċeda; **~ forward** vi. avvanza, mexa 'l quddiem; **~ in** vi. (to a house) daħal; (police, soldiers) intervjena lil; **~ on** vi. telqu xi mkien ieħor; **~ out** vi. (of house) ħareġ; **~ over** vi. ċaqlaq; **~ up** vi. (employee) ta promowxin lil
moveable see **movable**
movement n. moviment, ċaqliqa
movie n. film; **to go to the ~s** mar iċ-ċinema/jara film
moving adj. (emotional) li jqanqal/tqanqal; (that moves) li jiċċaqlaq/tiċċaqlaq
mow (pt. **mowed**, pp. **mowed** or **mown**) vt. (grass) ħasad; (corn, eċċ.) ħasad, qata' l-uċuħ; **~ down** vt. (shoot) spara, waddab; **~er** n. (also **lawn~er**) magna tal-ħsad
MP n. abbr. of **Member of Parliament**; Membru Parlamentari
mpg abbr. of **miles per gallon** mpg
mph abbr. of **miles per hour** (**60 mph = 96 kph**)
Mr (US. Mr) n. **~ Smith** Sur/Sinjur Smith
Mrs (US. Mrs) n. **~ Smith** Sinjura Smith
Ms (US. Ms) n. (= **Miss** or **Mrs**) **~ Smith**
MSc abbr. of **Master of Science**
much adj. ħafna // adv. ħafna; qatigħ, wisq // n. jew pron. ħafna, bosta, qatigħ, koċċ, salt; **how ~ is it?** kemm tiswa?; **too ~** iżżejjed; **it's not ~** mhux wisq; **as ~ as** daqs; **however ~ he tries** jipprova kemm jipprova
muck n. demel; **~ about** or **around** (inf.) vi. kedd lil; (enjoy os.) qagħad jittanta x-xemx għaddejja; **~up** (inf.) vt. ħammeġ
mucus n. maħta
mud n. tajn; **~ pack** n. kożmetiku tal-wiċċ; **~ slinging** n. tfigħ il-ħama

muddle n. taħwida, tgerfixa; (mix-up) taħlita // vt. (also ~ **up**) ħawwad; ~ **through** vi. tkaxkar
muddy adj. bit-tajn, kollu/kollha tajn; (fig.) konfuż/a
mudguard n. madgard
muff n. maff
muffin n. ftira tat-te
muffle vt. (sound) faga; (against cold) leff; ~**d** adj. (noise, etc.) mifguħ; ~**r** (US.) n. (aut.) maffler
mufti n. **in** ~ ilbies komuni
mug n. buqar; (for beer) magg; (inf. face) wiċċ; (fool) ċuċ, fidil/a // vt. (assault) ħabat għal; ~**ging** n. ħabta, serqa; ~-**up** studja bir-reqqa
muggy adj. (weather) umdu u li jaqta' n-nifs
mulatto, ~**es** n. mulatt(i)
mule n. bagħal
mull: **to** ~ **over** vt. irrifletta dwar, ħaseb dwar
multi - pref. multi; ~**coloured** (US. **colored**) multikulurit
multi-level (US.) adj. = **multistorey**
multifarious adj. ta' tipi differenti
multiple adj. multiplu/multipla // n. multiplu; ~ **sclerosis** n. sklerożi multipla
multiplex cinema n. ċinema multiplu
multiplication n. multiplikazzjoni
multiply vt. immoltiplika, // vi. immoltiplika, tkattar
multistorey (brit.) adj. ta' ħafna sulari
multitude n. miġemgħa
mum (brit. inf.) n. ma // adj. **to keep** ~ żamm kollox sieket fuq
mumble vt., vi. laqlaq
mummy n. (brit. mother) ma; (embalmed) mumja
mumps n. gattone
munch vt., vi. meċlaq
mundane adj. ta' din id-dinja; (pej. humdrum) banali
municipal adj. muniċipali
munitions n.pl. munizzjon
mural n. ta' fuq il-ħitan
murder n. qtil; (in law) omiċidju // vt. qatel; ~**er/ess** n. qattiel/a; ~**ous** adj. omiċida
murk n. dalma; ~**y** adj. (water) dgħumi; (street, night) mudlam/a
murmur n. tgemgim; (soft speech) tpespis // vt, vi. gemgem; (speak softly) pespes
muscle n. muskolu; (fig. strength) saħħa, enerġija; ~ **in** vi. iddeffes
muscular adj. muskulari; (person) mibni/ja, godli/ja
muse vi. irrifletta, immedita // n. muża, lehma
museum n. mużew
mushroom n. faqqiegħ; (culin.) faqqiegħ // vi. kiber bis-sigħat
mushy adj. rtubi/ja; (pej.) ta' ħafna sentimentaliżmu żejjed
music n. mużika; ~**al** adj. mużikali; (sound) sabiħ, melodjuż; (person) bit-talent mużikali // n. (show) musical; ~**al instrument** n. strument mużikali; ~ **hall** n. teatru tal-varjetà; ~**ian** n. mużiċist/a
musket n. azzarin, xkubetta
Muslim adj., n. Mislem/Miselma, Mawmettan/a
muslin n. musulina
musquash n. xorta ta' far
mussel n. masklu
must aux. vb. (obligation): **I** ~ **do it** irrid nagħmilha; (probability): **he** ~ **be there by now** suppost wasal bħal dal-ħin // n. **it's a** ~ huwa dmir
mustache (US.) n. = **moustache**
mustard n. mustarda
muster vt. laqqa' flimkien, ġabar
mustn't = must not
musty adj. immuffat/a, mnawwar/mnawra
mute adj., n. mutu/muta
muted adj. mtaffi/ja; (colour) mgħattan; (mus.) fgat; (trumpet) immjutata
mutilate vt. immanka
mutilation n. għarraq is-sura ta'
mutinous adj. (troops) ribellużi; (attitude) ribelluża
mutiny n. qawma kontra l-awtorità // vi. qam kontra l-awtorità, irribella
mutter vt., vi. gemgem, gerger
mutton n. muntun
mutual adj. miż-żewġ naħat; (interest) komuni; ~**ly** adv. lejn xulxin
muzzle n. geddum; (for dog) sarima; (of gun) bokka // vt. (dog) libbes is-sarima
my adj. tiegħi; (as pronoun) -i; ~ **house/brother/sisters** id-dar tiegħi/oħti/ħija; **I've washed** ~ **hair/cut** ~ **finger** ħsilt xagħri/qtajt subgħajja; **is this** ~ **pen or yours?** din il-pinna tiegħi jew tiegħek?
myopic adj. (li) ma jarax/tarax mill-viċin
myself pron. (reflexive) jien; (emphatic) jiena stess; (after prep) jiena stess; see also **oneself**
mysterious adj. misterjuż/a
mystery n. misteru
mystic n. il-mistiku // adj. (mysterious) misterjuż/a; ~**al** adj. mistiku/mistika
mystify vt. (perplex) ħawwad; (puzzle) ħabbel il-moħħ
mystique n. il-mistiku
myth n. ħrafa; (dead person: actor, eċċ.) mit; ~**ical** adj. mitiku/mitika; ~**ological** adj. mitoloġiku/mitoloġika; ~**ology** n. mitoloġija

N n

n l-erbatax-il ittra tal-alfabett Ingliż
n/a abbr. of **not applicable**; mhux applikabbli
nab vt. ħataf, qabad bis-salt
nag vt. (scold) qered; **~ging** adj. (doubt) li jitturmentak; (pain) persistenti // (animal) n. żiemel żgħir
nail n. (human) difer, (metal) musmar // vt. sammar; **to ~ sth. to sth.** sammar xi ħaġa ma' xi ħaġa; **to ~ sb. down to doing sth.** irnexxielu jġiegħel lil xi ħadd jagħmel xi ħaġa; **~brush** n. xkupilja; **~file** n. lima; **~ polish** lostru tad-difrejn
naive adj. inġenwu/inġenwa, miskin/a
naked adj. (nude) għeri/għerja, għarwien/a; (flame) esposta għall-arja
name n. isem; (surname) kunjom; (reputation) reputazzjoni // vt. (child) semma; (criminal) identifika, għaraf; (price; date, etc.) iffissa; **what's your ~?** x'jismek?; **by ~** bl-isem; **in the ~ of** f'isem ta' (l-); **to give one's ~ and address** ta l-isem u l-indirizz tiegħu; **~ly** adv. jiġifieri, ċjoè; **~sake** n. omonimu/omonima, bl-istess isem
nanny n. qaddejja mat-trabi
nap n. (sleep) nagħsa; **to be caught ~ping** qabad għal għarrieda
napalm n. napalm
nape n. **~ of the neck** il-ħofra tal-għonq
napkin n. (also **table ~**) sarvetta; (brit. for baby) vavalor
nappy (brit.) n. ħarqa; **~ rash** n. ħakk
narcissus (pl. **narcissi**) n. ranċis
narcotic n. (drug) stupefaċenti; (med.) narkotiku
nark vt. (inf.) dejjaq, iffitta
narrate vt. irrakkonta, tenna
narrative n. narrazzjoni, rakkont // adj. narrattiv/a
narrator n. narratur/narratriċi
narrow adj. dejjaq/dejqa; (fig. majority, etc.) dejqa; (ideas, etc.) dojoq // vi. (road) djaqet; (diminish) tnaqqas; **to have a ~ escape** ħelisha bil-ħniena; **to ~ sth. down** dejjaq; **~ly** adv. (miss) għal ħarira/naqra/ftit; **~ly missed injury/the tree** għal ħarira/naqra/ftit ma weġġax/laqatx is-siġra; **~-minded** adj. dejjaq/dejqa
nasal adj. nażali
nastily adv. (say, act) b'kattiverja
nastiness n. (of remark) kattiverja
nasty adj. (remark) kattiv; (person) antipatka; (revolting: taste, smell) moqżież; (wound, disease, etc.) kerha
nation n. nazzjon, pajjiż
national adj., n. nazzjonali; **~ dress** n. kostum tradizzjonali (tal-pajjiż); **N~ Health Service** (brit.) n. Servizz Nazzjonali tas-Saħħa; **N~ Insurance** (brit.) n. National Insurance; **~ism** Nazzjonaliżmu; **~ist** adj., n. Nazzjonalist/a; **~ity** n. nazzjonalità; **~ize** vt. ġab nazzjonali; **~ly** adv. (nationwide) fuq skala nazzjonali; (as a nation) bħala nazzjon; **~ park** (brit.) n. (il-) Park Nazzjonali
nationwide adj. fuq skala nazzjonali
native n. (local inhabitant) nattiv/a // adj. (indigenous) indiġenu/indiġena; (country) tal-pajjiż-omm; (innate) naturali; **a ~ of Russia** mwieled fir-Russja; **a ~ speaker of French** kellu l-Franċiż bħala l-lingwa nattiva; **N~ American** adj., n. Nord Amerikan/a; **~ language** n. l-lingwa li tatu pajjiżu, il-lingwa nattiva
Nativity n. **the ~** it-Twelid (ta' Ġesù)
NATO n. abbr. of **North Atlantic Treaty Organization**
natter vi. tħaddet (ma')
natural adj. naturali; **~ gas** n. gass naturali; **~ist** n. naturalist/a; **~ize** vt. innaturalizza; (plant) akklimatizza; **~ly** adv. naturalment, ovvjament
nature n. (also **N~**) in-natura; (group, sort) kwalità, tip; (character) natural, karattru; **by ~** b'mod naturali
naught = nought
naughty adj. (child) mqarqaċ/mqarqċa
nausea n. tqalligħ, dardir; **~te** vt. qabdu t-tqalligħ/dardir

nautical adj. tat-tbaħħir; (mile) mil (nawtiku)
naval adj. navali, tal-baħar; ~ **officer** n. uffiċjal tal-baħar/navali
nave n. (of church) nava; (of bicycle) buttun
navel n. żokra
navigate vt. saq // vi. baħħar
navigation n. (action) tbaħħir, navigazzjoni; (science) in-navigazzjoni
navigator n. baħħar (aut.) it-tieni pilota
navvy (brit.) n. baqqunier
navy n. flotta; (ships) bastimenti; ~(**-blue**) adj. ikħal nejvi
Nazi n. Nażi
NB abbr. of **nota bene**
neap n. (also ~**tide**) mili baxxi
near adj. (place, relation) viċin; (time) daqt/dalwaqt // adv. viċin // prep. (also ~ **to**: space) biswit; (time) kważi // vt. resaq viċin; ~**by** adj. viċin // adv. viċin; ~**ly** adv. kważi, għal daqsxejn, għal ftit; **I ~ly fell** għal ftit ma waqajtx; ~ **miss** n. għal naqra; ~**side** n. (aut. in Britain) fuq ix-xellug; (in US., Europe, etc.) fuq il-lemin; ~**-sighted** adj. li ma jarax/tarax mill-bogħod
neat adj. (place) nadif; (person) nadif/a; (plan) magħmul bi ħsieb; (spirits) waħdu; ~**ly** adv. (tidily) b'mod pulit; (skilfully) b'ħila
nebulous adj. vag/a
necessarily adv. neċessarjament
necessary adj. neċessarju/neċessarja, meħtieġ/a
necessitate vt. għamlu meħtieġ
necessity n. neċessità, bżonn, ħtieġa; **necessities**: **the bare** ~ n.pl. il-bżonnijiet bażiċi
neck n. (of person, garment, bottle, animal) għonq // vi. (inf.) tbewwes (inf.) ntreda'; ~ **and** ~ ras imb ras; ~**lace** n. ġiżirana, kullana, ħannieqa; ~**line** n. skullatura; ~**tie** n. ingravata
nee adj. ~ **Scott** nee Scott
need n. (lack) nuqqas; (necessity) bżonn // vt. (require) kellu bżonn; **I ~ to do it** għandi bżonn nagħmilha; **you don't ~ to go** m'għandekx għalfejn tmur
needle n. labra // vt. (fig. inf.) dejjaq, tella' n-nervi lil
needless adj. bla bżonn; ~ **to say** m'għandniex għalfejn ngħidu
needlework n. (activity) xogħol tal-ħjata
needn't = need not
needy adj. fil-bżonn; **in ~ circumstances** fil-faqar
negation n. ċaħda, tmerija
negative n. (phot.) negattiva; (ling.) negattiv // adj. negattiv/a
neglect vt. (one's duty) ittraskura, ma tax kont ta'; (child) ittraskura // n. (of house, garden, etc.) nuqqas ta' ħsieb ta'; (of child) traskuraġni; (of duty) traskuraġni, nuqqas ta' kont
negligee n. (nightgown) libsa tas-sodda
negligence n. traskuraġni, nuqqas ta' kont
negligent adj. traskurat/a, negliġenti; ~**ly** adv. b'mod traskurat; (offhandedly) każwalment
negligible adj. ta' ftit siwi, negliġibbli
negotiable adj. negozjabbli
negotiate vt. (treaty, loan) innegozja, ftiehem fuq; (obstacle) għadda, qabeż; (bend in road) ħa // vi. **to** ~ (with) innegozja ma'
negotiation n. trattativa; (pol.) negozjati
Negress n. sewda
Negro adj. (gen.) iswed; (music, arts) sewda // n. (pl. ~**es**) iswed (suwed)
neigh vi. żeher; nagħa
neighbour (US. **neighbor**) n. ġar; ~**hood** n. (place) l-inħawi; (people) il-proxxmu; ~**ing** adj. ta' l-inħawi; ~**ly** adj. (person) kordjali, amikevoli; (attitude) kordjali
neither adj. la // conj. **I didn't move and ~ did John** Jien ma ċċaqlaqtx u lanqas Ġanni (ma ċċaqlaq) // pron. l-ebda // adv. ~ **good nor bad** la tajjeb u lanqas ħażin; ~ **is true** l-ebda wieħed mhu tajjeb
neo... pref. neo...
neon n. neon; ~ **light** n. dawl tan-neon; ~ **sign** n. tabella tan-neon
nephew n. neputi
nepotism n. nepotiżmu
nerve n. (anat.) nerv; (courage) kuraġġ; (impudence) sfiq; **a fit of ~s** attakk ta' nervi; ~**-racking** adj. li jqabbdek/tqabbdek ħafna nervi;
nervous adj. (anxious, anat.) nervuż/a; (timid) timidu/timida; ~ **breakdown** n. brejkdawn
nest n. (of bird) bejta; (**wasps'** ~) ġarra // vi. bejjet; ~ **egg** n. (fig.) fondi ta' flus (bħala riserva)
nestle vi. **to ~ down in bed** sab pożizzjoni tajba fis-sodda
net n. (gen.) xibka; (fabric) nsiġ // adj. (comm.) nett // vt. ġabar nett ta'; (sport) sab ix-xibka; ~**ball** n. netbol
Netherlands n.pl. **the** ~ l-Olanda
nett adj. = **net**
netting n. (for fence, etc.) xibka
nettle n. ħurrieq; ~**-rush** urtikarja
network n. netwerk
neurosis (pl. **neuroses**) n. nevrożi
neurotic adj. n. nevrotiku/nevrotika
neuter adj. (ling.) newtru // vt. sewwa
neutral adj. (person, colour, etc.) newtrali; (elec.) neutral // n. (aut.) fri; ~**ize** vt. innewtralizza

never adv. qatt; **I ~ went** jien qatt ma mort; ~ **in my life** qatt f'ħajti; see also **mind**; **~-ending** adj. li ma jispiċċa/tispiċċa qatt; **~theless** adv. xorta waħda

new adj. ġdid/a; (brand new) fjamant; (recent) riċenti; **N~ Age** n. New Age; **~born** adj. li għadu/għadha kemm twieled/twieldet; **~comer** n. li għadu kemm wasal; **~-fangled** (pej.) adj. modernissimu; **~-found** adj. (friend) ġdid/a; (enthusiasm) entużjażmu misjub mill-ġdid; **~ly** adv. mill-ġdid; **~ly-weds** n.pl. miżżewġin friski

news n. aħbarijiet; **a piece of ~** aħbar; **the ~** (radio, tv.) l-aħbarijiet; **~ agency** n. aġenzija tal-aħbarijiet; **~agent** (brit.) n. aġent tal-aħbarijiet; **~caster** n. preżentatur/preżentatriċi; **~ flash** n. aħbar tal-aħħar siegħa; **~letter** n. ċirkulari, folju; **~paper** n. gazzetta; **~print** n. karta ta' gazzetti; **~reader** n. = **~caster**; **~reel** qarrej; **~ stand** n. planċier tal-gazzetti

newt n. xorta t'anfibju

New Year n. Sena Ġdida; **~'s Day** n. l-Ewwel tas-Sena; **~'s Eve** n. Lejlet l-Ewwel tas-Sena

New York n. New York

New Zealand n. New Zealand; **~er** n. minn New Zealand

next adj. (house, room) ta' biswit; (bus stop, meeting) li jmiss; (following: page, etc.) ta' wara // adv. wara; **the ~ day** il-jum ta' wara; **~ time** darb'oħra; **~ year** is-sena d-dieħla; **~ to** ma'; **~ to nothing** ma' xejn; **~ please!** li jmiss jekk jogħġobkom!; **~ door** adv. tad-dar biswit // adj. l-eqreb; **~-of-kin** n. l-eqreb fil-familja

NHS n. abbr. of **National Health Service**

nib n. pinna tar-rix

nibble vt. naqqar, giddem

Nicaragua n. in-Nikaragwa; **~n** adj. tan-Nikaragwa // n. min-Nikaragwa

nice adj. (likeable) grazzjuż/a; (kind) b'qalbu/qalbha tajba; (pleasant) li jiġbdek/tiġbdek; (attractive) gustuż/a; **~ly** adv. tajjeb/tajba

niceties n.pl. dettalji

nick n. (wound) ġerħa; (cut, indentation) qata' // vt. (inf.) baram; **in the ~ of time** f'kemm ili ngħidlek

nickel n. nikel; (US.) xelin

nickname n. laqam // vt. laqqam

nicotine n. nikotina

niece n. neputija

Nigeria n. in-Niġerja; **~n** adj. Niġerjan/a

niggardly adj. bix-xeħħa, bit-tqanċiċ

niggling adj. (trifling) insinifikanti; (annoying) li jdejjaq/ddejjaq, li jxebba'/xxebba'

night n. lejl; (evening) serata; **the ~ before last** il-lejl qabel tal-aħħar; **at ~ by**, **by ~** billejl; **~cap** n. (drink) xarba qabel l-irqad; **~ club** n. nightclub; **~dress** (brit.) n. libsa tal-irqad; **~fall** n. hekk kif jixegħlu l-kwiekeb; **~gown** n. = **~dress**; **~ie** n. = **~dress**; **~life** n. il-ħajja tat-tard; **~ly** adj. ta' kull lejl // adv. kull lejl; **~mare** n. ħolma kerha; **~school** n. skola serali; **~ shift** n. xift ta' billejl; **~-time** n. il-ħin tat-tard; **~ watchman** n. għassies ta' billejl

nightingale n. rużinjol

nil (brit.) n. (sport) xejn

Nile n. **the ~** in-Nil

nimble adj. (agile) ħafif/a, ilvent/a; (skilful) jaf/taf is-sengħa

nine num. disgħa; **~teen** num. dsatax; **~ty** num. disgħin

ninth adj. id-disa'

nip vt. (pinch) qoros; (bite) gidem

nipple n. (anat.) ras il-beżżula, nipla

nippy adj. (person) ħafif/a

nitrogen n. nitroġenu

no (pl. **~es**) adv. (opposite of "yes") le; **are you coming? - ~ (I'm not)** ġej? - le (m'iniex ġej); **would you like some more? - ~ thank you** trid ftit ieħor? - le grazzi // adj. (not any): **I have ~ money/time/books** m'għandi l-ebda flus/ħin/ktieb; **~ other man would have done it** l-ebda raġel ieħor ma kien jagħmilha; **"~ entry"** "tidħolx"; **"~ smoking"** "tpejjipx" // n. le

nobility n. nobbiltà

noble adj. nobbli

nobody pron. ħadd, ebda wieħed

nod vi. ċaqlaq rasu; (in agreement) qabel; (doze) nagħas // vt. **to ~ one's head** għamel sinjal t'iva b'rasu // n. sinjal bir-ras; **~ off** vi. niegħes

noise n. storbju; (din) frakass, storbju kbir, frattarija

noisy adj. storbjuż/a; (child) frattarjuż

nomad n. nomadu/nomada; **~ic** nomadu/nomada, li jiġġerra/tiġġerra

no man's land n. art li mhi ta' ħadd

nominal adj. (rent, fee) nominali; (rule) tal-isem; (value) nominali

nominate vt. (propose) ippropona; (appoint) ta l-kariga lil, innomina

nominee n. kandidat/a

nomination n. nomina; nominazzjoni

non... pref. non...; **~-alcoholic** adj. non-alkoħoliku/nonalkoħolika

non-chalant adj. biered/bierda

non-committal adj. li ma jikkommettix/tikkommettix ruħu/ruħha

nondescript adj. li ma tistax tiddeskrivih/a
none pron. l-ebda // adv. ebda; ~ **of you** ebda wieħed minnkom; **I've ~ left** ma fadallix; **he's ~ the worse for it** xejn mhu ħażin għaliha
nonentity n. nonentità
nonetheless adv. mhux tal-inqas
non-existent adj. ma jeżistix
non-fiction n. mhux fittizju/fittizja
non-flammable adj. li ma jaqbadx/taqbadx
nonplussed adj. konfuż/a
nonsense n. frugħa; ~**!** ħmerijiet!
non-smoker n. non-smoker, persuna li ma tpejjipx
non-smoking adj. li ma jpejjipx/tpejjipx
non-stick adj. (pan, surface) li ma jwaħħalx/twaħħalx
non-stop adj. li ma jiqafx/tiqafx; (rail.) dirett/a // adv. mingħajr waqfien
noodles n.pl. (pasta) strixxa tal-għaġin; (fool) baħnan
nook n. ~**s and crannies** f'kull rokna
noon n. nofsinhar
no-one pron. = **nobody**; ħadd
noose n. (hangman's) ingassa
nor conj. = **neither** // adv. see **neither**
norm n. norma
normal adj. normali; ~**ly** adv. normalment
Normandy n. in-Normandija
north n. Tramuntana, Nord // adj. tat-Tramuntana // adv. lejn it-Tramuntana; **N~ Africa** n. l-Afrika ta' Fuq; **N~ America** n. l-Amerika ta' Fuq; ~**-east** n. Grigal; ~**erly** adj. (point, direction) tat-Tramuntana; ~**ern** adj. tan-naħa ta' fuq; **N~ern Ireland** n. l-Irlanda ta' Fuq; **N~ Pole** n. il-Pol ta' Fuq; **N~ Sea** n. il-Baħar tat-Tramuntana; ~**ward(s)** adv. lejn it-Tramuntana; ~**-west** n. Majjistral
Norway n. in-Norveġja
Norwegian adj. Norveġiż/a // n. (ling.) in-Norveġiż
nose n. (anat.) mnieħer; (zool.) geddum; (sense of smell) xamm // vi. **to ~ about** għarrex; ~**bleed** n. faġra; ~**-dive** n. (of plane) niżel 'l isfel b'mod perikoluż; ~**y** (inf.) adj. iħobb jiddeffes
nostalgia n. nostalġija
nostalgic adj. nostalġiku/nostalġika
nostrils n. mnifsejn
nosy (inf.) adj. = **nosey**
not adv. mhux; ~ **that...** mhux għax...; **it's too late, isn't it?** tard wisq, hux veru?; ~ **yet/now** mhux għalissa/issa; **why ~?** għaliex le?; see also **all**; **only**
notable adj. notevoli, ta' min jagħti kas
notably adv. notevolment
notary n. (also ~ **public**) nutar
notch n. xaqq, fetħa, toqba
note n. (mus., record, letter) nota; (banknote) karta tal-flus; (tone) ton // vt. (observe) innota; (write down) niżżel (fuq karta); ~**book** n. ktejjeb tan-noti; ~**d** adj. ċelebri; ~**pad** n. ktejjeb tan-noti; ~**paper** n. karta tal-ittri
nothing n. xejn, ebda ħaġa; (zero) xejn; **he does ~** ma jagħmel xejn; ~ **new** xejn ġdid; ~ **much** xejn speċjali; **for ~** (free) b'xejn; (in vain) għalxejn
notice n. (announcement) avviż, tagħrifa; (warning) twissija; (dismissal) tkeċċija; (resignation) riżenja; (period of time) perjodu sa // vt. (observe) osserva, ta kas; **to bring sth. to sb.'s ~** (attention) ressaq xi ħaġa għall-attenzjoni ta' xi ħadd; **to take ~ of** ta kas ta'; **at short ~** mingħajr preavviż; **until further ~** sa ma jidhru iktar avviżi; **to hand in one's ~** ta r-riżenja tiegħu; ~**able** adj. ovvju, evidenti, li jidher/tidher sew; ~ **board** (brit.) n. tabella tal-avviżi
notify vt. **to ~ sb. (of sth.)** għarraf lil xi ħadd b'xi ħaġa
notion n. ħjiel, idea; (opinion) ħsieb, opinjoni
notorious adj. magħruf/a, msemmi/ja
notwithstanding adv. għad illi // prep. madanakollu
nougat n. qubbajt
nought n. xejn, żero
noun n. nom
nourish vt. tama'; (fig.) għajjex; ~**ing** adj. li jgħajjex/tgħajjex; ~**ment** n. għajxien, nutriment
novel n. rumanz, storja // adj. (new) ta' sura ġdida; (unexpected) mhux tas-soltu; ~**ist** n. rumanzier; ~**ty** n. xi ħaġa ġdida, innovattiva
November n. Novembru
novice n. (rel.) novizz
now adv. (at the present time) issa; (these days) daż-żmien // conj. ~ **(that)** issa li; **right ~** issa stess; **by ~** sa issa; **just ~** issa stess; **(every) ~ and then**, **(every) ~ and again** kultant; **from ~ on** minn issa 'l quddiem; ~**adays** adv. daż-żminijiet
nowhere adv. (direction) fl-ebda post; (location) mkien
nozzle n. (of horse) geddum
nuance n. sfumatura
nuclear adj. nukleari
nucleus (pl. nuclei) n. nukleu
nude adj. għarwien/a, mnażża'/mnażżgħa, għeri/għerja // n. (art) nudo; **in the ~** għarwien/a
nudge vt. ta daqqa bil-minkeb
nudist n. nudist

nudity n. għera
nuisance n. sikkatura; (person) ksir ir-ras; **what a ~!** xi dwejjaq!
null adj. ~ **and void** null; ~**ify** vt. annulla, ħassar, xejjen
numb adj. ~ **with cold/fear** tħeddel bil-bard/biża'
number n. numru; (quantity) numru, ħafna // vt. (pages, etc.) ta numru; (amount to) għadd, ammonta għal; **to be ~ed among** kien meqjus fost; **a ~ of** numru ta'; **they were ten in ~** kienu għaxra b'kollox; ~ **plate** (brit.) n. pjanċa
numbness n. tħeddil
numeral n. għelm li juri numru
numerate adj. jaf/taf jgħodd/tgħodd
numerical adj. numeriku/numerika; **in ~ order** f'ordni numeriku
numerous adj. numerużu/a; ta' għadd kbir
nun n. soru
nurse n. infermier/a, ners; (also ~**maid**) qaddejja tat-trabi // vt. (patient) dar bi
nursery n. (institution) nursery; (room) kamra għat-tfal; (for plants) lok tat-tkabbir tal-ħxejjex; ~ **rhyme** n. diska jew poeżija qasira li titkanta lit-tfal iż-żgħar; ~ **school** n. kindergardin; ~ **slope** (brit.) n. (ski) niżla għall-mhux-esperti
nursing n. (profession) il-professjoni t'infermiera; (care) assistenza, għajnuna; ~ **home** n. klinika (tax-xjuħ)
nut n. (tech.) skorfina; (bot.) lewża, ġewża; ~ **crackers** n.pl. nutcracker
nutmeg n. noċimuskata; (football) għadda l-ballun minn bejn saqajn plejer
nutrient n. nutriment
nutrition n. nutrizzjoni
nutritious adj. li jsostni/ssostni, li jżomm/żżomm il-ħajja
nuts (inf.) adj. li jġennen
nutshell n. **in a ~** fi ftit kliem
nylon n. najlon // adj. tan-najlon

O o

o il-ħmistax-il ittra tal-alfabett Ingliż
oaf n. ċakkar/a, wieħed/waħda goff/a u oħxon/ħoxna
oak n. (tree) siġra tal-ballut; ~ **apple** ġandra // adj. tal-ballut
OAP (brit.) n. abbr. of **old-age pensioner**
oar n. moqdief
oasis (pl. **oases**) n. oażi
oat n. ħafur; (animal food) ġwież għall-bhejjem
oath n. ħalfa, ġurament; (swear word) dagħwa; **on** (brit.) or **under** ~ fuq jew taħt ġurament
oatmeal n. see **oat**; adj. (colour) bexx
obedience n. ubbidjenza
obedient adj. ubbidjenti
obelisk n. obelisk
obesity n. simna, ħxuna żejda
obey vt. obda lil; (instructions, regulations) segwa // vi. obda
obituary n. avviż tal-mewt
object n. oġġett, ħaġa; (purpose) skop, għan; (ling.) l-oġġett // vi. **to ~ to** qajjem oġġezzjoni għal; (proposal) oppona għal; **to ~ that** oġġezzjona illi; **expense is no** ~ il-flus mhux problema; **I ~!** noġġezzjona!, ma naqbilx!; **~ion** n. oġġezzjoni; **I have no ~ion to -** m'għandi l-ebda oġġezzjoni għal(l-) -; **~ionable** adj. li ma jintgħoġobx/tintgħoġobx; (conduct) ta' min jikkundanna/tikkundanna; **~ive** adj. oġġettiv/a; n. l-għan
obligation n. obbligazzjoni; (debt) rabta; **without** ~ mingħajr obbligazzjoni
obligatory adj. obbligatorju, li jorbot/torbot
oblige vt. (do a favour for) għoġob, għamel pjaċir; **to ~ sb. to do sth.** ġagħal lil xi ħadd jagħmel xi ħaġa; **to be ~d to sb. for sth.** kien obbligat lejn xi ħadd għal xi ħaġa
obliging adj. dejjem lest/a li jagħmel/tagħmel pjaċir
oblique adj. inklinat/a; (allusion) indirett/a
obliterate vt. ħassar (kompetament)
oblivion n. nisi
oblivious adj. ~ **of** ma ttendiex bi
oblong adj. tawwali // n. kaxxa tawwalija
obnoxious adj. aħdar, kattiv; (smell) ripressiv/a
oboe n. obwe
obscene adj. oxxen, faħxi
obscenity n. oxxenità
obscure adj. skur/a // vt. għamel mhux ċar; (hide: sun) dallam, dellel
obscurity n. dlam; (vagueness) nuqqas ta' ċarezza
obsequious adj. servili
observable adj. li jiġi/tiġi osservat/a; (appreciable) apprezzabbli
observance n. osservanza
observant adj. attent/a
observation n. osservazzjoni; (med.) osservazzjoni; (by police, etc.) sorveljanza
observatory n. osservatorju
observe vt. osserva; (rule) mexa ma'; **~r** n. osservatur/osservatriċi
obsess vt. ossessjona; **~ive** adj. ossessiv/a
obsolence n. skadenza
obsolete adj. **to be** ~ m'għandux jintuża
obstacle n. ostaklu; (nuisance) xkiel; ~ **race** n. tellieqa bl-ostakli
obstetrics n. ostetriċja
obstinacy n. stat ta' ras iebsa
obstinate adj. stinat/a, ta' rasu/rasha; (determined) determinat
obstreperous adj. turbulenti
obstruct vt. sadd; (hinder) fixkel; **~ion** n. (action) tfixkil, ostruzzjoni; (object) oġġett li jtellef/ ifixkel; **~ive** adj. li jfixkel/tfixkel
obtain vt. iddobba; (achieve) kiseb; **~able** adj. li tista' tikseb
obtrusive adj. (person) mhux mixtieq/a; (smell) penetranti; (building, etc.) fid-dieher
obtuse adj. bla xifer; (fig) injorant/a
obvious adj. ovvju/ovvja; **~ly** adv. ovvjament; **~ly not** ovvjament li le
occasion n. ċans; (event) okkażjoni; **~al** adj. okkażjonali; **~ally** adv. kultant
occupant n. (of house) li joqgħod/toqgħod fi; (of car) riekeb/riekba

occupation n. okkupazzjoni; (job) xogħol, sengħa, mestier; (pastime) passatemp; **~al disease** mard tax-xogħol; **~al hazard** n. perikli tax-xogħol
occupier n. dak li joqgħod fi
occupy vt. (seat) ħa; (post) okkupa; (time) mela; (house) qagħad ; **to ~ os. in doing** qattajna l-ħin nagħmlu
occur vi. seħħ; **to ~ to sb.** ġiet f'moħħ xi ħadd; **~rence** n. ġrajja, xi ħaġa li ssir/tiġri; (existence) eżistenza
ocean n. oċean
ochre adj. okra
o'clock adv. **it is 5 ~** il-ħamsa
OCR n. abbr. of **optical character recognition/ reader**
octagonal adj. ottangulari
octane n. ottan
octave n. ottava
October n. Ottubru
octopus n. qarnita
odd adj. stramb/a; (number) (numru) farrad; (sock, shoe, etc.) li ma taqbilx/jaqbilx; **60 ~** ftit iktar minn 60; **at ~ times** f'xi żminijiet; **to be the ~ one out** kien l-eċċezzjoni; **~ity** n. stramberija; (person) oriġinali; **~-job man** n. bniedem li jaħdem kollox; **~ jobs** n.pl. xogħlijiet okkażjonali; **~ly** adv. b'mod stramb; ara wkoll **enough**; **~ments** n.pl. (comm.) li jifdal; **~s** n.pl. (in betting) probabbiltà; **it makes no ~s** ma tagħmilx differenza; **to be at ~s** ma qablux; **~s and ends** griefex, raċanċ, xarbitelli
ode n. għanja, ode
odious adj. odjuż/a, li jġiegħlek/ġġiegħlek toboghdu/ha
odometer (US.) n. milometru
odour (US. **odor**) n. riħa; (unpleasant) ntiena; riħa tinten; **~less** bla riħa
of prep.
1 (gen.) ta'; **a friend ~ ours** ħabib tagħna; **a boy ~ 10** tifel ta'10 snin; **that was kind ~ you** kienet ħaġa sabiħa li għamilt
2 (expressing quantity, amount, dates, etc.); **a kilo ~ flour** kilo dqiq; **there were 3 ~ them** kien hemm 3 minnhom; **3 ~ us went** 3 minna marru; **the 5th ~ July** il-5 ta' Lulju
3 (from, out of) minn; **made ~ wood** magħmul mill-injam
off adj., adv. (engine) wieqfa; (light) mitfi; (tap) magħluq; (brit. food: bad) mar; (milk) qras (cancelled) sospiż/a // prep. barra, 'il barra minn; (away) 'il bogħod; **to be ~** (to leave) telaq 'il barra; **to be ~ sick** kien ma jiflaħx; **a day ~** jum frank; **to have an ~ day** kellu jum frank; **he had his coat ~** neża' l-kowt; **10% ~** (comm.) 10% irħas; **5 km ~ (the road)** 5 km 'il bogħod mit-triq; **~ the coast** 'il barra mix-xatt; **I'm ~ meat** (no longer eat/like it) m'għadnix niggusta l-laħam; **on the ~ chance** bit-tama żgħira
offal (brit.) n. (culin.) skart
offbeat adj. oriġinali
off-colour (brit.) adj. (ill) isfar/safra
offence (US. **offense**) insult; n. (crime) offiża; **to take ~ at** ħa għal
offend vt. (person) offenda, weġġa', naqas; **~er** n. kriminal
offensive adj. offensiv/a, li joffendi/toffendi; (smell, etc.) (riħa) li timbuttak // n. (mil.) offensiva
offer n. għotja, (proposal) offerta // vt. ressaq; (opportunity) offra; **"on ~"** (comm.) "b'offerta speċjali"; **~ing** n. offerta
offhand adj. informali // adv. f'daqqa waħda
office n. (place) uffiċċju; (position) kariga; **doctor's ~** (US.) studjo; **to take ~** nħatar fil-kariga; **~ automation** n. oġġetti tal-elettriku għall-uffiċini; **~ block** (US. **~ building**) n. bini tal-uffiċini; **~ hours** n.pl. sigħat tal-uffiċċju; (US. med.) sigħat tal-konsulta
officer n. (mil., etc.) uffiċjal; (also **police ~**) kuntistabbli; (of organization) direttur/direttriċi
office worker n. ħaddiem tal-uffiċċju
official adj. uffiċjali // n. uffiċjal
officious adj. li jħobb/tħobb jindaħal/tindaħal
offing n. **in the ~** (fig.) aktarx li sa tiġri dalwaqt
off: **~-licence** (brit.) n. (shop) ħanut tax-xorb; **~-line** adj., adv. (comput.) mingħajr linja; **~-peak** adj. (electricity) b'tariffa mraħħsa; (ticket) bi tnaqqis; **~-putting** (brit.) adj. (person, remark) li jaqta' l-qalb; **~-season** adj., adv. fl-istaġun mhux popolari; **~stage** adv. wara l-kwinti; **~- the-peg** (US. **~-the-rack**) adv. lest/a biex tintlibes/jintlibes; **~-white** adj. abjad maħmuġ
offset (irreg.) vt. ibbilanċja; **~-printing** stampar bl-offset
offshoot n. (fig.) xi ħaġa li tikber mis-sors prinċipali
offshore adj. (breeze, island) tal-art; (fishing) tal-kosta
offside adj. (sport) offsajd; (aut. in UK) lemin; (in US., Europe, etc.) xellug
offspring n. inv. wild
often adv. ta' sikwit, ta' spiss; **how ~ do you go?** kemm-il darba tmur?

ogle vt. ħares, ta daqqa t'għajn; (astonishingly) ħarsa t'għoġba
oh excl. ill!
oil n. żejt; (petroleum) żejt; (for heating) żejt // vt. ta ż-żejt; **~can** n. landa taż-żejt; **~field** n. bir taż-żejt; ~ **filter** n. (aut.) filter taż-żejt; ~ **painting** n. tpinġija biż-żejt; ~ **rig** n. rigg taż-żejt; ~ **tanker** n. tanker taż-żejt; (truck) trakk taż-żejt; ~ **well** n. bir taż-żejt; **~y** adj. żejtni/ja; (food) li jħaxxen
ointment n. ingwent
OK, okay excl. owkej // adj. mhux ħażin/a // vt. approva, ta l-kunsens
old adj. xiħ/a; qadim/a (former) preċedenti; **how ~ are you?** kemm għandek żmien?; **he's 10 years ~** għandu 10 snin; **~er brother** ħuh/a l-kbir; **~ age** n. xjuħija; **~-age pensioner** (brit.) n. pensjonant; **~-fashioned** adj. antikwat/a
olive n. (fruit) żebbuġ; (tree) siġra taż-żebbuġ // adj. (also **~-green**) aħdar żebbuġi; ~ **oil** n. żejt taż-żebbuġ
Olympic adj. Olimpiku/Olimpika; **the ~ Games, the ~s** il-Logħob Olimpiku, l-Olimpjadi
omelet(te) n. froġa
omen n. basra, tbassir
ominous adj. ikrah/kerha, li jġib/ġġib il-hemm
omission n. tħollija ta' xi ħaġa, nuqqas
omit vt. ħalla barra, qabbeż
on prep.
1 (indicating position) fuq; ~ **the wall** fuq il-ħajt; **it's ~ the table** fuq il-mejda; ~ **the left** fuq ix-xellug
2 (indicating means, method, condition, etc.): ~ **foot** bil-mixi; ~ **the train/plane** (go) mar bit-tren/bl-ajruplan; (be) kien fuq it-tren/l-ajruplan; ~ **the radio/television/telephone** fuq ir-radju/it-televixin/it-telefown; **to be ~ drugs** kien fuq id-drogi; (med.) kien qed isegwi kura; **to be ~ holiday/business** kien fuq vaganza/negozju
3 (referring to time): ~ **Friday** nhar il-Ġimgħa; ~ **June 20th** nhar l-20 ta' Ġunju; **a week ~ Friday** xi ġimgħa nhar ta' Ġimgħa; ~ **arrival** meta wasal/waslet; ~ **seeing this** meta ra dan
4 (about, concerning) dwar; **a book ~ physics** ktieb dwar il-fiżika
// adv.
1 (referring to dress): **to have one's coat ~** kellu l-kowt fuqu; **she put her gloves ~** libset l-ingwanti
2 (referring to covering): **"screw the lid ~ tightly"** "issikka t-tapp sew"
3 (further, continuously): **to walk, etc. ~** kompla jimxi, eċċ.
// adj.
1 (functioning, in operation: machine, radio, TV, light) jaħdem/taħdem, mixgħul/a; (tap) miftuħ/a; (brakes) magħfusin; **is the meeting still ~?** (in progress) il-laqgħa għadha għaddejja?; (not cancelled) il-laqgħa sa ssir?; **there's a good film ~ at the cinema** qed juru film sabiħ iċ-ċinema
2 that's not ~! (inf. not possible) ma jistax ikun!; (not acceptable) ma nistax naċċetta din il-ħaġa!
once adv. darba; (formerly) żmien ilu // conj. jekk, ladarba; ~ **he had left/it was done** ġaladarba kien telaq/kienet twettqet; **at ~** mill-ewwel; (simultaneously) f'daqqa; ~ **a week** darba fil-ġimgħa; ~ **more** darb'oħra; ~ **and for all** darba għal dejjem; ~ **upon a time** darba waħda
oncoming adj. (traffic) li ġej 'l hawn
one num. wieħed; ~ **hundred and fifty** mija u ħamsin; ~ **by** ~ wieħed wieħed / waħda waħda // adj.
1 (sole) l-uniku; **the ~ book which** l-uniku ktieb; **the ~ man who** l-uniku raġel li
2 (same) l-istess; **they came in the ~ car** ġew fl-istess karozza
// pron.
1 this ~ dan/din; **that** ~ dak/dik; (more remote) dak/dik t'hemm; **I've already got (a red)** ~ diġà għandi waħda ħamra;
2 ~ **another** lil xulxin; **do you two ever see ~ another?** toħorġu ma' xulxin?; **the boys didn't dare look at ~ another** is-subien lanqas riedu jħarsu lejn xulxin; **they all kissed ~ another** kulħadd bies lil xulxin
3 (impers.): ~ **never knows** ħadd ma jaf; **to cut ~'s finger** qata' subgħajh; ~ **needs to eat** hemm bżonn li nieklu
one: **~-day excursion** (US.) n. ħarġa ta' jum wieħed; **~-man** adj. (business) ta' wieħed waħdu; **~-man band** n. grupp ta' raġel waħdu; **~-off** (brit. inf.) n. (event) darba fill; **~-sided** adj. (argument) ta' naħa waħda; **~-to-~** adj. (relationship) ta' tnejn min-nies; **~-way** adj. (street) one way
oneself pron. lilu nnifsu; **to hurt ~** weġġa' lilu nnifsu; **to keep sth. for ~** żamm xi ħaġa għalih biss; **to talk to ~** tkellem waħdu
ongoing adj. attwali
onion n. basla
on-line adj., adv. (comput.) fuq il-linja
onlooker n. spettatur/spettatriċi
only adv. uniku, biss // adj. uniku, wieħed/waħda // conj. waħdu; **an ~ child** tifel waħdu; **not ~... but also...** mhux biss... imma anke...

onset n. il-bidu
onshore adj. (wind) li jonfoħ mill-baħar għal fuq ix-xatt
onslaught n. ħbit, assalt, attakk
onto prep. = **on to**
onus n. responsabbiltà, piż, toqol
onward(s) adv. (move) 'il quddiem; **from that time** ~ minn dak iż-żmien 'il quddiem
onyx n. oniks, taħwira ta' kwarz
ooze vi. nixxa
opal n. opal, ħaġra prezzjuża
opaque adj. opak, li mhux trasparenti
OPEC n. abbr. of **Organization of Petroleum-Exporting Countries**; OPEC
open adj. miftuħ/a; (car) miftuħa; (road) miftuħ/a; (meeting) pubbliku; (admiration) sinċiera // vt. fetaħ // vi. nfetaħ; (book, etc.. commence) beda; **in the** [illegible] (air) [illegible]; ~ **on to** vt. fus, (subj. room, door) fetaħ għal; ~ **up** vt. fetaħ; (blocked road) fetaħ // vi. **~ing** n. tal-ftuħ **~ing hours** n.pl. ħinijiet tal-ftuħ; **~ly** adv. apertament; **~-minded** adj. moħħu/moħħha miftuħ; **~-necked** adj. (shirt) bl-għonq skullat; **~-plan** adj. open-plan; **~-plan office** uffiċċju mingħajr ħitan li jaqsmu l-kamra
opera n. opra; ~ **glasses** n.pl. nuċċali tal-opri; ~ **house** n. dar tal-opri
operate vt. (machine) ħaddem; (company) mexxa // vi. ħaddem; **to ~ on sb.** (med.) għamel operazzjoni fuq xi ħadd
operatic adj. tal-opri
operating table n. il-mejda tal-operazzjonijiet
operating theatre n. is-sala tal-operazzjonijiet
operation n. biċċa xogħol; (of machine) il-ħidma; **to be in** ~ kien qed jinħadem; **to have an** ~ (med.) kellu operazzjoni; **~al** adj. li jaħdem/taħdem
operative adj. li jaħdem/taħdem
operator n. (of machine) operejter; (tel.) operejter tat-telefown
operetta n. operetta
opinion n. opinjoni; **in my** ~ fl-opinjoni tiegħi; **~ated** adj. rasu/rasha iebsa; ~ **poll** opinion poll
opium n. loppju
opponent n. avversarju; (at war) għadu
opportune adj. tal-ħin, tal-waqt
opportunist n. opportunist/a
opportunity n. opportunità; **to take the ~ of doing** ħataf l-opportunità biex jagħmel
oppose vt. oppona, ma qabilx ma'; **to be ~d to sth.** oppona għal xi ħaġa, ma qabilx ma' xi ħaġa; **as ~d to** meta mqabbla ma'
opposing adj. ta' kontra, avversarju/avversarja
opposite adj. kuntrarju/kuntrarja; (house, etc.) faċċata ta' // adv. bi dritt // prep. dritt, biswit // n. faċċata
opposition n. oppożizzjoni
oppress vt. għakkes, ħaqar; **~ion** n. tgħakkis, moħqrija, oppressjoni
oppressive adj. mgħakkes/mgħakksa, maħqur/a; (weather) li tistordik
opt vi. **to ~ for** għażel; **to ~ to do** għażel li jagħmel; ~ **out** vi. **to ~ out of** dar lura
optical adj. ottiku/ottika
optician n. mgħallem in-nuċċalijiet
optimism n. ottimiżmu
optimist n. ottimist; **~ic** adj. ottimistiku/ottimistika
optimum adj. l-aħjar
option n. għażla; **~al** adj. li tista' tagħżlu/tagħżilha
opulence n. [illegible]
opulent adj. għani/għanja
or conj. jew; (with negative): **he hasn't seen ~ heard anything** ma sema' u ma ra xejn; ~ **else** jew inkella
oracle n. oraklu
oral adj. orali, bil-fomm // n. eżami orali
orange n. (fruit) larinġ // adj. oranġjo
oration n. orazzjoni, diskors formali
orator n. oratur/oratriċi
oratorio n. oratorju
orb n. globu, sfera
orbit n. dawra; (med.) il-ħofra tal-għajn // vt., vi. orbita
orchard n. ġnejna bil-frott
orchestra n. orkestra; (US. **seating**) platea
orchid n. orkidea
ordain vt. (rel.) ordna
ordeal n. prova, tiġrib, tbatija kbira
order n. ordni; (command) ordni, kmand; (**good** ~) fi stat tajjeb; (comm.) ordni // vt. (also **put in** ~) irranġa, tefa' kollox f'postu; (comm.) bagħat/ħareġ l-ordni; (command) ordna, amar; **in** ~ f'ordni; (of document) fl-ordni; **in (working)** ~ jaħdem/taħdem; **in ~ to do;** sabiex tagħmel; **on** ~ (comm.) fuq ordni; **to be out of** ~ kien miġnun; (not working) ma jaħdimx/taħdimx; **to ~ sb. to do sth.** ordna lil xi ħadd biex jagħmel xi ħaġa; ~ **form** n. formola tal-ordnijiet; **~ly** adv. (mil.) sewwa, dixxiplina; (med.) nursing aide // adj. galbat/a
ordinal adj. (number) numru ordinali
ordinary adj. ordinarju/ordinarja; (pej.) medjokri, ordinarju/ordinarja; **out of the** ~ kontra s-soltu
ordination n. ordinazzjoni
Ordnance Survey (brit.) n. il-mappa topografika uffiċjali tal-Ingilterra

ore n. metall mhux maħdum
organ n. organu; (mus.) orgni; **~ic** adj. organiku/organika; **~ism** n. organiżmu, ħlejqa
organist n. organist
organization n. organizzazzjoni
organize vt. organizza; **~r** n. organizer
orgasm n. orgażmu
orgy n. (also fig.) orġja
Orient n. Orjent; **oriental** adj. Orjentali
orientate vt. **to ~ os.** qagħad, dera l-post
orifice n. fetħa
origin n. nisel, oriġini, il-bidu
original adj. oriġinali; (first) l-ewwel; (earlier) primittiv, tan-nisel // n. oriġinali; **~ity** oriġinalità; **~ly** adv. b'mod oriġinali
originate vi. **to ~ from**, **to ~ in** tnissel; oriġina minn, oriġina fi
Orkneys n.pl. **the ~** (also **the Orkney Islands**) il-Gżejjer Orkney
ornament n. ornament; (trinket) tiżjin; **~al** adj. li jżejjen/iżżejjen
ornate adj. għani fit-tiżjin
ornithologist n. ornitologu/ornitologa
ornithology n. ornitoloġija
orphan n. orfni/ltim // vt. **to be ~ed** spiċċa orfni/ltim; **~age** n. orfanotrofju
orthopaedic (US. **orthopedic**) adj. ortopediku
oscillate vi. tbandal, ixxejjer; (fig.) kien bejn ħaltejn
ostensible adj. espost/a, muri/ja, fid-dieher
ostensibly adv. apparentement
ostentation n. pretensjoni
ostenatious adj. pretenzjuż/a
osteopath n. speċjalista tal-osteopatija
ostracize vt. nażża' mill-privileġġi soċjali
ostrich n. nagħma
other adj. ieħor // pron. **the ~** (**one**) l-ieħor // adv. **~ than** iktar milli; **~s** (**~ people**) oħrajn; **the ~ day** dakinhar; **~wise** adv. inkella, xort'oħra // conj. (if not) jekk le
otter n. oter
ouch excl. aħħ!, ajma!
ought (pt. **ought**) aux. vb. **I ~ to do it** imissni nagħmilha; **this ~ to have been corrected** din għandha tiġi rranġata; **he ~ to win** (probability) għandu jirbaħ
ounce n. uqija
our adj. tagħna; see also **my**; **~s** pron. tagħna; see also **mine**; **~selves** pron. pl. (reflexive, after prep.) aħna nfusna/stess; (emphatic) tagħna; see also **oneself**
oust vt. tafa'/xeħet 'il barra; żgombra
out adv. barra, ta' barra; (not at home) mhux hemm (hawn, eċċ.); (light, fire) mitfi; **~ there** hemm barra; **he's ~** (absent) mhux hawn; **to be ~ in one's calculations** tħawwad; **to run ~** nħela; **~ loud** b'leħen għoli; **~ of** (outside) barra; (because of anger, etc.) minħabba; **~ of petrol** mingħajr petrol; **"~ of order"** "ma jaħdimx/taħdimx"; **~-and-~** adj. (liar, thief, etc.) per eċċellenza; **~back** n. intern, ta' ġewwa; **~board** adj. **~board motor** mutur fuq barra; **~break** n. (of war) tfaqqigħa; (of disease) tfaqqigħa; (of violence, etc.) tixrid; **~burst** n. (volcano) eruzzjoni; (rebellion) tifqigħa tal-korla; **~cast** n. emarġinat/a; **~come** n. riżultat, konsegwenza, il-frott (ta'); **~crop** n. (of rock) tlugħ fil-wiċċ; **~cry** n. irvell, storbju; **~dated** adj. skadut/a; **~do** (irreg.) vt. għadda, għeleb, ħalla lura; **~door** adj. ta' barra; (clothes) ħwejjeġ tat-triq; **~doors** adv. għall-arja; **~going** adj. (character) soċjevoli, dħuli; (retiring: president, etc.) li sa joħroġ mix-xena; **~goings** (brit.) n.pl. spejjeż finanzjarji; **~grow** (irreg.) vt. **he has ~grown his clothes** il-ħwejjeġ m'għadhomx jiġuh; **~house** n. bini miżjud; **~ing** n. ħarġa; **~law** n. żbandut/a; xi ħadd mhux imħares mil-liġi // vt. ordna/amar li xi ħadd ma jibqax imħares mil-liġi; **~lay** n. nefqa; **~let** n. ftuħ; (of pipe) fetħa; (US. elec.) il-ħruġ tal-kurrent; (also **retail ~let**) lok tal-bejgħ; **~line** n. (shape) il-figura; (sketch, plan) skeċċ // vt. (plan, etc.) għamel skeċċ ta'; **in ~line** (fig.) il-fattizzi, l-għamla tal-wiċċ; **~live** vt. għex iktar minn; **~look** n. (fig. prospects) prospettivi; (for weather) it-tbassir; **~lying** adj. 'il bogħod; **~moded** adj. skadut/a; **~number** vt. għadda bin-numri; **~-of-date** adj. (passport) skadut; (clothes) mhux moda; **~-of-the-way** adj. (unusual) oriġinali; (remote) 'il bogħod; **~patient** n. out-patient; **~put** n. ħruġ; (comput.) output; **~size** adj. (clothes) ta' qies kbir; **~skirts** n.pl. subborgi; **~spoken** adj. ċar u tond; **~standing** adj. ta' barra minn hawn; (remaining) li jibqa'/tibqa'; **~stay** vt. **to ~ stay one's welcome** abbuża bl-istedina ta' xi ħaġa; **~stretched** adj. (hand) miftuħa; **~strip** vt. (competitors, demand) għadda
outer adj. estern/a; **~ space** n. spazju kożmiku
outfit n. (clothes) tagħmira
outrage n. offiża; (atrocity) għemil ta' dnewwa // vt. offenda; **~ous** adj. atroċi, mostruż/a, **it is ~ that** hi xi ħaġa skandaluża illi
outright adv. (ask, deny) ċar u tond (refuse) b'kull mod, kategorikament; (win) b'mod ċar; (be killed) f'dak il-ħin stess
outset n. il-bidu

outside n. barra // adj. barra // adv. il-wiċċ ta' barra // prep. barra minn; (beyond) 'l hinn; **at the** ~ (fig.) bl-apparenzi; ~ **lane** n. (aut. in Britain) lejn ta' barra, tal-lemin; (in US., Europe, etc.) lejn ta' barra, tax-xellug; ~ **line** n. (tel.) linja esterna; ~**r** n. (stranger) barrani, stranġier
outward adj. ta' barra; (journey) 'il barra
outweigh vt. għadda
outwit vt. sebaq
oval adj. ovali, żenguli // n. ovali
ovary n. ovarju
ovation n. ovazzjoni
oven n. forn; ~**proof** adj. li jiflaħ/tiflaħ is-sħana
over adv. fuq // adj. (or adv) (finished) lest/a; (surplus) iktar // prep. fuq; (above) fuq; (on the other side of) in-naħa l-oħra ta', faċċata ta'; (more than) iktar minn; (during) waqt; ~ **here** hawnhekk; ~ **there** hemmhekk; **all** ~ (everywhere) kullimkien; ~ **and** ~ (**again**) għal darba wara l-oħra; ~ **and above** bejn wieħed u ieħor; **to ask sb.** ~ stieden lil xi ħadd id-dar; **to bend** ~ tbaxxa, tgħawweġ; ~**act** vi. (theat.) ħadem iktar milli messu
overall adj. (length, etc.) b'kollox; (study) jekk tqis kollox // adv. b'kollox // n. (brit.) overoll; ~**s** n.pl. overolls
over: ~**awe** vt. **to be** ~ **awed** (**by**) baqa' impressjonat ħafna bi; ~**balance** vi. tilef il-bilanċ; ~**board** adv. (naut.) għal isfel; ~**book** vt. ibbukkja żżejjed
overcast adj. msaħħab/msaħħba, mdallam/mdallma
overcharge vi. **to** ~ **sb.** iċċarġja żżejjed lil xi ħadd
overcoat n. kappott
overcome (irreg.) vt. rebaħ; (difficulty) għeleb
over: ~**crowded** adj. iffullat iżżejjed; (city, country) ippopolat iżżejjed; ~**do** (irreg.) vt. għamel iżżejjed; (overcook) sajjar iżżejjed; **to** ~ **do it** (work, etc.) ħadem iżżejjed; ~**dose** n. overdose; ~**draft** n. overdraft; ~**drawn** adj. (account) bil-kont fin-negattiv; ~**due** adj. ittardjat/a; ~**estimate** vt. esaġera fil-kalkoli
overflow vi. far // n. (also ~ **pipe**) pajp tal-overflow
overgrown adj. (garden) mħolli jikber iżżejjed
overhaul vt. fela, eżamina // n. reviżjoni
overhead adv. fil-għoli // adj. (cable) tal-għoli // n. (US. ~**s**); ~s n.pl. (expense) spejjeż ġenerali; ~ **projector** n. OHP
over: ~**hear** (irreg.) vt. sama'; ~**heat** vi. (engine) saħħan iżżejjed; ~**joyed** adj. ferħan/a
overland adj., adv. bl-art
overlap vi. issovrappona
over: ~**leaf** adv. fuq wara; ~**load** vt. għabba żżejjed; ~**look** vt. (have view of) ra, ħares lejn; (miss: by mistake) tilef bi żball; (excuse) għalaq għajn waħda
overnight adv. tul il-lejl; (fig) mil-lejl għan-nhar // adj. tal-lejl; **to stay** ~ qatta' l-lejl
overpower vt. għeleb; (fig) issekwestra; ~**ing** adj. (heat) qalila; (smell) li jidħol kullimkien
over: ~**rate** vt. issopravvaluta; ~**ride** (irreg.) vt. ma tax kas ta'; ~**riding** adj. predominanti; ~**rule** vt. (decision) ħassar, annulla; (claim) irrifjuta; ~**run** (irreg.) vt. għadda; ~**shoot** (irreg.) vt. mar oltre, wasal fejn ma kellux jasal
oversight n. żball, tħollija ta' xi ħaġa minħabba nuqqas t'attenzjoni
oversleep (irreg.) vi. baqa' rieqed
overstep vt. **to** ~ **the mark** qabeż il-limiti
overt adj. miftuħ/a
overtake (irreg.) vt. rebaħ; (brit. aut.) qabeż
over: ~**throw** (irreg.) vt. (government) waqqa'; ~**time** n. sahra; ~**tone** n. (fig) sfumatura
overture n. (mus.) overtura; (fig) (sexual) resaq lejn xi ħadd
over: ~**turn** vt. qaleb ta' taħt fuq; (fig plan) biddel radikalment; (government) qered // vi. nqaleb; ~**weight** adj. tqil/a wisq; ~**whelm** vt. radam: (subj. emotion) ikkontrolla; ~**whelming** adj. (victory, defeat) kbir/a; (feeling) intens/a; ~**work** vi. ħadem iżżejjed; ~**wrought** adj. eċitat/a żżejjed
owe vt. **to** ~ **sb. sth., to** ~ **sth. to sb.** għandu jagħti xi ħaġa lil xi ħadd; **owing to** prep. minħabba
owl n. kokka
own vt. kien sid ta' // adj. li tassew tiegħu/tagħha; **a room of my** ~ kamra tiegħi; **to get one's** ~ **back** ġabar tiegħu lura; **on one's** ~ waħdu/waħidha; ~ **up** vi. ammetta; ~**er** n. sid; ~**ership** n. pussess
ox (pl. ~**en**) n. barri; ~**tail** n. ~**tail soup** soppa ta' denb il-barri
oxide n. ossidu
oxygen n. ossiġnu
oyster n. gajdra
oz abbr. of **ounce**(**s**)
ozone: ~ **friendly** adj. jaqbel mal-ożonu; ~ **hole** n. it-toqba tal-ożonu; ~ **layer** n. is-saff tal-ożonu

P p

p is-sittax-il ittra tal-alfabett Ingliż
p abbr. of **penny**; **pence**
PA n. abbr. of **personal assistant**; **public address system**
pa abbr. of **per annum**
pa (inf.) n. pa, da(d)
pace n. pass // vi. **to ~ up and down** passa minnaħa għall-oħra; **to keep ~ with** żamm il-pass ma'; **~maker** n. (med.) pacemaker; (sport also **~setter**) = **pacemaker**
pacification n. kalma, trankwillità
Pacific n. **the ~ (Ocean)** il-Paċifiku
pacifist n. paċifist/a
pacify vt. ġab il-paċi; (soothe) berred, ikkalma
pack n. (packet) pakkett; (of people) miġemgħa; (of cards) mazz; (bundle) sorra; (US. of cigarettes) pakkett; **back ~** basket (tad-dahar) // vt. (fill) mela; (in suitcase, etc.) daħħal; (cram) imballa, rekken; **to ~ (one's bags)** għamel il-bagalji/is-sniedaq; **to ~ sb. off** baghat lil xi ħadd; **~ it in!** (inf.) agħlaqlu!
package n. sorra; (bulky) sorra mballata; (also **~ deal**) pakkett ta' proposti; **~ holiday** n. vaganza organizzata/kollox imħejji; **~ tour** n. vjaġġ kollox imħejji
packed lunch n. ikel ippakkjat
packet n. pakkett
pack ice n. silġ fil-wiċċ li ngħaqad fi blokka
packing n. materjal tal-ippakkjar; **~ case** n. packing
pact n. patt
pad n. (of paper) ktejjeb, notebook; (cushion) kuxinett; (inf. home) id-dar // vt. mela; **~ding** n. (material) tal-mili
paddle n. (oar) moqdief; (US. for table tennis) paletta // vt. qadef // vi. (with feet) ċaflas
paddling pool (brit.) n. pixxina tat-tfal
paddock n. (small grass field) mergħa ċkejkna; (barnyard) post bl-istalel
paddy n. **~ field** n. għalqa tar-ross
padlock n. katnazz
padre n. kappillan mal-forzi armati
paediatrics (US. **pediatrics**) n. pedjatrija
pagan adj., n. pagan/a
page n. (of book) paġna, folja; (of newspaper) paġna; (also **~ boy**) pageboy // vt. **to ~ sb.** (verbal) għajjat lil xi ħadd; (with pager) ippejġja lil xi ħadd
pageant n. (procession) purċissjoni; (show) peġint; **~ry** n. pompa, tifħir
pager n. (tel.) pejġer, skytel ™
pagoda n. pagoda
paging device n. = **pager**
paid (pt., pp. of **pay**) // adj. (work) mħallas; (holiday) mħallsa; **to put ~ to** (brit.) temm
pail n. barmil, satal
pain n. uġigħ; **to be in ~** kien muġugħ; **to take ~s to do sth.** għamel ħiltu kollha biex; **~ed** adj. (expression) muġugħa; **~ful** adj. muġugħ/muġugħa; (difficult) diffiċli; (disagreeable) fitt/a; **~fully** adv. (fig. very) terribbilment; **~killer** n. painkiller, analġesiku; **~less** adj. bla wġigħ; **~staking** adj. (person) diliġenti; (work) preċiż
paint n. żebgħa // vt. żebagħ; **to ~ the door blue** żebagħ il-bieb blu; **~brush** n. (artist's, decorator's) pinzell; **~er** n. pittur; **~ing** n. pittura; **~work** n. xogħol artistiku
pair n. (of shoes, gloves, etc.) par; (of people) koppja; **a ~ of scissors** mqass; **a ~ of trousers** qalziet
pajamas (US.) n.pl. piġama
Pakistan n. il-Pakistan; **~i** adj. Pakistan/a
pal (inf.) n. sieħeb, ras
palace n. palazz
palatable adj. bnin/a; (fig.) sabiħ/a
palate n. is-sens tat-togħma; (anat.) is-saqaf tal-ħalq
palaver n. għagħa; (talk) diskussjoni
pale adj. (gen.) isfar/safra; (colour) ċar // n. **to be beyond the ~** qabeż kull limitu; (inf.) qażżiżha
Palestine n. il-Palestina
Palestinian adj., n. Palestinjan/a
palette n. paletta
palisade n. rpar ta' pilastri
pall n. faldrappa // vi. **to ~ (on)** ma baqax jolqot lil
pallet n. (for goods) paletta
pallid adj. isfar/safra
pally adj. (col.) ħabib/a ħafna; (inf.) close

palm n. (anat.) pala; (also ~ **tree**) siġra tal-palm // vi. **to ~ sth. off on sb.** (inf.) biegħ bi; **P~ Sunday** n. Ħadd il-Palm
palpable adj. ovvju/ovvja, ċert/a
palpitation n. taħbit tal-qalb
paltry adj. insinjifikanti
pamper vt. fissed
pamphlet n. ktejjeb mhux illegat
pan n. (also **sauce** ~) kazzola; (also **frying** ~) taġen // vt. ikkritika b'mod aħrax
panacea n. kura
Panama n. il-Panama; **the ~ Canal** il-Kanal tal-Panama
pancake n. froġa, sfinġa
panda n. panda; ~ **car** (brit.) n. karozza tal-pulizija
pandemonium n. pandemonju
pander vi. **to ~ to** qagħad ma', issekonda lil
pane n. ħġieġa
panel n. (of wood, etc.) pannell; (radio, tv.) penil; **~ling** (US. **~ing**) n. xogħol bil-pannell
pang n. **a ~ of regret** għafsa ta' qalb; **hunger ~s** tgergir taż-żaqq
panic n. (terror) paniku // vi. ippanikja; **~ky** adj. (person) panikuża; **~-stricken** adj. taħt paniku
pannier n. basket tat-tagħbija
panorama n. panorama
panoramic adj. panoramiku/panoramika
pansy n. (bot.) pensjer; (inf. pej.) pufta
pant vi. lieheġ, qata' nifsu
pantechnicon n. (grand) trakk tal-ġarr
panther n. pantera
panties n.pl. qalziet ta' taħt (tan-nisa)
pantihose n. tajts
pantomime (brit.) n. pantomima
pantry n. kamra tal-oġġetti tal-kċina
pants n. (brit. underwear) qalziet ta' taħt; (child) penti, qalziet ta' taħt (tat-tfal); (US. trousers) qalziet
papacy n. papat
papal adj. tal-Papa, papali
paper n. karta; (also **news** ~) gazzetta, ġurnal; (academic essay) esej; (exam) eżami // adj. tal-karti // vt. kesa; **~s** n.pl. (also **identity ~s**) karti tal-identità; **~back** n. (ktieb bil-) qoxra ratba, paperback; ~ **bag** n. basket tal-karti; ~ **clip** n. klipp tal-karti; ~ **hankie** n. maktur tal-karti; **~weight** n. toqol (biex ma jtirux il-karti); **~work** n. xogħol t'uffiċċju
papier-mâché n. kartapesta
paprika n. paprika
par n. fl-istess valur jew prezz; (golf) skor; **to be on a ~ with** kien fl-istess ilma ta'
parable n. (rel.) parabbola
parabola n. (math.) parabola
parachute n. paraxut // vi. qabeż bil-paraxut; ~ **jump** n. qabża bil-paraxut
parade n. parata // vt. (show off) iddandan // vi. ħa sehem f'marċ (ta' protesta, eċċ.); (mil.) ħa sehem f'parata
paradise n. ġenna
paradox n. paradoss; **~ically** adv. paradossa(l)ment
paraffin (brit.) n. (also ~ **oil**) pitrolju; ~ **heater** ħiter tal-pitrolju; ~ **lamp** lampa tal-pitrolju
paragon n. xempju, mudell perfett
paragraph n. paragrafu
parallel adj. parallel; (fig.) ta' paragun, ta' konfront // n. (line) linja parallela; (fig.) paragun, konfront; (geo.) parallelogramma
paralyse vt. ipparalizza
paralysis n. paralliżi
paralytic adj. paralitiku/paralitika; (fam.) fis-sakra
paralyze vt. (US. **paralyse**)
paramount adj. **of ~ importance** importanza enormi
paranoia n. ossessjoni, paranojja
paranoid adj. (person, feeling) paranojku/paranojka; ossessjonat/a
paraphernalia n. (gear) l-għodod tas-sengħa; (personal belongings) propjetà personali
paraphrase vt. għamel parafrażi
paraplegia n. parapleġija
paraplegic adj. parapleġiku/parapleġika
parasite n. parassita
parasol n. umbrella għax-xemx, mdella
paratrooper n. truppi tal-paraxut
parcel n. pakkett // vt. (also ~ **up**) qartas
parch vt. nixxef; **~ed** adj. (person) mejjet/mejta bil-għatx
parchment n. parċmina
pardon n. (law) maħfra // vt. ħafer; ~ **me!, I beg your ~!** (I'm sorry!) skużani!; (**I beg your**) **~?, ~ me?** (US.) (**what did you say?**) skużi, x'għidt?
parent n. (mother) (l-)omm; (father) (il-) missier; **~s** n.pl. ġenitur; **~al** adj. tal-ġenituri
parenthesis (pl. **parentheses**) n. parentesi, brekit
Paris n. Pariġi
parish n. parroċċa
Parisian adj., n. Pariġin/a
parity n. ugwaljanza
park n. park // vt. ipparkja // vi. ipparkja
parking n. parkeġġ; **"no ~"** "Tipparkjax!"; ~ **lot** (US.) n. parkeġġ, parking; ~ **meter** n. miter tal-parkeġġ/parking; ~ **ticket** n. biljett tal-parkeġġ/parking
parliament n. parlament; **~ary** adj. parlamentari
parlour (US. **parlor**) n. (in house) salott; **beauty** ~ ċentru tas-sbuħija; **ice-cream** ~ ġelaterija

parochial adj. (of parish) parrokkjali; (pej.) adj. provinċjali
parody n. parodija
parole n. **on ~** libertà fuq kondotta tajba
parquet n. **~ floor(ing)** kisi bil-mużajk; parkè
parrot n. pappagall
parry vt. laqa', (question) evita, ħarab
parsimonious adj. meqjus/a, għaqli/ja
parsley n. tursin
parsnip n. zunnarija, nevew
parson n. ministru tal-Knisja Protestanta
part n. (gen.) parti; (bit) biċċa; (of machine) parts; (theat., etc.) parti; (of serial) episodju, puntata; (mus.) partitura; (US. in hair) ferq // adv. = **partly** // vt. fired // vi. (people) nfirdu; (crowd) nqasmet; **to take ~ in** ħa sehem fi; **to take sth. in good ~** ħadha tajjeb; **to take sb.'s ~** seraq il-parti ta' xi ħadd; **for my ~** min-naħa tiegħi; **for the most ~** l-iktar; **to ~ one's hair** feraq xagħru, għamel il-ferq f'xagħru; **~ with** vt. fus. infired minn ma'; (money) ħareġ (il-flus); **~ exchange** (brit.) n. **in ~ exchange** b'nofs bdil
partial adj. parzjali; **to be ~ to** kien miġbud lejn
participant n. (in competition) parteċipant
participate vi. **to ~ in** ipparteċipa fi, daħal fi
participation n. parteċipazzjoni
participle n. partiċipju
particle n. partiċella; (of dust) farka, nitfa
particular adj. (special) partikolari; (concrete) konkret/a; (fussy) fitt/a; (demanding) dejjem irid/trid iktar; **~s** n.pl. (information) dati; (details) dettalji; **in ~** partikolarment; **~ly** adv. (in particular) partikolarment; (difficult, good, etc.) parikolarment, b'mod speċjali
parting n. (act of) qsim, diviżjoni; (farewell) firda; (brit. in hair) ferq // adj. li jifred/tifred
partisan adj. partiġġjan/a // n. partitarju
partition n. (pol.) qasma, diviżjoni; (wall) ħajt diviżorju
partly adv. parzjalment
partner n. (comm.) sieħeb; (sport, at dance) partner; (spouse) għarus/a; (lover) partner; (illegitimate) ħabib/a; **~ship** n. sħubija; (comm.) sħubija
partridge n. perniċi, ħaġel
part-time adj., adv. bis-siegħa
party n. (pol.) partit; (celebration) festin; (group) grupp; (law) parti (fil-kawża) // cpd. (pol.) tal-partit; **~ dress** n. libsa tal-festin
pass vt. (time, object) għadda; (place) għadda (minn); (overtake) qabeż; (exam) għadda; (approve) approva // vi. għadda; (sch.) ġie aċċettat // n. (permit) permess; (membership card) karta tas-sħubija; (in mountains) trejqa; (sport) karta ta' permess; (sch. also **~ mark**); **to get a ~ in** għadda minn; **to ~ sth. through sth.** għadda xi ħaġa minn ġo xi ħaġa; **to make a ~ at sb.** (inf.) ippropona xi affarijiet lil; **~ away** vi. ma baqax magħna; **~ by** vi. għadda (minn) // vt. (ignore) ma tax kas (ta'); **~ for** vt. fus. għadda bħala; **~ on** vt. għadda (l-aħbar); **~ out** vi. storda, (mil.) ħareġ mill-akkademja; **~ up** vt. (opportunity) ħalla jaħrab minn idejh; **~able** adj. (road) tranżitorja; (tolerable) passabbli
passage n. (also **~way**) mogħdija; (act of passing) tqassima; (fare, in book) noll; (by boat) passaġġ bil-baħar; (anat.) pajp tan-nifs
passbook n. librett tal-bank
passenger n. passiġġier
passer-by n. dak/dik li jkun/tkun għaddej/ja (minn hemm)
passing adj. (fig.) li jgħaddi/tgħaddi malajr, li jtir/ttir; **in ~** għaddej minn hemm; **~ place** (aut.) lok fejn taqbeż
passion n. passjoni, saħna ta'
passive adj. (gen. also ling.) passiv/a; **~ smoking** n. tipjip passiv
Passover n. il-Għid tal-Lhud
passport n. passaport; **~ control** n. kontroll tal-passaporti; **~ office** n. uffiċċju tal-passaporti
password n. password
past prep. (in front of) quddiem; (further than) iktar 'l hemm minn; (later than) iktar tard minn // adj. li għadda/għaddiet; (president, etc.) ex // n. (time) passat; (of person) passat, l-imgħoddi; **he's ~ forty** qabeż l-erbgħin; **ten/quarter ~ eight** it-tmienja u għaxra/kwart; **for the ~ few/3 days** għal dawn l-aħħar ftit/tlitt ijiem; **to run ~ sb.** għadda jiġri lil xi ħadd
pasta n. għaġin, pasta
paste n. pejst; (glue) kolla // vt. waħħal
pastel n. (drawing) pastell; adj. (colour) ċar
pasteurized adj. pasturizzat
pastille n. mustardina
pastime n. passatemp, namra, mogħdija taż-żmien, rikreazzjoni
pastoral adj. pastorali
pastry n. (dough) għaġina; (cake) kejk
pasture n. mergħa
pasty n. torta tal-laħam u l-patata
pasty adj. (complexion) safra
pat vt. taptap; (dog, etc.) melles
patch n. (of material) pezza; (**eye ~**) għata; (mended part) roqgħa; (of land) roqgħa // vt. raqqa'; (**to go through**) **a bad ~** għadda

minn perjodu ħażin; ~ **up** vt. raqqa'; (quarrel) irranġa, irrikonċilja; ~**work** n. xogħol ta' biċċiet imraqqgħin; ~**y** adj. kollu rqajja'
pate n. **a bald** ~ qargħa
pâté n. patè
patent n. dritt ta' esklużività // vt. ta d-dritt ta' esklużività lil // adj. dieher, ċar; ~ **leather** n. ġild leqqien
paternal adj. ta' missier, paternali
paternity n. paternità
path n. mogħdija, trejqa, passaġġ; (trail, track) track, pista; (of missile) trajettorja
pathetic adj. patetiku/patetika; (very bad) jġib/ġġib ħasra
pathological adj. patoloġiku/patoloġika
pathologist n. patologu/patologa
pathology n. patoloġija
pathos n. patos
pathway n. trejqa, mogħdija
patience n. paċenzja, sabar; (brit. cards) paċenzja, solitaire
patient n. pazjent // adj. paċenzjuż/a, mimli/ja sabar
patio n. terrazza
patriot n. patrijott; ~**ic** adj. patrijottiku/patrijottika
patrol n. ronda // vt. għamel ir-ronda; ~ **car** n. karozza tar-ronda; ~**man** (US. irreg.) n. pulizija tar-ronda
patron n. (in shop) klijent; (of charity) benefattur/benefattriċi; ~ **of the arts** mgħallem; ~**ize** vt. (shop) kien klijent ta'; (artist, etc.) għamilha t'imgħallem ma'; (look down on) ħares bi snobbiżmu; ~ **saint** n. qaddis/a patrun/a
patter n. ħoss ta'; (sales talk) taħdita // vi. (rain) tektik
pattern n. (sewing) mudell; (design) disinn
paunch n. żaqq
pauper n. fqir, tallab
pause n. pawsa, waqfa // vi. waqaf
pave vt. iċċanga; **to ~ the way for** ħejja t-triq għal
pavement (brit.) n. paviment
pavilion n. (sport) padiljun
paving n. paviment; ~ **stone** n. ċangatura
paw n. sieq
pawn n. (chess) suldat; (fig.) pedina // vt. rahan; ~ **broker** n. neguzjant tal-oġġetti mirhuna; ~**shop** n. ħanut ta' oġġetti mirhuna
pay (pt., pp. **paid**) n. (wage, etc.) paga // vt. ħallas // vi. (be profitable) jaqbel; **to ~ attention** (**to**) ta kas ta'; **to ~ sb. a visit** mar jara/iżur lil xi ħadd; **to ~ one's respects to sb.** wera rispett lil; ~ **back** vt. (money) ħallas lura; (person) ħallas; ~ **for** vt. fus. ħallas (għal); ~ **in** vt. iddepożita; ~ **off** vt. qata'/ħallas (id-dejn) // vi. (scheme, decision) ħaddem, implimenta; ~ **up** vt. qata'/ħallas ~**able** adj. **to make a cheque ~able to** ħażżeċ ċekk li jista' jissarraf mingħand; ~ **day** n. il jum tal-paga; ~**ee** n. benefiċċarju/benefiċċarja ~ **envelope** (US.) n. = ~ **packet,** ~**ment** n. ħlas **monthly ~ment** ħlas fix-xahar; ~ **packet** (brit.) n. l-envelopp tal-paga; ~ **phone** n. telefown b' ħlas; ~**roll** n. paga (ta' kulħadd); ~ **slip** n. karta ta' mal-paga; ~ **television** n. televixin bi ħlas
PC n. abbr. of **personal computer**; (brit.) **police constable** // adv. abbr. of **politically correct**
pc abbr. of **per cent**
pea n. piżella
peace n. paċi; (calm) kalma; ~**ful** adj. (gentle) ġwejjed/ġwejda, sielem/sielma u siebeħ/siebħa; (calm) kalm/a, ħiemed/ħiemda
peach n. ħawħa
peacock n. pagun
peak n. (of mountain) quċċata; (of cap) pizz; (fig.) l-aqwa ta'; ~ **hours** n.pl., ~ **period** n. l-aqwa tax-xogħol
peal n. (of bells) daqq (ta' qniepen); ~ **of laughter** tfaqqigħ ta' daħk
peanut n. karawett; ~ **butter** butir tal-karawett
pear n. lanġasa
pearl n. perla, ġawhra; **mother-of-~** madriperla
peasant n. raħħal, bidwi, kampanjol
peat n. pit, tuba tal-ħaxix imnixxef għan-nar
pebble n. ċagħqa
peck vt. (also ~ **at**) ta bil-munqar // n. daqqa ta' munqar; (kiss) bewsa żgħira; ~**ing order** n. ordni tal-ġerarkija; ~**ish** (brit. inf.) adj. **I feel ~ish** kellu aptit xi ħaġa tajba
peculiar adj. (odd) stramb/a; (typical) tipiku/tipika; ~ **to** karatteristiku/karatteristika ta'
pecuniary adj. tal-flus
pedal n. pedala // vi. qadef
pedantic adj. pedantiku/pedantika, ħaqqieqi/ħaqqieqa
peddler n. **drug** ~ traffikant tad-droga
pedestal n. pedestall
pedestrian n. min jimxi // adj. tal-mixi; ~ **crossing** (brit.) żebra; ~ **precinct** (brit.), ~ **zone** (US.) n. żona pedonali
pediatrics n. pedjatrija // = **paediatrics**
pedigree n. nisel, ġeneoloġija; (of animal) razza, pedigri // cpd. (animal) tar-razza
pee (inf.) vi. pixxa
peek vi. ittawwal
peel n. qoxra; (of orange, lemon) qoxra; (removed) qxur // vt. qaxxar // vi. (paint, etc.) tqaxxar; (skin) tqaxxret

peep n. (brit. look) titwila; (sound) tpespisa // vi. (brit. look) ittawwal; ~ **out** vi. ittawwal (minn wara/ġo); ~ **hole** n. toqba tat-titwil
peer vi. **to** ~ **at** petpet għajnejh biex jara // n. (noble) nobbli; (equal) ugwali; (contemporary) kontemporanju; ~**age** n. nobbiltà
peeved adj. irritat/a, mxabba'
peevish adj. irritabbli
peg n. (for coat, etc.) spalliera; (brit. also **clothes** ~) labra
pejorative adj. peġġjorattiv
Pekingese n. (dog) Pekiniż
pelican n. pellikan; ~ **crossing** (brit.) n. (aut.) pelican crossing
pellet n. boċċa ċkejkna; (bullet) balla
pelmet n. drapp tat-tiżjin
pelt vt. **to** ~ **sb. with sth.** issotta lil xi ħadd b'xi ħaġa // vi. (rain) niżlet bil-qliel; (inf. run) ġera sparat // n. ġild
pelvis n. pelvis
pen n. (**fountain** ~) fawntin pen; (**ballpoint** ~) bajro; (for sheep) mandra tan-nagħaġ
penal adj. penali; ~**ize** vt. ippenalizza
penalty n. (gen.) piena, kastig; (fine) multa; ~ **kick** n. (football, rugby) penalti
penance n. penitenza, tewba
pence n.pl. of **penny**
pencil n. lapes; ~ **case** n. pokit; ~ **sharpener** n. temprina tal-lapsijiet
pendant n. pendent
pending prep. fl-istennija ta'// adj. pendenti
pendulum n. pendlu
penetrate vt. nifed, ippenetra
penfriend (brit.) n. penfriend
penguin n. pingwin
penicillin n. peniċillina
peninsula n. peniżola
penis n. pinis
penitence n. penitenza, sogħba
penitent n. penitent, persuna li jisgħobbiha u thallas għal għemilha
penitentiary (US.) n. ħabs, faċilità korrettiva
penknife n. temprin, mus
pennant n. bandiera tal-bastimenti
pen name n. psewdonimu
penniless adj. mingħajr flus/sold (fil-but)
penny (pl. **pennies** or brit. **pence**) n. sold
penpal n. ħabib bl-ittri
pension n. (state benefit) pensjoni; ~**er** (brit.) n. pensjonant; ~ **fund** n. fondi tal-pensjoni
pensive adj. ħosbien/a
pentagon n. pentagonu (figura ġeometrika b' ħamest iġnub u angoli) // **the P**~ (US. pol.) il-Pentagonu il-Kwartieri Ġenerali tad-Difiża tal-Istati Uniti
Pentecost n. (il-)Pentekoste
penthouse n. attiku
pent-up adj. (emotions) mimli/ja dwejjaq; (person) kollu/kollha tensjoni
penultimate adj. ta' qabel tal-aħħar
people n.pl. nies; (citizens) poplu, ċittadini; (pol.): **the** ~ il-poplu // n. (nation) nazzjon, pajjiż; (race) razza, nisel; **several** ~ **came** ġew bosta nies; ~ **say that -** qed jingħad illi -
pep (inf.) ~ **up** vt. ħeġġeġ, nissel il-kunfidenza fi
pepper n. (spice) bżar; (vegetable) bżar aħdar; (fig. person) wieħed li jisħon malajr // vt. **to** ~ **with** (fig.) mela bi; ~**mint** n. (sweet) pepermint
peptalk n. **to give sb. a** ~ qallu kelmtejn ta' inkoraġġiment
per prep. kull; ~ **day/person** kull jum/persuna; ~ **annum** fis-sena; ~ **capita** adj., adv. kull ras
perceive vt. ipperċepixxa; (realize) irrealizza
per cent n. fil-mija
percentage n. perċentwal, persentaġġ
perceptible adj. perċettibbli
perception n. perċezzjoni; (insight) għerf (fuq); (opinion, etc.) fehma, opinjoni
perceptive adj. moħħu/moħħha jilħaqlu/jilħqilha; (analysis) akut/a
perch n. (fish) ħuta persjana; (for bird) passiġġiera // vi. **to** ~ **(on)** (bird) qagħad fuq; (person) qagħad kif sata'
percolator n. (also **coffee** ~) magna tal-kafè bil-filter
percussion n. taħbit, tisbit; (mus.) strument tal-perkaxin
peremptory adj. perentorju/perentorja, deċiżiv/a
perennial adj. perenni, etern/a
perfect adj. perfett/a // n. (also ~ **tense**) l-imperfett // vt. ipperfezzjona, tejjeb; ~**ly** adv. perfettament
perforate vt. nifed minn naħa għal oħra;
perforation n. nifda; (line of holes) sinjal ta' toqob (biex taqta' aħjar)
perform vt. (carry out) wettaq; (theat.) ħadem; (piece of music) daqq // vi. (well, badly) ħadem; ~**ance** n. (of a play, of actor, athlete, etc.) wirja; (of car, engine, company) rendiment; (of economy) riżultati; ~**er** n. (actor) attur/attriċi
perfume n. fwieħa
perfunctory adj. ta' bilfors
perhaps adv. forsi, abbli; ~ **he'll...** forsi/abbli (hu)...
peril n. periklu; ~**ous** adj. perikoluż
perimeter n. perimetru, dawra; ~ **wall** n. ħajt tad-dawra

period n. perjodu, medda ta' żmien; (sch.) klassi; (full stop) tikka; (med.) menstruwazzjoni; (inf.) pirjid // adj. (costume, furniture) ta' dak iż-żmien; **~ic(al)** adj. f'waqtu, f'xi ħabtiet; **~ic table** periodic table; **~ical** n. magazzin; **~ically** adv. perjodikament, kull tant żmien
peripheral adj. minuri, mhux importanti // n. (comput.) periferali
periscope n. periskopju
perish vi. tilef ħajtu; (decay) iddekompona; **~able** adj. li jispiċċa/tispiċċa malajr
perjure vt. **to ~ os.** ġejna ħatja ta'perġurju
perjury n. (law in court) perġurju, ħalf fil-falz
perk n. vantaġġ; **~ up** vi. (cheer up) qam fuq tiegħu
perm n. (for hair) perm
permanence n. waqfa f'post
permanent adj. permanenti; **~ly** adv. b'mod permanenti
permeable adj. li jħalli/tħalli l-ilma jgħaddi minnu/minnha
permeate vi. daħal, għadda // vt. daħal, għadda minn
permissible adj. li jista'/tista' ssir, aċċettabbli
permission n. permess
permissive adj. permessiv/a
permit n. permess // vt. ta permess
permutation n. tibdil
pernicious adj. ħażin/a, li jġib/ġġib il-ħsara
pernickety adj. fitt/a (fuq id-dettalji)
perpendicular adj., n. perpendikulari
perpetrate vt. ikkommetta, għamel xi ħaġa ħażina
perpetual adj. perpetwu/perpetwa, ta' dejjem
perpetuate vt. għamel għal dejjem, għamel b'mod perpetwu
perpetuity n. **in ~** għal dejjem
perplex vt. ħawwad, mela ras xi ħadd bit-tħassib; **~ed** mifxul
persecute vt. ippersegwita
persecution n. persekuzzjoni
persevere vi. ippersevera, ma qatax qalbu
Persian adj., n. Persjan/a; **the ~ Gulf** il-Golf Persjan
persist vi. **to ~ (in doing sth.)** żamm iebes f'li jagħmel xi ħaġa; **~ence** n. żamma iebsa tal-fehma/tar-rieda, persistenza; **~ent** adj. persistenti; (determined) determinat, ta' fehma/rieda soda
person n. persuna; **in ~** personalment; **~al** adj. personali; **~al assistant** n. assistent personali; **~al column** n. reklami, messaġġi personali; **~al computer** n. kompjuter tad-djar; **~ality** n. personalità; **~ally** adv. (for my part) personalment, għalija; (in person) personalment; **to take sth. ~ally** ħa xi ħaġa hu stess/personalment; **~a organizer** n. organizer; **~al stereo** ® n. sterj tad-dar; **~ify** vt. ippersonifika
personnel n. personell, impjegati, ħaddiema **~ manager** n. maniġer tal-personell impjegati/ħaddiema
perspective n. perspettiva
Perspex ® n. perspeks
perspiration n. għaraq
perspire vi. ħareġ/xaqq l-għaraq, għereq
persuade vt. **to ~ sb. to do sth.** ipperswada lil x ħadd biex jagħmel xi ħaġa
persuasion n. persważjoni, emmna
persuasive adj. persważiv/a, li jikkonvinċi/ tikkonvinċi
pert adj. (brisk) fuq ruħu/ruħha, lvent/a; (bold) qalbieni/qalbenija
pertaining: **~ to** prep. tal propjetà ta'
pertinent adj. adattat/a, xieraq/xierqa
perturb vt. ħabbel, ħawwad, gerfex il-moħħ ta'
Peru n. il-Peru; **~vian** adj., n. Peruvjan/a
perusal n. qari bl-attenzjoni
pervade vt. xtered (ma' kullimkien)
perverse adj. pervers/a; (wayward) bil-maqlub
perversion n. perverżjoni
perversity n. perversità
pervert n. pervertit/a // vt. ħassar, ikkorrompa; (truth, sb.'s words) dawwar, ta sens ħażin lil
pessimism n. pessimiżmu
pessimist n. pessimist; **~ic** adj. pessimist/a, pessimistiku/pessimistika
pest n. (insect) parassita; (fig.) bniedem fitt/li jagħti fastidju, parassita
pester vt. dejjaq, iffitta, xebba', marrad (bil-fittaġni)
pesticide n. pestiċida
pestle n. kazzola
pet n. annimal domestiku, (inf.) pett // cpd. mans // vt. fissed; **teacher's ~** il-fissud tal-għalliem/a; **~ hate** manija // vi. (sexually) għamel il-peting, (inf.) bagħbas
petal n. petala
peter: **to ~ out** vi. spiċċa
petite adj. (woman) żgħir/a
petition n. petizzjoni
petrified adj. (with fear) iċċassat/a bil-biża'
petrify vt. webbes, biddel f'ħaġar, ġebbel
petrol (brit.) n. petrol; **lead-free ~** petrol bla ċomb; **~ can** n. landa tal-pitrolju
petroleum n. pitrolju // cpd. **~ jelly** n. važellina
petrol: **~ pump** (brit.) n. (in garage) pompa tal-petrol; **~ station** (brit.) n. pompa tal-petrol; **~ tank** (brit.) n. tank tal-petrol

petticoat n. (full-length) libsa ta' taħt; (waist) dublett ta' taħt
pettifogging adj. insinjifikanti
pettiness n. ħaġa mhux importanti, ħlieqa
petty adj. (mean) egoist/a; (unimportant) ta' siwi żgħir; ~ **cash** n. fondi għall-ispejjeż iż-żgħar; ~ **officer** n. sottoufficjal tal-marina
petulant adj. bla sabar, li jitilgħulu/jitilgħulha malajr
pew n. bank (tal-knisja)
pewter n. stann
phallus n. pinis, (inf.) żobb
phantom n. fantażma
Pharoah n. Faragħuni
pharmicist n. spiżjar
pharmacy n. spiżerija
phase n. fażi // vt. **to ~ sth. in/out** implimenta/neħħa xi ħaġa gradwalment
PhD abbr. of **Doctor of Philosophy**
pheasant n. fagan
phenomenon (pl. **phenomena**) fenomenu (fenomena)
phew excl. (heat, tiredness) uff!; (relief, surprise) għall erwieħ
phial n. kunjett; flixkun (tal-fwejjaħ, mediċini, eċċ.)
philanderer n. wieħed li jħobb jinnamra
philanthropic adj. filantropiku/filantropika
philanthropist n. filantropu/filantropa
philatelist n. kollezzjonist/a tal-bolol
philately n. filatelija
Philippines n.pl. **the** ~ il-Filippini
philosopher n. filosofu/filosofa
philosophical adj. filosofiku/filosofika
philosophy n. filosofija
phlegm n. belgħun; ~**atic** adj. li jieħu/tieħu kollox bil-kalma/lajma
phobia n. fobija
phone n. telefown // vt. ċempel; **to be on the** ~ kien fuq it-telefown; (be calling) kien qed iċempel; ~ **back** vt., vi. ċempel lura; ~ **up** vt., vi. ċempel bit-telefown; ~ **book** n. direttorju; ~ **booth** n. kabina tat-telefown; ~ **box** (brit.) n. = ~ **booth**; ~ **call** n. ċempila; ~ **card** n. telecard; ~**-in** (brit.) n. (radio, tv.) programm ta' parteċipazzjoni bit-telefown
phonetics n. fonetika
phoney adj. falz/a
phonograph n. (US.) fonografu
phony adj., n. = **phoney**
phosphate n. fosfat
phosphorus n. fosfru
photo n. ritratt; ~**copier** n. magna tal-fotokopji; ~**copy** n. fotokopja; ~**finish** photofinish // vt. għamel fotokopji
photograph n. ritratt // vt. ħa ritratt; ~**er** n. fotografu; ~**y** n. fotografija
phrase n. frażi // vt. lissen; ~ **book** n. ktieb tal-frażijiet
physical adj. fiżiku/fiżika; n. ~ **education** edukazzjoni fiżika; ~**ly** adv. fiżikament
physician n. tabib/a
physicist n. studjuż tal-fiżika
physics n. fiżika; (inf.) fiżiks
physiology n. fiżjoloġija
physiotherapist n. fiżjoterapista
physiotherapy n. fiżjoterapija
physique n. il-binja tal-ġisem
pianist n. pjanist/a
piano n. pjanu
piccolo n. pikkolo
pick n. (tool: also ~**-axe**) baqqun, fies // vt. (select) għażel; (gather) ġabar; (remove, take out) neħħa; (lock) sakkar; **take your** ~ għażel; **the ~ of** l-aħjar ta'; **to ~ one's nose/teeth** naddaf imnieħru/snienu (b'xi ħaġa bil-ponta); **to ~ a quarrel with sb.** qabad ġlieda ma' xi ħadd; ~ **at** vt. fus. **to ~ at one's food** teftef fl-ikel; ~ **on** vt. fus. (person) iġġieled ma'; ~ **out** vt. għażel; (distinguish) għaraf; ~ **up** vi. (improve: sales) qabad; (person) għadda għal xi ħadd; (fin.) (il-finanzi) marru 'l quddiem // vt. (learn) tgħallem; (police: arrest) arresta; (person: for sex) għażel; (inf. person) għabba; (radio) qabad; **to ~ up speed** talla' l-veloċità; **to ~ os. up** qam lura fuq saqajh
picket n. pal, għuda twila // vt. ta bl-għuda
pickle n. (also ~**s as condiment**) ħxejjex; (fig. mess) taħwida // vt. żied bil-ħall
pick-me-up n. qatra; (med.) tonik
pickpocket n. persuna li tisraq mill-bwiet tan-nies
pickup n. (on record player) pikapp, mikrofonu; (small truck) vann pikapp
picnic n. piknik // vi. għamel piknik; ~ **area** n. żona tal-pikniks; (aut.) żona ta' waqfien
pictorial adj. bl-istampi
picture n. stampa; (painting) tpinġija, inkwatru; (photograph) ritratt; (tv.) immaġni; (film) film; (fig. description) stampa; (situation) sitwazzjoni // vt. (imagine) immaġina; ~**s** n.pl. **the ~s** (brit.) iċ-ċinema, it-tokis; ~**book** n. ktieb bl-illustrazzjoni
picturesque adj. pittoresk
picture window n. tieqa bil-panorama
piddling adj. (col.) bla sens
pidgin adj. ~ **English** n. Ingliż piġin
pie n. torta; (open) torta
piebald adj. iswed u abjad

piece n. biċċa, qatgħa, ġonta; (of cake) biċċa (kejk); (item): **a ~ of clothing/furniture/ advice** libsa/biċċa għamara/parir // vt. **to ~ together** waħħal; (tech.) rama; **to take to ~s** arma; **~meal** adv. ftit ftit, biċċa biċċa; **~work** n. xogħol bl-imqietgħa
pie chart n. pie chart
pier n. moll, xalè
pierce vt. nifed, taqqab, xaqq
piercing adj. li jinfed, li jxoqq; **body ~** body piercing
piety n. devozzjoni
piffling adj. bla sens
pig n. ħanżir; (pej unkind person) ħanżir/a; (greedy person) miklub/a
pigeon n. beċċun, ħamiema; (as food) ħamiema; **~ hole** n. barumbara // vt. ikklassifika
piggy bank n. karus
pig: **~ headed** adj. rasu/rasha iebsa, stinat/a, **~let** n. qażquż; **~ skin** n. ġild tal-ħanżir; **~sty** n. maqjel; **~tail** n. (girl's) malja
pigment n. pigment; **~ation** n. pigmentazzjoni
pigmy n. = **pygmy**
pike n. (fish) ħuta kbira tal-ilma ħelu
pilchard n. (fish) sarga
pile n. gods, borġ; (of carpet, cloth) munzell // vt. (also **~ up**) għamel f'munzell, tafa' gods; (fig.) esaġera // vi. (also **~ up**) kiber f'munzell; **~ into** vt. fus. (car) iddeffes fi; **~s** n.pl. (med.) emerrojdi; **~-up** n. (aut.) ħabta b'iktar minn żewġ karozzi
pilfer vt. seraq, ħa bil-moħbi
pilgrim n. pellegrin; **~age** n. pellegrinaġġ
pill n. pillola; **the ~** il-pill
pillage vt. seraq, ħataf
pillar n. kolonna, pilastru; **~ box** (brit.) n. kaxxa tal-ittri
pillion n. (of motorcycle) is-sit ta' wara
pillory n. apparat tal-irbit ta' persuna // vt. irridikola
pillow n. mħadda; **~case** n. investa
pilot n. pilota, bdot // cpd. (scheme, etc.) preliminarju/preliminarja // vt. (plane) saq; (fig.) iddirieġa, mexxa; **~ light** n. sinjal bid-dawl
pimp n. pimp; persuna li tressaq ix-xbejbiet għall-prostituzzjoni
pimple n. musmar żgħir (fil-ġisem)
Pin n. abbr. of **personal identification number**; PIN
pin n. labra tar-ras // vt. waħħal bil-labra tar-ras; **~s and needles** fuq ix-xwiek; **to ~ sb. down** (fig.) ġiegħel lil xi ħadd; **to ~ sth. on sb.** (fig.) tefa' xi ħtija fuq xi ħadd
pinafore n. fardal; **~ dress** (brit.) n. pinafor
pinball n. (also **~ machine**) flipper
pincers n.pl. tnalja, tnaljetta
pinch n. (of salt, etc.) nitfa // vt. qaras, qabad b'subgħajh; (inf. steal) baram; **at a ~** jekk hemm bżonn bilfors
pincushion n. kuxinett tal-labar
pine n. (also **~ tree, wood**) arżnu, siġar dejjem ħodor // vi. **to ~ for** xtaq bil-qawwa; **~ away** vi. ntelaq bid-dwejjaq
pineapple n. ananas
ping n. (noise) ħoss irqiq; **~-pong** ® n. ping-pong ®
pink adj. roża // n. (colour) roża; (bot.) xitla tal-ward
pinnace lanċa
pinnacle n. turretta ta' tiżjin; (fig.) l-ogħla grad
pinpoint vt. sab cżatt fejn
pinstripe n. strixxi dojoq
pint n. (brit. = 568 cc; US. = 473cc); (brit. inf. of beer) pinta
pin-up n. stampa erotika
pioneer n. pijunier
pious adj. devot/a, reliġjuż/a
pip n. (seed) żerriegħa; **the ~s** (brit.) sinjal akustiku
pipe n. katusa; (for smoking) pipa // vt. għamel il-katusa; **~s** n.pl. (gen.) tqegħid tal-katusa; (also **bag ~s**) żummara, żaqq; **~ down** għalaq ħalqu **~ dream** n. pjan impossibbli; **~line** n. (for oil) kanen; (for gas) pajpijiet; **~r** n. taż-żaqq, taż-żummara
pipette pipett
piping adv. **to be ~ hot** jagħli
piquant adj. pikkanti, li jaħraq/taħraq; (fig.) li joqros/toqros, li jniggeż/tniggeż
pique n. pika, tfantis
piracy n. piraterija, sibi, xogħol ta' furban
pirate n. furban, kursar, pirata // vt. (cassette, book) daħħal b'mod illeġittimu; **~ radio** (brit.) n. radju pirata
pirouette n. dawra fuq ruħu // vi. dar/nbaram fuq ruħu
Pisces n. Pisces; il-Ħut
piss (inf.) vi. pixxa; **~ed** (inf.) adj. (drunk) f'sakra ma jarax/tarax art
pistol n. pistola, arma tan-nar
piston n. pistin
pit n. ħofra; (also **coal ~**) mina; (in garage) foss; (also **orchestra ~**) platea // vt. **to ~ one's wits against sb.** qabbel għerfu ma' ħaddieħor; **~s** n.pl. (aut.) pits
pitch n. (mus.) ton; (brit. sport) piċċ; (fig.) grad, pass; (tar) żift, qatran // vt. (throw) waddab //

vi. (fall) waqa'; **to ~ a tent** tella' tinda; **~-black** adj. iswed/sewda faħam; **~ed battle** n. battalja/ kumbattiment fil-kamp
pitcher n. buqar, ġarra żgħira, qolla, żir tal-fuħħar
pitchfork n. midra // vt. **to ~ sb. into a job** (fig.) ġiegħel lil xi ħadd jaċċetta x-xogħol bla tlaqliq
piteous adj. ta' min jitħassru/jitħassarha
pitfall n. ħofra nassa
pith n. (fig. core of argument) il-bażi tal-argument
pithead n. ftuħ tal-minjiera
pithy adj. (fig.) vigoruż/a; (account) preċiż/a
pitiable adj. ta' min jitħassru/jitħassarha
pitiful adj. (touching) li jmisslek/tmisslek qalbek
pitiless adj. aħdar/ħadra, bla ħniena
pittance n. dħul żgħir
pity n. ħasra // vt. ħenn, wera ħasra; **what a ~!** ill!, x'ħasra!
pivot n. pern, sies; (fig.) qofol, is-sies, il-bażi // vi. wieżen xi ħaġa fuq il-pern
pixie n. fatat
pizza n. pizza
placard n. avviż; (in march, etc.) kartellun
placate vt. berred, ikkwieta
place n. lok; (seat) post, sit; (post) xogħol, impjieg; (home): **at/to his ~** fid-dar/għal daru; (role: in society, etc.) rwol // vt. (object) qiegħed; (identify) għaraf; **to take the ~** għamilha/daħal flok xi ħadd; **to be ~d** (in race, exam) ġie; **out of ~** (not suitable) mhux f'postu; **in the first ~** l-ewwel nett; **to change ~s with sb.** biddel postu ma' xi ħadd; **~ of birth** post tat-twelid
placid adj. plaċidu/plaċida, ġwejjed/ġwejda
plagiarism n. plaġjariżmu, serq (letterarju, mużikali, eċċ.)
plagiarize vt. seraq (ix-xogħol letterarju, eċċ. ta' ħaddieħor)
plague n. għawġ, niket; (med.) pesta // vt. (fig.) inkwieta, ġab fil-għali
plaice n. inv. plejs
plaid n. (material) drapp Skoċċiż
plain adj. (unpatterned) mingħajr disinji; (clear) ċar/a; (simple) sempliċi; (not handsome) mhux grazzjuż/a // adv. b'mod ċar // n. pjanura, witja; **~ chocolate** n. ċikkulata; **~-clothes** adj. (police) liebes/liebsa pajżan/a; **~ly** adv. b'mod ċar
plaintiff n. attur/attriċi
plait n. malja tax-xagħar
plan n. (drawing) disinn; (scheme) skema // vt. ippjana, ħejja minn qabel // vi. għamel il-proġetti; **to ~ to do** ippjana illi jagħmel
plane n. (aviat.) ajruplan; (math., fig.) wita; (also **~ tree**) siġra bil-weraq wisgħin; (tool) ċana, varloppa
planet n. pjaneta
planetarium n. planetarju
plank n. planka, fallakka
plankton n. planktin
planner n. proġettista
planning n. ippjanar; **family ~** ippjanar tal-familja; **~ permission** n. permess tal-bini
plant n. pjanta, xitla; (machinery) makkinarju; (factory) fabbrika // vt. ħawwel; (field) ikkultiva; (bomb) qiegħed
plantation n. mixtla
planter n. ħawwiel, min jippjanta
plant pot n. vażun tal-fjuri
plaque n. plakka
plasma n. plażma
plaster n. (for walls) tajn tat-tikħil; (also **~ of Paris**) ġibs; (brit. also **sticking ~**) impjastru // vt. kaħħal; (cover): **to ~ with** kesa bi; **~ed** (inf.) adj. fis-sakra; **~er** n. kaħħal
plastic n. plastik // adj. tal-plastik; **~ bag** n. basket tal-plastik
Plasticine ® (brit.) n. plastisin
plastic surgery n. plastic surgery
plate n. (dish) dixx; (metal, in book) folja; (**dental ~**) dentiera
plateau (pl. **~s** or **~x**) n. art għolja watja
plateful n. ħġieġ tal-mirja
plate glass n. = **plateful**
platform n. (rail.) pjattaforma; (stage, brit. on bus) stejġ; (at meeting) pjattaforma; (pol.) programm elettorali
platinum n. platinu // adj. tal-platinu
platitude n. banalità
platoon n. platun
platter n. dixx ċatt
plausible adj. plawsibbli; (person) konvinċenti
play n. (theat.) xogħol teatrali // vt. (game) logħba; (compete against) lagħab kontra; (instrument) daqq; (part: in play, etc.) ħa sehem fi; (tape, record) daqq // vi. lagħab; (band) daqq; (tape, record) daqq; **to ~ safe** qagħad b'seba' għajnejn; **~ down** vt. imminimizza; **~ up** vi. (cause trouble to) ħoloq l-inkwiet lil; **~boy** n. playboy; **~er** n. plejer; (theat.) attur/attriċi; (mus.) mużiċist/a; **~ful** adj. ferrieħi/ja, ċajtier/a, ħluqi/ja; **~ground** n. (in school) bitħa; (in park) park tal-logħob; **~group** n. ġnien tat-tfal; **~ing card** n. karta tal-logħob; **~ing field** n. bandli; **~mate** n. sieħeb tal-logħob; **~-off** n. (sport) it-tieni logħba; **~pen** n. kmajra tal-logħob; **~thing** n. logħba; **~time** n. (sch.) rikreazzjoni, brejk; **~wright** n. drammaturgu/drammaturga
plc abbr. of **public limited company**; plc

plea n. talba; (law) dikjarazzjoni
plead vt. (law) **to ~ sb.'s case** iddefenda lil xi ħadd; (give as excuse) ħa bħala pretest // vi. (law) iddikjara; (beg): **to ~ with sb.** talab lil xi ħadd
pleasant adj. pjaċevoli; **~ries** n.pl. kortesiji
please excl. jekk jogħġbok! // vt. (give please to) ta pjaċir lil // vi. (think fit): **do as you ~** għamel li jogħġbok; **~ yourself!** (inf.) kif trid!; **~d** adj. (happy) kuntent/a; **~d** (with) sodisfatt bi; **~d to meet you** għandi pjaċir
pleasing adj. li jogħġob/togħġob
pleasurable adj. pjaċevoli
pleasure n. għoġba, gost; **"it's a ~"** "pjaċir tiegħi"
pleat n. keffa
plebiscite n. referendum
plebs n.pl. (pej.) flien
plectrum n. pikk
pledge n. (promise) wegħda // vt. wiegħed
plentiful adj. tax-xaba', bil-ħela
plenty n. **~ of** b'ħafna, b'bosta
pleurisy n. plewrite
pliable adj. li jitgħawweġ/titgħawweġ, flessibbli
pliers n.pl. tnalja (għall-qtugħ jew għall-brim)
plight n. sitwazzjoni kritika
plimsolls (brit.) n.pl. sliper tat-tenis
plinth n. il-bażi ta' kolonna
plod vi. mexa bil-mod u bit-tbatija; (fig.) żamm sod
plonk (inf.) n. (brit. wine) nbid irħis // vt. **to ~ sth. down** ħalla xi ħaġa taqa'
plot n. (scheme) skema; (of story, play) plott; (of land) plott, biċċa art, ġonta raba' // vt. (mark out) sab fuq il-mappa; (conspire) kumplott, konġura // vi. ikkumplotta
plough (US. **plow**) n. moħriet // vt. (earth) ħarat; **to ~ money into** ippompja l-flus fi; **~ through** vt. fus. (crowd) għadda minn ġo, iddeffes biex għadda; **~man's lunch** (brit.) n. ikla ħafifa magħmula minn ħobż, ġobon u birra
ploy n. strataġemma, manuvra
pluck vt. (fruit) qata'; (musical instrument) qoros il-kordi; (bird) nittef; (eyebrows) qaxxar; **to ~ up courage** għamel il-kuraġġ
plug n. soddieda, tappiera; (elec.) plakka; (aut. also **spark(ing) ~**) sparking plagg, pojnts // vt. (hole) sadd, għalaq; (inf. advertise) ta pubbliċità lil, ippromwova; **~ in** vt. (elec.) daħħal fil-plakka
plum n. (fruit) għanbaqra; (fig.) aqwa ta'
plumb vt. **to ~ the depths of** kejjel il-fond
plumber n. plamer, ċombar
plumbing n. (trade) xogħol tal-plaming; (piping) sistema ta' kanen tal-ilma
plumbline n. ħabel biċ-ċomba
plume n. pjuma, rixa tat-tiżjin
plumage n. rix t'għasfur
plummet vi. **to ~ (down)** waqa' bis-sabta
plump adj. smin/a, mbaċċaċ/mbaċċa // vi. **to ~ for** (inf. choose) għażel; **~ up** vt. tbaċċaċ
plunder vt. seraq, issakkeġġja
plunge n. għadsa // vt. għodos // vi. (fall) waqa'; (dive, person) għodos; **to take the ~** ħa l-ikbar pass
plunging (neckline) skullat; (back of dress) bid-dahar barra
pluperfect n. pluperfett
plural adj. li juri/turi iktar minn ħaġa waħda // n. plural
plus n. (also **~ sign**) sinjal taż-żjieda // prep. aktar, iżjed; **ten/twenty ~** għaxra/għoxrin u iktar
plush adj. tal-filpa
plutonium n. plutonju
ply vt. (a trade) ħadem ix-xogħol tiegħu // vi. (ship) ivvjaġġat regolarment // n. (of wood) sewgla; (of wool, rope) tarf; **to ~ sb. with drink** insista li joffri drink ieħor lil xi ħadd; **~wood** n. plywood
PM n. abbr. of **Prime Minister**; Prim Ministru; PM
pm adv. abbr. of **post meridiem**; (wara nofsinhar)
pneumatic adj. pnewmatiku/pnewmatika, tal-arja; **~ drill** n. żgorbja/golja tal-arja
pneumonia n. pnewmonja
poach vt. (culin.) sajjar; (steal) seraq // vi. nsteraq; **~ed** adj. misruq/a; **~er** n. ħalliel
PO Box n. abbr. of **Post Office Box**
pocket n. but; (fig. small area) erba' triqat // vt. daħħal fil-but; (steal) seraq; **to be out of ~** (brit.) kellu joħroġ; **~book** (US.) n. portmoni; **~ calculator** n. kalkulatur tal-but; **~ knife** n. mus, sejf; **~ money** n. flus għall-infiq ta' student
pockmarked adj. (face) mimli ponot
pod n. miżwed // vt. żewwed
podgy adj. mbaċċaċ/mbaċċa
podiatrist (US.) n. podjatrista
poem n. poeżija
poet n. poeta; **~ic** adj. poetiku/poetika; **~ry** n. il-poeżija
poignant adj. punġenti, li jqanqal/tqanqal
point n. tikka; (tip) ponta; (purpose) għan; (use) użu; (significant part) il-parti importanti; (moment) waqt, mument; (elec.) kejl ta' dħul (ta' elettriku); (also **decimal ~**) **2 ~ 3 (2.3)** 2 punt 3 (2.3) // vt. immarka; (gun, etc.): **to ~ sth. at sb.** ipponta xi ħaġa f'wiċċ xi ħadd // vi. **to ~ at** ipponta lejn; **~s** n.pl. (aut.) pojnts, sparking plaggs; (rail.) bidla; **to be on**

the ~ **of doing sth.** kien kważi lest biex jagħmel xi ħaġa; **to make a ~ of** saħaq xi ħaġa; **to get/miss the ~** ħa/ma ħax il-punt; **to come to the ~** wasal għall-punt; **there's no ~ (in doing)** għalxejn tagħmel; ~ **out** vt. wera, indika; ~ **to** vt. fus. (fig.) indika; **~-blank** adv. (say, refuse) ċar u tond, bla tlaqliq; (also **at ~-blank range**) immirat b'mod orizzontali; **~ed** adj. (shape) bil-ponta; (remark) intenzjonat; **~edly** adv. b'mod intenzjonali, intenzjonalment; **~er** n. (needle) vleġġa, werrej; **~less** adj. għalxejn, bla skop; ~ **of view** n. punto di vista

poise n. kunfidenza, eleganza

poison n. velenu, tosku, semm // vt. intoska, ivvelena, semmem; **~ing** n. avvelenament, intoskament; **~ous** adj. velenuż/a; (fumes, etc.) tossiku/tossika (pl. tossiċi)

poke vt. (jab with finger, stick, etc.) taptap; (put): **to ~ sth. in(to)** deffes xi ħaġa ġo; ~ **about** vi. qalleb

poker n. ħadida tan-nar; (cards) poker; **strip ~** strip poker

poky adj. dejjaq/dejqa, mirsus/a

Poland n. il-Polonja

polar adj. polari; ~ **bear** n. ors polari

polarize vt. ippolarizza, ta polarità lil

Pole n. Pollakk/a

pole n. lasta; (fixed) arblu; (geog.) pol; ~ **bean** (US.) n. fażola ħadra; ~ **star** n. stilla polari; ~ **vault** n. qabża bil-lasta

polecat n. (US.) xorta t'annimal li jitfa' l-intiena; (brit.) ballottra

polemic n. polemika

police n. il-pulizija // vt. ikkontrolla; ~ **car** n. karozza tal-pulizija; **~man** (irreg.) n. kuntistabbli, pulizija; ~ **state** n. stat tal-pulizija; ~ **station** n. għassa tal-pulizija; ~ **woman** (irreg.) n. kuntistabbli (mara), pulizija (mara)

policy n. politika, xejra t'ideat; (also **insurance ~**) polza tas-sigurtà

polio n. poljo

Polish adj. Pollakk/a // n. (ling.) il-Pollakk

polish n. (for shoes) nagit; (for floor) lostru; (shine) verniċ; (fig. refinement) rfinar // vt. (shoes) illostra; (make shiny) illostra; ~ **off** vt. (food) taħan; **~ed** adj. (fig. person) raffinat/a

polite adj. pulit, edukat; **~ly** adv. b'mod pulit; **~ness** n. mġiba tajba

politic adj. politiku/politika; **~al** adj. tal-politika, politiku/politika; **~ian** n. politiku/politikant; **~ly** adv. politikament; **~ly correct** politikament korrett

politician n. politikant

politics n. (subj.) xjenzi politiċi; (career)politika; (views) ideoloġiji, tendenzi

polka n. polka; ~ **dot** n. polka dot

poll n. (election) votazzjoni; (also **opinion ~**) opinion poll, sondaġġ // vt. għamel sondaġġ; (votes) kiseb

pollen n. pollinu

pollination n. fertilizzazzjoni tal-fjuri

polling booth n. kamra tal-vot

polling day n. jum tal-votazzjoni

polling station n. post tal-voti

pollute vt. niġġes

pollution n. tniġġis

polo n. (sport) polo; **~-necked** adj. għonq polo; ~ **shirt** n. polo neck

polyester n. polyester, materjal sintetiku

polygamy n. poligamija

Polynesia n. il-Polineżja

polystyrene n. fowm tal-ippakkjar

polytechnic n. (college) politekniku

polythene (brit.) n. materjal termoplastiku

pomegranate n. rummiena

pommel n. (front of saddle) il-parti quddemija tas-sarġ; (knob of sword hilt) manku tax-xabla

pomp n. pompa, żina

pompous adj. pompuż/a

pond n. (natural) għadira; (artificial) għadira artifiċjali

ponder vt. ikkonsidra, qies u ħaseb

ponderous adj. ta' piż kbir

pong (brit. inf.) n. ntiena (li taqsam)

pontiff n. il-Papa

pontificate vi. (fig.) **to ~ (about)** tkellem b'mod bombastiku

pontoon n. pontun, barkun

pony n. poni; **~tail** n. toppu; ~ **trekking** (brit.) n. cross-country bil-ponijiet

poodle n. pudil

pooh-pooh vt. mur 'l hemm!

pool n. (natural) għadira; (also **swimming ~**) pixxina; (fig. of light, etc.) sors; (sport) biljard // vt. ġabar f'fond wieħed; **~s** n.pl. (**football ~s**) mħatri

poor adj. fqir/a, batut/a; (bad) batut/a, fqir/a, ħażin/a // n.pl. **the ~** il-fqar; **~ly** adj. ħażin, magħkus/a // adv. ħażin/a

pop n. (sound) ħoss ta' tapp; (mus.) pop; (inf. father) pa(pa), da(di); (drink) bil-gass // vt. (put quickly) poġġa malajr // vi. nfaqa'; (cork) ħareġ, neħħa; ~ **in/out** vi. daħal/ħareġ f'kemm ili ngħidlek; ~ **up** vi. deher; **~corn** n. popcorn

pope n. Papa

popish tal-Papa

poplar n. luq

poplin n. poplin

popper (brit.) n. buttuna awtomatika

poppy n. peprina
pop star n. stilla tal-pop
populace n. il-karfa, il-poplu baxx
popular adj. popolari
population n. popolazzjoni
populous adj. ippopolat/a
porcelain n. porċellana
porch n. loġġat, portiku; (US.) veranda
porcupine n. porkuspin
pore n. por // vi. **to ~ over** studja b'ħafna attenzjoni; (book) saħan
pork n. majjal
pornographic adj. pornografiku/pornografika
pornography n. pornografija
porous adj. poruż/a
porpoise n. xorta ta' denfil
porridge n. ikel tas-smid; (fam.) priġunerija
port n. port; (naut.) marsa; (wine) nbid ħelu; **~ of call**
portable adj. portabbli
portal n. bieb kbir
portcullis n. rixtellu
portend vt. bassar, ħabbar
porter n. (for luggage) porter; (doorkeeper) għassies mal-bibien
portfolio n. kartiera tad-dokument, portfolio; (pol.) xogħol il-Ministru tal-Istat
porthole n. purtella
portico n. portiku, loġġat
portion n. parti; (of food) biċċa, porzjon
portly adj. mġissem/mġissma
portmanteau n. bagalja tal-ivvjaġġar
portrait n. ritratt, xbieha
portray vt. ħa/għamel ritratt; (subj. actor) interpreta
Portugal n. il-Portugall
Portuguese adj. Portugiż/a // n. (ling.) Portugiż/a
pose n. poża // vi. (pretend): **to ~ as** għadda ta'/bħala // vt. (question) staqsa; **to ~ for** ippoża għal
posh (inf.) adj. eleganti, tal-lussu, lussuż/a
position n. xeħta, qagħda; (job) xogħol; (situation) pożizzjoni // vt. poġġa, qiegħed, ta' pożizzjoni, ippożizzjona
positive adj. pożittiv/a; (certain) żgur/a, ċert/a; (definite) definit
posse n. (US.) grupp ta' nies mitluba minn xi ħadd b'awtorità legali biex jgħinu ħalli tinżamm l-ordni
possess vt. kellu (fil-pussess tiegħu), ippossjeda; **~ion** n. pussess; **~ions** n.pl. (belongings) propjetà
possibility n. possibbiltà
possible adj. possibbli; **as big as ~** kbir kemm jista' jkun
possibly adv. possibbilment; **I cannot ~ come** assolutament ma nistax niġi
post n. (brit. system) il-posta; (brit. letters, delivery) posta; (job, situation) xogħol; (pole) arblu, lasta // vt. (brit. send by post) bagħat; (brit. appoint): **to ~ to** bagħat lil xi ħadd fi; **~age** n. pustaġġ; **~age stamp** n. bolla; **~al** adj. postali; **~al order** n. postal order; **~box** (brit.) n. kaxxa tal-ittri; **~card** n. kartolina; **~code** (brit.) n. kodiċi postali
postdate vt. (cheque) għamel id-data wara ż-żmien li jkun
poster n. poster, avviż pubbliċitarju
poste restante (brit.) n. posta wieqfa
posterior n. (col.) sorm
posterity n. posterità, nisel ta' persuna
postgraduate n. (studju) ta' wara l-gradwazzjoni
posthumous adj. wara l-mewt
postman (irreg.) n. pustier
postmark n. timbru tal-posta
postmaster n. direttur ta' uffiċċju postali
post-mortem n. awtopsja
post office n. (building) uffiċċju tal-posta; (organization): **the Post Office** Maltapost; **Post Office Box** n. PO Box
postpone vt. ippospona; **~ment** n. posponiment, tħollija għal darb'oħra
postscript n. postscrittum, PS
postulate vt. ħa bħala evidenti
posture n. qagħda, xeħta
postwar adj. ta' wara l-gwerra
posy n. mazz, bukkett
pot n. (for cooking) borma; (**tea~**) tettiera; (**coffee~**) stanjata; (for flowers) qasrija; (for jam) važett; (inf. marijuana) ħaxixa, kannabis // vt. (plant) tefa' f'važun; **to go to ~** (inf.) nħall (xi ftit)
potash n. potassa
potato (pl. **~es**) n. patata; **~ peeler** n. apparat tat-tqaxxir
potency n. setgħa; (of drink) qawwa
potent adj. setgħan, ta' forza u saħħa; (drink) qawwi
potential adj. potenzjali // n. potenzjal; **~ly** adv. potenzjalment
pothole n. (in road) ħofra; (brit. underground) għar taħt l-art
potholing (brit.) n. **to go ~** mar idur fl-għerien taħt l-art
potion n. doża
potluck n. **to take ~** kiel li sab/milli kien hemm
potpourri n. potpurì

potshot n. **to take ~s at** spara bl-addoċċ lejn
potted adj. (plant) fil-vażun; (shortened) mixrub/a
potter n. mgħallem tal-fuħħar // vi. **to ~ around, ~ about** (brit.) ħadem bil-kalma; **~y** n. fuħħar; (factory) fabbrika taċ-ċeramika/fuħħar
potty n. (inf.) miġnen; (also **~ chair**) tip ta' siġġu ċkejken b'toqba taħtu li jintuża biex jgħallem lit-tfal jagħmlu l-bżonnijiet tagħhom // adj. miġnun/a
pouch n. (zool.) pawċ; (for tabacco) borża tat-tabakk
pouf(fe) n. (stool) banketta
poultice n. ġbara, kataplażma
poultry n. tjur; (meat) laħam tat-tjur
pounce vi. **to ~ on** qabeż għal għarrieda fuq
pound n. (weight = 453g or 16oz) libbra; (money = 100 pence) lira // vt. (beat) sabbat; (crush) saħaq, tertaq // vi. (heart) ħabbtet; **~ sterling** n. lira sterlina
pour vt. battal; (tea, etc.) ferragħ // vi. niżel bil-kif; **to ~ sb. a drink** ferra' drink lil xi ħadd; **~ away** or **off** vt. waddab 'l hemm; **~ in** vi. (people) daħal bis-salt; **~ out** vi. ħarġu bis-salt // vt. (drink) ferragħ; (fig.) **to ~ out one's feelings** żvoga; **~ing** adj. **~ing rain** xita bil-qliel
pout vi. kemmex xofftejh
poverty n. faqar, povertà; **~-stricken** adj. magħkus/a
powder n. trab, għabra; (**face ~**) trab għall-wiċċ // vt. farrak, għamel trab; **~ed milk** n. trab tal-ħalib; **~ room** n. porvlista
power n. qawwa; (strength) saħħa; (nation, tech.) qawwa; (drive) sewqa; (elec.) enerġija // vt. għadda l-elettriku, xegħel; **to be in ~** (pol.) kiseb il-poter; **~ cut** (brit.), **~ failure** n. qtugħ tad-dawl; **~ed** adj. **~ed by** jaħdem bil-; **~ful** adj. qawwi; (engine) b'saħħitha; (speech, etc.) konvinċenti; **~less** adj. **~less (to do)** m'għandux saħħa li; **~ point** (brit.) n. plagg tal-elettriku; **~ station** n. power station
powwow n. konferenza
pox n. see **chicken**
pp abbr. of **per procurationem**: **~ John Smith** pp John Smith; (= **pages**) paġni
PR n. abbr. of **public relations**
practicability n. prattikabbiltà
practicable adj. (scheme) prattikabbli, li possibbli li jsir/ssir
practical adj. prattiku/prattika; **~ity** n. prattiċità; **~ joke** n. ħlieqa (li tinġurja); **~ly** adv. (almost) prattikament
practice n. (habit) drawwa; (exercise) eżerċizzju; (training) taħriġ, eżerċizzju; (med. of profession) ħidma, twettiq; (med., law business) konsulta // vt., vi. (US.) = **practise, in ~** (in reality) fil-verità, fil-prattika; **out of ~** mingħajr prattika
practise (US. **practice**) vt. (carry out) għamel, wettaq; (profession) ħadem/eżerċita l-professjoni tiegħu; (train at) tħarreġ fi // vi. ħadem; (train) tħarreġ
practising adj. (Christian, etc.) prattikanti; (lawyer) li jaħdem/jeżerċita l-professjoni tiegħu
practitioner n. (med.) tabib
pragmatic adj. prammatiku/prammatika, prattiku/prattika
prairie n. xagħra, mergħa
praise n. tifħir // vt. faħħar; **~worthy** adj. ta' min ifaħħru/ifaħħarha
pram (brit.) n. pramm
prance vi. (horse) ippinna
prank n. ċajta, ħlieqa, żuffjettata
prattle vi. peċlaq, tkellem fil-vojt
prawn n. gamblu; **~ cocktail** n. koktejl bil-gambli
pray vi. talab
prayer n. talba; (entreaty) talba
preach vi. (also fig.) ipprietka; **~er** n. predikatur
preamble n. preambolu
precarious adj. prekarju/prekarja
precaution n. prekawzjoni; **~ary** adj. (measure) prekawzjonali
precede vt., vi. ippreċeda
precedence n. preċedenza
precedent n. preċedent
preceding adj. li jippreċedi/tippreċedi
precept n. regoli tal-kondotta, massima
precinct n. art (li timmarka l-limiti); **~s** n.pl. konfini, trufijiet; **pedestrian ~** (brit.) iż-żoni pedonali; **shopping ~** (brit.) iż-żoni tax-xiri
precious adj. prezzjuż/a
precipice n. preċipizzju, tarf
precipitate adj. mgħaġġel/mgħaġġla // vt. (bring on: crisis) ressaq viċin (il-kriżi)
precipitation n. xita
preciptuous adj. (steep) rdumi/ja
precis (pl. **precis**) n. taqsira
precise adj. preċiż/a; **~ly** adv. preċiżament
preclude vt. eskluda; **to ~ sb. from doing** ma ħalliex lil xi ħadd jagħmel
precocious adj. bikri/ja, ta' qabel iż-żmien, prekoċju/prekoċja
preconceived adj. (idea) msawra minn qabel
precondition n. kundizzjoni neċessarja/importanti
precursor n. prekursur
predator n. predatur; **~y** adj. li jikkaċċja/tikkaċċja
predecessor n. predeċessur/a
predestination n. predestinazzjoni
predetermine vt. iddetermina minn qabel

predicament n. qagħda diffiċli
predicate n. (ling.) predikat
predict vt. bassar (minn qabel); **~ion** n. basra
predominance n. predominanza
predominant adj. predominanti; **~ly** adv. b'mod predominanti
pre-eminent adj. li jisboq/tisboq lil kulħadd
pre-empt vt. qabeż lil
preen vt. **to ~ itself** (bird) illixxa r-rix; **to ~ os.** mxejna dritti
prefab n. bini ipprefabbrikat
prefabricated adj. ipprefabbrika/a, mibni/ja diġà
preface n. introduzzjoni, daħla, prefazju
prefect (brit.) n. (in school) prefett
prefer vt. ipprefera; **to ~ doing** or **to do** ipprefera jagħmel; **~able** adj. preferibbli; **~ably** adv. preferibbilment; **~ence** n. preferenza; (priority) prijorità; **~ential** adj. preferenzjali
prefix n. prefiss
preganancy n. (of woman) tqala
pregnant adj. (woman) tqil/a
prehistoric adj. preistoriku/preistorika
prehistory n. preistorja
prejudice n. preġudizzju; **~d** adj. (person) preġudikat/a
prelate n. prelat
preliminary (pl. **preliminaries**) adj. preliminarju/preliminarja
prelude n. preludju
premature adj. prematur, ta' qabel iż-żmien; **~ly** adv. qabel il-waqt, malajr
premeditated adj. ikkunsidrat/a minn qabel, premeditat/a
premeditation n. konsiderazzjoni minn qabel, premeditazzjoni
premier adj. primarju/primarja // n. (pol.) Prim Ministru
premiere n. (of film) premjer
premise n. premessa; **~s** n.pl. (of business, etc.) bini; **on the ~s** fil-bini
premium n. premju; (insurance) kumpens; **to be at a ~** kien imfittex ħafna; **~ bond** (brit.) n. dritt mogħti mill-gvern illi ċittadin ikun jista' jipparteċipa f'lotterija ta' kull xahar
premonition n. teħbira tal-qalb, presentiment
preoccupation n. inkwiet
preoccupied adj. inkwetat/a
prep n. (sch. study) prep.
prepaid adj. mħallas/mħallsa minn qabel
preparation n. preparazzjoni, tħejjija; **~s** n.pl. preparazzjonijiet, tħejjijiet
preparatory adj. preparatorju/preparatorja; **~ school** n. skola preparatorju/preparatorja
prepare vt. ipprepara, ħejja; (culin.) lesta // vi. **to ~ for** (action) ipprepara ruħu għal; (event) ħejja għal; **~d to** preparat biex; **~d for** preparat għal
preponderance n. preponderanza, superjorità
preposition n. prepożizzjoni
preposterous adj. assurd/a, stramb/a immens
prep school n. = **preparatory school**
prerequisite n. prerekwiżit, saħħa
prerogative n. prerogattiva
Presbyterian adj., n. Preżbiterjan/a
presbytery n. preżbiterija
preschool adj. età tal-kindergarten
prescribe vt. (med.) ippreskriva, kiteb riċetta
prescription n. (med.) riċetta (tat-tabib)
presence n. preżenza; **in sb.'s ~** fil-preżenza ta' xi ħadd; **~ of mind** stat li jibqa' kalm
present adj. (in attendance) preżenti; (current) attwali // n. (gift) rigal; (activity): **for the ~** għal dan il-mument // vt. (introduce, describe) ippreżenta lil; (expound) espona, wera; (give) ippreżenta, ta; (theat.) irrappreżenta, tella'; **to give sb. a ~** ta rigal lil xi ħadd; **at ~** fil-preżent; **~able** adj. **to make os. ~able** għamilna lilna nfusna preżentabbli; **~ation** n. (of report, formal ceremony) preżentazzjoni; **~-day** adj. jum il-preżentazzjoni; **~er** n. (radio, tv.) preżentatur; **~ly** adv. (soon) malajr; (now) bħalissa
preservation n. konservazzjoni
preservative n. preservattiv
preserve vt. (keep side) żamm naħa; (maintain) żamm; (food) ippreserva // n. (for game) naħa magħżula; (food) priserv
preside vi. mexxa
presidency n. presidenza
president n. president; **~ial** adj. presidenzjali
press n. (newspapers): **the p~** il-ġurnali; (printer's) stamperija; (of button) għafsa // vt. ħabrek; (button, etc.) għafas; (clothes: iron) għadda; (put pressure on: person) rass; (insist): **to ~ sth. on sb.** insista li xi ħadd jaċċetta xi ħaġa // vi. (squeeze) għasar; (pressurize): **to ~ for** ħoloq pressjoni għal; **we are ~ed for time/money** magħfusin bil-ħin/bla flus; **~ on** vi. kompla; (hurry) għaġġel; **~ agency** n. aġenzija tal-istampa; **~ conference** n. konferenza stampa; **~ing** adj. li jross/tross; **~ stud** (brit.) n. buttuna awtomatika; **~-up** (brit.) n. ħadida tal-mogħdija
pressure n. pressjoni; **to put ~ on sb.** għamel pressjoni fuq xi ħadd; **~ cooker** n. kuker tal-pressjoni; **~ gauge** n. manometru; **~ group** n. pressure grupp

pressurized adj. (container) ippressat
prestige n. prestiġju
prestigious adj. prestiġġjuż/a
presumably adv. probabbilment
presume vt. **to ~ (that)** issoppona illi/ippreżuma illi
presumption n. kondotta arroganti; (thing presumed) suppożizzjoni
presumptuous adj. prużuntuż/a, li jħobb/tħobb jiżżattat/tiżżattat
presuppose vt. assuma minn qabel
pretence (US. **pretense**) n. pretest, skuża; **under false ~s** bl-ingann
pretend vt., vi. (feign) ippretenda, esiġa
pretentious adj. pretenzjuż/a, ambizzjuż/a; (ostentatious) mkabbar/mkabbra, jippretendiha/tippretendiha
preterite n. passat
pretext n. pretest, skuża
pretty adj. helu/ħelwa, sabiħ/a // adv. pjuttost, ħafna
prevail vi. (gain mastery) ipprevala fuq, għeleb, sebaq; (be current) mifrux/a; **~ing** adj. (dominant) li jiddomina/tiddomina, li jisboq/tisboq
prevalent adj. (widespread) mifrux/a
prevarication n. logħba bil-kliem
prevent vt. **to ~ sb. from doing sth.** ma ħalliex lil xi ħadd jagħmel xi ħaġa; **to ~ sth. from happening** ma ħalliex tiġri xi ħadd; **~ative** adj. = **prevenive**; **~ive** adj. preventiv/a
preview n. (of film) preview
previous adj. ta' qabel; **~ly** adv. qabel
prewar adj. ta' qabel il-gwerra
prey n. priża // vi. **to ~ on** (feed on) għex fuq; **it was ~ing on his mind** kienet qed tossessjonah
price n. prezz // vt. (goods) ta prezz; **~less** adj. inestimabbli, bla prezz; **~list** n. lista tal-prezzijiet
prick n. (sting) tingiż // vt. taqqab; (hurt) niggeż; **to ~ up one's ears** waqqaf widnejh
prickle n. (sensation) tingiż; (bot.) xewka tal-werqa
prickly adj. mxewwek/imxewka; (fig. person) li jdejjaq/dejjaq; **~ heat** n. infjammazzjoni tal-ġilda bit-tingiż; **~ pear** bajtra tax-xewk
pride n. kburija; (pej.) ftaħir żgħir // vt. **to ~ os. on** ftaħarna b'xi ħaġa
priest n. qassis, saċerdot; **~hood** n. saċerdozju
prig n. persuna li mingħaliha xi ħadd
prim adj. (demure) riservat/a, kwiet/a; (prudish) taparsi mistħi/ja
primarily adv. primarjament
primary adj. (first in importance) primarju/primarja // n. (US. pol.) elezzjoni primarja; **~ school** (brit.) n. skola primarja
primate n. (rel.) arċisqof; (zool.) primat
prime adj. prinċipali, fundamentali; (excellent) eċċellenti // n. **in the ~ of life** fl-aħjar tal-ħajja, milja // vt. (wood) ipprepara; (fig.) mela; **~ example** l-aqwa eżempju; **P~ Minister** n. Prim Ministru
primeval adj. primordjali
primitive adj. primittiv/a; (crude) rudimentarju/rudimentarja; (pej.) għadu/għadha lura
primrose n. primula
Primus (stove) ® (brit.) n. forn tal-pitrolju
prince n. prinċep
princess n. prinċipessa
principal adj. prinċipali // n. prinċipal; **~ity** n. prinċipat
principally adv. prinċipalment
principle n. prinċipju; **in ~** fil-prinċipju; **on ~** bħala prinċipju
print n. (**foot~**) marka tas-saqajn; (**finger~**) marka tas-swaba'; (letters) ittri; (fabric) drapp stampat; (art) stampa; (phot.) ritratt // vt. stampa; (cloth) ipprintja; (write in capitals) kiteb b'ittri kbar/majjuskoli; **out of ~** out of print; **~ed matter** n. karti stampati; **~er** n. (person, machine) printer; **~ing** n. (art) printing; (act) ipprintjar; **~out** n. (comput.) karta pprintjata
prior adj. ta' qabel; (more important) iktar importanti; **~ to** qabel
priority n. prijorità; **to have ~ (over)** kellu l-preċedenza (fuq)
priory n. monasteru
prise vt. **to ~ open** fetaħ, sforza
prism n. prizma
prison n. ħabs // cpd. tal-ħabs; **~er** n. (in prison) fil-ħabs; (captured person) priġunier, ħabsi; **~er-of-war** n. priġunier tal-gwerra
prissy adj. għaġġieb/a
pristine adj. verġni, mhux mimsus/a
privacy n. privatezza
private adj. (personal) privat/a, personali; (property, industry, discussion, etc.) privata; (person) maqtugħ/a għalih/a; (place) kwiet // n. suldat sempliċi; **"~"** (on envelope) "kunfidenzjali"; (on door) "ma tistax tidħol"; **in ~** fil-privat; **~ enterprise** n. intrapriża privata; **~ eye** n. detektiv privat/a; **~ property** n. propjetà privata; **~ school** n. skola privata
privet n. sġajra dejjem ħadra
privilege n. privileġġ; (prerogative) prerogattiva
privy adj. **to be ~ to** kien jaf xi ħaġa
prize n. premju, rigal // adj. tajjeb/tajba ħafna // vt. apprezza, stima; **~-giving** n. premjazzjoni; **~winner** n. rebbieħ/a
pro n. (sport) professjonali // prep. favur; **the ~s and cons** favur u kontra

probability n. probabbiltà; **in all** ~ biċ-ċert/bil-probabbiltà kollha
probable adj. probabbli
probably adv. probabbilment
probation n. **on** ~ (employee) bi prova; (law) b'libertà kondizzjonata
probe n. (med.) stetoskopju; (sapce) kurdun; (enquiry) tiftixa, investigazzjoni // vt. eżamina; (investigate) investiga
probity n. onestà, tjubija
problem n. problema; **~atic** adj. problematiku/problematika
procedure n. proċedura; (conduct) mġiba
proceed vi. (do afterwards): **to** ~ **to do sth.** avvanza biex, mexa 'l quddiem biex; (continue): **to** ~ (**with**) kompla; **~ings** n.pl. ċerimonja; (law) provvediment; **~s** n.pl. (money) tranżazzjonijiet
process n. proċess // vt. ittratta, elabora dwar; **~ing** n. trattament, proċess; (phot.) żviluppar
procession n. purċissjoni; proċessjoni; **funeral** ~ proċessjoni tal-funeral
proclaim vt. (announce) ipproklama, ħabbar
proclamation n. proklama, aħbar
proclivity n. tendenza
procrastinate vi. karkar, ġebbed, dewwem
procrastination n. tnikkir
procreation n. prokreazzjoni
procure vt. kiseb, ottjena
prod vt. ta taptipa // n. taptipa, daqqa ħafifa
prodigal adj. ħali/ħalja, berbieqi/berbieqa
prodigious adj. straordinarju/straordinarja
prodigy n. (person) persuna li għandha dehen straordinarju; (thing) ħaġa straordinarja
produce n. (agr.) prodott // vt. ipproduċa; (play, film, programme) ippreżenta; **~r** n. (of film, programme, record) prodjuser, direttur
product n. prodott
production n. produzzjoni; (theat.) preżentazzjoni, produzzjoni; ~ **line** n. linja ta' produzzjoni
productive adj. produttiv/a
productivity n. produttività
profane adj. profan/a, (desacrate) tebba', ħammeġ
profess vt. stqarr, iddikjara
profession n. sengħa, xogħol; **~al** adj. professjonali // n. (skilled person) professjonista
professor n. professur
proficiency n. kompetenza, taħriġ
proficient adj. mħarreġ/mħarrġa, kompetenti
profile n. profil
profit n. (comm.) profitt, qligħ // vi. **to** ~ **by** or **from** iggwadanja minn; **~ability** n. profitabbiltà; **~able** adj. (econ.) li jaqbel/taqbel, li jħalli/tħalli l-qligħ
profiteering n. (pej.) qligħ esaġerat
profound adj. profond/a, fond/a ferm
profuse adj. irfus/a; (with money) bix-xaba'; **~ly** adv. bir-rfus, bil-gozz
profusion n. abbundanza
progeny n. nisel, razza
programme (US. **program**) n. programm // vt. ipprogramma; **~r** (US. **programer**) n. programer
programming (US. **programing**) n. programmar
progress n. avvanz, mixi 'l quddiem; (development) progress // vi. mexa 'l quddiem; **in** ~ għaddej; **~ive** adj. progressiv/a; (person) progressista; (music) progressiva
prohibit vt. ma ħalliex; **to** ~ **sb. from doing sth.** ma ħalliex lil xi ħadd jagħmel xi ħaġa; **~ion** n. impediment, projbizzjoni; (US.) **P~ion** Projbizzjoniżmu
project n. proġett, pjan // vi. (stick out) ħareġ 'il barra; **~ion** n. projezzjoni; (overhang) sporġenza; **~or** n. proġekter
projectile n. ħaġa li titwaddab/tintefa'
proletarian adj. proletarju, tal-klassi tal-ħaddiema // n. proletarju, ħaddiem
proletariat n. proletarjat, il-klassi tal-ħaddiema
prolific adj. prolifiku/prolifika
prologue n. prologu, diskors tad-dħul
prolong vt. tawwal, ġebbed
prom n. abbr. of **promenade**; (US. ball) ballu tal-istudenti
promenade n. (by sea) dawra/triq tax-xatt; ~ **concert** (brit.) n. kunċert ta' mużika klassika (li tisimgħu bilwieqfa)
prominence n. prominenza
prominent adj. (standing out) prominenti; (important) importanti
promiscuity n. (sexual) attività sesswali bla rażan
promiscuous adj. (sexually) sesswalment attiv/a ħafna
promise n. wegħda // vt., vi. wiegħed
promising adj. li għadu/għandha potenzjal
promontory n. promontorju, ponta t'art
promote vt. (employee) għolla l-grad; (product, pop star) ippromwova; (ideas) ħeġġeġ; **~r** n. (of event) promotur; (of cause, etc.) persuna li jħeġġeġ/tħeġġeġ
promotion n. (advertising campaign) kampanja ta' promozzjoni/pubbliċità; (in rank) promozzjoni; (inf.) promowxin
prompt adj. pront/a, lest/a // adv. **at 6 o'clock** ~ fis-sitta preċiż // n. (comput.) prompt // vt. (urge) imbotta 'l quddiem, sforza; (when talking) ħeġġeġ;

(theat.) prompt; **to ~ sb. to do sth.** ħeġġeġ lil xi ħadd biex jagħmel xi ħaġa; **~ly** adv. rapidament, bil-ħeffa; (exactly) puntwalment
promulgate vt. ipproklama, ippubblika, xerred
prone adj. (lying) mixħut/a; ~ **to** mogħti għal
prong n. midra
pronoun n. pronom
pronounce vt. lissen il-kliem, ippronunzja; **~d** adj. (marked: improvement) nett, ċar, li jidher/tidher; (marked: ideas) preċiż/a
pronunciation n. pronunzja
proof n. prova // adj. ~ **against** xehed kontra
prop n. riffied, travu; (fig.) appoġġ // vt. (also ~ **up**) wieżen; (lean): **to ~ sth. against** serraħ ma'
propaganda n. propaganda
propagation n. tixrid, tkabbir
propel vt. imbotta, mexxa 'l quddiem; **~ler** n. skrun (li jimbotta); **~ling pencil** n. portamina
propensity n. xeħta, xejra, tendenza, ġibda lejn, dispożizzjoni
proper adj. (suited, right) tajjeb/tajba; (exact) eżatt/a; (seemly) tajjeb/tajba, korrett/a; (authentic) awtentiku/awtentika; (referring to place): **the village** ~ il-post innifsu; **~ly** adv. (adequately) korrettement, b'mod tajjeb; (decently) b'mod diċenti, onest; ~ **noun** n. nom propju
property n. propjetà; (personal) ġid; ~ **owner** n. sid il-propjetà
prophecy n. taħbira, profezija, basra
prophesy vt. (fig.) ħabbar, basar
prophet n. profeta, ħabbar
proportion n. proporzjon; (share) parti, sehem; **~al** adj. **~al (to)** jikkorrispondi għal, proporzjonali ma'; **~al representation** n. rappreżentanza proporzjonali; **~ate** adj. **~ate (to)** proporzjonat ma'
proposal n. (offer of marriage) talba għaż-żwieġ; (plan) pjan
propose vt. ippropona // vi. talab l-id taż-żwieġ; **to ~ to do** daħħal f'moħħu illi
proposition n. offerta, proposta
propound vt. ressaq
proprietary adj. tal-propjetarju/propjetarja, tas-sid/t
proprietor n. propjetarju/propjetarja, sid/t
propriety n. (seemliness) rispett tal-konvenjenzi soċjali, dekor; (appropriateness) konvenjenza
propulsion n. propulsjoni
pro rata adv. fil-proporzjon
prosaic adj. banali
prose n. proża
prosecute vt. (law) beda kawża fil-qorti kontra
prosecution n. kawża, proċess legali; (accusing side) (il-)prosekuzzjoni
prosecutor n. prosekutur; (also **public** ~) prosekutur pubbliku/tal-gvern
prospect n. (possibility) possibbiltà, prospett; (outlook) perspettiva // vi. **to ~ for** fittex; **~s** n.pl. (for work, etc.) prospetti; **~ive** adj. tal-futur, prospettiv/a
prospectus n. prospectus, kitba ta' dettalji
prosper vi. stagħna; **~ity** n. prosperità; **~ous** adj. prosperu, kollu/kollha risq
prostitute n. prostituta; (male) raġel li jipprostitwixxi ruħu
prostrate adj. mixħut/a bil-qima; (fig.) mirbuħ/a, mifni/ja
protagonist n. protagonist/a
protect vt. ipproteġa; **~ion** n. difiża, qbiż għal, protezzjoni; **~ive** adj. protettiv/a; **~or** n. protettur/protettriċi, difensur/a
protege n. protettur; **~e** n. protettriċi
protein n. proteina
protest n. protesta // vi. **to ~ about** or **at/against** ipprotesta dwar/kontra // vt. (insist): **to ~ (that)** ħambaq/insista illi
Protestant adj., n. Protestant/a
protester n. manifestazzjoni (kontra xi ħaġa)
protocol n. protokol
prototype n. prototip
protracted adj. maħruġ/a 'l barra
protractor n. protrekter
protrude vi. ħareġ/qabeż 'il barra
protuberance n. nefħa, boċċa
proud adj. kburi/ja; (pej.) arroganti, kollu/kollha ftaħir; **~ly** adv. bi kburija
prove vt. ikkonferma; (show) wera // vi. **to ~ (to be) correct** irriżulta li kien korrett; **to ~ os.** tajna prova
proverb n. proverbju; qawl
provide vt. ipprovda, għammar; **to ~ sb. with sth.** ipprovdejna lilna nfusna b'xi ħaġa; **~d (that)** conj. dejjem jekk; ~ **for** vt. fus. ra għal
providing (that) conj. dejjem jekk
Providence n. (il-)Providenza
province n. provinċja; (fig.) sfera, kamp
provincial adj. provinċjali, tal-provinċja; (pej person) mill-provinċja
provision n. (supplying) proviżjon, muna, ħażna; (of contract, etc.) klawsola, dispożizzjoni; **~s** n.pl. (food) ikel, provvisti; **~al** adj. provviżorju/provviżorja, mhux għal dejjem; **~ally** adv. provviżjonalment
proviso n. **with the ~ that** bil-patt (u l-kundizzjoni) illi
provocation n. provokazzjoni
provocative adj. provokattiv/a

provoke vt. (cause) ipprovoka, qajjem; (anger) dejjaq, xebba'
prow n. pruwa
prowess n. kuraġġ, ħila, qlubija
prowl vi. (also ~ **about**, ~ **around**) iġġerra/ħaf fil-madwar // n. **on the** ~ għaddej jiġġerra, iħuf; ~**er** n. ġerrej, wieħed/waħda li jħuf/tħuf
proximity n. qrubija, viċinanza
proxy n. **by** ~ bil-prokura
prudence n. prudenza, diskrezzjoni
prudent adj. prudenti, diskret/a
prudish adj. ta' mistħija fiergħa
prune n. pruna // vt. żabbar
pry vi. **to** ~ (**into**) iddeffes fi
PS n. abbr. of **postscript**; PS
psalm n. salm
pseudonym n. psewdonimu
psyche n. psike; (inf.) il-moħħ
psychiatric adj. psikjatriku/psikjatrika
psychiatrist n. psikjatra
psychiatry n. psikjatrija
psychic adj. (also ~**al**) psikiku/psikika
psychoanalyse vt. għamel/wettaq psikoanaliżi
psychoanalysis n. (pl. **psychoanalyses**) psikonaliżi
psychoanalyst n. psikoanalista
psychological adj. psikoloġiku/psikoloġika
psychologist n. psikologu/psikologa
psychology n. psikoloġija
psychopath n. psikopatiku/psikopatika
psychosomatic adj. psikosomatiku/psikosomatika
psychotic adj., n. psikotiku/psikotika
PTO abbr. of **please turn over**; PTO
pub n. abbr. of **public house**; bar, pabb
puberty n. pubertà
public adj. pubbliku/pubblika // n. **the** ~ il-pubbliku; **in** ~ fil-pubbliku; **to make** ~ ħareġ fil-pubbliku, għamel pubbliku/pubblika; ~ **address system** n. apparat t'amplifikazzjoni
publican n. wieħed/waħda bil-bar/fil-pabb
publication n. pubblikazzjoni
public: ~ **company** n. kumpanija pubblika; ~ **convenience** (brit.) n. tojlits pubbliċi; ~ **holiday** n. vaganza pubblika; ~ **house** (brit.) n. bar, pabb; ~ **opinion** n. (l-)opinjoni pubblika; ~ **relations** n. relazzjonijiet pubbliċi; ~ **school** n. (brit.) skola privata; (US.) skola tal-gvern; ~**-spirited** adj. li jinteressa/tinteressa ruħu/ruħha fil-ġid tal-komunità; ~ **transport** n. trasport pubbliku
publicity n. pubbliċità, reklamar
publicize vt. irreklama, ta pubbliċità lil
publicly adv. pubblikament, fil-pubbliku
publish vt. ippubblika; ~**er** n. (person) pubblikatur/pubblikatriċi; (firm) dar tal-pubblikazzjoni; ~**ing** n. (industry) industrija tal-pubblikazzjoni/tal-istampar
pub lunch n. ikla ħafif li tisserva f'bar/pabb; **to go for a** ~ mar jieħu ikla ħafifa fil-bar/pabb
puce adj. fil-kannella u l-vjola
puck n. (elf) għafrit; (ice hockey) diska
pucker vt. (pleat) tewa; (brow, etc.) kemmex xofftu
pudding n. torta; (brit. dessert) ħelu; **black** ~ pudina
puddle n. għadira tat-tajn
puerile adj. pwerili
puff n. nefħa; (of smoke) duħħan; (of breathing) nifs // vt. **to** ~ **one's pipe** pejjep il-pipa // vi. (pant) leheġ; ~ **out** vt. nefaħ 'il barra d-duħħan; ~ **pastry** n. pastasfolja; ~**y** adj. minfuħ/a
puffin n. xorta t'għasfur tal-baħar bil-munqar kbir u kollu kuluri
puffy adj. minfuħ/a
pugnacious adj. ġelliedi/ġellidija
pull n. (tug): **to give sth. a** ~ imbotta xi ħaġa // vt. ġibed; (press: trigger) għafas; (haul) rmonka, karkar; (close: curtain) ressaq // vi. ġibed; **to** ~ **to pieces** farrak f'mitt biċċa; **to not** ~ **one's punches** ma qagħadx lura milli jgħid li kellu jgħid; **to** ~ **one's weight** għamel il-parti tiegħu; **to** ~ **os. together** irpilja; **to** ~ **sb.'s leg** ġibed saqajn xi ħadd; ~ **apart** vt. (break) kisser, fired; ~ **down** vt. (building) waqqa', ġarraf; ~ **in** vi. (car, etc.) waqqaf (draw to the side) daħal fil-ġenb; (train) waslet // vt. ġibed; ~ **over** vi. (aut.) daħal fil-ġenb; ~ **through** vi. (med.) irpilja; ~**up** vi. (stop) waqaf // vt. (raise) qajjem; (uproot) qala' mill-għeruq
pulley n. taljola, parank, buzzell
pull-in n. (aut.) waqfa fil-ġenb
pullover n. jersey, pullover
pulp n. (of fruit) polpa, benna
pulpit n. pulptu
pulsate vi. ħabbat
pulse n. (anat.) polz; (rhythm) ritmu
pulverize vt. taħan
puma n. puma
pummel vt. ta bil-ponn
pump n. pompa; (shoe) bużżieqa // vt. ippompja; ~ **up** vt. nefaħ
pumpkin n. qargħa ħamra
pun n. logħob bil-kliem
punch n. (blow) daqqa ta' ponn; (tool) panċer; (drink) panċ // vt. (hit): **to** ~ **sb./sth.** ta daqqa ta' ponn lil xi ħadd/ħaġa; ~**line** n. is-sustanza taċ-ċajta; ~**-up** (brit. inf.) n. ġlieda

punctual adj. puntwali, fil-ħin
punctuate vt. qassam id-diskors f'intervalli; (insert punctuation marks) għamel il-punteġġjatura
punctuation n. (il-)punteġġjatura
puncture (brit.) n. panċer // vt. taqqab, nifed
pundit n. espert/a
pungent adj. li joqros/toqros; (fig.) li joqros/toqros fil-laħam il-ħaj
punish vt. ikkastiga, għaddeb; **~ment** n. kastig, tagħdiba
punk n. (also ~ **rocker**) pank roker; (also ~ **rock**) pank rokk; (US. inf. hoodlum) buli, ġellied/a
punt n. (boat) dgħajsa tax-xmajjar
punter (brit.) n. (gambler) wieħed/waħda li jagħmel l-imħatri; (inf.) klijent
puny adj. żgħir, ċkejken/ċkejkna
pup n. ġeru
pupil n. student/a; (of eye) pupilla
puppet n. pulċinell, pupu, pupazz; ~ **theatre** teatru tal-pulċinelli/pupi/pupazzi
puppy n. ġeru
purchase n. xirja // vt. xtara; **~r** n. xerrej/ja
pure adj. pur/a, safi/safja
purée n. purè
purely adv. purament
purge n. (med.) porga; (pol.) tindifa // vt. ipporga
purification n. tisfija, tindifa, purifikazzjoni
purify vt. naddaf, ippurifika
purist n. purist/a
puritan n. puritan/a; **~ical** adj. puritan/a
purity n. safa, purità
purl n. (flokk, punt, eċċ.) bil-maqlub // vt. ħadem bil-maqlub
purple adj. vjola
purport vi. **to ~ to be/do** ried jidher li hu/jidher ta'
purpose n. skop, għan, mira, ħsieb; **on ~** apposta, bil-ħsieb li, bil-mira li; **~ful** adj. li għandu/għandha skop
purr vi. għamel ħoss ta' qattus
purse n. portmoni; (US.) ħendbeg // vt. rass fommu
purser n. (naut.) kummissarju tal-vapur
pursue vt. ġera wara; **~r** n. min isegwi lil/imur wara xi ħadd
pursuit n. (chase) ġera wara; (occupation) xogħol, sengħa
purveyor n. fornitur/fornitriċi
pus n. marċa
push n. imbuttatura; (of button) għafsa; (drive) imbottatura // vt. imbotta; (button) għafas; (promote) ippromwova, ressaq // vi. imbotta; (demand): **to ~ for** tbaqbaq/issielet għal; ~ **aside** vt. poġġa/xeħet fil-ġenb; ~ **off** (inf.) telaq; ~ **on** vi. kompla, baqa' għaddej; ~ **through** vi. (crowd) għadda minn ġo // vt. (measure) għafas fuq; ~ **up** vt. (total, prices) għolla, żied; **~chair** (brit.) n. puxċer; **~er** n. **(drug ~er)** puxer; **~over** (inf.) n. **it's a ~over** dik ħaġa tat-tfal iż-żgħar; **~-up** (US.) n. puxapp; **~y** (pej.) adj. aggressiv/a
puss (inf.) n. qattus żgħir
pussy(-cat) qattusa (inf.) n. = **puss**
put (pt., pp. **put**) vt. (place) poġġa, qiegħed; (~ **into**) poġġa fi; (say) lissen; (a question) staqsa, għamel mistoqsija; (estimate) għamel stima; ~ **about** or **around** vt. (rumour) xniegħa, għajdut; ~ **across** vt. (ideas, etc.) ikkomunika; ~ **away** vt. (store) warrab; ~ **back** vt. (replace) poġġa lura; (postpone) ippospona; ~ **by** vt. (money) warrab; ~ **down** vt. (on ground) poġġa mal-art; (animal) issagrifika; (in writing) kiteb, niżżel; (revolt, etc.) waqqaf, xekkel; (attribute): **to ~ sth. down to** attribwixxa xi ħaġa lil xi ħadd; ~ **forward** vt. (ideas) ressaq; ~ **in** vt. (complaint) ressaq; (time) iddedika (l-ħin); ~ **off** vt. (postpone) ippospona; (discourage) qata' qalb; ~ **on** vt. libes; (light, etc.) xegħel; (play, etc.) organizza; (gain): **to ~ on weight** rabba ż-żaqq; (brake) ibbrejkja; (record, kettle, etc.) xegħel; (assume) assuma; ~ **out** vt. (fire, light) tefa; (rubbish, etc.) ħareġ; (one's hand) għolla; (inf. person) **to be ~ out** ġie merut; ~ **through** vt. (tel.) ngħaqad ma'; (plan, etc.) approva; ~ **up** vt. (raise) għolla; (hang) dendel, naxar; (build) bena; (increase) żied; (accommodate) laqa'; ~ **up with** vt. fus. issaporta
putrid adj. mħassar/mħassra, mifsud/a
putt n. (golf) putting; **~ing green** n. (golf) green
putty n. stokk
put-up adj. ~ **job** (brit.) ħidma fiergħa, montatura
puzzle n. problema, xarada; (also **crossword** ~) tisliba; (mystery) misteru, taħbil il-moħħ // vt. ħawwad // vi. **to ~ over sth.** prova jifhem xi ħaġa
puzzling adj. li jħawwad/tħawwad, li jħabbel/tħabbel il-moħħ
PVC abbr. of **polyvinyl chloride**
pygmy n. nanu; (type of African) qerqni Afrikan
pyjamas (brit.) n.pl. piġama
pylon n. plier
pyramid n. piramida
Pyrenees n.pl. **the** ~ il-Pirinej
python n. xorta ta' serp kbir imma mhux velenuż

Q q

q is-sbatax-il ittra tal-alfabett Ingliż
quack n. għajta ta' papra; (pej. doctor) tabib/a
quad n. abbr. of **quadrangle**; **quadruplet**
quadrangle n. kwadrangulu
quadrupled n. kwadruplikat
quadruple vt., vi. ikkwadrupplika
quadruplets n.pl. kwadruplets
quagmire n. roqgħa art imtajna
quail n. summiena // vi. **to ~ at** or **before** qata' qalbu quddiem
quaint adj. kurjuż/a, stramb/a; (picturesque) pittoresk
quake vi. beda jterter // n. abbr. of **earthquake**
Quaker n. Quaker
qualification n. kwalifika; (ability) ħila; (often pl. diploma, etc.) kwalifiki; (reservation) riserva
qualified adj. kwalifikat/a; (professionally) kwalifikat/a; (limited) limitat/a
qualify vt. (make competent) ikkwalifika; (modify) immodifika // vi. (in competition): **to ~ (for)** għadda/ikkwalifika għal; (pass examination(s)): **to ~ (as)** għadda/ikkwalifika bħala; (be eligible): **to ~ (for)** kien eleġibbli għal
qualitative adj. kwalitattiv/a, li jiddependi/ tiddependi mill-kwalità
quality n. kwalità; (of person) karatteristika; **~ time** n. ħin ħieles
qualm n. skruplu, eżitazzjoni
quandary n. **to be in a ~** ma kienx jaf x'kellu jagħmel
quantitative adj. kwantitattiv, li jiddependi/ tiddependi mill-kwantità
quantity n. kwantità; **in ~** fi kwantità kbira; **~ surveyor** n. servejer (tal-prezzijiet ta' kull m'hemm bżonn għall-kostruzzjoni)
quarantine n. kwarantina
quarrel n. ġlieda, tilwima // vi. iġġieled, tlewwem
quarry n. barriera; (zool.) priża
quart n. kwart ta' gallun
quarter n. kwart; (US. coin) 25 ċenteżmu; (of year) kwart ta' sena; (district) distrett // vt. qasam f'erbgħa; (mil. lodge) kwartieri; **~s** n.pl. (barracks) barraks; (**living ~s**) alloġġjament; **a ~ of an hour** kwart ta' siegħa; **~ final** n. il-kwarti tal-finali; **~ly** adj. ta' kull tliet xhur // adv. kull tliet xhur
quartet(te) n. kwartett
quartz n. kwarz
quash vt. (verdict) irrevoka, ħassar, rtira
quasi- pref. semi -; (pej.) psewdo-; **~ official** adj. semiuffiċjali; **~ religious** adj. kważi reliġjuż; **~ revolutionary** adj., n. psewdorevoluzzjonarju
quaver (brit.) n. (mus.) kwejver, kroma // vi. (voice) rtogħod
quay n. (also **~ side**) moll
queasy adj. **to feel ~** ħassu mqalla'
queen n. reġina, sultana; (cards, etc.) reġina; **~ mother** n. ir-reġina omm
queer adj. stramb, kurjuż // n. (inf. homosexual) omosesswali, (male homosexual) pufta
quell vt. (feeling) rażżan, mannas; (rebellion, etc.) berred
quench vt. **to ~ one's thirst** qata' l-għatx
query n. (question) mistoqsija // vt. staqsa
quest n. tfittxija; (pol.) stħarriġ, inkjesta
question n. mistoqsija; (doubt) dubju; (matter) il-kwistjoni // vt. (doubt) iddubita; (interrogate) interroga; **beyond ~** daqshekk!; **out of the ~** le, mingħajr dubju; **~able** adj. dubjuż; **~ mark** n. għelm tal-mistoqsija; **~naire** n. kwestjonarju
queue (brit.) n. kju // vi. (also **~ up**) qagħad fil-kju
quibble vi. lagħab bil-kliem
quick adj. malajr; (agile) ħafif/a; (mind) li jaqbad/ taqbad malajr // n. **cut to the ~** (fig.) laqtu fil-laħam il-ħaj; **be ~** ħaffef!; **~en** vt. għaġġel, ħaffef // vi. għaġġel, ħaffef; **~ly** adv. malajr; **~ sand** n. ramel li jċedi; **~-witted** adj. moħħu/ moħħha jilħaqlu/jilħqilha
quid (brit. inf) n. inv. lira sterlina
quiet adj. (voice, music, etc.) kwieta; (person, place) ħiemda; (ceremony) siekta // n. sikta; (calm) kalma // vt., vi. (US.) = **~en, ~en** (also **~en down**) vi. ikkwieta; (grow silent) siket // vt.

ikkalma, sikket; ~**ly** adv. bil-kwiet; (silently) fis-skiet; ~**ness** n. is-sikta, il-ħemda, il-kwiet
quill n. pinna (magħmula minn rixa)
quilt n. kwilt
quin n. abbr. of **quintuplet**
quintet(te) n. kwintett
quintuplets n.pl. kwintuplu
quip n. kliem li jniggeż jew spiritu̇ż
quirk n. stramberija; (accident) tort tax-xorti
quit (pt., pp. **quit** or **quitted**) vt. ħalla; (premises) telaq minn // vi. (give up) abbanduna, qata' qalbu; (resign) irriżenja
quite adv. (rather) tassew, mhux ħażin; (entirely) perfettament; **that's not ~ big enough** tassew li mhux kbir biżżejjed; ~ **a few of them** hemm mhux ħażin minnhom; ~ **(so)!** eżatt!
quits adj. **to be ~ (with)** kien mifdi ma'; **let's call it ~** issa mifdija
quiver vi. rtogħod, tkexkex // (carrying case) n. kaxxa għall-vleġeġ
quiz n. kwizz // vt. **to ~ sb. about** interroga lil xi ħadd dwar; ~**zical** adj. interrogattiv/a
quoits n.pl. ċpapel għal-logħob
quorum n. kworum
quota n. kwota, porzjon
quotation n. kwotazzjoni, silta; (estimate) stima, estimi; ~ **marks** n.pl. għeliem tal-kwotazzjoni
quote n. kwotazzjoni // vt. ikkwota; (price) stima // vi. **to ~ from** ikkwota/silet minn; ~**s** n.pl. (inverted commas) inverted commas
quotient n. kwozjent

R r

r it-tmintax-il ittra tal-alfabett Ingliż
rabbi n. rabbi
rabbit n. fenek; ~ **hutch** n. kaxxa/gaġġa għall-fniek
rabble (pej.) n. marmalja, karfa
rabid adj. mitluf/a minn sensih/a, irrabjat/a; (fanatical) fanatiku/fanatika; (dog) irrabjat
rabies n. rabja
RAC (brit.) n. abbr. of **Royal Automobile Club**
rac(c)oon n. rakun
race n. tiġrija; (species) nisel, razza // vt. (horse) tellaq; (engine) saq // vi. (complete) ikkompeta ma'; (run) ġera, tellaq ma'; (pulse) ħabbat ħafna; ~ **car** (US.) n. = **racing car**; ~ **car driver**; ~**course** n. ippodromu; ~**horse** n. żiemel tat-tlielaq; ~**track** n. pista tat-tlielaq
racial adj. (discrimination, tension) razzjali; (harmony) bejn ir-razez
racing n. tellieqa; ~ **car** (brit.) n. karozza tat-tlielaq; ~ **driver** (brit.) n. sewwieq tal-karozzi tat-tlielaq
racism n. razziżmu
racist adj., n. razzist/a
rack n. (also **luggage** ~) xibka; (shelf) xkaffa; (also **roof** ~) xkaffa tas-saqaf; (**dish** ~) xtilliera tad-dixxijiet; (**clothes** ~) xkaffa; (for torture) kavallett // vt. ittortura; **to** ~ **one's brains** spiċċa bla moħħ
racket n. (for tennis) rakketta; (noise) storbju, għagħa, frattarija; (swindle) brikkunata
racquet n. = **racket**
racy adj. fuq ruħu/ruħha
radar n. radar
radiance n. ġmiel, dija
radiant adj. li jiddi/tiddi; mudwal/a
radiate vt. (heat) irradja
radiation n. radjazzjoni; (of heat) tfigħ ta' raġġi ta' sħana
radiator n. radjejter
radical adj. radikali
radio - pref.: ~**active** adj. radjoattiv/a; ~**graphy** n. radjografija; ~**logy** n. radjoloġija
radio n. radju; **on the** ~ fuq ir-radju
radio station n. stazzjon tar-radju
radiotherapy n. radjoterapija
radish n. ravanell
radium n. radjum
radius (pl. **radii**) n. medda; **within a** ~ **of 50 miles** f'medda ta' 50 mil
RAF n. abbr. of **Royal Air Force**
raffish adj. bla ġieħ
raffle n. lotterija
raft n. ċatra; (also **life** ~) ċatra tal-għajnuna
rafter n. dak/dik li jmexxi/tmexxi ċ-ċatra; (arch.) travu (tas-saqaf)
rag n. (piece of cloth) ċarruta; (torn cloth) ħwejjeġ imqattgħin; (pej. newspaper) gazzetta; (for charity) festa tal-istudenti bi skopijiet ta' benefiċenza; ~**s** n.pl. (torn clothes) ħwejjeġ imqattgħin; ~ **doll** n. pupa taċ-ċarruta; **the** ~ **trade** n. in-negozju tal-ħwejjeġ
rage n. rabja, dagħdigħa, saħna ta' korla // vi. (person) irrabja, inkorla, saħan, tbaqbaq; (storm) tkattret, kompliet tħabbat; **it's all the** ~ (very fashionable) toħloq furur
ragged adj. (edge) n. mhux uniformi; (appearance) mċewlaħ/mċewlħa
raid n. (mil.) rejd; (criminal) serqa; (by police) rejd // vt. attakka għal għarrieda
rail n. (on stair) poġġaman; ~**s** n.pl. (rail.) binarji; **by** ~ bil-ferrovija; ~**ing**(**s**) n.pl. binarji, linja tal-ferrovija; ~**road** (US.) n. = ~**way**; ~**way** (brit.) n. ferrovija; ~**way line** (brit.) n. linja tal-ferrovija; ~**wayman** (brit. irreg.) n. ħaddiem tal-ferroviji; ~**way station** (brit.) n. stazzjon tal-ferrovija
rain n. xita // vi. għamlet ix-xita; **in the** ~ fix-xita; **it's** ~**ing** qed/qiegħda tagħmel ix-xita; ~**bow** n. qawsalla; ~**coat** n. inċirata; ~**drop** n. qatra tax-xita; ~**fall** n. xita; ~**forest** n. foresti tropikali; ~**y** adj. tax-xita

raise n. żjieda (fil-paga) // vt. għolla; (increase) kattar; (improve: morale) għolla; (standards) tejjeb; (doubts) iddubita; (a question) għamel; (cattle, family) tella'; (rabbits) rawwem; (crop) kabbar, ikkultiva; (army) ġabar; (loan) kiseb; għamel; **to ~ one's voice** għolla leħnu
raisin n. żbiba
raj n. tmexxija tal-Indja
rajah n. il-Mexxej Indjan
rake n. (tool) moxt tal-ħadid; (person) żdingat // vt. (garden) immoxta l-ġnien
rakish adj. jidher/tidher kiesaħ/kiesħa
rally n. (pol., etc.) ġmiegħ; (aut.) rally; (tennis) ħin twil ta' logħob // vt. ġema' // vi. nġema'; **~ round** vt. fus. (fig.) mar jgħin/jassisti
RAM n. abbr. of **random access memory**; RAM
ram n. muntun; (also **battering ~**) imbotta // vt. (crash into) ikkraxxja ġo; (push: fist, etc.) imbotta
ram raid vt. seraq (u kisser il-barrikati bil-karozza)
ramble n. passiġġata twila, ħajk // vi. (pej. also **~ on**) tkellem ħażin fuq; **~r** n. ħajker; (bot.) xorta ta' warda
rambling adj. (speech) mhux tajjeb; (house) kollha kurituri; (bot.) li jixxeblek/tixxeblek
ramification n. fergħat
ramp n. rampa; **on/off ~** (US. aut.) dħul/ħruġ
rampage n. **to be on the ~** kien vjolenti // vi. **they went rampaging throughout the town** iġġerrew mal-belt joħolqu frattarija
rampant adj. (disease, etc.): **to be ~** kien/et qawwi/ja
rampart n. sur
ramshackle adj. mherri/ja; mikdud/a
ran pt. of **run**
ranch n. ranċ; **~er** n. ranċer
rancid adj. ta' togħma ħażina
rancour (US. rancor) n. mibegħda, stmerrija qawwija
random adj. każwali; (comm., math.) bl-addoċċ // n. **at ~** kif ħabat laqat
randy (brit. inf.) adj. li jqanqal/tqanqal sesswalment
rang pt. of **ring**
range n. (of mountains) katina ta'; (of missile) medda kemm iwassal/twassal; (of voice) medda ta' vuċi; (series) serbut; (of products) sensiela; (mil. also **shooting ~**) kamp tal-isparar; (also **kitchen ~**) prodotti tal-kċina // vi. **to ~ over** (extend) estenda, firex; **to ~ from - to -** wassal minn - għal -
ranger n. wieħed/waħda li jiġġerra/tiġġerra / jimraħ/timraħ
rank n. (row) filliera; (mil.) grad; (status) status; (brit. also **taxi ~**) serbut ta' taksis // vi. **to ~ among** kien wieħed mill- // adj. ta' togħma ħażina; **the ~ and file** (fig.) il-bażi
rankle vi. (insult) insulta, inġurja lil
ransack vt. (search) qalleb, fittex; (plunder) kaxkar, ġarr
ransom n. riskatt; **to hold to ~** (fig.) żamm ostaġġ lil xi ħadd
rant vi. tkellem b'mod storbjuż
rap vt. taptap, ħabbat // n. (music) repp
rape n. rejp, stupru; (bot.) pjanta // vt. stupra irrejpja; **~ (seed) oil** żejt tal-pjanti
rapid adj. ħafif/a; **~ity** n. ħeffa; **~s** n.pl. (geog.) rapidi
rapist n. stupratur
rapport n. simpatija
rapture n. estasi; **to go into ~s over** iġġennen fuq
rapturous adj. entużjast/a
rare adj. rair; (culin. steak) ftit imsajjar/msajra
rarebit n. see **Welsh**
rarely adv. darba fill, mhux ta' spiss, rarament
rarfied adj. (air, atmosphere) mhux dens/a; (fig.) raffinat/a
raring adj. **to be ~ to go** (inf.) mimli rieda
rarity n. rarità
rascal n. brikkun/a; viljakk/a; banavolja
rash adj. mferfex/mferfxa // n. (med.) raxx; (of events) serje
rasher n. slajs perżut
rasp n. (tool) raspa
raspberry n. ċawsla
rasping adj. **~ noise** ħoss ta' brix
rat n. (tiny) ġurdien; (big) far; **~ poison** n. velenu tal-ġrieden
rat race n. kompetizzjoni sħiħa
ratable adj. = **rateable**
rate n. (ration) razzjon; (price) prezz; (of hotel, etc.) rata, tariffa; (of interest) rata; (speed) rata // vt. (value) ta' valur (lil); (estimate) stima; **~s** n.pl. (brit. property tax) taxxa (fuq il-propjetà); (fees) tariffi; **to ~ sth./sb. as** stima xi ħaġa/lil xi ħadd ta'; **~able value** (brit.) n. valur li jista' jiġi intaxxat; **~payer** (brit.) n. dak li jħallas/tħallas
rather adv. **it's ~ expensive** hu pjuttost għoli, hu għoli mhux ħażin; (too much) wisq; (to some extent) sa ċertu punt; **there's ~ a lot** pjuttost hemm wisq; **I would** or **I'd ~ go** nippreferi mmur; **or ~** anzi, biex inkunu iktar preċiżi
ratify vt. ikkonferma
rating n. tassazzjoni; (score) skor; (of ship) klassi; **~s** n.pl. (radio, tv) livell ta' udjenza

ratio n. proporzjon; **in the ~ of 100 to 1** fil-proporzjon ta' 100 għal 1
ration n. razzjon // vt. irrazzjonizza; **~s** n.pl. razzjon
rational adj. (solution, reasoning) razzjonali; (person) dehni/ja, razzjonali; **~e** n. raġuni fundamentali; **~ize** vt. (ideas, etc.) ta spjegazzjoni loġika; (reorganize: industry, etc.) irrazzjonalizza
rationing n. raġunament
rattle n. ċuqlajta; (of train, etc.) ħoss; (for baby) ċekċieka // vi. għamel l-istorbju; (car, bus): **to ~ along** għadda jċekċek // vi. iċċekċek; **~snake** n. serp velenuż
raucous adj. (person) maħnuq/a; (voice) aħrax/ħarxa
ravage vt. ħarbat, kisser, qered, għamel ħerba minn; **~s** n.pl. il-marki taż-żmien
rave vi. (in anger) ma baqax f'sensih bir-rabja; (with enthusiasm) iġġennen (fuq); (med.) iddellirja // n. (inf. party) rave party
raven n. ċawlun
ravenous adj. (person) fjakk/a, bil-ġuħ; (voracious) lebliebi/leblieba
ravine n. rdum
raving adj. **~ lunatic** miġnun ifferoċjat
ravioli n. ravjul
ravish vt. stupra, irrejpja; **~ing** adj. sabiħ/a
raw adj. nej; (not processed) pur/a; **~ deal** (inf. bad bargian) n. tagħfiġa; **~ material** n. materja prima
ray n. raġġ; **~ of hope** raġġ ta' tama
rayon n. drapp jew ħajt donnu ħarir
raze vt. ġarraf, ħarbat, qered għalkollox
razor n. (open) mus; (safety) mus tal-leħja; (**electric ~**) xejver; **~ blade** n. xafra
Rd abbr. of **road**
re prep. oġġett
reach n. qabda; (of river, etc.) il-kurrent // vt. laħaq; (achieve) kiseb // vi. iġġebbed; **within ~** fil-qabda; **out of ~** vt. (hand) ma jintlaħaqx/tintlaħaqx // vi. **to ~ out for sth.** iġġebbed biex jilħaq xi ħaġa
react vi. irreaġixxa; **~ion** n. reazzjoni
reactor n. (also **nuclear ~**) reattur
read (pt., pp. **read**) vi. qara // vt. qara; (understand) fehem; (study) study; **~ out** vt. qara lil; **~able** adj. (writing) li tinqara; (book) li jinqara bi pjaċir; **~er** n. qarrej; (brit. at university) lekċerer inkarigat; **~ership** n. (of paper, etc.) (numru) ta' qarrejja
readily adv. (willingly) b'ħeġġa, b'rieda; (easily) faċilment; (quickly) malajr
readiness n. prontezza; **in ~** (prepared) kien lest biex
reading n. qari; (on instrument) il-qari
readjust vt. irregola mill-ġdid; (fault) irranġa; **~ lamp** n. bozza li tiċċaqlaq
ready adj. lest/a; (willing) lest/a; (available) mħejji/ja // adv. **~-cooked** msajjar/msajra bil-lest
real adj. li jeżisti/teżisti, reali; **in ~ terms** f'termini reali; **~istic** adj. realistiku/realistika, li jindika/tindika r-realtà // n. **at the ~** (mil.) lesti (għall-isparar); **to get ~** vi. ipprepara/lesta biex // vt. ipprepara; **~-made** adj. lest/a diġà; **~-to-wear** adj. lest/a biex tintlibes
reality n. realtà
realization n. realizzazzjoni; (fulfilment, comm.) twettiq
realize vt. (understand) irrealizza
really adv. vera(ment), tabilħaqq, tassew; (for emphasis) vera(ment); (actually): **what ~ happened** x'ġara tassew; **~?** vera(ment)?; **~!** (annoyance) Ill!
realm n. renju, saltna, stat; (fig.) sfera (tal-attivitajiet)
realtor ® (US.) aġent tal-għamara
ream n. riżma, 480 folja karta
reap vt. ħasad; (fig.) kiseb (il-profitt)
reappear vi. deher mill-ġdid
reapply vi. **to ~ for** applika mill-ġdid għal
rear adj. ta' wara // n. wara // vt. (cattle, family) tella', kabbar // vi. (also **~up**) (animal) kiber; **~guard** n. truppi ta' wara
rearm vt., vi. arma mill-ġdid
rearmament n. riarmament
rearrange vt. irranġa mill-ġdid
rear-view mirror n. (aut.) mera ta' karozza, mutur eċċ.
reason n. raġuni // vi. **to ~ with sb.** irraġuna ma' xi ħadd; **it stands to ~ that** hija ovvja illi; **~able** adj. raġonevoli; (sensible) sensibbli; **~ably** adv. raġonevolment, bix-xieraq; **~ing** n. raġunament
reassemble vt. laqqa' mill-ġdid; (machine) bena mill-ġdid
reassurance n. serħan tar-ras
reassure vt. serraħ ir-ras; **to ~ sb. that** serraħ ras xi ħadd illi
reassuring adj. ta' serħan ir-ras
reawakening n. qawmien mill-ġdid
rebate n. (on tax, etc.) ħlas lura
rebel n. ribell, rivoluzzjonarju // vi. irribella; **~ion** n. rvell; ribelljoni, rewwixta; **~lious** adj. ribelluż/a; (child) li m'għandux/m'għandhiex kwiet
rebirth n. qawmien mill-ġdid
rebound vi. (ball) raġġa' lura // n. ribawnd; **on the ~** (also fig.) fir-ribawnd

rebuff n. irrifjuta bil-lewma
rebuild (irreg.) vt. bena mill-ġdid
rebuke n. lewma, ċanfira // vt. liem, ċanfar
rebut vt. ma qabilx ma', iddiżapprova
rec'd abbr. of **received**; irċevut/a
recall vt. (remember) ftakar; (ambassador, etc.) ħatar // n. fakra
recant vi. (statement) irtira
recap abbr. of **recapitulate**; vt., vi. irrikapitula kollox, ġabar kollox
recede vi. (memory) iċċajpret; (hair) waqa'
receding adj. (forehead, chin) prominenti
receipt n. (document) irċevuta; (for parcel, etc.) irċevuta; (act of receiving) riċeviment; **~s** n.pl. (comm.) rċevuti
receive vt. rċieva; (guest) laqa'; (wound) sofra; **~r** n. (tel.) risiver; (radio) apparat li jwieġeb; (of stolen goods) xerrej (l-oġġetti misruqa); (comm.) amministratur ġudizzjarju
recent adj. riċenti; **~ly** adv. riċentement; **~ly arrived** wasal riċentement
receptacle n. milqgħa
reception n. laqgħa; (welcome) merħba; ~ **desk** n. reception; **~ist** n. receptionist
receptive adj. herqan, ħafif (li jisma' s-suġġerimenti)
recess n. (in room) rokna (vojta); (for bed) daħla (secret place) post imwarrab; (pol., etc., holiday) vaganza
recession n. riċessjoni
recharge vt. (battery) iċċarġja
recipe n. riċetta; (for disaster, success) triq
recipient n. reċipjent; (of letter) dak/dik li jirċievi/tirċievi
reciprocal adj. reċiproku, bi tpattija
reciprocate vt. irreċiproka, patta għal
recital n. (mus.) kunċert; (event) reċta
recite vt. (poem) irrepeta
reckless adj. traskurat/a; (driving, driver) salvaġġ/a; **~ly** adv. b'mod traskurat
reckon vt. ikkalkula; (consider) ikkonsidra; (think): **I ~ that -** jien naħseb illi -; **~ on** vt. fus. ħaseb minn qabel għal; **~ing** n. għadd, kalkolu
reclaim vt. (land) kiseb lura; (waste land) ibbonifika; (land: from sea) salva; (demand back) talab lura
reclamation n. (of land: action of person) kisba lura; (waste land) bonifika
recline vi. mtedd
reclining adj. (seat) li jinżel
recluse n. eremit/a
recognition n. rikonoxximent; **to gain ~** kiseb ir-rikonoxximent; **transformed beyond ~** nbidel drastikament
recognizable adj. ~ (**by**) li jingħaraf/tingħaraf (minn)
recognize vt. **to ~ (by/as)** għaraf (minn/bħala)
recoil vi. (person): **to ~ from doing sth.** dar lura milli jagħmel xi ħaġa // n. (of gun) illowdjar
recollect vt. ġabar mill-ġdid; **~ion** n. tifkira
recommend vt. irrakkomanda; **~ation** n. rakkomandazzjoni
recompense vt. irrikompensa (mill-ġdid); (compensate) ikkompensa, ta flus lil
reconcilable adj. (ideas) li jarmonizzaw
reconcile vt. (two people) ressaq; (two facts) armonizza; **to ~ os. to sth.** qata' qalbu għal xi ħaġa
reconcilliation n. rikonċiljazzjoni
recondition vt. (machine) ġabha donnha ġdida
reconnaissance n. (mil.) tkixxif tal-qagħda tal-għadu
reconnoitre (US. **reconnoiter**) vt., vi. (mil.) tkixxef, stharreġ, ra l-qagħda
reconsider vt. ikkonsidra mill-ġdid, reġa' ħasibha
reconstitute vt. reġġa' kif kien
reconstruct vt. bena mill-ġdid; **~ion** n. rikostruzzjoni
record n. (mus.) diska; (of meeting, etc.) żamma ta li ntqal; (register) reġistru; (file) fajl; (also **criminal ~**) kondotta; (written) rendikont; (sport) rekord // vt. irreġistra; (mus.: song, etc.) irrikordja; **in ~ time** f'ħin rekord; **off the ~** adj. mhux uffiċjali // adv. kunfidenzjalment; **~ card** n. (in file) kard tar-rekord; **~ed delivery** (brit.) n. (post) ittra rreġistrata; **~er** n. (mus.) rikorder; **~ holder** n. (sport) dak/dik li għandu/għandha r-rekord; **~ing** n. (mus.) rikording; **~ player** n. record player
re-count n. (pol. of votes) re-count
recount vt. għadd mill-ġdid
recoup vt. **to ~ one's losses** ġab lura
recourse n. **to have ~ to** mar għand – għall-għajnuna; (law) rikors
re-cover vt. (chair, etc.) għatta mill-ġdid
recover vt. issaħħaħ // vi. (from illness) għaddielu, fieq; (shock) għaddielu; (computer file) salva; **~y** n. fejqan
recreate vt. ħa l-mistrieħ, irrikrea ruħu
recreation n. rikreazzjoni; (sch.) brejk; (relaxation) mistrieħ; **~al** adj. ta' mistrieħ; **~al drug** droga li tagħti serħan
recrimination n. dispjaċir, rekriminazzjoni
recruit n. rekluta // vt. daħħal; (staff) impjega
rectangle n. rettangolu
rectangular adj. rettangulari
rectify vt. ikkoreġa, sewwa

rectifier rektifajer
rector n. (rel.) kappillan; (univ.) rettur; **~y** n. uffiċċju tal-kappillan
recuperate vi. ġab lura; (from illness) ġie f'tiegħu
recur vi. reġa' seħħ; (pain, illness) reġa'/reġgħet; **~rence** n. repetizzjoni; **~rent** adj. repetutament, li jseħħ kull tant żmien; **~ring** adj. (math.) li ma jispiċċa/tispiċċa qatt
recycle vt. irriċikla
red light n. **to go through a ~** (aut.) għadda bid-dawl aħmar; **~ district** n. kwartier tal-qħab
red n. aħmar // adj. ħamrani/ja / aħmar/ħamra; (hair) ħamra; (wine) aħmar; **to be in the ~** (account, business) dejn; **to give sb. the ~ carpet treatment** tah trattament tajjeb; **R~ Cross** n. (is-)Salib l-Aħmar; **~currant** n. tut aħmar; **~den** vt. ħammar // vi. ħmar
red- ~haired adj. ruxxan/a; **~handed** adj. **to be caught ~-handed** qabduh fil-fatt; **~head** n. ruxxan/a; **~ herring** n. (fig.) xi ħaġa ġdida uzata biex tneħħi l-attenzjoni minn fuq xi ħaġa li ġrat diġà; **~-hot** adj. mikwi nar
Red Sea n. il-Baħar l-Aħmar
red tape n. (fig.) burokrazija
redeem vt. ħeles; (promises) żamm; (sth. in pawn) xtara (xi ħaġa antika); (fig., also rel.) nidem; **~ing** adj. **~ing feature** l-uniku aspett pożittiv
redeploy vt. (resources) organizza mill-ġdid
redirect vt. (mail) bagħat f'indirizz ġdid
redistribute vt. qassam mill-ġdid
red-letter day n. jum li ma tinsieh qatt
redness n. ħmura; (of hair) aħmar
redo (irreg.) vt. għamel mill-ġdid
redolent adj. **~ of** li għandu riħa ta'; (fig.) reminixxenti ta'
redouble vt. **to ~ one's efforts** kabbar l-isforz
redress vt. irrimedja, patta
redskin n. tal-ġilda ħamra
reduce vt. naqqas; **to ~ sb. to tears** bekka; **to be ~d to begging** waqa' li jittallab; **"~ speed now"** (aut.) "naqqas il-veloċità"; **at a ~d price** (of goods) bi prezz imraħħas
reduction n. tnaqqis; (of price) roħs (tal-prezzijiet), tnaqqis; (discount) tnaqqis, roħs; (smaller-scale copy) mudell
redundancy n. (dismissal) tkeċċija; (unemployment) qgħad
redundant adj. (brit. worker) qiegħed; (detail, object) superfluwu, bla wisq sugu; **to be made ~** tkeċċa
reed n. (bot.) qasba; (mus.) qasba
reef n. (at sea) skoll
reek vi. **to ~ (of)** kellu riħa (ta')
reel n. rukkell, minċott; (of film) rukkell tal-films; (dance) żifna Skoċċiża // vt. (also **~ up**) kebbeb; (also **~ in**) ġibed // vi. (sway) tbandal, ixxejjer
re-election n. re-election, elezzjoni supplimentari
re-engage vt. (worker) reġa' ħaddem
re-enter vt. reġa' daħal
re-entry n. dħul mill-ġdid
ref (inf.) n. abbr. of **referee**
refectory n. refettorju
refer vt. (send: patient) bagħat; (matter) qal // vi. **to ~ to** (allude to) irrefera għal; (consult) ikkonsulta
referee n. referì; (brit. for job application) **to be a ~ for sb.** qabeż għal xi ħadd // vt. (match) irreffja
reference n. referenza; (for job application) **~ letter** ittra ta' referenza; **with ~ to** (comm. in letter) b'referenza għal; **~ book** n. ktieb tar-referenzi; **~ number** n. numru ta' referenza
referendum (pl. referenda) n. referendum
refill vt. mela mill-ġdid // n. rifill
refine vt. irfina, saffa; **~d** adj. (person) raffinat/a; **~ment** n. irfinar, tisfija; (of system) titjib
reflect vt. irrifletta // vi. (think) irrifletta; **it ~s badly/well on him** jirrifletti tajjeb/ħażin fuqu; **~ion** n. (act) riflessjoni; (image) xbieha; (criticism) kritika; **on ~ion** wara li rrifletta; **~or** n. (aut.) riflettur; (of light, heat) riflettur
reflex n. rifless; **~ive** adj. (ling.) riflessiv/a
reform n. riforma, bidla // vt. irriforma, biddel; **~atory** (US.) n. riformatorju
refrain vi. **to ~ from doing** qagħad lura milli // n. ritornell
refresh vt. iffriska, ġedded, staħja; **~er course** (brit.) n. kors ta' friskar ta' memorja; **~ing** adj. li jiffriska/tiffriska; **~ments** n.pl. drinks
refrigeration n. friżar ta'
refrigerator n. friġġ
refuel vi. mela t-tank
refuge n. refuġju; **to take ~ in** ħa r-refuġju fi
refugee n. refuġjat
refund n. troddija tal-flus lura // vt. radd il-flus lura
refurbish vt. irrestawra
refusal n. rifjut; **to have first ~ on** kellu d-dritt tal-ewwel għażla
refuse n. skart; (inf.) żibel; **~ collection** n. ġbir tal-iskart // vt. irrifjuta; (invitation) m'aċċettax; (permission) ma tax // vi. **to ~ to do sth.** irrifjuta illi jagħmel xi ħaġa
refute vt. kien żbaljat
regain vt. raġa' qala'/rebaħ
regal adj. sultani, irjali

regard n. qima; (esteem) stima; (attention) attenzjoni // vt. (consider) ikkunsidra; **to give one's ~s to** sella għal; **"with kindest ~s"** "b'tislijiet"; **~ing, as ~s, with ~ to** f'dak li għandu x'jaqsam ma'; **~less** adv. mingħajr ma nagħtu kas; **~less of** mingħajr ma nagħtu kas ta'
regatta n. regatta
regency n. stat ta' tmexxija minn aġent mexxej (ta' monarkija)
regent n. aġent mexxej (ta' monarkija)
régime n. reġim, amministrazzjoni, tmexxija
regiment n. riġment; **~al** adj. tar-riġment
region n. reġjun; **in the ~ of** (fig.) fil-medda ta'; **~al** adj. reġjonali
register n. reġistru // vt. irreġistra // vi. (at hotel) irreġistra ruħu; (as student) nkiteb; (make impression) ħalla (impressjoni tajba); **~ed** adj. (letter, parcel) irreġistrat; **~ed trademark** n. registered trademark
registrar n. (of births, etc.) uffiċjal taċ-ċivil; (univ.) segretarju/segretarja; (med.) konsulent/a
registration n. (act) reġistrazzjoni; (aut. also ~ **number**) numru tar-reġistrazzjoni
registry n. reġistru; ~ **office** (brit.) n. uffiċċju tar-reġistri; **to get married in a ~ office** iżżewweġ f'uffiċċju tar-reġistri
regret n. sogħba, dispjaċir, (sadness) niket; (dipleasure) għali // vt. iddispjaċieh, sogħobbih għal; **~fully** adv. kollu sogħba; **~table** adj. li jqanqal/tqanqal dispjaċir
regroup vt. laqqa' mill-ġdid // vi. ltaqa' mill-ġdid
regular adj. regolari; (soldier) normali; (usual) tas-soltu; (doctor) l-istess wieħed/waħda // n. (client, etc.) tas-soltu; **~ity** n. regolarità; **~ly** adv. b'mod regolari; (often) ta' spiss
regulate vt. qies, irregola
regulation n. (rule) regola, ordni, qies
rehabilitation n. (of offender) riabilitazzjoni; (of disabled) riintegrazzjoni
rehash vt. (col.) uża mill-ġdid
rehearsal n. prova, rehearsal
rehearse vt. ipprattika, (col.) irriħersja
reign n. saltna, ħakma; (fig.) predominju // vi. saltan, ħakem; (fig.) saltan
reimburse vt. radd il-flus lura
rein n. (for horse) riedna
reincarnation n. riinkarnazzjoni
reindeer n. inv. ċerv/a
reinforce vt. saħħaħ; **~d concrete** n. siment imsaħħaħ; **~ments** n.pl. (mil.) rinforzi
reinstate vt. raġa' qiegħed; (tax, law) integra mill-ġdid
reissue vt. (book) reġa' stampa; (film) reġa' ħareġ għall-pubbliku
reiterate vt. irrepeta
reject n. (thing) ħaġa skartata // vt. irrifjuta; (suggestion) ma laqax; (coin) ma ħadithiex; **~ion** n. rifjut
rejoice vi. **to ~ at** or **over** ħa pjaċir bi, tgħaxxaq bi
rejuvenate vt. ġab żagħżugħ lil
relapse n. irkada
relate vt. (tell) irrakkonta; (connect) għaqqad // vi. irrelata ma'; **~d** adj. relatat/a; (person) li jiġi/tiġi minn; **~d to** (subject) li għandu/għandha x'taqsam; **relating to** prep. dwar
relation n. (person) qarib; (link) rabta; **~s** n.pl. (relatives) qraba; **~ship** n. relazzjoni
relative n. qarib/a // adj. relattiv/a; **~ly** adv. (comparatively) relattivament
relax vi. irrilassa; (unwind) ħall // vt. (one's grip) reħa; (control) illaxka; (mind, person) irrilassa; **~ation** n. rilassament; (of rule, control) laxkezza; (entertainment) mogħdija taż-żmien; **~ed** adj. rilassat/a; (tranquil) trankwill/a; **~ing** adj. li jirrilassa/tirrilassa
relay n. (race) relay // vt. (radio, tv) xandar mill-ġdid
release n. (liberation) ħarba; (from prison) ħruġ; (of gas, etc.) ħruġ; (of film, etc.) ħruġ; (of record) ħruġ // vt. (prisoner) ħareġ; (gas) fetaħ; (from wreckage) ħeles; (catch, spring, etc.) reħa; (film) ħareġ; (book) ħareġ; (news) xandar
relegate vt. baxxa fil-grad; (brit. sport) **to be ~d to** ġie relegat għal
relent vi. reħa, illaxka; **~less** adj. aħrax/ħarxa, qalil/a, bla ħniena
relevance n. relevanza; ~ **of sth. to sth.** ir-relevanza ta' xi ħaġa għal xi ħaġa
relevant adj. (fact) rilevanti; ~ **to** rilevanti għal, li għandu x'jaqsam ma'
reliable adj. (person, firm) li tista' tafdah/a; (method, machine) li jaħdem/taħdem; (source) li tista' toqgħod fuqu
reliably adv. **to be ~ informed that -** għandna informazzjoni li ġejja minn sors ta' min jorbot fuqu illi -
reliance n. ~ **(on)** dipendenza fuq
relic n. (rel.) relikwa; (of the past) tifkira
relief n. (from pain, anxiety) serħan; (help, supplies) għajnuna; (art, geog.) dehra minn fuq
relieve vt. (pain) taffa; (bring help to) għen; (take over from) wieżen; (guard) serraħ; **to ~ sb. of sth.** neħħa xi ħaġa mingħand xi ħadd; **to ~ os.** morna fil-kamra tal-banju
religion n. reliġjon
religious adj. reliġjuż/a

relinquish vt; (plan, habit) ħalla, telaq, abbanduna
relish n. (culin.) zalza; (enjoyment) entużjażmu // vt. (food, etc.) tiegħem; (enjoy): **to ~ sth.** ħa pjaċir bi
relive vt. għex mill-ġdid fil-fantasija
reload vt. ikkarga mill-ġdid
relocate vt., vi. biddel (il-post)
reluctance n. nuqqas ta' interess
reluctant adj. fuq/kontra l-qalb; **~ly** adv. fuq/ kontra il-qalb
rely on vt. fus. qagħad fuq; (trust) emmen fi, fada fi
remain vi. (survive) baqa'; (be left) baqa', qagħad hemm; (continue) kompla; **~der** n. fdal, bqija; **~ing** adj. li jifdal, li jibqa'; (surviving) li baqgħu; **~s** n.pl. fdal
remand n. **on ~** f'detenzjoni preventiva // vt. **to be ~ed in custody** żamm f'kustodja; **~ home** (brit.) n. riformatorju
remark n. rimarka, kumment // vt. irrimarka; **~able** adj. (outstanding) ta' barra minn hawn
remarry vi. iżżewweġ mill-ġdid
remedial adj. li jirrimedja/tirrimedja
remedy n. rimedju // vt. offra rimedju
remember vt. ftakar; (bear in mind) żamm f'moħħu; (send greetings to) **~ me to him** sellili għalih
remembrance n. memorja, rikordju; **R~ Day** n. il-Jum tat-Tifkira
remind vt. **to ~ sb. to do sth.** fakkar lil xi ħadd biex jagħmel xi ħaġa; **to ~ sb. of sth.** fakkar xi ħaġa lil xi ħadd; **she ~s me of her mother** tfakkarni ħafna f'ommha; **~er** n. nota jew ittra li tfakkar; (memento) tifkira
reminisce vi. ntilef fit-tifkiriet (pl. **~ces**); **~nt** adj. **to be ~nt of sth.** ifakkar f'xi ħaġa
remiss adj. traskurat/a; **it was ~ of him** għamilha bi traskuraġni
remission n. tnaqqis; (of prison sentence) tnaqqis; (rel.) maħfra
remit vt. (send: money) bagħat; **~tance** n. bagħta ta' flus
remnant n. fdal, dak li jibqa'; (of cloth) biċċiet; **~s** n.pl. (comm.) il-bqija tas-serje
remorse n. rimors; **~ful** adj. kollu rimors; **~less** adj. (fig.) kattiv/a
remote adj. (place, period) mbiegħed; remot; (person) 'il bogħod; **~ control** n. remote control; **~ly** adv. fil-bogħod; (slightly) vagament
remould (brit.) n. (tyre) irranġa, raqqaq
removable adj. (detachable) li jista' jiċċaqlaq
removal n. (taking away) neħħa; (brit. from house) biddel; (from office: dismissal) tkeċċija; (med.) tneħħija;
remove vt. neħħa; (employee) keċċa; (name: from list) ingassa; (doubt) neħħa; (ostaklu) warrab; (med.) neħħa
remuneration n. ħlas, kumpens
Renaissance n. **the ~** ir-Rinaxximent
rename vt. semma mill-ġdid
render vt. (thanks) radd il-ħajr; (aid) forna l-għajnuna; (make) **to ~ sth. useless** ġab xi ħaġa ma tiswa xejn; (inf.) fotta xi ħaġa; **~ing** n. (mus., etc.) interpretazzjoni
rendezvous n. randevù, it-tokk
renegade n. rinnegat
renew vt. ġedded; (resume) reġa' ħa r-riedni; (loan, etc.) ġedded; **~able** adj. li jittieħed/ jiġġedded; **~al** n. tiġdid
renounce vt. irrinunzja għal; (right, inheritance) wella
renovate vt. ġedded
renown n. ġieħ, fama; **~ed** adj. rinomat/a
rent n. (for house) kera, qbiela; fetħa, qasma; (of cloth) tiċrita; **~al** (for television, car) kirja // adj. mċarrat/mċarrta // vt. ta bil-kera, qabbel
renunciation n. rinunzja; (self-denial) qtigħ il-qalb, nuqqas ta' fiduċja fih innifsu/fiha nnifisha
reopen vt. fetaħ mill-ġdid; **~ing** n. ftuħ mill-ġdid
reorganise vt. organizza mill-ġdid
rep n. abbr. of **representative**; **repertory**
repair n. tiswija // vt. sewwa; (shoes) sewwa, raqqa'; **in good/bad ~** fi stat tajjeb/ħażin; **~ kit** n. sett tat-tiswija
repartee n. risposta lesta (fil-komma), botta
repatriate vt. bagħat (lil xi ħadd) lura f'pajjiżu
repay (irreg.) vt. (money) reġa' ħallas; (person) ħallas; (debt) radd lura l-flus; (sb.'s efforts) patta; **~ment** n. ħlas; (sum of money) somma ta' flus
repeal n. revoka // vt. irrevoka, neħħa
repeat n. (radio, tv) repetizzjoni // vt. irrepeta; tenna // vi. irrepeta; **~edly** adv. repetutament
repel vt. (drive away) warrab; (disgust) imbotta; **~lent** adj. li jimbuttak/timbuttak // n. **insect ~lent** flitt
repent vi. **to ~ (of)** iddispjaċieh/nidem minn; **~ance** n. ndiema
repercussions n.pl. riperkussjonijiet
repertoire n. repertorju
repertory n. (also **~ theatre**) teatru tar-repertorju
repetition n. repetizzjoni
repetitive adj. repetittiv/a
replace vt. (put back) poġġa f'postu; (take the place of) ħa l-post ta'; **~ment** n. (act) tibdil; (thing) biċċa li nbidlet; (person) sostitut/a

replay n. (sport) riplej; (of tape, film) repetizzjoni
replenish vt. mela mill-ġdid; (stock, etc.) issupplixxa
replete adj. (well-fed) mimli/ja
replica n. replika
reply n. tweġiba // vi. wieġeb
report n. rapport; (press, etc.) rappurtaġġ; (brit. also **school** ~) riport; (of gun) ħoss ta' sparatura // vt. ħabbar; (press, etc.) irrapporta; (notify: accident, culprit) wassal l-aħbar, innotifika // vi. (make a report) ressaq rapport; (present os.): **to** ~ (**to sb.**) ippreżenta ruħu quddiem; ~ **card** n. (US., Scottish) karta tar-riports; ~**edly** adv. skont kif jingħad; ~**er** n. riporter
repose n. **in** ~ fil-mistrieħ
reprehensible adj. ta' min iċanfar
represent vt. irrappreżenta; (comm.) kien aġent ta', irrappreżenta; (describe) **to** ~ **sth. as** irrappreżenta xi ħaġa bħala; ~**ation** n. rappreżentazzjoni; ~**ations** n.pl. (protest) rappreżentazzjonijiet; ~**ative** n. rappreżentattiv; (US. pol.) rappreżentanza // adj. li jirrappreżenta/tirrappreżenta
repress vt. għakkes, ħonoq; ~**ion** n. għaks
reprieve n. (law) issospenda; (fig.) ta ċans lil
reprimand n. ċanfira // vt. ċanfar, lewwem
reprint ristampa // vt. stampa mill-ġdid
reprisals n.pl. ritaljazzjonijiet
reproach n. ċanfira, lewma // vt. **to** ~ **sb. for sth.** kellem/lewwem lil xi ħadd minħabba xi ħaġa; ~**ful** adj. li jċanfar/ċċanfar
reproduce vt. irriproduċa; (offspring) nissel // vi. irriproduċa
reproduction n. riproduzzjoni
reproductive adj. riproduttiv/a
reprove vt. **to** ~ **sb. for** liem lil xi ħadd għal, ċanfar lil xi ħadd għal
reproving adj. li jċanfar/ċċanfar
reptile n. rettilu; (fig.) bniedem vili
republic n. repubblika; ~**an** adj., n. repubblikan/a
repudiate vt. m'għarafx, ċaħad
repugnant adj. (contrary) kuntrarju/kuntrarja; (offensive) offensiv/a, li jwaġġa'/twaġġa'; (distasteful) mqit/a
repulse vt. (drive back) reġġa' lura; (rejection) m'aċċettax, ċaħad
repulsion n. treġġigħ lura
repulsive adj. moqżież/a; li jimbuttak/timbuttak
reputable adj. (make, etc.) ta' isem; ta' fama tajba
reputation n. reputazzjoni
repute n. reputazzjoni; ~**d** adj. ikkunsidrat/a bħala; ~**dly** adv. skont ma jingħad
request n. talba; (formal) talba formali // vt. **to** ~ **sth. of** of **from sb.** talab xi ħaġa ta'/mingħand xi ħadd; ~ **stop** (brit.) n. bus stop, maqwaf tal-linja
requiem n. requiem
require vt. (need: subj. person) ġie bżonn/kellu bżonn; (thing, situation) ħtieġ; (want) ried; **to** ~ **sb. to do sth.** kellu bżonn lil xi ħadd biex jagħmel xi ħaġa; ~**ment** n. (condition) kundizzjoni; (need) bżonn, esiġenza
requisite n. bżonn // adj. bżonjuż; **toilet** ~**s** bżonn naturali
requisition n. ~ (**for**) talba għal // vt. (mil.) talab (għall-)
reroute vt. (train, etc.) biddel ir-rotta
rescind vt. neħħa; (law) abroga; (judgment) rtira
rescue n. salvataġġ // vt. salva; ~ **party** n. skwadra tas-salvataġġ; ~**r** n. dak/dik li jsalva/ssalva
research n. tiftixa, riċerka // vt. fittex, għamel riċerka; ~**er** n. riċerkatur/riċerkatriċi; ~ **work** n. xogħol ta' riċerka; ~ **worker** n. riċerkatur/riċerkatriċi
resell vt. irreg. reġa' biegħ
resemblance n. xebh, lemħa
resemble vt. kien jixbah (lil)
resent vt. ħa għalih, tħanfes; ~**ful** adj. ħassu mħanfes; ~**ment** n. tħanfis
reservation n. prenotazzjoni, buking
reserve n. ħażna, riserva; (sport) riserv, riserva // vt. (seats, etc.) irriserva, warrab; ~**s** n.pl. (mil.) riservi; **in** ~ bħala riserva; ~**d** adj. riservat
reservoir n. reservoir, ġibjun
reshape vt. (policy) emenda, biddel
reshuffle n. **Cabinet** ~ (pol.) rixafil tal-Kabinett
reside vi. joqgħod, jgħammar
residence n. (formal: home) dar, residenza; (length of stay) residenza; ~ **permit** (brit.) n. permess tad-dar
resident n. (of area) wieħed/waħda li jgħammar/tgħammar fi; (in hotel) residenti // adj. (population) stabbli; (doctor) fiss, dejjem hemm; ~**ial** adj. residenzjali
residue n. fdal
resign vt. telaq, ħalla // vi. irriżenja; **to** ~ **os. to** (situation) irrassenja ruħu għal; ~**ation** n. riżenja, tluq; (state of mind) rassenjazzjoni; ~**ed** adj. rassenjat/a
resilience n. (of material) elastiċità; (of person) kapaċità li tirkupra (minn xi xokk, eċċ.)
resilient adj. (material) elastiku/elastika; (person) li jirkupra malajr (minn xi xokk, eċċ.)
resin n. raża
resist vt. żamm iebes, irreżista; ~**ance** n. reżistenza; (opposition) oppożizzjoni

resolute adj. deċiż/a, sod fil-fehma tiegħu/tagħha

resolution n. (determination) determinazzjoni, saħħa ta' fehma; (of problem, chem.) soluzzjoni; (pol., etc., motion) mozzjoni, riżoluzzjoni

resolve n. determinazzjoni, saħħa ta' fehma // vt. ħadem, sab is-soluzzjoni ta' // vi. **to ~ to do** iddeċieda li jagħmel xi ħaġa; **~d** adj. determinat/a, b'fehma soda

resonant adj. idamdam/iddamdam

resort n. (**~ centre**) lok ta' mistrieħ; (town) ċentru turistiku; (recourse) rikors // vi. **to ~ to** irrikorra għal(l-); **in the last ~** bħala l-aħħar riżors

resound vi. **to ~** (**with**) damdam, irbombja; **~ing** adj. jirbombja/tirbombja; (fig.) sħiħ/a

resource n. riżors; **~s** n.pl. riżorsi; **~ful** adj. kollu riżorsi

respect n. rispett // vt. irrispetta, **~s** n.pl. aspetti; **with ~ to** f'dak li għandu x'jaqsam ma'; **in this ~** f'dan il-lat; **~ability** n. rispettabbiltà; **~able** adj. rispettabbli, ta' min jurih/a rispett; (large: amount) (ammont) kbir; (passable) passabbli, tollerabbli; **~ful** adj. kollu/kollha rispett

respective adj. rispettiv/a; **~ly** adv. rispettivament

respiration n. nifs, respirazzjoni

respirator n. respiratur

respiratory adj. respiratorju/respiratorja, tan-nifs

respite n. sbir

resplendent adj. li jilma/tilma, li jiddi/tiddi

respond vi. wieġeb; (react) irrisponda, wieġeb; **response** n. rispons

responsibility n. responsabbiltà

responsible adj. (character) responsabbli; (job) kollu responsabbiltà; (liable): **~ for** responsabbli għal

responsive adj. li jwieġeb/twieġeb

rest cure n. mistrieħ

rest home n. dar tax-xjuħ

rest n. mistrieħ; (mus., pause) pawsa; (support) support; (remainder) il-bqija // vi. wieżen; (be supported): **to ~ on** ġie mwieżen fuq // vt. (lean) **to ~ sth. on/against** serraħ ma'/fuq; **the ~ of them** (people, objects) il-bqija; **it ~s with him to -** jiddependi minnu/min-naħa tiegħu -

rest room (US.) n. kamra tal-mistrieħ

restart vt. (engine) startja mill-ġdid; (work) issokta

restaurant n. restorant; **~ car** (brit.) n. (rail.) vagun-restorant

restful adj. ta' mistrieħ

restitution n. (act) reġa' ta oġġett lil sidu; (reparation) tiswija

restive adj. nervuż/a; (horse) ribelluż/a

restless adj. nervuż/a; **~ly** adv. nervożament

restoration n. restawrazzjoni

restore vt. (building) irrestawra; (sth. stolen) ta lura; (health) reġa' ġie f'tiegħu, fieq; (to power) ħa lura (l-poter)

restrain vt. (feeling) rażżan; (person): **to ~** (**from doing**) żamm lil xi ħadd (milli); **~ed** adj. riservat/a, għalih waħdu/għaliha waħidha; **~t** n. (restriction) trażżin; (moderation) moderazzjoni; (of manner) riservatezza

restrict vt. illimita; **~ion** n. limitazzjoni; **~ive** adj. li jillimita

result n. riżultat // vi. **to ~ in** irriżulta fi; **as a ~ of** bħala riżultat ta'

résumé n. taqsira; (US.) kurrikulu

resume vt. kompla // vi. tkompla

resumption n. bidu ġdid

resurgence n. qawmien mill-ġdid

resurrection n. rezurrezzjoni, qawmien mill-mewt

resuscitate vt. (med.) qajjem

resuscitation n. qawmien mill-ġdid

retail adj., adv. bl-imnut; **~er** n. bejjiegħ bl-imnut; **~ price** n. prezz tal-bejgħ

retain vt. (keep) żamm; **~er** n. (fee) kapparra

retaliate vi. **to ~** (**against**) irritalja (kontra)

retaliation n. ritaljazzjoni

retarded adj. retardat/a

retch vi. prova jivvomta; (inf.) prova jaqla'/jirrimetti

retentive adj. (memory) tajba, li terfa' ħafna

reticence n. xeħta siekta

reticent adj. ta' ftit kliem, ta' xeħta riservata

retina n. rita tal-għajn, retina

retinue n. segwitu

retire vi. (give up work) ħareġ bil-pensjoni; (withdraw) ħareġ; (go to bed) mar/tala' jorqod; **~d** adj. (person) bil-pensjoni; **~ment** n. (giving up work: state) bil-pensjoni; (act) ħruġ bil-pensjoni

retiring adj. (leaving) li sa jitlaq/titlaq dalwaqt; (shy) mistħi/ja, għalih/a waħdu/waħidha

retort vi. irribatta

retrace vt. **to ~ one's steps** irrintraċċa lil xi ħadd, sab mill-ġdid lil xi ħadd

retract vt. (statement) tratta mill-ġdid; (claws) ħareġ, ġibed 'il barra; (undercarriage, aerial) daħħal, niżżel

retrain vt. irreċikla

retread n. tajer irranġat

retreat n. (place) rifuġju; (mil.) rtirata // vi. rtira, telaq

retrial n. (law) proċess ġdid

retribution n. ħlas, tpattija
retrieval n. sejba, rikonkwista
retrieve vt. ġieb lura; (situation, honour) reġa' kiseb; (comput.) illowdja lura; (error) patta għal; **~r** n. kelb tal-kaċċa
retrospect n. **in ~** meta tarġa' taħsibha; **~ive** adj. retrospettiv/a
return n. (going or coming back) miġja lura; (of sth. stolen, etc.) troddija lura; (fin. from land, shares) qligħ // cpd. (journey) vjaġġ lura; (brit. ticket) biljett tal-vjaġġ lura; (match) logħba tar-ritorn // vi. (person, etc., come back) ġie lura (or go back) mar lura; (symptoms, etc.) reġgħu nħassu; (regain): **to ~ to** reħa kiseb // vt. radd lura; (favour, love, etc.) radd lura, irrikambja; (verdict) qara; (pol. candidate) talla'; **~s** n.pl. (comm.) profitti, qligħ; **in ~ (for)** minflok; **by ~ of post** ntbagħtet lura mill-posta; **many happy ~s (of the day)!** il-ġurnata t-tajba!
reunion n. (of family) għaqda mill-ġdid; (of two people, school) laqgħa ta' riunjoni
reunite vt. għaqqad mill-ġdid; (reconcile) irrikonċilja, ressaq qrib
rev (aut.) n. abbr. of **revolution**; rev // vt. (also ~ **up**) irrevvja
revamp vt. (firm) immodernizza
reveal vt. kixef; **~ing** adj. (remarks) li jikxfu; (dress) skullata
reveille n. (mil.) daqq ta' trombi jew tnabar magħmul filgħodu għall-qawmien tas-suldati
revel vi. **to ~ in sth./in doing sth.** ixxala f'xi ħaġa/jagħmel xi ħaġa
revelation n. rivelazzjoni
revelry n. xalata
revenge n. tpattija, vendikazzjoni; **to take ~ on** ivvendika ruħu minn; **~ful** adj. vendikattiv/a
revenue n. renta, dħul ta' flus, introjtu
reverberate vi. (sound) rbombja; (fig. shock) għadda mir-riperkussjonijiet
reverberation n. rbumbjar, diwi
revere vt. qiem, weġġaħ
reverence n. (rel. bow) riverenza; (esteem) qima
Reverend adj. (in titles): **the ~ John Smith** ir-Reverendu John Smith
reverent adj. li juri/turi qima, li jweġġaħ/tweġġaħ
reverie n. skantament, moħħu fil-qamar
reversal n. (of order) inverżjoni; (of direction, policy) bidla; (of decision) bidla
reverse n. (opposite) (l-)oppost; (back: of cloth) maqlub; (of coin) denb; (of paper) (il-)wara; (aut. also ~ **gear**) (ir-)rivers; (setback) tefgħa lura // adj. (order) bil-maqlub; (direction) bil-kontra; (process) dawwar // vt. (decision) dawwar; (aut.) irriversja; (position, function) qaleb // vi. (brit. aut.) irriversja; **~-d charge call** (brit.) n. telefonata bil-ħlas invertit
reversing lights (brit.) n.pl. (aut.) dwal tar-rivers
revert vi. **to ~ to** dar lejn
review n. (magazine, mil.) rivista; (of book, film) riċensjoni; (US. examination) eżami // vt. raġa' ra; (mil.) għamel rivista; (book, film) għamel riċensjoni ta'; **~er** n. kritiku
revise vt. (manuscript) ikkoreġa; (opinion) biddel; (price, procedure) reġa' ra // vi. (study) irreveda
revision n. reviżjoni; (for exam) reviżjoni
revival n. (recovery) fejqan; (of interest) qawma; (theat.) issoktar; (of faith) qawmien ġdid
revive vt. staħja; (custom) qajjem mill-ġdid; (hope) reġa' ħa r-ruħ, kattar jiesu/it-tama; (play) issokta // vi. (person) staħja; (business) qam fuq saqajh
revoke vt. neħħa, ħassar; (promise, decision) irtira, irrevoka
revolt n. irvell, qawma // vi. irribella, qam kontra // vt. qażżeż; **~ing** adj. li jqażżeż/tqażżeż
revolution n. rivoluzzjoni; **~ary** adj., n. rivoluzzjonarju/rivoluzzjonarja; **rev(olution) counter** rev counter; **~ize** vt. irrivoluzzjona
revolve vi. dar; (life, discussion): **to ~ (a)round** kollox dar ma'
revolver n. rivolver, pistola
revolving adj. (chair, etc.) li jdur/ddur
revue n. (theat.) revue
revulsion n. taqliba fil-burdata; (abhorrence) stmerrija
reward n. premju // vt. **to ~ (for)** ippremja lil xi ħadd għal; **~ing** adj. (fig.) li jagħti/tagħti sodisfazzjon
rewind (irreg.) vt. irriwajndja
rewire vt. (house) għamel id-dawl mill-ġdid
rewrite vt. irreg. kiteb mill-ġdid
rheumatic adj. tar-rewmatiżmu; (person) li għandu/għandha r-rewmatiżmu
rheumatism n. rewmatiżmu
Rhine n. **the ~** ir-Rhine
rhinoceros n. rinoċeronti
Rhodes n. Rodi; (scholarship) Rhodes scholarship; **~ian** adj. minn Rodi // n. Rodjan
rhododendron n. rododendron
Rhone n. **the ~** ir-Rhone
rhubarb n. rubarb
rhyme n. rima
rhythm n. ritmu
rib n. (anat.) kustilja // vt. (mock) daħak bi
ribald adj. indeċenti
ribbed adj. (knitting, shell) f'forma ta' kustilja

ribbon n. żigarella; **in ~s** (torn) mċerċaħ
rice n. ross; **~ field** n. għalqa tar-ross; **~ pudding** n. pudina tar-ross
rich adj. sinjur/a; (soil) fertili; (food) tqil; (sweet) ħelu/ħelwa; (abundant): **~ in** (minerals, etc.) kellu ħafna; **the ~** n.pl. is-sinjuri; **~es** n.pl. rikkezzi; **~ly** adv. b'mod għani; (deserved, earned) tajjeb
rickety adj. mżegleg/mżegilga
rickshaw n. karettun Ażjatiku
ricochet n. qabża // vi. qabeż
rid (pt., pp. **rid**) vt. **to ~ sb. of sth.** ħeles xi ħadd minn xi ħaġa; **to get ~ of** ħeles minn
ridden pp. of **ride**
riddle n. (puzzle) ħaġa moħġaġa; (mystery) misteru // vt. **to be ~d with** kollu
ride (pt. **rode**, pp. **ridden**) n. rikba; (distance covered) distanza // vi. (as sport) rikeb; (go somewhere: on horse, bicycle, etc.) mar (biż-żiemel, bir-rota, eċċ.) // vt. (a horse, a bicycle, motorcycle) rikeb; (distance) ivvjaġġa; **to take sb. for a ~** (fig.) daħak b'xi ħadd; **~r** n. (on horse) rikkieb; (on bicycle) ċiklista; (on motorcycle) sewwieq tal-mutur
ridge n. (of hill) serbut; (of roof) quċċata; (wrinkle) tinja
ridicule n. daħk // vt. waqa' għaċ-ċajt
ridiculous adj. taċ-ċajt
riding n. rikba fuq iż-żiemel; **I like ~** nħobb nirkeb fuq iż-żiemel; **~ school** n. skola tal-irkib taż-żiemel
rife adj. **to be ~** kien komuni ħafna; **to be ~ with** kellu ħafna
riffraff n. marmalja, karfa
rifle n. rajfil, xkubetta, azzarin, karabina // vt. spara bi xkubetta; **~ through** vt. (papers) fittex; **~ range** n. kamp tal-isparar; (at fair) sparar lejn il-mira
rift n. (in clouds) xaqq ta' dawl; (fig: disagreement) nuqqas ta' qbil
rig n. (also **oil ~**: at sea) rigg // vt. (election, etc.) baghbas; **~ out** (brit.) vt. libbes; **~ up** vt. waqqaf; **~ging** n. (naut.) attrezzatura
right adj. (correct) tajjeb/tajba, xieraq/xierqa; (suitable) xieraq/xierqa; (proper) propju/propja; (just) ġust/a; (morally good) moralment tajjeb/tajba; (not left) lemin // n. tajjeb; (title, claim) dritt; (not left) lemin // adv. b'mod tajjeb, b'mod korrett; (not left) mhux fuq il-lemin; (exactly): **~ now** issa stess // vt. irranġa; (correct) ikkoreġa // excl. tajjeb!; **to be ~** (person) kellu raġun; (answer) (tweġiba) tajba; **is that the ~ time?** (of clock) l-arloġġ tajjeb?; **by ~s** bi dritt; **on the ~** fuq il-lemin; **to be in the ~** kellu raġun; **~ away** mill-ewwel, malajr; **~ in the middle** eżatt fin-nofs; **~ angle** n. ta' 90 grad; **~eous** adj. onest/a; (anger) ġustifikat/a; **~ful** adj. leġittimu/leġittima; **~-handed** adj. lemini; **~hand man** n. l-id tal-lemin; **~-hand side** n. in-naħa tal-lemin; **~ly** adv. bis-sewwa, bil-ħaqq; (with reason) bir-raġun; **~ of way** n. (on path, etc.) dritt ta' dħul; (aut.) dritt, preċedenza; **~-wing** adj. (pol.) fuq il-lemin
rigid adj. riġidu/riġida; (person, ideas) sever/a, strett/a
rigmarole n. diskors fieragħ
rigor mortis n. webs tal-ġisem mejjet
rigorous adj. rigoruż/a; **~ly** adv. b'mod rigoruż
rigour n. (US. **rigor**) ebusija, ħruxija
rig-out n. (col.) libes ta'
rile vt. dejjaq
rim n. xifer; (of spectacles) frejm; (of wheel) rimm
rind n. (of bacon) ġilda; (of lemon, etc.) qoxra; (of cheese) qoxra
ring (pt. **rang**, pp. **rung**) n. (of metal) ħolqa; (on finger) ċurkett; (for boxing) ring tal-boksing; (of circus) ring taċ-ċirku; (sound of bell) ċenċil // vi. (bell) daqq, ċenċel; (doorbell, phone) daqq, ċempel // vt. (brit. tel.) ċempel; (bell, etc.) daqq; **to give sb. a ~** (brit. tel.) ċempel lil xi ħadd; **~ back** (brit.) vt., vi. (tel.) ċempel lura; **~ off** (brit.) vi. (tel.) qata'; **~ up** (brit.) vt. (tel.) ċempel lil xi ħadd; (of bell) ċempel; (of phone) ċempel; (in ears) saffar; **~ing tone** n. (tel.) linja tat-telefown; **~leader** n. (of gang) mexxej
ring road n. triq il-ġdida, main road
ringlets n.pl. nokkla xagħar
rink n. (also **ice ~**) pista (tas-silġ)
rinse n. tlaħliħa, tbaħbiħa; (dye) lewn // vt. baħbaħ; (mouth) laħlaħ
riot n. għagħa, irvell // vi. irvella; **to run ~** iġġennen; **~ous** adj. sfrenat/a; (party) frattarjuż/a
rip n. fetqa, tiċrita // vt. fetaħ, ċarrat // vi. iċċarrat; **~cord** n. ħabel tal-paraxut
ripe adj. misjur/a; **~n** vt. sajjar // vi. sajjar
riposte n. botta u risposta
ripple n. ċafċifa żgħira; (sound) ħoss taċ-ċafċifa // vi. għamel ċafċifa
rise (pt. **rose**, pp. **risen**) n. (slope, hill) tlugħ; (brit. in wages) żieda; (in prices, temperature) għoli; (fig. to power, etc.) tela' // vi. tela'; (water) għola; (sun, moon) tela'; (person: from bed, etc.) qam; (also **~ up**: rebel) irribella; (in rank) laħaq; **to give ~ to** ħoloq; **to ~ to the occasion** qam għall-okkażjoni; **risen** pp. of **rise**

rising adj. (increasing: number) li jikber; (prices) li jogħla; (tide) li togħla; (sun, moon) tat-tlugħ
risk n. riskju // vt. irriskja; (**run the ~ of**) ħa r-riskju illi; **to take** or **run the ~ of doing** ħa r-riskju illi jagħmel; **at ~** fil-periklu; **at one's own ~** ħa r-riskju għax ried hu; **~y** adj. riskjuż/a
risqué adj. li jindika/tindika indiċenza
rissole n. pulpetta
rite n. rit; **last ~s** il-griżma tal-morda
ritual adj. ritwali // n. ritwal
rival n. rival; (in business) kompetitur // adj. rivali // vt. ikkompeta ma'; **~ry** n. rivalità, kompetizzjoni
river n. xmara // cpd. (port) port tax-xmajjar; (traffic) traffiku (tax-xmajjar); **up/down ~** xmara 'l fuq/'l isfel; **~bank** n. xatt tax-xmara; **~bed** n. kanal tax-xmara
rivet n. musmar irbattut // vt. (fig.) żammu mwaħħal (bil-biża', eċċ.)
Riviera n. **the ~** ir-Rivjera
RN abbr. of **Royal Navy**
road n. triq; (motorway, etc.) motorway // cpd. (accident) tat-traffiku; **major/minor ~** triq prinċipali/sekondarja; **~ accident** n. inċident tat-traffiku; **~block** n. roadblock; **~hog** n. pirata tat-triq; **~ map** n. mappa tat-toroq; **~ rage** n. aggressività tat-triq; **~ safety** n. sigurtà tat-triq; **~side** n. in-naħa tat-triq; **~sign** n. sinjal tat-triq; **~way** n. it-triq; **~works** n.pl. xogħol fit-toroq; **~worthy** adj. (car) tajba għat-triq
roam vi. iġġerra
roar n. għajta ta' ljun; (of vehicle) ħoss tal-magna (storm) tifqigħa; (of laughter) tifqigħa daħk // vi; **to ~ with laughter** daħak ħafna, b'mod storbjuż
roast n. xiwi // vt. xewa; (coffee) inkalja; **~ beef** n. ċanga mixwija
rob vt. seraq; **to ~ sb. of sth.** seraq xi ħaġa lil xi ħadd; (fig. deprive) ċaħħad; **~ber** n. ħalliel; **~bery** n. serq
robe n. (for ceremony, etc.) tunika; (also **bath~**, US.) libsa tal-banju
robin n. pitirross
robot n. robot
robust adj. b'saħħtu/b'saħħitha, godli/ja
rock n. skoll; (boulder) blata; (US. small stone) żrara; (brit. sweet) lolipopp // vt. (swing gently: cradle) bandal; (child) bennen; (shake) ħawwad // vi. tbandal; **on the ~s** (drink) on the rocks; (marriage, etc.) fir-rovina; **~ and roll** rock and roll; **~-bottom** n. (fig.) miss il-qiegħ; **~ery** n. blati
rocket n. rokit
rocking: **~ chair** n. siġġu li jiċċaqlaq; **~ horse** n. żiemel jiċċaqlaq
rocky adj. blati
rod n. għasluġ, virga; (also **fishing ~**) qasba
rode pt. of **ride**
rodent n. annimal gerriem
rodeo n. rodeo
roe n. (species: also **~ deer**) ċerv żgħir; (of fish): **hard/soft ~** bajd/ħalib tal-ħut
rogue n. brikkun/a, viljakk/a
role n. rwol
roll n. romblu; (of bank notes) mazz; (also **bread ~**) biċċa, slajs; (register, list) lista, reġistru; (sound: of drums, etc.) ħoss ta' tanbur // vt. irrombla; (also **~ up**: string) baram; (sleeves) talla'; (cigarette) irrombla; (also **~ out**: pastry) iċċattja; (flatten: road) għadda bil-buldowżer // vi. irrombla; (drum) daqq it-tanbur; (ship) ixxenglet; **~ about** or **around** vi. (person) tgerbeb; (object) irrombla; **~ by** vi. (time) tgerbeb; **~ over** vi. rembel; **~ up** vi. (inf. arrive) wasal // vt. (carpet) gerbeb; **~ call** n. **to take a ~ call** ħa r-rassenja; **~er** n. ċilindru; (wheel) rota; (for road) roller; (for hair) rowler; **~erblade** n. rollerblade; **~er coaster** roller coaster; **~er skates** n.pl. roller skates
rollicking adj. frattarjuż/a; (inf.) għala biebu/ għala biebha; (fam.) għala żobbu; **to have a ~ time** għadda żmien tal-ġenn
rolling adj. (landscape) bi ftit tlugħ u nżul; **~ pin** n. lenbuba; **~ stock** n. (rail.) vaguni tal-ferrovija
roll-on-roll-off adj. (ferry) roll-on-roll-off
roly-poly n. (culin.) roly-poly
ROM n. (comput.) abbr. of **read only memory**; ROM
Roman adj. Ruman/a; **~ Catholic** adj., n. Kattoliku Ruman
Roman numeral n. numri Rumani
romance n. (love affair) storja ta' mħabba; (charm) seħer; (novel) rumanz
Romanesque adj. Romanesk
Romania see **Rumania**
romantic adj. romantiku
romanticism n. romantiċiżmu
Rome n. Ruma
romp n. tifla jew mara li tħobb tiġġerra // vi. (also **~ about**) iġġerra, tbaħrad
rondo n. (mus.) rondo
roof (pl. **~s**) n. (gen.) saqaf // vt. saqaf; **the ~ of the mouth** is-saqaf tal-ħalq; **~ing** n. saqfa; **~rack** n. (aut.) xibka tas-saqaf tal-karozza
rook n. (bird) ċawlun; (chess) kastell

room n. kamra; (also **bed~**) kamra tas-sodda; (in school, etc.) klassi; (space, scope) spazju; **~s** n.pl. (lodging) kmamar; **"~s to let"**, **"~s for rent"** (US.) "kmamar għall-kera"; **single/double ~** kamra ta' wieħed/ta' tnejn; **~ing house** (US.) n. dar bil-kmamar bl-għamara; **~mate** n. sieħeb tal-kamra; **~ service** n. servizz fil-kamra; **~y** adj. spazjuż/a; (garment) wiesa'/wiesgħa

roost vi. poġġa (fuq passiġġiera, fergħa ta' siġra, eċċ.)

rooster n. serduk tad-djar

root n. għerq // vi. qabad, rawwem; **~ about** vi. (fig.) fittex u reġa' fittex; **~ for** vt. fus. (support) ta s-sapport lil; **~ out** vt. sab, tkixxef fejn; (remove) qered

rope n. ħabel; (naut.) kejbil // vt. (tie) rabat; (climbers: also **~ together**) rabat flimkien; (an area; also **~ off**) għalaq bil-ħbula; **to know the ~s** (fig.) tgħallem it-taqriqa tal-mestjier; **~ in** vt (fig.): **to ~ sb. in** daħħal fl-ixkora

Rosary n. Rużarju

rosé n. rosè

rose pt. of **rise** // n. warda; (shrub) sġajra mħattba; (on watering can) żennuna

rosebud n. blanzun

rosebush n. arbuxxell tal-ward

rosemary n. rożamari

rosette n. rużetta; (emblem, as prize) kukkarda; (arch.) tiżjin (ta' ward)

roster n. **duty ~** roster

rostrum n. podju

rosy adj. ta' lewn roża; **a ~ future** futur sabiħ

rot n. ntiena; (fig. pej.) ċuċati // vt. nitten // vi. niten

rota n. roster; **on a ~ basis** fuq bażi ta' roster

rotary adj. li jdur/ddur

rotate vt. (revolve) dawwar; (jobs) biddel, dawwar // vi. dar

rotating adj. jdur/ddur

rotation n. dawra

rotor n. rutur

rotten adj. mifsud/a; (dishonest) diżonest/a; (inf. bad) ħażin/a; **to feel ~** (ill) ħassu/ħassitha ħażin

rotund adj. mbaċċaċ/mbaċċa

rouble (US. **ruble**) n. rublu

rouge n. ruxx

rough adj. (skin, surface) aħrax/ħarxa; (terrain) mhux irfinut; (road) goffa; (voice) bla manjieri, goffa; (person, manner) goff; (weather) ikrah; (treatment) brutali; (sea) mqalleb; (town, area) perikoluż/a; (cloth) raffa; (plan) preliminari; (guess) għal saqajha // n. (golf) **in the ~** fil-ħaxix folt; **to ~ it** għex mingħajr kumditajiet; **to sleep ~** (brit.) raqad ħażin; **~age** n. raffiġ; **~ and ready** adj. ta' malajr; **~ copy** n. kopja raff; **~ draft** n. = **~ copy**; **~ly** adv. (handle) b'mod goff; (make) ta' malajr, biex jinqeda; (speak) b'mod goff; (approximately) bejn wieħed u ieħor; **~ness** n. (of surface) raffezza; (of person) guffaġni

roulette n. rulett

Roumania n. = **Rumania**

round adj. tond // n. ċirku; (brit. of toast) biċċa, slajs; (of policeman) ronda; (of milkman) dawra; (of doctor) visti; (game: of cards, in competition) rawnd; (of ammunition) skartoċċ; (boxing) rawnd; (of talks) rawnd // vt. (corner) dawwar // prep. madwar; (surrounding): **~ his neck/the table** madwar għonqu/il-mejda; (in a circular movement) **to move ~ the room/sail ~ the world** dar mal-kamra/il-mejda; (in various directions) **to move ~ a room/house** dar il-kamra/id-dar; (approximately) bejn wieħed u ieħor // adv. **all ~** il-ħin kollu; **the long way ~** bid-dawra; **all the year ~** is-sena kollha; **it's just ~ the corner** (fig.) wara l-kantuniera; **~ the clock** adv. l-aħħar 24 siegħa; **to go ~ to sb.'s (house)** mar għand xi ħadd; **to go ~ the back** dar minn wara; **enough to go ~** biżżejjed; **a ~ of applause** ċapċipa; **a ~ of drinks/sandwiches** rawnd drinks/sendwiċis; **~ off** vt. (speech, etc.) għalaq (bi klajmaks); **~ up** vt. (cattle) irraduna; (people) laqqa'; (price) ħa għad-dritt; **~about** (brit.) n. (aut.) rawndebawt; (at fair) ġostra // adj. (route, means) indirett; **~ers** n. (game) logħba li tixbah il-baseball; **~ly** adv. (fig.) ċar u tond; **~ trip** n. vjaġġ biex tmur u tiġi; **~up** n. rodeo; (of criminals) lixka; (of news) taqsira

rouse vt. (wake up) qajjem; (stir up) qajjem

rousing adj. (cheer, welcome) ferrieħi/ferriħija

route n. triq; (of bus) rotta; (of shipping) rotta

routine adj. tar-rutina // n. rutina; (theat.) numru

rove vt. iġġerra, tmieraħ; **~r** ġerrej, wieħed/waħda li jitmieraħ/titmieraħ

roving adj. (life) vagabond/a

row n. (line) fillera; (knitting) ċombina; (racket) għagħa, frattarija; (dispute) diskussjoni mqanqla, ġlieda, ħamba; (sch. **~ing**) għajjat ma' // vi. (in boat) qadef; ħambaq, iġġieled // vt. qadef; **4 days in a ~** erbat ijiem wara xulxin

rowboat (US.) n. dgħajsa bil-moqdief, ċatra

rowdy adj. (person: noisy) storbjuż/a; (occasion) mqanqla

rowing n. qdif; **~ boat** (brit.) n. dgħajsa tal-qdif, ċatra

rowlock ~ xorta ta' flus għall-imqadef
royal adj. irjali; **R~ Air Force** n. il-Qawwa tal-Ajru Rjali; **~ty** n. (**~ persons**) Rjali; (payment to author) drittijiet
rpm abbr. of **revs per minute**; rpm
RSPCA n. abbr. of **Royal Society for the Prevention of Cruelty to Animals**; SPCA
RSVP abbr. of **repondez s'il vous plaît**; RSVP
Rt. Hon. (brit.) abbr. of **Right Honourable**; Onor. (= Onorevoli)
rub vt. mesaħ, ixxotta; (scrub) għorok // n. **to give sth. a ~** għorok xi ħaġa; **to ~ sb. up** or **~ sb.** (US.) **the wrong way** ma ħax grazzja ma' xi ħadd; **~ off** vi. ġie jew mar 'l hemm; **~ off on someone** vt. fus. baqa' mwaħħal ma' xi ħadd; **~ out** vt. ingassa
rubber n. lasktu; (brit. eraser) gomma; **~ band** n. lasktu; **~ plant** n. fiku
rubbish n. żibel; (waste) skart; (fig. pej.) ċuċati; (junk) żibel; **~ bin** (brit.) n. barmil taż-żibel; **~ dump** n. miżbla
rubble n. tifrik
ruble (US.) n. = **rouble**
ruby n. rubin
rucksack n. rucksack
ructions n.pl. inkwiet, rwiefen
rudder n. tmun
ruddy adj. (face) roża; (inf. damned) indannat/a
rude adj. (impolite: person) pastaż/a, mhux edukat; (word) ħażina (manners) ħżiena; (crude) goff/a; (indecent) indeċenti; **~ness** n. nuqqas ta'mġiba
rudiment n. bidu; **~ary** adj. tal-bidu
rueful adj. iddispjaċut/a
ruff n. għonq bil-pizzi
ruffian n. raġel ħażin jew bla lġiem
ruffle vt. (hair) qanfed; (clothes) kemmex; **to get ~d** (fig. person) irrabja
rug n. tapit; (brit. blanket) kutra; (travelling) gverta
rugby n. (also **~ football**) rugby
rugged adj. (landscape) mħatteb/mħattba, aħrax/ħarxa; (features) goff/a
rugger n. (col.) rugby
ruin n. ħerba, qirda, rovina // vt. qered; (spoil) ħela; (inf.) fotta; **~s** n.pl. ħerba, rovini
rule n. (norm) norma; (regulation) regola, ordni; (government) tmexxija; (dictatorial) ħakma; (king) saltna // vt. (country) mexxa, iggverna; (dictatorial) ħakem // vi. mexxa, iggverna; (law) qata' s-sentenza, iddikjara; **as a ~** bħala regola; **~ out** vt. eskluda; **~d** adj. (paper) irrigata; **~r** n. (sovereign: kind) mexxej; (unkind) ħakkiem; (for measuring) riga
ruling adj. (party) fit-tmun, fit-tmexxija; (class) li tmexxi // n. (law) liġi
rum n. rum
Rumania n. ir-Rumanija; **~n** adj. tar-Rumanija // n. mir-Rumanija; (ling.) Rumen
rumble n. (noise) ħoss ta' ragħda // vi. ħabbat; (stomach) gerger (pipe) gelgel
rummage vi. (search) qalleb, fittex
rumour (US. **rumor**) n. xniegħa, għajdut // vt. **it is ~ed that -** hawn/ġriet ix-xniegħa illi -
rump n. (of animal) parti ta' wara, warrani
rumpus n. (col.) tagħfiġa; (quarrel) ġlieda
run (pt. **ran**, pp. **run**) n. (fast pace) **at a ~** bil-ġirja, lebbet; (sport) ġiri; (outing) passiġġata, ħarġa; (distance travelled) id-distanza li (mxew, ġrew, eċċ.); (series) serje, sensiela; (ski) pista // vt. ġera, lebbet; (operate: business) mexxa; (competition, course) organizza; (hotel) amministra; (comput.) ħaddem, irranja; (pass: hand) għadda; (press: feature on printed matter) ippubblika; (on tv) xandar // vi. ġera; (work: machine) ħaddem; (bus, train: operate) saq; (travel) mar; (continue: play) issokta; (contract) ġedded; (flow: river) ġriet; (colours in washing) marru; (in election) ikkandida ruħu, ħareġ għal kandidat; **there was a ~ on** (meat, tickets) kien hemm domanda kbira għal; **in the long ~** fuq it-tul taż-żmien; **on the ~** maħrub; **I'll ~ you to the station** inwasslek sal-istazzjon; **to ~ a risk** irriskja; **to ~ a bath** mela l-banju; **~ about** or **around** vi. (children) ġrew 'l hemm u 'l hawn; **~ across** vt. fus. (find) sab; **~ away** vi. ħarab; **~ down** vt. (production) naqqas; (factory) naqqas l-attività; (subj. car) tajjar; (criticize) ikkritika; **to be ~ down** (person: tired) kien għajjien mejjet; **~ in** (brit.) vt. (car) għamel ir-running in; **~ into** vt. fus. (meet: person) ltaqa' (ma') (trouble) ltaqa' (ma'), ħabbat wiċċu (ma'); (collide with) baqa' dieħel ġo; **~ off** vt. (copies) għamel // vi. ġera; **~ out** vi. (person) telaq jiġri; (lease) spiċċa/t, ntemm/et; (money, etc.) spiċċa; **~ out of** vt. fus. spiċċa mingħajr; **~ over** vt. (aut.) tajjar // vt. fus. (revise) irreveda; **~ through** vt. fus. (instructions) qara malajr; **~ up** vt. (debt) akkumula; **to ~ up against** (difficulties) ħabbat wiċċu (ma'); **~away** adj. (horse) maħrub/a; (truck) għaddej mingħajr kontroll; (child) maħrub/a
rung pp. of **ring** // n. (of ladder) skaluna; (of chair) xikel; (of bicycle) magħżel
runner n. (in race: person) ġerrej; (horse) żiemel tal-ġiri; (on sledge) sewwieq; **~ bean** (brit.) n. fażola; **~-up** n. it-tieni

running n. (sport) ġiri; (business) tmexxija // adj. ~ **water** ilma ġieri; (costs) ta' kuljum; (commentary) dejjem għaddej; **to be in/out of the ~ for sth.** għadu/m'għadux fit-tellieqa għal; **6 days** ~ sitt ijiem wara xulxin; ~ **commentary** n. (tv., radio) kummentarju; (on guided tour, etc.) kummentarju dettaljat; ~ **costs** n.pl. spejjeż ta' kuljum

runny adj. (sauce, etc.) mifqugħ/a bl-ilma; (nose) nieżel

run-of-the-mill adj. banali

runt n. (also pej.) nanu/nana

run-up n. ~ **to** (election, etc.) iż-żmien ta' ftit qabel (l-elezzjoni, eċċ.)

runway n. (aviat.) ranwej

rupee n. rupee

rupture n. ksur; (med.) ftuq // vt. **to ~ os.** nfetaq

rural adj. rurali

ruse n. ħajla

rush n. rassa; (hurry) għaġla; (comm.) talba; (current) mibrum; (of feeling) għaġla, ħerqa; (bot.) ġummar // vt. rass; (work) għaġġel, ħadem malajr malajr // vi. ħaffef, lebbet, ġera; ~ **hour** n. l-aqwa tax-xogħol

rusk n. biskuttell

Russia n. ir-Russja; ~**n** adj. Russu/Russa // n. Russu/Russa; (ling.) (ir-)Russu

rust n. sadid // vi. saddad

rustic adj. rustiku/rustika

rustle vi. ħaxwex bil-ħlewwa // vt. (paper) ħaxwex

rustproof adj. kontra s-sid

rusty adj. msaddad/msadda

rut n. gandott, kanal; (zool.) eċċitament sesswali (tal-annimali); **to be in a ~** kellu eċċitament sesswali; (inf.) saħan

ruthless adj. kiefer/kiefra, bla ħniena; ~**ness** n. kefrija

rye n. xorta ta' żerriegħa użata bħala għalf; ~ **bread** n. tip partikolari ta' ħobż

S s

s id-dsatax-il ittra tal-alfabett Ingliż
Sabbath n. il-Ħadd; (Jewish) is-Sibt
sabbatical adj. tal-jiem frank tal-għalliema universitarji (sabiex ikunu jistgħu jistudjaw)
sabotage n. sabutaġġ // vt. għamel/wettaq sabutaġġ
saccharin(e) n. sakkarina
sachet n. borża żgħira
sack n. (bag) xkora // vt. (dismiss) keċċa; (plunder) keċċa, issakkeġġja; **to get the ~** tkeċċa; **~ing** n. tkeċċija; (material) materjal tax-xkejjer
sacrament n. sagrament; **~al** adj. sagramentali, tas-sagramenti
sacred adj. sagru/sagra, mqaddes/mqaddsa
sacrifice n. sagrifiċċju // vt. issagrifika, offra bħala sagrifiċċju
sacrilege n. sagrileġġ
sacrosant adj. sagrosant/a
sad adj. (unhappy) mdejjaq/mdejqa; (deplorable) deplorevoli, mhux sodisfaċenti; **~den** vt. nikket, sewwed il-qalb
saddle n. sarġ; (of cycle) sit // vt. (horse) rama s-sarġ; **to be ~d with sth.** (inf.) ngħata r-responsabbiltà ta' xi ħaġa; **~bag** n. borża tas-sit
sadism n. sadiżmu
sadist n. sadist/a; **~ic** adj. sadistiku/sadistika
sadly adv. sfortunatament; **to be ~ lacking in** kien fi stat ħażin ta' nuqqas ta'
sadness n. swied ta' qalb, dwejjaq
sae abbr. of **stamped dressed envelope**; sae
safari n. safari
safe adj. (out of danger) salv, bogħod mill-periklu; (not dangerous, sure) ċert, żgur; (unharmed) mhux mimsus/a // n. sejf, maħżen tal-flus; **~ and sound** qawwi u sħiħ; (just) **to be on the ~ side** biex ikun moħħu mistrieħ; **~-conduct** n. passaport, permess; **~-deposit** n. (vault) maħżen tal-flus; (box) sejf; **~guard** n. protezzjoni // vt. ipproteġa; **~keeping** n. kustodja; **~ly** adv. trankwillament; **to arrive ~ly** wasal qawwi u sħiħ; **~ sex** n. safe sex
safety n. sigurtà; **~ belt** n. ċintorin; **~ match** n. sulfarina; **~ pin** n. labra tas-sarwal; **~ valve** n. safety valve
saffron n. żagħfran
sag vi. iżżaqqaq
sage n. (herb) salvja; (man) bniedem/bniedma dehni/ja
Sagittarius n. Saġittarju
sago n. xorta ta' ċereali
Sahara n. **the ~ (Desert)** is-Saħara
said pt., pp. of **say**
sail n. (on boat) qalgħa; (trip): **to go for a ~** mar dawra bid-dgħajsa tal-qlugħ // vt. (boat) saq // vi. (travel: ship) baħħret; (sport) tellaq bid-dgħajsa tal-qlugħ; **to go ~ing** mar bid-dgħajsa tal-qlugħ; **~ing boat** n. dgħajsa tal-qlugħ; **~ing ship** n. bastiment bil-qlugħ; **~or** n. baħri
saint n. qaddis; **~ly** adj. qaddis/a
sake n. **for the ~ of** minħabba
salad n. insalata; **~ bowl** n. stjuna tal-insalata; **~ cream** (brit.) n. majoneż; **~ dressing** tiżjin tal-insalata
salaried adj. (staff) bis-salarju
salary n. salarju
sale n. bejgħ; (at reduced prices) sale; (auction) asta; **~s** n.pl. (total amount sold) bejgħ; **"for ~"** għall-bejgħ; **on ~** għall-bejgħ; **on ~ or return** (goods) mibjugħ bil-possibbiltà illi jiġi ritornat; **~room** n. kamra tal-bejgħ tal-asta; **~s assistant** (US. ~s clerk) n. bejjiegħ; **~sman/woman** (irreg.) n. (in shop) salesman/women; (representative) rappreżentat/a
salient adj. prominenti
saliva n. riq, bżieq
sallow adj. sfajjar/sfajra
salmon n. inv. salamun
salon n. (**hairdressing ~**) ħanut tal-barbier; (**beauty ~**) salon tas-sbuħija
saloon n. (US.) sala kbira; (brit. aut.) salun; (ship's lounge) (il-)lounge tal-vapur, sala tal-mogħdija taż-żmien

salt n. melħ // vt. mellaħ; (**put ~ on**) tefa' l-melħ; **~ cellar** n. salliera; **~water** adj. ilma mielaħ; **~y** adj. mielaħ/mielħa
salutary adj. tajjeb/tajba għas-saħħa
salute n. tislima; (of guns) salut // vt. sellem, feraħ bi
salvage n. (saving) salvataġġ; (things saved) oġġetti salvati // vt. kiseb mill-ġdid; (fig. sth. from a theory, policy, etc.) salva
salvation n. salvazzjoni, ħelsien; **S~ Army** n. l-Armata tal-Ħelsien
salver n. sottokoppa
salvo n. riserva, kondizzjoni, klawsola
same adj. l-istess, identiku // pron. **the ~** l-istess; **the ~ book as** l-istess ktieb bħal; **at the ~ time** (**at the ~ moment**) fl-istess ħin (fl-istess mument); (yet) madanakollu, però; **all** or **just the ~** xorta waħda; **to do the ~ (as sb.)** għamel l-istess (bħal xi ħadd)/ikkopja lil (xi ħadd); **the ~ to you!** lilek ukoll!
sample n. kampjun // vt. (food, wine) daq
sanatorium (pl. **sanatoria**) n. sanatorju
sanctify vt. għamel qaddis
sanctimonious adj. li jagħmilha/tagħmilha tal-moralista
sanction n. permess, awtorizzazzjoni // vt. ħalla, ta permess lil, awtorizza; **~s** n.pl. (pol.) sanzjonijiet
sanctity n. qdusija, santità; (inviolability) ħalfa
sanctuary n. santwarju; (refuge) refuġju; (for wildlife) riserva (naturali)
sand n. ramel; (beach) xtajta // (also **~ down**) vt. illixxa; **~s** n.pl. xtajta
sandal n. qorq, sandli
sand: **~ box** (US.) n. = **~pit**; **~castle** n. kastell tar-ramel; **~dune** n. għolja tar-ramel; **~paper** n. karta tal-ixkatlar, sendpejper; **~pit** n. (for children) ħofra fir-ramel; **~stone** n. ġebla tar-ramel
sandwich n. sendwiċċ // vt. deffes; **~ed between** marsus/a bejn; **cheese/ham ~** sendwiċċ tal-ġobon/perżut; **~ course** (brit.) n. kors nofs skola u nofs xogħol
sandy adj. ramli/ramlija, mrammel/mrammla, bir-ramel; (colour) kulur ir-ramel
sane adj. f'sensih, f'sikktu; (sensible) tajjeb/tajba
sang pt. of **sing**
sanguine adj. demmi, tad-demm
sanitarium (pl. **sanitaria**) n. (US.) = **sanatorium**
sanitary adj. tas-sanità; (clean) nadif/a; **~ towel** (US. **~ napkin**) n. pedd
sanitation n. (in house) impjanti tal-iġjene; (in town) impjanti ta' diżinfezzjoni; **~ department** (US.) n. dipartiment tal-ħarsien tal-iġjene
sanity n. sanità mentali
sank pt. of **sink**
Santa Claus n. Santa Klaws
sap n. (of plants) linfa // vt. (strength) tilef
sapling n. xitla żgħira; (fig.) żagħżugħ
sapphire n. żaffir
sarcasm n. sarkażmu
sarcastic adj. sarkastiku/sarkastika
sarcophagus (pl. **sarcophagi**) n. sarkofagu
sardine n. sardina
Sardinia n. Sardinja
sardonic adj. sardoniku/sardonika
sartorial adj. tal-ħajjat/a
sash n. terħa, faxxa; **~ window** n. finestrun tat-tieqa (li jitla' u jinżel)
sat pt., pp. of **sit**
Satan n. Satana, ix-xitan
satanic adj. sataniku/satanika
satchel n. (child's) basket tal-iskola
satellite n. satellita; **~ dish** n. dixx tas-satellita; **~ television** n. televixin bis-satellita
satin n. satin // adj. tas-satin
satire n. satira
satirical adj. satiriku/satirika
satirize vt. issatirizza
satisfaction n. gost, għoġba, sodisfazzjon
satisfactory adj. sodisfaċenti
satisfy vt. issodisfa; (convince) ikkonvinċa; **~ing** adj. li jissodisfa/tissodisfa
saturate vt. **to ~ (with)** sappap bi, xarrab għasra bi
saturation n. punt ta' saturazzjoni
Saturday n. is-Sibt
sauce n. zalza; (sweet) krema; **~pan** n. taġen
saucer n. plattina
saucy adj. impertinenti, mqarqaċ, wiċċu/wiċċha tost
Saudi: **~ Arabia** n. l-Arabja Sawdija; **~ (Arabian)** adj. tal-Arabja Sawdija; n. mill-Arabja Sawdija
sauna n. sawna
saunter vi. **to ~ in/out** daħal/ħareġ bil-lajma
sausage n. zalzett; **~roll** n. sausage roll
sauté adj. mixwija malajr
savage adj. (cruel, fierce) feroċi, kattiv/a, salvaġġ/a; (primitive) mhux ċivilizzat/a, salvaġġ/a // n. salvaġġ, bniedem/bniedma mhux ċivilizzat/a // vt. (attack) attakka bis-salt; **~ry** n. attakk bis-salt, attakk feroċi
save vt. (rescue) salva; (money) faddal; (time) rebaħ; (keep: seat) żamm; (comput.) issejvja; (avoid: trouble) evita, ħarab; (sport) laqa' // vi. (also **~ up**) faddal // n. (sport) sejv, laqgħa // prep. minbarra, bl-eċċezzjoni ta'
saving n. (on price, etc.) ekonomija, tfaddil // adj. **the ~ grace of** l-uniku don; **~s** n.pl. tfaddil; **~s**

account n. kont tat-tfaddil; ~**s bank** n. bank tat-tfaddil

saviour (US. **savior**) n. salvatur/salvatriċi, feddej/ja

savour (US. **savor**) vt. tiegħem; ~**y** adj. li jtiegħem/ttiegħem tajjeb; (dish: not sweet) mielaħ/mielħa

savvy n. (col.) moħħ, intelliġenza

saw (pt. **sawed**, pp. **sawed** or **sawn**) pt. of **see** // n. (tool) serrieq; (of wood) munxar // vt. qata' bis-serrieq; ~**dust** n. serratura; ~**mill** n. post fejn l-injam jiġi sserrat bil-magni; ~**n-off shotgun** n. senter tal-kanna sserrata

saxophone n. saksafonu

say (pt., pp. **said**) n. **to have one's** ~ wera l-opinjoni tiegħu // vt. qal; **to have a** or **some** ~ **in sth.** kull vuċi f'xi ħaġa; **to** ~ **yes/no** qal iva/le; **could you** ~ **that again?** tista' terġa' tirrepeti dak li għadek kemm għidt?; **that is to** ~ jiġifieri; **as the** ~**ing goes** bħalma jgħid il-Malti; bħalma ngħidu; bħall-proverbju; ~**ing** n. proverbju, dak li jingħad

scab n. qoxra (li tittrabba fuq ferita)

scaffold n. forka; (temporary platform) tavla tal-bajjada; ~**ing** n. tavla tal-bajjada

scald n. samta // vt. samat; ~**ing** adj. (hot) li jismot/tismot

scale n. (gen., mus.) skala; (of fish) qoxra; (of salaries, fees, etc.) skala, medda // vt. (mountain, tree) tala'; ~**s** n.pl. (for weighing: small) miżien (żgħir); (large) miżien (kbir); **on a large** ~ fuq skala kbira; ~ **of charges** tariffi, lista ta' prezzijiet; ~ **down** vt. naqqas b'mod proporzjonali; ~ **drawing** n. tpinġija bil-proporzjon; ~ **model** n. mudell żgħir

scallop n. (zool.) frotta tal-baħar li tittiekel; (sewing) xorta ta' punt

scalp n. il-ġilda tal-qorriegħa tar-ras // vt. ċarrat; (fig.) każbar bl-aħrax

scalpel n. sikkina żgħira tal-operazzjonijiet

scamp n. brikkun

scamper vi. **to** ~ **away**, ~ **off** ġera jlebbet 'il hemm

scampi n.pl. skampi

scan vt. (examine) eżamina; (glance at quickly) ta daqqa t'għajn; (tv, radar) fela // n. (med.): **to have a** ~ kellu ekografija; ~**ner** n. skener

scandal n. skandlu; (gossip) għajdut, xnigħat, diċeriji; ~**ize** vt. skandalizza; ~**ous** adj. skandaluż/a

Scandinavia n. Skandinavja; ~**n** adj. tal-Iskandinavja; n. mill-Iskandinavja

scant adj. skars/a; ~**y** adj. (meal) fqira; (clothes) ħfief

scapegoat n. scapegoat

scar n. marka, merk, ferita; (fig.) (il-)marka // vt. għamel ferita lil

scarce adj. skars/a; **to make os.** ~ (inf.) parparna 'l hemm; ~**ly** adv. bilkemm, bil-ħniena

scarcity n. skarsezza

scare n. ħasda; (panic) paniku // vt. ħasad, beżża'; **to** ~ **sb. stiff** waqqaf qalb xi ħadd bil-biża'; **bomb** ~ bomb scare; ~ **off** or **away** vt. ħarrab; ~**crow** n. nuffara; ~**d** adj. **to be** ~**d** kien qed jibża', kien beżgħan

scarf (pl. ~**s** or **scarves**) n. (long) xalpa; (square) terħa

scarlet adj. ħamrani/ja; ~ **fever** n. skarlatina

scarves n.pl. of **scarf**

scary (inf.) adj. li jbeżża'/tbeżża'

scathing adj. (look, remark) iebes/iebsa

scatter vt. (spread) xerred; (put to flight) tajjar // vi. ixxerred; ~**brained** adj. baħnan/a, ċuċ; ~**ed** adj. mxerred/mxerrda

scatty adj. (col.) baħnan/a, ċuċ

scavenger n. (person) min ifittex fl-iskart

scenario n. (theat.) xenarju; (cine.) xeneġġjatura; (fig.) xenarju

scene n. (theat., fig., etc.) xena; (of crime, etc.) lok (tad-delitt, eċċ.); (view) panorama; (fuss) frattarija, storbju; ~**ry** n. (theat.) xenarju; (landscape) pajsaġġ

scenic adj. pittoresk/a

scent n. fwieħa, ħlewwa ta' xamm; (fig. track) il-mogħdija

sceptic (US. skeptic) n. persuna xettika; ~**al** adj. xettiku/xettika

sceptre (US. scepter) n. xettru

schedule (US.) n. (timetable) ħinijiet; (of events) programm; (list) lista // vt. (visit) niżżel (data fl-iskeda); **to arrive on** ~ wasal fil-ħin miftiehem; **to be ahead of/behind** ~ kien quddiem/waqa' lura fil-ħin tal-iskeda; ~**d flight** n. titjira regulari

scheme n. (plan) skema, pjan; (plot) plott; (arrangement) arranġament; (**pension** ~ etc.) skema tal-pensjonijiet // vi. (intrigue) ikkonfoffa

scheming adj. intriganti // n. intrigi

schizophrenic adj. skizofreniku/skizofrenika

scholar n. (pupil) student/a; (learned person) skular/a; ~**ly** studjuż/a, mgħallem/mgħallma; ~**ship** n. skolarxipp; (grant) għotja (finanzjarja)

school n. skola; (in university) fakultà // cpd. tal-iskola; ~ **age** n. età tal-iskola; ~**book** n. ktieb tal-iskola; ~**boy** n. tifel tal-skola; ~ **children** n.pl. tfal tal-iskola; ~**girl** n. tifla tal-iskola; ~**ing** n. edukazzjoni; ~**master/mistress** n. (primary,

secondary) surmast/sinjora; (tertiary) prinċipal; ~**teacher** n. (primary, secondary) għalliem/a; (tertiary) lekċerer
schooner n. (ship) skuna
sciatica n. (med.) xjatika
science n. xjenza; ~ **fiction** n. fantaxjenza
scientific adj. xjentifiku/xjentifika
scientist n. xjenzat/a
scissors n.pl. mqass; **a pair of** ~ mqass
sclerosis n. (med.) sklerożi
scoff vt. (brit. inf. eat) kiel // vi. **to** ~ (**at**) (mock) għadda biż-żmien bi, (fam.) tmejjel bi; (fam.) tnejjek bi
scold vt. ċanfar, għajjat ma', ta ħasla lil
scone n. xorta ta' ftira bil-butir li tittiekel mat-te
scoop n. (for flour, etc.) paletta; (press) scoop; ~ **out** vt. qabad bil-paletta; ~ **up** vt. wieżen fuq idu
scooter n. mutur żgħir; (toy) skuter
scope n. (of plan) (l-)skop (ta'); (of person) (il-) mira (ta'), l-għan (ta'); (opportunity) opportunità
scorch vt. (clothes) samat; (earth, grass) nixxef; ~**ed earth policy** scorched earth policy; ~**er** n. (col. hot day) jum jaqli l-ankri; ~**ing** adj. sħun/a
score n. (points, etc.) skor; (mus.) partitura; (twenty) għoxrin // vt. (goal) skorja; (point) kiseb punt; (mark) kiseb marka; (achieve: success) kiseb suċċess // vi. (football) skorja; (keep score) żamm l-iskor; ~**s of** (very many) bosta, ħafna; **on that** ~ għalhekk, għal din ir-raġuni; **to** ~ **6 out of 10** kiseb 6 minn 10; ~ **out** vt. qata', ingassa; (arrange music) firex il-partitura; ~ **over** vt. fus. ta l-punti lil xi ħadd; ~**board** n. tabellun tal-iskor; ~**r** n. dak/dik li skorja/t
scorn n. iddisprezza; ~**ful** adj. dispreġġjattiv
Scorpio n. Skorpju
scorpion n. skorpjun
Scot n. Skoċċiż/a
Scotch n. wiski, skoċċ
Scotland n. l-Iskozja
Scots adj. tal-Iskozja; ~**man/woman** (irreg.) n. Skoċċiż/a
Scottish adj. Skoċċiż/a
scoundrel n. bonavolja, persuna diżonesta/ħajna
scour vt. (clean) naddaf (bl-għerik); (search) ħabrek biex isib, fittex; ~**er** n. sapun tal-ħasil li jqaxxar
scourge n. flaġell
scout n. (mil., also **boy** ~) skawt; **girl** ~ (US.) skawt; ~ **around** vi. mar ifittex
scowl vi. ħares biċ-ċiera; **to** ~ **at** ħares biċ-ċiera lejn
scrabble vi. (claw): **to** ~ (**at**) giref; (also **to** ~ **around**: search) fittex // n. **S**~ ® Scrabble ®
scraggy adj. mgħaddam/mgħaddma
scram (inf.) vi. parpar 'l hemm
scramble n. (climb) telgħa bit-tbatija; (struggle) taqbida // vi. **to** ~ **through/out** għadda/ħareġ bi tbatija; **to** ~ **for** tħabat biex jikseb; ~**d eggs** (n.pl. **scrambled eggs**) bajd misfuq u msajjar
scrap n. (bit) biċċa żgħira; (fig. of truth) idea ta'; (fight) taqbida, ġlieda; (also ~ **iron**) ferralja // vt. (discard) skarta, rema // vi. iġġieled; ~**s** n.pl (waste) fdal; ~**book** n. scrapbook; ~ **dealer** n. negozjant tal-ferralja; ~ **heap** n. (fig.): **to be on the** ~ **heap** kien minsi; ~ **merchant** (brit.) n. neguzjant tal-ferralja; ~ **paper** n. kartastrazza
scrape n. **to get into a** ~ daħal fl-inkwiet // vt. giref; (skin, etc.) ħakk; (~ **against**) ħammar bil-ħakk // vi. **to** ~ **through** (exam) tkaxkar, għadda jitkaxkar; ~ **together** vt. (money)
scratch n. barxa; (from claw) giref // cpd. ~ **team** tim improviżat/ta' malajr // vt. (paint, car) barax; (with claw, nail) giref; (rub: nose, etc.) ħakk // vi. ġakk; **to start from** ~ beda mill-bidu nett; **to be up to** ~ kien jissodisfa r-rekwiżiti, kien tajjeb biżżejjed
scrawl n. kitba illeġibbli; (col.) kitba ta' tiġieġa/tabib // vi. ħarbex; (col.) kiteb bħal tiġieġa/tabib
scrawny adj. mgħaddam/mgħaddma
scream n. twerżiqa // vi. werżaq
scree n. żrar
screech vi. werżaq
screen n. (cinema, tv) skrin; (movable barrier) skrin // vt. (conceal) ħeba; (from the wind, etc.) għamel lqugħ, laqa' għal; (film) ipprojetta; (candidates, etc.) ittestja; ~**ing** n. (med.) serje ta' kontrolli; ~**play** n. screenplay
screw n. vit // vt. (also ~ **in**) daħħal u ssikka (l-vit); ~ **up** vt. (paper, etc.) tewa; **to** ~ **up one's eyes** għalaq għajnejh; ~**driver** n. turnavit
scribble n. tħarbixa // vt., vi. ħarbex
scribe n. kittieb/a
script n. (cinema, writing, etc.) skript
Scripture(**s**) n. (pl.) Skrittura
scriptwriter n. kittieb (tal-)iskripts
scroll n. parċmina
scrounge (inf.) vt. **to** ~ **sth. off** or **from sb.** għex minn fuq dahar ħaddieħor // n. **on the** ~; ~**r** n. (fam.) persuna li tgħix minn fuq dahar ħaddieħor; (on society) parassita
scrub n. (land) xagħri // vt. għorok; (inf. reject) ħassar, neħħa
scruff n. **by the** ~ **of the neck** mill-għonq // (fam.: untidy person) maħmuġa/a

scruffy adj. żmattat/a
scrum(mage) n. (rugby) scrum(mage)
scruple n. (gen. pl.) skrupli
scrupulous adj. skrupluż/a, dejjaq/dejqa (fam.)
scrutinize vt. eżamina, fela bir-reqqa; (votes) fela
scrutiny n. eżaminar, skrutinju
scuff (shoes) kaxkar; (floor) barax
scuffle n. taqbida, ġlieda
scull n. moqdief żgħir, palella
scullery n. kamra tal-ħasil tal-platti
sculptor n. skultur/a
sculpture n. skultura
scum n. (on liquid) ragħwa; (pej. people) nies ta' qattagħni
scurrilious adj. faħxi/ja; (remark) taħt iċ-ċintorin
scurry vi. ġera; **to ~ off** lebbet
scuttle n. (also **coal ~**) landa jew kaxxa bil-faħam li tinżamm ħdejn iċ-ċumnija // vt. (ship) għarraq // vi. (scamper): **to ~ away**, **~ off** ħaffef 'l hemm
scythe n. minġel, għodda tal-ħsad
SDP n. abbr. of **Social Democratic Party**
sea n. baħar // cpd. tal-baħar; **by ~** (travel) bil-baħar; **on the ~** (boat) fuq il-baħar; (town) ħdejn il-baħar; **to be all at ~** (fig.) ma fehem xejn; **out to ~**, **at ~** fuq il-baħar; **~board** n. xatt (fl-Amerika); **~food** n. ikel tal-baħar; **~ front** n. it-triq tax-xatt; **~-going** adj. (nation) marbut/a mal-baħar; **~gull** n. gawwija
seal n. (animal) bumerin, foka; (stamp) siġill // vt. (close) issiġilla; **~ off** vt. (area) għalaq l-aċċess għal
sea level n. livell tal-baħar
sea lion n. xorta ta' bumerin
seam n. ħjata, kument; (of metal) saldatura; (of coal) saff
seaman (irreg.) n. baħri
seamless adj. ħajjata
seamy adj. (district) b'fama ħażina; **the ~ side of life** l-iktar parti kerha tal-ħajja
seance n. seduta (tal-spiritwali)
seaplane n. ajruplan tal-baħar
seaport n. port tal-baħar
search n. (for person, thing) tiftixa; (comput.) tiftixa; (inspection: of sb.'s home) stħarriġ // vt. (look in) fittex (fi); (examine) eżamina, fela; (person, place) fittex // vi. **to ~ for** fittex; **in ~ of** fit-tiftixa ta'; **~ through** vt. fus. fittex minn fuq s'isfel; **~ing** adj. li jifli/tifli minn fuq s'isfel; **~light** n. dawl tat-tfittxija; **~ party** n. tim tat-tfittxija; **~ warrant** n. digriet tat-tfittxija
sea: **~ shore** n. xatt il-baħar; **~sick** adj. mdardar/mdardra; **~side** n. plajja, xtajta ta' maġenb il-baħar; **~side resort** n. resort ħdejn il-baħar; **~ water** n. ilma tal-baħar; **~weed** n. alka (tal-baħar); **~worthy** adj. tajjeb/tajba għat-tbaħħir
season n. (of year) staġun; (sporting, of films) staġun, żmien // vt. (food) żied il-ħwawar; **in/out of ~** fl-istaġun/barra mill-istaġun; **~al** adj. tal-istaġun; **~ed** adj. (fig.) bl-esperjenza; **~ing** n. taħwir; **~ ticket** n. biljett ta' staġun, season ticket
seat n. (in bus, train) sit; (chair) siġġu; (parliament) siġġu; (buttocks) warrani, nakta; (inf.) sorm; (of trousers) il-wara // vt. offra sit, qiegħed bilqiegħda; (have room for) kellu s-sits (vojta) għal; **to be ~ed** qagħad bilqiegħda; **~ belt** n. ċintorin
sec. abbr. of **second(s)**
secede vi. nfired (b'mod formali)
secession n. irtirar
secluded adj. iżolat/a
seclusion n. iżolament
second adj. it-tieni // adv. it-tieni // n. sekonda; (aut. also **~ gear**) is-sekind; (comm.) sekinds; (brit. sch. degree) it-tieni titlu universitarju // vt. (motion) appoġġja, issekonda; **~ary** adj. sekondarju/sekondarja; **~ary school** n. skola sekondarja; **~-class** adj. tat-tieni klassi // adv. (rail.) it-tieni; **~ hand** adj. użat/a, il-qadim; **~ hand** (on clock) sekondiera; **~ly** adv. minbarra hekk, mbagħad; **~ment** (brit.) n. transfer temporanju; **~-rate** adj. tat-tieni kategorija; **~ thoughts** n.pl. **to have ~ thoughts** ħaseb mill-ġdid; **on ~ thoughts** or **thought** (US.) meta taħsibha darbtejn
secrecy n. ħabi, segretezza
secret adj. sigriet/a // n. sigriet; **in ~** fil-moħbi
secretarial adj. (work) ta' segretarju/segretarja; (course) ta' segretarju/segretarja; (staff) tas-segretarjat
secretariat n. segretarjat
secretary n. segretarju/segretarja; **S~ of State (for)** (brit. pol.) Segretarju tal-Istat
secretive adj. fommu/fommha sieket (dwar)
secretly adv. bil-moħbi, mistur/a
sect n. setta; **~arian** adj. membru ta' setta
section n. sezzjoni; (part) parti; (of document) taqsima; (of opinion) settur; (**cross-~**) qasma min-nofs; **~al** adj. (drawing) f'partijiet differenti; (bookcase, etc.) li tiżżarma
sector n. settur
secular adj. (authority, school) lajk/a; (writings, music) profan/a; (clergy) (il-)kleru; **~ization** n. sekularizzazzjoni; twemmin li l-knisja m'għandhiex tindaħal f'affarijiet tal-istat
secure adj. żgur/a; (firmly fixed) ma jiċċaqlaqx/tiċċaqlaqx // vt. (fix) waħħal; (get) kiseb

security n. sigurtà; (for loan) garanzija, pleġġ
sedate adj. kwiet/a, kalm/a // vt. ta l-porga
sedation n. (med.) porga
sedative n. kalmant
sedentary adj. ta' bilqiegħda
sediment n. sediment; (of boiler, etc.) dak li jibqa' fil-qiegħ
seduce vt. isseduċa
seduction n. seduzzjoni
seductive adj. li jisseduċi/tisseduċi
see (pt. **saw**, pp. **seen**) vt. ra; (accompany): **to ~ sb. to the door** wassal lil xi ħadd sal-bieb; (understand) fehem // vi. ra // n. sede, djoċesi; **you ~ that** (ensure) ara illi; **~ you soon!** sa meta narak!; **~ about** vt. fus. ħa ħsieb; **~ off** vt. sellem qabel mar; **~ through** vt. fus. (fig.) ma ħalliex min idawru mal-lewża // vt. (plan) temm; **~ to** vt. fus. ħa ħsieb
seed n. żerriegħa; (in fruit) żerriegħa; (fig. gen. pl.) bidu, (in-)nisel; (tennis, etc.) sid; **to go to ~** (plant) għamlet iż-żerriegħa; (fig.) spiċċa/t ħażin; **~ling** n. pjanta/ħaxixa ċkejkna; **~y** adj. (shabby) mċewlaħ/mċewlħa
seeing conj. ~ (**that**) peress illi
seek (pt., pp. **sought**) vt. fittex; (post) applika (b'mod formali)
seem vi. deher; **there ~s to be -** hemm jidher li hemm -; **~ingly** adv. milli jidher
seen pp. of **see**
seep vi. nixxa
seer n. profeta
seersucker n. xorta ta' ħwejjeġ ħfief tas-suf
seesaw n. ċaqlembuta
seethe vi. baqbaq; **to ~ with anger** baqbaq bir-rabja
see-through adj. trasparenti
segment n. (part) parti; (of orange) felli
segregate vt. fired
segregation n. segregazzjoni
seismic adj. siżmiku/siżmika
seize vt. (grasp) qabad; (take possession of) ħataf; (territory) ħataf, ħa, ikkonfiska; (opportunity) ħataf; **~ (up) on** vt. fus. ma ħalliex jaħrab/taħrab; **~ up** vi. (tech.) waħal (minħabba sħana żejda)
seizure n. (med.) (attakk ta') puplesija; (law, of power) sekwestru, konfiska
seldom adv. rari
select adj. eskluživ/a, chic // vt. għażel; (sport) għajjat; **~ion** n. għażla; (comm.) selezzjoni; **~ive** adj. selettiv/a; (school) li jagħżel/tagħżel l-aħjar; **~or** n. (person) dak/dik li jagħżel/tagħżel
self (pl. selves) n. hu(wa)/hi(ja) stess; **the ~** il-jien // pref. hu(wa) nnifsu, hi(ja) nnifisha; **~-assured** adj. żgur/a minnu/minnha nnifsu/nnifisha **~-catering** (brit.) adj. (flat, etc.) bil-kċina **~-centred** (US. **~-centered**) adj. egoċentriku, egoċentrika; **~-confidence** n. kunfidenza fih/a innifsu/nnifisha; **~-conscious** adj. konxju/konxja tiegħu/tagħha nnifsu/nnifisha; **~-contained** (brit.) adj. (flat) bl-intrata; **~-control** n. setgħa fuqu/fuqha nnifsu/nnifisha; **~-defence** (US. **~-defense**) n. self defence; **~-discipline** n. awtodixxiplina; **~-employed** adj. bil-ħanut tiegħu, self-employed; **~-evident** adj. ċar/a minnu/minnha nnifsu/nnifisha; **~-governing** adj. bi gvern awtonomu; **~-indulgent** adj. awtoindulġenti; **~-interest** n. interess personali; **~ish** adj. egoist(a)/a; **~ishness** n. egoiżmu; **~less** adj. li jaħseb/taħseb f'ħaddieħor; **~-made** adj. **~-made man** raġel li għamel lilu nnifsu dak li hu llum; **~-pity** n. ħassar lilu/lilha nnifsu/nnifisha; **~-portrait** n. tpinġija tiegħu nnifsu; **~-possessed** adj. kalm/a, jimxi/timxi b'moħħu/moħħha; **~-preservation** n. li jibża'/tibża' għalih/a innifsu/nnifisha; **~-respect** n. li jirrispetta/tirrispetta lilu/lilha nnifsu/nnifisha; **~-righteous** adj. li jħobb/tħobb lilu/lilha nnifsu/nnifisha; **~-sacrifice** n. altruwiżmu; **~-satisfied** adj. sodisfatt/a bih/a innifsu/nnifisha; **~-service** adj. self-service; **~-sufficient** adj. awtosuffiċjenti; **~-taught** adj. li tgħallem/tgħallmet waħdu/waħidha
sell (pt., pp. **sold**) vt. biegħ // vi. nbiegħ; **to ~ at** or **for £10** nbiegħ għal £10; **~ off** vt. biegħ, illikwida; **~ out** vi. **to ~ out of tickets/milk** il-biljetti nbiegħu kollha/il-ħalib inbiegħ kollu; **~-by date** n. data li tindika sa meta għandu jinbiegħ il-prodott, sell-by date; **~er** n. bejjiegħ/a; **~ing price** n. prezz tal-bejgħ
Sellotape ® (brit.) n. tejp (tal-pitazzi)
semantic adj. semantiku/semantika; **~s** n. semantika
semaphore n. sinjali bil-bnadar; (rail.) (id-)dwal
semblance n. dehra, apparenza
semen n. sperma, żerriegħa (inf.); liba (inf.)
semester (US.) n. semestru
semi... pref. nofs/kważi; **~circle** n. nofs ċirku; **~colon** semicolon, punt u virgola; **~conductor** n. semikondakter; **~detached** (house) n. (dar) mifruda min-nofs; **~-final** n. semifinali
seminar n. seminar
semiquaver n. semikroma
seminary n. (rel.) seminarju
semiskilled adj. (work, worker) semikwalifikat
semi-skimmed (milk) n. semi-skimmed
semitone n. (mus.) nofs ton, semiton

semolina n. smid
senate n. senat
senator n. senatur/senatriċi
send (pt., pp. **sent**) vt. bagħat; (signal) bagħat, ittrażmetta; ~ **away** vt. bagħat 'il hemm; ~ **away for** vt. fus. ordni xi ħaġa bil-posta; (person) keċċa; ~ **back** vt. bagħat lura; ~ **for** vt. fus. bagħat għal; ~ **off** vt. (goods) bagħat; (brit. sport player) keċċa; ~ **out** vt. (invitation) bagħat; (signal) bagħat, emetta; ~ **up** vt. (person, price) talla' 'l fuq; (brit. parody) għamel parodija (bi); ~**er** n. dak/dik li jibgħat/tibgħat, dak/dik li jemetti/temetti (s-sinjali); ~**-off** n. **to give somebody a good ~-off** iċċelebraw it-tluq ta' xi ħadd
senile adj. tax-xjuħ, tax-xjuħija
senior adj. (older) ikbar; (on staff) ilu/ilha iktar; (of higher rank) ogħla, fuq; ~ **citizen** n. ċittadin/a anzjan/a; ~**ity** n. l-anzjanità
sensation n. sensazzjoni, tqanqila; ~**al** adj. sensazzjonali, li jqanqal/tqanqal
sense n. (faculty, meaning) sens; (feeling) ħass; (**good** ~) dehen, sens komun // vt. ħass; **it makes** ~ jagħmel/tagħmel sens; ~**less** adj. bla sens; (unconscious) mitluf/a minn sensih; ~ **of humour** n. sens ta' umoriżmu
sensibility n. sensibbiltà
sensible adj. sensibbli; (reasonable) raġonevoli
sensitive adj. sensittiv/a; (touchy) li jieħu/tieħu għalih/a
sensitivity n. sensittività
sensual adj. senswali
sensuous adj. tas-sensi
sent pt., pp. of **send**
sentence n. (ling., law) sentenza // vt. **to ~ sb. to death/to 5 years** (in prison) qata' lil xi ħadd għall-mewt/bagħat lil xi ħadd 5 snin ħabs
sentiment n. sentiment, ħass; (opinion) fehma, opinjoni; ~**al** adj. sentimentali; ~**ality** n. sentimentalità
sentry n. sentinella; **sentry-box** n. gardjola
separable adj. li jinferaq/tinferaq
separate adj. mifrud/a, separat/a; (distinct) differenti, distint/a // vt. fired; (part) feraq // vi. nfired; ~**ly** adv. separatament
separation n. firda, separazzjoni
September n. Settembru
septic adj. infettat/a; ~ **tank** n. tank tad-drenaġġ
sequel n. (il-)konsegwenza; (of story) sequel
sequence n. sekwenza, ordni; (cine.) sekwenza; ~ **of tenses** ordni tal-persuni
sequin n. (ornament) labra
serenade n. serenata // vt. daqq serenata
serene adj. seren/a, kalm/a, fil-paċi
serenity n. serenità, kalma, paċi
sergeant n. surġent
serial n. (tv.) serje; (book) sensiela; ~**ize** vt. ippubblika f'sensiela; ~ **killer** n. serial killer; ~ **number** n. (comm.) numru tas-serje
series n. inv. serje; (of books) sett
serious adj. serju/serja; (grave) mqit/a; ~**ly** adv. bis-serjetà; (ill, wounded, etc.) serjament; ~**ness** n. serjetà
sermon n. prietka
serrated adj. isserrat/a
serum n. sjeru
servant n. qaddej, servjent; (**house** ~) seftur; (fig.) qaddej/ja, ruffjan/a (inf.)
serve vt. qeda; (customer) serva, qeda; (subj. train) għaddiet minn; (apprenticeship) għamel; (prison term) skonta // vi. (at table) serva; (tennis) ta servis; **to ~ as/for/to do** tajba bħal/għal/biex tagħmel // n. (tennis) serv; **it ~s him right** ħaqqu; ~ **out** vt. (food) serva; ~ **up** vt. = ~ **out**
service n. servizz; (rel.) funzjoni; (aut.) servis; (dishes, etc.) servizz tal-pranzu // vt. (car, etc.) ta servis lil; (repair) sewwa; **the S~s** n.pl. il-Forzi Armati; **to be of ~ to sb.** kapaċi jagħti daqqa t'id lil xi ħadd; ~ **included/not included** is-servizz inkluż/mhux inkluż (fil-prezz); ~**able** adj. utli; ~ **area** n. (on motorway) lok tas-servizz; ~ **charge** (brit.) n. spejjeż tax-xogħol; ~**man** n. membru tal-Forzi Armati; ~ **station** n. pompa tal-petrol
serviette (brit.) n. sarvetta
servile adj. servili
session n. seduta; **to be in** ~ kien f'seduta
set (pt., pp. **set**) n. sett; (radio) (sett tar-)radju; (tv.) (sett) tat-televixin; (of utensils, of cutlery) sett; (of books) kollezzjoni; (tennis) sett; (group of people) klikka; (cine.) sett; (theat.) xena; (hairdressing) qagħda (tax-xagħar), l-istil // adj. (fixed) fiss/a; (ready) lest/a // vt. (place) poġġa; (fix) iffissa; (adjust) irranġa; (decide: rules, etc.) stabilixxa // vi. (sun) niżlet; (jam, jelly) għaqqad; (concrete) għaqqad; (bone) għaqdet; **to be ~ on doing sth.** daħħal f'moħħu li jagħmel xi ħaġa, kien deċiż li jagħmel xi ħaġa; **to ~ to music** għamel il-mużika; **to ~ on fire** qabbad; **to ~ free** ħarrab; **to ~ sth. going** beda xi ħaġa; **to ~ sail** mar bid-dgħajsa tal-qlugħ; ~ **about** vt. fus. beda jagħmel; ~ **aside** vt. tefa' fil-ġenb; (money, time) warrab; ~ **back** vt. (cost): **to ~ sb. back £5** qamlu £5; (in time) **to ~ back (by)** dam, ġie lura fil-ħin; ~ **off** vi.

telaq (għal għonq it-triq) // vt. (bomb) xegħel; (events) ta bidu għal; (show up well) deher tajjeb/sew; ~ **out** vi. mar lejn // vt. (arrange) irranġa; (state) tenna; **to ~ out to do sth.** daħħal f'rasu li jagħmel xi ħaġa; ~ **up** vt. fetaħ; **~back** n. telfa; ~ **menu** n. set menu
settee n. kannapè
setting n. (scenery) xenarju; (position) pożizzjoni; (of sun) nżul (ix-xemx); (of jewel) tiżjin
settle vt. (argument) iddeċieda; (accounts) irranġa; (med. calm) ikkalma // vi. (dust, etc.) nġabar; (weather) qagħad; (also ~ **down**) issetilja; **to ~ for sth.** qabel ma', aċċetta; **to ~ on sth.** għadda xi ħaġa għal għand xi ħadd bil-liġi; ~ **in** vi. issetilja, ambjenta ruħu; ~ **up** vi. **to ~ up with sb.** irranġa d-differenzi ma' xi ħadd; **~ment** n. (payment) ħlas; (agreement) ftehim; (village, etc.) (in-)nies; **~r** n. kolonizzatur/kolonizzatriċi
setup n. sistema; (situation) sitwazzjoni, qagħda
seven num. sebgħa; **~teen** num. sbatax; **~th** num. (is-)sbatax; **~ty** num. sebgħin
sever vt. qata'; (relations) temm, ħassar
several adj., pron. bosta; ~ **of us** bosta minna
severance n. (of relations) firda, qasma; ~ **pay** n. somma
severe adj. aħrax/ħarxa, sever/a (serious) serju/serja; (hard) iebes/iebsa; (pain) qawwi, kbir
severity n. ħruxija, severità
sew (pt. **sewed**, pp. **sewn**) vt., vi. ħiet; ~ **up** vt. ħiet; (fig.): **it's all ~n up** kollox OK/f'postu
sewage n. dranaġġ
sewer n. katusa/kanal tad-dranaġġ
sewing n. ħjata; ~ **machine** n. magna tal-ħjata
sewn pp. of **sew**
sex n. sess; (lovemaking): **to have** ~ kellu/kellha x'jaqsam/taqsam (ma'); ~ **act** n. (l-)att sesswali; **~ist** adj., n. sessist(a)/a; ~ **appeal** sex appeal; ~ **maniac** manijaku sesswali; ~ **shop** sex-shop
sextet n. sestett
sexual adj. sesswali; ~ **intercourse** (l-)att sesswali; ~ **assault** vjolenza karnali
sexy adj. sexy
shabby adj. (person) żmattat/a; (clothes) mraqqgħin; (behaviour) (mġiba) kattiva, (imġiba) vendikattiva
shack n. xorta ta' dwejra fqira mibnija bl-injam jew bil-ġebel mhux minġur
shackles n.pl. manetti
shade n. dell, kenn (mix-xemx); (for lamp) paralum; (inf.) lempxejd; (for eyes) viżiera; (of colour) sfumatura; (small quantity) **a** ~ (**too big/ more**) ftit (iktar/ikbar) // vt. stkenn; (eyes) n. għatta għajnejh (mix-xemx); **in the** ~ fid-dell
shadow n. dell // vt. (follow) mar; ~ **cabinet** (brit.) n. (pol.) kabinett dell; **~y** adj. delli/ja; (dim) mudlam/a
shady adj. mdellel/mdella; (fig. dishonest) diżonest/a; (deal) suspettuż
shaft n. (of arrow, spear) lasta; (aut., tech.) xaft; (of mine) daħla mħaffra; (of lift) xaft; (of light) raġġ
shaggy adj. muswaf/a, b'xagħar folt
shake (pt. **shook**, pp. **shaken**) vt. ċaqlaq; (building) riegħed, heżżeż; (bottle, cocktail) ħawwad, ixxejkja // vi. (tremble) terter; **to ~ one's head** (in refusal) xengel rasu f'sinjal ta' le; (in dismay) ma setax jemmen; **to ~ hands with sb.** ħa b'idejn xi ħadd; ~ **off** vt. farfar; (fig. habit) qata'; ~ **up** vt. ħawwad; (fig.) organizza mill-ġdid
shaky adj. (hand, voice) jirtogħod/tirtogħod; (building) mhux sod
shale n. ġebla sedimentari
shall aux. v.: ~ **I help you?** Hemm bżonn ngħinek?; **I'll buy three, ~ I?** Nixtri tlieta, xi tgħid?
shallow adj. baxx/a; (fig.) superfiċjali
sham n. finta, ħaġa mhux vera // vt. wera ħaġa b'oħra
shambles n. biċċerija
shame n. għajb, mistħija // vt. ġiegħel jistħi; **it is a ~ that/to do** hija ħasra illi/li tagħmel; **what a ~!** x'ħasra!; **~ful** adj. li jġiegħlek/ġġiegħlek tistħi, li jħammarlek/tħammarlek wiċċek; **~less** adj. bla mistħija; (indecent) indeċenti
shampoo n. xampù // vt. ħasel xagħru (bix-xampù); ~ **and set** n. maħsul u ssettjat
shamrock n. xamrok
shandy n. xendi
shan't = shall not
shantytown n. gabuba, barrakka
shape n. għamla, sura // vt. ta sura lil; (sb.'s ideas) ifforma, sawwar; (sb.'s life) iddetermina, ħadem; **to take** ~ ħa sura/għamla; ~ **up** vi. (events) ħadu żvolta; (person) ifforma, sawwar; **-~d** suffix: **heart-~d** f'forma ta' qalb; **~less** adj. bla sura; **~ly** adj. (body, etc.) proporzjonat/a tajjeb
share n. (part) parti, porzjon; (contribution) sehem; (comm.) sehem // vt. qasam; (have in common) qasam; **to ~ out** (**among** or **between**) qasam ma' jew bejn; **~holder** (brit.) n. azzjonista, share holder, persuna li għandha l-ishma
shark n. kelb il-baħar
sharp adj. (blade) (li) jaqta'/taqta'; (point) misnun/a; (outline) li jidher/tidher sew;

(pain) qawwi/ja; (mus.) in djesis; (contrast) ikkuntrasta, qata'; (voice) akut/a; (person: quick-witted) moħħu/moħħha jilħaqlu/jilħqilha; (dishonest) diżonest // n. (mus.) djesis // adv. **at 2 o'clock ~** fis-sagħtejn bumm; **~en** vt. senn; (pencil) ixxarpna, ittempra; (fig.) għamel iktar akut; **~ener** n. (also **pencil ~ener**) temprina; **~-eyed** adj. jara/tara ħafna; **~ly** adv. (turn, stop) f'daqqa waħda; (stand out, contrast) (ikkuntrasta/qata') sew; (criticize, retort) bil-qawwa

shatter vt. farrak; (fig. ruin) qered // vi. tfarrak

shave vt. qaxxar // vi. tqaxxar // n. **to have a ~** qaxxar il-leħja; **~n** adj. (head) mqaxxra; **~r** n. (also **electric ~r**) xejver

shaving n. (action) tqaxxira; **~ brush** n. xafra tal-leħja; **~ cream** n. sapun tal-leħja; **~ foam** n. fowm tal-leħja

shawl n. xall

she pron. pers. (sg.) hi(ja); **~-cat** n. qattusa; **~-elephant** n. iljunfanta

sheaf (pl. **sheaves**) n. (of corn) qatta; (of papers) mazz

shear (pt. **sheared**, pp. **sheared** or **shorn**) vt. ġeżż; **~s** n.pl. (for hedge) mqass

sheath n. għant; (contraceptive) kondom; **~e** vt. (sword) daħħal fil-għant

shed (pt., pp. shed) n. remissa // vt. (leaves) waqqa'; (clothes) neża'; (tears); xerred (blood) ħareġ; (load) xeħet fl-art; (workers) ħeles minn

she'd = she had; **she would**

sheen n. dija, dawl

sheep n. inv. nagħġa; **~dog** n. kelb tar-ragħaj; **~skin** n. ġild tan-nagħaġ

sheer adj. (utter) sħiħ/a, b'kull mod; (steep) wieqaf/wieqfa; (material) trasparenti, fin ħafna // adv. vertikalment

sheet n. (on bed) liżar; (of paper) folja; (of glass, metal) lastra; (of ice) għata

sheik(h) n. xejikk

shelf (pl. **shelves**) n. xkaffa

shell n. (on beach) arzella; (of egg, nut, etc.) qoxra; (explosive) bomba ta' kanun; (of building) il-parti ta' barra // vt. (peas) qaxxar, ħareġ mill-qoxra; (mil.) ibbombardja

she'll = she will; **she shall**

shellfish n. inv. arzell; (as food) frotta tal-baħar

shelter n. kenn, xelter // vt. (aid) ipproteġa; (give lodging to) ta kenn lil // vi. stkenn; **~ed** adj. (life) trankwill/a; (spot) mkenni/ja

shelve vt. (fig.) telaq, abbanduna; **~s** n.pl. of **shelf**

shepherd n. ragħaj // vt. (guide) mexxa; **~'s pie** (brit.) n. torta tal-patata u laħam

sheriff n. xeriff, marixxall

sherry n. xeri, xorta ta' nbid fin ta' Spanja

she's = she is; **she has**

Shetland n. (also **the ~s**, **the ~ Isles**) il-Gżejjer Shetlands

shield n. tarka; (protection) rpar // vt. **to ~ (from)** ipproteġa minn

shift n. (change) bidla; (at work) xift // vt. biddel; (remove) neħħa // vi. iċċaqlaq; **~ work** n. xogħol bix-xift; **~y** adj. suspettuż/a; (eyes) ħarraba

shilling n. skudi (= 12 old pence, 20 in a pound)

shimmer n. tbandil ta' dawl // vi. xeħet dawl ħafif

shin n. qasba tas-sieq

shine (pt., pp. **shone**) n. dija // vi. idda // vt. (shoes) leqq; **to ~ a torch on sth.** tefa' d-dawl fuq xi ħadd

shingle n. (on beach) ċagħka; **~s** n. (med.) herpes zoster, marda li tinfjamma n-nerv

shiny adj. leqqien/a, li jilma/tilma, li jleqq/tleqq

ship n. vapur, bastiment // vt. (goods) baħħar; (send) bagħat bil-baħar; **~building** n. (process) bini ta' vapuri/bastimenti, (place) tarzna; **~ment** n. (goods) merkanzija; **~ping** n. (act) tbaħħir; (traffic) navigazzjoni; **~wreck** n. nawfraġju // vt. **to be ~wrecked** innawfraga ruħu; **~yard** n. tarzna

shire (brit.) n. kontea

shirk vt. (duty) ħarab; (issue) ma tax kas, injora; (work) skarta

shirt n. qmis; **in (one's) ~ sleeves** bil-kmiem, bil-qmis imxammra

shit (inf.) excl. iż-żobb!

shiver n. textixa // vi. terter, triegħed; (with cold) terter

shoal n. (of fish) ġliba; (fig. also **~s**) għadd kbir

shock n. (impact) impatt, ħabta; (elec.) xokk; (emotional) xokk, ħasda qawwija; (start) ħasda; (med.) xokk // vt. ħasad; (offend) offenda, waġġa'; **~ absorber** n. shock absorber; **~ing** adj. (awful) ħażin/a ħafna; (outrageous) li joħloq/toħloq skandlu; **~proof** adj. shock proof

shod pt., pp. of **shoe**

shoddy adj. ordinarju/ordinarja, ta' kwalità ħażina

shoe (pt., pp. **shod**) n. żarbuna; (for horse) nagħla // vt. (horse) nagħal, għamel nagħla; **~brush** n. xkupilja taż-żraben; **~lace** n. lazz taż-żraben; **~ polish** n. nagit; **~shop** n. ħanut taż-żraben; **~string** n. (fig.): **on a ~string** qoxqox mill-flus; **~tree** n. forma taż-żraben

shone pt., pp. of **shine**

shook pt. of **shake**

shoot (pt., pp. **shot**) n. (on branch, seedling) rimja // vt. spara; (kill) qatel; (wound) darab;

(execute) iffuċila; (film) iffilmja // vi. (football) ixxuttja; ~ **down** vt. (plane) waqqa'; ~**in/out** vi. daħal/ħareġ sparat; ~ **up** vi. (prices) għolew (b'mod konsiderevoli); ~**ing** n. (shots) sparar; (hunting) sparar biċ-ċomb; ~**ing star** n. shooting star

shop n. ħanut; (workshop) officina // vi. (also **go ~ping**) mar shopping; ~ **assistant** (brit.) n. salesman/woman; ~ **floor** (brit.) n. (fig.) ħaddiem/a f'fabbrika; ~ **keeper** n. sid/t il-ħanut, tal-ħanut; ~**lifting** n. serq mill-ħwienet; ~**per** n. xerrej/ja, konsumatur/konsumatriċi; ~**ping** n. (goods) xiri; ~**ping bag** n. basket tax-xiri; ~**ping centre** n. ċentru kummerċjali; ~**-soiled** adj. iffejdjat (minħabba li qagħad fil-vetrina għat-tul); ~ **steward** (brit.) n. (industry) shop steward; ~ **window** n. vetrina, armatura

shore n. xatt, xtajta, kosta // vt. **to ~ (up)** saħħaħ, ikkonsolida; **on ~** fuq l-art

shorn pp. of **shear**

short adj. qasir/a; (in time) qasir; (person: short) qasir/a; (shorty) qsajjar/qsajra; (curt) xott/a, jaqta'/taqta' qasir; (insufficient) mhux biżżejjed, insuffiċjenti; (**a pair of**) ~**s** xorz; **to be ~ of sth.** kellu nuqqas ta'; **in ~** fil-qasir; ~ **of doing -** ma wasalx li jagħmel -; **it is ~ for** taqsira għal; **to cut ~** (speech, visit) qata' fil-qasir; **everything ~ of -** kollox qoxqox minn -; **to fall ~ of** spiċċa mingħajr; **to run ~ of** spiċċa mingħajr; **to stop ~** waqaf ħesrem; **to stop ~ of** ma wasal qatt biex; ~**age** n. **a ~age of** nuqqas ta'; ~**bread** n. pasta frolla; ~**-change** vt. daħak b'xi ħadd fuq il-bqija; ~**-circuit** n. short-circuit; ~**-coming** n. difett; ~ **(crust) pastry** (brit.) n. pasta li titfarrak malajr; ~**cut** n. taqsira; ~**en** vt. qassar; (visit) interrompa; ~**fall** n. defisit, ħofra (inf.); ~**hand** (brit.) n. short hand; ~**hand typist** (brit.) n. tajpist/a tax-shorthand; ~ **list** (brit.) n. (for job) lista; ~**-lived** adj. li ma damx wisq; ~**ly** adv. dalwaqt; ~**-sighted** (brit.) adj. li ma jarax/tarax mill-bogħod; (fig.) imprudenti; ~**-staffed** adj. **to be ~-staffed** kien mingħajr ħaddiema/staff; ~ **story** n. rakkont, storja qasira; ~**-tempered** adj. bil-buli; ~**-term** adj. (effect) fiż-żmien qasir; ~**wave** n. (radio) shortwave

shot pt., pp. of **shoot** // n. (sound) sparatura; (try) tentattiv, prova; (injection) injezzjoni, inġekxin; (phot.) ritratt; **to be a good/poor ~** (person) sparatur tajjeb/ħażin; **like a ~** (without any delay) f'kemm ili ngħidlek; ~**gun** n. senter tal-kaċċa

should aux. v. **I ~ go now** aħjar immur issa; **he ~ be there now** għandu jkun hemm bħalissa; **I ~ go if I were you** kieku jien kont immur; **I ~ like to** kieku nixtieq

shoulder n. spalla vt. (fig.) refa'; ~ **bag** n. barżakka; ~ **blade** n. l-għadma tal-ispalla; ~ **strap** n. ċingi

shouldn't = should not

shout n. għajta // vt. għajjat // vi. għajjat; ~ **down** vt. naqqas l-għajjat; ~**ing** n. għajjat

shove n. imbuttatura // vt. imbotta; (inf. put): **to ~ sth. in** waddab xi ħaġa fi; ~ **off** (inf.) vi. parpar

shovel n. pala, luħ; (mechanical) luħ tad-dawl // vt. ġabar u waddab bil-pala

show (pt. **showed**, pp. **shown**) n. (of emotion) turija; (semblance) apparenza; (exhibition) wirja; (theat.) programm, spettaklu; (tv.) show // vt. wera; (courage, etc.) wera; (exhibit) esebixxa, ħareġ għall-wiri; (film) ipprojetta // vi. wera; (appear) deher; **for ~** biex jimpressjona; **on ~** (exhibits, etc.) għall-wiri; ~ **off** (pej.) vi. jħobb jidher // vt. (display) għamel għall-wiri; ~ **out** vt. **to ~ sb. out** wassal lil xi ħadd sal-bieb; ~ **up** vi. (stand out) nqala'; (inf. turn up) deher // vt. (unmask) kixef; ~ **business** n. dinja tal-ispettaklu, show business; ~**down** n. prova ta' saħħa

show: ~**-off** (inf.) n. (person) persuna li tħobb tidher; ~**piece** n. (of exhibition, etc.) l-aqwa biċċa; ~**room** n. showroom

shower n. (rain) ħalba/bexxa (xita); (of stones, etc.) xita (ta' ġebel); (for bathing) doċċa, xawer // vi. niżlet ix-xita // vt. (fig.): **to ~ sb. with sth.** mela lil xi ħadd b'xi ħaġa; **to have a ~** ħa doċċa/xawer; ~**proof** adj. li ma jixxarrabx/tixxarrabx

showground n. lok għall-ftuħ

showing n. (of film) projezzjoni

show jumping n. kompetizzjoni tal-qbiż biż-żwiemel

shown pp. of **show**

shrank pt. of **shrink**

shrapnel n. xrapnel

shred n. (gen. pl.) biċċa mċarrta // vt. qatta' fi bċejjeċ; (culin.) qatta' f'biċċiet żgħar; ~**der** n. (**vegetable ~der**) magimix; (**document ~der**) document shredder

shrewd adj. makakk/a, ħażin/a; ~**ness** n. makakkerija, ħżunija

shriek n. twerżiqa // vi. werżaq

shrift n. **to give sb. short ~** bagħat lil xi ħadd idur dawra

shrill adj. penetranti, werżieqi

shrimp n. gamblu; (fig.) persuna qerqnija

shrine n. sepulkru; (place) santwarju; (reliquary) relikwa

shrink (pt. **shrank**, pp. **shrunk**) vi. nxtorob; (be reduced) naqas; (also ~ **away**) qata' qalbu // vt. ċekken // n. (inf. pej.) psikologu/psikologa; **to ~ from (doing) sth.** ħarab milli jagħmel xi ħaġa; **~wrap** vt. dawwar bil-film; **~age** n. tnaqqis fid-daqs
shrivel (also ~ **up**) vt. (dry) ixxotta // vi. ixxotta, tkemmex
shroud n. liżar // vt. **~ed in mystery** mistur fid-dubju
Shrove Tuesday n. it-Tlieta tal-Karnival
shrub n. sġajra; **~bery** n. grupp ta' sġajriet
shrug n. ċaqliq tal-ispallejn // vt., vi. **to ~** (one's shoulders) għolla spallejh; ~ **off** vt. (insult) ma tax kas (ta'); (troubles) naqqas
shrunk (pp. of **shrink**) **~en** adj. mixrub/a
shrudder n. tkexkixa // vi. tkexkex
shuffle vt. (cards) ħawwad // vi. **to ~** (one's feet) kaxkar saqajh
shun vt. skansa
shunt vt. (train) għadda minn binarju għal ieħor; (object) warrab; (divert) dawwar band'oħra
shush excl. oqgħod!
shut (pt., pp. **shut**) vt. għalaq // vi. ngħalaq; ~ **down** vt., vi. shut-down; ~ **off** vt. (supply, etc.) ma ħalliex jgħaddi iktar; ~ **up** vi. (inf. keep quiet) għalaq ħalqu // vt. (close) għalaq; (silence) ikkwieta; **~ter** n. shutter; (phot.) ftuħ
shuttle n. mekkuk; (also ~ **service**) servizz tad-dgħajsa; (aviat.) xatil; **~cock** n. ballun tal-badminton; ~ **diplomacy** n. vjaġġi diplomatiċi
shy adj. mistħi/ja; **~ness** n. mistħija
Siamese adj. **~-cat** qattusa Sijamiża
Sicily n. Sqallija
sick adj. (ill) marid/a; (nauseated) mhux fih/a; (humour) maħmuġ/a; (vomiting): **to be ~** (brit.); **to feel ~** ħassu sa jaqla'/jivvomta/jirremetti; **to be ~ of** (fig.) xeba' sal-ponta ta' mnieħru bi; ~ **bay** n. infermerija; **~en** vt. dardar; **~ening** adj. (fig.) li jqalla'/tqalla'
sick: **~leave** n. sick leave; **~ly** adj. marradi/ja; (smell) li jqalla'/tqalla'; **~ness** n. marda; (vomiting) remettar; ~ **pay** n. sick pay
sickle n. minġel
side n. (gen.) ġenb; (of body) naħa; (of lake) xtajta; (of hill) naħa; (team) tim // adj. (door, entrance) bieb, dħul // vi. **to ~ with sb.** żamm ma' xi ħadd; **by the ~ of** fuq in-naħa ta'; ~ **by** ~ maġenb xulxin; **from ~ to ~** minn naħa għal oħra; **from all ~s** minn kullimkien; **to take ~s (with)** ngħaqad ma'; **~board** n. armarju; **~boards** (brit.) n.pl. = **~burns**; **~burns** n.pl. xorta ta' stil ta' mustaċċi; ~ **drum** n. side drum; ~ **effect** n. side effect; **~light** n. (aut.) dwal tal-ġenb; **~line** n. (sport) linja tal-ġenb; (fig.) interess sussidjarju; **~long** adj. mal-ġenb; ~ **order** n. platt żejjed; ~ **show** n. (stall) posta fis-suq; **~step** vt. (fig. problem) għeleb; ~ **street** n. triq tal-ġenb; **~track** vt. (fig.) aljena; **~walk** (US.) n. bankina; **~ways** adv. la ġenba
siding n. (rail.) binarji ċkejkna li jintużaw biex ibiddlu r-rotta tal-ferrovija
sidle vi. **to ~ up (to)** resaq inkiss inkiss ħdejn
siege n. assedju; **the Great S~** l-Assedju l-Kbir
sieve n. għarbiel, passatur // vt. għadda mill-passatur
sift vt. għadda mill-passatur; (fig. information) għarbel
sigh n. tnehida // vi. tniehed
sight n. (faculty) raj, vista; (spectacle) spettaklu; (on gun) mira // vt. iċċomba; **in ~** fid-dieher; **out of ~** mhux fid-dieher; **on ~** (shoot) fil-mira; **~seeing** n. turiżmu; **to go ~seeing** mar dawra turistika
sign n. (with hand) sinjal, għelm; (trace) marka; (notice) avviż, tagħrifa; (written) sinjal // vt. għamel sinjal; (sport) iffirma ma'; **to ~ sth. over to sb.** iffirma biex jgħaddi xi ħaġa lil xi ħadd; ~ **on** vi. (brit. as unemployed) irreġistra; (for course) applika // vt. (mil.) daħħal (fl-armata); (employee) daħħal jaħdem (miegħu); ~ **up** vi. (mil.) daħal (fl-armata); (for course) applika // vt. (player) xtara
signal n. sinjal // vi. għamel sinjal // vt. (person) bagħat sinjal lil; (message) ikkomunika bl-għeliem; **~man** (irreg.) n. (rail.) n. kontrollur tas-sinjali
signature n. firma; ~ **tune** n. sigla
signet ring n. ċurkett tad-deheb (bl-inizjali)
significance n. (importance) importanza
significant adj. espressiv/a; (important) importanti, sinjifikanti
signify vt. fisser
sign language n. lingwa tas-sinjali
signpost n. sinjali tat-traffiku
silence n. sikta, skiet, ħemda, silenzju // vt. sikket; (guns) sikket; **~r** n. (on gun, brit. aut.) silencer
silent adj. kwiet/a; (not speaking) sieket/siekta; (film) mingħajr kliem; **to remain ~** baqa' sieket; ~ **partner** n. (comm.) silent partner; **~ly** adv. bla ħoss, fil-kwiet
silhouette n. profil, silwett // vt. **~d against** mlaqqa' ma'
silicon chip n. ċipp tas-silikon
silk n. ħarir // adj. tal-ħarir; **~y** adj. mils/a, artab/ratba
silly adj. (person) iblah/belha; (idea) bla sens

silt n. ħama
silver n. fidda; (money) żgħar, fidda // adj. tal-fidda; (colour) kulur il-fidda; ~ **paper** (brit.) n. karta tal-fidda; ~**-plated** adj. arġentat/a; ~**smith** n. arġentier; ~**ware** n. oġġetti tal-fidda; ~**y** adj. tal-fidda
similar adj. ~ (**to**) jixbah lil; ~**ity** n. xebh; ~**ly** adv. bl-istess mod
simile n. similitudni; tixbiha
simmer vi. għela kemm kemm
simple adj. (easy) ħafif/a; (foolish, comm. interest) sempliċi
simplicity n. sempliċità
simplification n. simplifikazzjoni
simplify vt. issimplifika
simply adv. (live, talk) b'mod sempliċi, b'mod ħafif; (just, merely) sempliċement
simulate vt. għamilha ta'; ~**d** adj. simulat/a; (fur) mhux awtentiku
simulation n. simulazzjoni
simultaneous adj. tal-istess ħin; ~**ly** adv. fl-istess ħin
sin n. dnub // vi. għamel dnub, dineb
since adv. minn // prep. minn // conj. (time) minn mindu, minn meta; (because) peress; ~ **then, ever** ~ minn dakinhar
sincere adj. sinċier/a; ~**ly** adv. **yours** ~**ly** (in letters) dejjem tiegħek
sincerity n. sinċerità
sinew n. għerq; ~**s** n.pl. muskoli; (fig. strength) saħħa
sinful adj. midneb/midinba
sing (pt. **sang**, pp. **sung**) vt., vi. kanta
Singapore n. Singapore
singe vt. ħaraq kemm kemm
singer n. kantant/a
singing n. kant, għana
single adj. waħdu; (unmarried) għażeb, mhux miżżewweġ/mhux miżżewġa, single; (not double) wieħed // n. (brit. also ~ **ticket**) biljett ta' tluq biss; (record) singil; ~**s** n.pl. (tennis) singils; ~ **out** vt. (choose) għażel; ~ **bed** sodda żgħira; ~**-breasted** adj. b'sider wieħed; ~ **file** n. **in** ~ **file** f'linja waħda; ~**-handed** adv. b'id waħda; ~**-minded** adj. deċiż/a, sod/a fil-fehma; ~ **parent** n. ġenitur wieħed; ~ **parent family** familja b'ġenitur wieħed; ~ **room** n. kamra ta' wieħed
singlet n. libsa tal-ġinnastika
singly adv. wieħed wieħed/waħda waħda
singular adj. (odd) stramb/a; (outstanding) eċċellenti // (ling.) singular; ~**ly** adv. b'mod stramb

sinister adj. li jġib/ġġib il-għali; (wicked) kattiv/a; (unlucky) sfurtunat/a
sink (pt. **sank**, pp. **sunk**) n. (of kitchen) sink; (trough) ħawt; (washing tub) mejjilla // vt. (ship) għarraq; (foundations) skava, ħaffar // vi. (gen.) għereq; **to** ~ **sth. into** deffes lil xi ħadd fi; ~ **in** vi. (fig.) daħal, ippenetra
sinner n. midneb/midinba
Sino- pref. miċ-Ċina
sinuous adj. idur/ddur
sinus n. (anat.) sinus
sip n. boqqa // vt. xorob ftit/boqqa boqqa
siphon n. sifun; ~ **off** vt. (liquid) battal (f'kontenitur ieħor); (fig. traffic) dar; (funds) trasferixxa
sir n. sinjur; **S~ John Smith** Sir John Smith; **yes** ~ iva
siren n. sirena; (fig.) mara li tiġbdek
sirloin n. (also ~ **steak**) flett taċ-ċanga
sirocco n. Xlokk
sissy n. (col. coward) beżżiegħ/a; (fam.) iffemminat
sister n. oħt; (brit. nurse) soru; ~**-in-law** n. ħtint
sit (pt., pp. **sat**) vi. qagħad bilqiegħda; (be sitting) kien bilqiegħda; (assembly) għaqqad; (for painter) ippoża // vt. (exam) qagħad; ~ **down** vi. qagħad bilqiegħda; ~ **in on** vt. fus. (a discussion) ħa sehem; (demonstrate) għamel sit-in fi; ~ **up** vi. qagħad bilqiegħda dritt; (not go to bed) qam bilqiegħda
sitcom n. abbr. of **situation comedy**; sitcom
site n. sit; (also **building** ~) lok għall-bini // vt. ċieda
sit-in n. (demonstration) sit-in
sitting n. (of assembly, etc.) sessjoni; (in canteen) ħin li jiġi servut l-ikel; ~ **room** salott
situated adj. li jinsab/tinsab
situation n. pożizzjoni; **"~s vacant"** (brit.) "bżonn il-ħaddiema"
six num. sitta; ~**teen** num. sittax; ~**th** num. is-sittax; ~**ty** num. sittin
size n. daqs; (extent) dimensjoni; (of clothing) qies; (of shoes) numru; ~ **up** vt. ifforma idea ta'; ~**able** adj. importanti
sizzle vi. fexfex
skate n. skejt; (fish: pl. inv) xorta ta' ħuta mdaqqsa bil-ġwienaħ kbar u b'denb tawwali u rqajjaq // vi. skejzja; ~**board** n. skejtbord; ~**boarding** n. skejtbording; ~**r** n. wieħed/waħda li jiskejzja/tiskejzja
skating n. skejting; ~ **rink** n. pista tal-iskejting
skeleton n. skeletru; (tech.) struttura; (outline) il-forma ta' barra; ~ **staff** n. il-ħaddiema li tnaqqsu
skeptic (US.) = **sceptic**

sketch n. (drawing) skeċċ; (outline) disinn tal-forma; (theat.) buzzett // vt. skeċċja; (plan, etc., also ~ **out**) ħażż il-pjan; ~ **book** n. ktieb tal-iskeċis; ~ **pad** n. pitazz tal-iskeċis; ~**y** adj. ta' sura ta' abbozz
skew n. mgħawweġ/mgħawġa
skewer n. pinn li jehmeż il-laħam
ski n. ski // vi. skija; ~ **boot** n. żraben tal-iski
ski: ~**er** n. skier; ~**ing** n. skiing; ~ **jump** n. rampa tal-iski; ~ **pants** n.pl. qalziet tal-iski; ~ **pole** n. lasta tal-iski
skid n. żerżiq, tmejjil // vi. iżżerżaq, tmejjel
skilful (brit.) adj. mħarreġ/mħarrġa sew
ski lift n. ski-lift
skill n. sengħa; ~**ed** adj. mħarreġ/mħarrġa; (worker) kwalifikat/a; ~**full** (US.) adj. = **skilful**
skim vt. (milk) saffa; (glide over) għadda minn fuq // vi. **to** ~ **through** (book) qalleb; ~**med milk** n. ħalib msoffi
skimp vt. (also ~ **on**: work) ta ħiltu kollha; (cloth, etc.) iffranka; ~**y** adj. żgħir/a; (skirt) qasir/a
skin n. ġilda; (complexion) lewn/kulur (il-ġilda) // vt. (fruit, animal) qaxxar; ~ **cancer** n. kanċer tal-ġilda; ~**-deep** adj. superfiċjali; ~**tight** adj. (dress, etc.) marsus/a
skip n. qabża; (brit. container) skipp // vi. qabeż; (with rope) qabeż (il-ħabel) // vt. qabbeż
skipper n. (naut. sport) kaptan ta' bastiment żgħir
skipping rope (brit.) n. ħabel tal-qbiż
skirmish n. taqbida, ġlieda żgħira
skirt n. dublett // vt. (go round) dar; ~**ing board** (brit.) n. zokklu tal-injam
skit n. kitba satirika
ski slope n. żurżieqa tal-iski
ski suit n. libsa tal-iski
skittle n. brill; ~**s** n. (game) logħba tal-brilli
skive (brit. inf.) vi. skarta
skulk n. ħawfa
skull n. ras ta' mewt; (anat.) kranju
skunk n. annimal li jnitten; (fig.) bniedem maħmuġ u jinten
sky n. sema; ~**-blue** adj. kulur is-sema; ~**light** n. tieqa tal-ħġieġ f'saqaf (li tagħti d-dawl); ~**scraper** n. skajskrejper
slab n. (stone) kantun; (flat) biċċa rħama; (of cake) biċċa
slack adj. (loose) maħlul/a, merħi/ja; (slow) bil-mod; (careless) traskurat/a; ~**s** n.pl. qliezet; ~**en** (also ~**en off**) vi. ntreħa, nħall // vt. reħa; (speed) naqqas
slag heap n. skart tal-metall użat; (fam.) mara goffa
slam vt. (throw) waddab; (critize) ikkritika // vi. (door) issabbat; **to** ~ **the door** sabbat il-bieb
slander n. qalgħa, malafama // vt. ~**ous** adj. inġurjuż/a
slang n. (jargon) lingwa ta' // vt. (fam. insult, criticize) inġurja
slant n. inklinazzjoni; (fig.) interpretazzjoni; ~**ed** adj. (fig.) mmejjel/mmejla, inklinat/a; ~**ing** adj. li jitmejjel/titmejjel, li jinklina/tinklina
slap n. daqqa bil-pala tal-id; (in face) daqqa ta' ħarta // vt. ta daqqa ta' ħarta (lil); (paint, etc.): **to** ~ **sth. on sth.** ċallas xi ħaġa fuq xi ħaġa oħra // adv. (directly) direttament; ~**dash** traskurat/a; ~**stick** n. (also ~ **comedy**) farsa; ~**-up** adj. **a** ~**-up meal** (brit.) ikla iklun
slash vt. ċarrat; (fig. prices) naqqas ħafna
slat n. fallakka
slate n. lavanja // vt. (fig. criticize) ikkritika
slaughter n. (of animals) qtil; (of people) massakru // vt. immassakra, biċċer; ~**house** n. biċċerija
Slav adj. Slav/a
slave n. lsir/a, skjav/a // vi. (also **away**) nfena bl-għaja; ~**ry** n. jasar
slavish adj. servili
Slavonic adj. Slavoniku/Slavonika
slay (pt. **slew**, pp. **slain**) vt. qatel
sleazy adj. baxx/a, ta' fama ħażina
sledge n. slitta; ~**hammer** n. mazza
sleek adj. (shiny) leqqien/a; (car, etc.) eleganti
sleep (pt., pp. **slept**) n. rqad // vi. raqad; **to go to** ~ mar jorqod; ~ **around** vi. mar jorqod ma' kulħadd; ~ **in** vi. (oversleep) baqa' rieqed; ~**er** n. (person) persuna rieqda; (train) ferrovija bis-sodda; ~**ily** adv. mifni/ja bin-ngħas; ~**ing bag** n. sleeping bag; ~**ing car** n. vagun bis-sodda; ~**ing partner** (brit.) n. (comm.) sleeping partner; ~**ing pill** n. pillola tal-irqad; ~**less** adj. **a** ~**less night** lejl bla rqad; ~**walker** n. persuna bi ħmar il-lejl; ~**y** adj. bi(n-)ngħas; (place) rieqed
sleet n. borra
sleeve n. komma; (of record) qoxra; ~**less** adj. bla kmiem
sleigh n. slitta
sleight n. ~ **of hand** divertiment bil-ħeffa tal-id
slender adj. rqiq/a, magħlub/a; (means) skars/a
slept pt., pp. of **sleep**
slew pt. of **slay** // vi. (brit. veer: also fig.) biddel it-triq
slice n. (of meat) slajs; (of bread) biċċa; (of lemon) felli; (utensil) mgħarfa // vt. qatta', slajsja
slick adj. (skilful) kapaċi; (clever) moħħu/moħħha jilħaqlu/jilħqilha // n. (also **oil** ~) roqgħa żgħira
slide (pt., pp. **slid**) n. (movement) żerżiqa; (in playground) żurżieqa; (phot.) slajd; (brit. also

hair ~) klipp(a) (tax-xagħar) // vt. żerżaq // vi. (slip) iżżerżaq; (glide) iżżerżaq (ħelu ħelu)
sliding adj. (door) li jiżżerżaq/tiżżerżaq; ~ **scale** n. skeda awtomatika
slight adj. (slim) rqiq/a; (frail) delikat/a; (pain, etc.) żgħir; (trivial) insinifikanti; (small) żgħir // n. offiża // vt. (insult) insulta; **not in the ~est** lanqas xejn, xejn minn dan; **~ly** adv. kemm kemm
slim adj. rqiq/a; (fig. chance) remot // vi. rqaq/et
slime n. dlik, għakar
slimming n. rquqija
slimy adj. mgħakkar/mgħakkra, li jdellek/ddellek
sling (pt., pp. **slung**) n. (med.) faxxa; (small) żbandola; (weapon) katapulta // vt. waddab
slip n. (slide) żurżieqa; (mistake) ħa żball; (underskirt) dublett ta' taħt; (of paper) biċċa karta // vt. (slide) iżżerżaq, niżel ħelu ħelu // vt. żelaq; (stumble) tfixkel; (decline) niżel, (move smoothly): **to ~ into/out of** (room, etc.) daħal/ħareġ minn; **to give sb. the ~** ħarab lil xi ħadd; **a ~ of the tongue** żelqa; **to ~ sth. on/off** poġġa/neħħa xi ħaġa; ~ **away** vi. ħaffef; ~ **in** vt. deffes // vi. iddeffes; ~ **out** vi. (go out) ħareġ minuta; ~ **up** vi. (make mistake) ħa żball; **~ped disc** n. slipped disc
slip: ~ **road** (brit.) n. triq li tagħti għall-motorway **~shod** adj. ta' kafkaf; **~-up** n. (error) żball; **~way** n. żurżieqa
slipper n. papoċċ
slippery adj. li jiżloq/tiżloq
slit (pt., pp. **slit**) n. farrett; (cut) tiċrita // vt. għamel xaqq, għamel tiċrita
slither vi. żelaq
sliver n. (of glass, wood) laqxa; (of cheese, etc.) biċċa
slob (inf.) n. persuna stupida
slog (brit.) vi. tbażwar; **it was a ~** kienet biċċa xogħol
slogan n. għajta, slogan
slop vi. (also ~ **over**) far // vt. fawwar
slope n. (up) telgħa; (down) niżla; (side of mountain) niżla // vi. **to ~ down** niżel; **to ~ up** tala'
sloping adj. inklinat/a; (writing) mgħawġa
sloppy adj. (work) traskurat, mhux magħmul sew/bil-galbu; (appearance) mħarbta; (sentimental) sentimentali
slot n. fetħa; (of door) n. bokkaport, firroll // vt. **to ~ into** daħħal (fi); ~ **machine** n. slot machine
slouch vi. ħa qagħda mgħawġa
Slovenia n. is-Slovenja
slovenly adj. (work) maħmuġ; (careless) traskurat/a
slow adj. dewwiemi/dewwimija; (not clever) għandu/għandha moħħu/moħħha ma jerfax; (watch): **to be ~** qiegħed lura // adv. bil-mod // vt., vi. (also ~ **down**, ~ **up**) naqqas; **"~"** (road sign) "naqqas"; **~down** (US. strike measure) n. slow-down; **~ly** adv. bil-mod; ~ **motion** n. **in ~ motion** bis-slow motion
sludge n. ċaflis, tajn
slug n. bugħarwien; (bullet: of hunting) skartoċċ; (of machine gun, etc.) bulit; **~gish** adj. (river) miexja bil-mod; (sales) (bejgħ) wieqaf, staġnat; (person) għażżien/a
sluice n. (gate) xatba magħluqa; (channel) kanal
slum n. mandraġġ
slumber n. nagħsa
slump n. (economic) dipressjoni // vi. għodos; (prices) roħos
slung pt., pp. of **sling**
slur n. **to cast a ~ on** ikkalunja/insulta lil xi ħadd; (mus.) sler // vt. (speech) lissen ħażin
slush n. ċaflis; **~y** adj. (snow) li jinħall
slut n. qaħba
sly adj. brikkun/a; (smile) ħajna, makakka; **on the ~** bil-moħbi
smack n. (slap) daqqa; (sound) ħoss ta' tifqigħa // vt. ta daqqa; (child, on face) ta daqqa ta' ħarta // vi. **to ~ of** kien imdeffes sa għonqu bi
small adj. żgħir/a; ~ **ads** (brit.) n.pl. aħbar żgħira; ~ **change** n. bqija; **~holder** (brit.) gabillott/a; ~ **hours** n.pl. **in the ~ hours** fis-sigħat bikrin (tal-lejl); **~ish** adj. qsajjar/qsajra; **~pox** n. ġidri; ~ **talk** n. konverżazzjoni pulita
smarmy adj. (col.) lagħqi/ja
smart adj. eleganti; (clever) intelliġenti; (quick) ħafif/a // vi. ħass l-uġigħ; **~en up** vi. issebbaħ // vt. sebbaħ
smash n. (also ~ **up**) tkissira; (mus.) daqqa qawwija // vt. (break) kisser; (car, etc.) sfaxxa; (sport record) kiser // vi. tkisser; (against the wall, etc.) tfarrket fil-ħajt; **~ing** (inf.) adj. tal-ġenn, lussu, tal-ostra, tal-ostja (fam.)
smattering n. **a ~ of** ftit tagħrif dwar
smear n. marka, ċapsa; (med.) smear // vt. immarka, ċappas; ~ **campaign** n. kampanja ta' ħmieġ
smell (pt., pp. **smelt** or **smelled**) riħa; (sense) xamm // vt., vi. xamm; **~y** adj. jinten/tinten
smile n. tbissima // vi. tbissem
smiling adj. mbissem/mbissma
smirk n. tbissima mqanżħa
smith n. ħaddied; **~y** n. forġa
smitten adj. ~ **with** kien mimli bi
smock n. bernuża; (to protect clothing) overall

smog n. smogg
smoke n. duħħan // vi. daħħan; (chimney) daħħnet // vt. (cigarettes) pejjep; **~ed glass** ħġieġ fumè; **~r** n. wieħed/waħda li jpejjep/tpejjep; **~ screen** n. duħħan biex itellef l-għedewwa
smoking n. tipjip **"no ~"** "tpejjipx"
smoky adj. (room) mimlija duħħan
smolder (US.) vi. = **smoulder**
smooth adj. lixx/a; (sea) kalm; (flavour) mhux qawwi; (movement) mhux b'saħħtu; (sauce) fin; (person: pej.) pulit/a, ħelu/ħelwa fl-imġiba // vt. (also **~ out**) illixxa; (difficulties) naqqas, batta
smother vt. faga; (repress) ħonoq
smoulder (US. **smolder**) vi. xegħel b'nar bati
smudge n. tiċpisa, tebgħa // vt. ċappas
smug adj. sodisfatt/a minnu/minnha nnifsu/nnifisha
smuggle vt. daħħal (bil-kuntrabandu); **~r** n. kuntrabandist/a
smuggling n. kuntrabandu
smutty adj. (dirty) maħmuġ/a; (fig.) oxxen/a
snack n. ikla ħafifa; **~ bar** n. bar tal-ikel ħafif
snag n. xkiel; (pointed object) xi ħaġa bil-ponta
snail n. bebbuxu, għakrux
snake n. serp, lifgħa
snap n. (sound) tifqigħa; (photograph) ritratt // adj. (decision) ta' malajr // vt. (break) kisser; (fingers) faqqa' // vi. tkisser; (fig. speak sharply) bala'; **to ~ shut** ngħalaq bis-sabta; **~ at** vt. fus. (subj. dog) prova jaħtaf; **~ off** vi. kisser b'daqqa waħda; **~ up** vt. ħataf; **~ fastener** (US.) n. buttuna tal-pressa; **~py** (inf.) adj. (answer) ċuqq pumm; (slogan) ta' ftit kliem; **make it ~py!** (hurry up) ħaffef!; **~shot** n. ritratt instantanju
snare n. nassa, trabokk // vt. nassas; (fig.) daħħal fl-ixkora; **~r** n. nassab; (fig.) traditur
snarl n. theddida ta' kelb // vi. heżżeż snienu
snatch n. (fig.) ħatfa; (small amount): **~es of** n.pl. naqriet // (**~ away**) seraq; (fig.) ħataf; **to ~ some sleep** tnieghes
sneak (pt. US. **snuck**) vi. **to ~ in/out** żgiċċa // n. (inf.) persuna vili; **to ~ up on sb.** spija lil; **~ers** n.pl. żraben tal-ġinnastika; **~y** adj. vili
sneer n. kumment sarkastiku // vi. daħak bis-sarkażmu; (mock): **to ~ at** daħak bi
sneeze n. għatsa // vi. għatas
snide adj. malinn/a
sniff n. xamma // vt. xammem; (drugs) sniffja
snigger n. daħka sfurzata // vi. daħak b'mod sfurzat
snip n. qatgħa, tiċrita; (brit. inf. bargain) roħs // vt. qatta' fi bċejjeċ
sniper n. snajper
snippet n. (of cloth, paper) taqsisa; (of information) framment
snob n. persuna li tippretendiha, persuna kburija; **~bery** n. kburija; **~bish** adj. kburi/ja
snooker n. snuker
snoop vi. **to ~ about** qagħad jittawwal
snooty adj. mkabbar/mkabbra
snooze n. nagħsa żgħira // vi. nagħas
snore n. naħra // vi. naħar
snoring n. nħir, ħarħir
snorkel n. (of swimmer) pajp
snort n. tefgħa mill-imnieħer // vi. tefa' minn imnieħer
snot n. maħta
snout n. (of animal) geddum; (of thing) żennuna
snow n. silġ // vi. niżel is-silġ; **~ball** n. ballun tas-silġ // vi. (fig.) kiber kulma jmur; **~bound** adj. iżolat/a, għalih/a waħdu/waħidha; **~drift** n. balla silġ; **~drop** n. pjanta ta' warda bajda; **~fall** n. xita ta' silġ; **~flake** n. tajjar tas-silġ; **~man** (irreg.) n. raġel tas-silġ; **~plough** (US. **~plow**) n. slitta tas-silġ; **~shoe** n. żarbun tas silġ; **~storm** n. maltempata tas-silġ
snub vt. (person) ċanfar // n. ċanfira; **~-nosed** adj. qasir/a u ma jaqtax/taqtax
snuff n. ftila, musmar ta' xemgħa
snug adj. (cosy) mkenni/mkennija; (fitted) marsus/a
snuggle vi. **to ~ up to sb.** tgeddes ma' xi ħadd
so adv.
1 (thus, likewise) għalhekk; **if ~** jekk hekk; **I like swimming — ~ do I** nħobb ngħum — anke jien; **I've got work to do — ~ has Paul** Għandi x'nagħmel — anke jien; **it's 5 o'clock — ~ it is!** il-ħamsa — hekk hu!; **I hope/think ~** hekk naħseb/nispera; **~ far** s'hawn; (in past) s'issa
2 (in comparisons, etc., to such degree) tant; **~ quickly (that)** malajr, tant li; **~ big (that)** kbir, tant li; **she's not ~ clever as her brother** mhux intelliġenti daqs ħuha; **we were ~ worried** konna inkwetati ħafna
3 ~ much adj., adv. daqshekk; **~ many** daqstant
4 (phrases): **10 or ~** xi 10; **~ long!** (inf. goodbye) saħħa (għalik)
// conj.
1 (expressing purpose): **~ as to do** biex jagħmel; **~ (that)** sabiex
+ subj.
2 (expressing result) għalhekk; **~ you see, I could have gone** għalhekk, kont nitlaq
soak vt. (drench) sappap; (steep in water) għaddas // vi. għodos; **~ in** vi. daħal; **~ up** vt. xorob

soap n. sapuna; **~flakes** n.pl. biċċiet ta' sapun; ~ **opera** n. soap opera; ~ **powder** n. trab tal-ħasil; **~y** adj. tas-sapun
soar vi. (on wings) tar fil-għoli; (rocket) tela' 'l fuq; (prices) splodew; (building, etc.) tela'
sob n. tnehida, lfiq // vi. tniehed
sober adj. (serious) serju/serja, meqjus/a; (not drunk) mhux fis-sakra; (colour, style) serju; ~ **up** vt. għaddietlu s-sakra
Soc. abbr. of **society**
so-called adj. hekk imsemmi/ja
soccer n. futbol
sociable adj. fabbli
social adj. soċjali, dħuli // n. festa; ~ **club** n. klabb soċjali; **~ism** n. soċjaliżmu; **~ist** adj., n. soċjalist(a)/a; **~ize** vi. **to ~ize (with)** għamilha ma'; **~ly** adv. soċjalment; ~ **security** n. sigurta soċjali; ~ **work** n. social work; ~ **worker** n. social worker
society n. soċjetà; (club) klabb; (also **high** ~) soċjetà tas-sinjuri
sociological adj. soċjoloġiku/soċjoloġika
sociology n. soċjoloġija
sock n. kalzetta; peduna // vt. (hit) daqqa
socket n. (eye) buq; (brit. elec. also **wall** ~) sokit; (for light bulb) bokkin
sod n. (of earth) balla ħamrija bil-ħaxix; (brit. inf.) kattiv/a
soda n. (chem.) soda; (also ~ **water**) ilma soda; (US. also ~ **pop**) ilma bil-gass
sodden adj. msappap/msappa
sodium n. sodju
sodomy n. sodomija
sofa n. sufan
soft adj. (lenient, not hard, gentle) artab/ratba; (not bright) baxx/a; ~ **drink** n. soft drink; **~en** vt. rattab; (effect) naqqas // vi. rtab; **~-hearted** adj. ta' qalbu/qalbha tajba; **~ly** adv. bil-mod; (gently) bil-ħlewwa; **~ness** n. rtubija; **~ware** n. (comput.) softwer
soggy adj. mxarrab/mxarrba għasra
soil n. (earth) art, ħamrija // vt. ħammeġ; (reputation) ħammeġ; **~ed** adj. maħmuġ/a
solar adj. ~ **energy** n. enerġija tax-xemx/solari; ~ **panel** n. pannell tax-xemx/solari
sold (pt., pp. of **sell**) adj. ~ **out** (comm.) kollox għall-bejgħ
solder vt. issaldja, stannja // n. stann
soldier n. suldat; (army man) membru tal-militar
sole n. (of foot) qiegħ; (of shoe) pett; (fish: pl. inv.) lingwata // adj. l-uniku/unika; **~ly** adv. uniku
solemn adj. solenni
sole trader n. (comm.) bejjiegħ waħdu
solicit vt. (request) talab // vi. (prostitute) tlajja
solicitor (brit.) n. (for wills, etc.) nutar; (in court) avukat
solid adj. sħiħ/a; (gold, etc.) mastizz // n. xi ħaġa sħiħa; **~s** n.pl. (food) ikel iebes
solidarity n. solidarjetà
solidify vi. ngħaqad, issaħħaħ // vt. għaqqad, saħħaħ
solidity n. twaħħid f'element solidu
soliloquy n. solilokwu, diskors
solitaire n. (game) paċenzja; (gem) solitaire
solitary adj. solitarju/solitarja; ~ **confinement** n. ċella t'iżolament
solitude n. solitudni
solo n. solo // adv. (fly) waħdu/waħidha; **~ist** n. solist(a)/a
solstice n. (longest day) l-itwal jum (fis-sajf); (shortest day) l-iqsar jum (fix-xitwa)
soluble adj. li jinħall/tinħall
solution n. soluzzjoni
solve vt. solva, ħall il-kobba
solvent adj. (comm.) li għandu/għandha biex iħallas/tħallas għad-djun // n. (chem.) spirtu
sombre (US. **somber**) adj. (mood, person) mdejjaq/mdejqa; dgħumi/ja; (colour) skur/a
some adj.
1 (a certain amount or number of): ~ **tea/water/biscuits** xi ftit te/ilma/gallettini; **there's ~ milk in the fridge** hemm (xi) ftit ħalib fil-friġġ; **there were ~ people outside** kien hemm xi ftit nies barra; **I've got ~ money, but not much** għandi xi ftit flus, imma mhux wisq
2 (certain: in contrasts) xi; ~ **people say that -** xi nies jgħidu illi -; ~ **films were excellent, but most were mediocre** xi films kienu tajbin ħafna, imma l-parti l-kbira kienu medjokri
3 (unspecified): ~ **woman was asking for you** xi mara kienet qed tistaqsi għalik; **he was asking for ~ book (or other)** kien qed jistaqsi għal xi ktieb (jew ieħor); ~ **day** xi darba; ~ **day next week** xi darba l-ġimgħa d-dieħla
// pron.
1 (a certain number): **I've got** ~ (books, etc.) għandi xi ftit
2 (a certain amount) ftit; **I've got** ~ (money, milk) għandi ftit; **could I have ~ of that cheese?** nista' nieħu ftit minn dak il-ġobon?; **I've read ~ of the book** qrajt ftit mill-ktieb
// adv. ~ **10 people** madwar 10 min-nies
some: **~body** pron. = **someone**; **~how** adv. b'xi mod; (for some reason) għal xi raġuni; **~one** pron. xi ħadd; **~place** (US.) adv. = **somewhere**
some: **~thing** pron. xi ħaġa; **would you like ~thing to eat/drink?** trid xi ħaġa x'tiekol/x'tixrob?;

~**time** adv. (in future) xi darba; (in past) ~**time last month** xi darba x-xahar li għadda; ~**times** adv. kultant; ~**what** adv. b'xi mod; ~**where** adv. (be) xi mkien; (go) xi mkien; ~**where else** (be) xi mkien ieħor; (go) xi mkien ieħor

somersault n. (deliberate) gabirjola, kutrumbajsa; (accidental) kutrumbajsa // vi. għamel gabirjola/kutrumbajsa

son n. iben

sonata n. sonata

song n. diska; ~**book** n. librett; ~**writer** n. kittieb il-mużika

sonic adj. (boom) esploživ/a

son-in-law n. ir-raġel tat-tifla

sonnet n. sunett

sonny n. (col.) ibni

soon adv. malajr; ~ **afterwards** eżatt wara; see also **as**; ~**er** adv. (time) iktar kmieni; (preference): **I would ~er do that** aħjar nagħmel hekk; ~**er or later** f'xi ħin jew ieħor

soot n. nugrufun, ġmied

soothe vt. ikkalma; (pain) naqqas

sop n. (food) ~**s** bukkun; (fig.): **to give sb. a** ~ (corruption) ħaseb f'xi ħadd

sophisticated adj. sofistikat/a

sophomore (US.) n. student tat-tieni sena

soporific adj. li jraqqad/traqqad, soporifiku/soporifika // n. droga soporifika

sopping adj. ~ (**wet**) mxarrab/mxarrba għasra

soppy (pej.) adj. sentimentali wisq; (silly) iblah/belha

soprano n. (voice) vuċi fuqanija; (singer) sopran/a

sorcerer n. saħħar

sordid adj. maħmuġ/a

sore adj. (painful) muġugħ/a // n. pjaga, qasma; ~**ly** adv. **I am ~ly tempted to** kien mejjet biex

sorrow n. uġigħ; ~**s** n.pl. niket, sogħba; ~**ful** adj. mdejjaq/mdejqa

sorry adj. (regretful) dispjaċut/a; (condition, excuse) bla bażi; ~**!** skużani; ~**?** skużi?; **to feel ~ for sb.** ħassu ddispjaċut għal xi ħadd; **I feel ~ for him** iddispjaċini għalih

sort n. ġens // vt. (also ~ **out**: papers) qiegħed f'ordni; (problems) solva; ~**ing office** n. uffiċċju tal-issortjar

SOS n. abbr. of **save our souls**; SOS

so-so adv. hekk u hekk

souffle' n. suflè

sought pt., pp. of **seek**

soul n. ruħ; ~**destroying** adj. li jaqta'/taqta' l-qalb; ~**ful** adj. kommoventi; ~**less** adj. bla ruħ; (fig.) bla rieda, bla ħila

sound n. (noise) ħoss; (volume: on tv., etc.) volum; (geog.) fliegu // adj. (healthy) f'saħħtu/saħħitha; (safe, not damaged) mhux mimsus/a; (reliable: person) li tafdah/a; (sensible) li jaf/taf jifhem/tifhem u jagħder/tagħder; (secure: investment) sod // adv. ~ **asleep** rieqed fil-fond // vt. (alarm) daqq // vi. nstema'; (fig. seem) deher; **to ~ like** donnu; ~ **out** vt. nstema'; ~ **barrier** n. ostaklu għall-ħoss; ~**bite** n. gidma sħiħa; ~ **effects** n.pl. sound effects; ~**ly** adv. (sleep) daqs ġebla; (defeated) mirbuħ/a; ~**proof** adj. soundproof, li ma jgħaddix/tgħaddix il-ħoss minnu; ~**track** n. (of film) sound track

soup n. (thick) magħquda; (thin) maħlula; ~ **plate** n. platt tas-soppa; ~**spoon** n. mgħarfa tal-brodu

sour adj. qares/qarsa; (milk) qares, li mar; **it's ~ grapes** (fig.) l-għeneb qares

source n. sors

south n. Nofsinhar // adj. tan-Nofsinhar // adv. lejn in-Nofsinhar; **S~ Africa** n. l-Afrika t'Isfel; **S~ African** adj., n. Sud Afrikan/a; **S~ America** n. l-Amerika t'Isfel; **S~ American** adj., n. Sud Amerikan; ~**-east** n. Xlokk; ~**erly** adj. lejn Nofsinhar; (**from the** ~) min-Nofsinhar; ~**ern** adj. tan-Nofsinhar; **S~ Pole** n. il-Pol t'Isfel; ~**ward**(**s**) adv. lejn in-Nofsinhar; ~**-west** n. Lbiċ

souvenir n. suvenir, tifkira

sovereign adj., n. sovran/a; ~**ty** n. sovranità

Soviet adj. Sovjetiku/Sovjetika; **the S~ Union** l-Unjoni Sovjetika

sow (pt. **sowed**, pp. **sown**) vt. żara'

sow n. żargħa; (female adult pig) ħanżira

soy (US.) n. = **soya**

soya (brit.) n. soja; ~ **bean** n. fażola tas-soja; ~ **sauce** n. zalza tas-soja

spa n. (spring) nixxiegħa mediċinali

space n. spazju; (room) arja, spazju // cpd. tal-ispazju // vt. (also ~ **out**) qassam; ~**craft** n. vettura spazjali; ~**man/woman** (irreg.) n. astronawta, kożmonawta; ~**ship** n. = ~**craft**; **spacing** n. ħoloq l-ispazju; **single/double spacing** vers singlu/doppju

spacious adj. spazjuż/a

spade n. (tool) mgħażqa; ~**s** n.pl. (cards brit.) spadi; ~**work** n. (fig.) xogħol iebes bħala preparazzjoni

spaghetti n. spagetti

Spain n. Spanja

span (pt. of **spin**) // n. (of bird, plane) xiber; (of arch) wesgħa; (in time) medda (qasira) // vt. twessa' għal fuq; (fig.) kejjel

Spaniard n. Spanjol

spaniel n. spenjil

Spanish adj. Spanjol/a // n. (ling.) Spanjol; **the** ~ n.pl. l-Ispanjoli

spank vt. sawwat bil-pala
spanner (brit.) n. spaner, manilla
spare adj. mfaddal/mfaddla; (surplus) żejjed/żejda // n. = ~ **part** // vt. (do without) għadda mingħajr; (refrain from hurting) ħass għal, ħafer; **to** ~ (surplus) żejjed/żejda; ~ **part** n. spare part; ~ **time** n. ħin ħieles; ~ **wheel** n. (aut.) stepni
sparing adj. attent/a; ~**ly** adv. b'attenzjoni
spark n. xrara, spark; (fig.) l-ebda idea ta'; ~(**ing**) **plug** n. pojnts, sparking plagg
sparkle n. xrara // vi. (shine) leqq
sparkling adj. (eyes) jixegħlu; (conversation) imqajma; (wine) spumanti; (mineral water) bil-gass
sparrow n. għasfur tal-bejt
sparse adj. mxerred/mxerrda
spartan adj. (fig.) iebes/iebsa fid-dixxiplina
spasm n. (med.) spażmu; (fig.) dħul; ~**odic** adj. spażmodiku/spażmodika, (fig.) mingħajr ordni
spastic n. (med.) spastiku/spastika
spat pt., pp. of **spit**
spate n. (fig.): **a** ~ **of** xmara ta'; **in** ~ (river) mgħarrqa
spatter n. ċaflisa // vt. raxxax // vi. raxx
spatula n. spatula
spawn vt. ipproduċa // vi. qiegħed il-bajd // n. bajd tal-ħut
speak (pt. **spoke**, pp. **spoken**) vt. (language) tkellem, tħaddet; (truth) tkellem (is-sewwa) // vi. tkellem, tħaddet; (make a speech) tkellem; **to** ~ **to sb./of** or **about sth.** kellem lil xi ħadd dwar xi ħaġa; ~ **up!** tkellem!; ~**er** n. (in public) kelliem; (also **loud**~**er**) loudspeaker; (for stereo, etc.) spiker; (pol.): **Madame S**~**er** (brit.) Madame Speaker; **the S**~**er** (brit.) l-Ispeaker; **to be on** ~**ing terms** jitkellmu
spear n. lanza // vt. nifed (b'lanza); ~**head** vt. (attack, etc.) mexxa, qagħad quddiem nett fi
spec (inf.) n. **on** ~ tama li jqabbel
special adj. speċjali; (edition, etc.) speċjali; (delivery) bl-espress; ~**ist** n. speċjalist(a)/a; ~**ity** (brit.) n. speċjalità; ~**ize** vi. **to** ~**ize** (**in**) speċjalizza fi; ~**ly** adv. (specifically) speċifikament; (on purpose) apposta; ~**ty** (US.) n. = ~**ity**
species n. inv. speċi
specific adj. speċifiku/speċifika; ~**ally** adv. speċifikament; ~**ation** n. speċifikazzjoni
specify vt., vi. speċifika, fisser eżatt
specimen n. eżemplari; (med. of urine, of blood) kampjun
speck n. tebgħa żgħira, nikta; (particle) tikka
speckled adj. mimli tbajja' żgħar
specs (inf.) n.pl. nuċċali
spectacle n. spettaklu; ~**s** n.pl. (brit. glasses) nuċċali
spectacular adj. spettakolari; (success) straordinarju/straordinarja
spectator n. spettatur/spettatriċi
spectrum (pl. spectra) n. spettru; (fig.) medda ta' prodotti
speculate vi. **to** ~ (**on**) staqsa dwar
speculation n. (comm.) spekulazzjoni; (guessing) qtugħ
speculative adj. spekulattiv/a
speech n. (faculty) taħdit; (formal talk) diskors, taħdit; (spoken language) lingwaġġ; ~**day** n. (sch.) jum tal-premjazzjoni; ~**less** adj. bla kliem; ~ **therapy** n. speech therapy
speed n. ġiri, veloċità; (haste) ħeffa; (promptness) ħlusija; **at full** or **top** ~ (aut.) gass mal-pjanċa (fam.); bl-ikbar veloċità; ~ **up** vi. ġera iktar // vt. ġerra; ~**boat** n. speedboat; ~**ily** adv. bil-ħeffa; ~**ing** n. (aut.) ġiri żejjed; ~ **limit** n. limitu tal-veloċità; ~**ometer** n. spidometru; ~**way** n. (sport) speedway; ~**y** adj. (fast) ġerrej; (prompt) ħlusi
speleologist n. speleoloġist(a)/a
spell (pt., pp. **spelt** brit. or **spelled**) n. (also **magic** ~) seħer; (period of time) żmien // vt. spella; (fig.) saħħar; **to cast a** ~ **on sb.** saħħar lil xi ħadd; **he can't** ~ ma jafx jispelli/tispelli; ~**bound** adj. msaħħar/msaħħra; ~**ing** n. mod ta' kif tispelli l-kliem
spelt (pt., pp. of **spell**)
spend (pt., pp. **spend**) vt. (money) nefaq; (time) qatta'; (life) iddedika; ~**thrift** n. ħali
spent (pt., pp. of **spend**) // adj. (supplies) eżawrit/a
sperm n. sperma; liba (fam.); (semen) likwidu tal-isperma; ~ **whale** n. baliena (spermaċeti)
spew vt. ivvomta, irremetta, irreġetta
sphere n. sfera; (fig.) globu
spherical adj. sferiku/sferika
sphinx n. sfinġi
spice n. ħwawar // vt. ħawwar
spick-and-span adj. nadif/a tazza
spicy adj. tal-ħwawar; (fig.) jaħraq/taħraq
spider n. brimba
spiel n. kliem dwar bejgħ
spike n. (point) ponta rqiqa; (bot.) sbula
spill (pt., pp. **spilt** or **spilled**) vt. waqqa', xerred // vi. waqa', nxtered; **to** ~ **over** waqqa'
spin (pt., pp. **spun**) n. (aviat.) dawra; (trip in car) dawra; (on ball) barma // vt. (wool, etc.) ħadem; (ball, etc.) baram // vi. nbaram; **to** ~ **a yarn** sawwar storja; **to** ~ **a coin** għolla l-munita; **to** ~ **out** vt. tawwal

spinach n. spinaċi; (as food) bqajla
spinal adj. tad-dahar; ~ **cord** n. xewka tad-dahar
spindly adj. twil/a u rqajjaq/rqajqa
spin doctor n. uffiċjal tar-relazzjonijiet pubbliċi ta' partit politiku
spin-dryer (brit.) n. spin dryer
spine n. xewka tad-dahar; (thorn) xewka; ~**less** adj. (fig.) beżżiegħ/a
spinner n. (of thread) għażżiel/a
spinning n. (of thread) għażil bl-id; (by machine) għażil bil-magna; ~ **wheel** n. raddiena tal-għażil
spin-off n. ħaġa li ssawret mit-tagħrif li jeżisti diġà
spinster n. xebba
spiral n. spiral // vi. (fig. prices) għolew sew/ b'mod eżorbitanti; ~ **staircase** n. garigor
spire n. bini bil-ponta
spirit n. (soul) ruħ; (ghost) spirtu, fatat, fantażma; (attitude, sense) spirtu; (courage) kuraġġ; ~**s** n.pl. (drink) spirti; **in good** ~**s** kuntent/a; ~**ed** adj. enerġiku/enerġika; ~ **level** n. livell alkoħoliku
spiritual adj. spiritwali; ~**ism** n. spiritwaliżmu
spit (pt., pp. **spat**) n. (for roasting) seffud tax-xiwi; (saliva) bżieq // vi. seffed; (sound) fexfex; (rain) raxxet
spite n. dispett, stmerrija // vt. weġġa'; **in** ~ **of** għalkemm; ~**ful** adj. mistmerri/ja
spittle n. bżieq
spiv n. (col.) bniedem li normalment jilbes pulit ħafna imma jaqla' l-flus minn affarijiet mhux sbieħ
splash n. (sound) ħoss ta' ċaflisa; (of colour) tiċpisa, ċaflisa // vt. ċaflas // vi. (also ~ **about**) ċaflas
splay adj. ~**footed** li għandu/għandha siequ/ sieqha kbira
spleen n. (anat.) milsa, marrara
splendid adj. sabiħ/a
splendour (US. **splendor**) n. ġmiel
splice vt. waħħal billi rikkeb fuq; (inf.) ngħaqad fiż-żwieġ
splint n. appoġġ (għal sieq miksura)
splinter n. (of wood, etc.) laqxa; (in finger) skalda // vi. laqqax
split (pt., pp. **split**) n. qasma; (fig.) firda; (pol.) qasma // vt. fired; (party) qasam; (share) qasam // vi. nqasam, nfired; ~ **up** vi. (couple) nfirdet; (meeting) tferrex; ~**ting headache** n. uġigħ ta' ras jaqsam
splutter vi. beżlaq biex tkellem
spoil (pt., pp. **spoilt** or **spoiled**) vt. (damage) għamel il-ħsara lil; (mar) għarraq; (child) ħassar bil-fsied; ~**s** n.pl. priża; ~**sport** n. wieħed/ waħda li jħassar/tħassar il-festi
spoke pt. of **speak** // n. krikk
spoken pp. of **speak**
spokesman (irreg.) n. kelliem; **spokeswoman** (irreg.) n. kelliema
sponge n. sponża; (also ~ **cake**) spanġ tal-kejk // vt. (wash) ħasel bl-isponża // vi. **to** ~ **off** or **on sb.** għex minn fuq; ~ **bag** (brit.) n. borża tal-affarijiet tal-kamra tal-banju; ~**r** n. (pej.) sakranazz
spongy adj. tal-isponża
sponsor n. parrinu/parrina // vt. (applicant, proposal, etc.) ippropona; ~**ship** n. sponsor(izzazzjoni)
spontaneity n. spontanjetà
spontaneous adj. spontanju/spontanja
spooky (inf.) adj. tal-fatati
spool n. mserka
spoon n. mgħarfa; ~**-feed** vt. (also fig.) tama' bl-imgħarfa; ~**ful** n. mgħarfa
sporadic adj. sporadiku/sporadika; mxerred/ mxerrda
sport n. sport; (person): **to be a good** ~ kien fabbli // vt. (wear) libes; ~**ing** adj. ġust; (generous) ġeneruż/a; **to give sb. a** ~**ing chance** pprovda opportunità tajba lil xi ħadd; ~ **jacket** (US.) n. = ~**s jacket**; ~**s car** n. karozza sportiva; ~**s jacket** (brit.) n. ġakketta sportiva; ~**sman** (irreg.) n. sportiv; ~**smanship** n. spirtu sportiv; ~**swear** n. lbies sportiv; ~**swoman** (irreg.) n. sportiva; ~**y** adj. fuq tiegħu/tagħha
spot n. lok; (dot: on pattern) tikka; (pimple) ponta; (radio) mument pubbliċitarju; (tv.) spazju pubbliċitarju; (small amount): **a** ~ **of** ftit // vt. (notice) osserva, ta kas; **on the** ~ dak il-ħin stess, hemmhekk stess; ~ **check** n. kontroll każwali; ~**less** adj. nadif/a tazza; ~**light** n. spot light; (aut.) dawl; ~**ted** adj. (pattern) bit-tikek; ~**ty** adj. (face) kollu ponot
spouse n. (l-)għarus
spout n. (of jug) żennuna; (of pipe) ftuħ // vi. żennen
sprain n. tfekkika // vt. **to** ~ **one's ankle/wrist** fekkek l-għaksa/il-polz
sprang pt. of **spring**
sprawl vi. tmattar (bil-goff)
spray n. sprej; (of sea) raxx; (container) landa tal-isprej; (for paint, etc.) sprej; (of flowers) żarġun, qadib // vt. sprejja; (crops) bexxex
spread (pt., pp. **spread**) n. żieda; (for bread, etc.) dlik; (inf. food) ikel // vt. dellek; (wings, sails) fetaħ; (work, wealth) qassam; (scatter) ferrex //

vi. (also ~ **out**: stain) tebba'; (news) ferrex; ~ **out** vi. (move apart) inqata'; ~**-eagled** adj. mfettaħ/mfettħa; ~**sheet** n. spreadsheet

spree n. **to go on a** ~ mar jitbaħrad

sprig n. fergħa żgħira

sprightly adj. fuq ruħu/ruħha

spring (pt. **sprang**, pp. **spung**) n. (season) (ir-)rebbiegħa; (leap) qabża; (coiled metal) molla; (of water) nixxiegħa // vi. qabeż; ~ **up** vi. (thing: appear) tfaċċa; (problem) tfaċċat; ~**board** n. trampolin; ~**-clean(ing)** n. tindifa kbira tad-dar; ~**time** n. żmien ir-rebbiegħa

sprinkle vt. (pour: liquid) bexx; (salt, sugar) bexx; **to** ~ **water,** etc. **on,** ~ **with water,** etc. ħasel bl-ilma; ~**r** n. (for lawn) bexxiexa, raxxaxa; (to put out fire) apparat awtomatiku ta' tfigħ in-nar

sprint n. sprint // vi. sprintja; ~**er** n. sprinter

sprite n. ħares, fatat, ruħ

sprout vi. nibet // n. brokkoli

spruce adj. liebes/liebsa pulit

sprung pp. of **spring**

spry adj. vivaċi

spud n. (col. potato) patata

spun pt., pp. of **spin**

spur n. xpruna; (fig.) stimolu // vt. (also ~ **on**) ta stimulu; **on the** ~ **of the moment** f'daqqa waħda

spurious adj. mhux ġenwin/a, falz/a

spurn vt. irrifjuta

spurt n. ħruġ // vi. ħareġ

spy n. spija // vi. **to** ~ **on** spija fuq // vt. (see) ra; ~**ing** n. spjunaġġ

sq. abbr. of **square**

squabble n. tilwima // vi. tlewwem

squad n. (mil.) brigata; (police) skwadra; (sport) tim

squadron n. (mil., aviat., naut.) skwadrun

squalid adj. maħmuġ/a; (fig. sordid) magħdur/a

squall n. (storm) maltempata; (wind) buffura

squalor n. miżerja

squander vt. (money) sparpalja; (chances) ħela

square n. kaxxa; (in town) pjazza; (inf. person) konservattiv/a // adj. kwadrat/a; (inf. ideas, tastes) antiki // vt. (arrange) irranġa; (math.) irdoppja; (reconcile) laqqa'; **all** ~ kollha ndaqs; **to have a** ~ **meal** kiel shun; **2 metres** ~ żewġ metri kwadrati; **2** ~ **metres** 2 metri kwadrati; ~**ly** adv. (directly) direttament; (honestly, fairly) onestament

squash n. (brit. drink): **lemon/orange** ~ ruġġata tal-lumi/laring; (US. bot.) qargħa; (sport) squash // vt. għaffeġ, rass

squat adj. kokka // vi. (also ~**down**) niżel kobba, qagħad kokka; ~**ter** n. persuna li tokkupa post bla permess/illegali

squawk vi. werżaq; (fam.) gerger

squeak vi. (hinge) werżqet; (mouse) werżaq

squeal vi. werżaq

squeamish adj. delikat/a

squeeze n. għasar; (of hand) għafsa; (comm.) restrizzjoni ta' self // vt. (hand, arm) ħa b'idejn; ~ **out** vt. ħareġ

squelch vi. daħal/ħareġ iċaflas

squib n. murtal; (insignificant person) bniedem/bniedma li mhu/hi ħadd

squid n. inv. klamar; (culin.) klamari

squiggle n. sinjal imserrep

squint vi. twerreċ // n. (med.) werċ; **he has a** ~ dak werċ

squire n. sid tal-art

squirm vi. serrep

squirrel n. skwirill

squirt n. żennuna // vi. ittajjar // vt. tajjar

Sr abbr. of **senior**

St abbr. of **saint, street**

stab n. (with knife) daqqa; (of pain) weġgħa; (inf. try): **to have a** ~ **at (doing) sth.** prova jagħmel xi ħaġa // vt. ta daqqiet (bis-sikkina)

stability n. stabbiltà

stabilize vt. stabilixxa, qiegħed fis-sod; ~**r** n. apparat li jżomm il-bilanċ

stable adj. sod/a // n. stalla

stack n. munzell // vt. tafa' gozz

stadium n. stadium

staff n. (work force) staff; (brit. sch.) għalliema; (mil.) sinjal ta' awtorità; (stick) bastun, ħatar // vt. kabbar il-personell

stag n. ċerv

stage n. stejġ; (point) parti; (platform) palk; (profession): **the** ~ it-teatru // vt. (play) tella'; (organize) organizza; **in** ~**s** bl-istadji; ~**coach** n. karettun tal-ġarr; ~ **manager** n. direttur tal-palk

stagger vi. ixxengel // vt. (amaze) bellah; (hours, holidays) ippjana, qassam; ~**ing** adj. li jbellah/tbellah

stagnant adj. staġnat/a

stagnate vi. staġna

stag party n. festin tal-irġiel biss

staid adj. sod/a, serju/ serja

stain n. tebgħa; (colouring) kulur // vt. tebba'; (wood) ta kulur; ~**ed glass window** n. vetrati milwiena; ~**less steel** n. azzar li ma jittebbax, stainless steel; ~ **remover** n. likwidu li jneħħi t-tbajja'

stair n. (step) tarġa; ~**s** n.pl. (it-)taraġ; ~**case** n. = ~**way**; ~**way** n. balavostri

stake n. arblu; (comm.) interessi; (betting) il-flus (fin-nofs) // vt. (money) għamel imħatra ta'; (life) qiegħed fil-periklu; (reputation) għadda

mill-periklu li jtebba'; (claim) ivvendika ruħu; **to be at** ~ kien fin-nofs
stalactite n. stalagtita
stalagmite n. stalagmita
stale adj. (bread) niexef; (food) li mar, mnawwar; (smell) (riħa) ta' tnawwir; (beer) bla togħma
stalemate n. stalemate; (fig.) pożizzjoni li ma jista' jirbaħ ħadd
stalk n. zokk irqiq // vt. resaq fuq ponot subgħajh; ~ **off** vi. mexa b'mod dritt
stall n. (in market) posta fis-suq; (in stable) qasma fi stalla // vt. (aut.) tefa'; (fig.) dewwem // vi. (aut.) ntfiet; (fig.) dam; **~s** n.pl. (brit. in cinema, theatre) platea
stallion n. faħal
stalwart n. persuna ta' kelmitha
stamina n. stamina
stammer n. temtim, tlaqliq // vi. temtem, laqlaq
stamp n. bolla; (mark, also fig.) marka; (on document) timbru // vi. (also ~ **one's foot**) rifes // vt. (mark) immarka; (letter) waħħal il-bolla; (**with rubber** ~) issiġilla; ~ **album** n. album tal-bolol; ~ **collecting** n. filatelija
stampede n. ħrib u ġiri sfrenat
stance n. (point of view) opinjoni; (attitude) attitudni
stand (pt., pp. **stood**) n. (position) pożizzjoni; (for taxis) stejġ; (**music** ~) stends; (sport) n. sits; (at exhibition) stand // vi. (be) kien; (be on foot) kien bilwieqfa; (rise) qam; (remain) baqa'; (in election) ikkontesta // vt. (place) poġġa; (withstand) ġerragħ, issaporta; (invite to) stieden; **to make a** ~ (fig.) ħa pożizzjoni; **to** ~ **for parliament** (brit.) ikkontesta għal deputat; ~ **by** vi. (be ready) qagħad għal-lest // vt. fus. (opinion) żamm ma'; (person) appoġġa (lil); ~ **down** vi. (withdraw) ċeda l-post; ~ **for** vt. fus. (signify) tfisser; (tolerate) ħalla; ~ **in for** vt. fus. ħa l-posta ta'; ~ **out** vi. nqala'; ~ **up** vi. qam bilwieqfa; ~ **up for** vt. fus. iddefenda; ~ **up to** vt. fus. kien tajjeb biżżejjed għal
standard n. norma; (level) livell; (flag) standard // adj. (size, etc.) normali; (text) bażiku/bażika; **~s** n.pl. (morals) valuri morali; **~ize** vt. ikkonforma lil; ~ **lamp** (brit.) n. linfa wieqfa; ~ **of living** n. livell t'għejxien
stand-by n. (reserve) riserva; **to be on** ~ kien pront; ~ **ticket** n. (aviat.) (biljett) stand-by
stand-in n. sostitut/a; (cine.) kontrofigura
standing adj. (on foot) bilwieqfa; (permanent) permanenti // n. reputazzjoni; **of many years'** ~ ta' ħafna snin; ~ **joke** n. xi ħaġa li saret proverbju; ~ **order** (brit.) n. (at bank) ordni ta' ħlas permanenti, standing order; ~ **room** n. kamra fejn toqgħod bilwieqfa
stand-offish adj. kiesaħ/kiesħa, kburi/ja
stand: **~point** n. fehma; **~still** n. **at a ~still** (industry, traffic) kien wieqaf; (car) waqqaf; **to come to a ~still** waqaf/waqfet
stank pt. of **stink**
stanza n. strofa; stanza
staple n. (for papers) fiminella // adj. (food, etc.) bażiku/bażika // vt. hemeż; **~r** n. apparat tal-fiminelli, stejpler
star n. stilla, kewkba; (celebrity) ċelebrità; (in printing: asterisk) stilla // vi. **to** ~ **(in)** kien il-protagonist ta' // vt. (theat., cinema) kien interpretat minn; **the ~s** n.pl. (astrol.) l-istilel
starboard n. in-naħa tal-lemin tal-bastiment
starch n. lamtu; **~ed** adj. (collar) illamtat/a; **~y** adj. iebes/iebsa
stare n. ħarsa ċassa // vi. **to** ~ **at** iċċassa lejn
starfish n. ħuta-stilla
stark adj. (bleak) ikraħ/kerha // adv. ~ **naked** għarwien/a ħuta
starlight n. **by** ~ fid-dawl tal-qamar
starling n. sturnell
starlit adj. mdawwal/mdawla mill-qamar
starry adj. bl-istilel; **~-eyed** adj. (innocent) innoċenti
start n. bidu; (departure) tluq; (sudden movement) ċaqliq f'zoptu; (advantage) vantaġġ // vt. beda; (cause) ikkaġuna; (found) ħoloq; (engine) startja // vi. beda; (with fright) ndiehex; (train, etc.) startja; **to** ~ **doing** or **to do sth.** beda jagħmel xi ħaġa; ~ **off** vi. ħoloq; (leave) telaq; ~ **up** vi. nxtegħel; (car) startjat // vt. startja; **~er** n. (aut.) starter; (sport official) logħba tal-ftuħ; (brit. culin.); **~ing point** n. punt tat-tluq
startle vt. diehex, ħasad
startling adj. li jaħsad/taħsad
starvation n. ġuħ kbir; **to die of** ~ miet bil-ġuħ
starve vi. bata l-ġuħ; (to death) miet bil-ġuħ // vt. żamm nieqes mill-ikel; **I'm starving** qed immut bil-ġuħ
state n. stat // vt. (say, declare) qal, iddikjara, tenna; **the S~s** l-Istati Uniti; **to be in a** ~ kien ħerqan; **~ly** adj. grandjuż/a, dinjituż/a; **~ly home** n. dar tan-nobbli; **~ment** n. dikjarazzjoni; **~secret** n. sigriet tal-istat; **~sman** (irreg.) n. statista
static n. (radio) textix // adj. statiku/statika, rkieti; ~ **electricity** n. elettriċità statika
station n. (gen.) stazzjon; (radio) stazzjon; (rank) pożizzjoni soċjali // vt. poġġa; (mil.) stazzjona, poġġa
stationary adj. li ma jitħarrikx/titħarrikx
stationer n. librar; **~'s (shop)** (brit.) n. bejjiegħ tal-pitazzi; **~y** n. oġġetti ta' karti

station master n. (rail.) l-imgħallem tal-istazzjon
station wagon (US.) n. station wagon
statistic n. statistika; **~s** n.pl. (science) statistika; **~al** adj. statistiku/statistika
statue n. statwa
statuesque adj. li għandu/għandha l-ġmiel ta' statwa
stature n. statura, binja; (fig.) statura
status n. status; (reputation) reputazzjoni; **the ~ quo** l-istat tal-affarijiet kif inhuma; **~ symbol** n. simbolu tal-prestiġju
statute n. statut, liġi; **~s** n.pl. (of club, etc.) (l-)istatut
statutory adj. awtorizzat/a mill-istatut
staunch adj. leali, fidil/a
stave n. (mus.) stejv; (of barrel) duħ // vt. **to ~ off** (attack) bagħat lura; (threat) biegħed
stay n. (period of time) waqfa // vi. baqa'; (as guest) qagħad (għand xi ħadd); **to ~ put** ma ċċaqlaqx; **to ~ the night/5 days** qagħad il-lejl/ħamest ijiem; **~ behind** vi. baqa' wara; **~ in** vi. baqa' ġewwa; **~ on** vi. baqa'; **~ out** vi. (of house) qagħad barra; (on strike) issokta; **~ up** vi. (at night) baqa' mqajjem; **~ing power** n. kapaċità ta' reżistenza
STD n. abbr. of **Subscriber Trunk Dialling**; STD
stead n. **in sb.'s ~** flok xi ħadd; **to stand sb. in good ~** serva ta' ġid għal xi ħadd
steadfast adj. sod/a, utiq/a
steadily adv. kostantement, b'mod kostanti; (firmly) b'mod sod, b'mod utiq; (work, walk) bil-galbu, mingħajr għaġla; (gaze) bla ma qala'/qalgħet għajnejh/a
steady adj. (firm) sod/a; (regular) regolari; (person, character) sod/a, bil-għaqal; (boyfriend) bis-serjetà, steady; (look, voice) kalm/a, trankwill/a // vt. (stabilize) qiegħed fis-sod; (nerves) ikkalma; **to ~ os.** żammejna sodi
steak n. (gen.) silta, stejk; (beef) stejk taċ-ċanga
steal (pt. **stole**, pp. **stolen**) vt. seraq // vi. seraq; (move secretly) daħal bil-moħbi
stealth n. **by ~** bil-ħabi; **~y** adj. baxx baxx, bil-moħbi
steam n. fwar; (mist) ċpar // vt. (culin.) sajjar bit-togħlija tal-fwar // vi. tefa' l-fwar; **~ engine** n. magna tal-istim; **~er** n. bastiment tal-istim, vapur; **~roller** n. steam roller; **~ship** n. = **~er**; **~y** adj. (room) kollha fwar; (window) mtappna; (heat, atmosphere) mimlija umdità; (inf.) li jlebleb/tlebleb (il-gost karnali)
steed n. żiemel tal-kavallerija
steel n. azzar // adj. tal-azzar; **~works** n. xogħol tal-azzar
steep adj. mżerżaq/mżerżqa; (price) għoli // vt. ħasel sew
steeple n. kampnar; **~chase** n. tellieqa bl-ostakli; **~jack** n. l-imgħallem tal-kampnari
steeply adv. b'mod diffiċli
steer vt. (car) saq; (person) mexxa // vi. saq, mexxa; **~ing** n. (aut.) direzzjoni; **~ing wheel** n. (l-)istering
stellar adj. tal-istilel
stem n. (of plant) zokk ewlieni // vt. naqqas; (blood) żamm milli joħroġ; **~ from** vt. fus. nissel minn
stench n. ntiena
stencil n. (pattern) stensil // vt. immarka bl-istensil
stenographer (US.) n. stenografu/stenografa
step n. pass; (on stair) targa // vi. **to ~ forward/back** għamel pass 'il quddiem/lura; **~s** n.pl. (brit.) = **~ladder**; **in/out of ~ (with)** żamm/ma żammx mal-pass ta'; **~ down** vi. (fig.) irriżenja minn; **~ on** vt. fus. iċċaqlaq; **~ up** vt. (increase) kabbar; **~brother** n. silf; **~daughter** n. bint tar-rispett; **~father** n. ir-raġel tal-omm; **~ladder** n. sellum tal-forbiċi; **~mother** n. mart il-missier; **~ping stone** n. ġebliet li jwittu passaġġ; **~sister** n. oħt tar-rispett; **~son** n. iben tar-rispett
stereo n. sterjo // adj. (also **~phonic**) sterjo
stereotype n. sterjotip // vt. għamel sterjotip ta'
sterile adj. ħawli/ja, sterili
sterility n. sterilità
sterilization n. sterilizzazzjoni
sterilize vt. għamel ħawli
sterling adj. (silver) ġenwin/a, pur/a // n. (econ.) (il-)lira sterlina; **one pound ~** lira sterlina
stern adj. iebes/iebsa // n. (naut.) poppa
stethoscope n. stetoskopju
stevedore n. raġel li jħott
stew n. stuffat // vt. sajjar fuq nar bati f'kazzola; (fruit) sajjar; **~ed tea** te qares; (fam) fis-sakra
steward n. stjuward; **~ess** n. (esp. on plane) ħowstess
stick (pt., pp. **stuck**) n. lasta; (of dynamite) stikka; (as weapon) mazza; (**walking ~**) ħatar, bastun // vt. (glue) waħħal; (inf. put) poġġa; (tolerate) issaporta; (thrust): **to ~ sth. into** niffed xi ħaġa fi // vi. twaħħal; (be unmoveable) ma jiċċaqlaqx; (in mind) daħħal, deffes; **~ out** vi. ħareġ; **~ up** vi. baqa' dritt; **~ up for** vt. fus. iddefenda lil; **~er** n. (label) n. stiker; **~ing plaster** n. faxxa
stick-up (inf.) n. seraq
stickleback n. xorta ta' ħuta bix-xewk mad-dahar
stickler n. **to be a ~ for** jistenna/esiġenti ħafna minn
sticky adj. idellek, iddellek; (label) li jwaħħal/twaħħal; (fig.) diffiċli

stiff adj. sod/a; (hard) iebes/iebsa; (manner) mkabbar/mkabbra; (difficult) diffiċli; (person) iebes/iebsa ma'; (price) għoli; (fam. corpse) katavru; adv. **scared/bored** ~ mejjet bil-biża'/ bid-dwejjaq; ~**en** vi. (muscles, etc.) webbes; ~ **neck** n. persuna stinata/rasha iebsa; ~**ness** n. ebusija

stifle vt. faga

stifling adj. (heat) li jaqta'/taqta' n-nifs

stigma n. (fig.) għajdut li jtabba' l-ġieħ

stile n. skaluni biex titla' rpar

stiletto (brit.) n. (also ~ **heel**) takkuna; (small dagger) stallett

still adj. sieket/siekta, ċass/a // adv. xorta waħda; (even) xorta; (nonetheless) xorta waħda, madanakollu xorta; ~**born** adj. twieled/twieldet mejjet/mejta; ~ **life** n. still life

stilt n. lasti bl-iskaluni; (pile) ġabar f'gozz

stilted adj. (style) pompuż; (way of speaking) formali; (translation) li ma tinstemax tajba

stimulant n. stimulanti

stimulate vt. stimula, qanqal

stimulation n. tqanqila

stimulus (pl. stimuli) n. stimulu

sting (pt., pp. **stung**) n. żunżan/a; (pain) nigża (ta wġigħ); (organ) xewka // vt., vi. niggeż

stingy adj. xħiħ/a, rgħib/a

stink (pt. **stank**, pp. **stunk**) n. intiena // vi. niten; ~**ing** adj. ikrah/kerha; (fig. inf.) ta' ħafna għaġeb

stint n. tqanqiċ // vi. **to** ~ **on** tqanqaċ dwar

stipend n. (of student) stipendju; (of worker) paga

stipulate vt. qiegħed kundizzjoni

stipulation n. kundizzjoni

stir n. (fig. agitation) xewwex, qanqal // vt. (tea, etc.) ħawwad; (fig. emotions) qanqal // vi. tqanqal; ~ **up** vt. (trouble) ħoloq; ~**ring** adj. (moving) kommoventi; (exciting) li jqanqal/ tqanqal

stirrup n. xpruna

stitch n. (sewing, knitting) pont; (med.) tingiża; (pain) weġgħa; vt. ħiet; (med.) ħass l-uġigħ

stoat n. xorta ta' mammalu

stock n. (comm. reserves) ħażna; (selection) v. għażla; (agr.) annimali tar-razzett; (culin.) likwidu tat-tisjir; (descent) nisel; (fin.) kapital // adj. (fig. reply, etc.) klassika // vt. (**have in** ~) kellu fil-maħżen; ~**s and shares** valur tal-borża; **in** ~ fl-istokk; **out of** ~ out of stock; **to take** ~ **of** (fig.) għamel inventarju ta'; ~ **up with** vt. fus. ħażen bi; ~**broker** n. aġent tal-borża, stockbroker; ~ **cube** (brit.) n. kjub, stokk; ~ **exchange** n. il-borża

stockade n. palizzata

stocking n. kalzetti

stockist n. aġent

stock: ~ **market** n. suq tal-ishma; ~**phrase** n. klixè; ~**pile** n. ħażna // vt. ħażżen; ~**taking** (brit.) n. (comm.) inventarju

stocky adj. (strong) b'saħħtu/b'saħħitha; (short) qasir/a, qerqni/ja

stodgy adj. tqil/a għall-istonku

stoic n. stojku; ~**al** adj. li kapaċi tissaporti ħafna (bla ma jgerger/tgerger)

stoke vt. najjar; ~**r** n. najjar

stole pt. of **steal** // n. stola

stolen pp. of **steal**

stolid adj. (hard to excite) li ma jitqanqal/titqanqal b'xejn; (apathetic) apatetiku/apatetika

stomach n. (anat.) stonku; (belly) żaqq // vt. bala'; ~ **ache** n. uġigħ ta' żaqq

stone n. ġebla; (in fruit) għadma; = **6.348 kg** libbra // adj. tal-ġebel // vt. ħaġġar; (fruit) neħħa l-għadma; ~**-cold** adj. kiesaħ/kiesħa silġ; ~**-deaf** adj. trux/a; ~**work** n. (art) xogħol fil-ġebel; **stony** adj. tal ġebel; (fig.) (glance, etc.) kiesaħ/ kiesħa; **a heart of** ~ qalb li ma tħossx

stood pt., pp. of **stand**

stool n. banketta

stoop vi. (also ~ **down**) tbaxxa, niżel mal-art; (also **have a** ~) bil-ħotba

stop n. waqfa; (in punctuation) tikka // vt. żamm; (break off) żamm, waqqaf; (block: pay) friża; (cheque) waqqaf; (also **put a** ~ **to**) temm // vi. waqaf; (end) ntemm; **to** ~ **doing sth.** ma baqax jagħmel xi ħaġa; ~ **dead** vi. waqaf (u ma ċċaqlaqx); ~ **off** vi. temm il-vjaġġ f'ħin bla waqt; ~ **up** vt. (hole) sadd; ~**gap** n. (person) persuna li ssodd it-toqob, persuna taż-żejjed u n-nieqes; (thing) tappiera; ~**over** n. waqfa qasira; (aviat.) skala intermedja

stoppage n. (strike) strajk; (blockage) blukkaġġ, żamma

stopper n. tapp

stop press n. aħbar tal-aħħar siegħa

stopwatch n. stopwatch

storage n. ħżin; ~ **heater** n. radjatur li jiġbor is-sħana

store n. (stock) ħażna; (depot: brit. large shop) ħanut kbir; (US.) ħanut; (reserve) ħażna // vt. ħażen; ~**s** n.pl. dipartimenti kbar; **in** ~ (fig.): **to be in** ~ **for sb.** kien lest għal xi ħadd; ~ **up** vt. ġabar; ~**room** n. maħżen

storey (US. **story**) n. sular

stork n. ċikonja

storm n. maltempata; (fig. of applause) (ċapċip) li donnu ma riedx jieqaf; (of criticism) xita ta' // vi. (fig.) irrabja // vt. attakka; **~y** adj. (like storm) bħal maltempata; (emotionally violent) qawwi/ja

story n. storja; (lie) ħrafa; (US.) = **storey**; **~book** n. ktieb tal-ħrejjef; **~teller** n. narratur; (lier) giddieb/a; persuna li tħarref

stout adj. (strong) b'saħħtu/b'saħħitha; (fat) oħxon/ħoxna; (resolute) deċiż/a, sod/a fil-fehma // n. birra sewda

stove n. (for cooking) spiritiera, kenur; (for heating) fuklar

stow vt. (also ~ **away**) neħħa, poġġa xi mkien ieħor; (naut.) stiva; **~away** n. passiġġier klandestin

straddle vt. (subj. person) qagħad b'saqajh miftuħin fuq; (chair) dawwar is-siġġu u qagħad bilqiegħda; (horse) qagħad fuq; (subj.: bridge; stream) kien fuq

strafe vt. spara bl-addoċċ

straggle vi. (house, etc.) kibret b'mod diżordinat; (lag behind) baqa' lura

straight adj. dritt; (frank) frank/a, jgħidha/tgħidha kif iħossha/tħossha; (simple) bla tagħwiġ // adv. direttament; (drink) waħda; **to put** or **get sth.** ~ għamel l-affarijiet ċari; ~ **away,** ~ **off** mill-ewwel; **~en** vt. (also **~en out**) iddritta; **~-faced** adj. serju/serja; **~forward** adj. (simple) sempliċi; (honest) onest/a

strain n. sforza; (tech.) pressjoni, tagħfis; (med.) żlugar; (breed) razza, tip // vt. (back, etc.) żloga; (resources) uża kollox; (stretch) ġebbed; (food, tea) saffa; **~ed** adj. (muscle) żlugat; (laugh) sfurzat/a; (relations) tensjoni bejn; **~er** n. passatur

strait n. (geog.) fliegu; **to be in dire ~s** kien fl-inkwiet; **~-jacket** n. ġakketta tal-armi; **~-laced** adj. (austere) aħrax/ħarxa; (puritan) puritan/a

strand n. (of thread) fil; (of hair) malja; (of rope) dafna

stranded adj. (person: without money) bla flus; (without transport) bla trasport

strange adj. (not known) mhux magħruf/a; (odd) stramb/a; **~ly** adv. b'mod stramb; see also **enough**; **~r** n. barrani; (from another area) mhux mill-post

strangle vt. ħanaq; **~hold** n. (fig.) dominju sħiħ;

strangulation n. ħniq

strap n. ċinta // vt. għalaq; (child, etc.) ħażżem

strapping adj. twil/a u mibni/ja

stratagem n. strataġemma

strategic adj. strateġiku/strateġika

strategist n. strateġist(a)/a

strategy n. strateġija, pjan

stratosphere n. stratosfera

stratum (pl. **strata**) n. stratum, saff

straw n. tiben; (**drinking** ~) straw; **that's the last ~!** issa wisq!

strawberry n. frawla; (plant) pjanta tal-frawli

stray adj. (animal) mitluf/a; (bullet) li marret ħażin; (scattered) mferrex/mferrxa // vi. ntilef; ~ **bullet** n. tir aċċidentali

streak n. strixxa; (in hair) faxx // vt. għamel l-istixxi (fuq) // vi. **to ~ past** għadda sparat

stream n. xmara, (small) nixxiegħa; (of people, vehicles) xmara ta'; (insults, etc.) xita ta' // vt. (sch.) qasam bl-istriming // vi. ġelben fi kwantità; **to ~ in/out** (people) daħlu/ħarġu fi kwantità

streamer n. (ribbon) żigarella; (narrow flag) bandiera twila u dejqa

streamlined adj. ajrodinamiku/ajrodinamika; (fig.) razzjonalizzat/a

street n. triq; **~car** (US.) n. tramm; ~ **lamp** n. bozza tat-triq; ~ **plan** n. pjanta tal-belt/villaġġ; ~ **walker** prostituta; **~wise** (inf.) adj. b'ħafna toroq

strength n. saħħa; (of girder, knot, etc.) reżistenza, saħħa; (fig. power) poter, saħħa; **~en** vt. saħħaħ

strenuous adj. (energetic, determined) ma jieqaf/tieqaf qatt, determinat/a; (tiring) li jgħajjik/tgħajjik

stress n. (force, pressure) saħħa; (mental strain) stress; (accent) aċċent // vt. enfasizza; (syllable) aċċentwa

stretch n. (of sand, etc.) medda // vi. stira, iġġebbed; (stretch and yawn) tmattar; (extend): **to ~ to** or **as far as** wassal sa // vt. ġebbed, stira; (make demands of) ippretenda; **~ out** vi. iġġebbed // vt. (arm, etc.) ġebbed; (spread) stira

stretcher n. streċer

strewn adj. ~ **with** mgħotti/ja b'

stricken adj. (person) milqut/a; (city, industry, etc.) milqut/a; ~ **with** (disease) milqut/a minn

strict adj. aħrax/ħarxa fid-dixxiplina; (exact) eżatt/a; **~ly** adv. strettament; **~ness** n. ħruxija fid-dixxiplina

stride (pt. **strode**, pp. **stridden**) n. pass // vi. **to ~ in/out**, etc. daħal/ħareġ b'pass kbar

strident adj. li jgħajjat/tgħajjat b'leħen aħrax

strife n. kunflitt

strike (pt., pp. **struck**) n. daqqa; (of oil, etc.) strajk; (attack) attakk // vt. laqat; (oil, etc.) qiegħed fuq strajk; (bargain, deal) kiseb // vi. laqat; (attack) attakka; (clock) daqq; **on ~** (workers) fuq strajk; ~ **down** vt. waqqa'; ~ **up** vt. (mus.) beda jdoqq; (conversation) qabad;

(friendship) għamel; **~r** n. dak/dik li jistrajkja/ tistrajkja; (sport) attakkant; ~ **breaker** min jisfratta strajk
striking adj. impressjonanti
string (pt., pp. **strung**) n. (gen.) lazz; (row) filliera // vt. **to ~ together** rabat flimkien; **to ~ out** qagħad wara; **the ~s** n.pl. (mus.) il-kordi; **to pull ~s** (fig.) qabeż għal; ~ **bean** n. fażola żgħira; ~**(ed) instrument** n. (mus.) strument tal-korda, il-korda
stringent adj. aħrax/ħarxa fid-dixxiplina; (need) imminenti
strip n. strixxa; (of land) faxxa; (of metal) strixxa // vt. neżża'; (paint) qaxxar; (also ~ **down**: machine) żarma biċċa biċċa // vi. neża'; ~ **cartoon** n. komik
stripe n. strixxa; (mil.) għelm tal-kariga; **~d** adj. bil-faxxi
strip lighting n. tubi florexxenti
stripper n. striper
striptease n. striptease
strive (pt. **stove**, pp. **striven**) vi. **to ~ for sth./to do sth.** ħabrek/irsista għal xi ħadd/biex jagħmel xi ħaġa; **to ~ to do** rsista biex jagħmel
strode pt. of **stride**
stroke n. (blow) daqqa, laqta; (swimming) għawma; (med.) puplesija; (of paintbrush) daqqa ta' pinzell // vt. melles; **at a ~** mal-ewwel darba, mill-ewwel
stroll n. passiġġata ħafifa // vi. ippassiġġa; **~er** (US.) n. (for child) puxċer
strong adj. b'saħħtu/b'saħħitha; **they are 50 ~** hemm 50 minnhom; **~hold** n. fortizza; **~ly** adv. bis-saħħa; (believe) bil-qawwa kollha; **~room** n. kaxxaforti
strove pt. of **strive**
struck pt., pp. of **strike**
structural adj. (deficit, etc.) strutturali; (constr.) ta' għamla; **~ly** adv. strutturalment
structure n. struttura; (building) għamla
struggle n. taqbida // vi. tqabad
strum vt. (guitar) daqq il-kordi
strung pt., pp. of **string**
strut n. mexa b'sura dandanija // vi. iddandan
stub n. (of ticket, etc.) bċejjeċ; (of cigarette) fdal; **to ~ one's toe on sth.** ta bis-swaba' ta' saqajh lil; ~ **out** vt. tefa'
stubble n. fdal tal-qamħ; (on chin) leħja
stubborn adj. rasu/rasha iebsa
stuck pt., pp. of **stick** // adj. (jammed) marsus/a; **~-up** adj. jippretendiha/tippretendiha
stud n. (**shirt ~**) buttuna żgħira; (of boot) tappini; (earring) misluta; (also ~ **farm**) stalla tal-faħla; (also ~ **horse**) faħal // vt. (fig.): **~ded with** mżejjen/mżejna bi
student n. student // adj. li qed jitgħallem/ titgħallem; ~ **driver** (US.) n. persuna li qed titgħallem issuq
studied adj. studjat/a
studio n. studjo; (artist's) studjo tal-artist; ~ **flat** (US. ~ **apartment**) n. appartament b'kamra waħda
studious adj. studjuż/a; (studied) studjat/a; **~ly** adv. (carefully) bir-reqqa, b'attenzjoni
study n. studjo // vt. studja; (examine) eżamina // vi. studja
stuff n. materja, ħaġa; (substance) materjal; (things) affarijiet // vt. mela; (culin.) mela bil-ħaxu; (animals) ibbalzma; (inf. push) deffes; **~ing** n. mili, ħaxu; **~y** adj. (room) magħluq/a; (person) antikwat/a
stumble vi. tfixkel; (give way) għotor; **to ~ across, ~on** (fig.) sab xi ħaġa b'kumbinazzjoni
stumbling block n. ostaklu
stump n. (of tree) il-bqija taz-zokk (meta titqaċċat siġra); (of limb) il-bqija (ta' id maqtugħa, eċċ.) // vt. **to be ~ed for an answer** ma kienx kapaċi jirrispondi
stun vt. storda (b'daqqa, eċċ.); (fig.) bellah
stung pt., pp. of **sting**
stunk pp. of **stink**
stunning adj. (fig. news) li tħallik b'ħalqek miftuħ; (outfit, etc.) tal-ġenn
stunt n. (in film) xena perikoluża; (**publicity ~**) ingann tar-riklami // vt. **~ed** adj. marid/a bl-għadam; **~man** (irreg.) n. stuntman
stupefy vt. bellah; (fig.) bellah, għaġġeb
stupendous adj. stupenda/a
stupid adj. stupid/a; **~ity** n. stupidità; **~ly** adv. b'mod stupidu
stupor n. stat ta' sturdament
sturdy adj. mibrum/a
sturgeon n. sturjun/a
stutter n. temtim // vi. temtem
sty n. (for pigs) maqjel
stye n. (med.) xejra
style n. stil
stylish adj. jimxi/timxi mal-moda
stylized adj. mogħti/ja stil konvenzjonali
stylus n. (of record player) labra
suave adj. ħelu/ħelwa fl-imġiba
sub - pref. sub -; **~conscious** adj. tas-subkonxju; **~contract** vt. ta x-xogħol fuq kuntratt subordinat; **~divide** vt. iddivida; **~division** n. subdiviżjoni
subdue vt. rebaħ; (passions) għeleb; **~d** adj. (person) mirbuħ/a

subject n. sudditu; (sch.) suġġett; (matter) materja; (gramm.) suġġett, min qed jagħmel xi ħaġa // vt. **to ~ sb. to sth.** ġiegħel lil xi ħadd jgħaddi minn xi ħaġa; **to be ~ to** (law) kien suġġett għal; (subj. person) mogħti ħafna għal; **~ive** adj. suġġettiv/a; **~ matter** n. (content) kontenut
sublet vt. wella
sublime adj. sublimi
submachine gun n. mitra
submarine n. sottomarin
submerge vt. għaddas // vi. għodos
submission n. sottomissjoni
submissive adj. li jċedi/ċċedi malajr
submit vt. ċeda // vi. **to ~ to sth.** baxxa rasu quddiem xi ħadd
subnormal adj. taħt in-normal
subordinate adj. ta' grad inqas // n. persuna li taħdem taħt xi ħadd, subordinat/a
subpoena n. (law) mandat, ċitazzjoni
subscribe vi. abbona; **to ~ to** (opinion) qabel ma'; (fund) applika għal(l-); (newspaper) abbona; **~r** n. abbonat/a
subscription n. dħul ma'; (to magazine) abbonament
subsequent adj. sussegwenti, ta' wara; **~ly** adv. sussegwentement, wara
subside vi. ċieda; (flood) naqqset; (wind) batta; **~nce** n. ċediment; (in road) niżla
subsidiary adj., n. sussidjarju/sussidjarja
subsidize vt. issussidja
subsidy n. sussidju
subsistence n. għejxien; **~ allowance** n. paga minima; **means of ~** mezz t'għejxien
substance n. sustanza
substandard adj. (goods) ta' kwalità ħażina; (housing) substandard
substantial adj. sustanzjuż/a; (fig.) importanti; **~ly** adv. notevolment
substantiate vt. issostanzja
substitute n. (person) sostitut/a; (thing) prodott minflok (l-ieħor) // vt. **to ~ A for B** biddel A ma' B
substitution n. sostituzzjoni
substerfuge n. skuża
subterranean adj. sotterran/a
subtitle n. (cine.) sottotitlu
subtle adj. sottili; **~ty** n. reqqa, delikatezza, finezza
subtotal n. somma parzjali, subtotal
subtract vt. naqqas; **~ion** n. tnaqqis
subtropical adj. tar-reġjuni qrib it-tropiċi
suburb n. subborg, periferija; **the ~s** is-subborgi; **~an** adj. tas-subborg; **~ia** n. subborgi
subvention n. (US. **subsidy**) sussidju
subversive adj. sovversiv/a
subway n. (brit.) passaġġ taħt l-art; (US.) binarji sotterranji
sub-zero adj. taħt iż-żero
succeed vi. (person) ġabha żewġ; (plan) irnexxielu // vt. ġie wara; **to ~ in doing** irnexxielu jagħmel; **~ing** adj. (following) li jiġri/tiġri wara
success n. suċċess; **~ful** adj. li jirnexxi/tirnexxi; (business) prosperuż/a; **to be ~ful (in doing)** irnexxielu (jagħmel); **~fully** adv. b'suċċess
succession n. suċċessjoni
successive adj. suċċessiv/a
successor n. suċċessur
succinct adj. konċiż/a
succulent adj. ta' togħma tajba
succumb vi. ċieda, waqa'
such adj. tali; (of that kind): **~ a book** ktieb ta' dak it-tip; (so much): **~ courage** daqstant kuraġġ // adv. daqstant; **~ a long trip** vjaġġ daqstant kbir; **~ a lot of** daqstant; **~ as** (like) bħal; **as ~** ngħiduha kif inhi; **~-and-~** adj. fit-tali
suck vt. ġibed; (bottle) xorob bl-irdigħ; (breast) rada'; **~er** n. (zool.) ventuża; (inf.) babbu
suckle vt. radda'
suction n. ġibda
Sudan n. is-Sudan
sudden adj. (rapid) li ġie malajr; (unexpected) ta' ħabta u sabta; **all of a ~** f'daqqa waħda; **~ly** adv. f'daqqa waħda
suds n.pl. ragħwa
sue vt. ħarrek, fittex bil-liġi
suede n. swejd // cpd. tas-swejd
suet n. sonża, xaħam taċ-ċanga
Suez n. **the ~ Canal** il-Kanal ta' Swejz
suffer vt. bata; sofra; (tolerate) issaporta // vi. sofra; **to ~ from** (illness, etc.) sofra minn; **~er** n. vittma; (med.) (il-)pazjent; **~ing** n. sofferenza, uġigħ
suffice vi. issodisfa
sufficient adj. suffiċjenti, li hu biżżejjed; **~ly** adv. biżżejjed
suffix n. suffiss
suffocate vi. faga, ħanaq
suffocation n. fgar; (med.) asfissja
sugar n. zokkor // vt. raxx iz-zokkor; **~ beet** n. xitla taz-zokkor; **~ cane** n. kannamiela
suggest vt. nebbaħ; **~ion** n. suġġeriment, proposta; **~ive** (pej.) adj. indeċenti
suicidal adj. ta' suwiċidju; (fatal) fatali
suicide n. suwiċidju/suwiċidja; (person) persuna li tagħmel suwiċidju, suwiċida; see also **commit**
suit n. (man's) libsa intiera ta' raġel; (woman's) libsa ta' mara; (law) kawża; (cards) sett // vt.

talla' l-qorti; (clothes) qabbel, qata'; (adapt): **to ~ sth. to** adatta xi ħaġa għal; **well ~ed** (well matched: couple) jixirqu ħafna; **~able** adj. adattat/a; (apt) xieraq/xierqa; **~ably** adv. b'mod xieraq
suitcase n. bagalja
suite n. (of rooms, mus.) suite; (furniture): **bedroom/ dining room ~** kamra tas-sodda/tal-ikel
suitor n. namrat; (petitioner) min jippreżenta petizzjoni
sulfur (US.) n. = **sulphur**
sulk vi. iddejjaq, innervja; **~y** adj. qalbu/qalbha sewda, mnaffar/mnaffra
sullen adj. dgħumi/ja, bil-buri
sulphur (US. **sulfur**) n. kubrit; **~ic** adj. **~ic acid** aċtu tal-kubrit
sultan n. sultan
sultana n. (fruit) passolina
sultry adj. (weather) tqil/a, mdallam/mdallma
sum n. somma; (total) total; **~ up** vt. (review) irreveda; (evaluate rapidly) evalwa fuq fuq // vi. għamel reviżjoni
summarize vt. għamel taqsira
summary n. taqsira // adj. (justice) magħmula ta' kafkaf
summer n. (is-)sajf // cpd. tas-sajf; **in ~** fis-sajf; **~ holidays** pl. vaganzi tas-sajf; **~house** n. (in garden) kamra tad-dell; **~time** n. (season) staġun tas-sajf; **~time** n. (by clock) (il-)ħin tas-sajf
summit n. quċċata; (also **~ conference**, **~ meeting**) konferenza tal-ikbar importanza
summon vt. (person) għajjat lil, sejjaħ lil; (meeting) sejjaħ, laqqa'; (law) ħarrek bħala xhud; **~ up** vt. (courage) imtela bil-kuraġġ; **~s** n. ċitazzjoni // vt. (law) ħarrek
sump (brit.) n. (aut.) karter
sumptuous adj. lussuż/a
sun n. xemx; **~bathe** vi. ixxemmex; **~beam** n. merżuq; **~block** n. sunblock; **~burn** n. (painful) ħruq bix-xemx; (tan) konza, smura; **~burnt** adj. maħruq/a mix-xemx
sun: **~ light** n. dawl tax-xemx; **~lit** adj. mdawwal/ mdawla; **~ny** adj. xemxi/ja; (day) xemxi; (fig.) ċajtier/a; **~rise** n. tlugħ ix-xemx; **~ roof** n. (aut.) sunroof; **~screen** n. irpar tax-xemx; **~set** n. nżul ix-xemx; **~shade** n. (over table) parasol; **~shine** n. dawl tax-xemx; **~stroke** n. xemxata; **~tan** n. smura, konza; **~tan oil** n. żejt tas-smura/tal-konza
Sunday n. (il-)Ħadd; **~ school** n. skola tal-Ħadd
sundial n. arloġġ tax-xemx
sundown n. nżul ix-xemx
sundry adj. varji, differenti; **all and ~** kollox mingħajr eċċezzjoni; **sundries** n.pl. salt oġġetti differenti
sunflower n. ġirasol
sung pp. of **sing**
sunglasses n.pl. nuċċali tax-xemx
sunk pp. of **sink**
super (inf.) adj. tal-ġenn, tal-ostra
superannuation n. pensjoni
superb adj. kbir/a, maestuż/a
supercilious adj. kburi/ja, supperv/a
superficial adj. superfiċjali; **~ly** adv. b'mod superfiċjali
superfluous adj. (extra) żejjed/żejda; (excessive) eċċessiv/a; (left over) li baqa' żejjed
superhuman adj. superbniedem/superbniedma
superimpose vt. poġġa fuq
superintendent n. direttur/direttriċi; (police) supretendent
superior adj. superjur/a; (smug) kuntent/a bih/a innifsu/nnifisha // n. superjur; **~ity** n. superjorità
superlative adj. superlattiv/a, l-aqwa // n. (ling.) (is-)superlattiv
superman n. (irreg.) superman
supermarket n. supermarkit
supernatural adj. sopranaturali // n. **the ~** is-sopranatural
superpower n. (pol.) superpotenza
supersede vt. ħa post ħaddieħor
supersonic adj. supersoniku/supersonika
superstar n. superstar
superstition n. superstizzjoni
superstitious adj. superstizzjuż/a
supertanker n. supertanker
supervise vt. ħares
supervision n. superviżjoni
supervisor n. supervajżer
supervisory adj. tas-sorveljanza
supper n. ċena; (late) ikla ta' filgħaxija
supple adj. flessibbli
supplement n. suppliment // vt. żied; **~ary benefit** (brit.) n. sussidju supplimentarju tas-sigurtà soċjali
supplier n. (comm.) min jissupplixxi/tissupplixxi
supply vt. (provide) ipprovda; (equip): **to ~ (with)** forna bi // n. ħażna; (gas, water, etc.) provvista; **supplies** n.pl. (food) ikel; (mil.) rifornimenti; **~ teacher** n. għalliem sostitut; **~ and demand** supply and demand
support n. għajnuna; (tech.) bażi li twieżen // vt. għen; (financially) assista; (uphold, tech.) wieżen; **~er** n. (pol., etc.) sostenitur/a; (sport) sapporters
suppose vt. issoppona; (imagine) immaġina; (duty): **to be ~d to do sth.** kien mistenni minnu li jagħmel xi ħaġa; **~dly** adv. milli jidher
supposing conj. fil-każ illi

supposition n. ipoteżi, suppożizzjoni
suppress vt. għakkes, għafas; (yawn) żamm lura; **~ion** n. tgħakkis; **~or** n. (elec., etc.) suppressur
supremacy n. supremazija
supreme adj. suprem/a, l-ogħla nett
surcharge n. tagħbija żejda; (extra tax) taxxa żejda
sure adj. żgur/a, ċert/a; (definite, convinced) ċert/a; **to make ~ of sth./that** għamel żgur/ċert minn xi ħaġa/illi; **~!** (of course) dażgur!; **~ enough** infatti; **~ly** adv. (certainly) ċertament
surety n. garanzija, pleġġ
surf n. ragħwa tal-baħar;
surface n. (il-)wiċċ // vt. (road) ta l-asfalt // vi. (also fig.) tela' fil-wiċċ; **by ~ mail** bil-posta (ordinarja)
surfboard n. tavla tas-surf
surfeit n. **a ~ of** eċċess ta'
surfing n. surfing
surge n. ħalla // vi. (wave) nbarmet; (people) mxew f'miġemgħa
surgeon n. kirurgu
surgery n. kirurġija; (brit. room) teatru; **to undergo ~** għamel operazzjoni; **~ hours** (brit.) n.pl. sigħat tal-operazzjoni
surgical adj. kirurġiku/kirurġika; **~ spirit** (brit.) n. spirtu
surly adj. qanżħa, pittma
surmise vt. basra
surmount vt. għeleb, rebaħ, għadda
surname n. kunjom
surpass vt. sebaq, għadda
surplus n. żejjed; (comm.) (il-)profitt // adj. żejjed/żejda
surprise n. sorpriża // vt. għaġġeb; issorprenda
surprising adj. sorprendenti; **~ly** adv. **it was ~ly easy** issorprenda ruħu kemm kien ħafif
surrealist adj. surrealist/a
surrender n. reħja // vi. ċeda
surreptitious adj. bil-moħbi
surrogate n. sostitut; **~ mother** n. omm li ġġorr
surround n. (elec.) serrawnd // vt. dawwar; (mil., etc.) iċċirkonda, għalaq f'ċirku; **~ing** adj. li jdawwar/ddawwar; **~ings** n.pl. il-madwar
surveillance n. sorveljanza
survey n. servej; (inquiry) stħarriġ // vt. stħarreġ; (look at) ra; **~or** n. perit
survival n. għajxien
survive vi. baqa' ħaj; (custom, etc.) ma mititx // vt. ma ċediex għal
survivor n. persuna li tibqa' ħajja
susceptible adj. **~ (to)** (disease) suxxettibbli (għal); (flattery) li jitqanqal/titqanqal malajr
suspect n. persuna ssuspettata // adj. suspettuż/a // vt. (person) issuspetta fi, ħaseb ħażin fi; (think) issuspetta
suspend vt. issospenda; **~ed sentence** n. (law) sentenza sospiża; **~er belt** n. ċinta tat-takkalji; **~ers** n.pl. takkalji
suspense n. tensjoni; (in film, etc.) tensjoni, suspense; **to keep sb. in ~** żamm lil xi ħadd fis-suspense
suspension n. (gen., aut.) saspenxin; (of driving licence) sospensjoni, waqfa għal ċertu żmien; **~ bridge** n. pont mhux imwieżen
suspicion n. suspett; (distrust) nuqqas ta' fidi fi
suspicious adj. (suspecting) suspettuż/a; (causing suspicion) li jqanqal/tqanqal suspett
sustain vt. żamm (ma'); (suffer) għadda minn; **~able** adj. sostenibbli; **~ed** adj (effort) magħmul fit-tul
sustenance n. sosteniment
swab n. (med.) tajjar
swagger vi. iffanfra
swallow n. (bird) ħuttafa // vt. bala'; (fig., pride) bala'; **~ up** vt. (savings, etc.) nefaq
swam pt. of **swim**
swamp n. art mistagħdra; għadira mtajna // vt. (with water, etc.) għarraq; (fig.) radam, għarraq; **~y** adj. mgħaddar
swan n. ċinja, żinna
swap n. tpartita // vt. **to ~ (for)** partat ma'
swarm n. (of bees) żegħda; (fig.) kwantità kbira // vi. (bees) żegħdu; (people) ngħaqdu miġemgħa kbira; **to be ~ing with** kien mimli
swarthy adj. ismar/samranija
swastika n. swastika
swat vt. għaffeġ
sway vi. ixxengel, tbandal // vt. (influence) influwenza
swear (pt. **swore**, pp. **sworn**) vi. (curse) dagħa; (promise) ħalfa // vt. ħalef; **~word** n. dagħwa
sweat n. għaraq // vi. għaraq, ħariġlu l-għaraq; **in a ~** xaqq l-għaraq għalih
sweater n. sweter
sweatshirt n. sweatshirt
sweaty adj., n. għarqan/a
Swede (brit.) n. Żvediż/a
swede (brit.) n. swejd
Sweden n. (l-)Iżvezja
Swedish adj. Żvediż/a // n. (ling.) (l-)Iżvediż
sweep (pt., pp. **swept**) n. (act) kinsa; (also **chimney ~**) tindifa taċ-(ċumnija) // vt. kines; (with arm) ċaqlaq bil-ħeffa; (subj. current) kaxkar // vi. kines; (arm, etc.) ċaqalqet bil-ħeffa; (wind) nefaħ bis-saħħa; **~ away** vt. kines; **~ past** vi. għadda b'ħafna tfanfir; **~up** vi. kines; **~ing** adj. (gesture) wiesa'; (generalized: statement) ġeneriku

sweet n. (candy) ħelwa; (brit. pudding) pudina // adj. ħelu/ħelwa; (fig. kind) ta' qalb tajba; (attractive) ħelu/ħelwa; **~corn** n. qamħirrun ħelu; **~en** żied iz-zokkor; (person) sar ħelu; **~ener** n. zokkor; (inf.) tixħima; **~heart** n. namrat/a; **yes ~** iva, qalbi; **~ly** adv. bil-ħlewwa; **~ness** n. ħlewwa; **~ pea** n. piżelli mfewħin; **to have a ~ tooth** għandu kilba għall-ħlewwiet
swell (pt. **swelled**, pp. **swollen** or **swelled**) n. (of sea) tranja (tal-baħar) // adj. (US. inf. excellent) tal-ostra, eċċellenti // vt. nefaħ // vi. (also **~ up**) ntefaħ; (numbers) żdiedu; (sound, feeling) żdied fil-qawwa; **~ing** n. (med.) nefħa
swelter vi. għereq ħafna, miet bl-għomma; (grow tired) għeja
swept pt., pp. of **sweep**
swerve vi. ħareġ minn triqtu
swift n. (bird) rondun // adj. lvent/a; **~ly** adv. malajr, bil-ħeffa; **~ness** n. ħeffa
swig (inf.) n. (drink) tbekbika, legliga
swill vt. (also **~ out**, **~ down**) laħlaħ
swim (pt. **swam**, pp. **swum**) n. **to go for a ~** mar qabża l-baħar // vi. għam // vt. għam; (the Channel, etc.) qasam; **~mer** n. għawwiem/a; **~ming** n. tal-għawm; **~ming cap** n. kappa tal-għawm; **~ming costume** (brit.) n. malja (tal-għawm); **~ming pool** n. pixxina; **~ming trunks** n. malja; **~suit** n. = **~ming costume**
swindle n. brikkunata; (in finance) frodi // vt. għamel brikkunata; **~r** n. brikkun/a
swine n.pl. inv. ħanżir, qażquż; (inf.) ħanżir, salvaġġ
swing (pt., pp. **swung**) n. (in playground) bandla; (movement) tbandil; (change of direction) bidla; (rhythm) ritmu // vt. bandal; (also **~ round**) dawwar f'daqqa // vi. tbandal; (also **~ round**) dar f'daqqa; **to be in full ~** kien fl-aqwa taż-żifna; **~ bridge** n. pont li jdur; **~ door** (US. **~ing door**) n. bieb li jitbandal
swingeing (brit.) adj. (cuts) atroċi, ħorox
swipe n. daqqa // vt. (hit) ta daqqa bis-saħħa; (inf. steal) baram
swirl n. tidwir // vi. dar, inbaram
swish adj. (col. smart) li jmur/tmur // vi. sawwat bil-frosta
Swiss adj., n. inv. Żvizzeru/Żvizzera; **~ German** adj. Żvizzeru-Ġermaniż/a
switch n. (for light, etc.) swiċċ; (change) bidla // vt. (change) biddel; **~off** vt. tefa; (engine) tefa, qata'; **~ on** vt. xegħel; (engine, machine) startja; **~board** n. (tel.) bord tal-iswiċis
Switzerland n. (l-)Iżvizzera
swivel vi. (also **~ round**) dar
swollen pp. of **swell** // adj. (ankle, etc.) minfuħ/a
swoon n. ħass ħażin; għoxa, ntilef minn sensih
swoop n. (by police, etc.) attakk għal għarrieda // vi. (also **~ down**) għodos 'l isfel
swop see **swap**
sword n. xabla; **~fish** n. pixxispad
swore pt. of **swear**
sworn pp. of **swear** // adj. (statement) taħt ġurament; (enemy) pubbliku/pubblika
swot (brit.) vt., vi. (study hard) studja sew
swum pp. of **swim**
swung pt., pp. of **swing**
sycophantic adj. lagħqi/ja
syllable n. sillaba
syllabus n. sillabu
symbol n. simbolu; **~ic(al)** adj. simboliku/simbolika; **~ism** n. simboliżmu; **~ize** vt. issimbolizza
symmetrical adj. simetriku/simetrika
symmetry n. simetrija
sympathetic adj. (understanding) li jifhem, li jaf xi jħoss ħaddieħor; (likeable) fabbli/ja, mill-aħjar; (showing support): **to(wards)** issimpatizza ma', solidarju ma'; **~ally** adv. b'simpatija
sympathize vi. **to ~ with** (person) issimpatizza ma'; (feelings) fehem; (cause) appoġġa; **~r** n. (pol.) politikant/a li jappoġġja/tappoġġja
sympathy n. (pity) ħasra; **sympathies** n.pl. (tendencies) tendenzi; **with our deepest ~** nissimpatizzaw miegħek/magħkom; **in ~** (compassion) bħala ġest ta' simpatija/solidarjetà ma'; (agree with) qabel
symphonic adj. sinfoniku/sinfonika
symphony n. sinfonija
syndicate n. (gen.) sindakat; (of newspapers) aġenzija (tal-aħbarijiet)
syndrome n. sett ta' sintomi ta' marda
synonym n. sinonimu; **~ous** adj. **~ous (with)** sinonimu/sinonima (ma')
synopsis (pl. **synopses**) n. sommarju, sinopsi
syntax n. sintassi
synthesis (pl. **syntheses**) n. sinteżi, twaħħid
synthetic adj. sintetiku/sintetika
syphilis n. sifilide
syphon = siphon
Syria n. is-Sirja; **~n** adj., n. Sirjan/a
syringe n. siringa
syrup n. ġulepp; (also **golden ~**) għasel iswed raffinat; **~y** adj. magħqud/a
system n. sistema; (anat.) organu; **~atic** adj. sistematiku/sistematika; **~ disk** n. (comput.) id-disk tas-sistema; **~s analyst** n. analista tas-sistemi

T t

t l-għoxrin ittra tal-alfabett Ingliż

ta (brit. inf.) excl. grazzi

tab n. ċunta; (label) tikketta; **to keep ~s** on (fig.) ħares b'seba'għajnejn fuq

tabby n. (also ~ **cat**) qattus/a

tabernacle n. tabernaklu

table n. mejda, (of statistics, etc.) lista // vt. (brit. motion, etc.) ressaq; **to lay or set the ~** għamel il-mejda; **~cloth** n. dvalja; **~ of contents** n. werrej; **~ d'hôte** adj. tal-menù; **~ lamp** n. lampa tal-mejda; **~mat** n. tablemat; **~spoon** n. mgħarfa; (also **~spoonful**: as measurement) mgħarfa

tablet n. (med.) pillola; (of stone) biċċa

table tennis n. table tennis

table wine n. nbid tal-ikel

tabloid n. tablojd

taboo adj. ta' tabù; n. tabù

tabulate vt. (data, figures) niżżel f'kolonna

tabulator n. tabulatur

tacit adj. silenzjuż/a, sieket/siekta

taciturn adj. ta' ftit kliem

tack n. (nail) taċċ; (fig.) direzzjoni // vt. (nail) sammar; (stitch) ħiet // vi. issammar

tackle n. (**fishing** ~) armar; (for lifting) parank, tarjola // vt. (difficulty) affronta; (challenge: person) sfida; (grapple with) issielet ma'; (football, rugby) tekil

tacky adj. li jwaħħal/twaħħal; (pej.) żmattat/a, ċerċur/a

tact n. ħass, mess; **~ful** adj. diplomatiku/diplomatika

tactical adj. tattiku; ~ **error** n. żball tattiku

tactics n.pl. tattiċi

tactless adj. mhux diplomatiku/diplomatika, mhux attent/a; **~ly** adv. b'mod mhux diplomatiku, mhux attent

tadpole n. ferħ ta' żrinġ, marżepp

taffy n. (US.) bniedem minn Wales

tag n. (label) tikketta; ~ **along** vi. qagħad dejjem ma' xi ħadd, qagħad ma' djul xi ħadd

tail n. denb; (of shirt, coat) kuda, tarf // vt. (follow) mar wara; ~s n.pl. (formal suit) libsa intiera; ~ **away** vi. (in size, quality, etc.) naqqas; ~ **off** vi. = ~ **away**; ~ **back** (brit.) n. (aut.) traffiku; ~ **end** n. tarf, l-aħħar parti; **~gate** n. (aut.) il bieba ta' wara

tailor n. ħajjat/a; **~ing** n. (cut) qata'; (craft) ħjata; **~-made** adj. magħmul/a apposta; (made by tailor) magħmul/a minn ħajjat/a; (fig.) sigaretti tal-fabbrika

tailwind n. riħ minn wara

tainted adj. (food) li mar; (water, air) ikkontaminat/a; (fig.) tebgħa

take (pt. **took**, pp. **taken**) vt. ħa; (grab) ħataf; (gain: prize) rebaħ; (require: effort, courage) eżiġa, kellu bżonn; (tolerate: pain, etc.) issaporta; (hold: passengers, etc.) ħataf, żamm kontra r-rieda; (bring, carry) ġarr; (exam) mar; **to ~ sth. from** (drawer, etc.) ħa xi ħaġa mill-(kexxun, eċċ); (person) seraq (lil); **I ~ it that** - jien neħodha illi -; ~ **after** vt. fus. kien jixbah (lil); ~ **apart** vt. żarma; ~ **away** vt. (remove) neħħa; (carry off) ġarr, ħa; (math) naqqas; ~ **back** vt. (return) ħa lura; (one's words) bela' kelmtu; ~ **down** vt. (building) waqqa'; (letter, etc.) ħażżeż, kiteb; ~ **in** vt. (deceive) qarraq, inganna; (understand) fehem; (include) inkluda; (lodger) ħa; ~ **off** vi. (aviat.) tlugħ // vt. (remove) neħħa; ~ **on** vt. (work) aċċetta; (employee) daħħal (jaħdem miegħu); (opponent) rebaħ; ~ **out** vt. ħareġ; ~ **over** vt. (business) ħa t-tmun; (country) rebaħ // vi. **to ~ over from sb.** issokta x-xogħol ta' ħaddieħor; ~ **to** vt. fus. (person) inġibed lejn; (activity) sar iħobb; ~ **up** vt. (a dress) qassar; (occupy: time, space) okkupa; (engage in: hobby, etc.) beda jinteressa ruħu fi; (accept): **to ~ sb. up on** aċċetta, laqa'; **~away** (brit.) adj. (food) take-away // n. tinda; **~off** n. (aviat.) tlugħ; **~out** (US.) n. = **~away**; **~over** n. (comm.) kompla x-xogħol ta' xi ħadd

takings n.pl. (comm.) profitti, dħul

talc n. (also ~**um powder**) terra
tale n. (story) storja, ħrafa; (account) rakkont; to **tell** ~**s** (fig.) għamilha tal-ispija
talent n. talent; ~**ed** adj. ta' ħila, għandu/għandha t-talent
talk n. diskors; (conversation) taħdit; (gossip) għajdut // vi. tkellem, tħaddet; ~**s** n.pl. (pol., etc.) diskors; **to ~ about** tkellem fuq; **to ~ sb. into doing sth.** ipperswada lil xi ħadd biex; **to ~ sb. out of doing sth.** qata' qalb xi ħadd biex; **to ~ shop** tkellem fuq ix-xogħol; ~ **over** vt. iddiskuta; ~**ative** adj. lablab, tellerita; ~ **show** n. talk show
tall adj. twil/a; (object) kbir; **to be 6 feet ~** (person) twil sitt piedi
tally n. total // vi. to ~ (**with**) qabel ma'
talon n. difer
tambourine n. tamburlin
tame adj. mans/a; (fig.) medjokri
tamper vi. to ~ **with** bagħbas
tampon n. tampon
tan n. (also **sun**~) konza, smura // vi. swied, smar (colour) smura
tandem n. tandem
tang n. togħma jew riħa qawwija
tangent n. (math) tanġent; **to go off at a** ~ (fig.) telaq mingħajr ma jaf fejn
tangerine n. mandolina
tangible adj. tanġibbli
tangle n. taħbila; **to get in(to) a** ~ daħal f'samra
tango n. tango
tank n. (**water** ~) ġiebja, ħawt; (for fish) akwarju; (mil.) tank
tankard n. buqar (tal-birra)
tanker n. (ship) tanker; (truck) trakk
tanned adj. (skin) ismar/samra
tantalizing adj. li jwaqqgħek/twaqqgħek
tantamount adj. ~ **to** li jugwalja għal
tantrum n. saħna, furja; **to be in** ~**s** kien bihom, kien bin-nervi
tap n. (brit. on sink, etc.) vit; (**gas** ~) tapp; (gentle blow) taptipa // vt. (hit gently) taptap; (resources) utilizza, għamel użu minn; (telephone) intervjena; **on** ~ (fig. resources) li jinsabu hemm; ~ **dancing** n. żifna bit-tkaken
tape n. (also **magnetic** ~) tejp; (cassette) każett; (sticky ~) tejp; (for typing) kurdiċella // vt. (record) irrekordja; (stick with ~) waħħal; ~ **deck** n. dekk tal-każetts; ~ **measure** n. rutella
taper n. kandiletta // vi. rqaq, ċkien
tape recorder n. tape recorder
tape worm n. id-duda, tenja
tapered, tapering adj. li jiġi/tiġi għax-xejn xejn
tapestry n. tapizzerija
tappet n. (aut.) punterija
tar n. qatran, żift
tarantula n. brimba velenuża
tardy adj. li jdum/ddum, li jimxi/timxi bil-mod
target n. (gen.) matra, il-mira; ~ **practice** n. sparar
tariff n. (on goods) dazju; (brit. in hotels, etc.) tariffa, mieta
tarmac n. (brit. on road) tarmak; (aviat.) post ta' nżul
tarnish vt. neħħa l-kulur
tarpaulin n. inċirata, linoljum
tart n. (culin.) torta; (brit. inf. prostitute) qaħba // adj. qares; ~ **up** (brit. inf.) vt. (building) irridekora, żejjen (bit-tlellix); **to ~ os. up** ilbisna provokattiv jew ħadna qagħda provokattiva
tartan n. drapp Skoċċiż
tartar n. (on teeth) tartru; ~**(e) sauce** n. sos tat-tartari
task n. biċċa xogħol; **to take to** ~ għajjat ma', irreprovera lil; ~ **force** n. (mil., police) task force
Tasmania n. it-Tażmanja
tassel n. xorta ta' ornament bl-għoqiedi
taste n. (sense) tegħim; (flavour) togħma; (also **after** ~) togħma li tibqa'; (sample): **have a ~!** duqu/duqha!; (fig.) esperjenza // vt. (also fig.) daq // vi. **to ~ of** or **like** (fish, garlic, etc.) jtiegħem ta', għandu/għandha t-togħma ta'; **you can ~ the garlic (in it)** tista' ttiegħem it-tewm (li fih/a); **in good/bad** ~ ta' gosti sbieħ/koroh; ~**ful** adj. ta' gosti sbieħ; ~**less** adj. (food) ta' togħma ħażina; (remark, etc.) ta' gosti koroh
tasty adj. ta' togħma tajba
tattered adj. see **tatters**
tatters n.pl. **in** ~ imċewlaħ (also **tattered**)
tattoo n. tpinġija, tatù; (spectacle) parata // vt. għamel tpinġija/tatù
tatty (brit. inf.) adj. /mattat/a, żdingat/a
taught pt., pp. of **teach**
taunt n. botta, nigża // vt. niggeż (bi lsienu)
Taurus n. Tawrus
taut adj. stiż/a, marsus/a
tavern n. dverna
tawdry adj. ilellex/tlellex, b'ħafna xejxi
tax n. taxxa // vt. intaxxa; (fig. memory) ittestja (patience) wassal sal-limiti tal-paċenzja; ~**able** adj. (income) taxxabbli; ~**ation** n. tassazzjoni; ~ **avoidance** n. nuqqas ta' ħlas ta' taxxa (b'mod legali); ~ **evasion** n. evażjoni tat-taxxa; ~**-free** adj. mingħajr taxxa
tax: ~ **payer** n. dak/dik li jħallas/tħallas it-taxxa; ~ **relief** n. tnaqqis tat-taxxa; ~ **return** n. dikjarazzjoni tad-dħul

taxi n. taksi // vi. (aviat.) dar; ~ **driver** n. xufier tat-taksi; ~ **rank** (brit.) n. = ~ **stand**; ~ **stand** n. stazzjon tat-taksi
taxidermist n. bniedem/bniedma li jibbalzma/ tibbalzma (t-tjur, eċċ.)
TB n. abbr. of **tuberculosis**
tea n. te; (brit. meal) ikla; **high** ~ (brit.) ikla; ~ **bag** n. borża tat-te; ~ **break** (brit.) n. brejk għat-te
teach (pt., pp. **taught**) vt. **to ~ sb. sth., ~ sth. to sb.** għallem xi ħaġa lil xi ħadd // vi. (be a teacher) għallem; ~**er** n. (in tertiary school) lekċerer; (in secondary school) għalliem/a; (in kindergarten) faċilitatur/faċilitatriċi; ~**ing** n. tagħlim
tea cosy n. għatu tat-tettiera
teacup n. kikkra tat-te
teak n. tik
tea leaves n.pl. weraq tat-te
team n. tim; (of horses) parilja, ~**work** n. xogħol bħala tim
tea party n. riċeviment
teapot n. tettiera
tear n. demgħa; **she was in ~s** kienet qiegħda tibki
tear (pt. **tore**, pp. **torn**) n. tiċrita // vt. ċarrat // vi. iċċarrat; ~ **along** vi. (rush) ġera; ~ **up** vt. (sheet of paper, etc.) qatta'
tearful adj. bid-dmugħ
tear gas n. gass tad-dmugħ
tea room n. kamra tat-te
tease vt. nibex
tea set n. sett tat-te
teashop n. ħanut tat-te
teaspoon n. mgħarfa; (also ~**ful**: as measurement) mgħarfa
tea strainer n. passatur tat-te
teat n. (of bottle) beżżula
teatime n. ħin tat-te
tea towel (brit.) n. biċċa
technical adj. tekniku/teknika; ~ **college** (brit.) n. teknikal; ~**ity** n. (point of law) teknikalità; (detail) dettall; ~**ly** adv. teknikament; (regarding technique) mil-lat tekniku, teknikament
technician n. teknixin
technique n. teknika
technological adj. teknoloġiku/teknoloġika
technologist n. teknoloġist/a
technology n. teknoloġija
teddy (bear) n. ors tal-logħob, teddy bear
tedious adj. tedjuż/a, li jgħajjik/tgħajjik
tedium n. monotonija
tee n. (golf) tee
teem vi. **to ~ with** kotor; żegħed; abbonda; iffolla **it is ~ing** (with rain) infetħu bwieb is-sema
teenage adj. (fashions, etc.) tal-adolexxenti; (children) adolexxenti; ~**r** n. teenager
teens n.pl. **to be in one's** ~ qiegħed fl-adoloxxenza
tee-shirt n. = **T-shirt**
teeter vi. nieżel u tiela' (fig.): **to ~ on the edge of** - qagħad fix-xifer ta' -
teethe vi. talla' l-ewwel snien
teething: ~ **ring** n. ħolqa; ~ **troubles** n.pl. (fig.) il-problemi tal-bidu
teetotal adj. titotla
telecommunications n. telekomunikazzjoni
telegram n. telegramm
telegraph n. telegrafu; ~ **ic** adj. telegrafiku/ telegrafika; ~ **pole** n. lasta tat-telegrafu
telepathic adj. telepatiku/telepatika
telepathy n. telepatija
telephone n. telefown // vt. ċempel; (message) għadda bit-telefown; **to be on the** ~ (talking) kien fuq it-telefown; (**possessing** ~) żamm it-telefown; ~ **booth** n. kabina tat-telefown; ~ **box** (brit.) n. ~ **booth**; ~ **call** n. ċempila, telefonata; ~ **directory** n. direttorju; ~ **number** n. numru tat-telefown
telephonist (brit.) n. telefonist/a
telephoto adj. ~ lens n. teleobjettiv
teleprinter n. teleprinter
telescope n. teleskopju
telescopic adj. teleskopiku/teleskopika
televiewer n. telespettatur/telespettatriċi
televise vt. ittrażmetta fuq it-televixin
television n. televixin; **on** ~ fuq it-televixin; ~**programme** n. programm tat-televixin; ~ **set** n. (sett) tat-televixin
tell (pt., pp. told) vt. qal; (relate: story) irrakkonta; (distinguish): **to ~ sth. from** għaraf xi ħaġa minnu vi. (talk): **to ~ (of)** tkellem fuq; (have effect) kellu l-effett; **to ~ sb. to do sth.** qal/ordna lil xi ħadd biex jagħmel xi ħaġa; ~ **off** vt. **to ~ sb. off** għajjat ma' xi ħadd; ~**er** n. (in bank) teller; ~**ing** adj. (remark, detail) li jagħti/tagħti x'jifhem, li jfisser/ tfisser ħafna; ~**tale** adj. (sign) li jfisser/tfisser
telly (brit. inf.) n. abbr. of **television**
temerity n. klubija
temp (brit.) n. abbr. of **temporary**
temper n. (nature) tempra; (mood) burdata; (**bad** ~) buri/buli; (fit of anger) fawra ta' rabja // vt. (moderate) immodera; **to be in a** ~ kien irrabjat; **to lose one's** ~ tilef il-boxxla
temperament n. (nature) temperament; (moodness) burdata
temperance (in drinking) astinenza
temperate adj. (climate, etc.) moderat/a
temperature n. temperatura; **to have** or **run a** ~ kellu d-deni

tempest n. tempesta
tempi n.pl. of **tempo** tempos
template n. forma
temple n. (building) tempju; (anat.) ngħas
tempo (pl. **tempos** or **tempi**) n. (mus.) tempo; (fig.) ritmu
temporal adj. tal-ħin
temporarily adv. b'mod temporanju, temporanjament
temporary adj. temporanju; (passing) tranżitorju/tranżitorja; (worker) temporanju; (job) temporanju
temporize vi. rebaħ il-ħin
tempt vt. ħajjar; **to ~ sb. into doing sth.** ħajjar lil xi ħadd biex jagħmel xi ħaġa; **~ation** n. tentazzjoni; **~ing** adj. li jħajrek/tħajrek; (food) li jħajrek biex tieklu
ten num. għaxra
tenable adj. li jista'/tista' tkun diviż/a
tenacious adj. tenaċi
tenacity n. tenaċità
tenancy n. kera, qbiela
tenant n. kerrej
tend vt. ħa ħsieb // vi. **to ~ to do sth.** kellu l-ħsieb li jagħmel xi ħaġa
tendency n. tendenza
tender adj. (person) ta' qalbu żgħira; (care) delikat/a; (meat) artab; (sore) sensibbli // n. (comm. offer) tender; (money): **legal ~** offerta legali ta' ħlas // vt. rattab; **~ness** n. delikatezza; (of meat) rtubija
tendon n. tendun
tenement n. dar, appartament
tenet n. prinċipju
tennis n. tenis; **~ ball** n. ballun tat-tenis; **~ court** n. kort tat-tenis; **~ player** n. tenist/a; **~ racket** n. rakketta tat-tenis
tenor n. (mus.) tenur
tenpin bowling n. bawling
tense adj. (person) b'ħafna tensjoni; (moment, atmosphere) ansjuż/a; (muscle) mġebbed // n. (ling.) ħin
tension n. tensjoni
tent n. tinda
tentacle n. swaba'; tentakli
tentative adj. (person) eżitanti, mhux ċert/a; (conclusion, plans) provviżorju/provviżorja
tenterhooks n.pl. **on ~** fuq ix-xwiek
tenth num. l-għaxar
tent peg n. musmar tat-tinda
tent pole n. lasta tat-tinda
tenuous adj. fjakk/a
tenure n. (of land, etc.) żamma, pussess; (of office) żamma
tepid adj. fietel/fietla
term n. (word) kelma, terminu; (period) perjodu; (sch.) term // vt. ta isem lil, semma; **~s** n.pl. (conditions, comm.) kundizzjonijiet; **in the short/long ~** fiż-żmien immedjat/fit-tul; **to be on good ~s with sb.** kellu relazzjoni tajba ma'; **to come to ~s with** (problem) aċċetta l-(problema)
terminal adj. (disease) terminali; (patient) li ma tistax tikkurah // n. (elec., comput.) terminal; (also **air ~**) terminal (tal-ajru); (brit. also **coach ~**) stazzjon tal-aħħar
terminate vt. temm
termination n. tmiem, temma; (of contract) tmiem; **~ of pregnancy** n. (med.) tmiem tat-tqala
terminology n. terminoloġija
terminus (pl. **termini**) n. terminus
termite n. nemla bajda
terrace n. terrazza; (brit. row of houses) ringiela; **the ~s** (brit. sport) l-istends; **~d** adj. (garden) bit-terrazza; (house) semi-detached
terracotta n. terrakotta
terrain n. terran
terrible adj. terribbli, waħxi/waħxija; (inf.) orribbli, diżastruż/a
terribly adv. terribbilment; (very badly) orribbilment, ħażin ħafna
terrier n. terjer
terrific adj. (very great) eċċellenti (inf.) tal-ġenn; (wonderful) sabiħ/a ħafna
terrify vt. beżża', werwer, waħħax, itterrorizza lil, nissel biża' fi
territorial adj. territorjali
territory n. (also fig.) territorju
terror n. biża' kbir, biża' li jkexkex, terrur; **~ism** n. terroriżmu; **~ist** n. terrorist/a
terse adj. (style) konċiż/a; (reply) goff/a
test n. (gen., chem.) test, prova; (med.) test; (sch.) test, eżami; (also **driving ~**) eżami tal-karozza/tal-liċenzja // vt. ittestja; (med., sch.) eżamina
test: ~ match n. (cricket, rugby) logħba internazzjonali; **~ tube** n. tazza tat-testijiet; **~ tube baby** tarbija mwielda mit-tazza tat-testijiet, test tube baby
testament n. testment; **the Old/New T~** it-Testment il-Qadim/il-Ġdid
testicle n. testikola
testify vi. (law) xehed; **to ~ to sth.** wera, ta prova ta', ikkonferma
testimonial n. (reference) referenzi; (gift) rigal tat-tluq
testimony n. (law) xhieda

testy adj. qanżħa, bużżieqa
tetanus n. tetnu
tether vt. rabat bil-ħabel // n. **to be at the end of one's** ~ wasal fit-tarf tal-paċenzja; (inf.) daqt taqbiżlu
text n. test; ~ **book** n. ktieb (tat-tagħlim)
textiles n.pl. drapp, nsiġ; (textile industry) industrija tat-tessuti
texture n. nisġa
Thailand n. it-Tajlandja
Thames n. **the** ~ ix-Xmara Thames
than conj. (in comparisons): **more** ~ **10/once** iktar minn 10/darba; **I have more/less** ~ **you/Paul** għandi iktar/inqas minnek/minn Pawlu; **she is older** ~ **you think** hi ixjaħ milli taħseb
thank vt. irringrazzja lil; ~ **you (very much)** grazzi (ħafna); ~ **God!** irringrazzja 'l Alla!; **~s** n.pl. ringrazzjamenti, ħajr // excl. (also many **~s, ~s a lot**) grazzi ħafna; **~s to** prep. bis-saħħa ta'; **~ful** adj. **~ful** (for) grat/rikonoxxenti għal; **~less** adj. ingrat/a; **T~sgiving (Day)** n. (jum) Jum il-Ħajr
that (pl. **those**) adj. (demonstrative) dak/dik (pl. dawk); (more remote) dak/dik (pl. dawk) t'hemm; **leave those books on the table** ħalli dawn il-kotba fuq il-mejda; ~ **one** dak/dik; (more remote) dak/dik t'hemm; ~ **one over there** dak/dik t'hemm fuq
// pron.
1 (demonstrative) dak/dik; (neuter) dak; (more remote) dak/dik (pl. dawk) t'hemm; (neuter) dawk; **what's ~?** x'inhu dak?; **who's ~?** min hu dak?; **is ~ you?** inti?; **will you eat all ~?** sa tiekol dak kollu?; **~'s what he said** hekk qal; ~ **is (to say)** jiġifieri
2 (relative: subject, object) (il)li; (with prep.) dik/dak/dawk (il)li; **the book** (~) **I read** il-ktieb li qrajt; **the books** ~ **are in the library** il-kotba li huma fil-librerija; **all** (~) I **have** dak kollu li għandi; **the box** (~) **I put in** il-kaxxa li nitfa' fiha; **the people** (~) **I spoke to** in-nies li kellimt
3 (relative: of time) (il)li; **the day** (~) **he came** dakinhar li ġie
// conj. (il)li; **he thought** ~ **I was ill** ħaseb li kont marid
// adv. (demonstrative): **I can't work** ~ **much** ma nistax naħdem daqshekk/daqstant; **I didn't realise it was** ~ **bad** ma ntbaħtx li kienet ħażina daqshekk/daqstant; ~ **high** għoli daqshekk
thatched adj. (roof) tat-tiben; (cottage) bis-saqaf tat-tiben
thaw n. taħlil, ħalla // vi. (ice) nħall; (food) nħall // vt. (food) ħall

the def. art.
1 (gen.) il-/iċ-/id-/in-/ir-/is-/it-/ix-/iz-/iż-; ~ **boy/girl** it-tifel/tifla; ~ **book/flowers** il-ktieb/fjuri; **to** ~ **postman/from** ~ **drawer** lill-pustier/mill-kexxun; **I haven't** ~ **time/money** m'għandix il-ħin/flus
2 (+ adj. to form n.) ~ **rich and** ~ **poor** il-fqar u s-sinjuri; **to attempt** ~ **impossible** ipprova/ittanta l-impossibbli
3 (in titles): **Elizabeth** ~ **First** Eliżabetta l-ewwel; **Peter** ~ **Great** Pietru l-Kbir
4 (in comparisons): ~ **more he works,** ~ **more he earns** iktar ma jaħdem, iktar jaqla'
theatre (US. **theater**) n. teatru; (also **lecture** ~) awla; (med. also **operating** ~) sala tal-operazzjonijiet; **~-goer** n. dilettant/a tat-teatru
theatrical adj. teatrali
theft n. serqa
their adj. tagħhom; **~s** pron. tagħhom; see also **my; mine**
them pron. pers. (pl.) see also **me**
theme n. tema; ~ **park** n. park tal-attrazzjonijiet; ~ **song** n. tema mużikali
themselves pl. pron. huma nnifishom; **for** ~ għalihom innifishom; see also **oneself**
then adv. (at that time) dak iż-żmien; (next) ta' wara; (later) iktar tard; (and also) barra minn hekk // conj. (therefore) għalhekk // adj. **the** ~ **president** dak li dak iż-żmien kien president; **by** ~ sa dak iż-żmien/ħin; **from** ~ **on** minn hemm 'l hemm
theologian n. teologu/teologa
theological adj. teoloġiku/teoloġika
theology n. teoloġija
theorem n. teorema
theoretical adj. teoretiku/teoretika
theorize vi. ħoloq it-teoriji; (pej.) peċlaq
theory n. teorija
therapeutic(al) adj. terapewtiku/terapewtika
therapist n. terapista
therapy n. terapija
there adv.
1 ~ **is,** ~ **are** hemm; ~ **is no-one here/no bread left** m'hawn ħadd hawn/ma fadalx ħobż; ~ **has been an accident** kien hemm aċċident
2 (referring to place) hemm; (distant) hemm fuq; **it's** ~ qiegħda hemm; **put it in/on/up/down** ~ itfagħha hemm ġew/hemm fuq/hemm fuq/hemm taħt; **I want that book** ~ rridu hemm dak il-ktieb; ~ **he is!** hemm hu!
3 ~, ~ (esp. to child) isa, isa **there:** **~abouts** adv. 'l hawnhekk; **~after** adv. imbagħad, wara dak; **~by** adv. b'hekk, b'dan; **~fore** adv. għalhekk; **~'s = there is; there has**

thermal adj. termali; (paper) termiku/termika
thermometer n. termometru
thermonuclear adj. termonukleari
Thermos ® n. (also ~ **flask**) termos
thermostat n. termostat
thesaurus n. teżawru
these pl. adj. dawn pl. pron. dawn
thesis (pl. **theses**) n. teżi
they pron. pers. (pl.) huma; (stressed) huma stess; ~ **say that** - (it is said that) jingħad illi -; **~'d = they had; thay would' ~'ll = they shall; they will; ~'re = they are; ~'ve = they have**
thick adj. (in consistency) sfiq; (in size) oħxon/ħoxna; (stupid) stupidu/stupida // n. **in the ~ of the battle** fl-aqwa tal-battalja; **it's 20 cm** ~ oħxon 20 ċm; **~en** vi. ħaxxen // vt. (sauce, etc.) qawwa; **~ness** n. sefqa; **~set** adj. matnazz/a
thief (pl. thieves) n. ħalliel
thieving n. serq
thigh n. koxxa
thimble n. ħolqa tal-ħjata
thin adj. (person, animal) magħlub; (in size) rqiq; (in consistency) maħlul; (hair) fin/a; (crowd) mifrux/a // vt. to ~ (**down**) żied l-ilma
thing n. ħaġa; (object) oġġett; (matter) affari; (mania): **to have a ~ about sb./sth.** ossessjonat b'xi ħadd/ħaġa; **~s** n.pl. (belongings) propjetà; **the best ~ would be to** - l-aħjar ħaġa tkun illi -; **how are ~s?** kif sejjer/sejra?
think (pt., pp. **thought**) vi. ħaseb // vt. ħaseb, ikkonsidra, irrifletta; **what did you ~ of them?** x'jidhirlek fuqhom?; **to ~ about sth./sb.** haseb fuq xi ħaġa; **I'll ~ about it** mbagħad naħseb fuqha; **to ~ of doing sth.** ħaseb biex jagħmel xi ħaġa; **I ~ so/not** naħseb/ma naħsibx; **to ~ well of sb.** ħaseb sew fuq xi ħadd; ~ **over** vt. irrifletta; ~ **up** vt. (plan, etc.) ħoloq; ~ **tank** n. grupp t'esperti
thinly adv. (cut) fin/a; (spread) rqiq/a
thinness n. rquqija
third adj. (before n.) it-tielet; (following n.) it-tielet // n. it-tielet; (fraction) terz; (brit. sch. degree) it-tielet degree; **~ly** adv. it-tielet; ~ **party insurance** (brit.) n. assigurazzjoni third party; **~-rate** adj. medjokri; **T~ World** n. it-Tielet Dinja
thirst n. għatx; **~y** adj. (person, animal) bil-għatx; (work) li jqabbad il-għatx; **to be ~y** kellu l-għatx
thirteen num. tlettax
thirty num. tletin
this (pl. **these**) adj. (demonstrative) dan/din (pl. dawn); (neuter) dan; ~ **man/woman** dan ir-raġel/din il-mara; **these children/flowers** dawn it-tfal/il-fjuri; ~ **one** (**here**) din t'hawn // pron. (demonstrative) dan/din (pl. dawn); (neuter) hu/hi; **who is ~?** x'inhu dan?; **what is ~?** x'inhi din?; ~ **is where I live** hawn hu fejn ngħix; ~ **is what he said** dak li qal; ~ **is Mr Brown** (in introductions) is-Sur Brown -; (photo) dan hu s-Sur Brown; (on telephone) hawn is-Sur Brown
// adv. (demonstrative): ~ **high/long**, etc. għoli/twil hekk; ~ **far** s'hawnhekk
thistle n. għallis, żannur
thong n. strixxa tal-ġilda; (US.) karkur, flipflopp
thorn n. xewka; ~ **bush** n. arbuxxell imxewwek; **~y** adj. bix-xewk
thorough adj. (search) elaborat/a; (wash) minn fuq s'isfel (fam.) kif tmiss il-liġi, ħasla ħaslun; (knowledge) kbir; (research) profonda, sħiħa; (person) metikoluż/a, fitt/a; **~bred** adj. (horse) ta' razza pura; **~fare** n. triq (li tinfed miż-żewġ naħat); **"no ~fare"** "tidħolx"; **~ly** adv. (search) elaboratament; (study) ħafna, profondament; (wash) minn fuq s'isfel; (utterly) ħafna, b'mod assolut
those pl. adj. dawn; (more remote) dawk t'hemm
though conj. għalkemm // adv. għad illi, bħallikieku
thought pt., pp. of **think** // n. ħsieb; (opinion) opinjoni; **~ful** adj. ħosbien/a; (serious) serju/serja; (considerate) prudenti; **~less** adj. mhux prudenti
thousand num. elf; **two** ~ elfejn; **~s of** eluf ta'; **~th** num. l-elf
thrash vt. sawwat; (defeat) għeleb; ~ **out** vt. saħaq bil-qawwa
thread n. ħajta; (of screw) it-tidwir tal-musmar // vt. (needle) daħħal; **~bare** adj. mċewlaħ/mċewlħa
threat n. minaċċa, theddida; **~en** vi. hedded, imminaċċja // vt. to ~ **en sb. with/to do** hedded lil xi ħadd bi/billi jagħmel
three num. tlieta; **~-dimensional** adj. tridimensjonali; **~-piece suit** n. libsa ta' tliet biċċiet; **~-piece suite** n. salott bi tliet biċċiet; **~-ply** adj. (wool) triplaj
thresh vt. (agr.) dires (il-qamħ); **~ing machine** magna tad-dris
threshold n. għatba ta' bieb; (fig.) dħul, bidu
threw pt. of **throw**
thrift n. qies, ekonomija; **~y** adj. meqjus/a, li jfaddal/tfaddal
thrill n. (excitement) eċitament; (shudder) tqanqila // vt. ikkomwova; **to be ~ed** (with gift, etc.) tqanqal; **~er** n. triler; **~ing** adj. li jqanqal/tqanqal

thrive (pt., pp. **thrived**) vi. (grow) kiber; (do well): **to ~ on sth.** għamel xi ħaġa sew

thriving adj. prosperuż/a

throat n. gerżuma; **to have a sore ~** kellu irritazzjoni tal-griżem

throb vi. tħabbat; tqanqal

throes n.pl. **in the ~ of** f'agunija

thrombosis n. trombożi

throne n. tron

throng n. ġemgħa, folla // vt. iffolla

throttle n. (aut.) valvula // vt. ħanaq, faga

through prep. min-nofs; (time) waqt; (by means of) bis-saħħa ta'; (owing to) minħabba fi // adj. (ticket, train) dirett // adv. kompletament; **to put sb. ~ to sb.** (tel.) għadda xi ħadd lil xi ħadd; **to be ~** (tel.) ikkomunika ma'; (have finished) spiċċa; **"no ~ road"** (brit.) "triq mingħajr ħruġ"; **~out** prep. (place) kullimkien; (time) mill bidu sat-tmiem // adv. f'kull parti

throve pt. of **thrive**

throw (pt. **threw**, pp. **thrown**) n. tafa'; (sport) xeħta // vt. tefa'; (sport) xeħet; (fig.) ħabbat; **to ~ a party** għamel festa/party; **~ away** vt. waddab 'l hemm, rama; (money) rama; **~ off** vt. ħeles minn; **~ out** vt. rama; (person) waddab 'il barra; **~ up** vi. irremetta, ivvomta; **~away** adj. disposable; (remark) każwali; **~-in** (sport) throw-in

thru (US.) = **through**

thrush n. merill

thrust (pt., pp. **thrust**) vt. daħħal, deffes; (stab) niffed

thud n. ħoss ħafif

thug n. ġellied, kriminali

thumb n. (anat.) is-saba'; **to ~ a lift** għamel l-autostop; **~ through** vt. fus. (book) dawwar; **~tack** (US.) n. pinn

thump n. daqqa; (sound) ħoss ta' daqqa // vt. ta daqqa bis-saħħa // vi. (heart, etc.) ħabbtet

thunder n. ragħad, ragħda // vi. riegħed; (train, etc.): **to ~ past** għadda donnu ragħad; **~bolt** n. sajjetta; **~clap** n. tfaqqigħa ta' ragħda; **~storm** n. maltempata; **~y** adj. minaċċuż/a

Thursday n. il-Ħamis

thus adv. għalhekk, hekk

thwart vt. fixkel, ħassar

thyroid n. (also ~ **gland**) tirojdi

tiara n. (woman's) dijadema

tic n. tikk

tick n. (sound: of clock) tektika; (mark) tikka; (zool.) qurdien; (brit. inf.): **in a ~** f'leħħa ta' berqa // vi. tektek // vt. ittikkja; **~ off** vt. immarka; (person) għajjat ma'; **~ over** vi. (engine) taħdem bil-kemm; (fig.) mexa bħas-soltu

ticket n. biljett; (for cinema, etc.) biljett; (in shop: on goods) tikketta; (for raffle) biljett tal-lotterija; (for library) biljett tal-librerija; (**parking ~**) biljett; **~ collector** n. kunduttur; **~ office** n. (theat., rail) uffiċċju tal-biljetti

tickle vt. għarax // vi. tgħarrax

ticklish adj. (person); (problem) delikata

tidal adj. tat-tifrigħ tal-baħar; **~ wave** n. mewġa tat-tifrigħ

tidbit (US.) n. = **titbit**

tiddlywinks n. xorta ta' logħba

tide n. mewġ; (fig. of events, etc.) mal-milja; **~ over** vt. (help out) ta daqqa t'id lil

tidily adv. b'mod pulit/ordinat, sistematikament

tidiness n. ordni, sistema

tidy adj. (room, etc.) nadifa, irranġata f'ordni; (dress, work) pulit/a; (person) li jżomm ruħu sew // vt. (also ~ **up**) irranġa f'ordni

tie n. (string, etc.) għoqda; (brit.; also **neck~**) ingravata; (fig. link) rabta; (sport., etc.: draw) draw // vt. rabat // vi. (sport., etc.) ġie draw; **to ~ in a bow** għamel ċoff; **to ~ a knot in sth.** għamel għoqda; **~ down** vt. (fig. person: restrict) rabat; (price, date, etc.) iffissa; **~ up** vt. (parcel) rabat; (dog, person) rabat, qafel; (arrangements) ftiehem; **to be ~d up** (busy) kellu x'jagħmel

tier n. ringiela; (of cake) saff

tiff n. battibekk

tiger n. tigra

tight adj. (rope) marsus; (money) skars mill-flus; (clothes) marsus/a; (bend) magħluqa; (schedule) mimlija; (budget) iebes; (security) kbira; (inf. drunk) fis-sakra // adv. (squeeze) bis-saħħa; (shut) sew; **~en** vt. (rope) rass; (screw) issikka, (grip) għafas iktar; (security) kabbar // vi. trass; **~-fisted** adj. xħiħ; (fam.) qammiel; **~ly** adv. (grasp) b'saħħitha; **~rope** n. ħabel tal-akrobati; **~s** (brit.) n.pl. tajts

tile n. maduma; **~d** adj. bil-madum

till n. kexxun // vt. (land) ikkoltiva, ħadem // prep., conj. = **until**

tiller n. (naut.) ħadida tat-tmun

tilt vt. miel // vi. tmejjel // n. tmejjil

timber n. (material) injam lest

time n. (short) ħin; (long) żmien, ħabta; (epoch: often pl.) żmien, epoka; (by clock) ħin; (moment) mument, waqt; (occasion) darba; (mus.) temp, ħin // vt. ikkalkula (il-ħin, data, eċċ.); (race) ħa l-ħin; (remark, visit, etc.) għażel il-ħin propizju (biex jgħaddi rimarka, biex imur jara lil); **a long ~** (hours) ħin twil; (years) żmien twil; **4 at a ~** erbgħa kull darba; **for the ~ being** għalissa; **from ~ to ~** minn ħin għal ħin; **at ~s** xi drabi; **in ~** (soon enough) fil-ħin; (after some time) tul iż-żmien; (mus.) fit-temp, fil-ħin; **in a week's ~** fi żmien ġimgħa; **in no ~** fl-ebda ħin; **any ~** kull ħin; **on ~** fil-ħin; 5 **~s** ħames darbiet; **what ~ is it?** x'ħin hu?; **to have a good ~** għaddieha; **~ bomb** n. bomba tal-ħin; **~less** adj. li ma jiqdiem/tiqdiem qatt; **~limit** n. iż-żmien; **~ly** adj. bil-ħin; **~r** n. (in kitchen, etc.) timer; **~ scale** (brit.) n. biż-żmien; **~-share** n. biż-żmien; **~table** n. timetable; **~ zone** n. żona tal-ħin

timid adj. misthi/mistħija, timidu/timida

timing n. (sport) kronometraġġ; **the ~ of his resignation** il-mument li ddeċieda li għandu jirriżenja; **~ device** n. apparat għat-teħid tal-ħin

timpani n.pl. timpani

tin n. landa; (also **~ plate**) platt tal-landa; (brit. can) landa; **~ foil** n. fojl

tinge n. ħarira, naqra // vt. **~d with** kellu naqra/ħarira

tingle vi. (person): **to ~** (**with**) tkexkex bi; (hands, etc.) ħass it-tingiż

tinker: **~ with** vt. fus. bagħbas

tinkle vi. ċekċket, ċemplet // n. (col.): **to give sb. a ~** ta telefonata lil xi ħadd

tinned (brit.) adj. (food) tal-landa/bott

tinny adj. metalliku/metallika

tin opener (brit.) n. muftieħ il-landa, tin opener

tinsel n. pannella, drapp tal-lama

tint n. lewn, kulur; (for hair) żebgħa; **~ed** adj. (hair) miżbugħa; (glass, spectacles) tinted, bil-lentijiet ikkuluriti

tiny adj. żgħir/a

tip n. (end) tarf; (gratuity) tips; (brit. for rubbish) skipp; (advice) parir // vt. (waiter) ta t-tips lil; (tilt) inklina ruħu; (empty: also **~ out**) battal; (overturn: also **~ over**) nqaleb; **~-off** n. (hint) ta ħjiel; **~ped** (brit.) adj. (cigarette) bil-filter

Tipp-Ex ® n. tipp-ex ® (Tipex)

tipple vi. xorob wisq // n. **to have a ~** niżżel grokk

tipsy (inf.) adj. xurban, fis-sakra

tiptoe n. **on ~** fuq ponot is-swaba'

tiptop adj. **in ~ condition** f'kundizzjoni perfetta

tire n. (US.) = **tyre** // vt. għejja lil, kedd lil // vi. (gen.) għeja; (become bored) iddejjaq; **~d** adj. għajjien/a; **to be ~d of sth.** kien imxebba' b'xi ħaġa; **~less** adj. li ma jegħja/tegħja qatt; **~some** adj. li jdejjaq/ddejjaq/ixebba'/ixxebba'

tiring adj. li jegħja/tegħja

tissue n. ċelloli; (paper handkerchief) tissue, maktur tal-karti; **~ paper** n. tissue

tit n. (bird) ċinċa; **to give ~ for tat** patta para patta

titanium n. titanju

titbit (US. **tidbit**) n. (food) bukkun; (news) biċċa aħbar tajba

titillate vt. (sexually) eċita

titivate vt. libes (eleganti)

title n. titlu; **~ deed** n. (law) titlu tal-propjetà; **~ role** n. ir-rwol prinċipali

TM abbr. of **trademark**

titter vi. daħak minn taħt

tittle-tattle n. tpeċliq

titular adj. (in name only) titulari

tizzy n. **to be in a ~** ħabat jippanikja/jinfixel bl-ikraħ

to prep.

1 (direction) to go **~ France/London/school/the station** mar Franza/Londra/l-iskola/l-istazzjon; **to go ~ Claude's/the doctor's** mar għand Claude; **the road ~ Edinburgh** it-triq għal Edinburgh

2 (as far as) sa; **from here ~ London** minn hawn sa Londra; **to count ~ 10** għadd sal-10; **from 40 ~ 50 people** minn 40 sa 50 ruħ

3 (with expressions of time): **a quarter/twenty ~ 5** il-5 neqsin kwart/għoxrin

4 (for, of): **the key ~ the front door** iċ-ċavetta tal-bieb ta' barra; **she is secretary ~ the director** dik hi s-segretarja tad-direttur; **a letter ~ his wife** ittra lil martu

5 (expressing indirect object) **to give sth. ~ sb.** ta xi ħaġa lil xi ħadd; **to talk ~ sb.** kellem lil xi ħadd/tkellem ma' xi ħadd; **to be a danger ~ sb.** kien perikolu għal xi ħadd; **to carry out repairs ~ sth.** beda jirranġa f'xi ħaġa

6 (in relation to): **3 goals ~ 2** 3 gowls bi 2; **30 miles ~ the gallon** 30 mil bil-gallun

7 (purpose, result): **to come ~ sb.'s aid** ġie biex jagħti għajnuna lil xi ħadd; **to sentence sb. ~ death** qata' lil xi ħadd għall-mewt; **~ my great surprise** b'sorpriża kbira għalija

// v.

1 (simple infin.): **~ go/eat** mar/kiel

2 (following another v.): **to want/try/start ~ do** xtaq/prova/beda jagħmel; see also **relevant** v.

3 (with v. omitted): **I don't want ~** ma rridx

4 (purpose, result) biex; **I did it ~ help you** għamiltha biex ngħinek; **he came ~ see you** ġie biex jarak

5 (equivalent to relative clause): **I have things ~ do** għandi xi affarijiet x'nagħmel; **the main thing is ~ try** l-importanti hu li tipprova

6 (after adj., etc.): **ready ~ go** lesti biex immorru; **too old ~ -** xiħ wisq biex -

// adv. **pull/push the door ~** bexxaq il-bieb

toad n. żrinġ; ~**stool** n. faqqiegħ velenuż
toast n. (culin.) towst, ħobża mixwija; (drink, speech) xarba bis-saħħa ta' // vt. (culin.) xewa l-ħobż; (drink to) xorob bis-saħħa ta'; ~**er** n. towster
tobacco n. tabakk; ~**nist** n. bejjiegħ it-tabakk, tabakkar; ~**nist's (shop)** (brit.) n. ħanut tat-tabakk
toboggan n. slitta
today adv., n. illum; (also fig.) daż-żmien
toddler n. tarbija li tferċaħ
toddy n. taħlita ta' misħun u alkoħol
to-do n. (fuss) għaġeb, fratterija fuq ħaġa żgħira
toe n. saba' tas-sieq; (of shoe) tarf; **to ~ the line** (fig.) ikkonforma; ~**nail** n. difer tas-swaba' tas-saqajn
toffee n. karamella, penit, tofi; ~ **apple** (brit.) n. tuffieħa karamellata
toga n. toga
together adv. flimkien; (at same time) fl-istess ħin/waqt; ~ **with** flimkien ma'; ~**ness** n. solidarjetà
toil n. xogħol iebes // vi. ħadem iebes, stinka
toilet n. toilet (inf.) loki; (brit. room) kamra tal-banju, it-tojlit // cpd. (soap, etc.) sapuna; ~ **paper** n. toilet paper; ~**ries** n.pl. affarijiet tal-banju; ~ **roll** n. roll toilet paper
token n. (sign) sinjal, simbolu; (souvenir) souvenir, oġġett ta' rikordju/tifkira // adj. (strike, payment, etc.) simboliku/simbolika; **book/record** ~ (brit.) vawċer tal-kotba/diski; **gift** ~ (brit.) rigal ta' vawċer
Tokyo n. Tokjo
told pt., pp. of **tell**
tolerable adj. (bearable) li tissaportih/a; (fairly good) mhux ħażin/a
tolerance n. (also tech.) tolleranza
tolerant adj. ~ **of** tolleranti dwar
tolerate vt. issaporta, ħalla, (inf.) ħamel
toll n. (of casualities) in-numru ta' vittmi; (tax, charge) taxxa // vi. (bell) daqq, tokki
tomato (pl. ~**es**) n. tadama
tomb n. qabar
tombola n. tombla
tomboy n. sabi
tombstone n. lapida
tomcat n. qattus
tomorrow adv., n. għada; (also fig.) l-għada; **the day after** ~ pitgħada; ~ **morning** għada filgħodu
ton n. tunnellata (brit. = 1016 kg; US. = 907 kg); (**metric** ~) tunnellata metrika; ~**s of** (inf.) koċċ, xebgħa
tonal adj. tonali
tone n. ton // vi. (also ~ **in**) qabel; ~ **down** vt. (criticism) immodera; (colour) iċċara; ~ **up** vt. (muscles) ittonifika; ~**-deaf** adj. m'għandux/għandhiex widna
tongs n.pl. pinzetti
tongue n. lsien; ~ **in cheek** ironikament; ~**-tied** adj. (fig.) weħillu lsienu; ~**-twister** n. tagħwiġ l-ilsien
tonic n. (med., also fig.) li jerfa'/terġa' jġib/ġġib is-saħħa, li jirrivitalizza/tirrivitalizza; (also ~ **water**) ilma toniku
tonight adv., n. illejla
tonnage n. (naut.) il-massimu ta' tagħbija; tunnellaġġ
tonne n. (metric ton) tunnellata metrika
tonsil n. tunsilla; ~**itis** n. tonsilliti, infjammazzjoni fit-tonsilli
too adv. (excessively) iżżejjed; (also) ukoll; ~ **much** iżżejjed; ~ **many** iżżejjed
took pt. of **take**
tool n. għodda; ~ **box** n. kaxxa tal-għodda
toot n. daqq ta' ħorn // vi. ndaqq
tooth (pl. teeth) n. (anat., tech.) sinna; (molar) darsa; ~ **ache** n. uġigħ ta' snien/dras; ~**brush** n. xkupilja tas-snien; ~**paste** n. toothpaste; ~**pick** n. toothpick
top n. (of mountain) quċċata; (of tree) fuq nett; (of head) fuq ir-ras; (of ladder, page) fuq; (of table) il-wiċċ tal-mejda; (of cupboard) fuq; (lid: of box) għatu; (of bottle, jar) tapp; (of list, etc.) l-ewwel; (toy) żugraga; (garment) topp // adj. ta' fuq; (in rank) il-kbir/a; (best) l-aħjar // vt. (exceed) skorra, eċċeda; (be first in) eċċella; **on ~ of** (above) fuq; (in addition to) minbarra; **from ~ to bottom** minn fuq s'isfel; ~ **off** (US.) vt. = ~ **up**; ~ **up** vt. mela; ~ **floor** n. is-sular ta' fuq; ~ **hat** n. kappell tat-tomna; ~**-heavy** adj. (object) mhux ekwilibrat/a, mhux imqiegħed/imqiegħda tajjeb
top: ~**less** adj. (bather, bikini) topless; ~**-level** adj. (talks) ta' livell għoli; ~**most** adj. ta' fuq nett
topic n. suġġett; ~**al** adj. tipiku/tipika
topple vt. waqa' minn fuq nett // vi. ixxengel u waqa'
top-secret adj. top-secret
topsy-turvy adj. ta' taħt fuq // adv. b'ħafna konfużjoni
torch n. torċa; (brit. electric) torċ
tore pt. of **tear**
torment n. turment, tbatija // vt. ittormenta; (fig. annoy) dejjaq
torn pp. of **tear**
tornado, ~**es** n. tromba (tar-riħ)

torpedo n. torpidow
torque n. kullar tad-deheb; (aut.) forza li ddur
torrent n. kurrent, ħamla; **~ial** adj. tal-qliel, bil-qliel
torso n. (anat.) il-qafas tas-sider; (sculpture) bust
tortoise n. fekruna; **~shell** adj. id-dar tal-fekruna
tortuous adj. li jserrep/sserrep
torture n. moħqrija; tortura // vt. ittortura; (fig.) itturmenta, kedd
Tory (brit.) adj., n. (pol.) konservattiv/a
toss vt. xeħet, waddab, tefa'; (one's head) ċaqlaq rasu bis-salt; **to ~ a coin** għolla l-munita; **to ~ up for sth.** tefa' bix-xorti dwar xi ħaġa; **to ~ and turn** (in bed) tqalleb
tot n. (brit. drink) grokk; (child) tfajjel ċkejken
total adj. kollu/kollha kemm hu/hi; (emphatic: failure, etc.) totali // n. it-total, is-somma kollha // vt. (add up) għadd; (amount to) jgħoddu sa; **~ly** adv. kompletament
totalitarian adj. totalitarju; dittatur
totality n. totalità, is-somma kollha
totem pole n. totem, għelm jew emblema tat-tribujiet
totter vi. ixxengel
touch n. messa; (contact) kuntatt // vt. mess; (emotionally) mess il-qalb ta'; **a ~ of** (fig.) daqsxejn; **to get in ~ with sb.** ikkomunika ma' xi ħadd; **to lose ~** (friends) ma baqgħux jinstemgħu; **~ on** vt. fus. (topic) miss ma'; **~ up** vt. (paint) irranġa, rtokka; **~-and-go** adj. mhux ċert/a; **~down** n. nżul; (on sea) nżul; (US. football) touch-down; **~ed** (moved) kommoss; **~ing** adj. (moving) li jikkomwovi/tikkomwovi; **~line** n. (sport) touch-line; **~y** adj. (person) li jieħu/tieħu għaliha malajr
tough adj. (material) reżistenti; (meat) xieref/xierfa; (problem, etc.) iebes/iebsa; (policy, stance) iebes/iebsa; (person) vjolenti (inf.) ta' qattagħni; **~en** vt. saħħaħ
toupée n. parrokka
tour n. vjaġġ, ġita; (also **package ~**) vjaġġ/ġita kollox inkluż/a; (of town, museum) dawra; (by band, etc.) tour // vt. mar ġita; **~ guide** n. gwida
tourism n. turiżmu
tourist n. turist // cpd. turistiku/turistika; **~ office** n. uffiċċju tat-turisti
tournament n. turnament
tour operator n. operatur tal-ġiti
tousled adj. (hair) (xagħar) mħarbat
tout vi. **to ~ for business** stinka għan-negozju // n. (also **ticket ~**) bejjiegħ
tow vt. rmonka; **"on or in** (US.) **~"** (or **~ing**) (aut.) "tow zone"
toward(s) prep. lejn; (attitude) fil-konfront ta'; (purpose) għal
towel n. xugaman; **~ling** n. (fabric) (tessut donnu) sponża; **~ rail** (US. **~rack**) n. post tat-tqegħid tax-xugamani
tower n. torri; **~ block** (brit.) n. blokk (ta' flettijiet); **~ing** adj. imponenti, fil-għoli ħafna
town n. belt; **to go to ~** mar il-belt; (fig.) għamel xi ħaġa bil-kbir; **~ centre** n. iċ-ċentru tal-belt; **~ council** n. il-kunsill tal-belt; **~ hall** n. is-sala tal-belt; **~ plan** n. il-pjan tal-belt; **~ planning** n. l-ippjanar tal-belt
towpath n. mogħdija tax-xmara
towrope n. ħabel tal-ġbid
tow truck (US.) trakk tal-irmonk
toxic adj. tossiku/tossika
toy n. ġugarell; **~ with** vt. fus. lagħab bi; (idea) żiegħel bi; **~shop** n. ħanut tal-ġugarelli
trace n. traċċa // vt. (draw) ittrejsja; (locate) intraċċa; (follow) mexa wara
tracing paper n. karta tal-ittrejsjar
track n. (mark) marka; (path: gen.) mogħdija; (of bullet, etc.) minn fejn għaddiet; (of suspect, animal) sinjali; (rail) linji tal-ferrovija; (sport) trekk; (on tape, record) diska // vt. mexa wara s-sinjali ta'; **to keep ~ of** segwa lil; **~ down** vt. (prey) għasses u qabad; (sth. lost) sab; **~suit** n. track-suit
tract n. (geog.) xagħri
traction n. (power) ġbid
tractor n. trattur, trakter
trade n. negozju; (skill, job) sengħa, okkupazzjoni, professjoni // vi. innegozja // vt. (exchange): **to ~ sth. (for sth.)** partat xi ħaġa (m'oħra); **~ in** vt. (old car, etc.) għotja tal-użat bħala parti mix-xiri; **~ fair** n. trade fair; **~mark** n. trade mark; **~ name** n. isem tan-negozju, trade name; **~r** n. neguzjant; **~sman** (irreg.) n. (shopkeeper) dak li jżomm il-ħanut; **~ union** n. għaqda tal-ħaddiema, trejdjunjon; **~ unionist** n. trejdjunjonist
tradition n. tradizzjoni; **~al** adj. tradizzjonali
traffic n. (gen., aut.) traffiku // vi. **to ~ in** (pej. liquor, drugs) ittraffika; **~ circle** (US.) n. ċirku ta' traffikar; **~ jam** n. waqfa tat-traffiku; **~ lights** n.pl. dwal tat-traffiku; **~ warden** n. pulizija tat-traffiku
tragedy n. traġedja
tragic adj. traġiku/traġika
trail n. (tracks) is-sinjali; (path) mogħdija, trejqa; (dust, smoke) faxx // vt. (drag) kaxkar; (follow) mexa wara // vi. tkaxkar; (in contest, etc.): **~ behind** vi. waqa' lura; **~er** n. (aut.) trejler;

(caravan) karavann; (cine.) trejler; **~er truck** (US.) n. trejler
train n. ferrovija, vapur tal-art; (of dress) il-parti tal-libsa li titkaxkar mal-art; (series) serje // vt. (educate, teach skills to) għallem, ta t-taħriġ lil; (sportsman) ittrenja; (dog) għallem, ittrenja; (point: gun, etc.) **to ~ on** immira l-pistola fuq // vi. (sport) ittrenja; (learn a skill): **to ~ as a teacher**, etc. tħarreġ bħala għalliem, eċċ.; **one's ~ of thought** ir-raġunament ta' xi ħaġa; **~ed** adj. (worker) kwalifikat/a; (animals) ittrenjat; **~ing** n. taħriġ; (sport) trejning: **to be in ~ing** (sport) kien qed jittrenja; **~ing college** n. (gen.) kulleġġ ta' taħriġ; (for teachers) kulleġġ ta' taħriġ għall-għalliema; **~ing shoes** n.pl. żarbun tal-ġinnastika
traipse vi. kaxkar saqajh
trait n. karatteristika partikolari
traitor n. traditur
tram (brit.) n. (also **~car**) tramm
tramp n. (person) vagabond; (inf. pej. woman) qaħba
trample vt. **to ~** (**under-foot**) rifes, għaffeġ, saħaq taħt saqajh
trampoline n. trampolin
trance n. stat ta' sturdament; (inf.) stilla; (med.) stat li persuna ma tkunx f'sensiha
tranquil adj. kalm/a; **~lizer** n. (med.) kalmant
transact vt. (business) innegozja; **~ion** n. transazzjoni
transatlantic adj. transatlantiku/transatlantika
transcend vi. traxxenda (excel over) eċċella
transcript n. kopja; (text) test; **~ion** n. kitba
transept n. parti transversa tal-knisja
transfer n. (of employees) transfer; (of money, power) għadda; (sport) biddel it-tim; (picture, design) dekalkomanja // vt. ċaqlaq; **to ~ the charges** (brit. tel.) irriversja l-ispejjeż; **~able** transferibbli
transform vt. ittrasforma, ta forma oħra lil; **~ation** n. bidla fis-sura/forma; **~er** n. (elec.) transformer
transfusion n. transfużjoni
transient adj. mhux permanenti
transistor n. (elec.) transister; **~ radio** n. radju bit-transisters
transit n. **in ~** miexi
transitive adj. (ling.) transittiv
transit lounge n. sala ta' qabel id-dħul
transitory adj. tranżitorju/tranżitorja, li ma jdumx/ddumx
translate vt. ittraduċa, qaleb
translation n. traduzzjoni
translator n. traduttur
transmission n. trażmissjoni; (by radio, tv.) xandira; (by walkie-talkie, etc.) komunikazzjoni
transmit vt. (gen.) ittrażmetta; (by radio, tv.) xandar; (by walkie-talkie, etc.) ikkomunika ma'; **~ter** n. transmiter
transparency n. trasparenza; (brit. phot.) transparency
transparent adj. trasparenti
transpire vi. (turn out) irriżulta; (happen) seħħ; **it ~d that** - sar magħruf illi -
transplant n. (med.) trasplant
transport n. trasport; (car) mezz ta' trasport // vt. ittrasporta; **~ation** n. trasport; (of criminals) deportazzjoni; **~ café** (brit.) n. post tal-ikel għas-sewwieqa tat-trakkijiet fuq distanza kbira
transverse adj. transvers
tranvestite n. trasvestit
trap n. (snare, trick) nasba; (carriage) kaless // vt. qabdu; (trick) tefgħu fl-ixkora, għamillu nasba; (confine) għalaq f'rokna; **~ door** n. bokkaport
trapeze n. trapezju
trapper n. nassab
trappings n.pl. ornamenti, tiżjin
trash n. (rubbish) żibel; (pej.): **the book/film is ~** il-ktieb/il-film ħażin; (fam.) il-ktieb/film ma jgħid xejn (fam.) il-ktieb/film tan-nejk; (nonsense) ħmerijiet; (fam.) ċuċati; **~ can** (US.) n. landa taż-żibel
trauma n. trawma; **~tic** adj. trawmatiku/trawmatika
travel n. vjaġġ, safra // vi. ivvjaġġa, siefer // vt. (distance) għamel; **~s** n.pl. (journeys) vjaġġi; **~ agent** n. aġent tal-ivvjaġġar; **~ler** (US. **~er**) n. vjaġġatur; **~ler's cheque** (US. **~er's check**) n. traveller's cheque; **~ling** (US. **~ing**) n. vjaġġar; **~ sickness** n. dardir, tqalligħ
trawler n. vapurett
tray n. gabarrè; (on desk) kaxxun tal-ittri
treacherous adj. li jinganna, qarrieqi; (dangerous) perikoluż
treachery n. ingann, tradiment
treacle (brit.) n. għasel iswed
tread (pt. **trod**, pp. **trodden**) n. (step) pass; (sound) ħoss tal-passi; (of stair) il-wiċċ tat-tarġa; (of tyre) il-parti li tmiss mal-art // vi. tfixkel; **~ on** vt. fus. rifes
treason n. tradiment
treasure n. (also fig.) teżor; **~ hunt** n. ġirja wara t-teżor // vt. (value: object, friendship) żamm bħala xi ħaġa għażiża; (memory) jiftakar bi pjaċir
treasurer n. teżorier

treasury n. **the T~** it-teżorerija
treat n. (present) sorpriża // vt. ittratta; **to ~ sb. to sth.** offra xi ħaġa lil xi ħadd
treatise n. trattat
treatment n. trattament, mġiba; (med.) kura, trattament
treaty n. trattat, ftehim
treble adj. triplu // vt. ittriplika // vi. ittriplika; **~ clef** n. (mus.) treble clef, chiave di violino
tree n. siġra; **~ trunk** iz-zokk il-kbir
trek n. (long journey) vjaġġ twil; (tiring walk) mixja li taqtagħlek nifsek
trellis n. grada, kannizzata; (bars) strixxi tal-ħadid imsallbin
tremble vi. rtogħod
trembling jirtogħod/tirtogħod // adj. jirtogħod/tirtogħod
tremendous adj. tremend/a; (excellent) eċċellenti, ta' barra minn hawn
tremor n. tregħid; (also **earth ~**) regħda tal-art
trench n. gandott, foss, ħandaq; (of soldier) trunċiera
trend n. (tendency) tendenza; (of events) xejra, andament; (fashion) il-moda; **~y** adj. tal-moda
trepidation n. biża', ansjetà
trespass vi. **to ~ on** abbuża; **"no ~ing"** "Tidħolx"
tress n. troffa xagħar twil
trestle n. sapport
trial n. (law) proċess; (test: of machine, etc.) test; **~s** n.pl. (hardships) prova; **by ~ and error** billi tipprova u terġa' tipprova
triangle n. (math, mus.) trijanglu
tribal adj. tat-tribù
tribe n. tribù, razza; **~sman** n. membru tat-tribù
tribulation n. miżerja, inkwiet
tribunal n. tribunal
tributary n. (river) affluwent
tribute n. turija ta' rispett; **to pay ~ to** taw ir-rispett lil
trice n. **in a ~** f'kemm ili ngħidlek, f'leħħa ta' berqa
trick n. (**conjuring ~**, knack) trikk, maġija; (joke) ċajta; (cards) trikk // vt. lagħab bi; **to play a ~ on sb.** lagħab lil xi ħadd; **that should do the ~** issa tara kif taħdem; **~ery** n. qerq, frodi
trickle n. (of water, etc.) qtar // vi. qattar
tricky adj. li jqarraq/tqarraq
tricycle n. triċiklu
trifle n. ħlieqa; (culin.) trajfil, kejk bil-krema // adv. **a ~ long** xi naqra kbir
trifling adj. insinifikanti
trigger n. (of gun) grillu; **~ off** vt. ta bidu għal, ikkawża
trigonometry n. trigonometrija
trilby n. kappell tal-feltru
trim adj. (house) miżmuma tajjeb (garden) mirqum; (person, figure) rqajjaq/rqajqa // n. (haircut, etc.) trimm; (on car) aċċessorji // vt. (neaten) naddaf; (cut) raqam; (decorate) żejjen; (naut. a sail) orjenta, ta direzzjoni; **~mings** n.pl. (culin.) tiżjin
Trinity n. **the ~** it-Trinità
trinket n. ornament żgħir
trio n. trijo, terzett
trip n. vjaġġ; (excursion) ħarġa; (stumble) gambetta; (drugs) tripp // vi. (stumble) tfixkel; (go lightly) ħadha bil-kalma; **on a ~** fuq vjaġġ; **~ up** vi. tfixkel // vt. fixkel, ta gambetta
tripe n. (culin.) kirxa
triple adj. triplu; **~ts** n.pl. triplits
triplicate n. ittripplika
tripod n. trepied, oġġett bi tliet saqajn
tripper n. turist/a
trite adj. banali
triumph n. trijonf // vi. **to ~ (over)** rebaħ fuq, ittrijonfa fuq, ħareġ rebbieħ fuq; **~al** adj. trijonfali; **~ant** adj. (team, etc.) vittorjuż/a, rebbieħ/a; (wave, return) trijonfanti
trivia n.pl. banalità
trivial adj. fieragħ/fiergħa; (commonplace) banali; **~ity** n. banalità
trod pt. of **tread**
trodden pp. of **tread**
trolley n. karru, troli; (also **~ bus**) tren illi ma jmissx mal-binarji, iżda jimxi bil-kurrent elettriku
trollop n. qaħba
trombone n. trumbun
troop n. miġemgħa; **~s** n.pl. (mil.) truppi; **~in/out** vi. daħlu/ħarġu fi grupp; **~er** n. (mil.) suldat tal-kavallerija; **~ing the colour** n. (ceremony) salut bil-bandiera
trophy n. trofew
tropic n. tropiku; **in the ~s** fit-Tropiċi; **T~ of Cancer/Capricorn** n. it-Tropiku tal-Kanċer/Kaprikornu; **~al** adj. tropikali
trot n. trott // vi. mexa bit-trott; **on the ~** (brit. fig.) dejjem għaddej
trouble n. (worry) inkwiet; (bother, effort) taħbit; (unrest) inkwetudni; (med.): **stomach, etc. ~** problemi gastriċi, eċċ. // vt. (disturb) dejjaq; (worry) kedd // vi. **to ~ to do sth.** dejjaq meta għamel; **~s** n.pl. (pol., etc.) kunflitti; (personal) problemi; **to be in ~** daħal fl-inkwiet; (fam.) waqa' fil-ħara; **it's no ~!** mhu qed idejjaq lil ħadd!; **what's the ~?** (with broken tv., etc.)

x'ġara biex mhux qiegħed/qiegħda jaħdem/taħdem?; (doctor to patient) għidli x'inhu jkiddek; ~**d** adj. (person) inkwetat; (country, epoch, life) aġitata; ~**maker** n. (pol.) li joħloq/toħloq l-inkwiet; (child) li jaqla'/taqla' l-inkwiet; ~**shooter** n. (in conflict) medjatur; ~**some** adj. li jaqla'/taqla' l-inkwiet

trough n. (also **drinking** ~) ħawt, mejjilla; (also **feeding** ~) maxtura; (depression) dipressjoni

trounce vt. (defeat) telfa

troupe n. grupp, kumpanija

trousers n.pl. qliezet; **short** ~ xorz

trousseau (pl. ~**x** or ~**s**) n. għież ta' għarusa

trout n. inv. trota

trowel n. (of gardener) kazzola tat-tajn; (of building) kazzola tat-tikħil

truant n. **to play** ~ (brit.) skarta

truce n. tregwa, waqfa għal ftit, armistizju

truck n. (lorry) trakk; (rail) karru; ~ **driver** n. xufier/a / sewwieq/a tat-trakk; ~ **farm** (US.) n. ġnejna bil-frott

truculent adj. aggressiv/a, brutali

trudge vi. mexa jkaxkar saqajh

true adj. veru/vera; (accurate) eżatt/a; (genuine) ġenwin/a; (faithful) fidil/a; **to come** ~ seħħ/et

truffle n. faqqiegħ li jittiekel

truly adv. (really) tassew; (truthfully) minnu; (faithfully): **yours** ~ (in letter) dejjem tiegħek

trump n. atout; ~**ed-up** adj. ivvintat/a, falz/a

trumpet n. trumbetta; (fam.) kurunetta; (player) trumbettista, trumbettier; (fam.) kurunettista

truncated adj. temm

truncheon n. lenbuba tal-pulizija

trundle vi. **to** ~ **along** gerbeb

trunk n. (of tree) zokk; (of elephant) propoxxidi; (case) bagalja; (US. aut.) bagoll; ~**s** n.pl. (also **swimming** ~**s**) qalziet tal-għawm

truss vt. ~ (**up**) rabat sewwa

trust n. fiduċja; (responsibilty) responsabbiltà; (law) amministrazzjoni fiduċjarja // vt. (rely on) qagħad fuq, emmen fi; (hope) spera, kellu tama; (entrust): **to** ~ **sth. to sb.** fada xi ħaġa f'idejn xi ħadd; **to take sth. on** ~ aċċetta b'għajnejh magħluqin; ~**ed** adj. fdat/a; ~**ee** n. (law) fiduċjarju; (of school) amministratur; ~**ful** adj. sinċier/a; ~**ing** adj. fiduċjuż/a; ~**worthy** adj. fdat/a; ~**y** fdat/a

truth n. verità; ~**ful** (person) adj. li jgħid/tgħid il-verità, li jħobb/tħobb is-sewwa; (description) vera, tajba; ~**fully** adv. sinċerament

try n. tentattiv; (rugby) gowl // vt. (attempt) prova; (test: also ~ **out**) ittestja; (law) stħarreġ; (strain: patience) wasal biex // vi. ipprova; **to have a** ~ ħa ċans; **to** ~ **to do sth.** ipprova jagħmel xi ħaġa; ~ **again!** erġa' pprova!; ~ **harder!** stinka iktar!; **well, I tried** ħeqq, ippruvajt; ~ **on** vt. (clothes) ipprova, libes; ~**ing** adj. (experience) diffiċli, iebes/iebsa; (person) li jdejjaq/ddejjaq

tsar (US. tzar) n. kżar

T-shirt n. flokk imqaċċat

T-square n. riga T

tub n. kus, duħ, tnell, kartell, bittija żgħira; (bath) banju tal-injam

tuba n. tuba

tubby adj. mbaċċaċ/mbaċċa

tube n. tubu; (brit. underground) metrò; (for tyre) pajp

tuberculosis n. tuberkolożi

tube station (brit.) n. stazzjon tal-metrò

tubular adj. f'forma ta' tubu

TUC (brit.) n. abbr. of **Trades Union Congress**; CMTU

tuck vt. (put) deffes; ~ **away** vt. (money) sakkar; ~**in** vt. deffes; (child) daħħal fis-sodda u għatta lil // vi. (eat) kiel; ~ **up** vt. (child) għatta; ~ **shop** n. (sch.) tuck-shop

Tuesday n. it-Tlieta

tuft n. beżbuża, troffa; (of grass, etc.) qatta

tug n. (ship) vapur tal-irmonk // vt. ġibed bis-saħħa; ~**-of-war** n. tug-of-war; (fig.) logħba tal-idejn

tuition n. (brit.) lezzjoni; (**private** ~) lezzjonijiet privati; (US. school fees) miżati

tulip n. tulipan

tumble n. (fall) tfixkel u waqa' // vi. tgerbeb; **to** ~ **to sth.** (inf.) rnexxielu jikseb xi ħaġa; ~**down** adj. sejjer/sejra lura: ~ **dryer** (brit.) n. tumble drier

tumbler n. (glass) tazza tax-xorb

tummy (inf.) n. żaqquqa

tumour (US. **tumor**) n. tumur

tumult n. għagħa, ħamba, rvell, konfużjoni t'għajjat; ~**uous** adj. rvelluż/a

tuna n. inv. (also ~ **fish**) tonn (taż-żejt)

tune n. ton // vt. (mus.) intona; (radio, tv., aut.) sab; **to be in/out of** ~ **with** (fig.) qabel/ma qabilx ma'; ~ **in** vi. **to** ~ **in** (**to**) (radio, tv.) issintonizza, dawwar fuq; ~ **up** vi. (musician) ikkorda; ~**ful** adj. melodjuż/a; ~**r** n. **piano** ~**r** tjuner

tungsten n. tangstin

tunic n. tunika, tonka

tuning n. ikkurdar; ~ **fork** n. diapasona

Tunisia n. it-Tuneżija; ~**n** adj. Tuneżin/a // n. Tuneżin/a; (ling.) Tuneżin

tunnel n. passaġġ; (in mine) mina // vi. ħaffer passaġġ

turban n. turban
turbid adj. mhux ċar/a, matt/a
turbine n. turbina
turbojet n. turboġett
turbot n.pl. inv. ħuta ċatta
turbulence n. (aviat.) turbulenza
turbulent adj. turbulenti
tureen n. suppiera
turf n. terf; (clod) tuba // vt. għamel it-terf; ~ **out** (inf.) vt. waddab 'il barra
Turk n. Tork
Turkey n. it-Turkija
turkey n. dundjan
Turkish adj., n. Tork/a; ~ **bath** n. ħasla bil-fwar; ~ **delight** n. ċikkulatin
turmoil n. **in** ~ kien fi stat ta' konfużjoni
turn n. tidwira; (in road) dawra; (of mind, events) qlib; (theat.) numru; (med.) taqlib għall-agħar // vt. dawwar; (collar, steak) qaleb; (page) qaleb/qalleb; (change): **to ~ sth. into** biddel xi ħaġa fi // vi. dar; (person: look back) dar; (reverse direction) dawwar; (milk) mar; (become): **to ~ nasty/forty** sar ħażin/għalaq l-erbgħin; **a good** ~ pjaċir; **it gave me quite a** ~ beżżgħatni sew; **"no left ~"** (aut.) "tiksirx fuq ix-xellug"; **it's your** ~ issa inti jmiss; **in** ~ min-naħa ta'; **to take ~s (at)** biddel lil xi ħadd; ~ **away** vi. neħħa // vi. ma aċċettax; ~ **back** vi. dar lura // vt. dar; (clock) ippospona // **~-coat** traditur // **~down** vt. (refuse) ma aċċettax; (reduce) naqqas; (fold) tewa; ~ **in** vi. (inf. go to bed) daħal taħt il-friex // vt. (fold) tewa; ~ **off** vi. (from road) dawwar // vt. (light, radio, etc.) tefa; (tap) għalaq; (engine) tefa; ~ **on** vt. (light, radio, etc.) xegħel; (tap) fetaħ; (engine) xegħel; ~ **out** vt. (light, gas) tefa; (produce) ipproduċa // vi. (voters) laqqa'; **to ~ out to be** spiċċa biex kien; ~ **over** vi. (person) dar fuq ruħu // vi. (object) dawwar; (page) qalb/qalleb; ~ **round** vi. dar; (rotate) dawwar; ~ **up** vi. (person) tfaċċa; (lost object) nstab // vt. (gen.) biddel il-pożizzjoni; **~ing** n. (in road) iddur; **~ing point** n. (fig.) mument deċiżiv
turn: **~out** n. parteċipazzjoni; (cleaning) tindifa; **~over** n. (comm. amount of money) profitt; (of goods) bejgħ; **~pike** (US.) n. triq bi ħlas; **~stile** n. grada li ddur; **~table** n. LP, diska (antika); **~-up** (brit.) n. (on trousers) tixmira
turnip n. lift, nevew, ġidra
turpentine n. (also **turps**) terpentina
turquoise n. (stone) ġebla blu fl-aħdar // adj. blu fl-aħdar
turret n. turretta
turtle n. fekruna tal-baħar; **~neck** (sweater) n. pulowver
tusk n. sinna/nejba t'iljunfant
tussle n. taqbida, ġlieda bl-idejn
tutor n. għalliem privat; (of university) tutur; **~ial** n. (sch.) tutorjal
tuxedo (US.) n. libsa intiera
TV n. abbr. of **television**; TV
twaddle n. tlablib; tpaċpiċ, kliem fiergħ
twang n. (of instrument) ħoss akut; (of voice) tkellem minn imnieħru
tweed n. kaxmir, drapp tas-suf
tweezers n.pl. pinzetta
twelfth num. it-tnax; **T~ Night** n. it-Tnax-il Lejl
twelve num. tnax; **at ~ o'clock** (midday) f'nofsinhar; (midnight) f'nofsillejl
twentieth adj. l-għoxrin wieħed/waħda
twenty num. għoxrin
twice adv. għal darbtejn; ~ **as much** id-doppju/għal darbtejn iktar
twiddle vi. to ~ **(with) sth.** bagħbas ma', mesmes ma'; **to ~ one's thumbs** (fig.) dawwar subgħajh
twig n. żarġun, fergħa, qadib // vt., vi. (col.) fehem
twilight n. krepuskolu
twill n. twill
twin adj., n. tewmi/ja // vt. tewwem; **~-bedded room** n. kmamar pariġġ
twine n. spag // vi. (plant) ixxeblek
twinge n. (of pain) weġgħa; (of conscience) tingiża
twinkle vi. idda, petpet; (eyes) petpet
twin town n. ġemellaġġ ma'
twirl vt. baram malajr // vi. dar garigor, nbaram
twist n. (action) barma; (in road, coil) dawra; (in wire, flex) tidwira; (in story) bidla; (dance) twist // vt. baram; (weave) niseġ; (roll around) dar; (fig.) biddel kompletament // vi. iserrep
twit (inf.) n. baħnan/a
twitch n. (pull) ġibda żgħira; (nervous) spażmu, tikk // vi. ġibed
two num. tnejn; **to put ~ and ~ together** (fig.) għadd mill-wieħed sal-għaxra; **~-door** adj. (aut.) b'żewġ bibien; **~-faced** adj. (pej. person) qarrieqi/qarrieqa; **~fold** adv. **to increase ~fold** kiber bid-doppju; **~-piece** (suit) n. b'żewġ biċċiet; **~-piece** (swimsuit) n. b'żewġ biċċiet, two-piece; **~some** n. (people) koppja; **~-way** adj. **~-way traffic** traffiku miż-żewġ naħat
tycoon n. **(business)** ~ neguzjant b'saħħtu; (inf.) baruni
type n. (category) tip; (model) mudell; (typ.) tipa // vt. (letter, etc.) ittajpja; **~-cast** adj. (actor) attur/attriċi li dejjem jaħdem/taħdem l-istess parti; **~face** n. sinjal tipografiku; **~script** n.

dokument/kopja ittajpjata; ~**writer** n. tajprajter; ~**written** adj. ittajpjat/a
typhoid n. tifojde, tajfojd
typhoon n. uragan
typhus n. tajfus
typical adj. tipiku/tipika
typify vt. ikkaratterizza
typing n. tajping; ~ **error** n. żball tat-tajping; ~ **paper** n. karta tat-tajping
typist n. tajpist/a
tyranny n. tirannija
tyrant n. tirann/a
tyre (US. tire) n. tajer; ~ **pressure** n. l-arja tat-tajer

U u

u il-wieħed u għoxrin ittra tal-alfabett Ingliż
U-bend n. (aut., in pipe) U-bend
ubiquitous adj. omnipreżenti, li jkun/tkun kullimkien
udder n. żejża
UFO n. abbr. of **unidentified flying object**; UFO
ugh (excl.) jaqq!
ugliness n. kruha
ugly adj. ikreh/kerha; (dangerous) perikoluża
UHF abbr. of **ultra-high frequency**
UHT abbr. of **ultra-haute-temperature**; ~ **milk** ħalib imsaħħan ħafna
UK n. abbr. of **United Kingdom**
ulcer n. ulċera; (**mouth** ~) dabra, pjaga
Ulster n. Ulster
ulterior adj. ~ **motive** skop ulterjuri
ultimate adj. tal-aħħar; (greatest) l-ikbar; ~**ly** adv. (in the end) fl-aħħar (mill-aħħar); (fundamentally) fundamentalment
ultimatum n. ultimatum
ultraviolet adj. ultravjola
umbilical cord n. kurdun
umbrage n. **to take** ~ ħa għalih, ħassu offiż
umbrella n. umbrella; (for sun) umbrella tax-xemx
umpire n. referì
umpteen adj. ma nafx kemm; ~**th** adj. **for the** ~**th time** għal ma nafx kemm-il darba
UN n. abbr. of **United Nations**; ĠM (Ġnus Magħquda)
unabashed adj. mhux inkwetat/a
unabated adj. ma battiex/battietx
unable adj. **to be** ~ **to do sth.** ma kienx kapaċi jagħmel xi ħaġa
unaccompanied adj. waħdu/waħidha; (song) mingħajr akkumpanjament
unaccountably adv. li ma tistax tispjegah
unaccustomed adj. **to be** ~ **to** ma kienx imdorri li
unadulterated adj. pur/a
unaided adj. waħdu/waħidha, mingħajr għajnuna ta' xejn
unanimity n. unanimità
unanimous adj. unanimu/unanima
unarmed adj. (defenceless) mingħajr għajnuna; (without weapon) mingħajr armi
unashamed adj. ma jistħix/tistħix
unassuming adj. umli/umlija
unattached adj. (person) indipendenti; (part, etc.) maqlugħ/a
unattended adj. mhux imħares/imħarsa
unattractive adj. ma jiġbdekx/tiġbdekx
unauthorized adj. mhux awtorizzat/a
unavoidable adj. inevitabbli
unaware adj. **to be** ~ **of** ma ntebaħx bi; ~**s** adv. **to catch** or **take sb.** ~ qabad lil xi ħadd għal għarrieda
unbalanced adj. (report) mhux bilanċjat/a; (mentally) bi problemi mentali
unbearable adj. li ma tissaportihx/tissaportihiex
unbeatable adj. (team) li ma jirbaħlu ħadd; (price) l-irħas; (quality) m'hemmx aħjar
unbeaten adj. mhux mirbuħ/a
unbecoming adj. li ma jixraqx/tixraqx
unbeknown(st) adv. ~ **to me** jien ma kontx naf
unbelievable adj. inkredibbli
unbend (irreg.) vi. (relax) irrilassa // vt. (wire) iddritta
unbiased adj. oġġettiv/a, imparzjali
unborn adj. mhux imwieled/imwielda
unbounded adj. mingħajr fruntieri
unbreakable adj. li ma jinkisirx/tinkisirx
unbridled adj. sfrenat/a
unbroken adj. (seal) mhux mimsusa; (series) li qatt ma twaqqfet; (record) li qatt ma nkiser; (spirit) ma tbattiex
unburden vt. **to** ~ **os.** żvugajna ma'/infexxejna f'xi ħadd
unbutton vt. ħall il-buttuni
uncalled-for adj. mhux mitlub/neċessarju
uncanny adj. stramb/a; (mysterious) misterjuż/a, mhux naturali
unceasing adj. li ma jiqafx/tiqafx
unceremonious adj. (abrupt, rude) goff/a, mhux edukat/a (inf.) ħamallu/ħamalla

uncertain adj. inċert/a, dubjuż/a, mhux ċert/a; (indecisive) mhux deċiżiv/a; **~ty** n. inċertezza, dubju
unchanged adj. mhux mibdul/a
uncharitable adj. mhux ġeneruż/a; (remark) iebsa
uncharted adj. mhux esplorat/a
unchecked adj. mhux kontrollat/a
uncivilized adj. mhux ċivilizzat/a; (fig. behaviour, etc.) (manjieri) slavaġ; (hour) (siegħa) inopportuna, ħażina
uncle n. ziju
uncomfortable adj. skomdu/skomda; (uneasy) anzjuż/a
uncommon adj. mhux komuni
uncompromising adj. li ma jiċċaqlaqx/tiċċaqlaqx pulzier mill-valuri tiegħu/tagħha
unconcerned adj. kalm/a, moħħu/moħħha mistrieħ/a
unconditional adj. mingħajr kundizzjonijiet
uncongenial adj. ftit li xejn ħlejju/ħlejja
unconscious adj. mitluf/a minn sensih/a; (unaware): **to be ~ of** ma indunax bi // n. **the ~** dawk mitlufin minn sensihom
uncontrollable adj. (child, etc.) mxajtan/mxajtna; (temper) (tempra) inkontrollabbli; (laughter) (daħk) sfrenat
unconventional adj. ftit li xejn konvenzjonali
uncork vt. qala' t-tapp tas-sufra
uncouth adj. żorr/a, goff/a
uncover vt. kixef; (take lid off) għolla (l-għatu)
unction n. dlik, unzjoni; **Extreme U~** il-Griżma tal-Morda
undaunted adj. ma tnaffarx/tnaffritx minn
undecided adj. (character) inċert/a; (matter) mhux deċiża
undeniable adj. li ma tistax tmeri/tinnega
under prep. taħt; (less than) inqas minn; (according to) skont; (sb.'s leadership) taħt // adv. taħt; **~ there** taħt hemm; **~ repair** qed tissewwa
under - pref. taħt -; **~age** adj. taħt it-tmintax; (drinking, etc.) tal-minorenni; **~carriage** (brit.) n. (aviat.) ger tal-inżul tal-ajruplani; **~ charge** vt. raħħas lil; **~clothes** n.pl. ħwejjeġ ta' taħt; **~coat** n. (paint) l-ewwel passata; **~cover** adj. f'segretezza; **~current** n. (fig.) ħsus mistoħbija; **~cut** vt. (irreg.) biegħ irħas minn; **~developed** adj. sottożviluppati; **~dog** n. dak li ma jkunx favorit biex jirbaħ; **~done** adj. (culin.) mhux imsajjar/imsajra; **~estimate** vt. stima anqas milli kien ħaqqu; **~exposed** adj. (phot.) mhux espost biżżejjed; **~fed** adj. mhux mitmugħ/mitmugħa biżżejjed; **~foot** adv. mas-saqajn; **~go** vt. (irreg.) għadda minn; (treatment) għamel; **~graduate** n. student (mhux gradwat); **~ground** n. (brit. railway) taħt l-art; (pol.) oppożizzjoni sigrieta; (mus.) underground // adj. (car park) taħt l-art // adv. (work) bil-moħbi; **~growth** n. nuqqas ta' twelid; **~hand(ed)** adj. (fig.) makakk/a; **~lie** vt. (irreg.) (fig.) kien ir-raġuni fundamentali għala; **~line** vt. issottolinja; **~mine** vt. dgħajjef; **~neath** adv. taħt // prep. taħt; **~paid** adj. mhux imħallas/imħallsa; **~pants** n.pl. qliezet ta' taħt; **~pass** (brit.) n. triq li tgħaddi taħt oħra; **~privileged** adj. sprivileġġjat/a; **~rate** vt. stama bi prezz baxx ħafna, maqdar; **~shirt** (US.) n. flokk ta' taħt; **~shorts** (US.) n.pl. qliezet ta' taħt; **~side** n. parti inferjuri; **~skirt** (brit.) n. dublett ta' taħt
understand (irreg.) vt., vi. fehem, daħħal f'moħħu; (assume) assuma; **~able** adj. komprensibbli; **~ing** adj. li jifhem/tifhem // n. intelliġenza; (agreement) qbil
understatement n. imminimizza; **that's an ~!** biex ma ngħidu xejn!
understood (pt., pp. of **understand**) adj. (agreed) fehem, qabel ma'; (implied) **it is ~ that** hija diġà mifhuma illi
understudy n. attur ta' riserva
undertake (irreg.) vt. obbliga ruħu, daħal għal xi xogħol; **to ~ to do sth.** obbliga ruħu illi jagħmel xi ħaġa
undertaker n. deffien, bekkamort
undertaking n. biċċa xogħol (iebsa); (promise) wegħda
under: **~tone** n. **in an ~tone** f'ton kwiet; **~water** adv. taħt l-ilma // adj. ta' taħt; **~wear** n. lbiesi/ħwejjeġ ta' taħt; **~ world** n. (of crime) lok tal-kriminali; **~writer** n. (insurance) assiguratur
undesirable adj. (person) antipatiku/antipatika; (thing) (xi ħaġa) mhux mixtieqa
undies n.pl. (col.) lbiesi ta' taħt
undisputed adj. ikkuntrastat/a
undistinguished adj. medjokri
undo (irreg.) vt. (laces) ħall; (button, etc.) ħall; (spoil) ħela, qered; **~ing** n. qerda
undoubted adj. ċert/a, ma tistax tiddubitah/tiddubitaha
undress vi. neża', tgħarwen
undue adj. eċċessiv/a, esaġerat/a
undulating adj. mmewweġ/mmewġa
unduly adv. wisq, b'mod eċċessiv
unearth vt. kixef
unearthly adj. (hour) (siegħa) antipatika
uneasy adj. inkwetat/a; (feeling) skomdu/skomda; (peace) mhux ċert/a; **to feel ~ about doing sth.** ħassu skomdu jagħmel xi ħaġa

uneconomic(al) adj. mhux ekonomiku/ekonomika
uneducated adj. mhux edukat/a
unemployed adj. qiegħed/qiegħda // n.pl. **the ~** in-nies qiegħda
unemployment n. il-qgħad
unending adj. li ma jispiċċa/tispiċċa qatt
unenviable adj. (position) mhux wisq sabiħa
unerring adj. perfett/a, dejjem tajjeb/tajba
uneven adj. mhux indaqs; (road, etc.) mħatteb/mħattba
unexpected adj. mhux mistenni/mistennija; **~ly** adv. għal għarrieda
unfailing adj. (support) ma jieqaf/tieqaf qatt; (energy) (enerġija) li ma tbatti qatt
unfair adj. ~ **(to sb.)** ma kienx ġust fil-konfront ta' xi ħadd
unfaithful adj. mhux fidil/a
unfamiliar adj. mhux familjari; **to be ~ with** ma kienx jaf lil
unfashionable adj. mhux fil-moda
unfasten vt. (knot) ħall; (dress) ħall; (open) fetaħ
unfathomable adj. li ma jiftehimx/tiftehimx
unfavourable (US. **unfavorable**) adj. mhux favorevoli
unfeeling adj. li ma jħossx/tħossx
unfinished adj. mhux mitmum/a
unfit adj. mhux adattat/a; (incompetent): ~ **(for)** mhux tajjeb/tajba għal; ~ **for work** ma jinqalax/tinqalax għal
unflagging adj. li ma jegħja/tegħja qatt
unflappable adj. kalm/a
unflinching adj. ta' fehma soda
unfold vt. fetaħ // vi. (story) żvolġiet; (view) spjega/t ruħu/ruħha
unforseen adj. mhux maħsub/a
unforgettable adj. li ma jintesa/tintesa qatt
unforgivable adj. li ma jinħafirx/tinħafirx
unfortunate adj. żvinturat/a; (event, remark), "b'xorti ħażina" inopportun/a; **~ly** adv. sfortunatament
unfounded adj. mingħajr bażi soda
unfriendly adj. antipatiku/antipatika; (behaviour, remark) iebes/iebsa
unfurnished adj. mhux bl-għamara
ungainly adj. goff/a
ungodly adj. **at an ~ hour** f'siegħa antipatka
ungrateful adj. ingrata/a
unguarded adj. ~ **moment** n. f'mument ta' distrazzjoni
unhappiness n. nuqqas ta' kuntentizza
unhappy adj. (sad) mdejjaq/mdejqa; (unfortunate) sfortunat/a; (childhood) (tfulija) kerha; ~ **about/with** (arrangements, etc.) mhux kuntent/a dwar/bi
unharmed adj. mhux mimsus/a
unhealthy adj. (place) (post) mhux nadif; (person) marid/a; (fig. interest) ħżiena
unheard-of adj. mingħajr preċedent
unhook vt. qala'
unhurt adj. mhux mimsus/a
unicorn n. unikorn
unidentified adj. mhux identifikat/a; see also **UFO**
uniform n. uniformi // adj. uniformi, ta' għamla waħda
unify vt. waħħad, għaqqad
unilateral adj. unilaterali
unimaginable adj. li ma tistax timmaġinah/timmaġinaha
unimpaired adj. mhux mimsus/a
uninhabited adj. vojt/a
unintentional adj. mhux intenzjonali
union n. għaqda; (also **trade ~**) għaqda tal-ħaddiema // cpd. għaqda tal-ħaddiema; **U~ Jack** n. Union Jack
unique adj. uniku/unika
unison n. **in** ~ (speak, reply, sing) f'konkordanza
unit n. ħaġa waħda; (section: of furniture, etc.) biċċa, taqsima ta'; (team) għaqda; **kitchen ~** biċċa għamara tal-kċina
unite vt. għaqqad // vi. tgħaqqad; **~d** adj. magħqud/a; (effort) f'daqqa; **U~d Kingdom** n. ir-Renju Unit; **U~d Nations (Organization)** n. il-Ġnus Magħquda; **U~d States (of America)** n. l-Istati Uniti tal-Amerika, l-Amerika
unit trust (brit.) n. fond ta' investiment
unity n. għaqda
universal adj. universali
universe n. univers
university n. università
unjust adj. mhux ġust/a
unkempt adj. (appearance) żmattat/a; (hair) (xagħar) mħarbat/mħarbta
unkind adj. kattiv/a, aħdar/ħadra; (behaviour) kattiv/a (comment) iebes/iebsa
unknown adj. mhux magħruf/a
unlawful adj. illegali
unleaded adj. (petrol, fuel) mingħajr ċomb
unleash vt. qata'; (fig.) ħoloq
unleavened adj. mingħajr tibdil
unless conj. ħlief għal, jekk ma, għajr meta, sakemm; ~ **he comes** ħlief jekk jiġix; ~ **otherwise stated** sakemm ma jkunx hekk tagħrif mod ieħor
unlicensed adj. mingħajr liċenzja
unlike adj. (not alike) mhux l-istess; (not like) mhux bħal // prep. kuntrarjament għal

unlikely adj. improbabbli; (unexpected) mhux mistenni/mistennija
unlimited adj. mingħajr limitu
unlisted (US.) adj. (tel.) mhux imniżżel/imniżżla
unload vt. ħatt
unlock vt. fetaħ
unlucky adj. sfortunat/a, (inf.) beżżul/a; (object, number) li jġib l-isfortuna/s-saħta; **to be ~** kien sfurtunat
unmannerly adj. mingħajr manjieri
unmarried adj. mhux miżżewweġ
unmask vt. kixef
unmistak(e)able adj. ċar/a, li ma tistax ma tagħrfux/tagħrafhiex
unmitigated adj. mhux imtaffi/imtaffija
unnatural adj. (gen.) mhux naturali; (manner) stramb/a, mhux tas-soltu; (habit) pervers/a
unnecessary adj. mhux bżonjuż/a, mhux neċessarju/neċessarja
unnerve vt. tilef (il-kunfidenza, il-kuraġġ, eċċ.)
unnoticed adj. **to go** or **pass ~** għadda u ħadd ma nnutah
UNO n. abbr. of **United Nations Organization**; ĠM (Ġnus Magħquda)
unobtainable adj. li ma jinstab/tinstab imkien; (tel.) dejjem engaged
unobstrusive adj. prudenti, għaqli/ja
unoccupied adj. (seat, etc.) vojt/a
unofficial adj. mhux uffiċjali; (news) mhux uffiċjali, mhux konfermat/a
unorthodox adj. mhux konvenzjonali
unpack vi. żvojta l-bagalji // vt. żvojta
unpalatable adj. li ma jittikilx/tittikilx; (truth) kerha
unparalleled adj. (unequalled) ħadd bħalu/bħalha
unpleasant adj. (disagreeable) li jdejjaq/ddejjaq; (person) li jdejqek/ddejqek; (manner) (mġiba) li ma tagħtikx gost
unplug vt. qala' (minn mal-plakka)
unpopular adj. mhux popolari
unprecedented adj. mingħajr preċedent
unpredictable adj. li ma tistax tbassar
unpretentious adj. li ma jridhiex
unprofessional adj. (attitude, conduct) mhux serju/serja, mhux professjonali
unqualified adj. mhux kwalifikat/a; (success) fl-aspetti kollha
unquestionably adv. żgur, mingħajr dubji
unravel vt. (wool) ħall; (problem) solva
unreal adj. mhux reali; (extraordinary) straordinarju, ta' barra minn hawn
unrealistic adj. mhux realistiku/realistika
unreasonable adj. mingħajr raġuni; (demand) mhux raġonevoli
unrelated adj. mhux relatat/a; (family) ma tiġix/jiġix minn
unrelenting adj. mingħajr waqfien
unreliable adj. (person) li ma torbotx fuqu/fuqha; (machine) li toħloq il-problemi
unrelieved adj. (monotony) kostanti, li ma jiqafx/tiqafx
unremitting adj. mingħajr waqfien
unrepeatable adj. (offer) uniku/unika
unrepentant adj. mingħajr indiema
unreservedly adv. mingħajr riserva
unrest n. stat ta' skuntentizza; (pol.) stat ta' ribelljoni
unroll vt. firex
unruly adj. mqareb/mqarba
unsafe adj. perikoluż/a
unsaid adj. **consider it ~** qisni m'għidtlek xejn
unsatisfactory adj. mhux sodisfaċenti
unsavoury (US. **unsavory**) adj. (fig.) bla togħma
unscathed adj. mhux mimsus/a
unscrew vt. ħall
unscrupulous adj. mhux skrupluż/a, liberali ħafna
unseemly adj. mhux konvenjenti
unsettled adj. mhux mitmuma; (weather) mqalleb
unshaven adj. mhux imqaxxar/imqaxxra
unsightly adj. ikraħ/kerha
unskilled adj. (work, worker) mhux speċjalizzat/a
unsophisticated adj. mhux sofistikat/a
unspeakable adj. li ma tistax tlissen; (awful) ħażin/a ħafna
unstable adj. mhux stabbli
unsteady adj. mhux sod/a
unstuck adj. **to come ~** nħeles; (fig.) falla
unsuccessful adj. (attempt) mingħajr suċċess; (writer) li ma kisibx/kisbitx suċċess; **to be ~ (in attempting sth.)** ma rnexxilux (jagħmel xi ħaġa); **~ly** adv. mingħajr suċċess
unsuitable adj. mhux adattat; (time) (ħin) inopportun, mhux tajjeb
unsure adj. inċert/a, mhux ċert/a
unsuspecting adj. li ma jissuspetta/tissuspetta xejn
unswerving adj. li diffiċli biex tikkontrollaħ/tikkontrollaha
unsympathetic adj. li ma jinkoraġġix/tinkoraġġix; (unlikeable) antipat(i)ku/antipat(i)ka
untangle vt. ħall il-ħabla
untapped adj. (resources) (riżorsi) mhux sfruttati
unthinkable adj. li ma tistax taħsibha
untidy adj. (room) mqallba; (appearance) (dehra) mhux pulita, mħarbta
untie vt. ħall
until prep. sa, sakemm, sa meta // conj. sa; **~ he comes** sakemm jiġi hu; **~ now** sa issa; **~ then** sa dak il-ħin

untimely adj. mhux fil-waqt opportun; (death) ta' qabel
untold adj. (story) mistur/a; (suffering) li ma tistax tfisser bil-kliem; (wealth) (ġid) kbir, li ma tistax tikkalkulah
untoward adj. goff/a, inkonvenjenti
untranslatable adj. intraduċibbli, li ma tistax tittraduċih/a
unused adj. ġdid/a fjamant/a
unusual adj. mhux tas-soltu, differenti; (exceptional) mhux komuni, rari
unveil vt. (statue) kixef
unwanted adj. (clothing) antik/a; (pregnancy) mhux mixtieqa
unwavering adj. li ma tistax tikkontrollah/a
unwelcome adj. mhux mixtieq/a; (news) (aħbar) kerha
unwell adj. **to be/feel** ~ ħassu mhux f'sikktu/fiha
unwieldy adj. goff, tqil
unwilling adj. **to be** ~ **to do sth.** ma riedx jagħmel xi ħaġa; ~**ly** adv. kontra qalbu/qalbha
unwind (irreg. like **wind**) vt. ħall // vi. (relax) irrilassa
unwise adj. mhux għaqli
unwitting adj. involontarju
unworthy adj. mhux denn
unwrap vt. fetaħ
unwritten adj. (agreement) mhux bil-kitba; (rules, law) mhux uffiċjali
up prep. **to go/be** ~ **to sth.** temm xi ħaġa; **he went** ~ **the stairs/the hill** tela' t-taraġ/l-għolja; **we walked/climbed** ~ **the hill** tlajna l-għolja; **they live further** ~ **the street** joqogħdu iktar 'il fuq fit-triq; **go** ~ **that road and turn left** ibqa' sejjer dik it-triq u ikser 'il fuq/fuq ix-xellug // adv.
1 (upwards, higher) fuq, fil-għoli; ~ **in the mountains** hemm fuq il-muntanji; **put it a bit higher** ~ tellagħha iktar 'il fuq; ~ **there** hemm fuq; ~ **above** hemm fuq
2 to be ~ (out of bed) niżel/qam mis-sodda; (prices, level) għolew il-prezzijiet, il-livelli
3 ~ **to (as far as)** sa; ~ **to now** sa issa/(i)llum
4 to be ~ **to** (depending on): **it's** ~ **to you** f'idejk; **he's not** ~ **to it** (job, task, etc.) mhux kapaċi jagħmilha; **his work is not** ~ **to the required standard** xogħlu mhux tal-livell mixtieq; (inf. **be doing**): **what is he** ~ **to?** x'qed jagħmel sabiħ? // n. ~**s and downs** l-inżul u t-tlajja'
upbringing n. trobbija; (education) edukazzjoni
update vt. aġġorna
upgrade vt. (house) immodernizza; (employee) ta promozzjoni lil, tellgħu/tellagħha grad
upheaval n. (big) rewwixta, (small) tqanqil, għagħa; (pol.) taqliba
uphill adj. għat-telgħa; (fig. task) tqil/a // adv. **to go** ~ qabad it-telgħa
uphold (irreg.) vt. żamm wieqaf; (decision) wettaq
upholstery n. tapizzerija
upkeep n. manteniment
upon prep. fuq
upper adj. ta' fuq, l-iktar fl-għoli, l-ogħla // n. (of shoe: also: ~**s**) l-għonq; ~**-class** adj. il-klassi ta' fuq; ~ **hand** n. **to have the** ~ **hand** kien minn fuq; ~**most** adj. ta' fuq nett; **what was** ~**most in my mind** l-ikbar problema li qed nhewden fuqha
upright adj. dritt; (vertical) wieqaf; (fig.) onest
uprising n. (small) qawma, rvell; (big) rewwixta
uproar n. frattarija, qawma; (big) rewwixta
uproot vt. (also fig.) qala' mill-għeruq
upset n. (to plan, etc.) konfużjoni; (med.) inkwiet // (irreg.) vt. (glass, etc.) qaleb; (plan) ħarbat; (person) inkwieta/ta l-inkwiet lil // adj. inkwetat/a; (stomach) (stonku) mdardar
upshot n. ir-riżultat
upside-down adv. rasu 'l isfel, ta' taħt fuq; **to turn a place** ~ (fig.) qaleb kollox ta' taħt fuq
upstairs adv. fuq // adj. (room) ta' fuq // n. fuq
upstart n. kisba malajr tal-prestiġju (fama, poter, eċċ.)
upstream adv. kontra l-kurrent, kontrokurrent
uptake n. **to be quick/slow on the** ~ ma jdumx/ idum biex jifhem
uptight adj. (inf.) anzjuż
up-to-date adj. aġġornat/a
upturn n. (in luck) xaqliba; (comm. in market) tisħiħ
upward adj. 'il fuq; ~**(s)** adv. il fuq; (more than): ~**(s) of** iktar minn
uranium n. uranju
urban adj. tal-belt, urban
urbane adj. ħelu/ħelwa fl-imġiba, gustuż/a
urchin n. tfajjel brikkun/mqareb; **sea** ~ n. rizza
urge n. (desire) aptit // vt. **to** ~ **sb. to do sth.** imbotta lil xi ħadd biex jagħmel xi ħaġa
urgency n. urġenza; (of tone) insistenza
urgent adj. urġenti; (voice) insistenti; ~**ly** adv. urġentement
urinal n. pixxatur, awrinar
urinate vi. għamel l-awrina; (fam.) pixxa; (fam.) biel
urine n. awrina; (fam.) pipì; (fam.) bewl
urn n. urna; (also **tea** ~) kontenitur tat-te
Uruguay n. l-Urugwaj; ~**an** adj., n. Urugwajan

US n. abbr. of **United States**; l-Amerika
us pron. aħna; (after prep.) għalina; see also **me**
USA n. abbr. of **United States (of America)**; l-Istati Uniti tal-Amerika
usage n. (ling.) it-tendenza ta' użu
use n. użu; (usefulness) ħtieġa, siwi, bżonn // vt. uża, nqeda bi; **she ~d to do it** kienet tagħmilha; **in** ~ qed tintuża; **out of** ~ mhux qed tintuża; **to be of** ~ kien ta' użu; **it's no** ~ (pointless) għalxejn; (not useful) bla użu; **to be ~d to** kien imdorri; ~ **up** vt. (food) kiel kollox; (money) nefaq kollox; **~d** adj. (car) użat/a; **~ful** adj. bżonjuż/a; **~fulness** n. ħtieġa, siwi, bżonn; **~less** adj. (unusable) ma jiswiex; (pointless) għalxejn; (person) tajjeb għal xejn; **~r** n. konsumatur/konsumatriċi; **~r-friendly** adj. (computer) user-friendly
usher n. (at wedding) axer; **~ette** n. (in cinema) axrett
USSR n. (hist.) **the** ~ l-Unjoni Sovjetika
usual adj. tas-soltu, li sar/et drawwa; **as** ~ bħas-soltu; **~ly** adv. is-soltu
usurer n. użurarju
usurp vt. qabad, ħataf
utensil n. xarbitella; **kitchen ~s** ħwejjeġ tal-kċina
uterus n. utru
utilitarian adj. utilitarju
utility n. utilità, ħtieġa; (also **public** ~) kamra fejn jaħslu l-ħwejjeġ, kamra tal-laundry
utilization n. użu
utilize vt. għamel użu minn, utilizza
utmost adj. l-iktar // n. **to do one's** ~ ta l-aqwa tiegħu
utter adj. totali, assolut/a // vt. fetaħ ħalqu; **~ly** adv. kompletament, għalkollox
U-turn n. kisra

V v

v it-tnejn u għoxrin ittra tal-alfabett Ingliż
v. abbr. of **verse**; **versus**; (= **volt**) v; (= **vide**) v
vacancy n. (brit. job) post battal; (room) kamra battala; **"no vacancies"** "m'għandniex bżonn iktar ħaddiema"
vacant adj. battal/a; (expression) distratt/a, moħħu/moħħha mhux hemm
vacate vt. (house, room) battal; (job) telaq minn, ħalla
vacation n. btala, vaganza
vaccinate vt. laqqam
vaccination n. tilqim
vaccine n. vaċċin
vacuum n. vaku; **~cleaner** n. vacuum cleaner; **~flask** (brit.) n. termos; **~-packed** adj. ippakkjat/a bil-vaku
vagary n. kapriċċ
vagina n. vaġina
vagrant n. li jiġġerra/tiġġerra
vague adj. vag/a; (memory) mhux ċar/a; (ambiguous) dubjuż/a; (person absent-minded) distratt/a; (evasive): **to be ~** lagħab bit-tifsir; **~ly** adv. vagament
vain adj. (conceited) mimli bih innifsu/biha nnifisha; (useless) fieragħ, vojt; **in ~** għalxejn
valance n. (of bed) purtiera
valentine n. (also **~ card**) (kard ta') San Valentinu
valet n. valè, qaddej personali
valiant adj. qalbieni/qalbenija, kuraġġuż/a
valid adj. tajjeb/tajba; (ticket) validu/valida; (law) ġustifikat/a; **~ity** n. validità
valise n. bagalja
valley n. wied
valuable adj. (jewel) ta' valur; (time) prezzjuż/a; **~s** n.pl. ir-rikkezzi
valuation n. stima; (judgement of quality) valutazzjoni
value n. valur; (importance) siwi, importanza // vt. (fix price of) iffissa l-prezz; (esteem) apprezza; **~s** n.pl. (principles) valuri; **~ added tax** (brit.) n. VAT; **~d** adj. (appreciated) apprezzat/a
valve n. valv
van n. (aut.) vann
vandal n. vandalu; **~ism** n. vandaliżmu; **~ize** vt. ivvandalizza
vanguard n. avangwardja
vanilla n. vanilla // cpd. (ice cream) tal-vanilla
vanish vi. sparixxa, għeb, ma deherx iżjed
vanity n. frugħa, vanità; **~ case** n. kaxxa tal-kosmetiċi
vantage point n. (for views) punt t'osservazzjoni
vapour (US. **vapor**) n. ċpar; (on breath, window) fwar
variable adj. li jvarja/tvarja, li jaqleb/taqleb
variant n. varjanti
variation n. tibdila, varjazzjoni
varicose adj. **~ veins** vini (minfuħin)
varied adj. (gen.) varju/varja, ta' ħafna xorta; (life) movimentat/a; (diet) varjata
variety n. (diversity) varjetà; (type) tipi differenti, varjetà; **~ show** varjetà
various adj. (several: people) bosta, varji; (reasons) differenti, varji
varnish n. verniċ; (**nail ~**) kjutiks // vt. ta l-verniċ; (nails) għamel il-kjutiks
vary vt. varja, biddel; (change) ta sura oħra // vi. tbiddel, tvarja
vase n. (small) važett; (big) vażun
Vaseline ® n. važellina
vast adj. vast/a, kbir/a immens
VAT (brit.) n. abbr. of **Value Added Tax**; VAT
vat n. (for wine) bittija kbira, tnell
Vatican n. **the ~** il-Vatikan
vault n. (of roof) saqaf bil-ħnejjiet; (tomb) midfen; (in bank) kaxxaforti // vt. (also **~ over**) qabeż (b'idejh imserrħin ma' xi mkien)
vaunted adj. **much ~** li tant jitkellmu dwarha
VCR n. abbr. of **video cassette recorder**
VD n. abbr. of **venereal disease**; see also **STD**
VDU n. abbr. of **visual display unit**
veal n. vitella; (meat) laħam tal-vitella
veer vi. (vehicle) dar (lura, 'il quddiem, eċċ.); (wind) dar

vegan n. veġetarjan/a strett/a
vegeburger n. berger tal-ħaxix
vegetable n. (bot.) ħaxix; (edible plant) ħaxix // adj. tal-ħaxix; **~s** n.pl. (cooked) ħxejjex tat-tisjir;
vegeterian adj., n. veġetarjan/a
vegetate vi. spiċċa/sar veġetali
vegetation n. il-ħdura
vehement adj. ta' saħħa, bil-qawwa; (violent) aħrax/ħarxa, vjolenti
vehemence n. qawwa; (violence) ħruxija
vehicle n. veikolu; (fig.) nofs
vehicular adj. **"no ~ traffic"** "ma jistgħux jgħaddu veikoli"
veil n. velu // vt. għatta; **~ed** adj. (fig.) protett/a
vein n. vina; (of ore, etc.) vina; **in melancholy ~** f'xejra melankonika
velocity n. ħeffa, veloċità
velvet n. bellus
vending machine n. vending machine
vendor n. bejjiegħ
veneer n. fuljetta; (fig.) xebh
venerable adj. venerabbli
venereal disease n. marda venerali; see also **STD**
Venetian blind n. persjana
Venezuela n. il-Venezwela; **~n** adj., n. mill-Venezwela
vengeance n. vendetta, tpattija; **with a ~** (fig.) b'korla kbira
venison n. laħam taċ-ċerv
venom n. velenu, tosku; (bitterness) mibegħda; **~ous** adj. ħażin/a
vent n. (in jacket) fetħa; (in wall) ventilatur // vt (fig. feelings) żvoga
ventilate vt. (room) perreċ
ventilation n. ventilazzjoni
ventilator n. ventilatur
ventriloquist n. ventrilokwu/ventrilokwa
venture n. sogru, riskju // vt. (opinion) ma beżax juri fehmtu // vi. issogra, irriskja; **business ~** sogru tan-negozju
venue n. lok ta' laqgħa
veranda(h) n. veranda
verb n. verb; **~al** adj. bil-kliem
verbatim adj., adv. kelma b'kelma
verdict n. verdett; (fig.) opinjoni, ġudizzju
verge (brit.) n. tarf, xifer, bordura; **to be on the ~ (of doing sth.)** kien biex (li jagħmel xi ħaġa); **~ on** vt. fus. resaq qrib, kien qrib
verger n. (rel.) sagristan
verification n. verifikazzjoni
verify vt. ivverifika, ra li veru
vermin n.pl. (animals) dud; (insects, fig.) parassiti, karfi
vermouth n. vermut
vernacular n. nattiv, tal-pajjiż; (ling.) djalett jew ilsien tal-post
versatile adj. (person) versatili; (machine, tool, etc.) varjabbli, li kapaċi taqleb malajr
verse n. vers; (stanza) stanza; (in bible) vers
versed adj. **(well-) ~ in** mdorri/ja fi, imħarreġ/mħarrġa sewwa fi
version n. verżjoni; (translation) traduzzjoni
versus prep. kontra
vertebra (pl. **~e**) n. rukkell
vertebrate n. vertebru; adj. vertebrat/a, bix-xewka tad-dahar
vertical adj. vertikali, wieqaf/wieqfa // n. vertikal; **~ly** adv. wieqaf/wieqfa
vertigo n. mejt, sturdament,
verve n. ħeġġa, entużjażmu
very adv. veru, tassew // adj. **the ~ book which** l-istess ktieb li; **the ~ last** propju l-aħħar; **at the ~ least** propju fl-inqas; **~ much** ħafna ħafna
vessel n. (ship) vapur, bastiment; (container) reċipjent; see **blood**
vest n. (brit.) flokk ta' taħt; (US. **waistcoat**) sidrija; **~ed interests** n.pl. (comm.) interess personali kbir
vestibule n. sala kbira
vestige n. ftit, nitfa; **not a ~ of truth** lanqas nitfa verità
vestry n. sagristija
vet vt. (candidate) eżamina, iċċekkja // (brit.) n. abbr. of **veterinary surgeon**
veteran n. veteran
veterinary surgeon (US. **veterinarian**) n. vett
veto (pl. **~es**) n. veto, jedd li jħassar digriet // vt. uża l-veto, ħassar digriet
vex vt. dejjaq, xabba', irrita; **~ed** adj. mxabba'/mxabbgħa, mdejjaq/mdejqa
VHF abbr. of **very high frequency**; VHF
via prep. permezz ta'
viable adj. vijabbli; (foetus) kapaċi jibqa' ħaj
viaduct n. mogħdija
vibrant adj. (lively) vivaċi, lvent/a; (bright) mdawwal/mdawla; (voice) vibranti
vibrate vi. **to ~ (with)** triegħed bi; (resound) baqa' jinstama', rbombja
vibration n. tregħida
vicar n. vigarju; **~age** n. id-dar ta' vigarju
vice n. (evil) vizzju; (tech.) morsa
vice- pref. viċi-; **~-chairman** n. viċi ċermen; **~-president** n. viċi president
vice versa adv. bil-maqlub, viċiversa
vicinity n. **in the ~ (of)** fil-qrib (ta')

vicious adj. (attack) brutali, bla qalb; (words) li jweġġgħu, kattivi; (horse, dog) feroċi; ~ **circle** n. ċirku vizzjuż
vicissitudes n.pl. bidla fix-xorti
victim n. vittma
victor n. rebbieħ
Victorian adj. Vittorjan/a
victorious adj. rebbieħ/a
victory n. rebħa
video cpd. vidjo // n. (~ **film**) film fuq vidjo; (also ~ **cassette**) vidjokażett; (also ~ **cassette recorder**) vidjokażett rekorder; ~ **game** n. logħba; videogame; ~ **tape** n. vidjotejp
vie vi. **to ~ (with sb. for sth.)** kien f'kompetizzjoni (ma' xi ħadd għal xi ħaġa)
Vienna n. Vjenna
Vietnam n. il-Vjetnam; **~ese** n. inv., adj. Vjetnamiż/a
view n. veduta; (outlook) perspettiva; (opinion) fehma // vt. (look at) ħares lejn; **on ~ (in museum, etc.)** espost għall-pubbliku; **in full ~ (of)** taħt għajnejn (xi ħadd); **in ~ of the weather/the fact that** minħabba t-temp/ fid-dawl tal-fatt; **in my ~** fl-opinjoni tiegħi; **~er** n. spettatur/spettatriċi; (tv.) telespettatur/ telespettatriċi; **~point n.** (attitude) perspettiva; (place) pożizzjoni
vigil n. sahra; **~ance** n. għassa; **~ance committee** n. kumitat ta' viġilanza; **~ant** adj. li dejjem attent/a u josserva/tosserva
vigorous adj. f'saħħtu/saħħitha; (energetic) ilvent/a
vigour (US. **vigor**) n. saħħa; (fig.) ħeġġa
vile adj. vili; (smell) li jqallgħak/tqallgħak
vilify vt. miegħer, każbar, maqdar (bil-kliem)
villa n. (country house) dar fil-kampanja; (suburban house) villa
village n. villaġġ, raħal; **~r** n. raħli
villain n. (scoundrel) bniedem ħażin; (in novel) il-kattiv; (brit. criminal) kriminal
vindicate vt. (prove right) iġġustifika; (prove innocent) ħareġ innoċenti (lil xi ħadd)
vindictive adj. vendikattiv/a, xi ħadd li jpatti/tpatti
vine n. dielja; ~ **grower** n. dak/dik li jkabbar/ tkabbar id-dwieli
vinegar n. ħall
vineyard n. għalqa kollha dwieli
vintage n. (year) is-sena tal-qtigħ u l-għasir tal-għeneb // cpd. ~ **wine** n. nbid vintage
vinyl n. vinil
viola n. (mus.) vjola
violate vt. kiser (il-liġi, eċċ.)
violence n. vjolenza, dnewwa
violent adj. vjolenti; (intense) qalil/a
violet adj. vjola // n. (plant) vjola
violin n. vjolin; **~ist** n. vjolinist(a)
VIP n. abbr. of **very important person**; VIP
viper n. lifgħa; (fig.) bniedem kattiv
virgin n. verġni // adj. (person) verġni; (unsullied) frisk/a; (land) verġni; **she is a ~** għadha verġni; **the Blessed V~** il-Verġni Mqaddsa; **~ity** n. verġinità, stat ta' min hu verġni
Virgo n. Virgo
virile adj. rġuli; (biol.) fertili
virility n. virilità
virtually adv. (in effict) fil-fatt; (to all intents and purposes) prattikament
virtual reality n. (comput.) realtà virtwali
virtue n. virtù; (advantage) preġju; **by ~ of** in virtù ta'
virtuoso n. virtuoso
virtuous adj. moralment tajjeb/tajba; (chaste) pur/a, safi/safja
virulent adj. velenuż/a
virus n. (also comput.) vajrus
visa n. visa
vis-á-vis prep. vis-à-vis; fil-konfront ta'
viscount n. viskonti
visibility n. viżibbiltà
visibly adv. viżibbilment
visible adj. viżibbli, li jidher/tidher
vision n. (sight) dehra; (forsight, in dream) viżjoni
visit n. żjara // vt. (person: US. also ~ **with**) żar, għamel żjara lil xi ħadd; (place) mar; **~ing hours** n.pl. (in hospital, etc.) sigħat taż-żjajjar; **~or** n. (in museum) viżitatur; (invited to house) mistieden; (tourist) turist
visor n. viżiera
vista n. vista
visual adj. tal-vista; ~ **aid** n. għajnuna viżiva; ~ **display unit** n. VDU; **~ize** vt. immaġina
vital adj. (essential) essenzjali; (dynamic) dinamiku/dinamika, lvent/a; (organ) meħtieġ, importanti; **~ly** adv. **~ly important** importanti għas-saħħa; ~ **statistics** n.pl. (fig.) statistiċi demografiċi
vitamin n. vitamina
vitiate vt. ħassar, ħażżen, għarraq
vivacious adj. ferrieħi, fuq ruħu, spiritiż
vivacity n. vivaċità
vivid adj. (account) ħaj; (light) qawwi; (imagination, memory) ċara; **~ly** adv. b'mod ħaj; (remember) b'mod ċar
vivisection n. vivisezzjoni
V-neck n. ġersijiet bl-għonq V
vocabulary n. vokabularju

vocal adj. vokali; ~**cords** n.pl. kordi vokali; ~**ist** n. kantant/a, vokalist

vocation n. vokazzjoni; ~**al** adj. vokazzjonali

vociferous adj. storbjuż/a, li jgħajjat/tgħajjat

vodka n. vodka

vogue n. in ~ **in** voga

voice n. vuċi // vt. esprima ruħu

void n. fieragħ/fiergħa; (hole) vojt/a // adj. (invalid) mhux tajjeb/tajba; (empty): ~ **of** m'għandux/għandhiex...

volatile adj. (situation) delikata; (person) pittur; (liquid) volatili

volcanic adj. vulkaniku/vulkanika

volcano (pl. ~**es**) n. vulkan(i)

volition n. **of one's own** ~ bil-volontà tiegħu stess, minn jeddu

volley n. (of gunfire) sparar; (of stones, etc.) tfigħ; (fig.) xita ta'; (tennis, etc.) volley; ~**ball** n. volibol

volt n. volt; ~**age** n. vultaġġ

voluble adj. lsienu/lsienna jilli/a

volume n. (gen.) volum; (book) volum, ktieb

voluntarily adv. volontarjament

voluntary adj. volontarju/volontarja

volunteer n. voluntier/a // vt. (information) offra // vi. offra ruħu; **to ~ to do** offra ruħu biex jagħmel

voluptuous adj. (pleasure, sensation) debuxxari/ debuxxara; (lips, figure) senswali

vomit n. vomtu (inf.) remettar // vt., vi. ivvomta, (inf.) irremetta

vote n. vot; (votes cast) votazzjoni; (**right to** ~) id-dritt tal-/għall-vot // vt. (chairman) eleġġa; (propose): **to ~ that** ippropona illi // vi. ivvota; ~ **of thanks** vot ta' ringrazzjament; ~**r** n. votant;

voting n. votazzjoni; ~ **booth** il-kabina elettorali; ~ **paper** karta tal-vot

vouch: to ~ for vt. fus. poġġa ruħu garanti għal

voucher n. (for meal, petrol) vawċer

vow n. ħalfa // vt. **to ~ to do/that** ħalef illi jagħmel/ħalef li

vowel n. vokali

voyage n. vjaġġ

vulgar adj. (rude) vulgari; (in bad taste) ta' gosti koroh; ~ **fraction** frazzjoni ordinarja; ~**ity** n. vulgarità

vulnerability n. espożizzjoni; vulnerabilità

vulnerable adj. (person) suġġett/a għal; (postition) espost/a; vulnerabbli

vulture n. seqer

W w

w it-tlieta u għoxrin ittra tal-alfabett Ingliż
wad n. ballun; (of banknotes, etc.) mazz
waddle vi. mexa donnu papra
wade vi. **to ~ through** (water) mexa fl-ilma; (fig. book) qara bi tbatija
wading pool (US.) n. pixxina tat-tfal żgħar
wafer n. wejfer
waffle n. (culin.) froġa // vi. tkellem/kiteb b'mod vag
waft vt. ħab // vi. nfirex
wag vt. ċaqlaq, xengel, ferfer // vi. iċċaqlaq, tferfer
wage n. (also **~s**) paga (pagi) // vt. **to ~ war** għamel gwerra; **~ earner** n. dak/dik li jaqla'/taqla' l-ħobża ta' kuljum; **~ packet** n. l-envelopp tal-paga
wager n. mħatra
waggle vt., vi. see **wag**
wag(g)on n. (horse-drawn) karru, karettun; (brit. rail.) vagun
wail n. biki, tnehid // vi. beka, xeher
waist n. qadd; **~coat** (brit.) n. sidrija; **~line** n. qadd
wait n. (interval) stennija // vi. stenna; **to lie in ~ for** stenna bil-moħbi lil xi ħadd; **I can't ~ to** (fig.) għandi seba' mitt sena li; **to ~ for** stenna lil/għal; **~ on** vt. fus. kompla jistenna; **~er** n. wejter; **~ing** n. **"no ~ing"** (brit. aut.) "ma tistax tieqaf hawn"; **~ing list** n. waiting list; **~ing room** n. kamra fejn tistenna; **~ress** n. wejtres
waive vt. ħalla, telaq, ċeda
wake (pt. **woke** or **waked**, pp. **woken** or **waked**) vt. (also **~ up**) qam // vi. (also **~ up**) stenbaħ // n. (for dead person) għassa mal-mejtin; (naut.) l-għelm li jħalli warajh il-vapur; **~n** vt., vi. **= wake**
Wales n. Wales; **the Prince of ~** il-Prinċep ta' Wales
walk n. (stroll) ippassiġġa; (hike) mar ħajk; (gait) il-pass; (in park, etc.) mixja // vi. mexa; (for pleasure, exercise) mixi // vt. (distance) mexa; (dog) ħa l-kelb; **10 minutes' ~ from here** għaxar minuti 'l bogħod minn hawn; **people from all ~s of life** nies minn kull qasam tal-ħajja; **~ out** vi. (audience) ħarġet 'il barra; (workers) strajkjaw; **~ out on** (inf.) vt. fus. telaq; **~er** n. (person) dak/dik li jimxi/timxi; **~ie-talkie** n. walkie-talkie; **~ing** n. mixi; **~ing shoes** n.pl. slipers tal-mixi; **~ing stick** n. bastun; **W~man** ® n. Walkman ®; **~out** n. strajk; **~over** (inf.) n. **it was a ~over** rebħa faċli; tkaxkira; **~way** n. triq tax-xatt
wall n. ħajt; (exterior) ħajt ta' barra; (**city ~**, etc.) il-ħajt tal-belt; **~ed** adj. bil-ħitan; (garden) mdawwar biċ-ċnut
wallet n. portmoni; portafoll
wallflower n. ġiżi safra; **to be a ~** (fig.) ħareġ ta' mazzun
wallop vt. (col.) xebgħa tajba
wallow vi. tmiegħek, tgerbeb; (fig.): **to ~ in luxury** għam fil-flus
wallpaper n. karta tal-ħitan, tapezzerija // vt. ħoloq tapezzerija
walnut n. ġewż; (tree) ġewża
walrus (pl. **~** or **~es**) n. wolrus
waltz n. valz // vi. żifen valz
wan adj. sfajjar/sfajra
wand n. (also **magic ~**) bakketta tas-sħarijiet, bakketta maġika
wander vi. (person) iġġerra; (thoughts) ħaseb // vt. mexa tul
wane vi. tnaqqas, iċċekken
wangle (brit. inf.) vt. makakkerija
want vt. ried; (need) kellu/ġie bżonn // n. **for ~ of** fin-nuqqas ta'; **~s** n.pl. (needs) bżonnijiet; **to ~ to do** ried jagħmel; **to ~ sb. to do sth.** ried lil xi ħadd jagħmel xi ħadd; **~ed** adj. mfittex/mfittxa; (criminal) mfittex; **"~ed"** (in advertisements) "imfittex"; **~ing** adj. **to be found ~ing** kellu/kellha ħafna bżonn
wanton adj. tost/a, traskurat/a
war n. gwerra; **to make ~ (on)** (also fig.) għamel gwerra fuq
ward n. (in hospital) sala; (pol.) distrett elettorali; (law child: also **~ of court**) taħt l-għassa ta'; **~ off** vt. (blow) laqa'; (attack) laqa' għal

warden n. (brit. of institution) direttur/direttriċi; (of park, game reserve) gwardjan, għassies; (brit. also **traffic** ~) dak li joqgħod mat-traffiku
warder (brit.) n. gwardjan, għassies
wardrobe n. gwardarobba
warehouse n. maħżen, stor
wares n.pl. merkanzija
warfare n. l-arti tal-ġlied
warhead n. ras il-missila
warily adv. bi prudenza, b'kawtela
warlike adj. tal-gwerra
warm adj. sħun/a; (thanks) kollu/kollha ħrara; (clothes, etc.) sħun/a; (welcome) akkoljenti; (day) sħun/a; **it's** ~ is-sħana; **I'm** ~ qed inħoss is-sħana; **~up** vi. (room) saħħan; (person) issaħħan; (athlete) għamel il-warming up // vt. saħħan; **~-hearted** adj. qalbu/qalbha tajba; **~ly** adv. bi ħrara; **~th** n. sħana, (fig.) ħrara
warn vt. widdeb; **~ing** n. twiddiba; **~ing light** n. dawl ta' twissija; **~ing triangle** n. (aut.) trijanglu ta' twissija
warp vi. (wood) nbaram // vt. baram, għawweġ; (mind) għarraq, ħażżen
warrant n. setgħa; (law to arrest) setgħa li titfa' l-ħabs; (to search) setgħa li tfittex
warranty n. garanzija
warren n. (of rabbits) bejta; (fig.) ġarra
warrior n. gwerrier
Warsaw n. Varsavja
warship n. bastiment tal-gwerra
wart n. felula
wartime n. **in** ~ fi żmien il-gwerra
wary adj. prudenti
was pt. of **be**
wash vt. ħasel // vi. nħasel; (sea, etc.): **to ~ against/over sth.** ħabbat ma' xi ħaġa // n. (clothes, etc.) ħasla; **to have a** ~ ħa ħasla; ~ **away** vt. (stain) neħħa; (subj. river, etc.) ġarret 'l hemm; ~ off vi. tneħħa; ~ **up** vi. (brit.) ħasel il-platti; (US.) nħasel; **~able** adj. li tista' taħslu/taħsilha; **~basin** (US. **~bowl**) n. mejjilla; ~ **cloth** (US.) n. biċċa tal-ħasil; **~er** n. (tech.) woxer; **~ing** n. ħasla; **~ing machine** n. magna tal-ħasil; **~ing powder** (brit.) n. trab tal-ħasil
wash: ~ing-up (brit.) n. il-platti maħmuġin; **~ing-up liquid** (brit.) n. likwidu tal-ħasil; **~-out** (inf.) n. diżastru; **~room** (US.) n. kamra tal-ħasil
Washington n. Washington
wasn't = was not
wasp n. naħla bagħlija
wastage n. ħela; (loss) telf
waste n. ħela; (of time) ħela ta' ħin; (food) ħela ta' ikel; (rubbish) skart // adj. (material) moħli/ja; (left over) il-fdal; (land) art moħlija // vt. ħela; (time) ħela l-ħin; (opportunity) ħela; **~s** n.pl. (area of land) lok ta' art moħlija; ~ **away** vi. ikkonsma ruħu; ~ **disposal unit** (brit.) n. waste disposal unit; **~ful** adj. ħali/ħalja; (process) li jħalli ħafna skart; ~ **ground** (brit.) n. biċċa art moħlija; **~paper basket** n. landa taż-żibel; ~ **pipe** n. pajp tal-iskart
watch n. (also **wrist** ~) arloġġ; (mil. group of guards) gwardji; (act) gwardjar; (naut. spell of duty) gwardja // vt. (look at) ħares lejn; (match, programme) ra; (spy on, guard) għasses segwa bir-reqqa; (be careful of) qagħad attent minn // vi. ra; (keep guard) qagħad għassa; ~ **out** vi. ħares b'attenzjoni; **~dog** n. kelb tal-għassa; (fig.) watchdog; **~ful** adj. attent/a; **~maker** n. arluġġar; **~man** (irreg) n. see **night**; ~ **strap** n. ċinga
water n. ilma // vt. (plant) saqqa // vi. (eyes) demma'; (mouth) tħajjar bl-ikel; ~ **down** vt. (milk, etc.) merraq; (fig. story) immodera; ~ **closet** n. lavatorju; **~colour** n. akkwarelli; **~fall** n. kaskata; ~ **heater** n. ħiter tal-ilma; **~ing can** n. bexxiexa; ~ **lily** n. fjur tal-ilma; **~line** n. (naut.) rimi tal-vapur; **~logged** adj. (ground) mifqugħ/a bl-ilma; ~ **main** n. mejn tal-ilma; **~melon** n. dulliegħa; **~proof** adj. li jiflaħ/tiflaħ għall-ilma; **~shed** n. (geog.) qasma bejn żewġ xmajjar; (fig.) mument kritiku; **~-skiing** n. ski akwatiku; **~tight** n. pressat għal kontra l-ilma; **~way** n. korsa ta' baħar navigabbli; **~works** n. impjant tal-ilma; (fam.) nfaqa' jibki; **~y** adj. (coffee, etc.) kollu/kollha ilma; (eyes) mdemmgħin
watt n. wott
wave n. (of hand) tixjira; (on water) mewġa; (radio, in hair) mewġ; (fig.) qawmien // vi. xejjer; (flag, etc.) xejjer // vt. (handkerchief, gun) xejjer; **~length** n. it-tul tal-mewġa
waver vi. (voice, love, etc.) ma kienx sod fil-fehma; (person) qagħad lura
wavy adj. mewwieġ/a
wax n. xama' // vt. għamel ix-xama' // vi. (moon) kiber; ~ **paper** (US.) n. karta tax-xama'; ~ **works** n. mużew ta' statwi tax-xama'
way n. triq; (distance) distanza; (direction) direzzjoni; (manner) manjiera; (habit) drawwa; **which ~? - this** ~ liema naħa? - din in-naħa; **on the ~ (en route)** fit-triq; **to be on one's** ~ kien fi triqtu; **to be in the** ~ waqqaf

it-triq; (fig.) dejjaq; **to go out of one's ~ to do sth.** biddel triqtu biex jagħmel xi ħaġa oħra; **under** ~ fil-mixja; **to lose one's** ~ tilef triqtu; **in a** ~ minn banda; **no ~!** (inf.) bl-ebda mod!; **by the** ~ - eh, bilħaqq -; **"~ in"** (brit.) "dħul"; **the ~ back** it-triq lura; **"give ~"** (brit. aut.) "give way"
waylay (irreg.) vt. waqqaf
wayward adj. ribelli
WC n. (brit.) loki
we pron. pers. (pl.) aħna
weak adj. batut/a; (tea, etc.) mhux qawwi; **~en** vi. iddgħajjef; (give way) ċedi // vt. dgħajjef; **~ling** n. dgħajjef; (morally) dgħajjef; **~ness** n. dgħufija; (fault) in-nuqqas; **to have a ~ness for** taqa' għal
wealth n. ġid, għana; (of details) ħafna; **~y** adj. sinjur/a, għani/ja
wean vt. fatam
weapon n. arma
wear (pt. **wore**, pp. **worn**) n. (use) uża, ikkonsma; (deterioration through use) mar bl-użu; (clothing): **sports/baby** ~ lbies sportiv/tat-trabi // vt. (clothes) libes; (shoes) libes; (damage: through use) kisser bl-użu // vi. (last) dam; (rub through, etc.) ħoloq attrizzjoni; **evening** ~ lbies ta' filgħaxija; ~ **away** vt. mar // vi. ħoloq l-attrizzjoni; ~ **down** vt. kisser bl-użu; (strength); ~ **off** vi. (pain, etc.) għadda; ~ **out** vt. (person, strength) batta; ~ **and tear** n. attrizzjoni
wearily adv. li joħloq/toħloq l-għeja
weariness n. għeja
weary adj. għajjien/a; (dispirited) mkedded/ mkedda // vi. **to ~ of** sar imxabba' bi
weasel n. (zool.) ballottra
weather n. temp // vt. (storm) felaħ, irreżista, (crisis) żamm iebes; **under the** ~ (fig. ill) ħassu ma jiflaħx; **~-beaten** adj. (skin) bil-marki tat-temp; (building) mgerrem; **~cock** n. pinnur; ~ **forecast** n. tbassir tat-temp; **~man** (irreg. inf.) n. ir-raġel tat-temp; ~ **vane** n. **= ~cock**
weave (pt. **wove**, pp. **woven**) vt. (cloth) niseġ; (fig.) mexa f'forma ta' żigżag; **~r** n. nissieġ
weaving n. nsiġ
web n. (of spider) għanqbuta; (on duck's foot) xibka; (network) xibka, netwerk
website n. websajt
wed (pt., pp. **wedded**) vt. żewweġ // vi. iżżewweġ
we'd = we had; we would
wedded pt., pp. of **wed**
wedding n. żwieġ; ~ **party** tieġ; **silver/golden** ~ (anniversary) anniversarju tal-fidda/deheb; ~ **day** n. il-jum tat-tieġ; ~ **dress** n. libsa tat-tieġ; ~ **present** n. rigal; ~ **ring** n. ċurkett tat-tieġ
wedge n. (of wood, etc.) feles, kavilja; (of cake) biċċa, slajs // vt. deffes feles, kavilja
Wednesday n. l-Erbgħa
wee (Scottish) adj. żgħir/a
weed n. ħaxixa ħażina // vt. neħħa l-ħaxix ħażin; **~killer** n. erbiċida; **~y** adj. (person) rqajjaq/rqajqa
week n. ġimgħa; **a ~ today/on Friday** għalaq ġimgħa llum/jagħlaq ġimgħa nhar il-Ġimgħa; **~day** n. jum tal-ġimgħa; **~end** n. tmiem il-ġimgħa; **~ly** adv. kull ġimgħa // adj. ta' kull ġimgħa
weep (pt., pp. **wept**) vi., vt. beka, xerred id-dmugħ; **~ing willow** n. il-bekkejja
weigh vt., vi. wiżen; **to ~ anchor** refa' l-ankra; ~ **down** vt. tgħawweġ; (fig. with worry) sar inkwetat ħafna; ~ **up** vt. qies
weight n. toqol, piż; (metal ~) piż; **to lose/put on** ~ rqaq/et / ħxien/et; **~ing machine** magna tal-użin; **~lifter** n. li jqandel il-piżijiet; **~y** adj. tqil/a; (matters) importanti
weir n. lqugħ tal-ilma tax-xmajjar
weird adj. stramb/a, bizzarr/a
welcome adj. b'merħba // n. merħba // vt. laqa'; (be glad of) laqa' bil-ferħ; **thank you - you're** ~ grazzi - m'hemmx imniex
weld n. saldatura // vt. issaldja, iwweldja
welfare n. komfort, qagħda tajba; (social aid) għajnuna soċjali; ~ **state** n. welfare state
well n. tajjeb // adv. sew, kif jixraq // adj. **to be** ~ ħassu tajjeb // excl. tajjeb! (fam.) tal-ġenn, lussu, tal-ostra (fam.) tal-ostja; **as** ~ ukoll; **as ~ as** kif ukoll; ~ **done**! prosit; **get ~ soon!** jalla jgħaddilek malajr!; **to do** ~ (business) dawwar lira; (person) mar tajjeb; ~ **up** vi. (tears) żamm
well: ~-behaved adj. li jġib/ġġib ruħu/ruħha tajjeb; **~-being** n. benesseri; **~-built** adj. (person) mibni/ja; **~-deserved** adj. li kien ħaqqu/ħaqqha; **~-dressed** adj. liebes/liebsa tajjeb; **~-heeled** (inf.) adj. (wealthy) għani/ għanja; **~-known** adj. (person) magħruf/a; **~-mannered** adj. ta' manjieri tajba; **~-meaning** adj. b'intenzjonijiet tajba; **~-read** adj. li qara/qrat ħafna; **~-to-do** adj. komdu/ komda; **~-wisher** n. li jixtieq/tixtieq il-ġid
we'll = we will; we shall
wellingtons n.pl. (also **wellington boots**) buz tal-lasktu
went pt. of **go**

wept pt., pp. of **weep**
were pt. of **be**
we're = **we are**
weren't = **were** not
west n. Punent // adj. tal-Punent // adv. Punent; **the W~** il-Punent; **~erly** adj. lejn il-Punent; (wind) li jonfoħ mill-Punent; **~ern** adj. tal-Punent, li qiegħed fil-Punent; (wind) li ġej mill-Punent; **~ization** (pol.) twaħħid mal-Punent // n. (cine.) western; **W~ Germany** n. (hist.) il-Ġermanja tal-Punent; **W~ Indian** adj. tal-Indjani tal-Punent, n. Indjan tal-Punent; **W~ Indies** n.pl. l-Indji tal-Punent **~ward(s)** adv. lejn il-Punent
wet adj. (damp) ftit imxarrab/imxarrba, niedi/niedja; (**~ through**) mxarrab għasra; (rainy) bix-xita // (brit.) n. (pol.) moderati; **to get ~** ixxarrab; **"~ paint"** "żebgħa friska"; **~suit** n. lbies tal-għawm
we've = **we have**
whack vt. sawwat; **~ed** adj. (col. tired) mgħaffeġ/mgħaffġa, stilla
whale n. (zool.) baliena
wharf (pl. **wharves**) n. moll
what adj.
1 (in direct/indirect questions) xi; **~ size is he?** x'qies jilbes?; **~ colour/shape is it?** x'kulur/forma għandha?
2 (in exclamations): **~ a mess!** x'tgħaffiġa!; **~ a fool I am!** kemm jien ċuċ!
// pron.
1 (interrogative) xi; (angry tone) xi llallu, xi llostra (angry tone: fam.) xi l-qaħbeċ, xi llostja; **~ are you doing?** x'qed tagħmel?; **~ is happening?** x'qed jiġri?; **~ is it called?** x'jgħidulha?; **~ about me?** u jien?; **~ about doing -?** u xi tgħid li kieku kellna -?
2 (relative) xi; **I saw ~ you did/was on the table** rajt x'għamilt/x'kien hemm fuq il-mejda // excl. (disbelieving) x'inhu!; **~, no coffee!** x'inhu, ma rridx kafè!
whatever adj. **~ book you choose** liema ktieb tagħżel // pron. **do ~ is necessary** agħmel kulma hemm bżonn; **~ happens** jiġri x'jiġri; **no reason ~ or whatsoever** għall-ebda raġuni hi liema hi; **nothing ~** assolutament xejn
whatsoever adj. see **whatever**
wheat n. qamħ
wheedle vt. **to ~ sb. into doing sth.** żiegħel b'xi ħadd biex jagħmillu xi ħaġa; **to ~ sth. out of sb.** ħareġ xi ħaġa mingħand xi ħaġa permezz ta' żegħil
wheel n. rota; (aut. also **steering ~**) stering; (naut.) tmun // vt. (pram, etc.) saq // vi. (also **~ round**) dawwar wiċċu; **~ barrow** n. karretta b'rota waħda; **~chair** n. siġġu tar-roti; **~ clamp** n. (aut.) apparat tal-klemping
wheeze n. ħoss ta' tisfira; (inf.) ħlieqa // vi. saffar
when adv. meta; **~ did it happen?** meta ġrat/seħħet?; **I know ~ it happened** naf meta ġrat/seħħet
// conj.
1 (at, during, after the time that) meta, waqt; **be careful ~ you cross the road** oqgħod attent waqt li taqsam it-triq; **that was ~ I needed you** dak kien il-ħin meta kelli bżonnok
2 (on, at which): **on the day ~ I met him** dakinhar illi ltqajt miegħu
3 (whereas) waqt, (law) jekk tikkunsidra illi
whenever conj. kull meta; (every time that) kull darba illi // adv. kull darba
where adv. fejn // conj. fejn; **this is ~** hawnhekk hu fejn; **~abouts** adv. l-inħawi // n. **nobody knows his ~abouts** ħadd ma jaf fejn jinsab; **~as** conj. waqt; **~by** adv. għalhekk; **~ver** conj. kull fejn; (interrogative) fejn; **~withal** n. il-mezzi
whet vt. senn, xeffer
whether conj. jekk; **I don't know ~ to accept or not** ma nafx jekk għandix naċċettaha jew le; **~ you go or not** jekk tmurx jew le
which adj.
1 (interrogative: direct, indirect) liema; **~ picture(s) do you want?** liema ritratt(i) trid?; **~ one?** liema wieħed/waħda?
2 in ~ case f'liema każ; **we got there at 8 pm, by ~ time the cinema was full** morna hemm fit-8 pm, u sa dak il-ħin iċ-ċinema kien mimli
// pron.
1 (interrogative) liema (wieħed/waħda); **I don't mind ~** hu liema hu, ma jagħmillix differenza
2 (relative: replacing noun) li; (replacing clause) illi; (after preposition) (dak/dik) illi; **the apple ~ you ate/~ is on the table** it-tuffieħa li kilt inti/li qiegħda fuq il-mejda; **the chair on ~ you are sitting** is-siġġu li qiegħed bilqiegħda fuqu inti; **he said he knew ~ is true** qal li kien jaf liema hi vera
whichever adj. **take ~ book you prefer** ħu liema ktieb tixtieq; **~ book you take** ikun liema ktieb li tieħu
whiff n. riħa
while n. waqt, mument, ftit ħin // conj. filwaqt; (although) għalkemm; **for a ~** għal ftit ħin; **~ away** vt. waqt li ma kienx hemm
whim n. kapriċċ

whimper n. newħa, karba // vi. nagħa, karab, newwaħ
whimsical adj. (person) kapriċċuż/a; (look) (ħarsa) kurjuża
whine n. (of pain) karba; (of engine) ħoss tal-magna; (of siren) tinwiħa // vi. newwaħ; (fig. complain) qered
whip n. frosta; (pol. person) wipp // vt. sawwat bil-frosta; (culin.) ħabbat; (move quickly): **to ~ sth. out/off** ġibed xi ħaġa bis-saħħa; **~ped cream** n. krema li titla'; **~-round** (brit.) n. dar bil-ħatfa
whirl vt. dawwar // vi. iddawwar; (leaves, etc.) nbaram; **~pool** n. belliegħa, tromba; **~wind** n. riefnu ta' riħ, tromba tal-art
whirr vi. żanżan
whisk n. (culin.) apparat li jillikwida // vt. (culin.) illikwida; **to ~ sb. away** or **off** tajjar 'l hemm; farfar; keċċa; warrab minnufih
whiskers n.pl. (of animals, of man) mustaċċi
whiskey (US., Ireland) n. = **whisky**
whisky n. skoċċ, wiski
whisper n. tfesfis // vi., vt. fesfes
whist n. logħba tal-karti
whistle n. (sound) tisfira; (object) suffara // vi. saffar
white adj. abjad/bajda; (pale) abjad/bajda // n. abjad; (of egg) abjad; **~ coffee** (brit.) n. kafè bil-ħalib/abjad; **~-collar worker** n. ħaddiema tal-pinna; **~ elephant** n. (fig.) kapriċċ; **~ lie** n. gidba żgħira; **~ness** n. bjuda; **~ noise** n. ħoss uniformi; **~ paper** n. (pol.) white paper; **~wash** n. (paint) tibjid // vt. (also fig.) għatta
whiting n. inv. (fish) ħuta li tittiekel
Whitsun n. is-seba' ġimgħa wara l-Għid
whittle vt. **to ~ away**, **~ down** (costs) naqqas
whizz vi. **to ~ past** or **by** leħħ, għadda jiġri; **~ kid** (inf.) n. tfajjel straordinarjament intelliġenti
WHO n. abbr. of **World Health Organization**; WHO
who pron.
1 (interrogative) min; **~ is it?, ~'s there?** min hemm?; **~ are you looking for?** lil min qed tfittex?; **I told her ~ I was** għidtilha min jien
2 (relative) li; **the man/woman ~ spoke to me** ir-raġel/mara li kellimni/kellmitni; **those ~ can swim** dawk li jistgħu jgħumu
whodun(n)it (inf.) n. rumanz tal-qtil
whoever pron. **~ finds it** kull min isibha; **ask ~ you like** staqsi lil min trid; **~ he marries** lil kull min jiżżewweġ
whole adj. (entire) kollu/kollha; (not broken) sħiħ/a // n. kollu; (all): **the ~ of the town** il-belt kollha // n. (total) total; (sum) somma; **on the ~, as a ~** inġenerali; **~food(s)** n.pl. ikel integrali; **~hearted** adj. sinċier/a, kordjali; **~meal** adj. integrali; **~sale** n. bejgħ bil-gross // adj. bi gross; (fig. destruction) tal-massa; **~saler** n. aġent; **~some** adj. f'saħħtu/saħħitha; **~wheat** adj. = **~meal**; **wholly** adv. b'mod sħiħ
whom pron.
1 (interrogative): **~ did you see?** lil min rajt?; **to ~ did you give it?** lil min rajt?; **tell me from ~ you received it** għidli mingħand min irċevejtha
2 (relative); **to ~** li; **of ~** ta'; **the man ~ I saw/ to ~ I wrote** ir-raġel li tajt/li ktibtlu; **the lady about/with ~ I was talking** il-mara li tkellimt dwarha/magħha
whooping cough n. sogħla konvulsiva
whopping adj. (col. big) kbir/a
whore (inf. pej.) n. qaħba
whose adj.
1 (possessive: interrogative): **~ book is this?, ~ is this book?** ta' min hu dan il-ktieb?; **~ pencil have you taken?** ta' min hu l-lapes li ħadt?; **~ daughter are you?** inti t-tifla ta' min?
2 (possessive: relative) li; **the man ~ son you rescued** ir-raġel li salvajtlu t-tifel; **those ~ passports I have** dawk li jien għandi l-passaporti tagħhom; **the woman ~ car was stolen** il-mara li serqulha l-karozza
// pron. ta' min; **~ is this?** ta' min hu dan?; **I know ~ it is** naf ta' min hu/hi
Who's Who n. min hu min
why adv. għala/għaliex; **~ not?** għala le/għaliex le?; **~ not do it now?** għala/għaliex ma tagħmilhiex issa? // conj. **I wonder ~ he said that** qed niskanta għala qal hekk; **that's not ~ I'm here** mhux għalhekk ġejt; **the reason ~** ir-raġuni għala // excl. (expressing surprise, shock, annoyance) kif! (explaining): **~, it's you!** ara, mela int?; **~, that's impossible!** kif, li qed tgħid hu impossibbli
wick n. ftila
wicked adj. ħażin/a
wicker n. żarġun, għasluġ, virga tal-qasab; (also **~work**) xogħol tal-qasab
wicket n. (cricket: stumps) wikit; (grass area) roqgħa ħaxix
wide adj. wiesa'; (area, knowledge) vast/a; (choice) kbir/a, wiesa'/wiesgħa // adv. **to open ~** fetaħ beraħ; **to shoot ~** spara barra (football) ixxuttja barra; **~-awake** adj. mqajjem/imqajma; **~ly** adv. (travelled) f'ħafna postijiet; (spaced) miftuħ; **it is ~ly believed/**

known that - kulħadd jemmen/jaf illi -; **~n** vt. wessa'; (experience) kattar // vi. twessa'; **~ open** adj. miftuħ/a beraħ; **~spread** adj. mifrux/mferrex kullimkien

widow n. armel; **~ed** adj. romlot; **~er** n. armel

width n. wisa'

wield vt. (sword) xejjer; (power) ikkontrolla

wife (pl. **wives**) n. mara (nisa)

wig n. parrokka

wiggle vt. tkaxkar

wild adj. (animal) salvaġġ; (plant) salvaġġa; (person) salvaġġ/a; (idea) miġnuna; (rough: sea) mqalleb; (land) (art) moxa; (weather) qawwi, tempestuż; **~** n.pl. **-lands** reġjuni slavaġ; **~erness** n. deżert, art moxa; **~life** n. il-ħajja salvaġġa; **~ly** adv. (behave) b'mod miġnun; (lash out) fuq ix-xellug u fuq il-lemin; (guess) għal saqajha; (happy) entużjast/a

wilful (US. **willful**) adj. (action) volontarju/ volontarja; (obstinate) stinat/a

will aux. v.

1 (forming future tense): **I ~ finish it tomorrow** jien nispiċċaha għada; **I ~ have finished it by tomorrow** inkun spiċċajtha s'għada; **~ you do it? - yes I ~/no I won't** sa tagħmilha? - iva, sa nagħmilha/le, mhux sa nagħmilha

2 (in conjectures, predications): **he ~** or **he'll be there by now** bħal dal-ħin dak diġà qiegħed hemm; **that ~ be the postman** aktarx li kien il-pustier

3 (in commands, requests, offers): **~ you be quiet!** sa toqgħod kwiet; **~ you help me?** sa tgħinni?; **~ you have a cup of tea?** sa tieħu tazza te?; **I won't put up with it!** mhux sa noqgħod għaliha!

// vt. (pt., pp. **willed**) **to ~ sb. to do sth.** amar lil xi ħadd biex jagħmel xi ħaġa; **he ~ed himself to go on** ġabar il-kuraġġ u baqa' miexi // n. rieda; (testament) testment

willing adj. (with goodwill) b'rieda tajba; (enthusiastic) entużjast/a; **he's ~ to do it** adv. lest li jagħmilha; **~ness** n. rieda

willow n. żafżafa

willpower n. il-qawwa tar-rieda

willy-nilly adv. irid/trid jew ma jridx/tridx

wilt vi. (flower) dbielet; (fig. person) beda jbatti; (enthusiasm) naqas

wily adj. makakk/a

win (pt., pp. **won**) n. rebħa // vt. rebaħ; (obtain) kiseb (rebħa) // vi. trebbaħ; **~ over** vt. ikkonvinċa (lil); **~ round** (brit.) vt. = **~ over**

wince vi. nġibed lura

winch n. apparat biex jiġbed u jkaxkar

wind n. riħ; (med.) gass // vt. (take breath away from) qata' nifs

wind (pt., pp. **wound**) vt. dawwar; (wrap) geżwer; (clock, toy) ta l-ħabel // vi. (road, river) isserrep; **~ up** vt. (clock) ta l-ħabel; (debate, meeting) ikkonkluda, temm

windfall n. ħaġa ta' bla ħsieb

winding adj. (road) li sserrep; (staircase) garigor

wind instrument n. (mus.) strument tan-nifs

windmill n. mitħna tar-riħ

window n. tieqa; (in shop, etc.) vetrina; **~ box** n. kaxxa għall-fjuri; **~ cleaner** n. (person) dak/ dik li jnaddaf/tnaddaf it-twieqi; **~ ledge** n. ħoġor tat-tieqa; **~ pane** n. ħġieġa tat-tieqa; **~-shopping** n. **to go ~-shopping** mar/marret jittawwal/tittawwal (fil-vetrini); **~sill** n. ħoġor tat tieqa

windpipe n. gerżuma

wind power n. saħħa tar-riħ

windscreen (US. **windshield**) n. paraventu, windskrin; **~ washer** n. ħassiel il-windskrin; **~ wiper** n. wajper

windswept adj. mtajjar/mtajra bir-riħ

windy adj. bir-riħ; **it's ~** qed jonfoħ ir-riħ

wine n. nbid; **~ bar** n. bar tal-inbejjed; **~ cellar** n. kantina; **~ glass** n. tazza tal-inbid; **~ list** n. lista tal-inbejjed; **~ waiter** n. (gen.) wejter tax-xorb, (wine) wejter tal-inbejjed

wing n. ġewnaħ; (aut.) ġewnaħ; **~s** n.pl. (theat.) kwinti; **~er** n. (sport) plejer fuq il-wing, winger

wink n. tagħmiża // vi. għemeż

winner n. rebbieħ/a

winning adj. (team) (it-tim) rebbieħ/a; (goal) deċiżiv; (smile) li tiġbdek; **~s** n.pl. somma tar-rebħ

winter n. xitwa

wintry adj. xitwi/ja

wipe n. **to give sth. a ~** għadda bil-biċċa fuq xi ħaġa // vt. mesaħ, ixxotta; (tape) ħassar; **~ off** vt. mesaħ; (remove) neħħa; **~ out** vt. (debt) ħassar, irranġa, ħallas; (memory) ħassar; (destroy) qered; **~ up** vt. ixxotta

wire n. wajer; (elec.) kejbil; (telegram) telegramm // vt. (house) ċempel; (also **~ up**) qabad ma'; (person: telegram) bagħat telegramm

wireless (brit.) n. bla wajer

wiring n. stallazzjoni elettrika

wiry adj. (person) rqiq/a u b'saħħtu/saħħitha; (hair) qasir u mħabbel

wisdom n. għerf; (good sense) sanità, stat ta' moħħ f'sikktu; **~ tooth** n. sinna tal-għaqal

wise adj. għaref/għarfa; (sensible) għaqli/ja
- wise suffix: **time~** skont il-ħin
wisecrack n. botta, ċajta
wish n. xewqa // vt. xtaq; **best ~es** (on birthday, etc.) l-isbaħ xewqat; **with best ~es** (in letter) bl-isbaħ xewqat; **to ~ sb. goodbye** xtaq is-sliem; **he ~ed me well** xtaqli tajjeb; **to ~ to do sth.** xtaq li jagħmel xi ħaġa; **to ~ for** ixxennaq għal, twebbel bi, xtaq; **~ful** adj. **it's ~ful thinking** huma biss ħsibijiet u xewqat
wisp n. troffa; (of smoke) faxx
wistful adj. nostalġiku/nostalġika; (look) ta' dwejjaq
wit n. dehen; (also **~s**) intelliġenza; (person) ċajtier/a, fabbli/ja
witch n. saħħara; **~craft** n. seħer, magħmul; **~hunt** n. (fig.) kampanja kontra d-dissidenti
with prep.
1 (accompanying, in the company of) ma'; **I was ~ him** kont miegħu; **we stayed ~ friends** qgħadna ma' xi ħbieb; **I'm (not) ~ you** (understand) m'iniex qed nifhmek; **to be ~ it** (inf. person: up-to-date) aġġornat; (alert) attent
2 (descriptive, indicating number, etc.) bi; **a room ~ a view** kamra b'veduta; **the man ~ the grey hat/blue eyes** ir-raġel bil-kappell griż/li għandu għajnejh żoroq; **red ~ anger** (sar) aħmar bir-rabja; **to shake ~ fear** beda jterter bil-biża'; **to fill sth. ~ water** mela xi ħaġa bl-ilma
withdraw (irreg.) vt. irtira // vi. dar lura; **to ~ money** (from the bank) ħareġ il-flus (mill-bank); **~al** n. ritrata; (of money) ġbid; **~al symptoms** n.pl. (med.) sintomi ta' astinenza; **~n** adj. (person) insoċjevoli, riservat/a
wither vi. dbiel
withhold (irreg.) vt. (money) żamm; (decision) irrifjuta; (permission) ma ħalliex; (information) ma ħariġx, ħeba
within prep. ġewwa // adv. ġo; **~ reach (of)** fejn seta' jilħaq; **~ sight (of)** fid-dieher ta'; **~ the week** fil-ġimgħa; **~ a mile (of)** f'mil ta'
without prep. mingħajr; **to go ~ sth.** għadda mingħajr xi ħaġa
withstand (irreg.) vt. oppona, mar kontra
witness n. xhud // vt. (event) għadda minn; (document) afferma; **to bear ~ to** (fig.) xehed; **~ box** n. kabina tax-xhieda; **~ stand** (US.) n. = **~ box**
witticism n. makakkerija
witty adj. makakk/a, moħħu/moħħha jilħaqlu/jilħqilha
wizard n. saħħar
wk abbr. of **week**
wobble vi. ixxengel; (chair) iżżegleg
woe n. niket kbir, miżerja, gwaj, għali kbir, dwejjaq
woke pt. of **wake**
woken pp. of **wake**
wolf n. lupu (pl. **wolves**) ilpup
woman (pl. **women**) n. mara (nisa); **~ doctor** n. tabiba; **women's lib** (inf. pej.) n. ħelsien tal-mara; **~ly** adj. tal-mara
womb n. ġuf; (inf.) għoxx
women n.pl. of **woman**
won pt., pp. of **win**
wonder n. meravilja; (feeling) stagħġib // vi. **to ~ whether/why** staqsa jekk/għaliex; **to ~ at** stagħġeb għal; **to ~ about** ħaseb fi; **it's no ~ (that)** mhux ta' b'xejn (li); **~ful** adj. sabiħ/a ħafna
wonky adj. (col.) jitriegħed/titriegħed, mhux sod/a
won't = will not
woo vt. (woman) innamra
wood n. (timber) injam lest; (forest) foresta; **~ carving** n. (act) tinqix, skultura fl-injam; (object) tinqixa, skultura tal-injam; **~ed** adj. bil-boskijiet; **~en** adj. tal-injam; (fig.) mingħajr espressjoni; **~pecker** n. barbaġann ta' San Martin; **~wind** n. (mus.) strumenti tan-nifs; **~work** n. xogħol tal-injam; **~worm** n. susa tal-injam
wool n. suf; **to pull the ~ over sb.'s eyes** (fig.) għamilha lil xi ħadd; **~en** (US.) adj. = **~len;** **~len** adj. tas-suf ; **~lens** n.pl. ħwejjeġ tas-suf; **~ly** adj. tas-suf; (fig. ideas) konfużi; **~y** (US.) adj. = **~ly**
word n. kelma; (news) aħbar; (promise) il-kelma, wegħda // vt. ifformula; **in other ~s** fi kliem ieħor; **to break/keep one's ~** żamm/ma żammx kelmtu; **to have ~s with sb.** iġġieled ma' xi ħadd; **~ing** n. (of contract, etc.) formulazzjoni; **~ processing** n. word processing; **~ processor** n. word processor, proċessur tal-kelma
wore pt. of **wear**
work n. xogħol; (job) impjieg; (art, lit.) biċċa xogħol // vi. ħadem; (mechanism) jaħdem; (medicine) li tagħmel effett, li taħdem // vt. (shape) ħadem; (stone, etc.) ħadem; (mine, etc.) sfrutta; (machine) ħaddem; **~s** n. (brit. factory) ħaddiema, impjegati // n.pl. (of clock, machine) mekkaniżmu; **to be out of ~** kien qiegħed; **to ~ loose** (part) nqata'

minn; (knot) inħall; ~ **on** vt. fus. ħadem fuq; (principle) beda mill-prinċipju illi; ~ **out** vi. (plans, etc.) rnexxa, ħadem // vt. (problem) ħadem, prova jsolvi; (plan) elabora; **it ~s out at £100** jgħoddu £100; ~ **up** vt. **to get ~ed up** beda jitqanqal/jaġita ruħu; **~able** adj. (solution) prattika/prattiku; **~aholic** n. adikt għax-xogħol; **~er** n. ħaddiem; **~force** n. il-ħaddiema; **~ing class** n. il-klassi tal-ħaddiema; **~ing-class** adj. tal-klassi tal-ħaddiema; **~ing order** n. **in ~ing order** jaħdem/taħdem; **~man** (irreg.) n. ħaddiem; **~manship** n. (of worker) abbiltà; (thing) ħadma, fatturat; **~sheet** n. roster; **~shop** n. **workshop**; ~ **station** n. post tax-xogħol; **~-to-rule** (brit.) n. work-to-rule

world n. dinja // cpd. (champion) rebbieħ; (power, war) tad-dinja; **to think the ~ of sb.** (fig.) għandu opinjoni kbira ħafna ta'; **~ly** adj. dinji/dinjija; **~-wide** adj. mondjali; **W~-Wide Web** n. **the W~-Wide Web** ix-xibka mondjali

worm n. (also **earth~**) dudu

worn pp. of **wear** // adj. użat/a; **~out** adj. (object) spiċċa; (person) bla saħħa

worried adj. inkwetat/a, mikdud/a

worrier n. bniedem/bniedma li jinkedd/tinkedd

worry n. inkwiet // vt. inkwieta (lil), kedd // vi. inkwieta, (fam.) qatta' msarnu; **~ing** adj. li jkedd

worse adj., adv. agħar, eħżen // n. l-agħar, l-eħżen; **a change for the ~** bidla għall-agħar; **~n** vt., vi. ħażżen; ~ **off** adj. (financially): **to be ~ off** kellu inqas flus; (fig.): **you'll be ~ off this way** f'dan il-mod sa tmur għall-agħar

worship n. ġieħ, qima // vt. ta' ġieħ; **Your W~** (brit. to mayor) Sur Sindku; (to judge) Sur Imħallef

worst adj., adv. l-agħar // n. l-agħar; **at ~** l-agħar

worsted n. (wool) ~ ippetnat

worth n. siwi // adj. **to be ~** kien jiswa; **it's ~ it** hija ta' siwi; **to be ~ one's while (to do)** ta' siwi illi; **~less** adj. bla valur; (useless) mhux tajjeb/tajba; **~while** adj. (activity) ta' siwi; (cause) ta' min ifaħħar/tfaħħar

worthy adj. denn/denja, xieraq/xierqa; (motive) onest/a; ~ **of** jisboq lil

would aux. v.

1 (conditional tense): **if you asked him he ~ do it** kieku titolbu jagħmilha; **if you had asked him he ~ have done it** kieku tlabtu kien jagħmilha

2 (in offers, invitations, requests): **~ you like a biscuit?** trid gallettina?; **~ you ask him to come in?** tistiednu jidħol?; **~ you open the window please?** jimporta jekk tiftaħ it-tieqa jekk jogħġbok?

3 (in indirect speech): **I said I ~ do it** jien għidt li nagħmilha

4 (emphatic): **it would have to snow today!** irid jagħmel is-silġ illum!

5 (insistence): **she ~n't behave** ma ġabitx ruħha tajjeb

6 (conjecture): **it ~ have been midnight** ikun nofsillejl; **it ~ seem so** jkun jidher hekk

7 (indicating habit): **he ~ go there on Mondays** imur hemm kull nhar ta' Tnejn

would-be (pej.) adj. preżunt/a

wouldn't = would not

wound n. ferita, ġerħa // vt. weġġa'

wound pt., pp. of **wind**

wove pt. of **weave**

woven pp. of **weave**

wrangle n. ġlieda, disputa // vi. issielet, iġġieled, ħaqqaq

wrap vt. (also **~up**) geżwer, qartas, gerbeb ġo karta; **~per** n. (on chocolate) reper; (brit. of book) qoxra; **~ping paper** n. karti tat-tgeżwir; (fancy) karti tar-rigali

wrath n. korla, għadba, tagħdiba

wreak vt. **to ~ havoc (on)** ħoloq ħsara lil; **to ~ vengeance (on)** ivvendika ruħu minn

wreath n. (**funeral ~**) girlanda, kuruna tal-fjuri

wreck n. (ship: destruction) tkissir; (remains) tifrik, fdal; (pej. person) rovina // vt. (car, etc.) kisser; (chances) rama; **~age** n. fdal (ta' bastiment); (of building) tifrik

wren n. (zool.) għasfur żgħir

wrench n. (tech.) spanner; (tug) ġibda bis-saħħa; (fig.) ħatfa // vt. ġibed; **to ~ sth. from sb.** ħataf xi ħaġa mingħand xi ħadd

wrestle vi. **to ~ (with sb.)** tqabad (ma' xi ħadd); **~r** n. resler

wrestling n. resling

wretched adj. msejken/msejkna, batut/a, fqajjar/fqajra

wriggle vi. (also ~ **about**) tgħawweġ, tkaxkar, iżżegleg

wring (pt., pp. of **wrung**) baram, lewa bis-saħħa; (wet clothes) għasar; (fig.): **to ~ sth. out of sb.** ħareġ xi ħaġa mingħand xi ħaġa

wrinkle n. tikmix // vt. kemmex // vi. tkemmex

wrist n. polz; **~watch** n. arloġġ tal-polz

writ n. ordni bil-kitba; **to issue a ~ against sb.** ħareġ ordni kontra xi ħadd

write (pt., **wrote**, pp. **written**) vt. kiteb; (cheque) ħażżeż // vi. kiteb; ~ **down** vt. niżżel; (note) ħażżeż; ~ **off** vt. (debt) qata'; (fig.) ġie/t

meqjus/a; ~ **out** vt. kiteb; ~ **up** vt. write-up, kitba fuq; **~-off** n. telfa; **~r** n. kittieb
writhe vi. tgħawweġ/tgħawġet, ltewa/ltewiet
writing n. kitba; (**hand-~**) kitba; (of author) kitba; **in** ~ fil-kitba; ~ **paper** n. karta
written pp. of **write**
wrong adj. (wicked) ħażin/a; (unfair) mhux ġust/a; (incorrect) żbaljat/a, ħażin/a; (not suitable) mhux tajjeb/tajba; (reverse) bil-maqlub // adv. ħażin/a // n. tort, żball // vt. għamel ħażin, żbalja; **you are ~ to do it** qed tagħmel ħażin; **you are ~ about that, you've got it ~** fuq hekk għandek żball/ġibtha ħażina kollha; **to be in the ~** kien qed jagħmel ħażin; **what's ~?** x'hemm ħażin?; **to go ~** (person) żbalja; (plan) falla; (machine) waqfet; **~ful** adj. li jagħmel/tagħmel il-ħażin; **~ly** adv. ħażin; (by mistake) bi żball; ~ **number** n. (tel.): **you've got the ~ number** għandek numru ħażin
wrote pt. of **write**
wrought iron n. ħadid fondut
wrung pt., pp. of **wring**
wry adj. mgħawweġ/mgħawġa, milwi/ja
wt. abbr. of **weight**
WWW n. abbr. of **World Wide Web**; WWW

X x

x l-erbgħa u għoxrin ittra tal-alfabett Ingliż
Xmas n. abbr. of **Christmas**
X-ray n. eksrej // vt. ħa eksrej
xylophone n. gżajlofown

Y y

y il-ħamsa u għoxrin ittra tal-alfabett Ingliż
yacht n. jott; **~ing** n. (sport) jotting; **~sman/woman** (irreg.) n. l-imgħallem/imgħallma tal-jott
Yank (pej.) n. Amerikan/a
Yankee (pej.) n. = **Yank**
yap vi. (dog) nebaħ; garr
yard n. bitħa; (measure) jarda; **~stick** n. (fig.) kriterju, il-kejl
yarn n. ħajt (tat-tajjar, suf, eċċ.); (tale) rakkont; storja; ħrafa
yawn n. titwib; titwiba // vi. ittewweb; **~ing** adj. (gap) miftuħ/a ħafna
yd(s) abbr. of **yard(s)**
yeah (inf.) adv. iwa (inf.)
year n. sena; **to be 4 ~s old** għandu 4 snin; **a four-~-old child** tfajjel ta' 4 snin; **~ly** adj. ta' kull sena // adv. kull sena
yearn vi. **to ~ for sth.** ixxennaq għal xi ħaġa/xtaq xi ħaġa
yeast n. ħmira
yell n. twerżiqa, għajta // vi. (with pain) karab; (with fear, etc.) werżaq
yellow adj. sfajjar/sfajra // n. sfura; l-isfar; **~ish** safrani
yelp n. nebħa, għajta ta' kelb // vi. nebaħ
yeoman n. **Y~ of the Guard** Gwardjan tat-Torri ta' Londra
yes adv. iva // n. iva; **to say/answer ~** irrisponda iva
yesterday adv. lbieraħ // n. ilbieraħ; **~morning/evening** ilbieraħ filgħodu/filgħaxija; **all day ~** ilbieraħ kollu
yet adv. għad (negative) iżda, madanakollu // conj. imma; **it is not finished ~** għadha ma spiċċatx s'issa; **the best ~** l-aħjar s'issa; **as ~** s'issa
yew n. siġra sempreviva
Yiddish n. Jidix
yield n. (agr.) ħsad; (comm.) prodott // ċeda; (results) iffornixxa; (profit) irrenda // vi. ċeda; (US. aut.) naqqas
YMCA n. abbr. of **Young Men's Christian Association**; YMCA

yodel vi. għamel il-jodel
yoga n. yoga
yog(h)urt n. **yog(h)urt**
yog(h)urt n. = yog(h)ourt
yoke n. madmad
yolk n. isfar tal-bajda
yonder adv. f'dak il-post, hemmhekk
you pron.
  1 pers. (sg.) int; (pl.) intom
  2 (object: direct) -ek; **I know ~** nafek
  3 (object: indirect) -ek; **I gave the letter to ~ yesterday** tajtek l-ittra lbieraħ
  4 (stressed): **I told ~ to do it** għidt lilek biex tagħmilha; see also **2, 4**
  5 (after prep.) għalik; **it's for ~** din għalik
  6 (comparisons) minnek; **she's younger than ~** hi iżgħar minnek
  7 (impers.: one): **fresh air does ~ good** l-arja friska tagħmillek tajjeb; **~ never know** ma tistax tgħid; **~ can't do that** ma tistax tagħmel hekk
you'd = you had; you would
you'll = you will; you shall
young adj. żagħżugħ/a // n.pl. (of animal) ferħ; (people): **the ~** iż-żgħażagħ; **~er** adj. (brother, etc.) iż-żgħir/a; **~ster** n. tfajjel, ġuvnott
your adj. tiegħek; (pl.) tagħkom
you're = you are
yours pron. tiegħek; (pl.) tagħkom; see also **faithfully; mine; sincerely**
yourself pron. int(i) (i)nnifsek; (after prep.) int(i), int(i) stess; **yourselves** intom infuskom; see also **oneself**
youth n. żgħożija; (young man) żagħżugħ; **~club** n. klabb taż-żgħażagħ; **~ful** adj. taż-żgħożija; **~hostel** n. hostel taż-żgħażagħ
you've = you have
Yugoslav adj., n. Jugożlav/a
Yugoslavia n. Jugożlavja
Yule: ~log n. Christmas log
YWCA n. abbr. of **Young Women's Christian Association**; YWCA

Z z

z is-sitta u għoxrin ittra tal-alfabett Ingliż
zany adj. daħħak/daħħaka; buffu/buffa; nofs ras
zap vt. (comput.) zap
zeal n. ħeġġa; ħrara; żelu; **~ous** adj. mimli/ mimlija bil-ħrara
zebra n. żebra; **~crossing** (brit.) n. strixxi pedonali
zenith n. żenit
zephyr n. fewġa ħafifa; żiffa ħelwa, żefir
zeppelin n. żeppellin
zero n. żero; xejn; **~hour** n. il-ħin miftiehem għall-attakk
zest n. gost; (flavour) togħma; (of orange) qoxra
zigzag n. żigżag // vi. serrep
zinc n. żingu
Zionism n. Zionist
zip n. (also ~ **fastener**, (US.) **~per**) żipp // vt. (also ~ **up**) tella' ż-żipp; **~code** (US.) kowd/ kodiċi postali
zither n. żiter
zodiac n. żodjaku
zombie n. (fig): **he's like a** ~ qisu żombi
zone n. żona; faxxa; (**world** ~) taqsima tad-dinja
zoo n. żu
zoological adj. żuoloġiku/ żuoloġika
zoologist n. żuologu
zoology n. żuoloġija
zoom vi. **to** ~ **past** għadda jħaffef; ~ **lens** n. zoom
zucchini (US.) n.pl. żukkini
Zulu n. Żulu // adj. Żulu/Żula
Zurich n. Zurich
zygote n. żigoti